출제 최우선 작품

KB062939

순위	작품명	작가명	교과서	EBS교재	수능 등 기출	[illegible]	[illegible]	[illegible]	
1	만흥	윤선도	10	13	8	[illegible]	[illegible]	[illegible]	
2	어부사시사	윤선도	6	11	8	[illegible]	[illegible]	[illegible]	
3	율리유곡	김광욱	0	11	10	[illegible]	[illegible]	[illegible]	
4	도산십이곡	이황	2	11	6	15	50	84	
5	한거십팔곡	권호문	0	11	8	15	50	84	
6	훈민가	정철	0	11	8	15	50	84	
7	산중잡곡	김득연	0	11	6	15	50	82	
8	전원사시가	신계영	0	11	6	15	50	82	
9	고산구곡가	이이	0	11	6	15	50	82	
10	우국가	이덕일	0	11	6	15	50	82	
11	비가	이정환	0	11	6	15	50	82	
12	농가구장	위백규	0	11	6	15	50	82	
13	유원십이곡	안서우	0	11	6	15	50	82	
14	저곡전가팔곡	이휘일	0	11	6	15	49	81	**1~29**위 출제율 96~66% **〈연시조〉**
15	몽천요	윤선도	0	11	6	15	49	81	
16	사우가	이신의	0	11	6	15	48	80	
17	면앙정잡가	송순	8	0	6	15	50	79	
18	오우가	윤선도	4	0	8	15	50	77	
19	견회요	윤선도	0	0	10	15	50	75	
20	단가육장	이신의	0	0	6	15	50	71	
21	장육당육가	이별	0	0	6	15	50	71	
22	사노친곡	이담명	0	0	6	15	50	71	
23	풍계육가	이정	0	0	6	15	50	71	
24	입암이십구곡	박인로	0	0	6	15	50	71	
25	어부단가	이현보	0	11	0	12	45	68	
26	병산육곡	권구	0	11	0	12	45	68	
27	강호사시가	맹사성	2	0	0	15	50	67	
28	오륜가	주세붕	0	11	0	10	45	66	
29	오륜가	김상용	0	11	0	10	45	66	
30	속미인곡	정철	10	13	10	15	50	98	
31	상춘곡	정극인	6	15	8	15	50	94	
32	사미인곡	정철	8	15	8	15	47	93	
33	관동별곡	정철	6	15	6	15	50	92	
34	누항사	박인로	4	13	8	15	50	90	
35	규원가	허난설헌	2	13	6	15	50	86	
36	만언사	안도환	2	11	6	15	50	84	
37	연행가	홍순학	2	11	6	15	50	84	
38	농가월령가	정학유	0	11	6	15	50	82	
39	고공가	허전	0	11	6	15	50	82	
40	면앙정가	송순	0	11	6	15	50	82	**30~61**위 출제율 98~65위 **〈가사〉**
41	덴동어미 화전가	작자 미상	0	11	6	15	50	82	
42	일동장유가	김인겸	0	11	6	15	50	82	
43	황계사	작자 미상	0	11	6	13	45	75	
44	갑민가	작자 미상	0	11	6	13	45	75	
45	상사곡	박인로	0	0	8	15	49	72	
46	용추유영가	정훈	0	0	8	15	49	72	
47	춘면곡	작자 미상	0	13	0	13	46	72	
48	성산별곡	정철	0	11	6	13	42	72	
49	독락당	박인로	0	11	6	13	42	72	
50	명월음	최현	0	11	6	11	43	71	
51	상사별곡	작자 미상	0	11	6	11	43	71	
52	만분가	조위	0	0	6	15	50	71	
53	탄궁가	정훈	0	0	6	13	50	69	

순위	작품명	작가명	교과서	EBS교재	수능 등 기출	문학사적 평가	교사 추천	총점	분포
54	고공답주인가	이원익	0	0	6	13	50	69	
55	선상탄	박인로	0	11	0	11	47	69	
56	우부가	작자 미상	0	11	0	11	47	69	
57	노처녀가 1	작자 미상	0	11	0	15	43	69	
58	노처녀가 2	작자 미상	0	11	0	13	45	69	
59	만언사답	안도환	0	11	0	15	42	68	
60	북찬가	이광명	0	11	0	11	43	65	
61	북천가	김진형	0	11	0	11	43	65	
62	님이 오마 ᄒᆞ거늘	작자 미상	8	11	6	15	50	90	
63	동지ㅅᄃᆞᆯ 기나긴 밤을	황진이	10	13	0	15	50	88	
64	묏버들 갈ᄒᆡ 것거	홍랑	6	11	0	15	50	82	
65	오백 년 도읍지를	길재	4	13	0	15	50	82	
66	배설이 ᄌᆞ지진 골에	이색	4	11	0	15	50	80	
67	이화에 월백하고	이조년	6	11	0	15	48	80	
68	백구ㅣ야 말 무러보쟈	김천택	2	11	0	15	50	78	
69	창 내고쟈 창을 내고쟈	작자 미상	10	13	0	10	45	78	
70	어이 못 오던다	작자 미상	2	11	0	15	50	78	
71	나모도 바히 돌도 업슨	작자 미상	4	11	0	15	48	78	
72	한숨아 셰한숨아	작자 미상	2	11	0	15	50	78	
73	두터비 ᄑᆞ리를 물고	작자 미상	2	11	6	14	45	78	
74	일신이 사쟈 ᄒᆞᆫ이	이정보	2	11	0	15	50	78	
75	개를 여라믄이나 기르되	작자 미상	4	13	0	13	48	78	
76	댁들에 동난지이 사오	작자 미상	0	13	0	15	50	78	
77	논밭 갈아 기음 매고	작자 미상	0	11	6	13	48	78	
78	싀어마님 며느라기 낫바	작자 미상	0	11	0	15	50	76	
79	눈 마ᄌᆞ 휘여진 ᄃᆡ를	원천석	2	11	0	13	50	76	
80	이 몸이 주거 가셔	성삼문	4	11	0	13	48	76	
81	굼벙이 매암이 되야	작자 미상	2	11	8	10	45	76	
82	흥망이 유수ᄒᆞ니	원천석	0	11	0	15	50	76	
83	방옹시여	신흠	0	11	6	14	45	76	**62~117**위 출제율 90~60% **〈평시조 및 사설시조〉**
84	이화우 흣뿌릴 제	계랑	2	0	6	15	48	71	
85	어져 내 일이여	황진이	6	0	0	15	50	71	
86	부귀를 탐치 말고	임제	0	0	6	15	50	71	
87	방안에 혓ᄂᆞᆫ 촉불	이개	0	0	6	15	50	71	
88	꿈에 다니는 길이	이명한	0	11	6	11	43	71	
89	선인교 나린 물이	정도전	0	11	0	13	47	71	
90	가마귀 빠호ᄂᆞᆫ 골에	작자 미상	0	11	0	11	45	67	
91	가마귀 검다 ᄒᆞ고	이직	0	11	6	10	40	67	
92	뉘라셔 가마귀를	박효관	0	11	0	12	44	67	
93	가마귀 가마귀롤 좃ᄎᆞ	작자 미상	0	11	0	12	44	67	
94	백사장 홍료변에	작자 미상	0	11	0	12	44	67	
95	가마귀 눈비 마ᄌᆞ	박팽년	0	0	0	15	50	65	
96	천만 리 머나먼 길ᄒᆡ	왕방연	0	11	0	12	42	65	
97	남은 다 쟈는 밤에	송이	0	0	0	15	50	65	
98	평생에 일이 업서	낭원군	0	0	0	14	50	64	
99	말 업슨 청산이오	성혼	0	11	0	12	41	64	
100	추강에 밤이 드니	월산 대군	0	11	0	12	41	64	
101	ᄆᆞ음이 어린 후ㅣ니	서경덕	0	11	0	12	41	64	
102	수양산 ᄇᆞ라보며	성삼문	2	0	0	12	50	64	
103	곡구롱 우는 소리에	오경화	2	0	0	12	50	64	
104	봄이 왓다 ᄒᆞ되	신흠	2	11	0	10	40	63	
105	춘산에 눈 노기ᄂᆞᆫ 바ᄅᆞᆷ	우탁	2	0	0	13	48	63	
106	이런들 엇더ᄒᆞ며	이방원	2	0	0	13	48	63	

순위	작품명	작가명	교과서	EBS교재	수능 등 기출	문학사적 평가	교사 추천	총점	분포
107	이 몸이 주거 주거	정몽주	2	0	0	13	48	63	
108	내 마음 버혀 내여	정철	2	0	0	13	48	63	
109	서검을 못 일우고	김천택	0	11	0	12	40	63	
110	농암가	이현보	0	0	6	12	45	63	
111	태산이 놉다 하되	양사언	0	0	6	12	45	63	
112	흰 구름 프른 닉는	김천택	0	11	0	12	40	63	
113	청산은 내 뜻이오	황진이	0	11	0	12	40	63	
114	국화야 너는 어이	이정보	0	11	0	12	40	63	
115	시내 흐르는 골에	신희문	0	13	0	10	40	63	
116	서방님 병 들여 두고	김수장	0	11	0	10	39	60	
117	귓또리 져 귓또리	작자 미상	0	0	6	14	40	60	
118	제가야산독서당	최치원	10	11	0	15	50	86	
119	보리타작	정약용	4	11	6	15	50	86	
120	송인	정지상	8	11	0	15	50	84	
121	산민	김창협	0	11	6	15	50	82	
122	자술	이옥봉	2	11	0	15	50	78	
123	만보	이황	2	11	0	15	50	78	
124	무어별	임제	0	13	0	15	50	78	
125	견여탄	정약용	0	11	0	15	50	76	
126	부벽루	이색	0	11	0	15	45	71	
127	고시 6	정약용	0	0	0	15	50	65	**118~137**위 출제율 86~60% **〈한시〉**
128	고시 7	정약용	0	11	0	15	50	76	
129	고시 8	정약용	0	0	0	15	50	65	
130	장상사	성현	0	0	6	13	45	64	
131	빈녀음	허난설헌	0	0	6	13	45	64	
132	여뀌꽃과 백로	이규보	0	0	6	13	45	64	
133	사리화	이제현	2	0	0	11	50	63	
134	추야우중	최치원	2	0	0	11	50	63	
135	여수장우중문시	을지문덕	2	0	0	11	50	63	
136	촉규화	최치원	2	0	0	11	50	63	
137	설중방우인불우	이규보	2	0	0	11	47	60	
138	서경별곡	작자 미상	8	11	6	15	50	90	
139	청산별곡	작자 미상	10	11	0	15	50	86	
140	정석가	작자 미상	8	15	0	13	50	86	
141	가시리	작자 미상	10	11	6	13	46	86	
142	동동	작자 미상	2	13	6	15	50	86	**138~149**위 출제율 90~68% **〈고려 가요 및 향가〉**
143	정과정	정서	2	13	0	15	50	80	
144	제망매가	월명사	10	13	0	15	50	88	
145	처용가	처용	2	11	0	15	50	78	
146	찬기파랑가	충담사	6	0	0	15	50	71	
147	모죽지랑가	득오	2	11	0	13	45	71	
148	헌화가	견우 노인	4	0	0	14	50	68	
149	안민가	충담사	0	11	6	11	40	68	
150	정선 아리랑	작자 미상	10	13	0	15	50	88	
151	잠 노래	작자 미상	2	11	6	15	50	84	
152	초부가	작자 미상	0	13	6	15	50	84	
153	용비어천가	정인지 외	10	11	0	11	43	75	
154	한림별곡	한림 제유	6	11	0	12	43	72	**150~160**위 출제율 88~65% **〈기타〉**
155	유산가	작자 미상	0	11	6	15	40	72	
156	형장가	작자 미상	0	11	0	13	48	72	
157	공무도하가	백수 광부의 아내	8	13	0	15	50	86	
158	정읍사	어느 행상인의 아내	6	13	0	15	50	84	
159	황조가	유리왕	4	11	0	15	45	75	
160	구지가	작자 미상	6	13	0	11	35	65	

출제 우선 작품

161~200위 출제율 64~50% [연시조 및 가사]

161위 강호구가 [나위소]
162위 강호연군가 [장경세]
163위 고산별곡 [장복겸]
164위 산민육가 [이홍유]
165위 사시가 [황희]
166위 월곡답가 [정훈]
167위 분천강호가 [이숙량]
168위 훈계자손가 [김상용]
169위 조홍시가 [박인로]
170위 매화사 [안민영]
171위 오륜가 [박인로]
172위 탄로가 [신계영]
173위 자경가 [박인로]
174위 초연곡 [윤선도]
175위 독자왕유희유오영 [권섭]
176위 낙빈가 [작자 미상]
177위 관등가 [작자 미상]
178위 단산별곡 [신광수]
179위 목동문답가 [임유후]
180위 복선화음록 [작자 미상]
181위 상사별곡 [이세보]
182위 영삼별곡 [권섭]
183위 용사음 [최현]
184위 초당춘수곡 [남석하]
185위 추풍감별곡 [작자 미상]
186위 사제곡 [박인로]
187위 사제가 [작자 미상]
188위 농부가 [작자 미상]
189위 노계가 [박인로]
190위 우활가 [정훈]
191위 출새곡 [조우인]
192위 월선헌십육경가 [신계영]
193위 한양가 [한산거사]
194위 거창가 [작자 미상]
195위 향산별곡 [작자 미상]
196위 낙지가 [이이]
197위 상사회답곡 [작자 미상]
198위 봉선화가 [작자 미상]
199위 용부가 [작자 미상]
200위 화전가 [작자 미상]

201~283위 출제율 59~40% [평시조 및 사설시조]

201위 안빈을 염치 말아 [김수장]
202위 청산아 웃지 마라 [정구]
203위 불 아니 씌일지라도 [작자 미상]
204위 ᄭᅮᆷ에 왓던 님이 [박효관]
205위 두고 가는 이별 [신희문]
206위 나온다 금일이야 [김구]
207위 청산도 절로 절로 [송시열]
208위 ᄇᆞᄅᆞᆷ도 쉬여 넘ᄂᆞᆫ 고개 [작자 미상]
209위 꿈으로 차사를 삼아 [이정보]
210위 모시를 이리저리 삼아 [작자 미상]
211위 바람에 휘엿노라 [인평 대군]
212위 저 건너 흰옷 입은 [작자 미상]
213위 올히 ᄃᆞᆯ은 다리 [김구]
214위 우후요 [윤선도]
215위 매화 녯 등걸에 [매화]
216위 가노라 삼각산아 [김상헌]
217위 나뷔야 청산 가쟈 [작자 미상]
218위 냇ᄀᆞ에 ᄒᆡ오라바 [신흠]
219위 설월이 만창한데 [작자 미상]
220위 빈천을 팔려고 [조찬한]
221위 집방석 내지 마라 [한호]
222위 삭풍은 나모 긋ᄐᆡ 불고 [김종서]
223위 전원에 나믄 흥을 [김천택]
224위 님 그린 상사몽이 [박효관]
225위 풍상이 섯거 친 날에 [송순]
226위 간밤에 우던 여흘 [원호]
227위 강산 죠흔 경을 [김천택]
228위 지당에 비 ᄲᅮ리고 [조헌]
229위 두류산 양단수를 [조식]
230위 청산리 벽계수ㅣ야 [황진이]
231위 내 언제 무신ᄒᆞ야 [황진이]
232위 한송정 ᄃᆞᆯ 붉은 밤의 [홍장]
233위 장부로 삼겨 나서 [김유기]
234위 사랑이 엇써터니 [작자 미상]
235위 동창이 밝았느냐 [남구만]
236위 구룸이 무심ᄐᆞᆫ 말이 [이존오]
237위 간밤의 부던 ᄇᆞ람에 [유응부]
238위 ᄒᆞᆫ 손에 막ᄃᆡ 잡고 [우탁]
239위 매암이 맵다 울고 [이정신]
240위 산은 녯 산이로되 [황진이]
241위 초암이 적료ᄒᆞᆫᄃᆡ [김수장]
242위 청초 우거진 골에 [임제]
243위 삼동에 뵈옷 닙고 [조식]
244위 철령 높은 봉에 [이항복]
245위 내히 죠타 ᄒᆞ고 [변계량]
246위 고울사 저 꽃이여 [안민영]
247위 거문고 ᄐᆞ쟈 ᄒᆞ니 [송계연월옹]
248위 청강에 비 듯는 소ᄅᆡ [봉림 대군]
249위 초당에 일이 업서 [유성원]
250위 북창이 ᄆᆞᆰ다커늘 [임제]
251위 어이 얼어 잘이 [한우]
252위 한산셤 ᄃᆞᆯ 볼근 밤의 [이순신]
253위 나모도 병이 드니 [정철]
254위 곳지 진다 ᄒᆞ고 [송순]
255위 공산에 우ᄂᆞᆫ 접동 [박효관]
256위 공명을 즐겨 마라 [김삼현]
257위 주문에 벗님네야 [김천택]
258위 금생여수ㅣ라 ᄒᆞᆫ들 [박팽년]
259위 삿갓세 되롱이 입고 [김씽씰]
260위 암반 설중 고죽 [서견]
261위 ᄂᆡ ᄉᆞ리 담박ᄒᆞᆫ 중에 [김수장]
262위 꿈에나 님을 볼려 [호석균]
263위 ᄆᆞ음아 너ᄂᆞᆫ 어이 [서경덕]
264위 뉘라셔 날 늙다 ᄒᆞᄂᆞᆫ고 [이중집]
265위 길 우헤 두 돌부텨 [정철]
266위 한숨은 ᄇᆞ람이 되고 [작자 미상]
267위 구레 버슨 천리마를 [김성기]
268위 술을 취케 먹고 [정태화]
269위 세월이 여류하니 [김진태]
270위 이시렴 브디 갈짜 [성종]
271위 사랑이 거짓말이 [김상용]
272위 벽사창 밖이 어른어른커늘 [작자 미상]
273위 붉가버슨 아해ㅣ 들리 [이정신]
274위 천세를 누리소서 [작자 미상]
275위 님으란 회양 금성 [이정보]
276위 님그려 겨오 든 잠에 [작자 미상]
277위 ᄒᆞᆫ 눈 멀고 ᄒᆞᆫ 다리 저는 두터비 [작자 미상]
278위 청천에 ᄠᅥᆺᄂᆞᆫ 기러기 [작자 미상]
279위 장진주사 [정철]
280위 개야미 불개야미 [작자 미상]
281위 대천 바다 한가온데 [작자 미상]
282위 창밖이 어른어른커늘 [작자 미상]
283위 내게는 원수ㅣ가 업셔 [작자 미상]

284~333위 출제율 59~40% [한시]

284위 탐진어가 [정약용]
285위 사청사우 [김시습]
286위 유객 [김시습]
287위 유민탄 [어무적]
288위 야청도의성 [양태사]
289위 안락성을 지나다가 배척받고 [김병연]
290위 곡자 [허난설헌]
291위 사시사 [허난설헌]
292위 착빙행 [김창협]
293위 월야첨향로 [혜초]
294위 농가 [정약용]
295위 춘설유감 [최명길]
296위 증별 [정철]
297위 도소녀 [이규보]
298위 남당사 [작자 미상]
299위 남과탄 [정약용]
300위 새해에 집에서 온 서신을 받고 [정약용]
301위 사친시 [김만중]
302위 요양의 달 [허균]
303위 절명시 [황현]
304위 탐진촌요 [정약용]
305위 불일암 인운 스님에게 [이달]
306위 삿갓을 읊다 [김병연]
307위 사친 [신사임당]
308위 동명왕편 [이규보]
309위 시벽 [이규보]
310위 도중 [김시습]
311위 영반월 [황진이]
312위 춘흥 [정몽주]
313위 청산은 나를 보고 [나옹]
314위 진중음 [이순신]
315위 무제 [김병연]
316위 스무나무 밑의 [김병연]
317위 영정중월 [이규보]
318위 절화행 [이규보]
319위 채호 [정약용]
320위 용산 마을 아전 [정약용]
321위 몽유광상산시 [허난설헌]
322위 감우 [허난설헌]
323위 독두시 [이색]
324위 기생된 이 몸 [계랑]
325위 저문 봄 강가에서 사람을 보내고 난 뒤에 느끼는 바가 있어 [이규보]
326위 반타석 [이황]
327위 요야 [김정희]
328위 유배지에서 처의 죽음을 슬퍼하며 [김정희]
329위 잠령민정 [임제]
330위 습수요 [이달]
331위 영산가고 [김시습]
332위 속행로난 [이인로]
333위 대관령을 넘으면서 [신사임당]

334~348위 출제율 67~40% [고려 가요, 민요, 잡가]

334위 사모곡 [작자 미상]
335위 만전춘별사 [작자 미상]
336위 처용가 [작자 미상]
337위 시집살이 노래 [작자 미상]
338위 논매기 노래 [작자 미상]
339위 수심가 [작자 미상]
340위 밀양 아리랑 [작자 미상]
341위 베틀 노래 [작자 미상]
342위 원산 아리랑(신고산 타령) [작자 미상]
343위 이별요 [작자 미상]
344위 방물가 [작자 미상]
345위 아리랑 타령 [작자 미상]
346위 영산가 [작자 미상]
347위 소춘향가 [작자 미상]
348위 집장가 [작자 미상]

349~352위 출제율 64~40% [기타]

349위 상대별곡 [권근]
350위 신도가 [정도전]
351위 원왕생가(광덕)
352위 해가 [작자 미상]

최우선순

고전 시가

분석편

사용 설명서

01 | 빠르고, 쉽게 고전 시가 감상 가이드

작품을 읽을 때나 시험에서 낯선 작품을 만났을 때, 빠르고, 쉽게 읽고 싶다면, 이렇게!

첫 번째! 제목과 작가 확인하기

고전 시가는 주로 작품 내용을 제목화한다. 또한 작가에 따라 작품 주제가 어느 정도 정해져 있다.

➔ 제목의 의미와 작가의 작품 경향 확인!

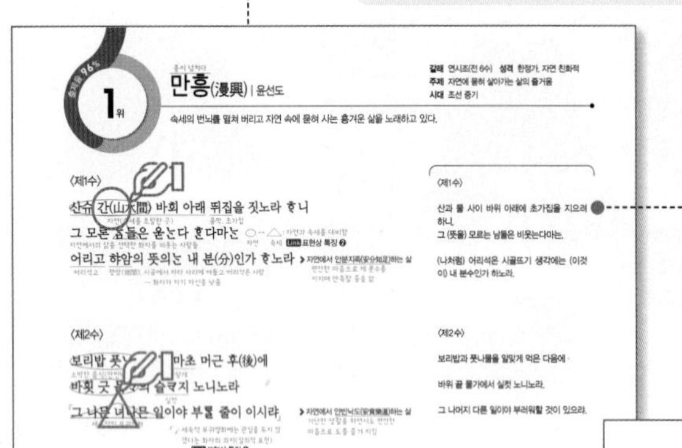

만흥(漫興) | 윤선도

갈래 연시조(전 6수) 성격 한정가, 자연 친화적
주제 자연에 묻혀 살아가는 삶의 즐거움
시대 조선 중기

속세의 번뇌를 떨쳐 버리고 자연 속에 묻혀 사는 흥겨운 삶을 노래하고 있다.

〈제1수〉
산슈 간(山水間) 바회 아래 뛰집을 짓노라 ᄒᆞ니
그 모론 ᄂᆞᆷ들은 욷는다 ᄒᆞᆫ다마ᄂᆞᆫ
어리고 하암의 뜻의ᄂᆞᆫ 내 분(分)인가 ᄒᆞ노라 ➤ 자연에서 안분지족(安分知足)하는 삶

〈제1수〉
산과 물 사이 바위 아래에 초가집을 지으려 하니,
그 (뜻을) 모르는 남들은 비웃는다마는,
(나처럼) 어리석은 시골뜨기 생각에는 (이것이) 내 분수인가 하노라.

〈제2수〉
보리밥 풋ᄂᆞ믈을 알마초 머근 후(後)에
바횟 굿 믉ᄀᆞ의 슬ᄏᆞ지 노니노라
「그 나믄 녀나믄 일이야 부롤 줄이 이시랴」 ➤ 자연에서 안빈낙도(安貧樂道)하는 삶

〈제2수〉
보리밥과 풋나물을 알맞게 먹은 다음에
바위 끝 물가에서 실컷 노니노라.
그 나머지 다른 일이야 부러워할 것이 있으랴.

+TIP! 작품을 현대어로 해석 & 감상하기

작품을 스스로 하는 해석과 제시된 현대어 풀이를 비교하며 꼼꼼히 반복하여 읽다 보면 내용 이해가 쉽게 된다! 또한 세부 내용과 낯선 어휘의 의미도 파악할 수 있다.

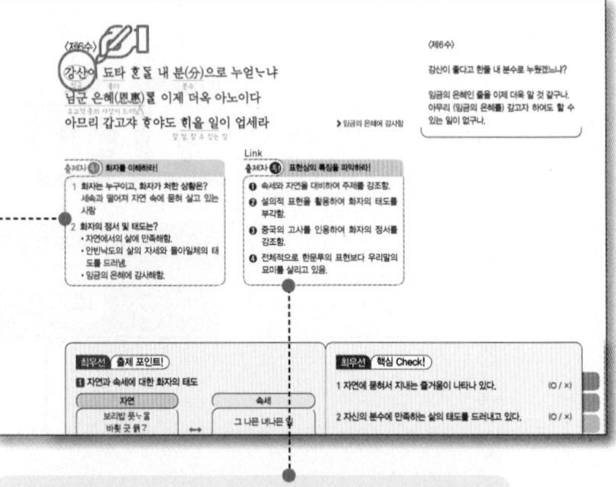

〈제6수〉
강산이 됴타 ᄒᆞᆫ들 내 분(分)으로 누엇ᄂᆞ냐
님군 은혜(恩惠)ᄅᆞᆯ 이제 더옥 아노이다
아므리 갑고쟈 ᄒᆞ야도 ᄒᆡ올 일이 업세라 ➤ 임금의 은혜에 감사함

〈제6수〉
강산이 좋다고 한들 내 분수로 누웠겠느냐?
임금의 은혜인 줄을 이제 더욱 알 것 같구나.
아무리 (임금의 은혜를) 갚고자 하여도 할 수 있는 일이 없구나.

출제자 ① 화자를 이해하라!
1 화자는 누구이고, 화자가 처한 상황은?
세속과 떨어져 자연 속에 묻혀 살고 있는 사람
2 화자의 정서 및 태도는?
• 자연에서의 삶에 만족해함.
• 안빈낙도의 삶의 자세와 물아일체의 태도를 드러냄.
• 임금의 은혜에 감사해함.

Link
출제자 ② 표현상의 특징을 파악하라!
❶ 속세와 자연을 대비하여 주제를 강조함.
❷ 설의적 표현을 활용하여 화자의 태도를 부각함.
❸ 중국의 고사를 인용하여 화자의 정서를 강조함.
❹ 전체적으로 한문투의 표현보다 우리말의 묘미를 살리고 있음.

최우선 출제 포인트!
1 자연과 속세에 대한 화자의 태도
자연: 보리밥 풋ᄂᆞ물, 바횟 굿 믉ᄀᆞ ↔ 속세: 그 나믄 녀나믄 일

최우선 핵심 Check!
1 자연에 묻혀서 지내는 즐거움이 나타나 있다. (O / ×)
2 자신의 분수에 만족하는 삶의 태도를 드러내고 있다. (O / ×)

두 번째! 화자와 시적 상황, 정서와 태도 파악하기

- 작가가 처한 시대적 상황과 연계하여 화자와 시적 상황을 파악해야 한다.
  ➔ 작가를 둘러싼 시대적 배경을 확인!
  ➔ 화자가 중심인 시인지 시적 대상이 중심인 시인지 구별! 대표적인 시적 대상으로 '자연, 임금, 연인'이 있음.
- 화자의 정서와 태도를 파악하고, 정서나 태도가 긍정적인지 부정적인지 구분한다.
  ➔ 어떤 상황에 처하거나 어떤 사물을 대할 때 갖게 되는 감정이나 태도가 긍정적인지 부정적인지 구별!
  긍정적일 때 ◯로 표기
  부정적일 때 △로 표기

세 번째! 시의 구조나 표현상의 특징 파악하기

내신 및 수능 유형에서 대체로 첫 번째 문제 유형으로 시의 구조나 표현상의 특징을 묻는 문제가 출제되고 있다.

➔ 고전 시가 작품에서는 몇 가지의 표현법이 두루 반복되는 경향이 있음. 표현법으로는 '대구, 대조, 과장, 비유, 감정 이입, 의인화, 설의적 표현' 등이 있음.

02 | 우리책 활용법

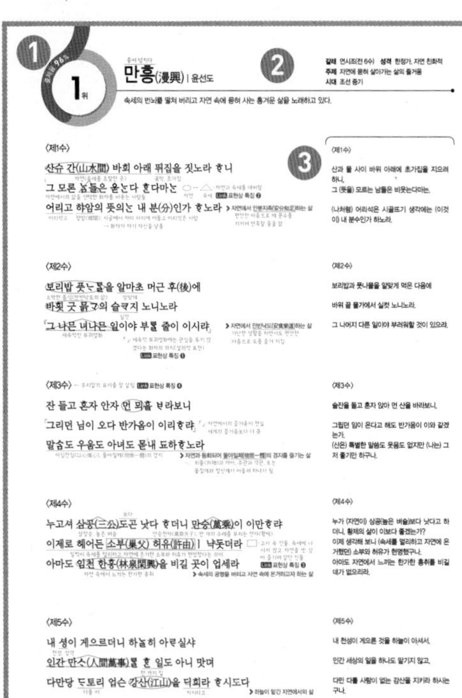

❶ 출제 우선순위 및 출제율 표시

출제 우선순위에 따라 선정된 고전 시가 작품을 볼 수 있어요. 시간이 아무리 없어도 반드시 봐야 할 작품들이에요. 그리고 출제 최우선 작품에 표시된 출제율도 확인하세요.

❷ 작품 제목의 의미, 개관 및 한 줄 감상 제시

제목의 의미와 작품을 이해하는 데 필요한 개관 및 해제를 제시했어요. 본격적으로 작품을 읽기 전에 반드시 확인하세요.

❸ 작품 분석, 현대어 풀이 제시

작품을 꼼꼼하게 분석, 설명해 놓았어요. 또한 내용을 이해하는 데 도움을 주는 현대어 풀이도 제시했어요. 스스로 한 해석과 현대어 풀이를 비교해 보면서 세부 내용과 낯선 어휘까지 확인하면서 작품을 이해하세요.

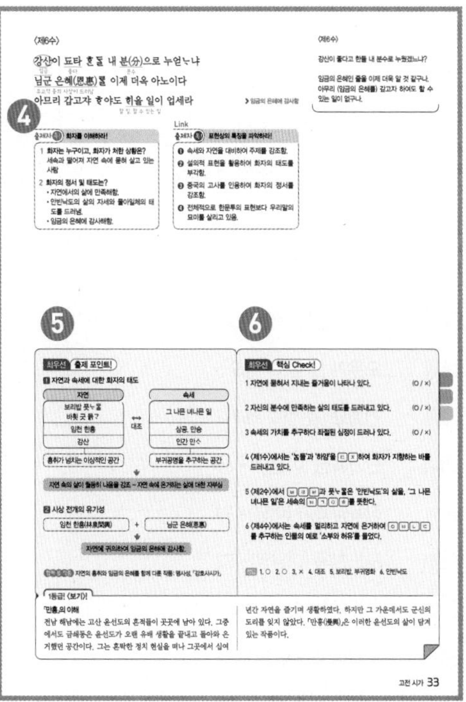

❹ 출제자 톡!

고전 시가에서는 작품별 출제 키워드로 '화자, 표현상 특징'이 대표적이에요. 화자가 어떠한 상황에 있는지, 정서와 태도는 어떠한지 화자에 대해 확인하세요. 작품 속 표현상 특징도 반드시 확인하세요.

❺ 최우선 출제 포인트!

시험에 최우선으로 출제될 수 있는 작품의 핵심 정리 내용을 한눈에 확인할 수 있도록 정리했어요. 핵심 중의 핵심임을 잊지 마세요.

❻ 최우선 핵심 Check!

작품에서 반드시 알아두어야 할 핵심 내용을 선지 형태의 간단한 문제로 확인할 수 있도록 했어요. 시험에 반드시 출제됩니다.

1등급! 〈보기〉!

실제 시험에 활용되었거나 앞으로 활용될 수 있는 작품에 관한 내적·외적 정보를 담았어요. 외적 준거로 제시되는 〈보기〉의 중요성은 아무리 강조해도 지나침이 없지요.

※ 문학 작품에 대한 해석은 관점에 따라 다소 다를 수 있으므로, 내신을 대비할 때는 반드시 해당 학교 선생님의 교수 내용을 준수하시기 바랍니다.

차례

제1부
출제 최우선 작품

[연시조]

1위 만흥 (윤선도) • 32

2위 어부사시사 (윤선도) • 34

3위 율리유곡 (김광욱) • 38

4위 도산십이곡 (이황) • 41

5위 한거십팔곡 (권호문) • 43

6위 훈민가 (정철) • 45

7위 산중잡곡 (김득연) • 47

8위 전원사시가 (신계영) • 48

9위 고산구곡가 (이이) • 50

10위 우국가 (이덕일) • 52

11위 비가 (이정환) • 54

12위 농가구장 (위백규) • 56

13위 유원십이곡 (안서우) • 58

14위 저곡전가팔곡 (이휘일) • 60

15위 몽천요 (윤선도) • 62

16위 사우가 (이신의) • 63

17위 면앙정잡가 (송순) • 64

18위 오우가 (윤선도) • 65

19위 견회요 (윤선도) • 67

20위 단가육장 (이신의) • 69

21위 장육당육가 (이별) • 71

22위 사노친곡 (이담명) • 72

23위 풍계육가 (이정) • 74

24위 입암이십구곡 (박인로) • 76

25위 어부단가 (이현보) • 78

26위 병산육곡 (권구) • 80

27위 강호사시가 (맹사성) • 82

28위 오륜가 (주세붕) • 84

29위 오륜가 (김상용) • 86

[가사]

30위 속미인곡 (정철) • 88

31위 상춘곡 (정극인) • 91

32위 사미인곡 (정철) • 93

33위 관동별곡 (정철) • 96

34위 누항사 (박인로) • 102

35위 규원가 (허난설헌) • 105

36위 만언사 (안도환) • 108

37위 연행가 (홍순학) • 112

38위 농가월령가 (정학유) • 116

39위 고공가 (허전) • 120

40위 면앙정가 (송순) • 123

41위 덴동어미 화전가 (작자 미상) • 126

42위 일동장유가 (김인겸) • 129

43위 황계사 (작자 미상) • 133

44위 갑민가 (작자 미상) • 135

45위 상사곡 (박인로) • 139

46위 용추유영가 (정훈) • 143

47위 춘면곡 (작자 미상) • 145

48위 성산별곡 (정철) • 148

49위 독락당 (박인로) • 152

50위 명월음 (최현) • 157

51위 상사별곡 (작자 미상) • 159

52위 만분가 (조위) • 161

53위 탄궁가 (정훈) • 166

54위 고공답주인가 (이원익) • 169
55위 선상탄 (박인로) • 171
56위 우부가 (작자 미상) • 174
57위 노처녀가 1 (작자 미상) • 177
58위 노처녀가 2 (작자 미상) • 180
59위 만언사답 (안도환) • 183
60위 북찬가 (이광명) • 187
61위 북천가 (김진형) • 190

[평시조 및 사설시조]

62위 님이 오마 ᄒᆞ거ᄂᆞᆯ (작자 미상) • 195
63위 동지ㅅᄃᆞᆯ 기나긴 밤을 (황진이) • 196
64위 묏버들 갈ᄒᆡ 것거 (홍랑) • 196
65위 오백 년 도읍지를 (길재) • 197
66위 백설이 ᄌᆞ자진 골에 (이색) • 197
67위 이화에 월백하고 (이조년) • 198
68위 백구ㅣ야 말 무러보쟈 (김천택) • 198
69위 창 내고쟈 창을 내고쟈 (작자 미상) • 199
70위 어이 못 오던다 (작자 미상) • 199
71위 나모도 바히 돌도 업슨 뫼헤 (작자 미상) • 200
72위 한숨아 셰한숨아 (작자 미상) • 201
73위 두터비 ᄑᆞ리를 물고 (작자 미상) • 201
74위 일신이 사쟈 ᄒᆞᆫ이 (이정보) • 202
75위 개를 여라믄이나 기르되 (작자 미상) • 203
76위 댁들에 동난지이 사오 (작자 미상) • 203
77위 논밭 갈아 기음 매고 (작자 미상) • 204
78위 싀어마님 며느라기 낫바 (작자 미상) • 205
79위 눈 마ᄌᆞ 휘여진 ᄃᆡ를 (원천석) • 206
80위 이 몸이 주거 가셔 (성삼문) • 206
81위 굼벙이 매암이 되야 (작자 미상) • 207
82위 흥망이 유수ᄒᆞ니 (원천석) • 207
83위 방옹시여 (신흠) • 208
84위 이화우 흣ᄲᅮ릴 제 (계랑) • 210
85위 어져 내 일이여 (황진이) • 210
86위 부귀를 탐치 말고 (임제) • 211
87위 방안에 혓ᄂᆞᆫ 촉불 (이개) • 211
88위 꿈에 다니는 길이 (이명한) • 212
89위 선인교 나린 물이 (정도전) • 212
90위 가마귀 빠호ᄂᆞᆫ 골에 (작자 미상) • 213
91위 가마귀 검다 ᄒᆞ고 (작자 미상) • 213
92위 뉘라셔 가마귀를 (박효관) • 214
93위 가마귀 가마귀ᄅᆞᆯ 좃ᄎᆞ (작자 미상) • 214
94위 백사장 홍료변에 (작자 미상) • 215
95위 가마귀 눈비 마ᄌᆞ (박팽년) • 215
96위 천만 리 머나먼 길ᄒᆡ (왕방연) • 216
97위 남은 다 쟈는 밤에 (송이) • 216
98위 평생에 일이 업서 (낭원군) • 217
99위 말 업슨 청산이오 (성혼) • 217
100위 추강에 밤이 드니 (월산 대군) • 218
101위 ᄆᆞ음이 어린 후ㅣ니 (서경덕) • 218
102위 수양산 ᄇᆞ라보며 (성삼문) • 219
103위 곡구롱 우는 소리에 (오경화) • 219
104위 봄이 왓다 ᄒᆞ되 (신흠) • 220
105위 춘산에 눈 노기ᄂᆞᆫ 바ᄅᆞᆷ (우탁) • 220
106위 이런들 엇더ᄒᆞ며 (이방원) • 221
107위 이 몸이 주거 주거 (정몽주) • 221
108위 내 마음 버혀 내여 (정철) • 222
109위 서검을 못 일우고 (김천택) • 222
110위 농암가 (이현보) • 223
111위 태산이 놉다 하되 (양사언) • 223
112위 흰 구름 프른 ᄂᆡ는 (김천택) • 224
113위 청산은 내 뜻이오 (황진이) • 224
114위 국화야 너ᄂᆞᆫ 어이 (이정보) • 225
115위 시내 흐르는 골에 (신희문) • 225
116위 서방님 병 들여 두고 (김수장) • 226
117위 귓또리 져 귓또리 (작자 미상) • 226

[한시]

118위 제가야산독서당 (최치원) • 227

119위 보리타작 (정약용) • 228

120위 송인 (정지상) • 229

121위 산민 (김창협) • 230

122위 자술 (이옥봉) • 231

123위 만보 (이황) • 232

124위 무어별 (임제) • 233

125위 견여탄 (정약용) • 234

126위 부벽루 (이색) • 237

127위 고시 6 (정약용) • 238

128위 고시 7 (정약용) • 239

129위 고시 8 (정약용) • 240

130위 장상사 (성현) • 241

131위 빈녀음 (허난설헌) • 242

132위 여뀌꽃과 백로 (이규보) • 244

133위 사리화 (이제현) • 245

134위 추야우중 (최치원) • 246

135위 여수장우중문시 (을지문덕) • 247

136위 촉규화 (최치원) • 248

137위 설중방우인불우 (이규보) • 249

[고려 가요]

138위 서경별곡 (작자 미상) • 250

139위 청산별곡 (작자 미상) • 252

140위 정석가 (작자 미상) • 254

141위 가시리 (작자 미상) • 256

142위 동동 (작자 미상) • 257

143위 정과정 (정서) • 260

[향가]

144위 제망매가 (월명사) • 261

145위 처용가 (처용) • 262

146위 찬기파랑가 (충담사) • 263

147위 모죽지랑가 (득오) • 265

148위 헌화가 (견우 노인) • 266

149위 안민가 (충담사) • 267

[민요]

150위 정선 아리랑 (작자 미상) • 268

151위 잠 노래 (작자 미상) • 269

152위 초부가 (작자 미상) • 270

[악장, 경기체가, 잡가]

153위 용비어천가 (정인지 외) • 271

154위 한림별곡 (한림 제유) • 272

155위 유산가 (작자 미상) • 274

156위 형장가 (작자 미상) • 276

[고대 가요]

157위 공무도하가 (백수 광부의 아내) • 278

158위 정읍사 (어느 행상인의 아내) • 279

159위 황조가 (유리왕) • 280

160위 구지가 (작자 미상) • 281

제2부
출제 우선 작품

[연시조]

161위 강호구가 (나위소) • 284
162위 강호연군가 (장경세) • 285
163위 고산별곡 (장복겸) • 287
164위 산민육가 (이홍유) • 288
165위 사시가 (황희) • 289
166위 월곡답가 (정훈) • 290
167위 분천강호가 (이숙량) • 292
168위 훈계자손가 (김상용) • 294
169위 조홍시가 (박인로) • 296
170위 매화사 (안민영) • 298
171위 오륜가 (박인로) • 300
172위 탄로가 (신계영) • 301
173위 자경가 (박인로) • 302
174위 초연곡 (윤선도) • 303
175위 독자왕유희유오영 (권섭) • 304

[가사]

176위 낙빈가 (작자 미상) • 306
177위 관등가 (작자 미상) • 309
178위 단산별곡 (신광수) • 311
179위 목동문답가 (임유후) • 313
180위 복선화음록 (작자 미상) • 315
181위 상사별곡 (이세보) • 318
182위 영삼별곡 (권섭) • 319
183위 용사음 (최현) • 320
184위 초당춘수곡 (남석하) • 322
185위 추풍감별곡 (작자 미상) • 324
186위 사제곡 (박인로) • 326
187위 사제가 (작자 미상) • 328
188위 농부가 (작자 미상) • 330
189위 노계가 (박인로) • 332
190위 우활가 (정훈) • 334
191위 출새곡 (조우인) • 336
192위 월선헌십육경가 (신계영) • 339
193위 한양가 (한산거사) • 342
194위 거창가 (작자 미상) • 344
195위 향산별곡 (작자 미상) • 347
196위 낙지가 (이이) • 348
197위 상사회답곡 (작자 미상) • 350
198위 봉선화가 (작자 미상) • 352
199위 용부가 (작자 미상) • 354
200위 화전가 (작자 미상) • 356

[평시조 및 사설시조]

201위 안빈을 염치 말아 (김수장) • 359
202위 청산아 웃지 마라 (정구) • 359
203위 불 아니 쐬일지라도 (작자 미상) • 360
204위 쑴에 왓던 님이 (박효관) • 360
205위 두고 가는 이별 (신희문) • 361
206위 나온다 금일이야 (김구) • 361
207위 청산도 절로 절로 (송시열) • 362
208위 ᄇᆞ롬도 쉬여 넘ᄂᆞᆫ 고개 (작자 미상) • 362
209위 꿈으로 차사를 삼아 (이정보) • 363
210위 모시를 이리저리 삼아 (작자 미상) • 363
211위 바람에 휘엿노라 (인평 대군) • 364
212위 저 건너 흰옷 입은 (작자 미상) • 364
213위 올히 댤은 다리 (김구) • 365
214위 우후요 (윤선도) • 365
215위 매화 녯 등걸에 (매화) • 366
216위 가노라 삼각산아 (김상헌) • 366
217위 나뷔야 청산에 가쟈 (작자 미상) • 367
218위 냇ᄀᆞ에 히오라바 (신흠) • 367
219위 설월이 만창한데 (작자 미상) • 368
220위 빈천을 팔려고 (조찬한) • 368
221위 집방석 내지 마라 (한호) • 369

222위 삭풍은 나모 긋틔 불고 (김종서) • 369
223위 전원에 나믄 흥을 (김천택) • 370
224위 님 그린 상사몽이 (박효관) • 370
225위 풍상이 섯거 친 날에 (송순) • 371
226위 간밤에 우던 여흘 (원호) • 371
227위 강산 죠흔 경을 (김천택) • 372
228위 지당에 비 쑤리고 (조헌) • 372
229위 두류산 양단수를 (조식) • 373
230위 청산리 벽계수ㅣ야 (황진이) • 373
231위 내 언제 무신ᄒᆞ야 (황진이) • 374
232위 한송정 돌 붉은 밤의 (홍장) • 374
233위 장부로 삼겨 나서 (김유기) • 375
234위 사랑이 엇써터니 (작자 미상) • 375
235위 동창이 밝았느냐 (남구만) • 376
236위 구룸이 무심튼 말이 (이존오) • 376
237위 간밤의 부던 ᄇᆞ람에 (유응부) • 377
238위 ᄒᆞᆫ 손에 막ᄃᆡ 잡고 (우탁) • 377
239위 매암이 맵다 울고 (이정신) • 378
240위 산은 녯 산이로되 (황진이) • 378
241위 초암이 적료ᄒᆞᆫᄃᆡ (김수장) • 379
242위 청초 우거진 골에 (임제) • 379
243위 삼동에 뵈옷 닙고 (조식) • 380
244위 철령 높은 봉에 (이항복) • 380
245위 내히 죠타 ᄒᆞ고 (변계량) • 381
246위 고울사 저 꽃이여 (안민영) • 381
247위 거문고 ᄐᆞ쟈 ᄒᆞ니 (송계연월옹) • 382
248위 청강에 비 듯는 소릐 (봉림 대군) • 382
249위 초당에 일이 업서 (유성원) • 383
250위 북창이 붉다커늘 (임제) • 383
251위 어이 얼어 잘이 (한우) • 384
252위 한산셤 돌 볼근 밤의 (이순신) • 384
253위 나모도 병이 드니 (정철) • 385
254위 곳지 진다 ᄒᆞ고 (송순) • 385
255위 공산에 우ᄂᆞᆫ 접동 (박효관) • 386
256위 공명을 즐겨 마라 (김삼현) • 386
257위 주문에 벗님네야 (김천택) • 387
258위 금생여수ㅣ라 ᄒᆞᆫ들 (박팽년) • 387
259위 삿갓세 되롱이 입고 (김굉필) • 388
260위 암반 설중 고죽 (서견) • 388
261위 ᄂᆡ ᄉᆞ리 담박ᄒᆞᆫ 중에 (김수장) • 389
262위 꿈에나 님을 볼려 (호석균) • 389
263위 ᄆᆞ음아 너ᄂᆞᆫ 어이 (서경덕) • 390
264위 뉘라셔 날 늙다 ᄒᆞᄂᆞᆫ고 (이중집) • 390
265위 길 우헤 두 돌부텨 (정철) • 391
266위 한숨은 ᄇᆞ람이 되고 (작자 미상) • 391
267위 구레 버슨 천리마를 (김성기) • 392
268위 술을 취케 먹고 (정태화) • 392
269위 세월이 여류하니 (김진태) • 393
270위 이시렴 브디 갈싸 (성종) • 393
271위 사랑이 거짓말이 (김상용) • 394
272위 벽사창 밖이 어른어른커늘 (작자 미상) • 394
273위 붉가버슨 아해ㅣ 들리 (이정신) • 395
274위 천세를 누리소서 (작자 미상) • 395
275위 님으란 회양 금성 (이정보) • 396
276위 님그려 겨오 든 잠에 (작자 미상) • 396
277위 ᄒᆞᆫ 눈 멀고 ᄒᆞᆫ 다리 저는 두터비 (작자 미상) • 397
278위 청천에 뼛ᄂᆞᆫ 기러기 (작자 미상) • 397
279위 장진주사 (정철) • 398
280위 개야미 불개야미 (작자 미상) • 399
281위 대천 바다 한가온데 (작자 미상) • 399
282위 창밖이 어른어른커늘 (작자 미상) • 400
283위 내게는 원수ㅣ가 업셔 (작자 미상) • 400

[한시]

284위 탐진어가 (정약용) • 401
285위 사청사우 (김시습) • 402
286위 유객 (김시습) • 403
287위 유민탄 (어무적) • 404
288위 야청도의성 (양태사) • 406
289위 안락성을 지나다가 배척받고 (김병연) • 407
290위 곡자 (허난설헌) • 408
291위 사시사 (허난설헌) • 409

292위 착빙행 (김창협) • 412
293위 월야첨향로 (혜초) • 414
294위 농가 (정약용) • 415
295위 춘설유감 (최명길) • 416
296위 증별 (정철) • 417
297위 도소녀 (이규보) • 418
298위 남당사 (작자 미상) • 420
299위 남과탄 (정약용) • 422
300위 새해에 집에서 온 서신을 받고 (정약용) • 424
301위 사친시 (김만중) • 425
302위 요양의 달 (허균) • 426
303위 절명시 (황현) • 427
304위 탐진촌요 (정약용) • 428
305위 불일암 인운 스님에게 (이달) • 429
306위 삿갓을 읊다 (김병연) • 430
307위 사친 (신사임당) • 431
308위 동명왕편 (이규보) • 432
309위 시벽 (이규보) • 434
310위 도중 (김시습) • 435
311위 영반월 (황진이) • 436
312위 춘흥 (정몽주) • 437
313위 청산은 나를 보고 (나옹) • 438
314위 진중음 (이순신) • 439
315위 무제 (김병연) • 440
316위 스무나무 밑의 (김병연) • 441
317위 영정중월 (이규보) • 442
318위 절화행 (이규보) • 443
319위 채호 (정약용) • 444
320위 용산 마을 아전 (정약용) • 446
321위 몽유광상산시 (허난설헌) • 447
322위 감우 (허난설헌) • 448
323위 독두시 (이색) • 449
324위 기생된 이 몸 (계랑) • 450
325위 저문 봄 강가에서 사람을 보내고 난 뒤에 느끼는 바가 있어 (이규보) • 451
326위 반타석 (이황) • 452
327위 요야 (김정희) • 453
328위 유배지에서 처의 죽음을 슬퍼하며 (김정희) • 454
329위 잠령민정 (임제) • 455
330위 습수요 (이달) • 456
331위 영산가고 (김시습) • 457
332위 속행로난 (이인로) • 458
333위 대관령을 넘으면서 (신사임당) • 460

[고려 가요]

334위 사모곡 (작자 미상) • 461
335위 만전춘별사 (작자 미상) • 462
336위 처용가 (작자 미상) • 464

[민요]

337위 시집살이 노래 (작자 미상) • 466
338위 논매기 노래 (작자 미상) • 468
339위 수심가 (작자 미상) • 469
340위 밀양 아리랑 (작자 미상) • 472
341위 베틀 노래 (작자 미상) • 473
342위 원산 아리랑 (작자 미상) • 474
343위 이별요 (작자 미상) • 475
344위 방물가 (작자 미상) • 476
345위 아리랑 타령 (작자 미상) • 478

[잡가]

346위 영산가 (작자 미상) • 479
347위 소춘향가 (작자 미상) • 481
348위 집장가 (작자 미상) • 482

[경기체가 · 악장 · 향가 · 고대 가요]

349위 상대별곡 (권근) • 484
350위 신도가 (정도전) • 485
351위 원왕생가 (광덕) • 486
352위 해가 (작자 미상) • 487

제3부

출제 플러스 작품

353위 하우요 (윤선도) • 490
354위 하하 허허 ᄒᆞᆫ들 (권섭) • 490
355위 갈가보다 말가보다 (작자 미상) • 490
356위 재 우희 웃둑 션 소나모 (작자 미상) • 490
357위 거문고 줄 꽂아 놓고 (김창업) • 491
358위 풍파에 놀란 사공 (장만) • 491
359위 어와 동량재를 (정철) • 491
360위 어져 세상 사람 (작자 미상) • 491
361위 우레가치 소리나는 (작자 미상) • 491
362위 오동에 듯는 빗발 (김상용) • 492
363위 장검을 빼어 들고 (남이) • 492
364위 장백산에 기를 곳고 (김종서) • 492
365위 재 너머 성 권농 집에 (정철) • 492
366위 충신은 만조정이요 (작자 미상) • 492
367위 놉프락 나즈락ᄒᆞ며 (안민영) • 493
368위 청량산 육륙봉을 (이황) • 493
369위 높으나 높은 낡에 (이양원) • 493
370위 녹포 청강상에 (서익) • 493
371위 봄비 (허난설헌) • 493
372위 장난삼아 서흥 도호부사 임군 성운에게 주다 (정약용) • 494
373위 마하연 (이제현) • 494
374위 임진유감 (김부식) • 494
375위 능허사 (김시습) • 494
376위 원생원 (김병연) • 495
377위 산중설야 (이제현) • 495
378위 애절양 (정약용) • 495
379위 창의시 (최익현) • 496
380위 쌍화점 (작자 미상) • 496
381위 상저가 (작자 미상) • 497
382위 이상곡 (작자 미상) • 497
383위 도솔가 (월명사) • 497
384위 원가 (신충) • 498
385위 서동요 (서동) • 498
386위 몽금포 타령 (작자 미상) • 498
387위 강강술래 (작자 미상) • 499
388위 켐마쿵쿵 노세 (작자 미상) • 499
389위 경기 아리랑 (작자 미상) • 500
390위 진도 아리랑 (작자 미상) • 500
391위 모 심는 소리 (작자 미상) • 501
392위 자진방아 타령 (작자 미상) • 501
393위 청춘과부가 (작자 미상) • 501
394위 노인가 (작자 미상) • 503
395위 백발가 (작자 미상) • 504
396위 기음 노래 (작자 미상) • 507
397위 단장사 (작자 미상) • 508
398위 독락팔곡 (권호문) • 509
399위 애국하는 노래 (이필균) • 509
400위 동심가 (이중원) • 510
401위 창의가 (신태식) • 510
402위 가요풍송 (작자 미상) • 511
403위 기역 자(字)를 쓰고 보니 (작자 미상) • 511
404위 권학가 (작자 미상) • 512
405위 경부 철도가 (최남선) • 512

작품별 찾아보기

ㄱ

가노라 삼각산아 (김상헌) • 366

가마귀 가마귀를 좃ㅊ (작자 미상) • 214

가마귀 검다 ᄒᆞ고 (작자 미상) • 213

가마귀 눈비 마ᄌ (박팽년) • 215

가마귀 싸호ᄂᆞᆫ 골에 (작자 미상) • 213

가시리 (작자 미상) • 256

가요풍송 (작자 미상) • 511

간밤에 우던 여흘 (원호) • 371

간밤의 부던 ᄇᆞ람에 (유응부) • 377

갈가보다 말가보다 (작자 미상) • 490

감우 (허난설헌) • 448

갑민가 (작자 미상) • 135

강강술래 (작자 미상) • 499

강산 죠흔 경을 (김천택) • 372

강호구가 (나위소) • 284

강호사시가 (맹사성) • 82

강호연군가 (장경세) • 285

개를 여라믄이나 기르되 (작자 미상) • 203

개야미 불개야미 (작자 미상) • 399

거문고 줄 꽂아 놓고 (김창업) • 491

거문고 ᄐᆞ쟈 ᄒᆞ니 (송계연월옹) • 382

거창가 (작자 미상) • 344

견여탄 (정약용) • 234

견회요 (윤선도) • 67

경기 아리랑 (작자 미상) • 500

경부 철도가 (최남선) • 512

고공가 (허전) • 120

고공답주인가 (이원익) • 169

고산구곡가 (이이) • 50

고산별곡 (장복겸) • 287

고시 6 (정약용) • 238

고시 7 (정약용) • 239

고시 8 (정약용) • 240

고울사 저 꽃이여 (안민영) • 381

곡구롱 우는 소리에 (오경화) • 219

곡자 (허난설헌) • 408

곳지 진다 ᄒᆞ고 (송순) • 385

공명을 즐겨 마라 (김삼현) • 386

공무도하가 (백수 광부의 아내) • 278

공산에 우ᄂᆞᆫ 접동 (박효관) • 386

관동별곡 (정철) • 96

관등가 (작자 미상) • 309

구레 버슨 천리마를 (김성기) • 392

구룸이 무심ᄐᆞᆫ 말이 (이존오) • 376

구지가 (작자 미상) • 281

국화야 너ᄂᆞᆫ 어이 (이정보) • 225

굼벙이 매암이 되야 (작자 미상) • 207

권학가 (작자 미상) • 512

귓쏘리 져 귓쏘리 (작자 미상) • 226

규원가 (허난설헌) • 105

금생여수 ㅣ 라 ᄒᆞᆫ들 (박팽년) • 387

기생된 이 몸 (계랑) • 450

기역 자(字)를 쓰고 보니 (작자 미상) • 511

기음 노래 (작자 미상) • 507

길 우헤 두 돌부텨 (정철) • 391

꿈에나 님을 볼려 (호석균) • 389
꿈에 다니는 길이 (이명한) • 212
꿈으로 차사를 삼아 (이정보) • 363

나모도 바히 돌도 업슨 뫼헤 (작자 미상) • 200
나모도 병이 드니 (정철) • 385
나뷔야 청산에 가쟈 (작자 미상) • 367
나온댜 금일이야 (김구) • 361
낙빈가 (작자 미상) • 306
낙지가 (이이) • 348
남과탄 (정약용) • 422
남당사 (작자 미상) • 420
남은 다 쟈는 밤에 (송이) • 216
내게는 원수 ㅣ 가 업셔 (작자 미상) • 400
내 마음 버혀 내여 (정철) • 222
내 언제 무신ᄒᆞ야 (황진이) • 374
냇ᄀᆞ에 히오라바 (신흠) • 367
내히 죠타 ᄒᆞ고 (변계량) • 381
노계가 (박인로) • 332
노인가 (작자 미상) • 503
노처녀가 1 (작자 미상) • 177
노처녀가 2 (작자 미상) • 180
녹포 청강상에 (서익) • 493
논매기 노래 (작자 미상) • 468
논밭 갈아 기음 매고 (작자 미상) • 204
놉프락 나즈락ᄒᆞ며 (안민영) • 493
농가구장 (위백규) • 56
농가월령가 (정학유) • 116
농가 (정약용) • 415
농부가 (작자 미상) • 330
농암가 (이현보) • 223
높으나 높은 낡에 (이양원) • 493
누항사 (박인로) • 102
눈 마ᄌᆞ 휘여진 ᄃᆡ를 (원천석) • 206
뉘라셔 가마귀를 (박효관) • 214
뉘라셔 날 늙다 ᄒᆞᄂᆞ고 (이중집) • 390
능허사 (김시습) • 494
님그려 겨오 든 잠에 (작자 미상) • 396
님 그린 상사몽이 (박효관) • 370
님으란 회양 금성 (이정보) • 396
님이 오마 ᄒᆞ거놀 (작자 미상) • 195
ᄂᆡ 수리 담박ᄒᆞᆫ 중에 (김수장) • 389

단가육장 (이신의) • 69
단산별곡 (신광수) • 311
단장사 (작자 미상) • 508
대관령을 넘으면서 (신사임당) • 460
대천 바다 한가온데 (작자 미상) • 399
댁들에 동난지이 사오 (작자 미상) • 203
덴동어미 화전가 (작자 미상) • 126
도산십이곡 (이황) • 41
도소녀 (이규보) • 418
도솔가 (월명사) • 497
도중 (김시습) • 435
독두시 (이색) • 449
독락당 (박인로) • 152
독락팔곡 (권호문) • 509
독자왕유희유오영 (권섭) • 304
동동 (작자 미상) • 257
동명왕편 (이규보) • 432
동심가 (이중원) • 510
동지ㅅ달 기나긴 밤을 (황진이) • 196

동창이 밝았느냐 (남구만) • 376
두고 가는 이별 (신희문) • 361
두류산 양단수를 (조식) • 373
두터비 ᄑ리를 물고 (작자 미상) • 201

ㅁ

마하연 (이제현) • 494
만보 (이황) • 232
만분가 (조위) • 161
만언사답 (안도환) • 183
만언사 (안도환) • 108
만전춘별사 (작자 미상) • 462
만흥 (윤선도) • 32
말 업슨 청산이오 (성혼) • 217
매암이 맵다 울고 (이정신) • 378
매화 넷 등걸에 (매화) • 366
매화사 (안민영) • 298
면앙정가 (송순) • 123
면앙정잡가 (송순) • 64
명월음 (최현) • 157
모시를 이리저리 삼아 (작자 미상) • 363
모 심는 소리 (작자 미상) • 501
모죽지랑가 (득오) • 265
목동문답가 (임유후) • 313
몽금포 타령 (작자 미상) • 498
몽유광상산시 (허난설헌) • 447
몽천요 (윤선도) • 62
묏버들 갈해 것거 (홍랑) • 196
무어별 (임제) • 233
무제 (김병연) • 440
밀양 아리랑 (작자 미상) • 472
ᄆᆞ음아 너ᄂᆞᆫ 어이 (서경덕) • 390
ᄆᆞ음이 어린 후ㅣ니 (서경덕) • 218

ㅂ

바람에 휘엿노라 (인평 대군) • 364
반타석 (이황) • 452
방물가 (작자 미상) • 476
방안에 혓ᄂᆞᆫ 촉불 (이개) • 211
방옹시여 (신흠) • 208
백구ㅣ야 말 무러보쟈 (김천택) • 198
백발가 (작자 미상) • 504
백사장 홍료변에 (작자 미상) • 215
백설이 ᄌᆞ자진 골에 (이색) • 197
베틀 노래 (작자 미상) • 473
벽사창 밖이 어른어른커늘 (작자 미상) • 394
병산육곡 (권구) • 80
보리타작 (정약용) • 228
복선화음록 (작자 미상) • 315
봄비 (허난설헌) • 493
봄이 왓다 ᄒᆞ되 (신흠) • 220
봉선화가 (작자 미상) • 352
부귀를 탐치 말고 (임제) • 211
부벽루 (이색) • 237
북찬가 (이광명) • 187
북창이 묽다커늘 (임제) • 383
북천가 (김진형) • 190
분천강호가 (이숙량) • 292
불 아니 ᄯᅴ일지라도 (작자 미상) • 360
불일암 인운 스님에게 (이달) • 429
비가 (이정환) • 54
빈녀음 (허난설헌) • 242
빈천을 팔려고 (조찬한) • 368
ᄇᆞᄅᆞᆷ도 쉬여 넘ᄂᆞᆫ 고개 (작자 미상) • 362

붉가버슨 아해 ㅣ 들리 (이정신) • 395

사노친곡 (이담명) • 72

사랑이 거즛말이 (김상용) • 394

사랑이 엇뎌터니 (작자 미상) • 375

사리화 (이제현) • 245

사모곡 (작자 미상) • 461

사미인곡 (정철) • 93

사시가 (황희) • 289

사시사 (허난설헌) • 409

사우가 (이신의) • 63

사제가 (작자 미상) • 328

사제곡 (박인로) • 326

사청사우 (김시습) • 402

사친시 (김만중) • 425

사친 (신사임당) • 431

삭풍은 나모 긋틔 불고 (김종서) • 369

산민 (김창협) • 230

산민육가 (이홍유) • 288

산은 녯 산이로되 (황진이) • 378

산중설야 (이제현) • 495

산중잡곡 (김득연) • 47

삼동에 뵈옷 닙고 (조식) • 380

삿갓세 되롱이 입고 (김굉필) • 388

삿갓을 읊다 (김병연) • 430

상대별곡 (권근) • 484

상사곡 (박인로) • 139

상사별곡 (이세보) • 318

상사별곡 (작자 미상) • 159

상사회답곡 (작자 미상) • 350

상저가 (작자 미상) • 497

상춘곡 (정극인) • 91

새해에 집에서 온 서신을 받고 (정약용) • 424

서검을 못 일우고 (김천택) • 222

서경별곡 (작자 미상) • 250

서동요 (서동) • 498

서방님 병 들여 두고 (김수장) • 226

선상탄 (박인로) • 171

선인교 나린 물이 (정도전) • 212

설월이 만창한데 (작자 미상) • 368

설중방우인불우 (이규보) • 249

성산별곡 (정철) • 148

세월이 여류하니 (김진태) • 393

소춘향가 (작자 미상) • 481

속미인곡 (정철) • 88

속행로난 (이인로) • 458

송인 (정지상) • 229

수심가 (작자 미상) • 469

수양산 ᄇᆞ라보며 (성삼문) • 219

술을 취케 먹고 (정태화) • 392

스무나무 밑의 (김병연) • 441

습수요 (이달) • 456

싀어마님 며느라기 낫바 (작자 미상) • 205

시내 흐르는 골에 (신희문) • 225

시벽 (이규보) • 434

시집살이 노래 (작자 미상) • 466

신도가 (정도전) • 485

쌍화점 (작자 미상) • 496

쉼에 왓던 님이 (박효관) • 360

아리랑 타령 (작자 미상) • 478

안락성을 지나다가 배척받고 (김병연) • 407

안민가 (충담사) • 267
안빈을 염치 말아 (김수장) • 359
암반 설중 고죽 (서견) • 388
애국하는 노래 (이필균) • 509
애절양 (정약용) • 495
야청도의성 (양태사) • 406
어부단가 (이현보) • 78
어부사시사 (윤선도) • 34
어와 동량재롤 (정철) • 491
어이 못 오던다 (작자 미상) • 199
어이 얼어 잘이 (한우) • 384
어져 내 일이여 (황진이) • 210
어져 세상 사람 (작자 미상) • 491
여뀌꽃과 백로 (이규보) • 244
여수장우중문시 (을지문덕) • 247
연행가 (홍순학) • 112
영반월 (황진이) • 436
영산가고 (김시습) • 457
영산가 (작자 미상) • 479
영삼별곡 (권섭) • 319
영정중월 (이규보) • 442
오동에 듯는 빗발 (김상용) • 492
오륜가 (김상용) • 86
오륜가 (박인로) • 300
오륜가 (주세붕) • 84
오백 년 도읍지를 (길재) • 197
오우가 (윤선도) • 65
올히 달은 다리 (김구) • 365
요야 (김정희) • 453
요양의 달 (허균) • 426
용부가 (작자 미상) • 354
용비어천가 (정인지 외) • 271
용사음 (최현) • 320
용산 마을 아전 (정약용) • 446
용추유영가 (정훈) • 143
우국가 (이덕일) • 52
우레가치 소리나는 (작자 미상) • 491
우부가 (작자 미상) • 174
우활가 (정훈) • 334
우후요 (윤선도) • 365
원가 (신충) • 498
원산 아리랑 (작자 미상) • 474
원생원 (김병연) • 495
원왕생가 (광덕) • 486
월곡답가 (정훈) • 290
월선헌십육경가 (신계영) • 339
월야첨향로 (혜초) • 414
유객 (김시습) • 403
유민탄 (어무적) • 404
유배지에서 처의 죽음을 슬퍼하며 (김정희) • 454
유산가 (작자 미상) • 274
유원십이곡 (안서우) • 58
율리유곡 (김광욱) • 38
이런들 엇더ᄒᆞ며 (이방원) • 221
이 몸이 주거 가셔 (성삼문) • 206
이 몸이 주거 주거 (정몽주) • 221
이별요 (작자 미상) • 475
이상곡 (작자 미상) • 497
이시렴 브디 갈따 (성종) • 393
이화에 월백하고 (이조년) • 198
이화우 흣뿌릴 제 (계랑) • 210
일동장유가 (김인겸) • 129
일신이 사쟈 ᄒᆞᆫ이 (이정보) • 202
임진유감 (김부식) • 494

입암이십구곡 (박인로) • 76

자경가 (박인로) • 302
자술 (이옥봉) • 231
자진방아 타령 (작자 미상) • 501
잠 노래 (작자 미상) • 269
잠령민정 (임제) • 455
장검을 빼어 들고 (남이) • 492
장난삼아 서흥 도호부사 임군 성운에게 주다 (정약용) • 494
장백산에 기를 곳고 (김종서) • 492
장부로 삼겨 나서 (김유기) • 375
장상사 (성현) • 241
장육당육가 (이별) • 71
장진주사 (정철) • 398
재 너머 성 권농 집에 (정철) • 492
재 우희 웃둑 션 소나모 (작자 미상) • 490
저 건너 흰옷 입은 (작자 미상) • 364
저곡전가팔곡 (이휘일) • 60
저문 봄 강가에서 사람을 보내고 난 뒤에 느끼는 바가 있어 (이규보) • 451
전원사시가 (신계영) • 48
전원에 나믄 흥을 (김천택) • 370
절명시 (황현) • 427
절화행 (이규보) • 443
정과정 (정서) • 260
정석가 (작자 미상) • 254
정선 아리랑 (작자 미상) • 268
정읍사 (어느 행상인의 아내) • 279
제가야산독서당 (최치원) • 227
제망매가 (월명사) • 261
조홍시가 (박인로) • 296
주문에 벗님네야 (김천택) • 387
증별 (정철) • 417
지당에 비 뿌리고 (조헌) • 372
진도 아리랑 (작자 미상) • 500
진중음 (이순신) • 439
집방석 내지 마라 (한호) • 369
집장가 (작자 미상) • 482

착빙행 (김창협) • 412
찬기파랑가 (충담사) • 263
창 내고쟈 창을 내고쟈 (작자 미상) • 199
창밖이 어른어른커늘 (작자 미상) • 400
창의가 (신태식) • 510
창의시 (최익현) • 496
채호 (정약용) • 444
처용가 (작자 미상) • 464
처용가 (처용) • 262
천만 리 머나먼 길히 (왕방연) • 216
천세를 누리소서 (작자 미상) • 395
철령 높은 봉에 (이항복) • 380
청강에 비 듯는 소릐 (봉림 대군) • 382
청량산 육륙봉을 (이황) • 493
청산도 절로 절로 (송시열) • 362
청산리 벽계수 ㅣ 야 (황진이) • 373
청산별곡 (작자 미상) • 252
청산아 웃지 마라 (정구) • 359
청산은 나를 보고 (나옹) • 438
청산은 내 뜻이오 (황진이) • 224
청천에 뻣 논 기러기 (작자 미상) • 397
청초 우거진 골에 (임제) • 379
청춘과부가 (작자 미상) • 501
초당에 일이 업서 (유성원) • 383

초당춘수곡 (남석하) • 322

초부가 (작자 미상) • 270

초암이 적료ᄒᆞᆫᄃᆡ (김수장) • 379

초연곡 (윤선도) • 303

촉규화 (최치원) • 248

추강에 밤이 드니 (월산 대군) • 218

추야우중 (최치원) • 246

추풍감별곡 (작자 미상) • 324

춘면곡 (작자 미상) • 145

춘산에 눈 노기ᄂᆞᆫ 바ᄅᆞᆷ (우탁) • 220

춘설유감 (최명길) • 416

춘흥 (정몽주) • 437

출새곡 (조우인) • 336

충신은 만조정이요 (작자 미상) • 492

켐마쿵쿵 노세 (작자 미상) • 499

탄궁가 (정훈) • 166

탄로가 (신계영) • 301

탐진어가 (정약용) • 401

탐진촌요 (정약용) • 428

태산이 놉다 하되 (양사언) • 223

평생에 일이 업서 (낭원군) • 217

풍계육가 (이정) • 74

풍상이 섯거 친 날에 (송순) • 371

풍파에 놀란 사공 (장만) • 491

하우요 (윤선도) • 490

하하 허허 ᄒᆞᆫ들 (권섭) • 490

한거십팔곡 (권호문) • 43

한림별곡 (한림 제유) • 272

한산셤 ᄃᆞᆯ 볼근 밤의 (이순신) • 384

한송정 ᄃᆞᆯ 밝은 밤의 (홍장) • 374

한숨은 ᄇᆞ람이 되고 (작자 미상) • 391

한숨아 셰한숨아 (작자 미상) • 201

한양가 (한산거사) • 342

해가 (작자 미상) • 487

향산별곡 (작자 미상) • 347

헌화가 (견우 노인) • 266

형장가 (작자 미상) • 276

화전가 (작자 미상) • 356

황계사 (작자 미상) • 133

황조가 (유리왕) • 280

훈계자손가 (김상용) • 294

훈민가 (정철) • 45

흥망이 유수ᄒᆞ니 (원천석) • 207

흰 구름 프른 ᄂᆡ는 (김천택) • 224

ᄒᆞᆫ 눈 멀고 ᄒᆞᆫ 다리 저는 두터비 (작자 미상) • 397

ᄒᆞᆫ 손에 막ᄃᆡ 잡고 (우탁) • 377

고전 시가의 흐름 잡기!

상고 시대, 삼국~통일신라

- 집단적 · 서사적 · 주술적인 내용의 원시 종합 예술에서 시작되어 개인적, 서정적인 내용의 시가로 분리, 발전함. 고대 가요가 창작됨.
- 신라 때부터 고려 초까지 한자의 음과 뜻을 빌려 적는 향찰로 표기한 향가가 창작됨.
- 한문이 도입되면서 귀족들은 한시를 창작함.

고려 시대

- 향가 쇠퇴 후 평민들이 부르던 고려 가요가 주류 서정시로 자리 잡음. 민요에서 형성되어 구전되다가 조선 성종 무렵부터 문자로 기록됨.
- 한시가 활발하게 창작됨.
- 고려 중엽 이후부터 시조와 가사가 발생됨.
- 고려 말 유교적 이념을 표출하기 위해 충의(忠義)를 주제로 한 시조가 지어지기 시작함. 고려 말엽에 완성됨.
- 무신의 난 이후 신흥 사대부들에 의해 경기체가가 창작됨.

조선 전기

- 조선 왕조의 정당성 확보를 위한 악장이 창작됨. 조선 초 궁중의 연희나 종묘의 제악 등에 쓰이던 연주곡의 하나
- 고려 말엽부터 시조와 가사는 더욱 번성하고 주요 시가 갈래로 부상함. 조선 전기에는 시조와 가사는 주로 사대부층에 의해 창작됨.

조선 후기

- 민중 문화 참여기. 두 번의 전쟁을 겪으며 평민 계층의 의식이 성장, 창작과 향유에 적극 참여함.
- 민중의 생활 속에서 자연적으로 민요가 발생. 서민들의 애환이 담긴 노래가 주로 불림.
- 시조와 가사의 작가층이 평민과 부녀자층으로 확대됨. 시조는 국민 문학이 되어 오늘날까지 이어 내려옴.

고대 가요

(1) **개념** | 고대 가요는 삼국 시대 이전의 노래로, 원시 종합 예술에서 분화된 서정적인 내용의 시가(詩歌)를 의미한다.

(2) **특징**

형식	① 구비 전승되다가 문자로 정착되었음. ② 한역 되어 배경 설화와 함께 전해지고 있음. ③ 작품의 짜임은 단순하나, 어느 정도 대칭 구조의 균형을 이루고 있음.
내용	① 주술이나 제의적 생활상이 반영되어 있음. ② 집단적인 성격의 서사시에서 개인의 감정을 노래한 서정시로 발달하였음.

(3) **주요 작품**

작품명	작가	형식	내용
공무도하가	백수광부의 아내	4언 4구체	임과 사별한 슬픔과 한
구지가	구간 외	4언 4구체	수로왕의 강림 기원
황조가	고구려 유리왕	4언 4구체	임을 잃은 슬픔과 외로움
정읍사	어느 행상인의 아내	3장 6구(후렴구 제외)	행상 떠난 남편의 무사 귀가를 기원

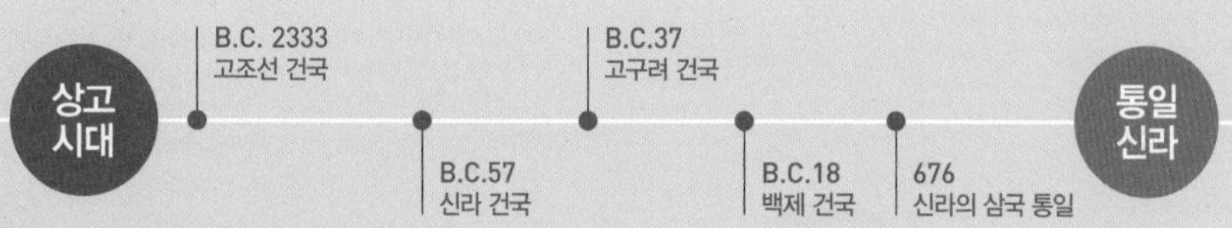

향가

(1) **개념** | 신라 때부터 고려 초기까지 향유되었던 노래로, 한자의 음과 뜻을 빌려 문장을 우리말로 적는 향찰로 표기된 신라의 노래를 뜻한다. 현전하는 향가의 작가는 대부분 승려, 화랑 등 귀족 계층이 중심이다.

(2) **특징**

형식	① 향가의 초기 형태인 4구체에서 8구체로 발전하고 10구체로 완성됨. ② 10구체는 낙구 첫머리에 반드시 감탄사를 두어 시상을 마무리함.
내용	① 민요, 동요, 토속 신앙에 대한 것, 임금을 그리워하는 것, 나라를 다스리는 노래 등 다양함. 불교적 기원과 신앙을 노래한 것이 가장 많음. ② 배경이 되는 설화와 함께 전승됨.

(3) **주요 작품**

작품명	작가	형식	내용
서동요	서동(백제 무왕)	4구체	선화 공주와 은밀한 사랑, 선화 공주에 대한 연모의 정
도솔가	월명사		불교 신앙을 통해 국가의 변괴를 막음.
헌화가	견우 노인		사회적 신분의 차이를 넘어선 연정
모죽지랑가	득오	8구체	죽지랑의 인품에 대한 예찬과 그의 죽음에 대한 추모
처용가	처용		아내를 범한 역신을 쫓아냄.
제망매가	월명사	10구체	죽은 누이를 추모
찬기파랑가	충담사		기파랑의 고매한 인품 찬양
안민가	충담사		나라를 다스리는 왕도(王道)

고전 시가의 흐름 잡기!

고려 가요

(1) 개념 | 향가의 쇠퇴 후 고려의 귀족층이 한문학으로 문단을 이끌어 가자 평민층에서 새로이 나타난 노래(민요적 시가)로, '고려 속요, 여요, 장가'라고도 한다. 구전되다가 한글 창제 후에 문자로 기록되어 정확한 저작 연대, 작가 등을 알기 어렵다.

(2) 특징

형식	① 대부분 분절식으로 되어 있고, 분절마다 후렴구가 붙는 것이 보통임. ② 율격이 고정된 것은 아니지만 3 · 3 · 2조의 3음보 율격이 많이 나타남.
내용	주로 남녀 간의 사랑, 자연에 대한 예찬, 이별의 아쉬움 등 소박하고 풍부한 정서를 진솔하게 표현하였음.

(3) 주요 작품

작품명	작가	형식	내용
서경별곡	작자 미상	전 3연	이별의 정한
청산별곡	작자 미상	전 8연	① 삶의 고뇌를 느끼고 이상향을 그리는 심정 ② 실연의 애상 ③ 삶의 터전을 잃은 유랑민의 비애
정석가	작자 미상	전 6연	① 임에 대한 영원한 사랑 ② 태평성대의 기원
가시리	작자 미상	전 4연	사랑하는 임과 이별한 슬픔
동동	작자 미상	전 13연	달마다 행하는 세시 풍속과 임에 대한 연모
정과정	정서	10구체	귀양살이의 억울함과 연군의 정

676
신라의 삼국 통일

통일 신라

918
고려 건국

고려 전기

한시

(1) 개념 | 한문으로 창작된 정형시로, 원래 중국 전통의 시가 양식이지만 한문학의 발달과 더불어 융성하게 되었다. 한글 창제 이전 우리나라 사람이 지었거나 한문을 주로 사용하던 상류 계층이 지은 한시는 우리 문학에 포함하고 있다.

(2) 특징

형식	5글자로 된 오언시, 7글자로 된 칠언시로 나뉘고, 절구, 율시, 배율이 있음. 4행이면 절구(絕句), 8행이면 율시(律詩), 12행 이상이면 배율(排律)이라 함. (예 7언 절구: 7글자로 이루어진 행이 4줄인 한시)
내용	유교적 충절, 남녀 간의 사랑, 자연 예찬, 부조리한 현실 비판 등 주제가 다양함.

(3) 주요 작품

작품명	작가	형식	연대	내용
여수장우중문시	을지문덕	5언 고시	고구려	을지문덕이 수나라 장수 우중문을 조롱함.
추야우중	최치원	5언 절구	신라	① 뜻을 펴지 못한 지식인의 고뇌 ② 고국에 대한 향수
제가야산독서당	최치원	7언 절구	신라	세속과 멀어져 산중에 은둔하고 싶은 심정
송인	정지상	7언 절구	고려	대동강가에서 이별하는 애절한 심정
고시 7	정약용	5언 고시	조선	지배층의 횡포와 백성들의 고통스러운 삶
부벽루	이규보	7언 절구	고려	지난 역사의 회고와 고려 국운의 회복 소망

경기체가

(1) **개념** | 고려 중엽 무신의 난 이후, 문벌 귀족이 몰락하고 새롭게 정계에 등장한 신흥 사대부들에 의해 향유된 노래. 조선 초기까지 불리었으며 교술적 성격을 지닌 문학이다.

(2) **특징**

형식	① 몇 개의 연(聯)이 중첩되어 한 작품을 이루는 연장(聯章)체로 3 · 3 · 4조의 음보율이 기본임. ② 6행으로 된 한 연은 2절로 나뉘며, 전절(前節)은 길고 후절(後節)은 짧은 형식으로 되어 있음. ③ 노래 말미에 '경(景) 긔 엇더ᄒᆞ니잇고' 또는 '경기하여(景幾何如)'라는 구절을 붙였음.
내용	① 신흥 사대부들의 활기찬 감정과 의식 세계를 노래하였음. ② 선비들의 학식과 체험을 노래하려 글, 경치, 기상 등을 제재로 삼음. ③ 구체적인 사물을 나열하면서 객관적인 설명을 더 하는 교술적 성격을 지님.

(3) **주요 작품**

작품명	작가	표기	내용
한림별곡	한림 제유	국문 / 이두문	① 신진 사대부들의 학문적 자부심 ② 향락적 풍류 생활

시조

(1) **개념** | 고려 후기부터 유교적 이념을 표출하기 위해 창작하였으며, 조선 시대에 들어와 한글이 창제됨에 따라 우리 국문학의 대표적인 문학 양식으로 자리 잡은 우리나라 대표적 시가이다.

(2) **특징**

형식	3장 6구 45자 내외. 운율은 3 · 4조/4 · 4조의 음수율, 4음보. 종장의 첫 음보는 3음절로 고정	
	엇시조	평시조의 초 · 중장 중 어느 한 장이 길어진 시조
	연시조	하나의 제목 아래 두 수 이상으로 구성된 시조
	사설시조	초 · 중 · 종장 중 2구 이상이 길어진 시조. 주로 평민들이 씀.
내용	유교적 충의 사상, 자연 속 삶, 남녀 간의 사랑을 진솔하게 표현함.	
	고려 말	왕조 교체기의 위국 충절, 패망한 나라에 대한 회고, 간신에 대한 풍자 등을 노래
	조선 전기	유학자들의 검소함과 담백한 정서를 표현함. 안빈낙도(安貧樂道), 연군지정(戀君之情)
	조선 후기	서민적인 소박한 생활 감정을 진솔하게 표현함.

(3) **주요 작품**

작품명	작가	형식	연대	내용
이화에 월백하고	이조년	평시조	고려	봄밤의 애상적 정서
동지ㅅ달 기나긴 밤	황진이	평시조	조선 전기	임을 향한 기다림과 사랑
도산십이곡	이황	연시조	조선 전기	자연 친화적 삶과 학문 수양에의 다짐
창 내고쟈 창을 내고쟈	작자 미상	사설시조	조선 후기	답답한 심정에서 벗어나고 싶은 마음

고전 시가의 흐름 잡기!

악장

(1) 개념 | 조선 시대 궁중의 여러 의식과 행사 및 연례(宴禮)에 쓰이던 송축가이다. 향유 계층이 극히 제한되었고, 목적성이 뚜렷하여 다른 장르에 비해 문학성이 높지 않다. 조선 초기에만 향유되었다.

(2) 특징

형식	① 독특한 형식을 갖추지 못해 일정한 틀이 없음. ② 한시체, 속요체, 경기체가체, 신체 등 다양하게 나타남.
내용	① 조선 건국의 정당성을 강조하고 문물제도를 찬양함. ② 임금의 만수무강과 왕가의 번창을 기원함. ③ 후대 왕들에 대한 권계와 귀감을 노래함.

(3) 주요 작품

작품명	작가	연대	내용
신도가	정도전	조선 태조	① 태조의 성덕과 건국 찬양 ② 새 수도의 한양의 경치 소개
용비어천가	정인지 외	조선 세종	① 건국의 정당성과 육조의 업적 찬양 ② 후왕에 대한 권계

가사

(1) 개념 | 고려 말, 시조가 그 형태를 갖추어 갈 무렵을 전후하여 나타나기 시작하여 조선 시대에 본격적으로 창작되었다. 시가와 산문 중간 형태의 문학으로, 형식적 요건이 단순하여 향유층도 매우 다양할 수 있었다.

(2) 특징

형식	① 3(4) · 4조, 4음보의 연속체 운문으로 행수에는 제한이 없음. 마지막 행은 대체로 시조의 종장과 흡사한 낙구를 덧붙임. ② 조선 전기 가사는 길이가 비교적 짧고 정격 가사가 많고, 후기 작품들에는 장편 가사가 등장하며 변격 가사가 많음.		
내용	조선 전기	주로 양반 사대부	① 자연에서 느끼는 흥취와 안빈낙도, 충의 및 연군의 정 등을 창작 ② 그 외 유배 가사, 기행 가사, 내방가사와 같은 유형들이 있음.
	조선 후기	평민, 부녀자로 확대	① 기행 가사, 유배 가사 등 사대부 가사의 전통도 이어짐. ② 중하층이나 여성들이 작가로 참여하게 되면서 삶의 애환, 부녀자의 삶 등 다양한 제재가 담김.

(3) 주요 작품

작품명	작가	연대	내용
상춘곡	정극인	조선 전기	속세에서 벗어나 아름다운 자연에 묻혀 사는 삶의 즐거움
면앙정가	송순		면앙정 주위의 아름다움과 정취
관동별곡	정철	조선 중기	관동 지방의 아름다움과 관찰사로서 나라를 생각하는 마음
사미인곡	정철		여인의 애절한 고백 형식으로, 임금을 향한 변함없는 충정을 노래함.
누항사	박인로		누항에 묻혀 자연을 벗 삼아 빈이무원하는 생활을 노래함.
일동장유가	김인겸	조선 후기	작가가 사신으로 일본에 다녀와서 그 견문을 기록함.
농가월령가	정학유		농가의 연중 행사와 풍습을 월령체 형식으로 노래함.

민요

(1) 개념 | 과거로부터 내려오는 전통적 운율감을 기초로 일반 민중들 사이에서 자연스럽게 형성되어 사람의 입을 통하여 전해지는 노래이다. 그 민족 · 민중 공동체의 희비와 애환이 담겨 있으며, 그들의 삶의 모습이 함축되어 있다.

(2) 특징

형식	① 연속체의 긴 노래로, 3 · 4조 또는 4 · 4조의 운율이 주를 이루며, 대개는 후렴이 붙어 있음. ② 가창 형식과 시가 형태가 긴밀한 관계를 맺고 있어 후렴이 있느냐 없느냐에 따라 가창 방식이 달라지고, 교환창이냐 선후창이냐에 따라 시가 형태가 결정됨.
내용	① 일의 고달픔이나 보람, 삶의 애환, 남녀의 애틋한 사랑, 놀이의 표현 등 민중들이 일상생활에서 겪는 정한이 드러남. ② 일반 서민들의 보편적인 정서를 노래하였다는 점에서 문학사에서 중요한 정서적 가치를 가짐.

(3) 주요 작품

분류		작품	내용
기능요	노동요	논매기 노래, 타작 노래, 해녀 노래 등	일을 하면서 부르는 노래
	의식요	지신밟기요(세시 의식요), 상여 노래(장례 의식요), 달구질 소리 등	세시나 장례 등의 의식을 행하면서 부르는 노래
	유희요	강강술래, 널뛰기 노래 등	놀이에 박자를 맞추면서 부르는 노래
비기능요		정선 아리랑, 진도 아리랑 등	순수하게 노래의 즐거움을 느끼기 위해 부르는 노래

잡가

(1) 개념 | 조선 후기 대중들이 즐겨 부르던 긴 노래로, 가사체의 긴 사설을 얹어 부르는 일종의 유행가이다.

(2) 특징 | 가사, 민요, 시조, 판소리 등 여러 시가 양식이 혼합되어 만들어진다는 특징이 있다.

(3) 주요 작품

작품명	작가	내용
형장가	작자 미상	춘향의 옥중 고초와 임에 대한 일편단심
유산가	작자 미상	봄날에 아름다운 경치의 완상
집장가	작자 미상	춘향을 매질하는 집장 군노의 모습

개화 가사

(1) 개념 | 통상적인 가사 형식에 개화기의 새로운 사상을 담아 표현한 시가 형식을 말한다. 개화 가사는 외세의 침략에 대한 비판, 자주독립 의식의 고취, 사회 현실의 풍자 등이 중심 내용을 이룬다.

(2) 주요 작품 | 「애국하는 노래」(이필균), 「동심가」(이중원)

창가

(1) 개념 | 개화 가사와 신체시를 연결하는 교량 역할을 했던 시가 형식으로, 외국 민요와 찬송가의 영향을 많이 받은 갈래이다. 신학문, 신교육 제창, 애국 · 독립 의식의 고취, 사회 현실의 풍자 등이 중심 내용을 이룬다.

(2) 주요 작품 | 「경부 철도가」(최남선), 「한양가」(최남선)

고전 시가 필수 어휘

명사형

☑ **학습 체크**

☐ 강호(江湖)에 봄이 드니 미친 흥(興)이 절로 난다 — 맹사성, 「강호사시가」

강호(자연)에 봄이 찾아오니 깊은 흥이 절로 일어난다.

강호(江湖), 강산(江山): 자연, 강과 호수 (≒ 임천 ≒ 산수 ≒ 풍월)

☐ 어느 ᄀᆞᅀᆞᆯ 이른 ᄇᆞᄅᆞ매 — 월명사, 「제망매가」

어느 가을 이른 바람에

강호에 ᄀᆞᄋᆞᆯ이 드니 고기마다 ᄉᆞᆯ져 잇다 — 맹사성, 「강호사시가」

강호에 가을이 찾아오니 물고기마다 살이 올라 있다.

ᄀᆞᅀᆞᆯ, ᄀᆞᄋᆞᆯ: 가을

☐ 강산(江山) 죠흔 경(景)을 힘센 이 닷톨 양이면 — 김천택의 시조

자연의 아름다운 경치를 힘 센 사람들이 (서로 자기 것이라) 다툴 양이면

경(景), 경물(景物): 경치, 아름다운 경치

☐ 덕(德)으란 곰ᄇᆡ예 받ᄌᆞᆸ고 / 복(福)으란 림ᄇᆡ예 받ᄌᆞᆸ고 — 작자 미상, 「동동」

덕은 뒤에 바치옵고 / 복은 앞에 바치오니

곰ᄇᆡ: 뒤
님ᄇᆡ: 앞

☐ 공명(功名)도 날 ᄭᅴ우고 부귀(富貴)도 날 ᄭᅴ우니
청풍명월(淸風明月) 외(外)예 엇던 벗이 잇ᄉᆞ올고 — 정극인, 「상춘곡」

공명도 날 꺼리고, 부귀도 날 꺼리니,
맑은 바람과 달 외에 어떤 벗이 있겠는가?

공명(功名): 공을 세워서 자기의 이름을 널리 드러냄. 또는 그 이름

☐ 대동강(大同江) 아즐가 대동강(大同江) 건너편 고즐여 — 작자 미상, 「서경별곡」

(나의 임은) 대동강 대동강 건너편 꽃을

곶(곳): 꽃

☐ 새파른 나리여ᄒᆡ / 기랑ᄋᆡ 즈ᅀᅵ 이슈라 — 충담사, 「찬기파랑가」

새파란 냇물에 / 기랑의 모습이 있구나.

나리(물): 시내(물)

☐ 녹양(綠楊)의 우는 황앵(黃鶯) 교태(嬌態) 겨워 ᄒᆞᄂᆞᆫ괴야 — 송순, 「면앙정가」

푸른 버드나무에서 우는 꾀꼬리는 흥에 겨워 아양을 떠는구나.

녹양(綠楊): 버드나무

☐ 어와 저 백구(白鷗)야 무슨 수고 하느냐 — 김광욱, 「율리유곡」

어와 저 갈매기야, 무슨 수고하느냐?

백구: 흰 갈매기

☐ 유월(六月) 보로매 / 아으 별해 ᄇᆞ룐 빗 다호라 — 작자 미상, 「동동」

6월 보름(유두일)에 / 아아, 벼랑에 버려진 빗 같구나.

별해: 벼랑에

☑ **학습 체크**

	설명
☐ 사창(紗窓)을 반개(半開)ᄒᆞ고 차환(叉鬟)을 불너ᄂᆡ어 – 작자 미상, 「봉선화가」 창을 반쯤 열고 심부름하는 여자아이를 불러내어	**사창, 옥창, 규방**: 얇고 성기게 짠 비단으로 바른 창
☐ 녹양방초(綠楊芳草)는 세우 중(細雨中)에 프르도다 – 정극인, 「상춘곡」 푸른 버드나무와 향기로운 풀은 가랑비 속에 푸르구나.	**세우(細雨)**: 가는 비(가랑비)
☐ 말가ᄒᆞᆫ 기픈 소(沼)희 온갇 고기 뛰노ᄂᆞ다 – 윤선도, 「어부사시사」 맑고도 깊은 못에 온갖 고기가 뛰노는구나. 지당(池塘)에 비 ᄲᅮ리고 양류(楊柳)에 ᄂᆡ 끼인 제 – 조헌의 시조 연못에 비가 뿌리고 버드나무에 안개가 끼인 때에	**소(沼), 지당(池塘)**: 연못
☐ 불휘 기픈 남ᄀᆞᆫ ᄇᆞᄅᆞ매 아니 뮐ᄊᆡ 곶 됴코 여름 하ᄂᆞ니 – 정인지 외, 「용비어천가」 뿌리가 깊은 나무는 바람에 흔들리지 아니하므로, 꽃이 좋고 열매가 많이 열리니	**여름**: 열매
☐ 수양산(首陽山) ᄇᆞ라보며 이제(夷齊)를 한(恨)하노라 – 성삼문의 시조 수양산을 바라보면서 백이와 숙제를 원망하며 한탄하노라.	**이제(夷齊) = 백이숙제**: 백이와 숙제. 지조 있고 절개가 곧은 충신
☐ 이화우(梨花雨) 훗ᄲᅮ릴 제 울며 잡고 이별(離別)한 님 – 계랑의 시조 배꽃 비가 흩날릴 때 울면서 (소매를) 잡고 이별한 임	• **이화**: 배꽃(흰색, 봄) • **도화**: 복숭아꽃(붉은색, 봄) • **행화**: 살구꽃(봄) • **두견화**: 진달래(봄)
☐ 즈믄 ᄒᆡᆯ 장존ᄒᆞ샬 / 약(藥)이라 받ᄌᆞᆸ노이다. – 작자 미상, 「동동」 천 년을 사실 / 약이기에 바치옵나이다	• **즈믄**: 천(1000) • **온**: 백(100)
☐ 청산(靑山)은 내 뜻이오 녹수(綠水)는 님의 정(情)이 녹수(綠水) 흘너간들 청산(靑山)이야 변(變)ᄒᆞᆯ손가 녹수(綠水)도 청산을 못 니져 우러 예어 가는고 – 황진이의 시조 청산은 (변함없는) 나의 마음이고, 녹수는 (쉽게 변하는) 임의 정이로다. 녹수가 흘러가더라도 청산이야 변하겠는가? 녹수도 청산을 잊지 못해 울면서 흘러가는가?	**청산(靑山)**: 푸른 산, 자연
☐ 방(房) 안에 혓는 촉(燭)불 눌과 이별(離別)ᄒᆞ엿관ᄃᆡ – 이개의 시조 방 안에 켜 놓은 촛불은 누구와 이별을 하였기에	**촉불, 촉(燭)**: 촛불
☐ 홍진(紅塵)에 뭇친 분네 이내 생애(生涯) 엇더ᄒᆞᆫ고 – 정극인, 「상춘곡」 속세에 묻혀 사는 분들이여, 이 나의 생활이 어떠한고?	**홍진(紅塵), 풍진**: 인간 세상, 하계, 속세
☐ 셔풍(西風)에 익는 빛은 황운(黃雲)이 이러난다 – 정학유, 「농가월령가」 서풍에 익는 빛은 누런 구름이 이는 듯하다 황운(黃雲)은 또 엇지 만경(萬頃)의 편거긔요 – 송순, 「면앙정가」 누렇게 익은 곡식은 또 어찌 넓은 들에 퍼져 있는가?	**황운(黃雲)**: 누런 빛깔의 구름, 누렇게 익은 곡식

동사·형용사형

☑ 학습 체크

☐ 수풀에 우는 새는 춘기(春氣)를 몯내 계워 소ᄅᆡ마다 교태(嬌態)로다.

– 정극인, 「상춘곡」

수풀에 우는 새는 봄기운을 끝내 이기지 못하여 소리마다 아양을 떠는 모습이구나.

계워, 겨워: 못 이겨, 이기지 못해

☐ 오ᄅᆞ디 못ᄒᆞ거니 ᄂᆞ려가미 고이ᄒᆞᆯ가 – 정철, 「관동별곡」

오르지 못하니 내려감이 이상할까?

고이하다: 이상하다, 괴이하다

☐ 나 ᄒᆞ나 졈어 잇고 님 ᄒᆞ나 날 괴시니 – 정철, 「사미인곡」

나 하나 젊어 있고 임 오로지 날 사랑하시니

괴다: 사랑하다

☐ 선인교(仙人橋) 나린 물이 자하동(紫霞洞)에 흘너드러 – 정도전의 시조

선인교에서 내려온 물이 자하동에 흘러들어

나리다: 내려오다, 흘러내리다

☐ 평ᄉᆡᆼ(平生)애 원(願)ᄒᆞ요ᄃᆡ ᄒᆞᆫᄃᆡ 녜자 ᄒᆞ얏더니 – 정철, 「사미인곡」

평생에 원하건대 (임과) 함께 살자 하였더니

녜다, 녀다, 니다: 가다, 살다

☐ 이 중(中)의 즐거운 ᄠᅳᆮ을 닐러 무ᄉᆞᆷᄒᆞ리오 – 이휘일, 「저곡전가팔곡」

이 중의 즐거운 뜻을 (남들에게) 말해 무엇하리오?

니르다: 말하다

☐ 우러라 우러라 새여 자고 니러 우러라 새여

우는구나 우는구나 새여, 자고 일어나 우는구나 새여.

널라와 시름 한 나도 자고 니러 우니로라 – 작자 미상, 「청산별곡」

너보다 근심이 많은 나도 자고 일어나 울며 지내노라.

닐다: 일어나다

☐ 벽사창(碧紗窓) 깁픈 밤의 픔에 들어 자는 님을 자른 목 느르혀 – 작자 미상의 시조

푸른 비단을 바른 여자 방의 깊은 밤에 (내) 품에 들어와 자는 임을 (닭이) 짧은 목 늘어뜨려

석양(夕陽)이 재 넘어갈 제 어깨를 추이르며 긴 소래 저른 소래 하며 어이 갈고 하더라 – 작자 미상의 시조

석양이 고개를 넘어갈 때 어깨를 추스르며, 긴 소리 짧은 소리 하며 어이 갈까 하는구나.

자르다, 저르다, 쟈르다, 짜르다: 짧다

☐ 말ᄉᆞᆷ도 우움도 아녀도 몯내 됴하ᄒᆞ노라 – 윤선도, 「만흥」

(산은) 특별한 말씀도 웃음도 없지만 (나는) 그저 좋기만 하구나.

둏다, 됴타: 좋다

☐ 짓ᄂᆞ니 한숨이오 디ᄂᆞ니 눈믈이라 – 정철, 「사미인곡」

짓는 것이 한숨이요, 흐르는 것이 눈물이라.

디다: 지다, 떨어지다(흐르다)

☑ 학습 체크

- [ ] 백설(白雪)이 ᄌᆞ자진 골에 구루미 머흐레라 — 이색의 시조
  백설이 녹은 골짜기에 구름이 험하구나.

  머흘다: 험하고 사납다

- [ ] 무심(無心)ᄒᆞᆫ ᄇᆡᆨ구(白鷗)ᄂᆞᆫ 내 좃ᄂᆞᆫ가 제 좃ᄂᆞᆫ가 — 윤선도, 「어부사시사」
  욕심 없는 갈매기는 내가 (저를) 좇는 것인가, 제가 (나를) 좇는 것인가?

  무심ᄒᆞᆫ: 욕심이 없는, 아무 걱정이 없는

- [ ] 노래 삼긴 사람 시름도 하도 할샤 — 신흠의 시조
  노래를 (처음으로) 만든 사람 시름이 많기도 많았구나.

  삼기다: 태어나다, 생기다, 만들다

- [ ] 공명(功名)도 날 ᄭᅴ우고 부귀(富貴)도 날 ᄭᅴ우니 — 정극인, 「상춘곡」
  공명도 날 꺼리고, 부귀도 날 꺼리니

  ᄭᅴ우다: 꺼리다

- [ ] 어리고 햐암의 뜻의ᄂᆞᆫ 내 분(分)인가 ᄒᆞ노라 — 윤선도, 「만흥」
  (나처럼) 어리석은 시골뜨기의 생각에는 (이것이) 내 분수인가 하노라.

  이 마음이 어리기도 임 위한 탓이로세 — 윤선도, 「견회요」
  이 마음이 어리석은 것도 모두가 임(임금)을 위한 탓이로구나.

  어리다: 어리석다

- [ ] 귓또리 져 귓또리 어엿부다 져 귓또리 — 작자 미상의 시조
  귀뚜라미 저 귀뚜라미, 불쌍하다 저 귀뚜라미

  어엿브다: 불쌍하다

- [ ] 여히ᄆᆞᄅᆞᆫ 아즐가 여히ᄆᆞᄅᆞᆫ 질삼뵈 ᄇᆞ리시고 — 작자 미상, 「서경별곡」
  (임과) 이별하기보다는 차라리 길쌈 베를 버리고라도

  여히다, 여의다: 떠나보내다, 이별하다

- [ ] 구룸 빗치 조타 ᄒᆞ나 검기ᄅᆞᆯ ᄌᆞ로 ᄒᆞᆫ다 — 윤선도, 「오우가」
  구름의 빛깔이 깨끗하다고는 하지만, 검기를 자주 한다.

  조타: 깨끗하다

- [ ] 슬프나 즐거오나 옳다 하나 외다 하나 — 윤선도, 「견회요」
  슬프나 즐거우나 옳다 하나 그르다 하나

  외다: 그르다

- [ ] 고신거국(孤臣去國)에 ᄇᆡᆨ발(白髮)도 하도 할샤 — 정철, 「관동별곡」
  임금 곁을 떠나는 외로운 신하가 (서울을 떠나매) 근심이 많기도 많구나.

  하다: 많다

- [ ] 사ᄉᆞ미 짒대예 올아셔 ᄒᆡ금(奚琴)을 혀거를 드로라 — 작자 미상, 「청산별곡」
  사슴이 장대에 올라가서 해금 켜는 것을 듣노라

  혀다: (불이나 악기를) 켜다

- [ ] 조화신공(造化神功)이 물물(物物)마다 헌ᄉᆞ롭다 — 정극인, 「상춘곡」
  조물주의 신비로운 재주가 사물마다 야단스럽다.

  헌ᄉᆞ롭다: 야단스럽다

부사형

☑ 학습 체크

- ☐ 이 몸이 주거 주거 일백 번 고쳐 주거 — 정몽주의 시조
  이 몸이 죽고 죽어 일백 번을 다시 죽어
  고텨: 다시

- ☐ 강호(江湖)에 겨월이 드니 눈 기픠 자히 남다 — 맹사성, 「강호사시가」
  강호에 겨울이 찾아오니 눈의 깊이가 한 자가 넘는다.
  기픠: 깊이

- ☐ 한숨은 무스 일고 형강(荊江)은 고향(故鄕)이라 — 조위, 「만분가」
  한숨은 무슨 일인고? 형강(중국 강소성 근처의 강, 유배지)은 고향이라.
  무숨, 무스: 무슨

- ☐ ᄒᆞᆫ 소ᄐᆡ 밥 먹으며 매양의 회회(恢恢)ᄒᆞ랴 — 허전, 「고공가」
  한 솥에 밥 먹으면서 항상 다투기만 하면 되겠느냐?
  매양: 늘, 항상

- ☐ 신선(神仙)을 못 보거든 수이나 도라오면 — 박인로, 「선상탄」
  신선을 만나 불로초를 얻는 일을 못 하였거든 빨리 돌아왔더라면
  수이: 빨리

- ☐ 바횟 긋 믉ᄀᆞ의 슬ᄏᆞ지 노니노라 — 윤선도, 「만흥」
  바위 끝 물가에서 실컷 노니노라.
  슬ᄏᆞ지: 실컷

- ☐ 잘하고 자로 하네 에히요 산이가 자로 하네 — 작자 미상, 「논매기 노래」
  잘하고 잘 하네 에히요 선창자가 잘 하네
  자로: 잘, 자주

- ☐ 져근덧 역진(力盡)ᄒᆞ야 픗ᄌᆞᆷ을 잠간 드니 — 정철, 「속미인곡」
  잠깐 사이에 힘이 다하여 풋잠을 잠깐 드니
  져근덧, 건듯: 잠깐, 잠시

- ☐ 출하리 물ᄀᆞ의 가 ᄇᆡ길히나 보랴 ᄒᆞ니 — 정철, 「속미인곡」
  차라리 물가에 가서 뱃길이나 보려고 하니
  출하리: 차라리

- ☐ 날 보내고 달 디내며 하마 거늬 반년(半年)일세 — 이광명, 「북찬가」
  매일을 보내고 매달 지내어 벌써 거의 반년이로세.
  엊그제 저멋더니 ᄒᆞ마 어이 다 늘거니 — 허난설헌, 「규원가」
  엊그제 젊었더니 어찌 벌써 이렇게 다 늙어 버렸는가?
  하마, ᄒᆞ마: 벌써

- ☐ 실위(實爲) 그러ᄒᆞ면 혈마 어이ᄒᆞᆯ고 — 박인로, 「누항사」
  사실이 그렇다면 설마 어찌 하겠는가?
  혈마: 설마

조사·어미(문법적 기능)형

☑ 학습 체크

☐ 양춘(陽春)을 부쳐 내여 님 겨신 ᄃᆡ 쏘이고져 – 정철, 「사미인곡」

따뜻한 봄볕을 부치어 임 계신 데 쏘이고 싶구나.

~고져: ~고자(소망, 의도)

☐ 이월(二月)ㅅ 보로매 / 아으 노피 현 등(燈)ㅅ블 다호라 – 작자 미상, 「동동」

2월 보름(연등일)에 / 아아, 높이 켠 등불 같구나.

~다호라: ~같구나

☐ 누고셔 삼공(三公)도곤 낫다 ᄒᆞ더니 만승(萬乘)이 이만ᄒᆞ랴 – 윤선도, 「만흥」

누가 (자연이) 삼공(높은 벼슬)보다 낫다고 하니, 황제의 삶이 이보다 좋겠는가?

널라와 시름 한 나도 자고 니러 우니노라 – 작자 미상, 「청산별곡」

너보다 근심이 많은 나도 자고 일어나 울며 지내노라.

~도곤, ~라와, ~에: ~보다(비교)

☐ 어긔야 즌 ᄃᆡ롤 드ᄃᆡ욜세라 – 작자 미상, 「정읍사」

아! 위험한 곳을 디딜까 두렵습니다.

~ㄹ셰라: ~할까 두렵다

☐ 아으 군(君)다이 신(臣)다이 민(民)다이 ᄒᆞᆯ돈 – 충담사, 「안민가」

아아, 임금답게 신하답게 백성답게 한다면

님다히 쇼식(消息)을 아므려나 아쟈 ᄒᆞ니 – 정철, 「속미인곡」

임 계신 곳의 소식을 어떻게 해서라도 알려고 하니,

~다히(~다이): ~의, ~쪽(~답게)

☐ 추월산 가는 바람 금성산 넘어갈 제 – 송순, 「면앙정가」

추월산 가는 바람이 금성산을 넘어갈 때

~제: ~ 때

☐ 구롬은 ᄏᆞ니와 안개는 므ᄉᆞ 일고 – 정철, 「속미인곡」

구름은 물론이거니와 안개는 또 무슨 일로 저렇게 끼어 있는가?

슈품(手品)은ᄏᆞ니와 졔도(制度)도 ᄀᆞ졸시고

솜씨는 물론이거니와 격식도 갖추었구나.

~ᄏᆞ니와: 물론이거니와

☐ 아소 님하 도람 드르샤 괴오쇼셔 – 정서, 「정과정」

아아, 임이시여 그러지 마시고 돌이켜 들으시어 (다시) 사랑해 주소서.

~하: ~야(~여)(호격 조사)

☐ 노화(蘆花)를 ᄉᆞ이 두고 우러곰 좃니는고 – 송순, 「면앙정가」

갈대꽃을 사이에 두고 울면서 따라다니는가?

즈믄 ᄒᆡ롤 외오곰 녀신돌 – 작자 미상, 「정석가」

천 년을 외로이 살아간들

~곰: ~좀(강세 접미사)

☐ 어즈버 태평연월(太平烟月)이 꿈이런가 ᄒᆞ노라 – 길재의 시조

아아, 고려의 태평했던 시절이 한낱 꿈이었는가 하노라.

아히야, 박주산채(薄酒山菜)ㄹ만졍 업다 말고 내여라 – 한호의 시조

아이야, 변변치 않은 술과 나물일지라도 좋으니 없다 말고 내 오너라.

어즈버, 모처라, 두어라, 아희야: 시조나 가사에서 감탄을 나타내는 말

아무리 시간이 없어도 반드시!
공부해야 할

고전 시가 160작품

연시조 29편/가사 32편/시조 56편/한시 20편/고려 가요 6편/
향가 6편/민요 3편/악장·경기체가·잡가 4편/고대 가요 4편

출제 최우선 순위 출제율 **60%** 이상 **1**위 ~ **160**위

알고 공부하면 도움 되는 출제 최우선 작품 분석!

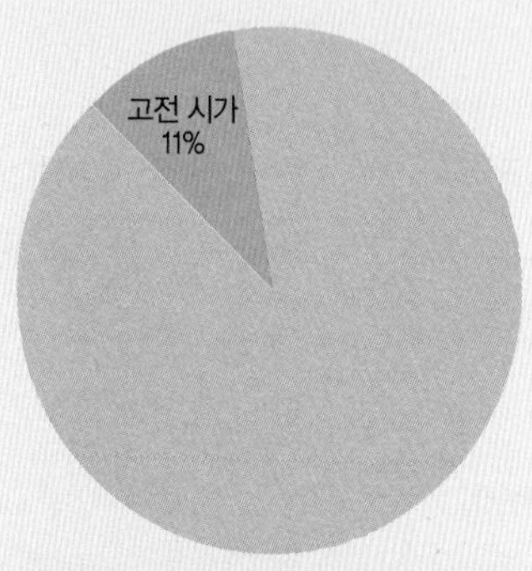

고전 시가의 최근 경향을 보면 갈래 복합으로 나오는 경우와 단독으로 나오는 경우가 반복되며 11%의 비중으로 출제되고 있다.

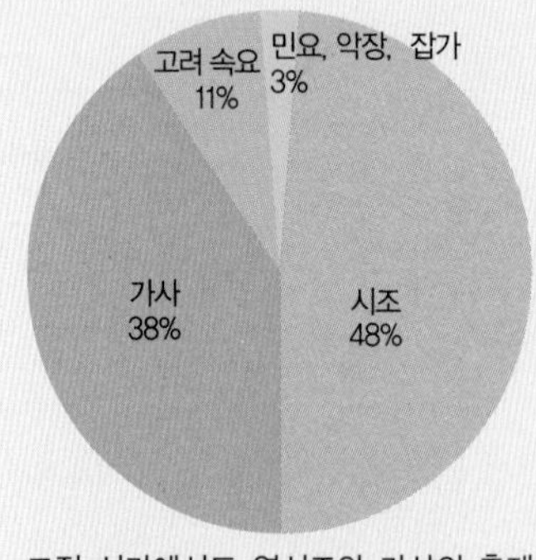

고전 시가에서도 연시조와 가사의 출제 비중이 월등히 높게 나타난다. 최근 5개년간 시조가 13작품, 가사가 10작품, 고려 속요 3작품, 민요, 악장, 잡가 등이 1작품씩 출제되었다.

자연에 대한 감흥	38%
임에 대한 그리움과 사랑	22%
연군지정	11%
기행문	11%
병자호란의 국치를 겪은 비통함	5%
유배에 대한 억울함	5%
삶에 대한 태도	5%
우국지정	3%

고전 시가 주제별로는 '자연에 대한 감흥, 임에 대한 그리움과 사랑, 연군지정, 당대 현실에 대한 비판, 기행문, 삶에 대한 태도 등을 담고 있는 작품들이 출제되었다.

위와 같은 분석을 바탕으로 출제율이 높은 장르와 작품을 선별하여 '최우선 작품' 선정 기준에도 고려되었다.

제1부

출제 최우선 작품

만흥(漫興) | 윤선도

흥이 넘치다

갈래 연시조(전 6수) **성격** 한정가, 자연 친화적
주제 자연에 묻혀 살아가는 삶의 즐거움
시대 조선 중기

속세의 번뇌를 떨쳐 버리고 자연 속에 묻혀 사는 흥겨운 삶을 노래하고 있다.

〈제1수〉

산슈 간(山水間) 바회 아래 뛰집을 짓노라 ᄒᆞ니
자연(속세를 초탈한 곳) / 움막, 초가집
그 모론 놈들은 욷는다 ᄒᆞᆫ다마는 ○ ↔ △: 자연과 속세를 대비함 (○ 자연, △ 속세) **Link 표현상 특징 ❶**
자연에서의 삶을 선택한 화자를 비웃는 사람들
어리고 하암의 뜻의는 내 분(分)인가 ᄒᆞ노라 **> 자연에서 안분지족(安分知足)하는 삶**
어리석고 / 향암(鄕闇). 시골에서 자라 사리에 어둡고 어리석은 사람. 화자 자신 → 화자가 자기 자신을 낮춤
안분지족: 편안한 마음으로 제 분수를 지키며 만족할 줄을 앎

〈제1수〉

산과 물 사이 바위 아래에 초가집을 지으려 하니,
그 (뜻을) 모르는 남들은 비웃는다마는,
(나처럼) 어리석은 시골뜨기 생각에는 (이것이) 내 분수인가 하노라.

〈제2수〉

보리밥 풋ᄂᆞ믈을 알마초 머근 후(後)에
소박한 음식(안빈낙도의 삶) / 알맞게
바흿 긋 믉ᄀᆞ의 슬ᄏᆞ지 노니노라
실컷
「그 나믄 녀나믄 일이야 부ᄅᆞᆯ 줄이 이시랴」 **> 자연에서 안빈낙도(安貧樂道)하는 삶**
세속적인 부귀영화
「 」: 세속적 부귀영화에는 관심을 두지 않겠다는 화자의 의지(설의적 표현) **Link 표현상 특징 ❷**
안빈낙도: 가난한 생활을 하면서도 편안한 마음으로 도를 즐겨 지킴

〈제2수〉

보리밥과 풋나물을 알맞게 먹은 다음에
바위 끝 물가에서 실컷 노니노라.
그 나머지 다른 일이야 부러워할 것이 있으랴.

〈제3수〉 ← 우리말의 묘미를 잘 살림 **Link 표현상 특징 ❹**

잔 들고 혼자 안자 먼 뫼흘 ᄇᆞ라보니
「그리던 님이 오다 반가옴이 이리ᄒᆞ랴」 「 」: 자연에서의 즐거움이 현실 세계의 즐거움보다 더 큼
말ᄉᆞᆷ도 우움도 아녀도 몯내 됴하ᄒᆞ노라
이심전심(以心傳心), 물아일체(物我一體)의 경지
> 자연과 동화되어 물아일체(物我一體)의 경지를 즐기는 삶
물아일체: 외물(外物)과 자아, 주관과 객관, 또는 물질계와 정신계가 어울려 하나가 됨

〈제3수〉

술잔을 들고 혼자 앉아 먼 산을 바라보니,
그립던 임이 온다고 해도 반가움이 이와 같겠는가.
(산은) 특별한 말씀도 웃음도 없지만 (나는) 그저 좋기만 하구나.

〈제4수〉

누고셔 삼공(三公)도곤 낫다 ᄒᆞ더니 만승(萬乘)이 이만ᄒᆞ랴
보다 / 삼정승. 높은 벼슬 / 만승천자(萬乘天子). 만 개의 수레를 부리는 천자(황제)
이제로 헤어든 소부(巢父) 허유(許由)ㅣ 냑돗더라 □: 고사 속 인물. 속세에 나서지 않고 자연을 벗 삼아 즐기며 살던 인물 **Link 표현상 특징 ❸**
일찍이 속세를 멀리하고 자연에 은거한 소부와 허유가 현명했다는 의미
아마도 림천 한흥(林泉閑興)을 비길 곳이 업세라
자연 속에서 느끼는 한가한 흥취
> 속세의 공명을 버리고 자연 속에 은거하고자 하는 삶

〈제4수〉

누가 (자연이) 삼공(높은 벼슬)보다 낫다고 하더니, 황제의 삶이 이보다 좋겠는가?
이제 생각해 보니 (속세를 멀리하고 자연에 은거했던) 소부와 허유가 현명했구나.
아마도 자연에서 느끼는 한가한 흥취를 비길 데가 없으리라.

〈제5수〉

내 셩이 게으르더니 하ᄂᆞᆯ히 아ᄅᆞ실샤
천성. 성격
인간 만ᄉᆞ(人間萬事)를 ᄒᆞᆫ 일도 아니 맛뎌
한 가지 일
다만당 ᄃᆞ토리 업슨 강산(江山)을 딕희라 ᄒᆞ시도다
다툴 이 / 지키라고
> 하늘이 맡긴 자연에서의 삶

〈제5수〉

내 천성이 게으른 것을 하늘이 아셔서,
인간 세상의 일을 하나도 맡기지 않고,
다만 다툴 사람이 없는 강산을 지키라 하시는구나.

〈제6수〉

강산이 됴타 흔들 내 분(分)으로 누얻ᄂᆞ냐
(임금 / 좋다 / 분수)

님군 은혜(恩惠)를 이제 더옥 아노이다
(유교적 충의 사상이 드러남)

아므리 갑고쟈 ᄒᆞ야도 ᄒᆡ올 일이 업세라
(할 일, 할 수 있는 일)

› 임금의 은혜에 감사함

〈제6수〉

강산이 좋다고 한들 내 분수로 누웠겠느냐?

임금의 은혜인 줄을 이제 더욱 알 것 같구나.
아무리 (임금의 은혜를) 갚고자 하여도 할 수 있는 일이 없구나.

출제자 톡! 화자를 이해하라!

1 화자는 누구이고, 화자가 처한 상황은?
세속과 떨어져 자연 속에 묻혀 살고 있는 사람

2 화자의 정서 및 태도는?
- 자연에서의 삶에 만족해함.
- 안빈낙도의 삶의 자세와 물아일체의 태도를 드러냄.
- 임금의 은혜에 감사해함.

Link

출제자 톡! 표현상의 특징을 파악하라!

❶ 속세와 자연을 대비하여 주제를 강조함.
❷ 설의적 표현을 활용하여 화자의 태도를 부각함.
❸ 중국의 고사를 인용하여 화자의 정서를 강조함.
❹ 전체적으로 한문투의 표현보다 우리말의 묘미를 살리고 있음.

최우선 출제 포인트!

1 자연과 속세에 대한 화자의 태도

자연		속세
보리밥 픗ᄂᆞ물 바흿 긋 믉ᄀᆞ	↔ 대조	그 나믄 녀나믄 일
임천 한흥		삼공, 만승
강산		인간 만ᄉᆞ
흥취가 넘치는 이상적인 공간		부귀공명을 추구하는 공간

↓

자연 속의 삶이 월등히 나음을 강조 – 자연 속에 은거하는 삶에 대한 자부심

2 시상 전개의 유기성

임천 한흥(林泉閑興) + 님군 은혜(恩惠)

↓

자연에 귀의하여 임금의 은혜에 감사함.

함께 볼 작품 자연의 흥취와 임금의 은혜를 함께 다룬 작품: 맹사성, 「강호사시가」

최우선 핵심 Check!

1 자연에 묻혀서 지내는 즐거움이 나타나 있다. (O / ×)

2 자신의 분수에 만족하는 삶의 태도를 드러내고 있다. (O / ×)

3 속세의 가치를 추구하다 좌절된 심정이 드러나 있다. (O / ×)

4 〈제1수〉에서는 '놈들'과 '하암'을 ㄷㅈ하여 화자가 지향하는 바를 드러내고 있다.

5 〈제2수〉에서 ㅂㄹㅂ과 픗ᄂᆞ물은 '안빈낙도'의 삶을, '그 나믄 녀나믄 일'은 세속의 ㅂㄱㅇㅎ를 뜻한다.

6 〈제4수〉에서는 속세를 멀리하고 자연에 은거하여 ㅇㅂㄴㄷ를 추구하는 인물의 예로 '소부와 허유'를 들었다.

정답 1. ○ 2. ○ 3. × 4. 대조 5. 보리밥, 부귀영화 6. 안빈낙도

1등급! 〈보기〉!

「만흥」의 이해

전남 해남에는 고산 윤선도의 흔적들이 곳곳에 남아 있다. 그중에서도 금쇄동은 윤선도가 오랜 유배 생활을 끝내고 돌아와 은거했던 공간이다. 그는 혼탁한 정치 현실을 떠나 그곳에서 십여 년간 자연을 즐기며 생활하였다. 하지만 그 가운데서도 군신의 도리를 잊지 않았다. 「만흥(漫興)」은 이러한 윤선도의 삶이 담겨 있는 작품이다.

어부의 사계절을 노래함

어부사시사(漁父四時詞) | 윤선도

갈래 연시조(전 40수) **성격** 풍류적, 전원적
주제 어촌에서 자연을 즐기며 한가롭게 살아가는 여유와 흥취 **시대** 조선 중기

어촌의 아름다운 자연을 배경으로 세속을 벗어나 자연과의 합일을 추구하는 사대부의 삶을 표현하고 있다.

〈춘사(春詞) 1〉

계절의 변화에 따라 시상을 전개함 Link 표현상 특징 ❶

『압개예 안기 것고 뒫뫼희 히 비췬다』 『 』: 대구법 Link 표현상 특징 ❷
(압 갯벌에 / 걷히고)

빈 떠라 빈 떠라 여음구 - 각 수마다 다름(출항에서 귀항까지의 과정을 나타냄) Link 표현상 특징 ❸
(배를 띄워라)

『밤믈은 거의 디고 낟믈이 미러 온다』 『 』: 대구법 Link 표현상 특징 ❷
(썰물 / 밀물)

지국총(至匊悤) 지국총(至匊悤) 어ᄉᆞ와(於思臥)
후렴구 - 고려 가요의 형태적 특징을 이어받음('지국총'은 노 젓는 소리이며 '어ᄉᆞ와'는 어부의 외치는 소리)

강촌(江村) 온갓 고지 먼 빗치 더옥 됴타 Link 표현상 특징 ❸
(보길도(작가가 은거한 곳) / 좋다)

› 강촌의 봄 풍경

〈춘사(春詞) 1〉

앞 포구에 안개 걷히고 뒷산에 해 비친다.

배를 띄워라. 배를 띄워라.

썰물은 거의 빠지고 밀물이 밀려온다.

찌그덩 찌그덩 어여차

강촌의 온갖 꽃이 먼 빛으로 바라보니 더욱 좋다.

〈춘사(春詞) 4〉 — 순우리말을 통해 자연의 아름다움을 묘사하여 「어부사시사」 중 가장 뛰어난 부분으로 평가받음

계절감 표현

『우는 거시 벅구기가 프른 거시 버들숩가』 『 』: 대구법 Link 표현상 특징 ❷
(뻐꾸기 / 버드나무숲)

이어라 이어라
(노를 저어라)

어촌(漁村) 두어 집이 닛 속의 나락들락
(안개 속 / 들락날락)

지국총(至匊悤) 지국총(至匊悤) 어ᄉᆞ와(於思臥)

말가ᄒᆞᆫ 기픈 소희 온갇 고기 뛰노ᄂᆞ다 → 봄이 온 자연의 생동감을 표현
(맑은 / 연못에)

› 고기가 뛰노는 연못에서 바라본 봄날의 흥취

〈춘사(春詞) 4〉

우는 것이 뻐꾸기인가? 푸른 것이 버들 숲인가?

노를 저어라. 노를 저어라.

어촌의 두어 집이 안개 속에 (묻혀) 보였다 안 보였다 (하는구나.)
찌그덩 찌그덩 어여차

맑고도 깊은 못에 온갖 고기가 뛰노는구나.

〈춘사(春詞) 6〉

『석양(夕陽)의 빗겨시니 그만ᄒᆞ여 도라가쟈』 『 』: 저녁이 되었으니 낚시를 그만하고 집으로 돌아가자는 말
(시간적 배경)

돋 디여라 돋 디여라

물가의 버들과 꽃

안류뎡화(岸柳汀花)ᄂᆞᆫ 고비고비 ᄉᆡ롭고야
봄날의 경치에 대한 감탄, 영탄적 표현 Link 표현상 특징 ❷

지국총(至匊悤) 지국총(至匊悤) 어ᄉᆞ와(於思臥)

『삼공(三公)을 불리소냐 만사(萬事)를 ᄉᆡᆼ각ᄒᆞ랴』 『 』: 어부 생활에 대한 만족감을 드러냄 설의적 표현 Link 표현상 특징 ❷
(삼정승을 가리킴 - 세속적 가치)

› 어부 생활에 대한 만족감

〈춘사(春詞) 6〉

석양이 기울었으니 (낚시를) 그만하고 (집으로) 돌아가자.
돛을 내려라. 돛을 내려라.

물가의 버들이며 꽃은 굽이굽이 새롭구나.

찌그덩 찌그덩 어여차

삼공(三公)을 부러워하겠느냐? 만사(萬事)를 생각하겠느냐?

〈하사(夏詞) 1〉

구즌비 머저 가고 시낸믈이 묽아 온다.
비가 온 뒤의 여름날의 풍경

빈 떠라 빈 떠라

어부로서의 삶에 대한 화자의 정서

낙대ᄅᆞᆯ 두러메니 기픈 흥(興)을 금(禁) 못ᄒᆞᆯ돠
풍류를 즐기게 해 주는 소재 / 어부 생활에 대한 만족감이 담김, 영탄적 표현 Link 표현상 특징 ❷

지국총(至匊悤) 지국총(至匊悤) 어ᄉᆞ와(於思臥)

비가 온 뒤의 아름다운 경치

연강(煙江) 텹쟝(疊嶂)은 뉘라셔 그려 낸고
아름다운 자연 경치에 대한 예찬이 드러남

› 비 갠 후의 아름다운 경치

〈하사(夏詞) 1〉

궂은비 멎어 가고 시냇물이 맑아 온다

배를 띄워라. 배를 띄워라.

낚싯대를 둘러메니 깊은 흥을 금할 수가 없구나.

찌그덩 찌그덩 어여차

안개 자욱한 강과 첩첩이 싸인 산봉우리는 누가 이처럼 그려 냈는가?

〈하사(夏詞) 2〉

년닙히 밥 싸 두고 반찬(飯饌)으란 쟝만 마라
안분지족의 삶
닫 드러라 닫 드러라
닻을 들어라
청약립(靑蒻笠)은 써 잇노라 녹사의(綠蓑衣) 가져오냐
푸른 갈대로 만든 삿갓 — 계절감 표현 — 풀로 만든 비옷(=도롱이)
지국총(至匊悤) 지국총(至匊悤) 어ᄉᆞ와(於思臥)
욕심 없는
무심(無心)ᄒᆞᆫ ᄇᆡᆨ구(白鷗)ᄂᆞᆫ 내 좃ᄂᆞᆫ가 제 좃ᄂᆞᆫ가 ❯ 물아일체된 삶의 즐거움
물아일체의 경지. 화자의 욕심 없는 삶의 태도 표현

〈하사(夏詞) 2〉

연잎에 밥을 싸서 준비하고 반찬은 준비하지 마라.
닻을 들어라. 닻을 들어라.

푸른 갈대로 만든 삿갓은 (이미) 쓰고 있노라. 도롱이는 가지고 왔느냐?
찌그덩 찌그덩 어여차

욕심 없는 갈매기는 내가 (저를) 좇는 것인가, 제가 (나를) 좇는 것인가?

〈하사(夏詞) 3〉

마람 닙희 ᄇᆞ람 나니 봉창(篷窓)이 서늘코야
마름 - 물풀의 하나 / 배의 창문
돋 ᄃᆞ라라 돋 ᄃᆞ라라
돛을 달아라
『녀름 ᄇᆞ람 뎡ᄒᆞᆯ소냐 가ᄂᆞᆫ 대로 ᄇᆡ 시겨라』 『 』: 자연 순응적 태도
일정하겠는가 / 내버려 두어라
지국총(至匊悤) 지국총(至匊悤) 어ᄉᆞ와(於思臥)
좋겠는가
븍포(北浦) 남강(南江)이 어ᄃᆡ 아니 됴흘리니
❯ 바람 따라 움직이는 배에서 느끼는 여름의 흥취

〈하사(夏詞) 3〉

마름 잎에 바람이 나니 배의 창문이 서늘하다.

돛을 달아라. 돛을 달아라.

여름 바람이 일정하겠는가? 가는 대로 배를 맡겨 두어라.
찌그덩 찌그덩 어여차

북쪽 포구와 남쪽 강이 어느 곳인들 좋지 않겠는가?

〈추사(秋詞) 1〉

믈외(物外)예 조ᄒᆞᆫ 일이 어부(漁父) 생애(生涯) 아니러냐
세속을 떠난 곳
ᄇᆡ 떠라 ᄇᆡ 떠라
배 띄워라
어옹(漁翁)을 욷디 마라 그림마다 그렷더라
어부로 살아가는 것에 대한 자부심
지국총(至匊悤) 지국총(至匊悤) 어ᄉᆞ와(於思臥)
ᄉᆞ시(四時) 흥(興)이 ᄒᆞᆫ가지나 츄강(秋江)이 은듬이라
❯ 어부로 사는 것에 대한 자부심과 가을 강의 흥취

〈추사(秋詞) 1〉

세속 밖의 좋은 일이 어부의 생활이 아니더냐?

배를 띄워라. 배를 띄워라.

고기 잡는 노인을 비웃지 마라. 그림마다 그려져 있더라.
찌그덩 찌그덩 어여차

사계절 흥취가 다 좋지만 그중에도 가을 강이 제일이다.

〈추사(秋詞) 2〉

슈국(水國)의 ᄀᆞ올히 드니 고기마다 ᄉᆞᆯ져 읻다
강 혹은 바다를 낀 마을 - 보길도
닫 드러라 닫 드러라
닻을 들어라
만경 딩파(萬頃澄波)의 슬ᄏᆞ지 용여(容與)ᄒᆞ쟈
끝없이 넓고 푸른 바다 물결 / 한가하고 평화롭게 지내자
지국총(至匊悤) 지국총(至匊悤) 어ᄉᆞ와(於思臥)
인간(人間)을 도라보니 머도록 더옥 됴타
인간 세상, 속세 / 멀수록
❯ 속세를 떠난 즐거움

〈추사(秋詞) 2〉

보길도에 가을이 드니 고기마다 살쪄 있다.

닻을 들어라. 닻을 들어라.

끝없이 넓고 푸른 바다에서 마음껏 놀아 보자.

찌그덩 찌그덩 어여차

인간 세상을 들여다보니 멀수록 더욱 좋구나.

〈추사(秋詞) 7〉

흰 이슬 빋견ᄂᆞᆫᄃᆡ ᄇᆞᆯ근 ᄃᆞᆯ 도다 온다
내렸는데

ᄇᆡ 셰여라 ᄇᆡ 셰여라
배를 세워라

『봉황루(鳳凰樓) 묘연(渺然)ᄒᆞ니 쳥광(淸光)을 눌을 줄고』
『 』: 임금과 떨어져 있는 안타까움
궁궐 / 아득하니 / 맑은 달빛 / 누구를

지국총(至匊悤) 지국총(至匊悤) 어ᄉᆞ와(於思臥)

옥토(玉免) 띤ᄂᆞᆫ 약(藥)을 호ᄀᆡᆨ(豪客)을 먹이고쟈 ❯ 가을밤에 느끼는 연군지정
달나라에서 옥토끼가 찧는 / 애정을 상징 / '봉황루'와 연결하여 해석하면 '호ᄀᆡᆨ'은 왕을 상징 → 연군지정(戀君之情)

〈추사(秋詞) 7〉

흰 이슬이 내렸는데 밝은 달이 돋아 온다.

배를 세워라. 배를 세워라.

궁궐이 아득히 멀고 넓으니 맑은 달빛을 누구에게 줄 것인가?
찌그덩 찌그덩 어여차

(달나라에서) 옥토끼가 찧는 약을 임금께 드시게 하고 싶구나.

〈추사(秋詞) 10〉

숑간 셕실(松間石室)의 가 효월(曉月)을 보쟈 ᄒᆞ니
화자가 즐기려는 풍류의 대상

ᄇᆡ 븟텨라 ᄇᆡ 븟텨라
배를 대어라

공산 낙엽(空山落葉)의 길흘 엇디 아라볼고
설의적 표현 **Link** 표현상 특징 ❷
길을 알아볼 수 없을 정도로 낙엽이 쌓여 있음 - 늦가을의 정취가 드러남

지국총(至匊悤) 지국총(至匊悤) 어ᄉᆞ와(於思臥)

ᄇᆡᆨ운(白雲)이 좇차오니 녀라의(女蘿衣) 므겁고야 ❯ 새벽달을 보러 가는 즐거움
옷이 무겁게 여길 정도로 마음이 가볍다는 말 - 화자의 즐거움을 엿볼 수 있음

〈추사(秋詞) 10〉

소나무 사이에 있는 석실에 가서 새벽달을 보자 하니
배를 대어라. 배를 대어라.

적막한 산에 낙엽이 수북히 쌓여 길을 어찌 알아볼까?
찌그덩 찌그덩 어여차

흰구름이 쫓아서 오니 은자의 옷이 무겁구나.

〈동사(冬詞) 1〉

구룸 거든 후의 힌빋치 두텁거다

ᄇᆡ 떠라 ᄇᆡ 떠라
적막한 풍경 - 계절적 배경이 겨울임을 드러낸 표현

텬디 폐ᄉᆡᆨ(天地閉塞)호ᄃᆡ 바다ᄒᆞᆫ 의구(依舊)ᄒᆞ다
적막한 육지와 달리 바다의 아름다움은 변함이 없음을 강조. 대조법 **Link** 표현상 특징 ❷

지국총(至匊悤) 지국총(至匊悤) 어ᄉᆞ와(於思臥)

ᄀᆞ 업슨 믉결이 깁 편 ᄃᆞᆺᄒᆞ여 잇다 ❯ 겨울 바다의 아름다운 풍경
끝이 없는 물결의 비유적 표현 - 바다의 아름다움을 표현 **Link** 표현상 특징 ❷

〈동사(冬詞) 1〉

구름이 걷히고 난 후 햇빛이 두텁게 내리쬔다.

배를 띄워라. 배를 띄워라.

천지가 온통 생기를 잃었지만 바다만은 변함이 없구나.
찌그덩 찌그덩 어여차

끝없는 물결이 비단을 펼쳐 놓은 듯하다.

〈동사(冬詞) 4〉

간밤의 눈 갠 후(後)에 경믈(景物)이 달랃고야
경치 / 달라졌구나

이어라 이어라
노를 저어라

『압희ᄂᆞᆫ 만경류리(萬頃流璃) 듸희ᄂᆞᆫ 천텹옥산(千疊玉山)』 『 』: 대구법 **Link** 표현상 특징 ❷
유리처럼 반반하고 아름다운 바다 / 수없이 겹쳐 있는 아름다운 산

지국총(至菊悤) 지국총(至菊悤) 어ᄉᆞ와(於思臥)

이상 세계

『선계(仙界)ㄴ가 블계(佛界)ㄴ가 인간(人間)이 아니로다』
『 』: 중국 당나라 시인 이백의 「산중문답(山中問答)」에서 인용한 구절로, 이상향을 제시하는 관습적 표현

❯ 눈 덮인 강촌의 아름다움

〈동사(冬詞) 4〉

지난 밤 눈이 갠 후에 경치가 달라졌구나.

노를 저어라. 노를 저어라.

앞에는 넓고 맑은 바다, 뒤에는 눈 덮인 산

찌그덩 찌그덩 어여차

신선의 세계인가? 불교의 세계인가? 인간 세상은 아니로다.

〈동사(冬詞) 8〉

『믉ᄀᆞ의 외로온 솔 혼자 어이 싁싁ᄒᆞᆫ고』 『 』: 겨울에도 변함없는 소나무의 모습 - 절개를 드러냄
(믉ᄀᆞ의 외로온 솔: 화자를 상징)

ᄇᆡ ᄆᆡ여라 ᄇᆡ ᄆᆡ여라
(ᄇᆡ ᄆᆡ여라: 배를 매어라)

머흔 구룸 ᄒᆞᆫ(恨)티 마라 셰샹(世上)을 ᄀᆞ리온다
(머흔 구룸: 먹구름 / ᄒᆞᆫ(恨)티: 원망치 / 셰샹(世上): 속세)

지국총(至匊悤) 지국총(至匊悤) 어ᄉᆞ와(於思臥)

파랑셩(波浪聲)을 염(厭)티 마라 진훤(塵喧)을 막ᄂᆞᆫ도다
(파랑셩(波浪聲): 물결이 일렁이는 소리 / 염(厭)티: 싫어하지 / 진훤(塵喧): 먼지와 시끄러움, 세속의 시끄러운 소리)

대구법 Link 표현상 특징 ❷

> 속세의 번잡함을 가려 주는 먹구름과 파도 소리

〈동사(冬詞) 10〉

어와 져므러 간다 연식(宴息)이 맏당토다
(연식(宴息): 편안히 쉼 / 맏당토다: 마땅하다)

ᄇᆡ 븟텨라 ᄇᆡ 븟텨라
(ᄇᆡ 븟텨라: 배를 대어라)

ᄀᆞᄂᆞᆫ 눈 쁘린 길 블근 곳 흣터딘 ᄃᆡ 흥치며 거러가셔
(블근 곳: 붉은 꽃 / 흣터딘 ᄃᆡ: 흩어진 데 / 흥치며: 흥겨워하며)

지국총(至匊悤) 지국총(至匊悤) 어ᄉᆞ와(於思臥)

셜월(雪月)이 셔봉(西峯)의 넘도록 숑창(松窓)을 비겨 잇쟈
(셜월(雪月): 계절감 표현 / 숑창(松窓): 소나무 그림자가 비치는 창 / 비겨 잇쟈: 기대어 있자)

> 눈 내리는 밤의 흥취

〈동사(冬詞) 8〉

물가에 외롭게 서 있는 소나무 혼자 어찌 씩씩한가?
배를 매어라. 배를 매어라.

먹구름 원망하지 마라. 인간 세상을 가려 준다.

찌그덩 찌그덩 어여차

파도 소리 싫어하지 마라. 속세의 시끄러운 소리를 막아 준다.

〈동사(冬詞) 10〉

아, 날이 저물어 간다. 쉬는 것이 마땅하다.

배를 대어라. 배를 대어라.

가는 눈 뿌린 길에 붉은 꽃이 흩어진 데 흥겨워하며 걸어가서
찌그덩 찌그덩 어여차

저 달이 서산 넘도록 창가에 기대어 있다.

출제자 톡! 화자를 이해하라!

1 **화자는 누구이고, 화자가 처한 상황은?**
어촌에서 자연을 즐기며 한가롭게 지내고 있는 사람

2 **화자의 정서 및 태도는?**
어지러운 인간 세상을 떠나 자연에서 사는 것에 만족감을 느낌.

Link

출제자 톡! 표현상의 특징을 파악하라!

❶ 시간의 흐름(계절의 변화)에 따라 시상을 전개함.

❷ 대구법과 반복법, 비유법, 설의적 표현, 영탄적 표현, 대조법 등 다양한 표현 방법을 사용함.

❸ 여음과 후렴구를 배치하여 작품의 흥을 돋우고 내용에 사실감을 더함.

최우선 출제 포인트!

1 화자의 태도

- 속세를 벗어나 자연을 즐기며 유유자적한 삶을 살고자 함.
- 인간 세상을 멀리하고 자연에 귀의하고자 하는 태도를 보임.

2 여음과 후렴구의 의미

여음	'ᄇᆡ 떠라 ᄇᆡ 떠라' 등: 출항에서 귀항까지의 어부의 하루 일과를 정연하게 보여 줌.
후렴구	'지국총(至匊悤) 지국총(至匊悤) 어ᄉᆞ와(於思臥)': 노 젓는 소리와 노 저을 때 외치는 소리를 나타내는 의성어로, 자연에서 사는 흥겨움과 활기를 사실적으로 드러냄.

이 작품에는 일반적인 시조와 다르게 여음과 후렴구가 규칙적으로 나타나고 있다. 이 여음과 후렴구는 시상 전개에 사실감을 부여하고 강호에서 느끼는 흥취를 북돋아 주며 평시조의 단조로운 흐름에 변화를 주는 역할을 한다.

함께 볼 작품 어부의 생애를 노래한 작품: 이현보, 「어부단가」

최우선 핵심 Check!

1 어촌의 사계절 풍경이 묘사되어 있다. (O / ×)

2 화자는 속세에 대한 미련을 아직 버리지 못한 상황에 놓여 있다. (O / ×)

3 〈춘사 6〉의 '안류뎡화'는 계절감을 드러내는 소재이다. (O / ×)

4 〈하사 2〉의 'ᄇᆡᆨ구'는 화자와 갈등을 이루는 자연물의 상징이다. (O / ×)

5 〈동사 8〉의 '믉ᄀᆞ의 외로온 솔'은 화자와 동일시된 자연물이다. (O / ×)

6 일반적인 시조와 달리 각 수에 여음 및 ㅎㄹㄱ가 나타난다.

7 '지국총(至匊悤)'은 노 젓는 소리, '어ᄉᆞ와(於思臥)'는 어부가 외치는 소리를 표현한 ㅇㅅㅇ이다.

정답 1. ○ 2. × 3. ○ 4. × 5. ○ 6. 후렴구 7. 의성어

율리(밤마을)를 후세에 전하는 노래

율리유곡(栗里遺曲) | 김광욱

작가의 고향

갈래 연시조(전 17수) **성격** 한정적, 자연 친화적, 현실 비판적 **주제** 자연 속에서 유유자적하게 풍류를 즐기는 삶에 대한 만족감 **시대** 조선 중기

정계에서 은퇴한 작가가 고향인 율리로 내려가 속세를 잊고 자연 속에 묻혀 살면서 자연의 섭리대로 살고자 하는 심정을 드러내고 있다.

〈제1곡〉

도연명(陶淵明) 죽은 후에 또 연명(淵明)이 나다니 → 도연명과 같이 자연을 즐기며 살겠다는 의미
(도연명: 중국의 유명한 시인(자연 속에서 산 사람) / 연명: 도연명을 자처한 화자)
밤마을 옛 이름이 때마침 같을시고 → 화자가 살고 있는 율리 마을이 도연명이 살던 마을과 같음
(밤마을: 율리 / 같을시고: 같구나)
돌아와 수졸전원(守拙田園)이야 그와 내가 다르랴
(수졸전원: 전원에서 분수를 지키며 소박하게 살아감. 도연명 시 인용 / 다르랴: 다르겠느냐, 다르지 않다)

○: 설의적 표현 **Link** 표현상 특징 ❸
> 자연에 귀의한 삶에 대한 자부심

〈제1곡〉 도연명이 죽은 후에 또 연명이 나타났다는 말이 / 밤마을의 옛 이름과 더불어 공교롭게도 같구나. / 돌아와서 전원에서 살고자 하는 우직한 태도와 본성이야말로 그와 내가 다르겠는가?

〈제2곡〉

공명(功名)도 잊었노라 부귀(富貴)도 잊었노라
(세속적 가치에 초연한 모습)
세상(世上) 번우(煩憂)한 일 다 주어 잊었노라
(번우한: 괴로워 근심스러운 / 다 주어: 모조리)
내 몸을 내마저 잊으니 남이 아니 잊으랴

세속을 벗어나고자 하는 심정을 강조함. 점층법과 반복법 **Link** 표현상 특징 ❶
> 세상과 단절하고자 하는 마음

〈제2곡〉 공을 세워 이름을 날리는 것도, 부귀도 잊었노라. / 세상의 번거롭고 걱정스러운 일도 모두 잊었노라. / 내 몸을 내 자신까지도 잊었으니 남이 나를 아니 잊을 수 있겠느냐?

〈제3곡〉

뒷집의 술쌀을 꾸니 거친 보리 한 말 못 찼다
주는 것 마구 찧어 쥐어 빚어 괴어 내니
(쥐어 빚어 괴어: 술을 만들어 내는 과정)
여러 날 주렸던 입이니 다나 쓰나 어이리
(다나 쓰나 어이리: 조촐하고 소박한 삶의 모습)

> 조촐한 삶의 모습

〈제3곡〉 뒷집에서 술을 만들기 위한 쌀을 빌리니 거친 보리가 한 말도 되지 않는구나. / (뒷집에서) 준 거친 보리를 마구 찧어 술을 만들어 내니 / 오랫동안 굶었던 입이니 (그 술 맛이) 달든 쓰든 어떻겠느냐?

〈제5곡〉

질가마 좋이 씻고 바위 아래 샘물 길어
(질가마: 흙으로 구워 만든 가마솥)
팥죽 달게 쑤고 저리지 끄어 내니 → 속세를 벗어난 소박한 삶
(팥죽: 소박한 음식 / 저리지: 겉절이)
세상에 이 두 맛이야 남이 알까 하노라
(두 맛: 팥죽과 겉절이 / 남이 알까 하노라: 맛있다는 의미)

> 소박한 삶에서 느끼는 만족감

〈제5곡〉 질가마를 깨끗이 씻고 바위 아래에서 샘물을 길어다가 / 팥죽을 달게 쑤고 절이 김치를 꺼내어 먹으니 / 세상이 이 두 맛이야 말로 남이 알까 두렵노라.

〈제6곡〉

어와 저 백구(白鷗)야 무슨 수고 하느냐 □ ↔(대조) △
(백구: 권세가를 상징함 **Link** 표현상 특징 ❷)
『갈 숲으로 서성이며 고기 엿보기 하는구나』
(갈 숲: 혼탁한 정계 / 고기: 정치적 약자 또는 권력 / 『 』: 약육강식의 세태를 풍자함)
나같이 군마음 없이 잠만 들면 어떠리
(군마음: 세속에 대한 욕심 / 잠: 은거)

> 혼탁한 정치 현실에 대한 풍자

〈제6곡〉 어와 저 갈매기야, 무슨 수고하느냐? / 갈대숲으로 오락가락하며 고기를 얻으려 하는구나. / 나처럼 딴마음이 없이 잠만 자면 어떻겠느냐?

〈제8곡〉

삼공(三公)이 귀하다 한들 강산과 바꿀쏘냐 ◯: 설의적 표현 Link 표현상 특징 ❸
고관대작 / 어떤 부귀영화도 자연만 못하다는 것을 강조함
조각배에 달을 싣고 낚싯대를 흩던질 제
이 몸이 이 청흥(淸興) 가지고 만호후(萬戶侯)인들 부러우랴
맑은 흥과 운치(화자의 주된 정서) / 재력과 권력을 겸비한 세도가 / 부러워하겠느냐 - 자족감
› 자연 속에서 유유자적하는 삶의 흥취

〈제8곡〉

영의정, 좌의정, 우의정 같은 높은 벼슬이 귀하다고 한들 자연과 바꿀 수 있겠느냐?
조각배에 달빛을 담아 낚싯대를 던질 때에
내가 맛보는 이 맑은 흥과 운치야말로 세도가들의 부귀영화를 부러워하겠느냐?

〈제10곡〉

정사와 관련된 문서
헛글고 싯근 문서 다 주어 내던지고
흐트러지고 시끄러운 / 벼슬살이에서 물러남
필마(匹馬) 추풍에 채찍을 쳐 돌아오니
「아무리 매인 새 놓인다 한들 이토록 시원하랴」 → 화자의 해방감 표출
「 」: 새장에 갇혔다 풀려난 새보다 정사에서 벗어나는 자신이 더 속 시원함을 강조함.
› 정사(政事)를 벗어나 자연에 귀의하는 삶의 즐거움

〈제10곡〉

흩어져 어지럽던 문서를 다 집어 던지고
한 필의 말을 타고 가을바람 맞으며 채찍을 쳐서 (고향으로) 돌아오니
아무리 갇혔던 새가 놓여 난다 한들 이처럼 시원하겠느냐?

〈제11곡〉

대막대(의인화) Link 표현상 특징 ❹
대막대 너를 보니 유신(有信)하고 반갑고야
아이었을 적에는 죽마가 되고 늙어서는 지팡이가 됨
내 아이 적에 너를 타고 다니더니
「이제란 창(窓) 뒤에 섰다가 날 뒤 세우고 다녀라」 › 세월의 무상함
「 」: 대막대가 죽마에서 지팡이로 용도가 변경됨으로써 세월의 무상감과 탄로(嘆老)의 정서를 환기함

〈제11곡〉

대막대 너를 보니 믿음직하고 반갑구나.
내가 아이 적에는 너를 타고 다니더니
이제는 창 뒤에 있다가 날 뒤에 세우고 다니는구나.

〈제15곡〉

세(細)버들 가지 꺾어 낚은 고기 꿰어 들고
가는 버들
주가(酒家)를 찾으려 낡은 다리 건너가니
술을 파는 집. 율리에 있는 공간 / 주가와 온 골이라는 대비되는 속성을 지닌 두 공간의 경계를 표현
온 골에 살구꽃 져 쌓이니 갈 길 몰라 하노라 › 살구꽃 핀 풍경에 갈 곳을 잃음
모든 마을. 화자가 유유자적한 삶을 누리는 율리 마을 / 갈 길을 모르겠다

〈제15곡〉

가는 버들의 가지를 꺾어 낚은 고기를 꿰어 들고
술집을 찾으려고 헐어진 다리를 건너가니
온 골짜기에 살구꽃이 떨어져 쌓이니 갈 길을 몰라 하노라.

〈제16곡〉

동풍이 건듯 불어 적설(積雪)을 다 녹이니
봄이 옴
사면(四面) 청산이 옛 모습 나노매라
귀밑의 해묵은 서리는 녹을 줄을 모른다 › 늙음의 탄식
'백발'을 은유적으로 표현

〈제16곡〉

동쪽 바람이 잠시 불어 쌓인 눈을 다 녹이니
사방의 푸른 산이 옛 모습을 드러내는구나.
귀밑의 해묵은 흰 머리카락은 녹을 줄을 모르는구나.

〈제17곡〉

꽃을 따서 음식을 만들어 여럿이 모여 먹는 놀이

최 행수 쑥달임 하세 조동갑 꽃달임 하세 → 청자를 부르며 즐거움을 함께하려는 화자의 마음을 전달함

쑥을 캐서 음식을 만들어 여럿이 모여 먹는 놀이

닭찜 게찜 올벼 점심은 날 시키소

반복, 열거 　철 이르게 여무는 벼

매일에 이렇게 지내면 무슨 시름 있으랴 → 자연 속에서 소박하게 즐기면서 산다는 의미

시름이 없다

> 소박한 삶에 대한 만족감

〈제17곡〉

최 행수여 쑥전놀이하세, 조동갑아 화전놀이 하세나.
닭찜, 게찜, 올벼 점심은 내가 아무쪼록 맡음세.

매일 이렇듯 산다면 무슨 시름 있겠는가.

출제자 톡! 화자를 이해하라!

1 **화자는 누구이고, 화자가 처한 상황은?**
고향에서 자연 속에 묻혀 살아가고 있는 사람

2 **화자의 정서 및 태도는?**
- 소박한 전원생활에 대한 만족감을 드러냄.
- 세속에 대한 욕심이 없으며 부귀영화를 부러워하지 않음.
- 벼슬길에서 벗어나 청흥을 누리는 삶

Link

출제자 톡! 표현상의 특징을 파악하라!

❶ 점층과 반복을 활용하여 화자의 정서를 강조함.
❷ 자연물에 빗대어 혼탁한 정치 현실과 권력가의 횡포를 비판함.
❸ 설의적 표현을 활용하여 화자의 정서를 드러냄.
❹ 의인화를 통해 대상에 대한 친밀감을 드러냄.

최우선 출제 포인트!

1 '율리'의 의미

율리 →
- 화자가 거주하고 있는 곳
- 아름다운 자연이 있는 곳
- 화자가 소망하는 순수함과 욕심 없고 갈등이 없는 삶을 추구할 수 있는 곳
- 후대에까지 널리 알리고 싶은 곳

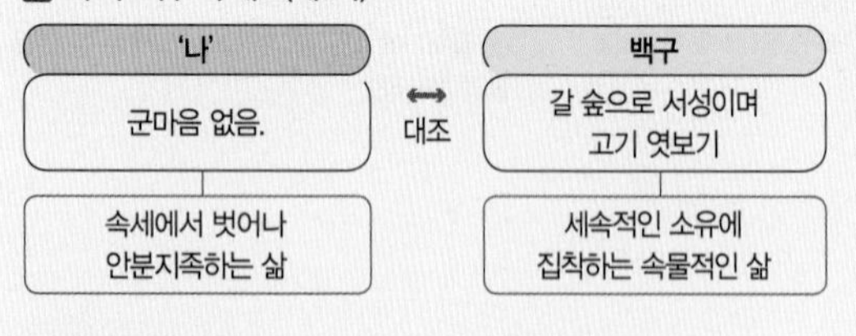

2 '나'와 '백구'의 대조(제6곡)

'나'		백구
군마음 없음.	⟷ 대조	갈 숲으로 서성이며 고기 엿보기
속세에서 벗어나 안분지족하는 삶		세속적인 소유에 집착하는 속물적인 삶

3 '봄'의 역할(제16곡)

봄 → 봄은 왔지만 자신은 늙었다며 한탄하고 있음. → 봄의 분위기와는 상반되는 화자의 탄식과 서글픔의 정서를 강조하는 역할을 함.

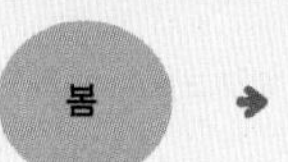

자연에서의 소박한 생활을 노래한 작품: 윤선도, 「만흥」

최우선 핵심 Check!

1 〈제1곡〉에서 화자는 자신이 사는 율리 마을이 도연명이 살던 마을과 다르다고 여기고 있다. (O / ×)

2 〈제3곡〉에서는 빈궁한 처지에도 만족해하는 화자의 태도가 드러난다. (O / ×)

3 〈제6곡〉의 '백구'를 권세가로 본다면, 〈제6곡〉은 약육강식의 혼탁한 정치 현실을 [ㅍ][ㅈ]한다고 볼 수 있다.

4 〈제8곡〉에서는 설의적 표현을 활용하여 자연 속에서 유유자적하는 삶의 흥취를 강조하고 있다. (O / ×)

5 〈제10곡〉에서 '[ㅁ][ㅅ]'가 벼슬살이를 상징한다면, 〈제10곡〉은 벼슬살이에서 벗어난 해방감을 표현한다고 볼 수 있다.

6 〈제11곡〉에서는 대막대를 [ㅇ][ㅇ][ㅎ]하여 대막대에 대한 친밀감을 드러내고 있다.

7 〈제17곡〉에서는 청자를 직접적으로 부르며 화자의 마음을 전달하고 있다. (O / ×)

정답 1. × 2. ○ 3. 풍자 4. ○ 5. 문서 6. 의인화 7. ○

도산(서원)에서 지은 열두 곡의 노래

도산십이곡(陶山十二曲) | 이황

갈래 연시조(전 12수) **성격** 교훈적, 회고적
주제 자연 친화적 삶의 추구와 학문 수양에 대한 끝없는 의지 **시대** 조선 중기

벼슬을 사직하고 고향으로 내려와 자연에 살고 싶은 소망과 학문 수양에 대한 끝없는 의지를 드러내고 있다.

〈제1곡: 언지(言志) 1〉

전반부(언지)와 후반부(언학)로 나누어 시상을 전개함 Link 표현상 특징 ❶

『이런돌 엇더ᄒᆞ며 뎌런돌 엇더ᄒᆞ료
초야 우생(草野愚生)이 이러타 엇더ᄒᆞ료』
ᄒᆞ믈며 천석고황(泉石膏肓)을 고텨 므슴ᄒᆞ료

- 달관적 삶의 태도
- 『 』: 유사한 구절의 반복 Link 표현상 특징 ❷
- 초야 우생: 시골에 파묻혀 세상 시비에 관심 없이 살아가는 어리석은 사람 → 화자 자신을 가리킴
- 천석고황: 자연을 사랑하는 마음. 연하고질(煙霞痼疾)
- 고텨 므슴ᄒᆞ료: 설의적 표현 Link 표현상 특징 ❹

> 자연에 동화된 삶

〈제1곡: 언지(言志) 1〉

이런들 어떠하며 저런들 어떠하랴?
시골에 묻혀 사는 어리석은 사람이 이렇게 산다고 해서 어떠하랴?
더구나 자연을 버리고는 살 수 없는 마음을 고쳐 무엇하랴?

〈제2곡: 언지(言志) 2〉

연하(煙霞)로 지블 삼고 풍월(風月)로 버들 사마
태평성대(太平聖代)예 병(病)으로 늘거가뇌
이 듕에 ᄇᆞ라ᄂᆞᆫ 이른 허므리나 업고쟈

- 자연과 어우러져 사는 삶(대구법) Link 표현상 특징 ❷
- 병(病): 자연을 사랑하는 병
- 허므리나 업고쟈: 잘못을 저지르는 일이나 없었으면 한다

> 자연에서 허물 없이 살고 싶은 소망

〈제2곡: 언지(言志) 2〉

안개와 노을을 집으로 삼고 바람과 달을 친구로 삼아
태평성대에 (자연을 사랑하는) 병으로 늙어 가지만
이 중에 바라는 일은 (사람의) 허물이나 없었으면.

〈제5곡: 언지(言志) 5〉

산전(山前)에 유대(有臺) ᄒᆞ고 대하(臺下)에 유수(有水) ㅣ 로다
떼 많은 갈매기는 오명가명 ᄒᆞ거든
엇더타 교교백구(皎皎白駒)는 멀리 ᄆᆞ음 두는고

- 화자가 머물고 있는 공간의 모습(대구법) Link 표현상 특징 ❷
- 오명가명: 유성음('ㅇ')을 사용하여 운율을 형성함 Link 표현상 특징 ❷
- 교교백구: 현인이나 성자가 타는 흰 말. '어진 사람'을 뜻함
- 멀리 ᄆᆞ음 두는고: 여기를 버리고 다른 곳에 뜻을 지니는 것을 경계함 → 의문형을 사용하여 비판적 태도를 드러냄

> 자연을 멀리하는 현실 세태에 대한 비판

〈제5곡: 언지(言志) 5〉

산 앞에 높은 대가 있고, 대 아래에 물이 흐르는구나.
떼를 지어 갈매기는 오락가락 하거든
어찌하여 어진 사람은 여기에 있지 않고 다른 곳으로 떠나갈 마음을 갖는가?

〈제6곡: 언지(言志) 6〉

춘풍(春風)에 화만산(花滿山) ᄒᆞ고 추야(秋夜)에 월만대(月滿臺)라
사시 가흥(四時佳興)이 사ᄅᆞᆷ과 ᄒᆞᆫ가지라
ᄒᆞ믈며 어약연비(魚躍鳶飛) 운영 천광(雲影天光)이야 어느 끝이 있으리

- 사ᄅᆞᆷ과 ᄒᆞᆫ가지라: 자연과 인간의 물아일체의 경지
- 어약연비 운영 천광: 대자연의 모습을 '물고기'와 '솔개'의 역동성과 '구름'과 '맑은 햇빛'의 아름다움으로 형상화하고 있음
- 어약연비: 물고기가 뛰고 솔개가 남(『시경』에서 차용)
- 운영 천광: 구름이 그늘을 짓고 태양이 빛남
- 어느 끝이 있으리: 한도가 없다 Link 표현상 특징 ❸

> 자연에 사는 즐거움

〈제6곡: 언지(言志) 6〉

봄바람이 부니 산에 꽃이 만발하고 가을밤에는 달빛이 대에 가득하다.
사계절의 아름다운 흥취가 사람과 마찬가지로다.
하물며 물고기가 뛰며 솔개가 날고 구름이 그늘을 짓고 태양이 빛나는 이러한 자연의 아름다움에 어찌 다함이 있겠는가?

〈제9곡: 언학(言學) 3〉

Link 표현상 특징 ❶

고인(古人)도 날 몯 보고 나도 고인(古人) 몯 뵈
고인(古人)을 몯 뵈도 녀던 길 알ᄑᆡ 잇ᄂᆡ
녀던 길 알ᄑᆡ 잇거든 아니 녀고 엇뎔고

- □, ○: 연쇄법 Link 표현상 특징 ❺
- 고인: 옛 성인(聖人). 학문이 높은 성현
- 녀던 길 알ᄑᆡ 잇ᄂᆡ: 고인의 뜻을 책을 통해 알 수 있음
- 아니 녀고 엇뎔고: 자기 수양과 학문의 의지. 설의적 표현 Link 표현상 특징 ❹

> 성현들의 삶을 따르려는 의지

〈제9곡: 언학(言學) 3〉

고인도 나를 못 보고 나도 고인을 못 뵈어
고인을 못 보아도 (고인이) 가던 길이 앞에 있다.
(고인이) 가던 길이 앞에 있는데 가지 않을 수 있겠는가?

〈제10곡: 언학(言學) 4〉

지나던 길 → 학문의 길

당시(當時)예 녀든 길흘 몃 히롤 ㅂ려 두고 ◯: 학문의 길

과거, 학문에 열중하던 시기

어듸 가 ㄷ니다가 이제아 도라온고 ☐: 벼슬길

벼슬 길

이제아 도라오나니 년 듸 ㅁ음 마로리 ❯ 벼슬을 그만두고 학문에 정진함

다른 마음 → 벼슬을 추구하는 마음 / 학문 수양에 대한 다짐

〈제10곡: 언학(言學) 4〉

그 당시 학문 수양에 힘쓰던 길을 몇 해씩이나 버려 두고
어디 가 다니다가(벼슬길을 헤매다가) 이제야 돌아왔는가?
이제 돌아왔으니 (다시는) 딴 마음 먹지 않으리.

〈제11곡: 언학(言學) 5〉

『청산(靑山)은 엇뎨ㅎ야 만고(萬古)애 프르르며 → 자연의 불변성

영원히 푸르른 자연 / 『 』: 자연의 속성 강조, 대구법 Link 표현상 특징 ❷

유수(流水)는 엇뎨ㅎ야 주야(晝夜)애 긋디 아니ㄴ고』 → 자연의 영원성

쉴 새 없이 흐르는 자연

우리도 그치디 마라 만고상청(萬古常靑)호리라 ❯ 끊임없는 학문 수양의 의지

아주 오랜 세월 동안 항상 푸름, 변함없는 학문 수양의 태도

〈제11곡: 언학(言學) 5〉

푸른 산은 어찌하여 영원히 푸르며
흐르는 물은 또 어찌하여 밤낮으로 그치지 않는가?
우리도 그치지 말고 언제나 푸르게 살리라.

출제자 톡! 화자를 이해하라!

1 **화자는 누구이고, 화자가 처한 상황은?**
벼슬을 사직하고 고향에 내려와 학문에 정진하고 있는 사람

2 **화자의 정서 및 태도는?**
- 삶에 대해 달관적 태도를 보임.
- 자연을 사랑하는 마음을 드러냄.
- 학문 정진의 의지가 나타남.

Link

출제자 톡! 표현상의 특징을 파악하라!

❶ 전반부(언지)와 후반부(언학)로 나누어 자연 친화적 삶의 태도와 학문 수양의 의지를 표현함.
❷ 유사한 구절의 반복, 유성음과 대구법 사용을 통해 운율을 형성함.
❸ 중국 문학을 차용한 곳이 많고, 생경한 한자어를 사용함.
❹ 설의적 표현을 활용하여 화자의 태도를 강조해 줌.
❺ 연쇄법을 활용하여 옛 성인의 행적을 따르겠다는 의지를 드러냄.

개념 Tip
연쇄법: 앞 구절의 끝 어구를 다음 구절의 앞 구절에 이어받아 쓰는 표현법

최우선 출제 포인트!

1 작품의 구조에 반영된 성리학의 세계관

언지	자연에 대한 사랑	→ 성리학적 세계관
언학	학문 수양의 의지	

이 작품은 언지(전6곡)와 언학(후6곡)으로 이루어져 있다. '언지(言志, 뜻을 말함)'가 삶에 대한 작가의 태도를 노래한 것이라면, '언학(言學, 학문을 말함)'은 작가의 인생관 중 학문에 관한 것만을 따로 떼어 노래한 것이다. 이 두 가지는 당시 사대부들이 추구한 이상적인 생활 태도로, 사대부들의 성리학적 세계관이 투영되어 있다.

2 시어의 함축적 의미 – 자연과 인간의 대비

청산 유수	자연의 불변성과 영원성을 보여 줌.	→ 만고상청(萬古常靑)호리라: 화자가 자연을 본받아 추구하고자 하는 태도
↕ 대비		
우리	유한하고 완성되지 않은 인간	

함께 볼 작품 자연과 함께하는 자기 수양을 노래한 작품: 이이, 「고산구곡가」

최우선 핵심 Check!

1 내용상 전반부(언지)와 후반부(언학)로 나뉜다. (O / ×)

2 계절의 변화를 중심으로 시상을 전개하고 있다. (O / ×)

3 당시 사대부들이 추구하는 삶의 태도가 드러나 있다. (O / ×)

4 〈제1곡〉의 'ㅊㅅㄱㅎ'은 자연에 대한 화자의 지극한 사랑을 뜻한다.

5 〈제9곡〉에서 화자는 학문 수양이라는 '녀던 길'을 매개로 '고인'을 따르겠다 하고 있다. (O / ×)

6 〈제10곡〉에서는 '당시에 녀든 길'과 '년 듸'를 대비하여 학문 수양에 힘을 쏟겠다고 하고 있다. (O / ×)

7 〈제11곡〉에서 화자는 '청산'과 '유수'처럼 항상 푸르고 변함없이 학문에 정진하겠다고 다짐하고 있다. (O / ×)

정답 1. ○ 2. × 3. ○ 4. 천석고황 5. ○ 6. ○ 7. ○

한가하게 거처하며 부른 열여덟 곡의 노래

한거십팔곡(閑居十八曲) | 권호문

갈래 연시조(전 19수) **성격** 유교적, 은일적
주제 벼슬길에 대한 미련과 자연 속 삶의 즐거움
시대 조선 중기

강호의 풍류를 즐기며 살아가고픈 마음을 드러내면서도, 벼슬길에 대한 욕망에서 오는 갈등을 표출하고 있다.

〈제1수〉

생평(生平)에 원ᄒᆞᄂᆞ니 다만 충효(忠孝)뿐이로다
이 두 일 말면 금수(禽獸) ㅣ 나 다ᄅᆞ리야
마ᄋᆞᆷ에 ᄒᆞ고져 ᄒᆞ야 십재황황(十載遑遑)ᄒᆞ노라

(평생 / 화자가 추구하는 유교적인 가치 / 충과 효를 가리킴 / 짐승과 다를 바 없음을 강조. 설의적 표현 Link 표현상 특징 ❸ / 충효를 실천하고자 하는 마음 / 과거 급제의 뜻을 이루지 못한 상황을 드러냄)

> 충효를 실천하려는 마음

〈제1수〉
평생에 원하는 것은 다만 임금께 충성하는 것과 부모께 효도하는 것뿐이로다.
이 두 가지 일을 하지 않으면 짐승과 무엇이 다르겠는가?
마음에 하고자 하여 (급한 마음에) 십 년을 허둥지둥하였노라.

〈제2수〉

계교(計校) 이렇더니 공명(功名)이 늦었어라
부급동남(負笈東南)ᄒᆞ야 여공불급(如恐不及)ᄒᆞᄂᆞᆫ 뜻을
세월이 물 흐르듯 ᄒᆞ니 못 이룰까 ᄒᆞ야라

(견주어 헤아림 / 부귀공명을 이루는 일 - 세속적 가치 / 책을 짊어지고 여기저기 다니면서 열심히 공부함 / 이루지 못할까 두려워하듯 함 / → 벼슬에 오르기 위한 화자의 노력을 드러냄 / 세월의 빠름을 비유적으로 표현 / 벼슬에 나아가지 못하는 안타까움을 드러냄)

> 벼슬에 나아가지 못한 것에 대한 안타까움

〈제2수〉
(남과 재주를) 서로 견주어 헤아림이 이러하더니 벼슬에 오르는 일이 늦어졌도다.
책을 짊어지고 여기저기 다니면서 열심히 공부하여도 (공명을) 이루지 못할까 두려워하는 뜻을 세월이 물처럼 빠르게 흘러가니 (공명을) 못 이룰까 하노라.

〈제4수〉

강호(江湖)에 놀자 ᄒᆞ니 성주(聖主)을 저버리겠고
성주를 섬기자 ᄒᆞ니 소락(所樂)에 어긋나네
호온자 기로(岐路)에 서서 갈 데 몰라 ᄒᆞ노라

(자연. 탈속성이 있는 시적 공간 / 임금 / 즐거움 / 화자의 갈등 상황을 부각함. 대구법 Link 표현상 특징 ❶ / 혼자 / 자연과 벼슬의 갈림길)

> 자연과 벼슬 사이에서의 갈등

〈제4수〉
강호에 놀자 하니 임금을 저버리겠고,
임금을 섬기고자 하니 즐거움에 어긋나네.
혼자서 자연과 벼슬길 사이에 서서 갈 데 몰라 하노라.

〈제7수〉

말리 말리 ᄒᆞ되 이 일 말기 어렵다
이 일 말면 일신(一身)이 한가(閑暇)ᄒᆞ다
어지게 엇그제 ᄒᆞ던 일이 다 왼 줄 [알과라]

(벼슬길에 오르는 것 / 나의 몸 / 어찌하랴 / 그른 / □: 독백적 어조 Link 표현상 특징 ❷)

> 벼슬길에 대한 미련

〈제7수〉
그만두리라 그만두리라 하되 이 일 그만두기 어렵다.
이 일 그만두면 내 몸이 한가하다.
어쩌랴, 엊그제 하던 일이 다 그른 줄 알겠네.

〈제8수〉

출(出)ᄒᆞ면 치군택민(致君澤民) 처(處)ᄒᆞ면 조월경운(釣月耕雲)
명철군자(明哲君子)는 이ᄅᆞᆯ사 즐기ᄂᆞ니
하물며 부귀(富貴) 위기(危機) ㅣ 라 빈천거(貧賤居) [ᄒᆞ오리라]

(벼슬길에 / 자연에 / 임금에게 몸을 바쳐 충성하고 백성에게는 혜택을 베풂 / 달빛을 낚고, 구름밭을 갊(강호에서의 삶) / 현명하고 사리에 밝은 군자 / 이것(자연을 벗 삼는 것)을 / 가난하고 천하게 사는 삶)

> 군자로서의 가난한 삶 추구

〈제8수〉
(벼슬길에) 나아가면 임금을 섬기며 백성에게 은덕이 미치게 하고, (자연에) 은거하면 달빛 아래 고기 낚고 구름 속에서 밭을 간다네.
총명하고 밝은 군자는 이것을 즐기나니
하물며 부귀는 위태하니 가난한 삶을 살아가리라.

〈제16수〉

쓰이면 세상에 나아가 도를 행하고 버려지면 은둔하는 것을 자신의 상황에 따라 알맞게 함

행장유도(行藏有道)ᄒᆞ니 버리면 구태 구ᄒᆞ랴

화자의 처세관이 드러남. 벼슬에 더 이상 연연하지 않을 것임을 강조. 설의적 표현 Link 표현상 특징 ❸

산지남(山之南) 수지북(水之北) 병들고 늙은 나를

화자가 은거하는 자연을 의미 / 화자가 벼슬을 거부하는 이유에 해당

뉘라서 회보미방(懷寶迷邦)ᄒᆞ니 오라 말라 ᄒᆞᄂᆞ뇨

화자를 비방하는 대상 / 벼슬에 나아가지 않겠다는 화자의 의도를 엿볼 수 있음

> 벼슬에 나아가지 않고자 함

〈제16수〉

벼슬하는 것과 은둔하는 것을 상황에 맞게 하니 (벼슬을) 버리면 구태여 구할 것인가?
산의 남쪽, 강의 북쪽에서 병이 들고 늙은 나를

누가 자연에 은둔하면 나라를 혼란스럽게 한다고 (나를 비난하며) 오라 말라 하느냐.

〈제17수〉

성현(聖賢)의 가신 길이 만고(萬古)에 ᄒᆞᆫ가지라

'도 - 유교적 가치'를 추구한 것을 가리킴

은(隱)커나 현(見)커나『도(道)ㅣ 어찌 다르리

벼슬하거나 은거해서 추구하는 도가 다르지 않음을 강조. 설의적 표현 Link 표현상 특징 ❸

일도(一道)ㅣ오 다르지 아니커니 아무 ᄃᆡᆫ들 어떠리』『 』: 연쇄법 Link 표현상 특징 ❹

성현이 추구한 가치 / 자연에 은거하여 도를 추구할 것임을 드러냄

> 자연에 은거하여 도를 추구하고자 하는 마음

〈제17수〉

성현의 가신 길은 아주 오랜 세월 동안 한 가지라.
은둔하거나 세상에 나아가거나 도가 어찌 다를 것인가.
하나의 도가 다르지 아니하거늘 아무 곳에서 (도를 취한들) 어떠하겠느냐.

• **회보미방**: 뛰어난 능력을 지니고서 은둔하는 것은 나라를 혼란스럽게 하는 것과 같음.

출제자 톡! 화자를 이해하라!

1 **화자는 누구이고, 화자가 처한 상황은?**
벼슬을 그만두고 자연에 은거하여 도를 추구하고자 하는 사람

2 **화자의 정서 및 태도는?**
자연에 묻혀 사는 군자로서의 삶을 지향하면서도 벼슬에 대한 미련을 가지고 있음.

Link

출제자 톡! 표현상의 특징을 파악하라!

❶ 대구법을 사용하여 유교적 이념을 실현하려는 공명의 삶과 자연을 즐기려는 한거의 삶 사이에서 갈등을 드러냄.

❷ 독백적 어조를 통해 화자의 내면 심리를 드러냄.

❸ 설의적 표현을 활용하여 화자의 태도를 강조함.

❹ 연쇄법을 써서 화자의 의도를 강조함.

최우선 출제 포인트!

1 독백적 어조

〈제7수〉의 '~알과라' + 〈제8수〉의 '~ᄒᆞ오리라'

↓

강호의 풍류를 즐기며 살고자 하는 화자의 내면 심리를 드러냄.

2 화자의 출처관(出處觀)

〈제1수〉	• 충효: 화자가 이루고자 했던 삶의 덕목 • 십재황황: 충효를 이루기 위해 과거에 여러 차례 응시했으나 급제하지 못함.
〈제16수〉	• 버리면 구태 구ᄒᆞ랴.: 벼슬에 연연하지 않을 것임을 드러냄. • 병들고 늙은 나를: 정치 현실로 나오라는 권유를 거절하는 이유

↓

벼슬에 나아가면 임금에 충성하고, 벼슬에 나아가지 못하면 자연에 은거함. → 유교적 출처관

함께 볼 작품 자연과 속세 사이에서 갈등하는 화자의 모습이 나타나는 작품: 이현보, 「어부단가」

최우선 핵심 Check!

1 화자가 지향하는 삶은 자연 속에서 한가하게 사는 삶이다. (O / ×)

2 〈제2수〉의 '부급동남'은 〈제4수〉의 '성주를 섬기기' 위해서 화자가 행한 일이다. (O / ×)

3 〈제4수〉에서 화자가 '강호'를 선택한 이유 중 하나는 〈제8수〉의 '부귀 위기'이다. (O / ×)

4 〈제7수〉에는 한거(閑居)의 삶을 실현할 수 없는 화자의 체념적 정서가 드러나 있다. (O / ×)

5 〈제8수〉의 '치군택민'은 입신양명을 통해 유학자로서의 사회적인 책무를 이행하고 싶은 화자의 이념이 담겨 있다. (O / ×)

정답 1. ○ 2. ○ 3. ○ 4. × 5. ○

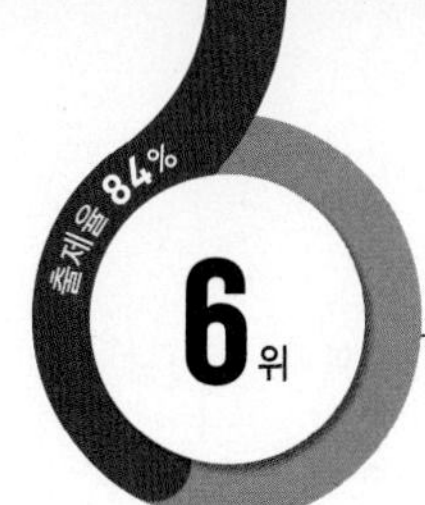

백성을 가르치는 노래

훈민가(訓民歌) | 정철

갈래 연시조(전 16수) **성격** 교훈적, 계도적
주제 유교적 윤리의 실천 **시대** 조선 중기

순우리말을 사용하여 백성들을 계몽하겠다는 목적을 극대화하고 있다.

〈제2수〉

『님금과 ᄇᆡᆨ성(百姓)과 ᄉᆞ이 ᄒᆞᄂᆞᆯ과 따히로ᄃᆡ』 『 』: 임금과 백성의 관계를 자연물을 통해 드러냄
내의 셜운 일을 다 아로려 ᄒᆞ시거든 (주체: 임금 - 백성을 살피는 임금의 모습을 드러냄)
우린ᄃᆞᆯ ᄉᆞᆯ진 미나리ᄅᆞᆯ 홈자 엇디 머그리 ❯ 임금의 은혜에 보답해야 함
(ᄉᆞᆯ진 미나리: 풍작을 드러내 주는 말 / 홈자 엇디 머그리: 풍작이 임금의 은혜이므로 이에 보답해야 함을 강조(설의적 표현) Link 표현상 특징 ❷)

임금과 백성의 사이가 하늘과 땅 같은 것이어서
나의 서러운 일이 있으면 다 헤아려 살피려 하시거든
(무지한) 우리인들 살찐 미나리를 어찌 혼자만 먹을 수 있으리오.

〈제4수〉

(음영: 명령형 - 실천을 강조 Link 표현상 특징 ❸)
어버이 사라신 제 셤길 일란 다ᄒᆞ여라 (셤길: 효도)
『디나간 후(後)면 애ᄃᆞᆲ다 엇디ᄒᆞ리』 『 』: 풍수지탄(風樹之嘆)
평생(平生)애 고텨 못ᄒᆞᆯ 일이 이뿐인가 ᄒᆞ노라 (이뿐인가: 효도) ❯ 부모님께 효도할 것을 권함

어버이 살아 계실 때 섬기기를 다하여라.
돌아가신 다음에 슬퍼한들 어찌하리.
평생에 다시 못 할 일은 이뿐인가 하노라.

〈제8수〉

ᄆᆞ올 사ᄅᆞᆷ ᄃᆞᆯ하 올ᄒᆞᆫ 일 ᄒᆞ쟈ᄉᆞ라 (□: 청유형 - 실천을 권유)
(ᄆᆞ올 사ᄅᆞᆷ ᄃᆞᆯ하: 청자에 해당 / 올ᄒᆞᆫ 일 ᄒᆞ쟈ᄉᆞ라: 청유형 어조를 사용하여 옳은 일을 할 것을 권유 - 계몽적 태도 Link 표현상 특징 ❸)
사ᄅᆞᆷ이 되여 나셔 올티곳 못ᄒᆞ면 (상황의 가정)
ᄆᆞ쇼ᄅᆞᆯ 갓 곳갈 싀워 밥 머기나 다ᄅᆞ랴 (가정의 결과 - 옳은 일을 실천할 것을 강조함(설의적 표현) Link 표현상 특징 ❷) ❯ 옳은 일을 할 것을 권유함
(ᄆᆞ쇼: 옳은 일을 하지 못한 사람을 비유)

마을 사람들아 옳은 일을 하자꾸나.
사람으로 태어나서 옳지 못한 일을 하게 되면
말과 소에게 갓이나 고깔을 씌워 놓고 밥을 먹이는 것과 무엇이 다르랴.

〈제9수〉

『ᄑᆞᆯ목 쥐시거든 두 손으로 바티리라 (음영: 어른을 공경하려는 화자의 의지가 드러남)
나갈 데 겨시거든 막대 들고 조ᄎᆞ리라』 『 』: 웃어른에 대한 공경의 모습. 유사한 통사 구조 반복(대구법) Link 표현상 특징 ❷
향음쥬 다 파ᄒᆞᆫ 후에 뫼셔 가려 ᄒᆞ노라 ❯ 어른을 공경할 것을 권유함
(향음쥬: 마을에서 술을 마시며 잔치하던 일을 가리킴)

(어른이 나의) 팔목을 쥐시거든 두 손으로 (어른에게) 바치리라.
(어른이) 나갈 곳이 계시다면 막대를 들고 좇으리라.
마을 잔치가 다 끝난 후에 (어른을) 모셔 가려 하노라.

〈제10수〉

ᄂᆞᆷ으로 삼긴 듕의 벗ᄀᆞᆺ티 유신(有信)ᄒᆞ랴.
(ᄂᆞᆷ: 그른, 잘못된 / 벗ᄀᆞᆺ티 유신(有信)ᄒᆞ랴: 신의 있는 벗의 중요성을 강조함(설의적 표현) Link 표현상 특징 ❷)
내의 왼 이ᄅᆞᆯ 다 닐오려 ᄒᆞ노매라.
(왼: 그른, 잘못된 / 벗이 나에게 충고하는 모습 - 붕우유신의 덕목을 실천하는 모습에 해당)
이 몸이 벗님곳 아니면 사ᄅᆞᆷ 되미 쉬올가. ❯ 좋은 벗을 사귈 것을 권장함
(좋은 벗을 사귀어야 올바른 사람이 됨을 강조함(설의적 표현) Link 표현상 특징 ❷)

남(타인)으로 태어난 중에 벗처럼 믿음이 있는 이가 있으랴.
나의 잘못된 일을 다 말하려(충고하려) 하는구나.
이 몸이 벗이 아니었다면 사람 되기 쉬울까?

화자를 백성의 한 사람으로 설정하여 설득력을 높임

〈제13수〉

오늘도 다 새거다 호믜 메고 가쟈ᄉᆞ라 □: 청유형 - 실천을 권유 Link 표현상 특징 ❸
날이 밝았다

내 논 다 매여든 네 논 졈 매여 주마
상부상조(相扶相助)

올 길에 뽕 따다가 누에 머겨 보쟈ᄉᆞ라 › 상부상조의 자세를 권함
돌아오는 길에

〈제13수〉

오늘도 날이 밝았구나, 호미 메고 가자꾸나.

내 논 다 매면 네 논도 좀 매어 주마.

오는 길에 뽕 따다가 누에 먹여 보자꾸나.

〈제14수〉

『비록 못 니버도 ᄂᆞᄆᆡ 오ᄉᆞᆯ 앗디 마라. ○: 도둑질과 구걸을 경계하려는 화자의 의지를 드러냄
도둑질에 대한 경계

비록 못 먹어도 ᄂᆞᄆᆡ 밥을 비디 마라.』 『 』: 일상생활에서 하지 말아야 할 것을 강조. 유사한 통사 구조 반복, 대구법, 명령형 어미 Link 표현상 특징 ❷, ❸
한번이라도 / 구걸에 대한 경계

ᄒᆞᆫ 적곳 ᄣᅵ 시론 휘면 고텨 씻기 어려우리. › 도둑질과 구걸에 대한 경계
도둑질과 구걸을 비유적으로 표현 / 도둑질과 구걸을 하지 말라는 이유에 해당

〈제14수〉

비록 (옷이 없어) 못 입어도 남의 옷을 빼앗지 마라.
비록 (양식이 없어) 못 먹어도 남에게 밥을 빌어먹지 마라.
한 번이라도 때가 묻은 뒤면 다시 씻기 어려우리.

〈제16수〉

청자

이고 진 뎌 늘그니 짐 프러 나를 주오
짐을 머리에 이고, 등에 진

나는 졈엇꺼니 돌히라 므거울가

늘거도 설웨라커든 지믈조차 지실가 › 노인에 대한 공경을 권함
서럽다 하거늘

〈제16수〉

이고 진 저 늙은이 짐 풀어 나를 주오.

나는 젊었으니 돌인들 무거울까?

늙는 것도 서럽다 하는데 짐조차 지실까?

• **살진 미나리**: 중국 고전 「여씨춘추」에 살찐 미나리를 백성들이 임금에게 바치려 한다는 구절에서 따온 것임

출제자 톡! 창작 의도를 이해하라!

1 **이 작품의 창작 의도는?**
백성들에게 유교적 윤리 도덕을 권장함으로써 백성들을 계몽하고 교화시키기 위해서 이 작품을 창작함. 즉 실천을 강조하는 목적 문학의 성격을 지님.

Link

출제자 톡! 표현상의 특징을 파악하라!

❶ 순우리말을 사용하여 백성들의 이해를 도움.
❷ 설의적 표현, 유사한 통사 구조 반복, 대구법 등을 사용하여 화자의 태도를 강조함.
❸ 명령형 어미와 청유형 어미를 사용하여 설득력을 높임.

최우선 출제 포인트!

1 어미 사용에 따른 전달 내용의 극대화

작품	전달 내용	어미
〈제4수〉 부모에 대한 효도	유교 윤리의 전달	명령형 어미
〈제14수〉 도둑질과 구걸에 대한 경계	올바른 생활 태도 전달	명령형 어미
〈제13수〉 근면과 상부상조 권유	자치 질서의 전달	청유형 어미

이 작품에서 화자는 전달하는 내용에 따라 어미를 달리 사용함으로써 전달 내용을 극대화하고 있다.

함께 볼 작품 유교적 교훈을 주는 작품: 박인로, 「오륜가」, 김상용, 「오륜가」, 주세붕, 「오륜가」

최우선 핵심 Check!

1 작가는 이 작품을 통해 유교적 도리를 실천하고 향촌 질서를 수립할 것을 권유하고 있다. (○ / ×)

2 〈제4수〉에서는 부모님의 죽음을 가정하여 살아 계실 때 효도를 다할 것을 강조하고 있다. (○ / ×)

3 〈제4수〉와 달리 〈제16수〉에서는 화자가 가르침을 주고자 하는 대상과 청자가 일치하지 않는다. (○ / ×)

4 〈제14수〉에서는 일상 생활에서 하지 말아야 할 태도를 드러내고 있다. (○ / ×)

정답 1. ○ 2. ○ 3. ○ 4. ○

자연 속에서의 삶에 대한 즐거움을 노래한 시

산중잡곡(山中雜曲) | 김득연

갈래 연시조(전 49수) **성격** 한정적, 자연 친화적
주제 자연과 함께하는 삶에 대한 즐거움과 만족감
시대 조선 중기

자연 속에서의 소박하고 한가한 생활, 계절에 따른 자연의 아름다움 등을 통해 자연에 묻혀 사는 풍류와 멋을 노래하고 있다.

〈제2수〉

『지당(池塘)에 활수(活水) 드니 노는 고기 다 혤로다
송음(松陰)에 청뢰(淸籟) 나니 금슬(琴瑟)이 여기 있다』
앉아서 보고 듣거든 돌아갈 줄을 모르노라

- 지당(池塘): 연못
- 활수(活水): 흐르는 물
- 혤로다: 헤아리겠다
- 노는 고기 다 혤로다: 물이 매우 맑음을 알 수 있음
- 송음(松陰): 소나무가 드리우는 그늘
- 청뢰(淸籟): 맑은 바람 소리
- 금슬(琴瑟): '청뢰'를 비유적으로 표현한 말
- 『 』: 화자가 보고 들으며 즐기는 경치. 대구법 **Link** 표현상 특징 ❶
- 앉아서 보고 듣거든: 자연의 흥취를 즐기는 화자의 모습
- 돌아갈 줄을 모르노라: 자연의 흥취에 몰입됨. 영탄적 표현 **Link** 표현상 특징 ❷
- ➤ 자연의 흥취에 몰입됨

〈제3수〉

『솔 아래 길을 내고 못 위에 대를 싸니』
풍월(風月) 연하(煙霞)는 좌우(左右)로 오는고야
이 사이 한가히 앉아 늙는 줄을 모르리라

- 『 』: 대구법 **Link** 표현상 특징 ❶
- 대: 화자가 자연의 경치를 즐기는 공간
- 풍월(風月) 연하(煙霞): 화자의 한가함과 조응되는 자연으로 화자가 몰입하여 즐기는 대상(대유법)
- 이 사이: 솔과 못, 풍월과 연하로 둘러싸인 공간
- 늙는 줄을 모르리라: 자연에 동화된 화자의 모습 – 물아일체(物我一體). 영탄적 표현 **Link** 표현상 특징 ❷
- ➤ 자연에 몰입되어 세월을 잊음

〈제5수〉

『집 뒤에 자차리 뜯고 문 앞에 맑은 샘 길어
기장밥 익게 짓고 산채갱(山菜羹) 무로 삶아』
조석(朝夕)에 풍미(風味)가 족(足)함도 내 분인가 하노라

- 집 뒤에 ~ 길어 → 대구법 **Link** 표현상 특징 ❶
- 자차리: 산나물의 일종
- 기장밥, 산채갱(山菜羹): 화자가 영위하는 청빈하고 소박한 삶
- 『 』: 자연 속에서 소박하게 살아가는 화자의 일상적인 삶
- 풍미(風味)가 족(足)함도 내 분인가 하노라: 자신의 삶에 대한 화자의 만족감 – 안분지족(安分知足)
- ➤ 안분지족의 소박한 삶

〈제14수〉

도원(桃源)이 있다 하여도 예 듣고 못 봤더니
『홍하(紅霞) 만동(滿洞)하니 이 진짓 거기로다』
『이 몸이 또 어떠하뇨 무릉인(武陵人)인가 하노라』

- 도원(桃源): 무릉도원, 이상향
- 홍하(紅霞) 만동(滿洞)하니: 자신이 사는 곳이 무릉도원이라 여긴 이유
- 이: 여기
- 『 』: 자연의 아름다움 예찬
- 『 』: 자문자답 **Link** 표현상 특징 ❸
- 무릉인(武陵人): 화자 자신을 가리키는 것으로, 자신이 처한 공간과 삶에 대한 만족감을 드러냄
- ➤ 아름다운 자연에서 살아가는 만족감

〈제2수〉
연못에 흐르는 물이 흘러 드니 노는 고기를 다 헤아리겠구나.
송음에 맑은 바람 소리 나니 거문고와 비파가 여기 있다.
앉아서 (고기를) 보고 (맑은 바람 소리를) 듣고 있으니 (집에) 돌아갈 줄을 모르겠노라.

〈제3수〉
소나무 아래에 길을 내고 연못 위에 대를 쌓으니
바람과 달, 안개와 노을은 좌우에 펼쳐져 있구나.
이 사이에 한가하게 앉아서 늙는 줄을 모르겠구나.

〈제5수〉
집 뒤에서는 고사리 뜯고 문 앞에서는 맑은 샘을 길어
기장밥을 익게 짓고 산나물로 끓인 국을 무르게 삶아
아침 저녁에 풍미가 만족스러움도 내 분수인가 하노라.

〈제14수〉
무릉도원이 있다 하였어도 옛날에 듣고 보지 못했더니
홍하(해 주위에 보이는 붉은 노을)가 (골짜기 안에) 가득하니 무릉도원이 진정 거기 있구나.
이 몸은 또 어떠하느냐? 무릉도원에 사는 사람인가 하노라.

출제자 톡! 화자를 이해하라!

1 **화자는 누구이고, 화자가 처한 상황은?**
자연 속에 묻혀 소박한 삶을 살고 있는 '나'

2 **화자의 정서 및 태도는?**
- 자연 속에 살아가는 삶을 만족해함.
- 자연의 아름다움을 예찬함.

Link
출제자 톡! 표현상의 특징을 파악하라!

❶ 대구법을 사용하여 리듬감을 형성함.
❷ 영탄적 표현을 사용하여 자연에 대한 화자의 태도를 강조함.
❸ 자문자답의 표현을 사용하여 화자의 정서를 강조함.

최우선 출제 포인트!

1 자연 속에 살아가는 화자의 모습

제2수	자연의 모습을 보고 들으며 집에 돌아갈 줄 모름.	자연의 흥취에 몰입됨.
제3수	자연 속에서 한가히 보내면서 늙는 줄을 모름.	자연에 동화되어 살아감. – 물아일체
제5수	소박한 삶을 살아가는 것을 자신의 분이라 여김.	자신의 삶에 대한 만족감을 드러냄. – 안분지족
제14수	자신이 사는 곳을 무릉도원이라 여김.	자연의 아름다움을 예찬하고 만족해함.

최우선 핵심 Check!

1 화자는 소박하게 살아가는 자신의 삶에 대해 만족감을 드러내고 있다. (○ / ×)

2 〈제5수〉에서 화자가 영위하는 청빈하고 소박한 삶을 의미하는 소재는 'ㄱㅈㅂ'과 'ㅅㅊㄱ'이다.

3 〈제14수〉에서 '무릉인'은 화자 자신을 가리킨다. (○ / ×)

정답 1. ○ 2. 기장밥, 산채갱 3. ○

전원의 사계절을 노래함

전원사시가(田園四時歌) | 신계영

갈래 연시조(전 10수) **성격** 전원적, 한정적
주제 사계절과 관련된 전원 속에서의 삶
시대 조선 중기

계절마다 각 2수씩을 읊고 이어 제석(除夕)이라 하여 섣달 그믐날 밤의 감회를 2수 덧붙여 전원에서의 삶을 드러내고 있다.

〈제1수: 춘(春)〉 Link 표현상 특징 ❶

봄날이 졈졈 기니 잔셜(殘雪)이 다 녹거다
매화(梅花)는 볼셔 디고 버들가지 누르럿다
아희야 울 잘 고티고 채전(菜田) 갈게 ᄒᆞ야라

(잔셜(殘雪): 녹다 남은 눈 / 매화는 ~ 누르럿다: 자연의 변화를 시각적 이미지를 활용해 표현함 Link 표현상 특징 ❷ / 울 ~ 갈게: 농촌의 바쁜 일상 / □: '아희야'의 반복 - 통일감 및 운율감 형성 Link 표현상 특징 ❸)

▶ 봄의 정취와 일상

〈제1수: 춘(春)〉
봄날이 점점 길어지니 녹다 남은 눈이 다 녹는구나.
매화는 벌써 지고 버들가지는 누르렀다.
아이야, 울타리 잘 고치고 채소밭 갈도록 하여라.

〈제2수: 춘(春)〉

양파(陽坡)에 풀이 기니 봄 빗치 느저 잇다
소원(小園) 도화(桃花)는 밤 비예 다 되거다
아희야 쇼 됴히 먹여 논밧 갈게 ᄒᆞ야라

(양파(陽坡): 볕이 잘 드는 언덕 / 봄 빗치 느저 잇다: 봄이 시작된 지 꽤 되었다 / 쇼 ~ 갈게: 전원에서 일어나는 일상의 봄 풍경)

▶ 늦봄의 정경과 일상

〈제2수: 춘(春)〉
볕이 잘 드는 언덕에 풀이 기니 봄의 기운이 주변에 가득하구나.
작은 정원의 복숭아꽃은 밤비에 다 피었구나.
아이야, 소를 잘 먹여서 논과 밭을 갈도록 하여라.

〈제3수: 하(夏)〉

잔화(殘花) 다 딘 후의 녹음이 기퍼 간다
백일(白日) 고촌(孤村)에 낫ᄃᆞᆰ의 소릐로다
아희야 계면조 불러라 긴 조롬 씨오쟈

(잔화(殘花): 거의 지고 남은 꽃, 시들어 가는 꽃 / 백일(白日): 대낮 / 1~2행: 여름날 낮의 이미지 제시 → 일 년 사시와 하루 사시가 대응됨 / 낫ᄃᆞᆰ의 소릐로다: 청각적 이미지로 여름 한낮의 정취를 표현함 / 계면조: 슬프고 애타는 느낌을 주는 국악의 음조)

▶ 녹음이 깊어 가는 한가로운 여름의 모습

〈제3수: 하(夏)〉
남은 꽃 다 진 뒤에 신록이 깊어 간다.
대낮의 외따로 떨어진 마을에 닭이 우는구나.
아이야, 계면조 불러라. 긴 졸음 깨워 보자.

〈제5수: 추(秋)〉

흰 이슬 서리 되니 ᄀᆞ을히 느저 잇다
긴 들 황운(黃雲)이 ᄒᆞᆫ 빛이 피었구나
아희야 비즌 술 걸러라 추흥(秋興) 계워 ᄒᆞ노라

(황운(黃雲): 넓은 들판에 벼가 누렇게 익은 모습 - 시각적 이미지 / 피었구나: 영탄적 표현 Link 표현상 특징 ❹)

▶ 가을의 흥취

〈제5수: 추(秋)〉
흰 이슬이 서리가 되니 가을이 늦었구나.
긴 들판의 곡식들은 누런 빛으로 같은 빛이 되었구나.
아이야, 빚은 술 걸러라. 가을 흥에 겨워 하노라.

〈제7수: 동(冬)〉

북풍(北風)이 노피 부니 앞 뫼희 눈이 딘다
모첨(茅簷) 찬 빗치 석양이 거에로다
아희야 콩죽 니것ᄂᆞ냐 먹고 자려 ᄒᆞ로라

(모첨(茅簷): 초가지붕의 처마 / 찬 빗치: 공감각적 이미지(시각의 촉각화) / 콩죽: 일 년 중 밤이 가장 길다는 동짓날 먹는 죽)

▶ 눈 내리는 겨울의 모습과 일상

〈제7수: 동(冬)〉
북풍이 높이 부니 앞산에 눈이 내린다.
초가지붕의 처마 찬 빛이 석양이 거의 되었구나.
아이야, 팥죽 익었느냐 먹고 잘까 하노라.

〈제9수: 제석(除夕)〉

설달 그믐날 밤

이바 아히돌아 새해 온다 즐겨 마라
헌수한 세월(歲月)이 소년(少年) 앗아 가ᄂᆞ니라
야단스러운
우리도 새히 즐겨ᄒᆞ다가 이 백발(白髮)이 되얏노라

세월에 대한 화자의 인식이 드러남 - 늙음을 탄식, 영탄적 표현 Link 표현상 특징 ❹ ❯ 세월의 흐름에 대한 안타까움

〈제9수: 제석(除夕)〉

이봐 아이들아 새해 온다 즐거워 마라.

야단스러운 세월이 젊음을 빼앗아 가느니라.

우리도 새해 즐기다가 이렇게 백발이 되었구나.

출제자 Tip! 화자를 이해하라!

1 **화자는 누구이고, 화자가 처한 상황은?**
전원에서 살고 있는 '나'로, 전원의 봄, 여름, 가을, 겨울 그리고 섣달 그믐날 밤을 지내고 있음.

2 **화자의 정서 및 태도는?**
계절에 따라 여유로움, 흥겨움, 늙음에 대한 안타까움 등을 느끼고 있음.

Link

출제자 Tip! 표현상의 특징을 파악하라!

❶ 계절의 흐름에 따른 시상을 전개함.

❷ '제석'을 제외한 나머지 수에서는 감각적 이미지를 활용하여 각 계절의 정취를 형상화함.

❸ '제석'을 제외한 각 수 종장에 '아히야'를 반복하여 형식적 통일감과 운율감을 형성함.

❹ 영탄적 표현을 활용하여 화자의 정서를 드러냄.

최우선 출제 포인트!

1 작품 전체의 구성 방식

춘(春)	제1, 2수	봄을 맞아 울타리를 고치고 소 먹여 논밭갈이 할 것을 독려하는 모습
하(夏)	제3, 4수	녹음이 우거진 한적한 여름을 맞아 거문고 소리와 계면조 노래에 긴 졸음을 깨우는 한가한 삶의 모습
추(秋)	제5, 6수	국화 피고 곡식이 무르익은 가을을 맞아 술과 안주로 가을의 흥겨움을 즐기는 모습
동(冬)	제7, 8수	북풍이 몰아치는 눈 쌓인 겨울을 맞아 한가하게 음식을 즐기고 잠을 청하는 모습
제석(除夕)	제9, 10수	섣달 그믐날 밤(제석)을 맞아 세월의 흐름을 안타까워하는 모습

함께 볼 작품 사계절의 변화를 통해 자연을 노래한 작품: 맹사성, 「강호사시가」

최우선 핵심 Check!

1 전원에 파묻혀 넉넉하게 사는 삶에 대한 만족감과 계절의 흥취를 즐기는 즐거움만을 노래하고 있다. (O / ×)

2 종장 첫 구에서 반복적으로 나타나는 '[ㅇ][ㅎ][ㅇ]'로 인해 형식적 통일성을 얻고 있다.

3 〈제1수〉의 종장 첫 구에서 호칭한 '아히'는 화자와 갈등을 겪고 있는 실제 인물이다. (O / ×)

4 〈제3수〉에서는 청각적 이미지로 한낮의 상황을 드러내고 있다. (O / ×)

5 〈제5수〉의 '[ㅎ][ㅇ]'은 가을 들판의 모습을 비유적으로 표현하고 있다.

6 〈제7수〉에서는 눈 내리는 겨울의 한가로운 모습이 나타나 있다. (O / ×)

7 〈제9수〉에서 화자는 자신의 늙음에 대해 한탄의 정서를 드러내고 있다. (O / ×)

정답 1. × 2. 아히야 3. × 4. ○ 5. 황운 6. ○ 7. ○

1등급! 〈보기〉!

사시가(四時歌)의 시상 전개

조선 시대에 자연을 노래한 시가에서 중요한 위치를 차지하는 사시가(四時歌)는 일반적으로 사계절의 순서에 따른 완상(玩賞)을 담은 노래를 뜻한다. 고려 중기 이후 사대부층 사이에서 자연에 관한 관심이 점차 고조되었는데, 사시가는 이러한 관심과 중국 한시 및 고려 한시의 영향을 받아 형성되었다.

초기의 사시가는 주로 사계절을 나열하는 단조로운 시상 전개를 보였으나, 중기 이후의 사시가는 일 년 사시와 하루 사시의 복합적인 구성을 적용하는 경우가 많았다. 즉 '[춘(아침 → 낮 → 저녁 → 밤) → [하(아침 → 낮 → 저녁 → 밤)…]과 같이 일 년 사시의 흐름 속에서 하루의 사시를 모두 포함하거나, '[춘:아침] → [하:낮] → [추:저녁] → [동:밤]'과 같이 일 년 사시와 하루 사시가 대응되는 방식으로 시상이 전개되기도 하였다. 시상 전개 양상이 단순하든 복합적이든 사시의 흐름은 순차성을 띠면서도 의미상 겨울에서 봄으로, 밤에서 아침으로 이어지는 자연의 순환성을 내포하고 있는데, 작품에 따라 순환성이 표면에 부각되기도 하였다. 이러한 순환성에 대한 인식은 시간적 영원성에 대한 소망, 즉 유한한 인간의 삶에서 무한을 추구하려는 소망을 반영한다고 할 수 있다. 시간적 영원성에 대한 소망을 성취할 수 있는 장소로서 인간은 이상향을 지향하게 되는데, 사시가에서 자연은 이러한 이상향으로서의 의미를 지니고 있다.

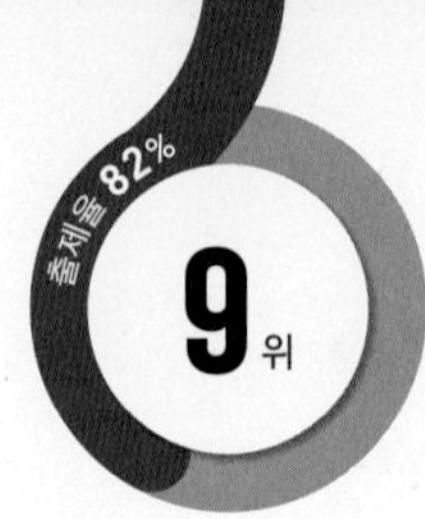

고산에서의 노래 아홉 곡

고산구곡가(高山九曲歌) | 이이

갈래 연시조(전 10수) **성격** 교훈적, 유교적, 예찬적
주제 고산의 아름다운 경치 예찬과 학문 수양의 즐거움 **시대** 조선 중기

작가가 해주 고산면 구곡담에 머물러 후학을 가르치며 고산의 아름다운 경치를 읊은 작품이다.

〈서곡〉

고산 구곡담(高山九曲潭)을 살롬이 몰으든이
주모 복거(誅茅卜居)ᄒᆞ니 벗님네 다 오신다
어즙어 무이(武夷)를 상상(想像)ᄒᆞ고 학주자(學朱子)를 ᄒᆞ리라

- 몰으든이 : 중의적 표현. ① 사람들의 고산의 뛰어난 경치를 모름 ② 사람들이 학문 수양의 방법이나 태도를 모름 Link 표현상 특징 ❶
- 주모 복거: 풀을 베어 내고 집 지어 살 곳을 정함
- 무이: 주자가 학문에 정진했다고 하는 중국 북건성의 산

> 주자학을 연구하고자 하는 결의

〈서곡〉
고산의 아홉 굽이 계곡의 아름다움을 세상 사람들이 모르더니,
(내가) 풀을 베고 터를 잡아 집을 짓고 사니 (그 때야) 벗들이 찾아오는구나.
아, (주자가 학문에 정진했다는) 무이산을 생각하고 주자를 배우리라.

〈제1곡〉

일곡(一曲)은 어드ᄆᆡ고 관암(冠巖)에 ᄒᆡ 빗췬다
평무(平蕪)에 ᄂᆡ 거든이 원근(遠近)이 그림이로다
송간(松間)에 녹준(綠樽)을 녹코 벗 온 양 보노라

- 관암 : 공간적 배경(제재) Link 표현상 특징 ❷ / 갓 모양의 바위
- 일곡: 첫 번째 계곡
- ᄒᆡ 빗췬다: 시간적 배경 - 아침
- 평무: 잡초가 무성한 들판
- ᄂᆡ: 안개
- 녹준: 좋은 술동이

> 관암의 아침 경치

〈제1곡〉
일곡은 어디인가? 갓 모양의 바위에 해 비친다.
잡초가 무성한 들판에 안개가 걷히니 먼 곳 가까운 곳이 모두 그림 같구나.
소나무 사이에 술단지를 내려놓고 벗이 온 것처럼 보노라.

〈제2곡〉

이곡(二曲)은 어드ᄆᆡ고 화암(花巖)에 춘만(春晩)커다
벽파(碧波)에 곳츨 띄워 야외(野外)에 보내노라
살롬이 승지(勝地)를 몰온이 알게 ᄒᆞᆫ들 엇더리

- 벽파: 푸른 물결
- 곳츨: 꽃 Link 표현상 특징 ❹
- 화암: 꽃바위
- 춘만: 시간적 배경 - 봄
- 도연명의 『도화원기』에 나오는 무릉도원을 연상(화암의 아름다움을 강조)
- 승지: ① 명승지(아름다운 곳) ② 학문하기 좋은 곳 Link 표현상 특징 ❶

> 화암의 늦봄 경치

〈제2곡〉
이곡은 어디인가? 화암에 봄이 저무는구나.
푸른 시냇물에 꽃을 띄워 바깥 들판(속세)으로 보내노라.
사람들이 이 좋은 경치를 모르니 알게 하는 것이 좋지 않겠는가.

〈제3곡〉

삼곡(三曲)은 어드ᄆᆡ고 취병(翠屛)에 닙 퍼졌다
녹수(綠樹)에 산조(山鳥)는 하상 기음(下上其音)ᄒᆞ는 적의
반송(盤松)이 바람을 받으니 여름 경(景)이 없셰라

- 취병: 병풍 같은 절벽
- 녹수: 푸른 숲 Link 표현상 특징 ❹
- 하상 기음: 소리를 높게 낮게 지저귐
- 반송: 키 작은 소나무

> 취병의 여름 경치

〈제3곡〉
삼곡은 어디인가? 병풍 같은 절벽에 잎이 퍼졌구나.
푸른 숲에 산새는 높게 낮게 지저귈 때
키가 작고 넓게 퍼진 소나무가 바람에 흔들리니 여름 경치가 (이보다 좋은 곳이) 없겠구나.

〈제5곡〉

오곡(五曲)은 어드ᄆᆡ고 은병(隱屛)이 보기 죠희
수변 정사(水邊精舍) 소쇄(蕭灑)함도 가히없다
이 중에 강학(講學)하고 영월 음풍(詠月吟風)하오리라

- 은병: 으슥한 병풍처럼 둘러 있는 절벽
- 소쇄: 맑고 깨끗함
- 강학: 학문을 닦고 연구함
- 영월 음풍: 맑은 바람과 밝은 달을 대상으로 시를 짓고 흥취를 자아내어 즐겁게 놂
- 정사: ① 물가에 세워진 정사 ② 학문을 가르치기 위하여 마련한 집 Link 표현상 특징 ❶

> 수변 정사에서의 강학과 음풍농월

〈제5곡〉
오곡은 어디인가? 으슥한 병풍처럼 둘러 있는 절벽이 보기 좋구나.
물가에 세워진 정사는 맑고 깨끗하기가 끝이 없구나.
이 가운데서 학문 연구도 하려니와 자연을 시로 짓고 읊으면서 풍류를 즐기리라.

〈제7곡〉

칠곡(七曲)은 어듸ᄆᆡ고 풍암(楓巖)에 추색(秋色) 됴타
단풍잎으로 둘러싸인 바위

청상(淸霜)이 엷게 치니 절벽(絕壁)이 금수(錦繡) ㅣ 로다
맑은 서리 Link 표현상 특징 ❹ / 수놓은 비단(은유법)

한암(寒巖)에 혼자 안자셔 집을 닛고 잇노라 ❯ 단풍으로 덮인 풍암에서의 흥취
차가운 바위 / 속세의 일 / 화자의 태도- 자연의 아름다움에 빠져 있음

〈제7곡〉

칠곡은 어디인가? 단풍으로 둘러싸인 바위에 가을빛이 좋다.
맑은 서리가 엷게 내리니 절벽이 비단이로다.

차가운 바위에 혼자 앉아서 집(속세)의 일을 잊었노라.

〈제8곡〉

팔곡(八曲)은 어듸ᄆᆡ고 금탄(琴灘)에 달이 밝다
악기를 연주하며 노는 시냇가

옥진 금휘(玉軫金徽)로 수 삼곡(數三曲)을 노른 말이
아주 좋은 거문고 / 여러 곡조

고조(古調)를 알 니 업사니 혼자 즐겨하노라 ❯ 금탄의 거문고 연주
옛 곡조

〈제8곡〉

팔곡은 어디인가? 악기를 연주하며 노는 시냇가에 달이 밝구나.
아주 좋은 거문고로 몇 곡을 연주하면서

옛 곡조를 알 사람이 없으니 혼자 즐기고 있노라.

〈제9곡〉

구곡(九曲)은 어듸ᄆᆡ고 문산(文山)에 세모(歲暮)커다
① 산 이름 ② 학문의 세계 Link 표현상 특징 ❶, ❷

기암괴석(奇巖怪石)이 눈 속에 뭇쳐셰라
① 문산의 아름다움 ② 학문 세계의 깊고 오묘한 즐거움 Link 표현상 특징 ❶

유인(遊人)은 오지 아니ᄒᆞ고 볼 것 업다 ᄒᆞ더라
① 학문에 힘쓰지 않고 놀러 다니는 사람 ② 세상 사람 Link 표현상 특징 ❶
❯ 문산의 눈 덮인 경치와 세속의 경박함에 대한 풍자

〈제9곡〉

구곡은 어디인가? 문산에 한 해가 저무는구나.

기이하게 생긴 바위와 돌이 눈 속에 묻혀 있도다.
이리저리 놀러 다니는 사람은 와 보지도 않고 서 볼 것 없다고 하더라.

출제자 톡! 작품의 제목을 이해하라!

1 **고산구곡가란?**
작가가 황해도 해주에 살 때 고산의 구곡 풍경과 감회를 읊은 노래

2 **구곡의 명칭은?**
1~9곡까지의 관암, 화암, 취병, 송애, 은병, 조협, 풍암, 금탄, 문산의 명칭은 지명과 아울러 경치를 표현하는 의미로 사용됨.

Link

출제자 톡! 표현상의 특징을 파악하라!

❶ 중의법을 활용하여 고산의 아름다움과 학문의 즐거움을 동시에 나타냄.

❷ 각 수의 제재가 되는 공간적 배경과 경치의 모습을 실제 지형의 이름과 맞춤으로써 사실성을 부여함.

❸ 어려운 한자어를 많이 사용함.

❹ 자연물을 통해 시간적 배경을 효과적으로 드러내고 있음.

개념 Tip
중의법: 한 단어에 두 가지 이상의 뜻을 곁들어 표현하여 언어의 단조로움으로부터 벗어나고 여러 의미를 나타내고자 하는 수사법

최우선 출제 포인트!

1 제1~제9곡에 나타난 형식상 특징

초장	'○곡은 어듸ᄆᆡ고 ○○에 ○○다' 형태로 동일함.
중장	초장에서 제시한 곳의 풍경을 구체화함.
종장	작가 자신의 감상이나 평가로 마무리함.

2 자연물을 통한 시간적 배경 제시

제2곡	벽파, 곳(봄)	제7곡	청상(가을)
제3곡	녹수(여름)	제9곡	눈(겨울)

함께 볼 작품 자연에 대한 예찬적인 태도를 노래: 이황, 「도산십이곡」

최우선 핵심 Check!

1 〈서곡〉과 아홉 개의 연시조로 이루어져 있다. (○ / ×)

2 화자는 고산의 명승지와 학문 수양의 즐거움을 사람들에게 널리 알리고자 이 작품을 썼다. (○ / ×)

3 〈서곡〉의 '고산 구곡담(高山九曲潭)'은 뛰어난 자연과 깊이 정진해야 할 학문을 ㅈㅇ적으로 표현하고 있다.

4 〈제1곡〉에는 시간적 배경이, 〈제2곡〉에는 계절적 배경이 나타나 있다. (○ / ×)

5 〈제9곡〉에서 '유인(遊人)'은 학문에 정진하는 사람을 의미한다. (○ / ×)

정답 1. ○ 2. ○ 3. 중의 4. ○ 5. ×

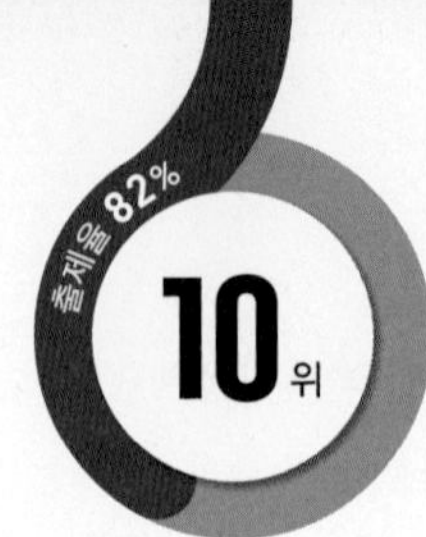

나라의 앞날을 걱정하는 노래

우국가(憂國歌) | 이덕일

갈래 연시조(전 28수) **성격** 우국적, 비판적
주제 당쟁을 일삼는 당대 현실에 대한 비판과 우국지정 **시대** 조선 중기

당쟁을 일삼는 신하들에 대한 비판과 고립무원의 상태에 있는 임금에 대한 안타까움, 나라의 앞날을 걱정하는 마음을 드러내고 있는 연시조이다.

〈제1수〉

학문(學問)을 후려 치우고 반무(反武)를 한 뜻은
(학문: 문관이 되기 위한 공부를 가리킴 / 반무: 문관에서 무관이 되기로 한 것을 가리킴)
삼척검(三尺劍) 둘러메고 진심보국(盡心報國)하려 했더니
(진심보국: 충성을 다해 나라의 은혜에 보답함 - 화자가 이루고자 한 것으로, 반무한 이유에 해당함)
한 가지 일도 한 것이 없으니 눈물겨워 하노라
(한 가지 일도 한 것이 없으니: 화자가 서러워한 이유 / 눈물겨워 하노라: 무관이 되어 이룬 일이 없는 데서 오는 회한의 정서)
▶ 무관이 되어 이룬 일이 없는 것에 대한 안타까움

〈제1수〉
학문을 그만두고 무관이 되려 한 뜻은
삼척검을 둘러메고 충심으로 나라 은혜에 보답하려 하였더니
한 가지 일도 한 것이 없어서 눈물겨워하노라.

〈제3수〉

나라에 못 잊을 것은 이 밖에 다시 없다
(이 밖에: 임진왜란 때의 치욕 / 다시 없다: 치욕을 잊을 수 없음을 강조하여 드러냄)
의관문물(衣冠文物)을 이렇도록 더럽혔는고 → 왜적이 조선을 침략하여 피해를 준 것에 대한 분노를 드러냄
(의관문물: 조선의 제도와 문물 / 더럽혔는고: 주체: 왜적)
이 원수(怨讎) 못내 갚을까 칼만 갈고 있노라
(원수를 갚으려는 화자의 의지가 직접적으로 드러남 - 절치부심(切齒腐心))
▶ 왜적에 대한 복수를 다짐함

〈제3수〉
나라에서 못 잊을 것은 이 밖에 다시 없다.
(왜적들이) 의관문물을 이토록 더럽혔구나.
이 원수를 끝내 갚기 위해 칼만 갈고 있노라.

〈제6수〉

어와 서러운지고 생각거든 서러운지고
(어와: 감탄사 / 시어의 반복을 통해 화자의 서러운 정서를 강조함 **Link** 표현상 특징 ❶)
국가 간위(艱危)를 알 이 없어 서러운지고
(나라의 어려움과 위기에 대한 신하들의 무관심 - 서러운 이유)
아무나 이 간위 알아 구중천(九重天)에 사뢰소서
(구중천: 국가의 어려움을 해결할 수 있는 존재인 임금)
▶ 나라의 위기에 대한 신하들의 무관심을 안타까워함

〈제6수〉
아아, 서럽구나. 생각만 해도 서럽구나.
국가의 어려움과 위기를 알 사람이 없어서 서럽구나.
아무나 이 어려움과 위기를 알아서 임금께 아뢰어 주소서.

〈제14수〉

이는 저 외다 하고 저는 이 외다 하니 → 붕당 간의 다툼을 드러냄(대구법) **Link** 표현상 특징 ❷
(이: 이 사람 / 저: 저 사람 / 외다: 그르다)
매일에 하는 일이 이 싸움뿐이로다
(붕당 간 당쟁만 일삼는 현실에 대한 비판 의식)
이 중의 고립무조(孤立無助)는 임이신가 하노라
(도와줄 사람 없이 혼자 외롭게 있음 - 붕당 간 다툼으로 인해 임금이 처한 상황)
▶ 당쟁에 대한 비판과 임금에 대한 안타까움

〈제14수〉
이 사람은 저 사람이 그르다고 하고 저 사람은 이 사람이 그르다고 하니
날마다 하는 일이 이러한 싸움뿐이로구나.
이 중에 홀로 있어 도움을 받지 않는 이는 임뿐이로구나.

〈제16수〉

『말리소서 말리소서 이 싸움 말리소서
('a-a-b-a'의 구조를 통해 당쟁을 말리기 바라는 화자의 바람을 강조함 **Link** 표현상 특징 ❸)
지공무사(至公無私)하게 말리소서 말리소서』 『 』: 시어의 반복 - 화자의 바람을 강조 **Link** 표현상 특징 ❶
(지공무사: 지극히 공정하여 사사로움이 없음 - 당쟁을 말리기 위해 임금이 지녀야 할 태도)
진실로 말리고 말리시면 탕탕평평(蕩蕩平平)하리이다
(당쟁을 지공무사하게 말릴 경우 얻을 수 있는 효과에 해당)
▶ 임금이 공정한 태도로 당쟁을 말릴 것을 바람

〈제16수〉
말리소서. 말리소서. 이 싸움 말리소서.
지극히 공정하고 사사로움이 없이 말리소서. 말리소서.
진실로 말리고 말리시면 어느 쪽에도 치우침이 없이 공평할 것이리다.

〈제26수〉

굳건하면 / 붕당을 비유적으로 표현한 말

나라가 굳으면 집조차 굳으리라

나라가 안정되면 붕당도 안정적일 것이라는 의미

집만 돌아보고 나랏일 아니 하네

붕당의 이익만 생각하고 나랏일에는 무관심한 신하들에 대한 비판

하다가 명당(明堂)이 기울면 어느 집이 굳으리오

나라가 안정되어야 붕당도 존재할 수 있다는 의미. 설의적 표현 Link 표현상 특징 ❹

▶ 붕당만을 생각하는 현실에 대한 비판

〈제26수〉

나라가 단단하면 집도 단단하리라.
(자신의) 집만 돌아보고 나랏일은 하지 않고 있네.

그러다가 명당(임금이 조회를 받던 장소)이 기울면 어느 집이 단단하겠는가?

〈제28수〉

화자가 거부하는 세속적 가치

공명(功名)을 원(願)찮거든 부귀(富貴)인들 바랄소냐

부귀공명을 바라지 않는 화자의 태도 강조. 설의적 표현 Link 표현상 특징 ❹

일간모옥(一間茅屋)에 고초(苦楚)히 혼자 앉아

화자의 가난한 생활을 엿볼 수 있음 / 괴롭고 어렵게

밤낮의 우국상시(憂國傷時)를 못내 설워하노라

나라를 걱정하고 혼란한 시대 때문에 마음이 상함 - 화자가 서러워하는 이유

▶ 나라에 대한 걱정

〈제28수〉

공명을 원하지 않거늘 부귀인들 바랄 것이냐.

초가 한 간에 괴로워하면서 혼자 앉아

밤낮 동안 나라를 걱정하고 시절의 혼란함에 마음이 상하여 못내 설워하노라.

출제자 톡! 화자를 이해하라!

1 **화자는 누구이고, 화자가 처한 상황은?**
전란 후 나라의 혼란스러운 현실을 바라보고 있는 사람

2 **화자의 정서 및 태도는?**
- 자신이 한 일이 없는 것에 대한 회한, 나라에 무관심한 신하들과 혼란스러운 나라 현실에 대한 안타까움을 드러냄.
- 나라의 안위보다는 당쟁을 일삼는 신하들에 대한 비판적 태도를 직설적으로 드러냄.

Link

출제자 톡! 표현상의 특징을 파악하라!

❶ 시어의 반복을 통해 화자의 정서와 바람을 강조함.

❷ 대구법을 활용하여 당파 싸움을 효과적으로 형상화함.

❸ 'a-a-b-a' 구조를 활용하여 시적 의미를 강조함.

❹ 설의적 표현을 사용하여 화자의 생각이나 태도를 강조함.

최우선 출제 포인트!

1 화자의 처지

신하들		화자		임
붕당만을 생각하며 나랏일에 무관심함.	← 비판	전란 후 혼란스러운 나라 현실을 바라봄.	→ 안타까움	도와줄 사람 없이 혼자 외롭게 있음.

2 화자의 정서와 태도

화자의 정서	제1수	눈물겨워 하노라	무관이 되어 이룬 일이 없는 화자의 회한
	제6수	서러운지고	나라의 위기에 무관심한 신하들에 대한 안타까움
	제28수	못내 설워하노라	나라에 대한 걱정과 혼란한 시대로 인한 안타까움과 슬픔
화자의 태도	제3수	칼만 갈고 있노라	원수를 갚으려는 의지적인 태도
	제14수	매일에 하는 일이 이 싸움뿐이로다	당쟁만을 일삼는 신하들에 대한 비판적인 태도
	제16수	지공무사하게 말리소서	임금이 당쟁을 멈춰 주기를 바라는 간절한 태도

최우선 핵심 Check!

1 다음 시어와 그에 해당하는 의미를 알맞게 연결하시오.
(1) 집 • • ㉠ 나라
(2) 명당 • • ㉡ 붕당
(3) 구중천 • • ㉢ 임금

2 시어의 ㅂㅂ을 통해 화자의 정서와 바람을 강조하고 있다.

3 화자는 조선의 제도와 문물을 더럽힌 왜적에 대해 복수하려는 강한 의지를 보이고 있다. (○ / ×)

4 화자는 임금이 공평하지 못하여 당쟁이 심화되었다 여기고 있다. (○ / ×)

5 화자는 나라의 어려움을 아는 신하가 없는 현실을 서러워하고 있다. (○ / ×)

6 화자는 나랏일에 무관심하고 당쟁만을 일삼는 신하들에 대한 비판적인 모습을 보여 주고 있다. (○ / ×)

정답 1. (1) ㉡ (2) ㉠ (3) ㉢ 2. 반복 3. ○ 4. × 5. ○ 6. ○

슬퍼하며 부른 노래

비가(悲歌) | 이정환

갈래 연시조(전 10수) **성격** 우국적, 애상적
주제 국치에 대한 분노와 두 왕자에 대한 그리움
시대 조선 후기

청나라에 잡혀 간 두 왕자를 걱정하는 마음과 병자호란의 치욕에 대한 비통한 마음을 읊고 있다.

〈제1수〉

왕자들과 일시적으로나마 재회하는 공간

반(半) 밤듕 혼자 이러 뭇노라 이ᄂᆡ ᄭᅮᆷ아

한밤중 / 대화체의 활용(의인법, 도치법) **Link 표현상 특징 ❶**

만리(萬里) 요양(遼陽)을 어ᄂᆡ 듯 ᄃᆞᆫ녀온고

소현 세자와 봉림 대군이 볼모로 끌려간 곳(청나라의 심양)

반갑다 학가 선용(鶴駕仙容)을 친히 뵌 듯ᄒᆞ여라

학을 탄 신선의 모습(소현 세자)
(학가: 세자가 탄 수레 또는 세자. 여기서는 병자호란에서 패배하여 심양에 잡혀간 소현 세자를 가리킴)

▶ 청나라에 볼모로 끌려간 두 왕자에 대한 그리움

〈제1수〉

한밤중에 혼자 일어나 물어보노라, 내 꿈에게

만 리 밖 청나라 땅에 어느 사이에 다녀왔느냐?

반갑다, 왕자를 친히 뵌 듯하여라.

〈제2수〉

눈바람(병자호란 후의 피폐한 상황)

풍설(風雪) 석거친 날에 뭇노라 북래 사자(北來使者)야

볼모로 잡혀간 두 왕자의 모습 / 청나라에서 온 사신

소해용안(小海容顔)이 언매나 치오신고

화자 자신

『고국(故國)의 못 쥭는 고신(孤臣)이 눈물계워 ᄒᆞ노라』

『 』: 조선의 국치를 보고도 나라를 위해 죽지 못하는 처지를 한탄함

▶ 두 왕자에 대한 걱정과 국치로 인한 슬픔

〈제2수〉

눈바람이 치는 날에 물어보노라, 북쪽에서 온 사신들이여.
(볼모로 잡혀 가신) 두 왕자님들의 얼굴이 얼마나 추워 보이시던가?
고국에서 죽지도 못하고 살아 있는 외로운 신하가 (슬픔을 참을 수 없어) 눈물을 흘리노라.

〈제4수〉

박제상 죽은 후에 님의 실람 알 이 업다

임금의 시름을 덜어줄 신하가 없는 현실에 대한 안타까움이 드러남

이역(異域) 춘궁(春宮)을 뉘라서 모셔 오리

임금의 시름을 유발하는 존재 / 모셔올 사람이 없는 안타까운 현실 강조(설의적 표현) **Link 표현상 특징 ❸**

지금에 치술령 귀혼(歸魂)을 못내 슬허ᄒᆞ노라

박제상 아내가 망부석이 된 공간 / 세자를 모셔 오지 못한 화자의 정서

▶ 세자를 모셔 오지 못하는 현실에 대한 안타까움

〈제4수〉

박제상이 죽은 후에 임금님의 시름을 아는 이가 없다.
청나라에 계신 세자 대군을 누가 모셔 오겠는가?
지금 (남편을 기다리다 돌이 된) 치술령 고개의 (부인의) 원혼이 못내 슬프구나.

〈제6수〉

조정을 바라보니 무신(武臣)도 하 만하라

병자호란 때의 치욕을 가리킴 / 나라를 위해 싸울 장수가 많다는 의미

신고(辛苦)ᄒᆞᆫ 화친(和親)을 누를 두고 ᄒᆞᆫ 것인고

장수가 많았어도 싸우지 않은 현실에 대한 개탄의 심정이 담겨 있음

슬프다 조구리(趙廏吏) 이미 죽으니 참승(參乘)ᄒᆞᆯ 이 업세라

정서의 직접적 표출 / 치욕을 갚을 충신이 없는 안타까운 현실을 드러낸 말

▶ 병자호란의 치욕을 갚을 충신이 없음을 한탄함

〈제6수〉

조정을 바라보니 무신들이 매우 많구나.

고통스러운 (청나라와의) 화친(항복)은 누구를 위해 한 것인가?
슬프구나. 조구리는 이미 죽었으니 높은 이를 호위하여 수레에 같이 탈 사람이 없구나.

〈제7수〉

임금이 근심하는 시간

『구중(九重) 달 발근 밤의 셩려(聖慮) 일정 만흐려니

나랏일을 걱정하는 임금의 모습을 드러냄

이역 풍상(風霜)에 학가인들 이즐쏘냐』

『 』: 볼모로 잡혀간 세자들도 염려하고 있음을 강조(설의적 표현) **Link 표현상 특징 ❸**

세자들이 청나라에서 겪는 시련과 고난을 비유적으로 표현

이 밧에 억만창생(億萬蒼生)을 못내 분별ᄒᆞ시도다

백성들을 위한 임금의 근심 - 임금의 근심이 많음을 드러내 줌

▶ 근심이 많으실 임금에 대한 염려

〈제7수〉

궁궐의 달 밝은 밤에 임금의 염려가 분명 많으려니
청나라에서 어려움을 겪고 있을 왕자들을 잊었겠느냐?
그 밖에 많은 백성에 대한 근심까지 하시는구나.

〈제8수〉

구렁에 낫는 풀이 봄비에 절로 길어 △ ↔ ○: 자연사와 인간사를 대조 - 병자호란의 치욕에 대한 비통한 마음을 드러냄 **Link** 표현상 특징 ❷

시름없이 자라는 풀 - 인간사와 대조되는 자연물

알을 일 업으니 긔 아니 조흘소냐

걱정할 일이 없으니

우리는 너희만 못ᄒᆞ야 실람 겨워 ᄒᆞ노라

풀(의인법) / 시름

› 국치로 인한 비분과 시름

〈제8수〉

구렁에 돋아난 풀이 봄비에 저절로 자라

알아야 할 일(병자호란의 치욕)이 없으니 그것이 아니 좋겠느냐?

우리는 너희만 못하여 시름을 못 이겨 하노라.

〈제9수〉

임금을 가리킴

조그만 이 한 몸이 하늘 밖에 떨어지니

화자를 가리킴 / 임금과 멀리 떨어져 지내는 화자의 처지를 알 수 있음

오색 구름 깊은 곳에 어느 것이 서울인고

임금이 계신 서울을 찾지 못해 애태우는 화자의 모습이 드러남

바람에 지나는 검불 갓ᄒᆞ야 갈 길 몰라 ᄒᆞ노라

바람에 흩날리는 존재 - 화자의 처지와 동일시되는 소재

› 임금 있는 서울을 찾지 못해 애태우는 마음

〈제9수〉

조그마한 이 한 몸이 하늘 밖에 떨어지니

상서로운 구름 깊은 곳에 어디가 서울인가.

바람에 이리저리 구르는 검불 같아서 갈 길을 모르겠구나.

〈제10수〉

화자가 가정하여 설정한 인물

이거사 어린거사 잡말 마라스라

초야에 묻힌 화자에게 병자호란의 치욕을 왜 애통해하느냐고 묻는 말을 가리킴

칠실(漆室)의 비가(悲歌)를 뉘라셔 슬퍼ᄒᆞ리

초야에 묻혀 있지만 국난을 슬퍼함을 강조함(설의적 표현) **Link** 표현상 특징 ❸

어듸셔 탁주(濁酒) 한 잔 어더 이 실람 풀가 ᄒᆞ노라

시름을 풀기 위한 소재 / 병자호란의 치욕으로 인한 나라에 대한 근심

› 병자호란의 치욕으로 인한 시름을 달래고자 함

〈제10수〉

이것아! 어리석은 것아! 부질없는 말을 하지 말아라.

어두운 방구석에서 부르는 슬픈 노래를 누가 슬퍼하겠는가?

어디서 술을 한 잔 얻어 (먹어) 이 시름을 풀까 하노라.

- **박제상**: 신라 눌지왕 때의 충신. 고구려에 볼모로 가 있던 왕의 아우 복호를 데려왔으며, 왜(倭)에 볼모로 간 왕의 아우 미사흔을 돌려보내고 자신은 체포되었는데, 왜의 협박과 회유에도 굴하지 않고 충절을 지키다가 피살되었다. 부인은 그를 기다리다 망부석이 되었다는 전설이 있음.
- **조구리**: 조씨 성을 가진 마부. 충신을 가리킴.
- **칠실의 비가**: 중국 노나라의 칠실 마을의 여자가 나라의 우환을 슬퍼하며 부른 노래

출제자 톡! 화자를 이해하라!

1 **화자는 누구이고, 화자가 처한 상황은?**
병자호란 후 두 왕자가 청나라에 볼모로 잡혀 간 상황에서 두 왕자를 그리워하고 염려하는 사람

2 **화자의 정서 및 태도는?**
두 왕자에 대한 걱정과 국치로 인한 비분을 느끼고 있음.

Link

출제자 톡! 표현상의 특징을 파악하라!

❶ 의인법과 대화체를 활용하여 대상에 대한 화자의 태도를 드러냄.

❷ 자연물과 인간사를 대비시켜 국치(병자호란의 치욕)에 대한 비통한 마음을 표현함.

❸ 설의적 표현을 활용하여 화자의 정서를 강조함.

최우선 출제 포인트!

1 자연물과 인간사의 대비

구렁에 낫는 풀 ←대조→ 우리

↓

시름 많은 인간사를 자연물에 대비시켜 국치에 대한 비통함을 드러냄.

함께 볼 작품 병자호란 후 봉림 대군이 청나라에 끌려가며 지은 작품: 봉림 대군, 「청강에 비 듯는 소리」

최우선 핵심 Check!

1 병자호란에서의 패배로부터 비롯된 걱정, 슬픔과 비분의 정서가 나타나 있다. (O / ×)

2 시대적 고난에 맞서지 못하는 자신의 나약함을 극복하고자 하는 태도가 드러나 있다. (O / ×)

3 〈제8수〉에서 '구렁에 낫는 ㅍ'은 인간사와 대조되는 자연물로, 화자가 처한 상황과 정서를 강조하고 있다.

정답 1. ○ 2. × 3. 풀

농촌에서 부르는 아홉 편의 노래

농가구장(農歌九章) | 위백규

갈래 연시조(전 9수) **성격** 전원적, 사실적
주제 농사의 즐거움 **시대** 조선 후기

농민의 삶을 관념적으로 예찬한 사대부의 일반 시조들과는 달리, 농촌과 농민의 삶을 구체적이고 사실적으로 그리고 있다.

〈제1장〉

『셔산(西山)에 도들 볏 셔고 구움은 느제로 낸다』 『 』: 비가 그치고 해가 남
(도들: 돋을 / 볏: 햇볕 / 구움: 구름 / 느제로: 낮게(또는 상서롭게))
비 뒷 무근 풀이 뉘 밧시 짓터든고
(밧: 밭이(밭: 건강한 노동을 하는 삶의 공간))
두어라 추례 지운 닐이니 믹는다로 믹오리라 ▶ 비온 뒤 차례대로 김을 매기로 함
(서로 도우며 차례대로 농사일을 함 - 상부상조(相扶相助))

〈제2장〉

도롱이예 홈의 걸고 뿔 곱은 검은 쇼 몰고
(도롱이: 비옷 / 홈의: 호미)
고동플 뜻 머기며 깃믈 굿 누려갈 제
(고동플: 고들빼기 / 뜻 머기며: 뜯어 먹이며 / 깃믈 굿: 나무와 풀이 무성한 시냇가)
어딕셔 픔진 벗님 홈씌 가쟈 흐는고 ▶ 농사 준비를 하고 소에게 꼴을 먹임
(픔진: 짐을 진)

〈제3장〉

『둘너 내쟈 **[둘너 내쟈]** 길춘 골 **[둘너 내쟈]** 』 『 』: '둘너 내쟈'를 반복하여 운율을 형성 **Link** 표현상 특징 ❷
(둘너 내쟈: 휘감아서 뽑자 / 길춘 골: 긴 이랑)
바라기 역괴를 골골마다 **[둘너 내쟈]**
(바라기 역괴: 잡초의 일종)
쉬 짓튼 긴 스래는 마조 잡아 **[둘너 내쟈]** 』 ▶ 논밭의 김을 맴
(쉬 짓튼 긴 스래: 쉽게 짙은 긴 사래 - 잡초가 무성한 사래)

시간의 흐름에 따른 시상 전개 **Link** 표현상 특징 ❶

〈제4장〉

쏨은 듣는 대로 듯고 볏슨 쬘대로 쬔다
(듣는: 떨어지는)
(순우리말을 사용하여 고된 농사일을 사실적으로 제시함(대구법) **Link** 표현상 특징 ❸)
청풍(淸風)의 옷깃 열고 긴 파람 흘리 불 제
(파람: 휘파람)
어딕셔 길 가는 손님 아는드시 머무는고 ▶ 힘든 농사일 뒤 짧은 휴식을 취함
(손님: 관념적인 사대부 → 빈정거림의 대상)

〈제5장〉

『힝긔예 보리뫼오 사발의 콩닙치라』 『 』: 농부들의 점심 식사 → 농사 현장에서 맛보는 소박한 음식
(힝긔: 행기(밥그릇) / 뫼: 밥 / 치: 나물)
내 밥 만흘셰요 네 반챤 젹글셰라
(만흘셰요: 많을까 걱정이고 / 젹글셰라: 적을까 걱정이라)
먹은 뒷 흔숨 즘경이야 네오 내오 다흘소냐 ▶ 점심 식사를 한 후 오는 졸음
(즘경: 졸음이 오는 것 / 다흘소냐: 설의적 표현)

〈제6장〉

『**[도라가쟈]** **[도라가쟈]** 히 지거단 **[도라가쟈]** 』 『 』: 해질 무렵 귀가하는 모습(반복법) **Link** 표현상 특징 ❷
계변(溪邊)의 손발 싯고 홈의 메고 돌아올 제
(계변: 시냇가)
어딕셔 우배 초적(牛背草笛)이 홈씌 가쟈 빅아는고
(빅아는고: 재촉하는고)
(우배 초적: 소의 등에 타고 가면서 부는 풀피리 소리(청각적 이미지) → 건강한 노동 후의 농부의 소박한 풍취)
▶ 농사일을 마치고 돌아가는 흥겨움

〈제1장〉

서산에 아침 햇빛이 비치고 구름은 낮게 지나간다.
비 온 뒤의 묵은 풀이 누구 밭이 더 짙은가?
두어라, 차례를 정한 일이니 매는 대로 매리라.

〈제2장〉

도롱이에 호미 걸고 뿔이 굽은 검은 소 몰고
고들빼기 뜯어 먹이며 시냇가로 내려갈 때
어디서 짐을 진 벗님 함께 가자고 하는가?

〈제3장〉

김을 매자, 김을 매자, 긴 이랑 김을 매자.
잡초가 있는 고랑고랑마다 김을 매자.
잡초 무성한 사래는 마주 잡아 김을 매자.

〈제4장〉

땀은 떨어지는 대로 떨어지고 볕은 쬘 대로 쬔다.
맑은 바람에 옷깃 열고 긴 휘파람 흘려 불 때
어디서 길 가는 손님이 (이 마음을) 아는 듯이 (발을) 머무는가?

〈제5장〉

밥그릇에는 보리밥이오, 사발에는 콩잎 반찬이라.
내 밥이 많을까 걱정이고 네 반찬이 적을까 걱정이라.
먹은 뒤 한숨 졸음이야 너나 나나 다를쏘냐?

〈제6장〉

돌아가자, 돌아가자, 해 지거든 돌아가자.
시냇가에서 손발 씻고 호미 메고 돌아올 때
어디서 목동이 부는 피리 소리가 함께 가자고 재촉하는가.

〈제7장〉

면홰는 세 드래 네 드래요 일읜 벼는 피는 모가 곱는가
오뉴월이 언제 가고 칠월이 븐이로다
아마도 하느님 너희 삼길 제 날 위호야 삼기샷다

(면화 / 이른 벼, 올벼 / 시간의 흐름 / 면화와 이른벼)

> 면화와 올벼가 풍족함

〈제7장〉

면화는 세 다래 네 다래요, 이른 벼는 피는 이삭이 곱구나.
오뉴월이 언제 지나고 칠월이 거의 반이 지났구나.
아마도 하느님이 너희들(면화와 올벼)을 만들 때 나를 위해 만드셨구나.

〈제8장〉

아히는 낙기질 가고 집사름은 저리치 친다
새 밥 닉을 때예 새 술을 걸러셔라
아마도 밥 들이고 잔 자블 때여 호흥(豪興) 계워호노라

(낚시 / 겉절이 나물 / 추수 후의 흥겨움이 드러남)

> 햇곡식으로 차린 음식을 먹는 흥겨움

〈제8장〉

아이는 낚시질 가고 집사람은 겉절이를 만든다.
새 밥 익을 때에 새 술을 거르리라.
아마도 밥 들여오고 잔 잡을 때에 흥에 겨워 하노라.

〈제9장〉

취호느니 늘그니요 웃는이 아희로다
흐튼 슈븨 흐린 술을 고개 수겨 권홀 때여
뉘라셔 흙장고 긴 노래로 ᄎ례 춤을 미루는고

(취하는 사람 / 웃는 사람 / 서로 술을 권하며 술잔을 돌리는 것 / 농부의 흥겨운 삶을 드러냄, 설의적 표현)

> 농부들의 음주와 흥겨움

〈제9장〉

취하는 이는 늙은이요, 웃는 이는 아이로다.
어지럽게 돌리는 술잔의 막걸리를 고개 숙여 권할 때에
누가 장구 소리 긴 노래에 춤 차례를 미루겠는가.

출제자 톡! 화자를 이해하라!

1 **화자는 누구이고, 화자가 처한 상황은?**
마을 사람들과 서로 도와 농사를 짓고 있는 사람

2 **화자의 정서 및 태도는?**
고된 농사일에도 보람과 여유를 느끼고 있으며, 흥취가 있음.

Link

출제자 톡! 표현상의 특징을 파악하라!

❶ 시간의 흐름에 따라 시상을 전개함.
❷ 반복법을 통해 운율을 형성함으로써 노동요와 같은 느낌을 줌.
❸ 일상적인 어휘와 순우리말을 사용하여 고된 농사일을 사실적으로 표현함.

최우선 출제 포인트!

1 조선 후기 사대부가 보는 농부의 삶

일반적 시조	조선 전기 사대부	→	농촌	• 풍류를 즐기는 공간 • 농민의 삶을 관념적으로 예찬
「농가구장」	조선 후기 사대부	→	농촌	구체적인 삶의 현장

2 시상 전개 방식

〈제1장〉~〈제6장〉	아침에 일어나 농사를 짓고 저녁에 돌아오기까지의 과정 (시간의 흐름에 따른 전개)
〈제7장〉~〈제9장〉	결실을 맺은 농촌의 풍요로움과 흥겨움

함께 볼 작품 농민들의 건강한 삶을 다룬 작품: 정약용, 「보리타작」

최우선 핵심 Check!

1 화자는 고된 농사일로 힘들어 하는 농민들을 바라만 보는 사대부이다. (O / ×)

2 농촌과 자연이 안빈낙도하는 공간이 아닌 땀 흘리며 일하는 삶의 터전으로 제시되고 있다. (O / ×)

3 농촌에서 이루어지는 노동의 장면을 사실적으로 그리고 있다. (O / ×)

4 〈제1장〉의 종장과 관련 있는 한자 성어로는 'ㅅㅂㅅㅈ(相扶相助)', '동고동락(同苦同樂)' 등이 있다.

5 〈제4장〉의 'ㅅㄴ'은 노동의 현장에서 구경꾼처럼 동떨어져 있는 사대부를 의미한다고 볼 수 있다.

6 〈제6장〉에서는 청각적 이미지를 통해 농사일을 마친 후의 흥겨움을 표현하고 있다. (O / ×)

정답 1. × 2. ○ 3. ○ 4. 상부상조 5. 손님 6. ○

충청북도 제천 지역의 지명인 유원에서 부른 노래 열두 곡

유원십이곡(楡院十二曲) | 안서우

갈래 연시조(전 13수) **성격** 한정적, 자연 친화적
주제 자연에서의 삶의 모습과 그 속에서 느끼는 감흥
시대 조선 후기

출사를 포기하고 자연과 더불어 사는 삶을 살겠다는 태도를 밝히면서 자연 속에서의 감흥을 노래하고 있지만, 한편으로는 세상과 자신의 처지에 대한 불만과 한탄을 드러내고 있다.

〈제1장〉

「문장(文章)을 ᄒᆞ쟈 ᄒᆞ니 인생식자(人生識字) 우환시(憂患始)요
(문장을 하는 것(출세하는 것)에 대한 화자의 부정적 인식이 드러남)
공맹(孔孟)을 ᄇᆡ호려 ᄒᆞ니 도약등천(道若登天) 불가급(不可及)이로다」
(공맹(공자와 맹자의 글과 사상)을 배우는 것에 대한 화자의 능력 부족이 드러남)
「 」: 벼슬길에 나서는 것을 체념한 이유에 해당. 대구법 **Link 표현상 특징 ❶**
이내 몸 쓸 ᄃᆡ 업ᄉᆞ니 성대농포(聖代農圃) 되오리라
(현실에서 뜻을 이루지 못한 자신에 대한 평가 / 강호에서 살겠다는 다짐을 드러냄.)
▶ 출세에 대한 체념과 성대농포에의 다짐

〈제1장〉
문장을 짓자고 하니 사람은 글자를 알게 되면서부터 근심이 시작되고
공맹을 배우려 하니 도는 하늘로 오르는 것과 같이 어려워 미치기 어렵구나.
이내 몸이 쓸데가 없으니, 태평성대에 농사나 짓는 농부나 되어 볼까 하노라.

〈제2장〉 □: 자연의 대유적 표현 **Link 표현상 특징 ❷**

「청산(靑山)은 무스 일노 무지(無知)ᄒᆞᆫ 날 ᄀᆞᄐᆞ며
(화자와 동일시되는 자연물 / 지식이 없는)
녹수(綠水)는 엇지ᄒᆞ야 무심(無心)ᄒᆞᆫ 날 ᄀᆞᄐᆞᇿ」
(욕심이 없는)
「 」: 자연(청산, 녹수)을 자신과 동일시함. 대구법 **Link 표현상 특징 ❶**
무지(無知)타 웃지 마라 요산요수(樂山樂水)ᄒᆞᆯ가 ᄒᆞ노라
(상대에게 말을 건네는 방식이 사용됨 / 세속에서 벗어나 자연을 지향하는 삶의 태도가 드러남)
▶ 자연과 동화된 요산요수하는 삶의 선택

〈제2장〉
푸른 산은 무슨 일로 무지한 나와 같으며
푸른 물은 어찌 하여 무심한 나와 같은가.
무지하다고 비웃지 마라. 요산요수(인자는 산을 좋아하고, 지자는 물을 좋아함.)할까 하노라.

〈제3장〉

홍진(紅塵)에 절교(絕交)ᄒᆞ고 백운(白雲)으로 위우(爲友)ᄒᆞ야
(세속을 가리킴. 부정적 대상 / 친화적 대상)
녹수청산(綠水靑山)에 시름 업시 늘거 가니
(자연. 대유적 표현 / 자연 속에서 한가롭게 살아가는 삶)
이 듕의 무한지락(無限之樂)을 헌ᄉᆞᄒᆞᆯ가 두려웨라
(자연에서 살아가며 느끼는 즐거움)
▶ 자연에서 한가로이 살아가며 느끼는 즐거움

〈제3장〉
세상과 인연을 끊고 흰구름을 벗을 삼아
녹수청산에서 (아무런) 근심 없이 늙어 가니,
이 가운데의 끝없는 즐거움을 남들이 알고서 떠들썩할까 두렵구나.

〈제4장〉

「 」: 화자의 일상적인 생활 모습을 구체적으로 제시. 대구법. 열거법 **Link 표현상 특징 ❶**
「경전(耕田)ᄒᆞ야 조석(朝夕)ᄒᆞ고 조수(釣水)ᄒᆞ야 반찬(飯餐)ᄒᆞ며
장요(長腰)의 하겸(荷鎌)ᄒᆞ고 심산(深山)의 채초(採樵)ᄒᆞ니」
(허리에 낫을 차고)
내 생애(生涯) 잇ᄲᅮᆫ이라 뉘라셔 다시 알리 **▶ 자연에서 살아가는 생활에 대한 만족감**
(자신의 현재 삶에 대한 화자의 만족감이 드러남. 설의적 표현 **Link 표현상 특징 ❸**)

〈제4장〉
밭을 갈아서 아침, 저녁밥을 짓고, 낚시질을 하여 반찬을 하며
허리에 낫을 차고서 깊은 산에서 나무를 하니
내 삶은 이것뿐이라. 누가 다시 (이런 나의 생활을) 알겠는가.

〈제5장〉

(분수에 맞아서 마음이 맑고 깨끗함)
내 생애(生涯) 담박(澹泊)ᄒᆞ니 긔 뉘라셔 ᄎᆞᄌᆞ오리
(화자의 소박한 삶을 가리킴 / 설의적 표현 **Link 표현상 특징 ❸**)
「입오실자(入吾室者) 청풍(淸風)이오 대오음자(對吾飮者) 명월(明月)이라」
「 」: 자신의 벗은 자연이라는 의미. 대구법. 의인법 **Link 표현상 특징 ❶**
이내 몸 한가(閑暇)ᄒᆞ니 주인(主人) 될가 ᄒᆞ노라
(주체적으로 자연을 즐기며 살고자 하는 태도. 풍월주인(風月主人))
▶ 자연과 더불어 한가이 지내며 자연의 주인이 되고자 함

〈제5장〉
나의 삶이 욕심이 없고 마음이 깨끗하니, 그 누가 나를 찾아오겠는가.
나의 집을 찾아 들어올 것은 맑은 바람이요, 나와 대작할 수 있는 것은 밝은 달이라.
나의 몸이 한가하니 (청풍과 명월의) 주인이 될까 하노라.

〈제6장〉

「 」: 인간의 벗과 물외의 벗을 대비함. 대구법. 대조법 **Link 표현상 특징 ❶, ❹**
「인간(人間)의 벗 잇단 말가 나는 알기 슳희여라
(세속 / 세속에 대한 부정적 인식이 드러남)
물외(物外)에 벗 업단 말가 나는 알기 즐거웨라」
(자연 / 자연에 대한 긍정적 인식이 드러남)
슬커나 즐겁거나 내 분인가 ᄒᆞ노라 **▶ 자신의 삶에 대해 안분지족하는 모습**
(자연에 사는 것에 대한 안분지족의 태도가 드러남)

〈제6장〉
사람에게 벗이 있다는 말인가. 나는 알기를 싫어한다.
세상사를 떠난 곳에 벗이 없다는 말인가. 나는 알기를 즐겨 한다.
싫거나 즐겁거나 (그것 모두) 나의 분수라 생각하노라.

〈제7장〉

『 』: '백운'과 '백구'를 바라보며 느끼는 즐거움. 대구법 Link 표현상 특징 ❶

『영산(嶺山)의 백운기(白雲起)ᄒᆞ니 나ᄂᆞᆫ 보ᄆᆡ 즐거웨라
(백운: 자연물. 긍정적 대상)
강중(江中) 백구비(白鷗飛)ᄒᆞ니 나ᄂᆞᆫ 보ᄆᆡ 반가왜라』
즐기며 반가와ᄒᆞ거니 내 벗인가 ᄒᆞ노라 ➤ 자연을 벗 삼아 사는 즐거움
(내 벗인가 ᄒᆞ노라: 자연 친화적 태도가 드러남)

〈제7장〉
영산에 흰 구름이 피어오르는 모습을 보는 것이 나는 즐겁도다.
강 가운데에 기러기가 나는 것을 보니 나는 반갑도다.
즐길 수 있고 반가워 할 수 있으니 내 벗인가 하노라.

〈제8장〉

『 』: 속세의 벗과 자연물을 대비하여 자연물에 대한 긍정적 태도를 강조함. 대구법, 대조법 Link 표현상 특징 ❶, ❹

『유정(有情)코 무심(無心)홀 손 아마도 풍진(風塵) 붕우(朋友)
(풍진 붕우: 부정적으로 인식하는 대상)
무심(無心)코 유정(有情)홀 손 아마도 강호(江湖) 구로(鷗鷺)』
(강호 구로: 긍정적으로 인식하는 대상)
이제야 작비금시(昨非今是)을 ᄭᆡ드른가 ᄒᆞ노라 ➤ 자연의 가치에 대한 깨달음
(작비금시을 ᄭᆡ드른가: 자연의 가치에 대한 깨달음에 해당)

〈제8장〉
유정하면서도 무심한 존재는 인간 세상의 친구(이고,)
무심하면서도 유정한 존재는 자연 속의 갈매기와 백로(로다.)
이제야 어저께는 나쁘다고 생각한 것이 오늘은 좋다고 생각되는 것을 깨달았노라.

출제자 톡! 화자를 이해하라!

1 **화자는 누구이고, 화자가 처한 상황은?**
자연 속에서 생활하고 있는 '나'

2 **화자의 정서 및 태도는?**
- 자연에서 살아가는 것에 대한 즐거움과 만족감을 드러냄.
- 자연 친화적인 태도를 드러내면서, 세속에 대한 부정적 태도를 보여 줌.

Link

출제자 톡! 표현상의 특징을 파악하라!

❶ 주로 대구법을 사용하여 시상을 전개함.
❷ 자연을 대유적으로 표현한 시어들을 활용함.
❸ 설의적 표현을 사용하여 화자의 정서와 생각을 강조함.
❹ 대조적 표현을 사용하여 자연에서의 삶에 대한 만족감을 드러냄.

최우선 출제 포인트!

1 인간사와 자연의 대비

	인간사(세속)	↔ 자연		
제6장	인간에 벗이 없다고 여김.	자연(물외)에 벗이 있다고 여김.	➔	자연과 더불어 사는 삶에 대한 만족감
제8장	세속의 벗은 유정하지만 무심함.	갈매기와 백로는 무심하지만 유정함.	➔	자연의 가치에 대한 깨달음

2 정서의 직접적 표출

제3장	헌ᄉᆞᄒᆞᆯ가 두려웨라	➔	자연에서 느끼는 즐거움을 강조하여 드러냄.
제6장	슬희여라, 즐거웨라	➔	인간사의 벗보다 자연의 벗에 대한 긍정적 인식을 드러냄.
제7장	즐거웨라, 반가왜라	➔	자연을 벗 삼아 살아가는 것에 대한 만족감을 드러냄.

최우선 핵심 Check!

1 〈제1, 2, 4, 5, 6, 7, 8장〉에서는 공통적으로 ㄷㄱㅂ을 사용하고 있다.

2 화자는 인간사와 ㅈㅇ을 대비하여 안분지족하는 삶의 태도를 드러내고 있다.

3 〈제2장〉에서 화자는 '청산'과 '녹수'를 자신과 동일시하면서 자연에서의 삶을 지향하는 태도를 드러내고 있다. (○ / ×)

4 〈제5장〉에서 화자는 자연 속에서 한가로운 생활을 하면서도 연군의 정을 드러내고 있다. (○ / ×)

5 〈제8장〉에서 화자는 자연물인 '구로'와 속세의 '붕우'를 대비하여 자연의 가치에 대한 깨달음을 드러내고 있다. (○ / ×)

정답 1. 대구법 2. 자연 3. ○ 4. × 5. ○

1등급! 〈보기〉!

「유원십이곡」의 이해

이 작품은 작가가 충청도 제천의 유원에 은거하면서 지은 총 13수의 연시조로, 크게 전반부와 후반부로 이루어져 있다. 전반부에서 화자는 세속에서의 출사를 포기하고 자연 속에서 살아가겠다고 밝히면서 자연에서의 감흥을 노래하고 있으나, 후반부에서는 자연 속에서 살아가는 삶이 귀 먹고 눈 멀고 벙어리 노릇까지 해야 하는 견딜 수 없는 심정이라고 말하고 있다. 이는 작가가 자연 속에서 살아가지만 속세에 대한 미련과 관심이 있음을 보여 주는 것이라고 할 수 있다. 바로 이러한 점이 전통적인 자연 친화적인 시조와 다른 이 작품만의 특징이라 할 수 있다.

농가에서 부르는 여덟 곡의 노래

저곡전가팔곡(楮谷田家八曲)

지역명(작가 이휘일의 향촌)

| 이휘일

갈래 연시조(전 8수) **성격** 전원적, 구체적, 사실적
주제 농촌 생활의 만족감 **시대** 조선 후기

농사일을 사계절과 아침, 점심, 저녁으로 나누어 제시하여, 농촌의 풍경과 농민의 노고를 소재로 한 작품이다.

〈원풍(願豊)〉

풍년을 기원함

『세상(世上)의 ᄇᆞ린 몸이 견무(畎畝)의 늘거 가니
밧겻일 내 모ᄅᆞ고 ᄒᆞᄂᆞᆫ 일 무ᄉᆞ일고』
이 중(中)의 우국성심(憂國誠心)은 년풍(年豊)을 원ᄒᆞ노라

- 견무(畎畝): 밭이랑(시골) - '속세'와 대비
- 밧겻일: '속세'와 관련된 일
- 무ᄉᆞ일고: 의문형 어미(설의적 표현) **Link** 표현상 특징 ❸
- 『 』: 관직 진출의 기회 차단으로 가문의 쇠락을 겪을 수밖에 없었던 향촌 사대부층이 서생의 자리에서 자영농의 자리로 이전해 가는 시대적 상황과 연관 지을 수 있음
- 우국성심(憂國誠心): 나라를 걱정하는 마음
- 년풍(年豊): 해마다 드는 풍년

> 속세를 떠난 사대부의 풍년에 대한 기원

〈원풍(願豊)〉
세상에 버림받은 이 몸이 시골에서 늙어 가니
속세의 일은 내가 알 수 없고, 또 내가 하는 일은 무엇인고?
이 중에 나라를 걱정하는 마음은 풍년을 바라노라.

〈춘(春)〉

농인(農人)이 와 이로ᄃᆡ 봄 왓ᄂᆡ 바틔 가새
『압집의 쇼보 잡고 뒷집의 ᄯᅡ 보내ᄂᆡ』
두어라 내 집부ᄐᆡ ᄒᆞ랴 ᄂᆞᆷ ᄒᆞ니 더욱 됴타

- 농인(農人): 농부
- 봄 왓ᄂᆡ 바틔 가새: 농사일을 함께하자는 농부의 말을 인용(청유형 어미) **Link** 표현상 특징 ❹
- 압집: 앞집
- 쇼보: 쟁기
- ᄯᅡ: 따비 - 밭을 갈 때 쓰는 농기구
- 『 』: 농촌 관련 소재 사용 - 사실적, 대구법 **Link** 표현상 특징 ❶, ❷
- 내 집부ᄐᆡ ᄒᆞ랴 ᄂᆞᆷ ᄒᆞ니 더욱 됴타: 서로를 배려하는 농민들의 모습, 공동체적 삶의 태도

> 봄을 맞아 서로 도우며 일할 것을 권유

〈봄〉
농부가 와서 말하기를, 봄이 왔네, 밭에 나가세.
앞집의 쟁기 잡고 뒷집의 농기구 내네.
두어라 내 집 농사부터 하랴, 남부터 먼저 하니 더욱 좋구나.

〈하(夏)〉

여름날 더운 적의 단 ᄯᅡ히 부리로다
밧고랑 ᄆᆡ자 ᄒᆞ니 ᄯᆞᆷ 흘너 ᄯᅡ희 듯네
어ᄉᆞ와 입립신고(粒粒辛苦) 어ᄂᆡ 분이 알ᄋᆞ실고

- 단 ᄯᅡ히: 달궈진 땅이
- 단 ᄯᅡ히 부리로다: 달궈진 땅을 '불'에 빗댐
- ᄯᅡ희 듯네: 땅에 떨어지네
- 1~2행: 고된 농사일을 사실적으로 표현 - 전원을 은거나 성찰의 공간으로 보았던 이전 작품들과 달리 농사일을 직접 보고 농부들과 함께하며 농부의 입장에서 그려 냄 **Link** 표현상 특징 ❶
- 입립신고(粒粒辛苦): 낟알마다 맺힌 수고로움. 곡식의 소중함을 이르는 말
- 알ᄋᆞ실고: 설의적 표현 **Link** 표현상 특징 ❸

> 더운 여름에 고생하며 농사일을 함

〈여름〉
여름날 더울 때에 햇빛에 달궈진 땅이 불과 같도다.
밭고랑 매자 하니 땀이 흘러 땅에 떨어지네.
아아, 곡식 낟알마다에 맺힌 농부의 수고로움을 어느 분이 알아주실까?

〈추(秋)〉

ᄀᆞ을희 곡셕 보니 됴흠도 됴흘셰고
내 힘의 닐운 거시 머거도 마시로다
이 밧긔 천사만종(千駟萬鍾)을 부러 무슴ᄒᆞ리오

- 곡셕: 곡식
- 됴흠도: 좋기도
- 됴흠도 됴흘셰고: 노동의 결실에 대한 만족감
- 마시로다: 맛있구나(만족감 - 노동의 가치)
- 천사만종(千駟萬鍾): 여러 말이 끄는 수레와 많은 봉록(부귀영화)
- 무슴ᄒᆞ리오: 설의적 표현 **Link** 표현상 특징 ❸
- 3행: '천사만종'을 누리며 살아가는 사람들을 우회적으로 비판

> 스스로 농사지은 곡식을 먹는 만족감

〈가을〉
가을이 되어 곡식을 보니 좋기도 좋구나.
내 힘으로 이룬 것이라 먹어도 맛있구나.
이 즐거움 외에 부귀영화를 부러워하여 무엇 하리오?

〈동(冬)〉

『밤의란 ᄉᆞ츨 ᄭᅩ고 나죄란 ᄯᅱ를 부여』
초가(草家)집 자바ᄆᆡ고 농기(農器) 졈 ᄎᆞ려스라
내년(來年)희 봄 온다 ᄒᆞ거든 결의 종사(從事)ᄒᆞ리라

- 『 』: 대구법 **Link** 표현상 특징 ❷
- ᄉᆞ츨: 삿자리(갈대를 엮은 자리)를
- 나죄란: 낮에는
- 농기(農器) 졈 ᄎᆞ려스라: 농기구를 손질하여라 - 명령형 어미 **Link** 표현상 특징 ❹
- 내년(來年)희 봄 온다 ᄒᆞ거든: 자연의 순환적 질서를 따름
- 결의: 바로
- 종사(從事)ᄒᆞ리라: 농사일을 시작함

> 다음 해 농사일을 준비함

〈겨울〉
밤에는 삿자리를 꼬고 낮에는 띠풀을 베어
초가집 잡아매고 농기구를 손질하여라.
내년에 봄이 오거든 바로 농사일을 시작하리라.

〈신(晨)〉

새배 빗나쟈 나셔 백설(百舌)이 소릐ᄒᆞᆫ다
일거라 아ᄒᆡ들아 밧 보러 가쟈ᄉᆞ라
밤ᄉᆞ이 이슬 긔운에 언마나 기런ᄂᆞᆫ고 ᄒᆞ노라

(새벽 / 새벽, 빛이 나자, 온갖 새 / 부지런히 농사일을 할 것을 권유함 - 청유형 어미 Link 표현상 특징 ❹ / 얼마나)

➤ 새벽에 부지런히 밭으로 나감

〈새벽〉

새벽이 밝아오자 온갖 새가 우는구나.
일어나거라 아이들아, 밭 보러 가자꾸나.
밤 사이 이슬 기운에 (곡식이) 얼마나 자랐는가 하노라.

〈오(午)〉

『보리밥 지어 담고 도트랏 ᄀᆡᆼ을 ᄒᆞ여』
뵈골ᄂᆞᆫ 농부(農夫)들을 진시(趁時)예 머겨ᄉᆞ라
아ᄒᆡ야 ᄒᆞᆫ 그릇 올녀라 친(親)히 맛바 보내리라

(농부에 대한 애정이 담긴 소재 / 『 』: 소박한 음식을 차림 / 명아주 풀로 끓인 국 / 진작에, 제때에 / 명령형 어미 Link 표현상 특징 ❹ / 농부들과 공동체적 유대감을 드러냄)

➤ 농부들과 어울리는 오후의 즐거움

〈정오〉

보리밥 지어 담고 명아주 풀로 끓인 국을 준비하여
배곯는 농부들을 제때에 먹이어라.
아이야, 한 그릇 올려라. 직접 맛을 본 뒤에 보내리라.

〈석(夕)〉

서산(西山)애 ᄒᆡ 지고 풀 긋테 이슬 난다
호믜를 둘너메고 ᄃᆞᆯ 듸여 가쟈ᄉᆞ라
이 중(中)의 즐거운 ᄯᅳᆺ을 닐러 무슴ᄒᆞ리오

(풀 끝에 / 호미 / 달빛을 등 뒤에 받고 / 청유형 어미 Link 표현상 특징 ❹ / 농촌 생활에 대한 만족감을 드러냄(설의적 표현) Link 표현상 특징 ❸)

➤ 하루 일과를 마치고 귀가하는 즐거움

〈저녁〉

서산에 해 떨어지고 풀 끝에 이슬이 맺힌다.
호미를 둘러매고 달빛을 등 뒤에 받으며 (집에) 가자꾸나.
이 중의 즐거운 뜻을 (남들에게) 말해 무엇하리오?

출제자 톡! 작가와 창작 의도를 이해하라!

1 **작가의 삶은?**
유학자이나 벼슬에 오르지 않고 오랫동안 농촌 생활을 함.

2 **「서전가팔곡후」에서 작가가 밝힌 창작 의도는?**
농사를 업으로 삼는 사람은 아니나 전원생활을 통해 알게 된 것을 노래로 만들어 아이들이 부르게 하여 때때로 들으며 즐기고자 함.

Link

출제자 톡! 표현상의 특징을 파악하라!

❶ 농촌 관련 소재를 통해 화자의 삶을 구체적, 사실적으로 드러냄.
❷ 대구법을 활용하여 시적 상황을 구체화함.
❸ 설의적 표현을 활용하여 화자의 정서를 강조함.
❹ 청유형 어미, 명령형 어미를 사용하여 대상에 대한 화자의 태도를 드러냄.

개념 Tip
「서전가팔곡후」: 작가가 한글 시조 「저곡전가팔곡」을 쓰고, 그 창작 의도 등을 쓴 후서(後序)

최우선 출제 포인트!

1 표현상의 특징과 효과

대구법	〈춘〉 중장 〈동〉 초장	시적 상황을 구체화함.
설의적 표현	〈하〉 종장 〈추〉 종장 〈석〉 종장	농사일의 어려움과 삶의 깨달음을 나타냄.
명령형 어미	〈동〉 중장 〈오〉 중장	구체적 행동을 지시함.
청유형 어미	〈춘〉 초장 〈신〉 중장 〈석〉 중장	상대의 행동을 이끌어 냄.

최우선 핵심 Check!

1 시간의 흐름에 따라 시상을 전개하고 있다. (○ / ×)

2 사계절에 따른 농사일과 그에 대한 화자의 정서를 나타내고 있다. (○ / ×)

3 청유형 어미를 활용하여 농부의 일상을 훈계하는 사대부 화자의 모습이 나타나 있다. (○ / ×)

4 〈추(秋)〉의 'ㅊㅅㅁㅈ'은 호화로운 생활을 의미하는 시어로, 화자가 추구하는 삶의 모습과 대조되고 있다.

정답 1. ○ 2. ○ 3. × 4. 천사만종

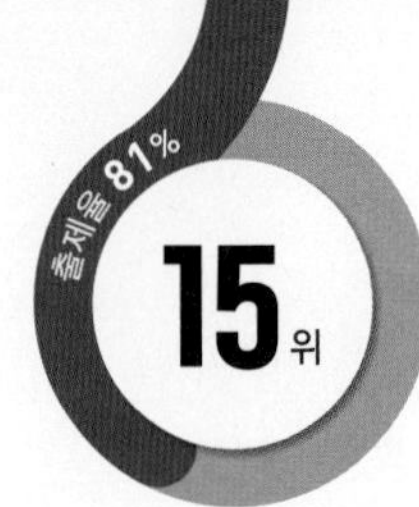

출제율 81%

15위

꿈에서 하늘을 다녀온 일을 노래함

몽천요(夢天謠) | 윤선도

갈래 연시조(전 3수) **성격** 우국적, 비유적, 우의적
주제 임금과 나라를 위한 우국충정
시대 조선 중기

꿈이라는 가상적인 상황을 설정하여 임금에 대한 변함없는 사랑과 우국애민(憂國愛民)의 정을 우의적으로 노래하고 있다.

□: 임금이 계시는 궁궐의 비유적 표현

시간과 공간을 초월한 통로로, 정치적 현실에서 느꼈던 화자의 좌절감을 우의적으로 드러내는 장치임 Link 표현상 특징 ❶

상해런가 꿈이런가 백옥경(白玉京)의 올라가니
(옥황상제가 산다는 천상의 공간 - 임금이 계시는 궁궐) Link 표현상 특징 ❷
『옥황(玉皇)은 반기시나 군선(群仙)이 꺼리ᄂᆞ다』
(임금(효종) / 여러 신선, 화자를 질시하는 신하들(간신들) / 『 』: 대구법, 대조법)
두어라 오호연월(五湖煙月)이 내 분(分)일시 올탓다
(화자가 정치에서 물러나 은거하며 지내는 강호)
(표면적으로는 안분지족하지만 사실은 자신의 뜻을 펼치지 못한 것에 대한 안타까움, 비통함, 자조의 감정이 담겨 있음)
대구 Link 표현상 특징 ❷
➤ 군선들에서 벗어나 강호에 사는 것이 분수에 맞음

생시인가 꿈인가. 백옥경에 올라가니
옥황은 반기시지만 여러 신선이 (나를) 꺼리는구나.
두어라. 자연 속에서의 삶이 내 분수에 맞구나.

픗ᄌᆞᆷ에 꿈을 꾸어 십이루(十二樓)에 드러가니
(중국 곤륜산에서 선인이 산다는 열두 채의 높은 누각 - 임금이 계시는 궁궐)
『옥황은 우스시되 군신이 꾸짇ᄂᆞ다』 (『 』: 대구법, 대조법) Link 표현상 특징 ❷
어즈버 『백만억 창생(百萬億蒼生)을 어ᄂᆡ 결의 무르리』
(화자가 올바른 정치를 실현하려는 대상에 해당 / 화자가 꿈에서라도 임금을 만나려는 이유)
(『 』: 의문형 어미를 사용하여 부정적 현실에 대한 화자의 안타까움을 드러냄 Link 표현상 특징 ❸)
➤ 군선들 때문에 백성들의 고초를 묻지 못함

얼핏 든 잠에 꿈을 꾸어 십이루에 들어가니
옥황은 웃으시지만 군선은 (나를) 꾸짖는구나.
아아, 수많은 백성들(백성들의 고초)을 어느 사이에 물어보겠는가?

하ᄂᆞᆯ히 이저신 제 므슴 술(術)로 기워 낸고
(나라가 위태로울 때 백성을 향한 선정을 펼치지 못한 것)
백옥루(白玉樓) 중수(重修)ᄒᆞᆯ 제 엇던 바치 일워 낸고
(위태로운 조정 상황을 바로잡을 때 / 나라를 바로잡을 수 있는 인재 - 충신들)
옥황께 ᄉᆞᆯ와보쟈 ᄒᆞ더니 다 몯ᄒᆞ야 오나다
➤ 나라의 어려움을 수습하는 방법을 옥황께 여쭈지 못함

하늘이 이지러졌을 때 무슨 수로 수습할 것인가?
백옥루를 수리할 때 어떤 목수가 (그 수리를) 이루어 낼 것인가?
옥황께 여쭈어 보고자 하였더니 다 못하고 돌아왔도다.

출제자 톡! 화자를 이해하라!

1 **화자는 누구이고, 화자가 처한 상황은?**
정치 현실을 떠나 자연에서 은거하고 있는 사람

2 **화자의 정서 및 태도는?**
자연에서 살아가는 것이 분수에 맞다고 하면서도, 어지러운 나라에 대해 걱정하고 있음.

Link

출제자 톡! 표현상의 특징을 파악하라!

❶ '꿈'이라는 가상적인 상황을 통해 시상을 전개함.

❷ 대구법과 대조법을 사용하여 화자에 대한 인물들의 태도를 드러냄.

❸ 의문형 어미를 활용하여 부정적 현실에 대한 화자의 태도를 드러냄.

최우선 출제 포인트!

1 '꿈'의 기능

꿈	꿈을 통해 백옥경에 올라감.	시간과 공간을 초월한 통로로, 화자의 정치적 좌절감을 우의적으로 드러냄.
	꿈에서 만난 군선의 반응을 본 후 '오호연월'이 자신의 분수임을 깨달음.	화자가 자신의 현실을 인식하는 계기에 해당함.
	꿈에서 만난 옥황에게 '백만억 창생'의 일을 물으려 함.	화자가 겪고 있는 현실의 문제 상황에 대한 해결책을 얻고자 하는 수단이 되고 있음.

2 '오호연월'에 담긴 화자의 정서

오호연월	표면적	정치에서 물러나 자연에 은거하며 사는 삶에 만족함.
	이면적	자신의 정치적 뜻을 펼치지 못한 것에 대한 안타까움, 비통함, 자조

최우선 핵심 Check!

1 화자로부터 백옥경에 올라가게 하면서, 자신의 현실을 인식하는 계기로 작용하는 시어는 ㄱ이다.

2 다음 시어가 의미하는 바를 알맞게 연결하시오.

(1) 옥황 • • ㉠ 충신들
(2) 군선 • • ㉡ 간신들
(3) 바치 • • ㉢ 임금

3 화자가 꿈에서라도 임금을 만나려는 이유는 백성들에 대한 염려 때문이다. (O / ×)

4 화자는 꿈을 통해 현실의 문제를 해결하고 있다. (O / ×)

정답 1. 꿈 2. (1) ㉢ (2) ㉡ (3) ㉠ 3. ○ 4. ×

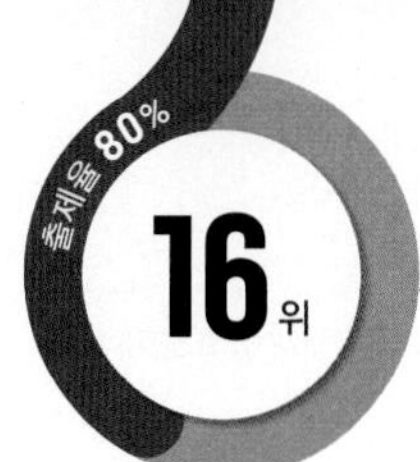

네 벗을 예찬하는 노래

사우가(四友歌) | 이신의

갈래 연시조(전 4수) **성격** 예찬적
주제 사우에 대한 예찬
시대 조선 중기

사우인 소나무, 국화, 매화, 대나무가 지닌 덕성을 노래하고 있는 연시조로, 각각의 자연물이 지닌 속성에서 발견한 정신적 가치를 드러내고 있다.

출제 최우선 작품

〈제1수〉 ▒: 지조와 절개를 지닌 자연물 - 예찬의 대상 △: 고난과 시련을 상징 Link 표현상 특징 ❷

바위에 섰는 솔이 늠연(凜然)한 줄 반가온뎌
(소나무의 속성을 인간적 속성으로 표현, 의인법 / 소나무의 모습에 대한 화자의 감탄, 영탄적 표현)
풍상(風霜)을 겪어도 여위는 줄 전혀 업다 Link 표현상 특징 ❶, ❸
(변함 없이 늘 푸른 소나무의 모습 강조)
어쩌다 봄빛을 가져 고칠 줄 모르나니
(사시사철 소나무가 지닌 '푸른 빛'을 의미 / 변함 없이 푸른빛을 띠는 소나무의 덕성 예찬)
> 풍상에도 변함이 없는 소나무

〈제2수〉

동리(東籬)에 심은 국화(菊花) 귀(貴)한 줄을 뉘 아나니
(동쪽 울타리 / 국화가 귀중한 존재임을 강조(설의적 표현) Link 표현상 특징 ❶)
춘광(春光)을 번폐하고 엄상(嚴霜)에 혼자 피니
(국화의 고결한 기품 - 예찬적 태도)
어즈버 청고한 내 벗이 다만 넨가 하노라
(국화의 맑고 고결한 속성 / 국화에 대한 화자의 친밀감을 강조(의인법, 영탄적 표현) Link 표현상 특징 ❶, ❸)
> 매서운 서리 속에 홀로 피는 국화

〈제3수〉

꽃이 무한(無限)호되 매화(梅花)를 심은 뜻은
(매화가 눈과 한 빛이고 그윽한 향기를 지니기 때문)
눈 속에 꽃이 피어 한 빛인 줄 귀하도다
(눈과 같은 흰색이라는 말 / 매화에 대한 화자의 태도)
하물며 그윽한 향기(香氣)를 아니 귀(貴)코 어이리
(암향(暗香) / 매화가 귀한 존재임을 강조(설의적 표현) Link 표현상 특징 ❶)
> 눈 속에 피어 그윽한 향기를 풍기는 매화

〈제4수〉

백설(白雪)이 잦은 날에 대를 보려 창(窓)을 여니
(대나무에 대한 화자의 호감이 드러남)
온갖 꽃 간 데 업고 대숲이 푸르러셰라
(쉽게 변하는 존재 - 대나무와 대비됨 / 화자가 창을 열고 보고 싶은 광경)
어째서 청풍(淸風)을 반겨 흔덕흔덕 하나니
(청렴함을 지닌 대나무의 속성을 부각시킴, 의인법 / 대나무의 모습 - 음성 상징어 Link 표현상 특징 ❸)
> 백설 속에서 푸르른 대나무

〈제1수〉
바위에 서 있는 솔이 위엄 있고 당당한 것이 반갑구나.
풍상을 겪어도 시드는 일이 전혀 없다.
어째다 봄빛을 가져 (봄빛을) 고칠 줄을 모르나니.

〈제2수〉
동쪽 울타리에 심은 국화가 귀한 줄을 누가 알 것인가.
봄빛을 마다하고 늦가을의 된서리에 혼자 피니
아아, 맑고 고결한 내 벗이 다만 너인가 하는구나.

〈제3수〉
꽃의 종류가 무수히 많지만 매화를 심은 뜻은
눈 속에 꽃이 피어 한 빛으로 귀하구나.
하물며 그윽한 향기를 아니 귀하다고 어이할 것인가.

〈제4수〉
백설이 잦아진 날에 대를 보려 창을 여니
온갖 꽃 간 데 없고 대숲이 푸르렀구나.
어찌하여 맑은 바람을 반겨서 흔들흔들 하나니.

출제자 톡! 화자를 이해하라!

1 **화자는 누구이고, 화자가 처한 상황은?**
사우를 관찰하고 있는 '나'

2 **화자의 정서 및 태도는?**
- 사우에 대해 친밀감을 드러냄.
- 사우가 지닌 덕성을 예찬함.

Link
출제자 톡! 표현상의 특징을 파악하라!

❶ 설의적 표현과 영탄적 표현을 사용하여 대상에 대한 화자의 태도를 강조함.
❷ 상징적인 의미를 지닌 시어를 사용하여 시상을 전개함.
❸ 시적 대상을 의인화하여 친밀감을 줌.

최우선 출제 포인트!

1 화자가 예찬하는 사우의 덕성

소나무	풍상에도 변함이 없음.
국화	매서운 서리 속에 홀로 피어남.
매화	눈 속에서도 꽃을 피워 그윽한 향기를 내뿜음.
대나무	백설이 내리는 속에서도 푸름을 잃지 않음.

2 시어의 상징적 의미

풍상, 엄상, 눈, 백설	사우가 겪는 시련과 고난

최우선 핵심 Check!

1 화자는 사우인 소나무, 국화, 매화, 대나무에 대해 예찬적 태도를 보이고 있다. (O / ×)

2 '풍상, 엄상, 눈, ㅂㅅ'은 시련과 고난을 상징하는 시어들이다.

3 화자는 대나무가 '청풍'을 반긴 것은 청렴한 삶을 추구하기 때문이라 여기고 있다. (O / ×)

정답 1. ○ 2. 백설 3. ○

면앙정에서 자유롭게 부른 노래

면앙정잡가(俛仰亭雜歌) | 송순

갈래 연시조(전 2수) **성격** 전원적, 풍류적
주제 자연에 대한 사랑과 안빈낙도
시대 조선 전기

자연의 아름다움에 몰입하여 자연과 물아일체의 경지를 노래한 한정가(閑情歌)이다. 제2수가 널리 알려져 있고 출제 빈도가 높다.

〈제1수〉

추월산 가는 바람 금성산 넘어갈 제
(바람: 반가운 대상)
들 넘어 정자 위에 잠 못 이뤄 깨었으니
일어나 앉아 맞은 기쁜 정이야 옛 임 본 듯하여라
(기쁜 정: 화자의 심정 / 옛 임 본 듯하여라: 화자의 기쁨의 정서를 빗대어 표현함 Link 표현상 특징 ❶)
> 정자 위에서 바람을 맞는 정취

〈제2수〉

「」: 안빈낙도하는 삶

「십 년(十年)을 경영(經營)하여 초려 삼간(草廬三間) 지어 내니」
(경영(經營)하여: 계획하여 / 초려 삼간(草廬三間): 세 칸밖에 안 되는 초가(화자가 안빈낙도하며 사는 공간))
나 한 간 달 한 간에 청풍 한 간 맡겨 두고 → '한 간'을 반복하며 리듬감을 형성함 Link 표현상 특징 ❸
(달, 청풍: 화자와 물아일체가 된 자연물(의인법) Link 표현상 특징 ❷)
「강산은 들일 데 없으니 둘러 두고 보리라」
(둘러 두고 보리라: 자연을 있는 그대로 감상하고자 함)
「」: 강산을 병풍처럼 둘러두고 본다는 참신한 발상 Link 표현상 특징 ❷
> 강산에 묻혀 사는 물아일체의 경지

〈제1수〉

추월산 가는 바람이 금성산을 넘어갈 때
들 넘어 정자 위에서 잠 못 이루어 깨었으니,
일어나 앉아 (바람을) 맞은 기쁜 정이야 옛 임을 본 듯하구나.

〈제2수〉

십 년 간 계획하여 초가삼간을 지어 내니
나 한 칸 달 한 칸에 청풍 한 칸 맡겨 두고,
강산은 (집안에) 들여 놓을 데 없으니 (집 밖에 병풍처럼) 둘러 놓고 보리라.

출제자 톡! 화자를 이해하라!

1 **화자는 누구이고, 화자가 처한 상황은?**
정자와 초가삼간에서 자연을 벗 삼아 지내고 있는 사람

2 **화자의 정서 및 태도는?**
자연 속에서 안빈낙도와 물아일체의 삶의 태도를 보이고 있음.

Link
출제자 톡! 표현상의 특징을 파악하라!

❶ 화자가 느끼는 정서를 다른 것에 빗대어 표현함.
❷ 의인법과 참신한 발상을 이용하여 자연물을 친근한 존재로 묘사함.
❸ 특정 시어를 반복하여 리듬감을 형성함.

최우선 출제 포인트!

1 물아일체(物我一體)의 경지(제2수)

강산 — 초가: 안빈낙도의 삶 (나, 달, 청풍)
↓
물아일체(物我一體)의 경지

이 작품은 자연과 하나 되어 안빈낙도하겠다는 작가의 높은 정신세계가 돋보이는 작품이다. 특히 〈제2수〉의 '초려 삼간'은 중요한 시적 모티프가 되고 있으며, 중장과 종장에 나타난 자연에 관한 기발한 묘사는 화자가 자연과 자신을 하나로 느끼는 물아일체의 경지에 이르렀음을 보여 준다. 여기서의 '자연'은 속세를 벗어난 화자가 동화되어 살고 싶어 하는 공간이자 안빈낙도의 공간으로 그려져 있다.

함께 볼 작품 '면앙정'을 공간으로 자연을 예찬한 작품: 송순, 「면앙정가」

최우선 핵심 Check!

1 〈제1수〉에는 계절적 배경이 나타나 있다. (O / ×)

2 〈제1수〉에서 'ㄱㅃㅈ'은 화자의 정서를 직접적으로 표현한 시어이다.

3 〈제2수〉를 통해 화자는 안빈낙도를 추구함을 알 수 있다. (O / ×)

4 〈제2수〉에서 '초려 삼간'은 화자가 자연과 더불어 사는 공간으로 볼 수 있다. (O / ×)

5 〈제2수〉의 중장에는 자연물인 '달'과 자신을 동등한 인격체로 여기는 화자의 태도가 나타나 있다. (O / ×)

6 '나 한 간 달 한 간에 청풍 한 간'에서는 '한 간'을 반복하여 ㄹㄷㄱ을 형성하고 있다.

정답 1. × 2. 기쁜 정 3. ○ 4. ○ 5. ○ 6. 리듬감

다섯 벗을 노래함

오우가(五友歌) | 윤선도

갈래 연시조(전 6수) **성격** 예찬적, 비유적
주제 물, 바위, 소나무, 대나무, 달의 덕을 기림.
시대 조선 중기

'물, 바위, 소나무, 대나무, 달'의 다섯 가지 자연물의 속성에서 인간적인 미덕을 유추하여 예찬하고 있다.

〈제1수〉

『내 버디 몃치나 ᄒᆞ니 수석(水石)과 송죽(松竹)이라 → 다섯 가지 벗에 대한 질문과 답(문답법) - 다섯 가지 자연물을 의인화함
동산(東山)의 ᄃᆞᆯ 오르니 긔 더옥 반갑고야』 Link 표현상 특징 ❶, ❸
두어라 이 다ᄉᆞᆺ 밧긔 또 더ᄒᆞ야 머엇ᄒᆞ리

(벗이 / : 오우(五友) / 『 』: 다섯 가지 벗을 소개함 / 물과 바위 / 소나무와 대나무 / 그것이 / 물, 바위, 소나무, 대나무, 달)

› 다섯 가지 벗 소개

〈제1수〉
나의 벗이 몇인가 헤아려 보니 물, 돌, 소나무, 대나무이다.
동산에 달이 떠오르니 그 더욱 반갑구나.
두어라, 이 다섯 가지밖에 또 더하면 무엇하리?

〈제2수〉

구룸 빗치 조타 ᄒᆞ나 검기ᄅᆞᆯ ᄌᆞ로 ᄒᆞᆫ다
ᄇᆞ람 소릐 ᄆᆞᆰ다 ᄒᆞ나 그칠 적이 하노매라
조코도 그츨 뉘 업기ᄂᆞᆫ 믈뿐인가 ᄒᆞ노라

(색채어 사용 ① Link 표현상 특징 ❹ / 가변성 ① / 깨끗하다 / 자주 / 가변성 ② / 불변성 Link 표현상 특징 ❷ / 구름, 바람 ↔ 물(대구 · 대조) Link 표현상 특징 ❸)

› 물의 불변성

〈제2수〉
구름의 빛깔이 깨끗하다고는 하지만, 검기를 자주 한다.
바람 소리가 맑다고 하지만, 그칠 때가 많도다.
깨끗하고도 그칠 때가 없는 것은 물뿐인가 하노라.

〈제3수〉

고즌 므스 일로 퓌며셔 쉬이 디고
플은 어이 ᄒᆞ야 프르ᄂᆞᆫ ᄃᆞᆺ 누르ᄂᆞ니
아마도 변티 아닐손 바회뿐인가 ᄒᆞ노라

(순간성 ① / 무슨 까닭 / 순간성 ② / 색채어 사용 ② Link 표현상 특징 ❹ / 영원성 Link 표현상 특징 ❷ / 꽃, 풀 ↔ 바위(대구 · 대조) Link 표현상 특징 ❸)

› 바위의 영원성

〈제3수〉
꽃은 무슨 일로 피자마자 쉽게 지고
풀은 또 어찌하여 푸르러지자 곧 누른빛을 띠는가?
아마도 변하지 않는 것은 바위뿐인가 하노라.

〈제4수〉

더우면 곳 퓌고 치우면 닙 디거ᄂᆞᆯ
솔아 너ᄂᆞᆫ 얻디 눈서리ᄅᆞᆯ 모ᄅᆞᄂᆞᆫ다
구천(九泉)의 불휘 고ᄃᆞᆫ 줄을 글로 ᄒᆞ야 아노라

(고난, 시련 / 지조와 절개 상징 / 지조 있는 솔의 모습 / 땅속 깊은 밑바닥 / 절개 Link 표현상 특징 ❷ / 꽃, 잎 ↔ 소나무(대구 · 대조) Link 표현상 특징 ❸)

› 소나무의 절개

〈제4수〉
따뜻해지면 꽃이 피고, 추우면 나뭇잎은 떨어지는데,
소나무야, 너는 어찌하여 눈과 서리를 모르느냐?
땅속 깊은 곳까지 뿌리가 곧은 줄을 그것으로 미루어 알겠구나.

〈제5수〉

나모도 아닌 거시 플도 아닌 거시
곳기ᄂᆞᆫ 뉘 시기며 속은 어이 뷔연ᄂᆞᆫ다 → 대구법 Link 표현상 특징 ❸
뎌러코 사시(四時)예 프르니 그를 됴하ᄒᆞ노라

(누가 시킨 것이며 / 비어 있느냐? / 절개 / 겸허함 Link 표현상 특징 ❷ / 지조와 절개 Link 표현상 특징 ❷ / 대나무)

› 대나무의 겸허함과 절개

〈제5수〉
나무도 아니고 풀도 아닌 것이
곧기는 누가 시켰으며, 속은 어찌하여 비어 있느냐?
저러고도 사시사철 늘 푸르니, (나는) 그를 좋아하노라.

〈제6수〉

쟈근 거시 노피 떠서 만물(萬物)을 다 비취니
(달) (온 세상의 사물)

밤듕의 광명(光明)이 너만 ᄒᆞ니 또 잇ᄂᆞ냐
(광명) (달)

보고도 말 아니 ᄒᆞ니 내 벗인가 ᄒᆞ노라 ▶ 달의 광명과 과묵함
(온 세상 모든 사정을) (과묵함) Link 표현상 특징 ❷

〈제6수〉

작은 것이 높이 떠서 만물을 다 비추니

밤중에 밝은 빛이 너만 한 것이 또 있겠느냐?

보고도 말을 하지 않으니 내 벗인가 하노라.

출제자 톡! 화자를 이해하라!

1 **화자는 누구이고 화자가 처한 상황은?**
다섯 가지 벗인 물, 바위, 소나무, 대나무, 달을 보며 이들에 대해 생각하고 있는 사람

2 **화자의 정서 및 태도는?**
다섯 벗인 물, 바위, 소나무, 대나무, 달의 덕목을 예찬함.

Link

출제자 톡! 표현상의 특징을 파악하라!

❶ 다섯 가지 자연물을 의인화함.

❷ 대상의 속성을 예찬의 근거로 사용함.

❸ 문답법, 대구법, 대조법 등 다양한 표현 방법을 사용함.

❹ 색채어를 사용하여 대상을 감각적으로 묘사함.

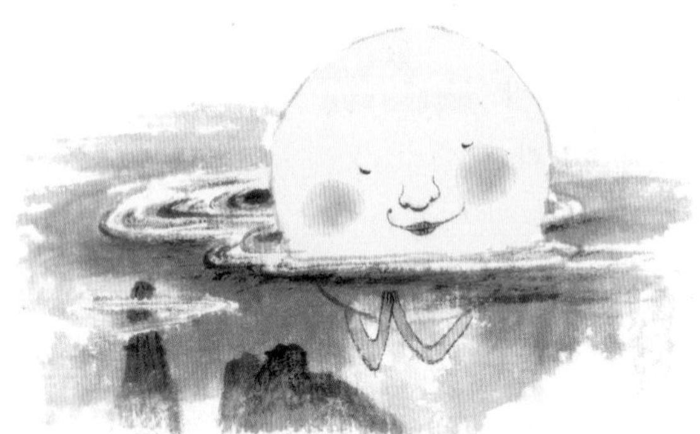

최우선 출제 포인트!

1 의인화된 자연물

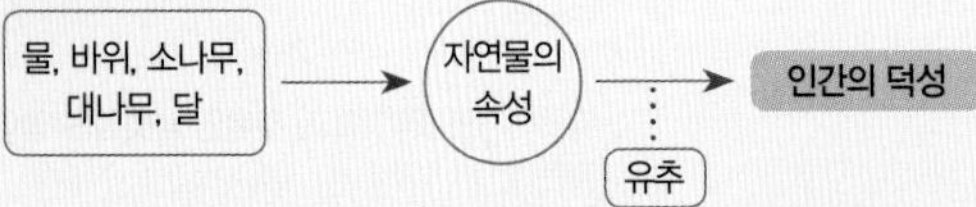

이 작품에서 자연물은 화자에게 심미적 대상이면서 동시에 인간의 덕성을 유추해 낼 수 있는 매개물이다. 즉 다섯 가지 벗인 '오우'는 이상적인 인격체로 의인화된 자연물로 볼 수 있다.

2 시상 전개 방식

제1수	다섯 가지 벗에 대한 질문과 답	문답
제2수	'구름 · 바람'의 가변성 ↔ '물'의 불변성	대구, 대조
제3수	'꽃 · 풀'의 순간성 ↔ '바위'의 영원성	대구, 대조
제4수	피고 지는 '꽃'과 '잎' ↔ 눈과 서리를 이기는 '소나무'	대구, 대조
제5수	'대나무'의 겸허함과 절개	대구
제6수	'달'의 광명과 과묵함	

최우선 핵심 Check!

1 시적 대상인 다섯 가지 자연물을 이상적 인격체로 의인화하고 있다. (○ / ×)

2 시적 대상인 자연물의 속성을 근거로 삼아 예찬하고 있다. (○ / ×)

3 구체적 생활 체험에서 나온 정서만을 표출하고 있다. (○ / ×)

4 문답법, 대조법, 대구법 등 다양한 표현 방법을 사용하고 있다. (○ / ×)

5 〈제3수〉에서 '곶'이나 '플'과 달리 변치 않는 점을 미덕으로 들어 칭송하고 있는 것은 ㅂㅇ이다.

6 〈제4수〉의 '솔'과 〈제5수〉의 '그'가 공통적으로 가진 덕성은 지조와 ㅈㄱ이다.

7 〈제6수〉에서 '너'는 ㄱㅁ과 과묵함을 미덕으로 하고 있다.

정답 1. ○ 2. ○ 3. × 4. ○ 5. 바위 6. 절개 7. 광명

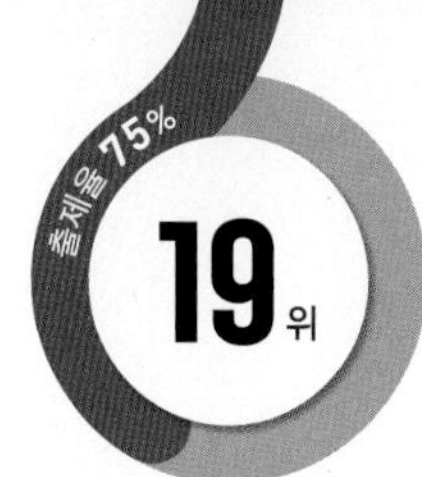

마음을 달래는 노래

견회요(遣懷謠) | 윤선도

갈래 연시조(전 5수) **성격** 연군적, 우국적
주제 유배지에서 느끼는 정회(情懷)
시대 조선 중기

유배지에서 임금에 대한 충성심과 부모에 대한 효심을 노래하고 있다.

충(忠)

〈제1수〉

슬프나 즐거오나 옳다 하나 외다 하나
내 몸의 해올 일만 닦고 닦을 뿐이언정
그 밧긔 여남은 일이야 분별(分別)할 줄 이시랴

- 외다: 그르다
- 해올 일: 할 일 → 나라와 임금을 위한 우국충정
- 1~2행: 남의 말에 신경 쓰지 않고 자신의 신념 대로 행동하겠다는 의지
- 분별(分別)할: 생각할, 걱정할
- 이시랴: 설의적 표현 **Link 표현상 특징 ❶**
- ➤ 자신의 신념에 충실하겠다는 의지

〈제2수〉

내 일 망녕된 줄 내라 하여 모를쏜가
이 마음 어리기도 임 위한 탓이로세
아무가 아무리 일러도 임이 혜여 보소서

- 망녕된 줄: 잘못된 줄
- 모를쏜가: 모를 것인가? → 설의적 표현을 활용하여 상황에 대한 화자의 생각을 드러냄 **Link 표현상 특징 ❶**
- 임 위한 탓이로세: 잘못한 일도 임금을 위한 의도에서 한 것임
- 아무가: 화자를 갈등 상황에 놓이도록 하는 존재
- 일러도: 말해도, 모함을 해도
- 혜여: 헤아려
- ➤ 자신의 결백 호소

효(孝)

〈제3수〉

추성(秋城) 진호루(鎭胡樓) 밧긔 울어 예는 저 시내야
므음 호리라 주야(晝夜)에 흐르는다
임 향한 내 뜻을 조차 그칠 뉘를 모르나다

- 추성(秋城): 함경북도 경원에 있는 누각
- 시내야: 감정 이입의 대상 **Link 표현상 특징 ❷**
- 주야(晝夜): 귀양지
- 종장의 '임 향한 내 뜻'을 강조하기 위한 시적 장치
- 임 향한 내 뜻: 임금에 대한 충성심
- ➤ 임금을 향한 변함없는 충성심

〈제4수〉

뫼흔 길고 길고 물은 멀고 멀고
어버이 그린 뜻은 많고 많고 하고 하고
어디서 외기러기는 울고 울고 가느니

- 뫼, 물: 화자와 어버이 사이의 장애물
- 멀고 멀고: 심리적 거리감 강조
- 1~3행: 대구법, 반복법 **Link 표현상 특징 ❸**
- 어버이 그린 뜻: 망운지정(望雲之情)
- 외기러기: 감정 이입의 대상 **Link 표현상 특징 ❷**
- ➤ 부모님에 대한 그리움

충(忠) + 효(孝) **Link 표현상 특징 ❹**

〈제5수〉

어버이 그릴 줄을 처엄부터 알안마는
임금 향한 뜻도 하날이 삼겨시니
진실로 임금을 잊으면 긔 불효(不孝)인가 여기노라

- 알안마는: 알았지만
- 임금 향한 뜻: 임금을 걱정하는 마음(충성심)
- 진실로 ~ 여기노라: 충과 효는 하나일 수밖에 없음
- ➤ 충과 효가 하나라는 깨달음

〈제1수〉

슬프나 즐거우나 옳다 하나 그르다 하나

내 몸의 할 일만 닦고 닦을 뿐이로다.

그 밖의 다른 일이야 생각할(또는 근심할) 필요가 있겠는가?

〈제2수〉

내 일이 잘못된 줄 나라고 하여 모르겠는가?

이 마음이 어리석은 것도 모두가 임(임금)을 위한 탓이로구나.

그 누가 아무리 헐뜯더라도 임께서 헤아려 주십시오.

〈제3수〉

추성 진호루 밖에서 울며 흐르는 저 시냇물아,

무엇을 하려고 밤낮으로 그칠 줄 모르고 흐르는가?

임 향한 내 뜻을 따라 그칠 줄을 모르는구나.

〈제4수〉

산은 길게 길게 (이어져 있고,) 물은 멀리 멀리 (굽어져 있구나.)

부모님을 그리워하는 뜻은 많기도 많다.

어디서 외기러기는 슬피 울며 가는가?

〈제5수〉

어버이를 그리워할 줄은 처음부터 알았지만

임금을 향한 뜻도 하늘이 만드셨으니

진실로 임금을 잊으면 그것이 불효인가 여기노라.

Link

출제자 톡! 화자를 이해하라!

1 **화자는 누구이고, 화자가 처한 상황은?**
정계에서 밀려나 유배 상황에 처해 있는 '나'

2 **화자의 정서 및 태도는?**
불의와 타협하지 않는 정의감, 임금을 향한 충성심, 부모님에 대한 간절한 그리움을 드러냄.

출제자 톡! 표현상의 특징을 파악하라!

❶ 설의적 표현을 활용하여 화자의 생각을 드러냄.

❷ 감정 이입을 통해 시적 화자의 정서를 드러냄.

❸ 대구법, 반복법을 사용하여 운율감을 형성하며 의미를 강조함.

❹ 각 연이 독립적이면서도 전체 주제 안에서 유기적으로 연관을 맺고 있음.

최우선 출제 포인트!

1 시상 전개 방식

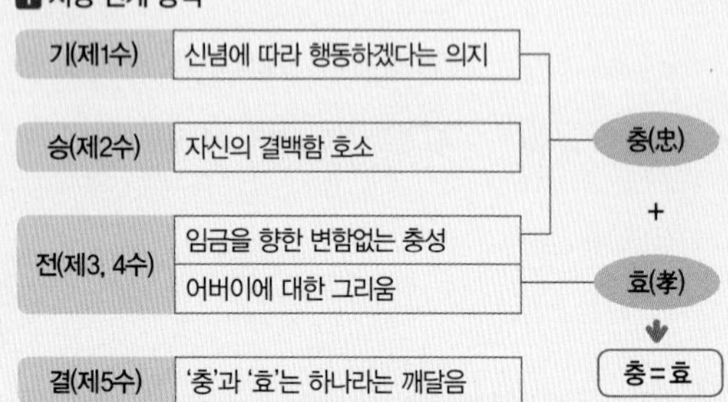

이 작품은 '충(忠)'과 '효(孝)'를 독립적으로 진술하고 뒤에 이를 유기적으로 통합하는 시상 전개 방식을 사용하고 있다. 이러한 시상 전개 방식을 통해 충성심과 효심이라는 주제를 효과적으로 나타내고 있다.

함께 볼 작품 • 자신의 결백을 노래한 작품: 정서, 「정과정」
• 임금에 대한 변함없는 충성심을 노래한 작품: 정철, 「사미인곡」

최우선 핵심 Check!

1 〈제3수〉에서는 유배지에서 임금을 향한 변함없는 충성심을 다짐하고 있다. (○ / ×)

2 〈제4수〉에서는 고향에 두고 온 어버이를 그리워하는 마음을 솔직하게 드러내고 있다. (○ / ×)

3 화자는 남의 이목에 신경을 쓰지 않고 자신의 신념대로 행동하는 강직한 성품의 소유자이다. (○ / ×)

4 시적 대상을 예찬하는 태도를 감각적 이미지를 통해 구체화하고 있다. (○ / ×)

5 화자가 자신의 감정을 이입하고 있는 자연물은 'ㅅㄴ'와 'ㅇㄱㄹㄱ'이다.

6 화자는 어버이에 대한 ㅎㄷ와 임금에 대한 ㅊㅅㅅ이 하나라는 인식을 드러내고 있다.

정답 1. ○ 2. ○ 3. ○ 4. × 5. 시내, 외기러기 6. 효도, 충성심

1등급! 〈보기〉!

「견회요(遣懷謠)」의 창작 배경

이 작품은 작가 윤선도가 30세 때 당시 집권 세력인 이이첨의 죄를 격렬하게 규탄하는 상소를 올렸다가 이로 인해 모함을 받아 함경도 추성(秋城)으로 유배되었을 때 지은 것이다.
특히 이 작품은 젊은 선비로서 윤선도가 겪었던 울분과 좌절을 짐작해 볼 수 있으며, 더불어 불의와 타협하지 않는 윤선도의 소신과 굽힐 줄 모르는 의기를 엿볼 수 있다. 이러한 윤선도의 소신 있는 태도는 '임금 향한 뜻'에서 비롯된 것이며, 유배지에서의 길고 긴 날 동안 느낀 외로움과 어머니에 대한 그리움은 강산에 대한 주관적 인상과 외기러기의 이미지(제4수)에서 절실하게 드러난다.

시조 6편

단가육장(短歌六章) | 이신의

갈래 연시조(전 6수) **성격** 절의적, 상징적
주제 귀양살이의 고달픔과 임금에 대한 충정
시기 조선 중기

광해군 때 작가가 인목 대비의 폐위를 반대하는 상소를 올렸다가 귀양을 가서 지은 작품으로, 유배지에서의 고독한 심정과 임금을 향한 일편단심을 담아내고 있다.

〈제1장〉

장부의 하올 사업 아는가 모르는가
효제충신(孝悌忠信)밖에 하올 일이 또 있는가 → 설의적 표현 **Link** 표현상 특징 ❶
(효제충신: 어버이에 대한 효도, 형제끼리의 우애, 임금에 대한 충성, 벗 사이의 믿음)
어즈버 인도(人道)에 하올 일이 다만 인가 하노라
(인도: 사람이 지켜야 할 도리)
> 효제충신을 다짐함

〈제1장〉
대장부가 해야 할 사업을 아는가 모르는가?
효제충신 외에 해야 할 일이 또 있는가?
아아, 인간의 도리로 해야 할 일이 다만 이것뿐인가 하노라.

〈제2장〉

(남산: 임금이 계신 한양(대유법)) ▒: 화자의 상황을 드러내 주는 자연물 **Link** 표현상 특징 ❸
남산에 많던 솔이 어디로 갔단 말고
(솔: 절개를 지키다 귀양을 간 신하들)
난(亂) 후 부근(斧斤)이 그다지도 날랠시고
(부근: 큰 도끼와 작은 도끼 / 그다지도 날랠시고: 많은 충신이 화를 당함)
두어라 우로(雨露) 곧 깊으면 다시 볼까 하노라
(우로 곧 깊으면: 임금의 은혜로 사면이 되면)
▒: 임금을 상징하는 자연물
> 임금이 다시 불러 주기를 소망함

〈제2장〉
남산의 그 많던 소나무가 다 어디로 갔다는 말인가?
임진왜란 후에 도끼날들이 그다지도 날랬는가?
두어라, 비와 이슬(임금의 은혜)이 깊으면 다시 볼까 하노라.

〈제3장〉

창 밖에 세우(細雨) 오고 뜰 가에 제비 나니
(제비: 화자의 처지와 대비되는 존재로 화자의 외로움을 부각함)
적객의 회포는 무슨 일로 끝이 없어
(적객: 귀양살이하는 사람)
저 제비 비비(飛飛)를 보고 한숨 겨워하나니
(자유로운 제비의 모습에 화자의 시름이 심화됨)
> 제비를 보며 자신의 처지를 한탄함

〈제3장〉
창밖에 가랑비 오고 뜰 가에 제비가 날아드니
귀양살이하는 사람의 마음속의 생각은 무슨 일로 끝이 없어
저 제비가 날아다는 모양을 보고 한숨을 이기지 못하나니.

〈제4장〉

적객에게 벗이 없어 공량(空樑)의 제비로다
(적객: 귀양살이 하는 사람 / 공량: 빈 대들보 / 제비: 화자와 유사함 - 외로운 처지 **Link** 표현상 특징 ❸)
종일 하는 말이 무슨 사설 하는지고 **Link** 표현상 특징 ❷
(제비를 의인화함 - 감정 이입)
어즈버 『내 풀어낸 시름은 널로만 하노라』 『 』: 우국지정의 강조
(시름: 연군 / 널로만 하노라: 너보다 많도다)
> 유배 생활의 외로움과 시름

〈제4장〉
귀양 온 사람에게 벗은 없고 다만 빈 대들보 위의 제비로구나.
종일 하는 말이 무슨 이야기를 하는 것인가?
아아, 내가 풀어낸 시름은 너보다도 많구나.

〈제5장〉

(유정: 인정이나 동정심이 있음)
인간(人間)에 유정(有情)한 벗은 명월밖에 또 있는가 **Link** 표현상 특징 ❶
(명월: 화자를 위로해 주는 존재 / 있는가: 설의적 표현)
천 리(千里)를 멀다 아녀 간 데마다 따라오니
(진정한 벗의 모습을 보여 줌)
어즈버 반가운 옛 벗이 다만 너인가 하노라
(너: 명월)
> 달을 보며 시름을 달램

〈제5장〉
인간에게 진정한 벗은 달 외에 또 있는가?
천 리를 멀다 하지 않고 가는 곳마다 따라오니
아아, 반가운 옛 벗이 다만 너뿐인가 하노라.

〈제6장〉

설월(雪月)에 매화를 보려 잔을 잡고 창을 여니
지조와 절개를 잃지 않는 화자를 상징 Link 표현상 특징 ❸
섞인 꽃 여윈 속에 잦은 것이 향기로다
유배 생활로 피폐해진 화자의 모습 / 화자의 지조와 충절
어즈버 호접(蝴蝶)이 이 향기 알면 애 끊일까 하노라
나비 - 임금을 상징함
› 자신의 지조를 임금이 알아주기를 소망함

〈제6장〉

눈 쌓인 달빛에 매화를 보려고 술잔을 잡고 창문을 여니
눈 속에 섞여 있는 시든 꽃에서 향기가 배어 나오는구나.
아아, 나비가 이 향기를 알면 매우 슬퍼할까 하노라.

출제자 톡! 화자를 이해하라!

1 **화자는 누구이고, 화자가 처한 상황은?**
유배 생활을 하고 있는 사람

2 **화자의 정서 및 태도는?**
자신의 처지에 대한 한탄과 임에 대한 변함 없는 충성심을 드러냄.

Link

출제자 톡! 표현상의 특징을 파악하라!

❶ 설의적 표현을 사용하여 화자의 태도를 강조해 줌.

❷ 자연물에 감정을 이입하여 외로움의 정서를 부각함.

❸ 자연물에 관습적, 상징적 의미를 부여하여 화자의 상황을 드러냄.

최우선 출제 포인트!

1 화자의 상황을 드러내는 방식

〈제2장〉의 '솔'		〈제4장〉의 '제비'		〈제6장〉의 '매화'
유배 생활 중인 화자의 처지	+	화자의 외로움	+	화자의 충절

↓

자연물을 이용하여 화자의 상황을 드러냄.

2 임금을 상징하는 자연물

임금
- 우로(雨露) — 임금의 은혜를 소망함.
- 호접(蝴蝶) — 임금이 자신의 충절을 알아주기를 소망함.

최우선 핵심 Check!

1 화자는 임금에게 상소를 올린 자신의 행동을 후회하고 있다. (○ / ×)

2 〈제2장〉의 '솔'은 화자가 처한 상황을 상징적으로 드러내 준다. (○ / ×)

3 〈제2장〉의 '두어라 우로(雨露) 곧 깊으면 다시 볼까 하노라'는 정계에 복귀할 수 있으리라는 화자의 기대감을 드러내고 있다. (○ / ×)

4 〈제4장〉에서 화자는 귀양살이 중 시름에 빠진 자신의 감정을 'ㅈㅂ'에게 이입하고 있다.

5 〈제6장〉에서 'ㅁㅎ'는 화자를 상징하며, 'ㅎㅈ'은 임금을 상징한다.

정답 1. × 2. ○ 3. ○ 4. 제비 5. 매화, 호접

1등급! 〈보기〉!

「단가육장」의 이해

작가 이신의는 충절과 신의를 중시했던 사대부로, 인목대비 폐위에 반대하는 글을 올렸다는 이유로 귀양을 가게 된다. 이 작품은 그가 귀양살이를 하면서 느낀 생각과 감정을 풀어 낸 연시조로, 화자는 자연물을 친화적인 시선으로 바라보며 자신의 감정을 투영하기도 한다. 또한 자연물에 자신이 지향하는 유교적 이념을 투사하기도 한다.

장육당 이별이 부른 여섯 노래

장육당육가(藏六堂六歌) | 이별

6수를 단위로 하는 연시조 / 이별의 호(號)이자 이별이 살았던 집의 이름

갈래 연시조(전 6수) **성격** 자연 친화적, 비판적
주제 속세에서 벗어나 자연에서 묻혀 사는 즐거움
시대 조선 중기

세속적 부귀공명을 멀리하고 자연과 더불어 풍류를 즐기는 삶을 살아갈 것임을 노래하고 있으며, 옳고 그름을 분간하지 못하는 사람들에 대한 비판적 태도를 드러내고 있다.

「내 이미 백구 잊고 백구도 나를 잊네」 (백구: 갈매기 - 자연. 대유법 / 나를 잊네: 의인법) 「 」: 자연과 하나 된 삶을 살고 있는 화자의 모습 - 물아일체(物我一體)의 경지. 대구법 Link 표현상 특징 ❶
둘이 서로 잊었으니 누군지 모르리라
언제나 해옹을 만나 이 둘을 가려낼꼬 〈제1수〉 (해옹: 자연의 가치를 아는 이)
> 자연과 하나 되어 살아가는 삶

붉은 잎 산에 가득 빈 강에 쓸쓸할 때 (붉은 잎 산에 가득: 계절적 배경 - 가을. 시각적 심상 / 빈 강에 쓸쓸할 때: 화자의 쓸쓸함을 심화시켜 주는 소재)
가랑비 낚시터에 낚싯대 제 맛이라 (유유자적하며 풍류를 즐기는 화자의 모습)
세상에 득 찾는 무리 어찌 알기 바라리 〈제2수〉 (세상에 득 찾는 무리: 세속적 가치를 추구하는 사람들 - 부정적 대상. 비판의 대상 / 어찌 알기 바라리: 풍류적 삶의 즐거움을 강조함(설의적 표현) Link 표현상 특징 ❷)
> 자연 속에서 낚시를 즐기며 살아가는 삶

내 귀가 시끄러움 네 바가지 버리려믄 (• 허유와 소부의 고사 활용 - 공명을 멀리하는 화자의 삶의 태도를 드러냄 Link 표현상 특징 ❸)
네 귀를 씻은 샘에 내 소는 못 먹이리

「공명은 해진 신이니 벗어나서 즐겨보세」 〈제3수〉 (공명: 세속적 가치 / 해진 신: 공명에 대한 부정적 인식) 「 」: 공명을 멀리 하면서 자연 속에서 즐겁게 살아가려는 화자의 태도가 드러남
> 공명을 멀리하며 살아가는 삶

「옥계산 흐르는 물 못 이루어 달 띄우네」 (옥계산: 화자가 거처하고 있는 공간. 속세와 단절된 공간) 「 」: 자연과 더불어 살아가는 삶의 모습 - 자연 친화적
맑으면 갓끈 씻고 흐리거든 발 씻으리 (굴원의 「어부사」를 인용한 구절. 세상이 맑으면 출사할 것이고, 혼탁하면 자연에서 은둔할 것이라는 의미 Link 표현상 특징 ❸)
어찌타 세상 사람 청탁(淸濁) 있는 줄 모르는고 〈제4수〉 (옳고 그름을 모르는 세상 사람들에 대한 비판을 드러냄. 설의적 표현 - 분별 있는 삶의 태도 강조 Link 표현상 특징 ❷)
> 분별 있게 살아가는 삶

나도 이미 갈매기를 잊었고 갈매기도 나를 잊었네.
나와 갈매기가 서로 잊었으니 (서로가) 누군지 모르리라.
언제나 바다에 사는 늙은이를 만나 이 둘을 가려낼 것인가.

붉은 잎이 산에 가득(하고) 아무도 없는 강이 쓸쓸할 때
가랑비 (오는) 낚시터에 낚싯대가 제 맛이라.

세상에 이득을 쫓는 무리들이 (풍류적 삶을) 어찌 알기 바라겠는가?

내 귀가 시끄러우니 네 바가지를 버리려무나.
네 귀를 씻은 샘에서 내 소는 먹이지 않으리.

공명은 해어진 신발이니 (공명에서) 벗어나서 즐겨 보세.

옥계산 흐르는 물이 못을 이루어 달을 띄우네.

(물이) 맑으면 갓끈을 씻고 (물이) 흐리면 발을 씻으리.
어찌하여 세상 사람들은 맑음과 흐림이 있는 것을 모르는 것인가.

• **네 귀를~못 먹이리**: 벼슬 제안을 듣고 귀가 더렵혀졌다며 영수에 귀를 씻은 허유와 그 물을 소에게도 먹이지 않으려 했다는 소부의 고사에서 차용한 것임.

출제자 특! 화자를 이해하라!

1 **화자는 누구이고, 화자가 처한 상황은?**
자연 속에서 풍류를 즐기며 살아가고 있는 '나'

2 **화자의 정서 및 태도는?**
• 자연 속에서 살아가는 삶을 즐거워함.
• 공명에 대해 부정적으로 인식하면서, 세상 사람들에 대해 비판적 태도를 보임.

Link

출제자 특! 표현상의 특징을 파악하라!

❶ 대구법을 사용하여 자연과 하나 되어 사는 화자의 삶을 드러냄.
❷ 설의적 표현을 사용하여 화자의 정서나 태도를 강조함.
❸ 고사 성어와 시구를 인용하여 화자의 삶의 태도를 효과적으로 전달함.

최우선 출제 포인트!

1 속세와 자연의 이분법적 대비 및 효과

속세 – 부정적 대상	↔	자연 – 긍정적 대상
• 세상에 득 찾는 무리 • 공명 • 청탁이 있는 줄 모르는 세상 사람들		• 자신과 하나된 백구 • 풍류를 즐길 수 있는 낚싯대 • 옥계산, 달

↓

속세를 멀리하고 자연과 더불어 사는 삶의 즐거움을 드러냄.

최우선 핵심 Check!

1 화자는 백구를 잊고, 백구는 화자를 잊은 모습은 자연과 ㅁㅇㅇㅊ된 화자의 모습을 드러내 준다.

2 화자는 세속적 가치인 공명을 'ㅎㅈㅅ'에 빗대어 공명에 대한 부정적 인식을 드러내고 있다.

3 자연 속에 은둔하며 살아가는 화자는 '세상에 득 찾는 무리'의 삶을 예찬하고 있다. (O / ×)

정답 1. 물아일체 2. 해진 신 3. ×

연로하신 부모님을 그리워하는 노래

사노친곡(思老親曲) | 이담명

갈래 연시조(전 12수) **성격** 애상적
주제 고향과 노모에 대한 그리움
시대 조선 후기

관서 지방으로 유배 온 작가가 고향에 계신 어머니를 그리워하는 마음을 노래한 작품으로, 자연은 늘 제자리로 돌아오는데 자신은 고향으로 돌아가지 못하는 심정을 노래하고 있다.

〈제1수〉

『봄은 오고 ᄯᅩ 오고 플은 플으고 ᄯᅩ 풀으니
봄의 계절감 표현, 자연 현상의 순환 부각(반복법, 대구법) Link 표현상 특징 ❷
나도 이 봄 오고 이 플 프르기 ᄀᆞ티
그리움의 대상
어ᄂᆞ날 고향(故鄕)의 도라가 노모(老母)ᄭᅴ 뵈오려뇨』
고향에 갈 수 없는 화자의 처지 한탄(설의적 표현) Link 표현상 특징 ❷

『 』: 늘 순환하는 자연(봄, 풀)과 고향에 돌아가지 못하는 화자의 처지 대비 - 화자의 슬픔 강조 Link 표현상 특징 ❶

❯ 고향으로 돌아가지 못하는 처지 한탄

〈제1수〉

봄은 오고 또 오고 풀은 푸르고 또 푸르니

나도 이 봄 오고 이 풀 푸른 것같이

어느 날 고향에 돌아가 노모를 뵐 수 있을 것인가?

〈제2수〉

『친년(親年)은 칠십오(七十五) ㅣ 오 영로(嶺路)는 수천 리(數千里)오』
부모의 나이 / 고갯길
『 』: 대구법 Link 표현상 특징 ❷
도라갈 기약(期約)은 가디록 아득ᄒᆞ다
고향에 가기 어렵다는 화자의 인식과 정서
『아마도 좀 업슨 중야(中夜)의 눈믈 계워 셜웨라』 『 』: 전전반측(輾轉反側)
한밤중 / 노모에 대한 걱정과 그리움, 고향에 갈 수 없는 서러움의 정서가 함축됨

❯ 노모에게 돌아갈 기약이 아득한 슬픔

〈제2수〉

부모(노모)의 나이 75세요 고갯길은 수천 리이다.
돌아갈 기약은 갈수록 아득하다.

아마도 잠 없는 한밤중에 눈물겨워 서러워라.

〈제4수〉

수천 리 → 만 리: 고향에 대한 화자의 거리감 심화 Link 표현상 특징 ❸

적리(謫裏) 광음(光陰)은 사 년이 볼셔 되고 천외(天外) 가향(家鄕)은 만 리예 아득ᄒᆞ니 → 공간적 거리감
유배지 / 세월 / 천리 밖의(머나먼) 집과 고향
몸이 못 가거든 기별(奇別)이나 드ᄅᆞ듸야
노모의 소식을 알고 싶은 간절함, 안타까움
아마리 척흘첨망(陟屹瞻望)을 말라 ᄒᆞᆫ들 어들쏜가 Link 표현상 특징 ❷
높은 곳에 올라 멀리 바라봄(노모에 대한 그리움, 안타까움) / 노모에 대한 소식을 얻고 싶은 마음(설의적 표현)

❯ 유배지에서 고향과 노모의 소식을 알고 싶어 함

〈제4수〉

유배지에서의 세월은 4년이 벌써 되고 머나먼 집과 고향은 만 리에 아득하니

(나의) 몸이 못 가거든 (노모의) 소식이나 들었으면
아무리 높은 곳에 올라 멀리 바라보지 말라 한들 (노모에 대한 소식을) 얻을 수 있겠는가?

〈제6수〉

화자가 처한 상황을 깨닫게 해 주는 자연물 / 설의적 표현 Link 표현상 특징 ❷
기럭이 아니 ᄂᆞ니 편지(片紙)ᄅᆞᆯ 뉘 전(傳)ᄒᆞ리
소식을 전할 수 없는 화자의 처지 / 소식을 전할 수 없는 안타까움 강조
시름이 ᄀᆞ득ᄒᆞ니 ᄭᅮᆷ인ᄃᆞᆯ 이룰손가
어머니에 대한 걱정 때문에 / 꿈에서조차 어머니를 만날 수 없음을 드러냄(설의적 표현) Link 표현상 특징 ❷
매일(每日)의 노친(老親) 얼굴이 눈의 삼삼(森森)ᄒᆞ야라.
어머니에 대한 간절한 그리움을 드러냄

❯ 늙으신 어머니에 대한 간절한 그리움

〈제6수〉

기러기가 날지 아니하니 편지를 누가 전하겠는가?
시름이 가득하니 꿈에서인들 만날 수 있겠는가?
날마다 노모의 얼굴이 눈에 아른거리는구나.

〈제7수〉

동산(東山)을 올라 보니 고국(故國)도 멀셔이고
노모에 대한 간절한 그리움 때문에 / 고향에 대한 정서적 거리감을 드러냄
태행(太行)이 어드메오 구룸이 머흐레라
화자가 가고자 하는 공간 - 고향 / 화자로부터 고향을 볼 수 없게 하는 장애물
갈ᄉᆞ록 애일촌심(愛日寸心)이 여림심연(如臨深淵) ᄒᆞ여라.
어머니를 모실 시간이 없는 것에 대한 화자의 근심과 조바심이 담겨 있음

❯ 어머니를 모실 시간이 없는 것에 대한 근심

〈제7수〉

동산에 올라서 보니 고국이 멀기도 멀구나.

태행이 어느 곳인가? 구름이 머물고 있구나.

갈수록 부모님을 모실 시간이 흐르는 것을 안타까워하는 마음이 깊은 못가에 있는 듯 조심스럽구나.

〈제10수〉

내 죄(罪)ᄅᆞᆯ 아ᄋᆞᆸ거니 유찬(流竄)이 박벌(薄罰)이라
자신의 죄를 인정하고 이에 대한 처벌을 수용하는 화자의 모습이 드러남

지처(至處) 성은(聖恩)을 어이 ᄒᆞ야 갑ᄉᆞ올고
유배를 보낸 것에 화자의 감사하는 태도 / 임금의 은혜가 매우 큼을 강조(설의적 표현) **Link** 표현상 특징 ❷

노친(老親)도 플텨 혜시고 하 그리 마오쇼셔.
임금이 자신을 귀양 보낸 것을 이해하라는 말 / 임금을 원망하지 말라는 말

> 어머니께 임금을 원망하지 말라고 당부함

〈제10수〉

내 죄를 (내가) 알거니 유배를 보낸 일이 오히려 가벼운 벌이라.
이르는 곳마다 임금의 은혜를 어찌 하여 갚겠는가?
노친도 널리 이해하시고 그렇게 생각하지 마십시오.

〈제11수〉

(음영): 임금의 은혜가 미치는 곳 - 백성들이 사는 곳

「하ᄂᆞᆯ이 놉흐시나 ᄂᆞ즌 ᄃᆡ를 드르시ᄂᆡ
임금을 가리킴

일월(日月)이 갓가오샤 하토(下土)의 비최시ᄂᆡ」

「 」: 임금의 은혜가 미치지 못한 곳이 없음을 드러낸 말. 대구법. 유사한 통사 구조 반복 **Link** 표현상 특징 ❷

아ᄆᆞ라타 우리 모자지정(母子至情)을 ᄉᆞᆯ피실 제 업ᄉᆞ오랴.
임금의 은혜가 화자와 어머니에게까지 미칠 것이라는 의미 - 화자의 기대감이 담김(설의적 표현) **Link** 표현상 특징 ❷

> 임금의 은혜가 자신들에게까지 미치기를 바람

〈제11수〉

하늘이 높지만 낮은 곳을 들리시네.

일월이 가까워서 하토의 비취시네.

아무리 한들 우리 모자의 정을 살피실 적이 없겠는가?

출제자 톡! 화자를 이해하라!

1 **화자는 누구이고, 화자가 처한 상황은?**
유배지에서 고향과 어머니를 떠올리고 있는 '나'

2 **화자의 정서 및 태도는?**
- 고향과 어머니를 그리워함.
- 고향으로 갈 수 없는 자신의 처지를 한탄함.

Link

출제자 톡! 표현상의 특징을 파악하라!

❶ 자연 현상과 화자의 처지를 대비함.

❷ 대구법, 설의적 표현 등을 사용하여 화자의 정서를 드러내 줌.

❸ 숫자를 이용하여 화자가 느끼는 고향에 대한 거리감을 표현함.

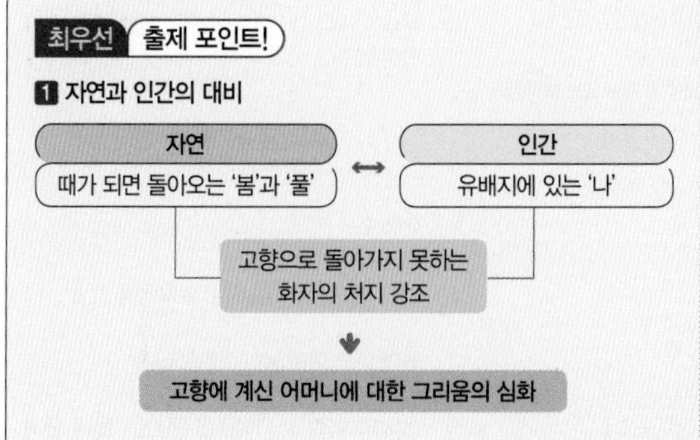

최우선 핵심 Check!

1 〈제1수〉의 초장에는 화자의 상황과 대조되는 자연 현상이 제시되어 있다. (O / ×)

2 〈제1수〉에서는 비유적인 표현을 통해 노모와의 재회로 인한 반가움을 표현하고 있다. (O / ×)

3 〈제2수〉의 'ㅅㅊㄹ', 〈제4수〉의 'ㅁㄹ'는 노모가 있는 고향과의 거리감을 드러냄으로써 화자의 그리움을 강조하고 있다.

정답 1. ○ 2. × 3. 수천 리, 만 리

울긋불긋한 계곡에서 부른 노래 여섯 곡의 노래

풍계육가(楓溪六歌) | 이정

단풍 풍 산골짜기 계

갈래 연시조(전 6수) **성격** 자연 친화적, 비판적
주제 자연 친화적인 삶의 태도와 속세에 대한 부정적 인식 **시대** 조선 중기

자연 속에서 자연과 더불어 살아가는 소박하고 욕심 없는 삶에 대한 만족감과 자부심을 드러내는 동시에, 어지럽고 위험한 속세에 대한 강한 거부감을 드러내고 있다.

〈제1수〉

: 자연 / 자연과 소통하는 통로

『청풍(淸風)을 죠히 역여 창(窓)을 으니 드닷노라 『』: 대구법 **Link 표현상 특징 ❶**

자연 친화적 태도

명월(明月)을 죠히 역여 좀을 으니 드런노라』

자연 친화적인 삶의 모습을 드러냄

옛사롬 이 두 ᄀ지 두고 어듸 혼ᄌ 갓노

'청풍'과 '명월' → 자연

> 자연과 벗하며 사는 삶에 대한 자부심(만족감)

청풍이 좋아서 (청풍이 들어오게) 창문을 닫지 않았노라.
명월이 좋아서 (명월을 보기 위해) 잠을 자지 않았노라.
옛사람은 이 두 가지를 두고 어디 혼자 갔는가?

〈제2수〉

닉ᄅ셔 뉘로ᄅ ᄒ여 작록(爵祿)을 ᄆ암에 둘고 △↔○ 대조

감히 / 벼슬과 녹봉 → 세속적 가치, 세속적 부귀영화

죠고만 씌집을 시닉 우에 이룬 바

화자의 소박한 삶(안분지족)을 보여 주는 소재, '작록'과 대조 **Link 표현상 특징 ❷**

어젯밤 『숀쇼 다든 문을 늣도록 닷치엿소』 『』: 세상에 대한 화자의 태도 - 속세와의 단절 의지

세상과 소통하는 통로

> 자연에서의 소박한 삶과 속세에 대한 거부감

내가 감히 누구라고 벼슬과 녹봉을 마음에 두겠는가?
조그만 초가집을 시내 위에 지어 놓은 바
어젯밤 손수 닫은 문을 늦도록 닫혀 있었소.

〈제3수〉

상(床) 우희 책(冊)을 노코 상(床) 아릐 신을 닉여라

이ᄇ ᄋ희야 날 보리 그 뉘고

속세와 단절하고 자연과 더불어 사는 화자의 뜻을 아는 사람, 화자와 비슷한 삶을 살아가는 사람

알과ᄅ 어제 맛춘 ᄆ지술 맛보러 왔나부다

불분명하나 맥락상 '묻어 둔 술'로 보임, 화자의 풍류를 더하는 소재

> 풍류적인 삶의 태도

상 위에 책을 놓고 상 아래 신을 내어라.
이봐 아이야, 날 보러 올 사람이 그 누구인가?
알겠다, 어제 맞춘 묻어 둔 술을 맛보러 왔나 보다.

〈제4수〉

두고 ᄯᅩ 두고 져 욕심(慾心) 긔지 읍다 → 화자의 눈에 비친 세상 사람들의 모습(비판적)

세상 사람들의 욕심

ᄂ는 닉 집에 닉 셰군을 술펴보니

집안 살림에 쓰는 온갖 물건

우셥다 『낙씨딕 ᄒ나 외예 것칠 거시 젼혀 읍셰ᄅ』 『』: 화자의 처지

서 발 막대 거칠 것 없다(가난한 집안이라 세간이 아무것도 없음을 비유적으로 이르는 말)

'나'가 자연 속에서 은거하는 공간이며, 자연을 즐기며 만족감을 느끼고 있음

> 청빈하고 욕심 없는 삶의 태도

두고 또 두고 (세상 사람들의) 저 욕심 끝이 없다.
나는 내 집의 내 세간을 살펴보니
우습다, 낚싯대 하나 외에는 거칠(걸릴) 것이 전혀 없구나.

〈제5수〉

『산(山)ᄋ 너는 어이 한갈갓치 노프시며 『』: 말을 건네는 어투 - 자연물의 변함 없는 모습을 예찬함

시적 청자 / 한결같이 높은 존재 - 불변성

Link 표현상 특징 ❸

물ᄋ 너는 웃지 날날리 흐르ᄂ냐』

날마다 흐르는 존재 - 불변성 / 자연 친화적 태도

처간(處間)에 인지(仁智)한 군자(君子)는 못닉 즐겨 ᄒ노니

초야, 궁벽한 시골 / 화자 자신

> 자연과 함께하는 삶의 즐거움

산아 너는 어이 한결같이 높았으며
물아 너는 어찌 날마다 흐르느냐.
초야의 어질고 지혜로운 군자는 못내 즐겨 한다.

〈제6수〉

붉은 먼지 → 번거롭고 속된 세상을 비유적으로 이르는 말(속세)

오두미(五斗米) 위ᄒᆞ여 홍진(紅塵)의 ᄂᆞ지ᄆᆞ라

닷 말의 쌀. 얼마 안 되는 봉급을 비유 → 세속적 가치, 부귀영화 Link 표현상 특징 ❹

ᄇᆞ롬 비 어쥬러워 칼 토비 므셔워라 → 홍진(속세)에 나가지 말아야 하는 이유(벼슬길의 위험성 인식)

□: 속세에 대한 부정적, 비판적 인식을 드러내는 소재. 속세는 어지럽고 위험한 곳임을 의미함

ᄂᆞ죵에 슬코 뉘웃친ᄃᆞ 기구(崎嶇)ᄒᆞᄃᆞ 기로다단(岐路多端)ᄒᆞ여라

실컷 / 갈림길의 갈래나 가닥이 많음 - 인생의 우여곡절이 많음

> 속세에 대한 경계

〈제6수〉

얼마 안 되는 녹봉을 위하여 속세에 나가지 마라.
바람과 비가 어지럽고 칼과 톱이 무섭구나.

나중에 실컷 뉘우치나 기구하다. 갈림길이 많기도 하구나.

출제자 톡! 화자를 이해하라!

1 **화자는 누구이고, 화자가 처한 상황은?**
자연과 더불어 사는 소박한 삶에 만족감을 느끼며 속세와는 단절된 삶을 살고 있는 '나'

2 **화자의 정서 및 태도는?**
- 자연 친화적이며 자연에서의 소박한 삶에 대해 만족감을 느낌.
- 속세에 대한 부정적 태도를 드러냄.

Link

출제자 톡! 표현상의 특징을 파악하라!

❶ 대구를 통해 자연 친화적인 삶의 태도를 드러냄.

❷ 대립적 의미의 시어를 사용하여 주제를 효과적으로 드러냄.

❸ 의인화한 자연에 말을 건네는 방식을 사용하여 대상에 대한 친근감을 표현함.

❹ 비유적 표현을 사용하여 속세에 대한 부정적 인식을 드러냄.

최우선 출제 포인트!

1 대상에 대한 화자의 태도

자연	↔	속세
청풍, 명월, 산, 물		홍진
↓		↓
긍정적 인식, 자연 친화적		부정적, 비판적 인식 속세에 대한 거부감 – 단절

2 소재의 의미

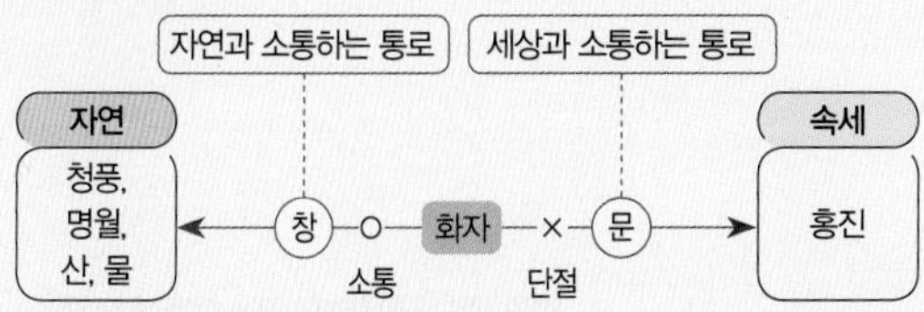

이 작품은 자연 속에 은거하며 풍류를 즐기는 처사(處士)의 삶을 형상화하고 있다. 화자는 속세를 벗어나 자연을 예찬하며 자연과의 합일을 도모하는 한편, 벼슬길의 위험함을 인식하며 세속적 삶을 멀리하려는 뜻을 드러내고 있다.

최우선 핵심 Check!

1 계절의 변화에 따라 시상이 전개되고 있다. (○ / ×)

2 화자는 속세에 대해 부정적, 비판적으로 인식하고 있다. (○ / ×)

3 대립적 의미의 시어를 사용하여 주제 의식을 드러내고 있다. (○ / ×)

4 화자의 삶의 자세를 표현한 한자 성어에 해당하지 않는 것은?
① 안빈낙도(安貧樂道) ② 안분지족(安分知足)
③ 유유자적(悠悠自適) ④ 타산지석(他山之石)
⑤ 풍월주인(風月主人)

5 '청풍, 명월, 산, 물'과 대조되는 의미를 갖는 시어는 'ㅎㅈ'이다.

6 'ㅊ'은 자연과 소통하는 통로의 역할을, 'ㅁ'은 세상과 소통하는 통로의 역할을 한다.

7 〈제5수〉에서 화자는 '산'과 '물'을 청자로 설정하여 자연물의 변함없는 모습을 예찬하고 있다. (○ / ×)

8 〈제6수〉에서 화자가 '홍진'과 거리를 두며 '칼과 톱'이 무섭다고 한 것은 벼슬길의 위험성을 인식했기 때문이다. (○ / ×)

정답 1. × 2. ○ 3. ○ 4. ④ 5. 홍진 6. 창, 문 7. ○ 8. ○

우뚝 솟아 있는 29개의 바위를 노래함

입암이십구곡(立巖二十九谷) | 박인로

갈래 연시조(전 29수) **성격** 예찬적, 교훈적
주제 곧고 변함없는 바위 예찬 **시대** 조선 중기

'변함없이 우뚝 솟아 있는 바위'의 속성을 통해 사람들에게 교훈을 전해 주는 노래로, 무정물인 바위를 의인화하여 작가와 대화를 나누는 형식을 사용하고 있다.

〈제1수〉

□: 바위를 나타냄(의인법) Link 표현상 특징 ❶

『무정(無情)히 서 있는 바회 유정(有情)ᄒᆞ야 보이ᄂᆞ다』 『 』: 바위를 의인화함 Link 표현상 특징 ❶
최령(最靈)ᄒᆞᆫ 오인(吾人)도 직립불의(直立不倚) 어렵건만 (음영): 바위의 성격
만고(萬古)에 곳게 선 저 얼굴이 고칠 적이 업ᄂᆞ다

(바위 – 예찬의 대상 / 가장 영물스러운, 가장 신령스러운 – 만물의 영장인 / 꼿꼿이 섬 / 오랜 세월 / 바위를 의인화함 Link 표현상 특징 ❶)

▶ 오랫동안 변함없이 곧게 서 있는 바위 예찬

〈제1수〉

뜻 없이 서 있는 바위가 뜻이 있어 보이는구나.
가장 영특한 우리(인간)도 곧게 서서 기대지 않기가 어렵거늘
오랜 세월 동안 곧게 선 저 모습이 변할 때가 없구나.

〈제2수〉

공자의 제자인 안회의 말(공자의 가르침은 우러러볼수록 더 높아지고 뚫을수록 더 점점 더 굳어짐)을 인용함

강두(江頭)에 흘립(屹立)ᄒᆞ니 앙지(仰之)예 더욱 놉다 (음영): 「논어」에서 인용함 Link 표현상 특징 ❷
풍상(風霜)애 불변ᄒᆞ니 찬지(鑽之)예 더욱 굿다
사ᄅᆞᆷ도 이 바회 ᄀᆞᆺᄒᆞ면 대장부(大丈夫)인가 ᄒᆞ노라

(깎아지른 듯 높이 솟아 있음 / 강가의 나루 근처 / 바람과 서리 – 시련)

▶ 높고 굳은 바위 예찬

〈제2수〉

강나루 근처에 높이 솟아 있으니 우러러보매 더욱 높구나.
바람과 서리에 변하지 않으니 뚫을수록(뚫는 것에 맞서서도) 더욱 굳구나.
사람도 이 바위 같으면 대장부라 할 것이로다.

〈제3수〉

ᄒᆞᆫ 말도 업슨 바회 사괼 일도 업건만은
고모진태(古貌眞態)를 벗 ᄉᆞ마 ᄋᆞᆫᄌᆞ시니
『세상(世上)애 익자삼우(益者三友)를 사괼 줄 모ᄅᆞ노라』

(옛 모양 그대로의 변함 없는 참다운 태도 / 사귀어서 자기에게 도움이 되는 세 명의 벗인 '심성이 곧은 사람', '믿음직한 사람', '문견이 많은 사람'을 이름 / 『 』: 바위를 벗 삼으면 다른 벗은 필요없음을 드러낸 말)

▶ 변함 없이 참다운 바위를 벗으로 삼음

〈제3수〉

한마디의 말도 없는 바위와 사귈 일이 없지만
옛 모양 그대로 변함이 없이 참다운 태도를 벗으로 삼아 앉아 있으니
세상에 자기에게 도움이 되는 세 명의 벗을 사귈 줄 모르노라.

〈제5수〉

탁연직립(卓然直立)ᄒᆞ니 법(法)바담 즉ᄒᆞ다마ᄂᆞᆫ
구룸 깊은 협중(峽中)에 알 니 잇사 ᄎᆞ자오랴
노력제반(努力躋攀)하면 기관(奇觀)이야 만ᄒᆞ니라

(꼿꼿하게 바로 섬 / 여럿 가운데 빼어나게 곧게 섬 / 설의적 표현 / 두메(도회에서 멀리 떨어져 사람이 많이 살지 않는 변두리나 깊은 곳))

▶ 바위의 빼어난 모습을 보기 위한 노력의 촉구

〈제5수〉

의젓하고 꼿꼿하게 바로 서 있으니 본받을 만하다마는
구름 깊은 두메에 알 사람이 있어 찾아오랴?
노력해서 산에 오르면 (입암의) 기이한 광경이야 많으니라.

〈제7수〉 → 화자의 질문

천황씨(天皇氏) 처음부터 니 심산(深山)의 혼ᄌᆞ 이셔
너 보고 반기기를 멧 사ᄅᆞᆷ이 지내던고
만고(萬古)애 허다 영웅(許多英雄)을 드러 보려 ᄒᆞ노라

(중국 고대 전설상의 제왕. 삼황(三皇)의 한 사람 / 바위(의인법) Link 표현상 특징 ❶)

▶ 바위를 반긴 영웅들의 이야기를 듣고자 함

〈제7수〉

천황씨의 태초부터 이 깊은 산에 혼자 있어
너를 보고 반기면서 몇 사람이나 지내었던가?
매우 먼 옛날에 (너를 반긴) 수많은 영웅의 이야기를 들어 보려고 하노라.

〈제8수〉 → 바위의 대답

엄자릉(후한 사람으로 산에 숨어 살며 광무제의 부름에도 응답하지 않았던 은자)

소허(巢許) 지낸 후(後)에 엄 처사(嚴處士)를 만낫다가

소부와 허유(요 임금 때 속세를 떠나 산에 숨어 살았던 은자) Link 표현상 특징 ❷

낫비 여희고 알 니 업시 베렷드니

시대나 그때의 운수

오늘ᄉᆞ ᄯᅩ 너를 만나니 시운(時運)인가 ᄒᆞ노라

화자를 소허와 엄 처사와 같은 은자로 여김 ❯ 은자를 만나 반가워하는 바위

Link 표현상 특징 ❸

〈제9수〉 → 화자의 질문

종용(從容)히 다시 뭇쟈 너 나건 지 몇천 년고

조용히 / 바위

네 나흔 필연(必然)하고 내 나흔 젹건마ᄂᆞᆫ

니제나 너과 나와ᄂᆞᆫ ᄒᆞᆷᄭᅴ 늘쟈 ᄒᆞ노라 ❯ 바위와 함께 늙어 가고자 함

바위

〈제10수〉 → 바위의 대답

당우(唐虞)를 그재 본 덧 한당송(漢唐宋)을 어제 본 덧

중국 고대의 임금인 도당씨(陶唐氏) 요(堯)와 유우씨(有虞氏) 순(舜)을 아울러 이르는 말 - 태평 시대 Link 표현상 특징 ❷

ᄭᅮᆷ ᄀᆞᆺ치 지내가니 남은 히도 젹다마ᄂᆞᆫ

바위

십이회(十二會) 못다 간 ᄠᅧ드란 나도 너와 늘그리라

129,600년 - 오랜 시간 / 바에야, 뜻이라면 ❯ 화자와 함께 늙어 가고자 하는 바위

〈제8수〉

소부와 허유와 같이 지낸 후에 엄 처사를 만났다가

나쁘게 이별하고 알 사람이 없이 버려져 있더니

오늘에야 또 너를 만나니 시운인가 하노라.

〈제9수〉

조용히 다시 묻자. 너 생긴 지가 몇천 년인가?

네 나이는 반드시 많고 내 나이는 적건마는

이제는 너와 나는 함께 늙어 가고자 하노라.

〈제10수〉

요순시대를 그저께 본 듯하고, 한나라 당나라 송나라를 어제 본 듯(하여)

꿈같이 지나가니 남은 해도 적다마는

오랜 시간이 다 가지 않는 동안은 나도 너와 함께 늙으리라.

- **십이회**: 30년을 일세(一世), 12세를 일운(一運), 30운을 일회(一會), 12회를 일원(一元)이라 하니 즉 129,600년(아주 오랜 시간)을 말함.

출제자 톡! 화자를 이해하라!

1 **화자는 누구이고, 화자의 정서 및 태도는?**
- 제1~5수, 7, 9수: 작품 속의 '나'로, 한결같이 우뚝 서 있는 바위의 모습을 예찬하며 바위와 함께 늙기를 바람.
- 제8, 10수: 바위로, 화자에 대해 긍정적 태도를 보임.

Link

출제자 톡! 표현상의 특징을 파악하라!

❶ 무정물인 바위를 의인화하여 표현함.

❷ 『논어』의 구절이나 중국의 고사 등을 인용함.

❸ 화자와 바위의 문답 형식으로 시상이 전개됨.

최우선 출제 포인트!

1 '바위'에 대한 화자의 태도

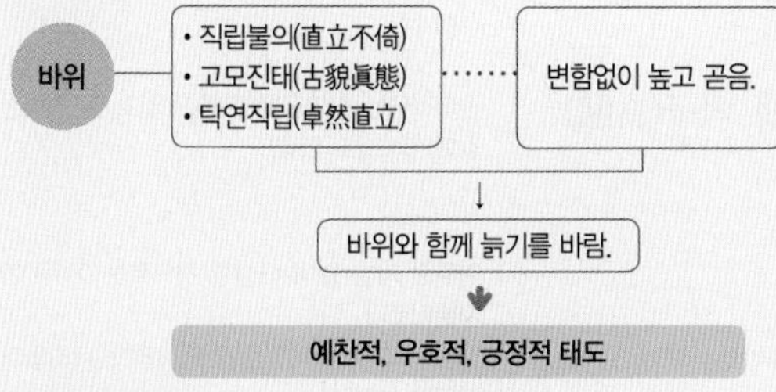

함께 볼 작품 자연물의 속성을 예찬한 작품: 윤선도, 「오우가」

최우선 핵심 Check!

1 세태에 대한 부정적 인식이 드러나 있다. (○ / ×)

2 다음 중 바위의 모습을 나타내는 말을 모두 고르면?

① 직립불의(直立不倚) ② 고모진태(古貌眞態)
③ 탁연직립(卓然直立) ④ 익자삼우(益者三友)
⑤ 노력제반(努力躋攀)

3 〈제1수〉에서는 바위를 의인화하여 인간보다 우월한 특성을 예찬하고 있다. (○ / ×)

정답 1. ○ 2. ①, ②, ③ 3. ○

1등급! 〈보기〉!

「입암이십구곡」의 이해

조선 시대 시가에서 자연은 다양한 의미를 지닌다. 자연은 세속에서 벗어난 이상적 세계로 그려지기도 하고, 때로는 인간이 본받을 만한 우월한 특성을 지닌 인격체로 그려지기도 한다. 그리고 자연은 인간에게 예찬의 대상이 되거나 인간이 벗으로 삼고자 하는 대상이 되기도 한다. 〈제1수〉에서는 바위를 인간보다 우월한 특성을 지닌 인격체로 의인화하여 예찬하고 있으며, 〈제2수〉에서는 바위의 높고 불변하는 속성을 예찬하고 있다. 〈제3수〉에서는 진실한 품성을 지닌 바위를 벗으로 삼고자 하는 의식이 드러나 있으며, 〈제5수〉에서는 바위를 본받을 만한 특성을 지닌 대상으로 여기는 인식이 드러나 있다.

어부에 대한 짧은 노래

어부단가(漁父短歌) | 이현보

갈래 연시조(전 5수) **성격** 풍류적, 자연 친화적
주제 자연을 벗하는 어부의 한정(閑情)
시대 조선 중기

고려 때부터 전해 내려오는 「어부가」를 개작한 것으로, 자연을 벗하며 고기잡이를 하는 풍류적인 생활을 그리고 있다.

〈제1수〉

이 듕에 시름 업스니 어부(漁父)의 생애(生涯)이로다
일엽편주(一葉片舟)를 만경파(萬頃波)에 띄워 두고
인세(人世)를 다 니젯거니 날 가는 줄를 안가

- 어부(漁父): 배를 타고 취미로 고기를 잡는 가어옹(假漁翁)
- □: 화자의 시선 이동에 따라 전개함 Link 표현상 특징 ❶
- 일엽편주(一葉片舟): 한 척의 조그만 배
- 만경파(萬頃波): 한없이 넓고 넓은 바다
- Link 표현상 특징 ❹
- 인세(人世): 인간 세상, 속세
- 날 가는 줄를 안가: 설의적 표현 Link 표현상 특징 ❷
- → 〈제5수〉의 종장과 대비됨
- ❯ 속세를 잊고 사는 어부의 한가로운 삶

〈제1수〉
이러한 생활 속에 근심 걱정할 것 없으니 어부의 생활이로다.
조그마한 쪽배를 끝없이 넓은 바다 위에 띄워 두고
인간 세상의 일을 다 잊었거니 세월 가는 줄을 알 것인가?

〈제2수〉

구버는 천심 녹수(千尋綠水) 도라보니 만첩청산(萬疊靑山)
십장 홍진(十丈紅塵)이 언매나 가렷난고
강호(江湖)애 월백(月白)하거든 더옥 무심(無心)하얘라

- 천심 녹수(千尋綠水): 천 길 깊이나 되는 푸른 물
- 만첩청산(萬疊靑山): 겹겹이 둘러싸인 푸른 산
- 십장 홍진(十丈紅塵): 열 길이나 되는 속세의 먼지(번거로운 세상)
- 무심(無心): 세속적 욕심이 없음
- ❯ 자연 속에서 느끼는 욕심 없는 삶

〈제2수〉
아래로 굽어보니 천 길이나 되는 깊고 푸른 물이며, 돌아보니 겹겹이 쌓인 푸른 산이로다.
열 길이나 되는 붉은 먼지는 얼마나 가려 있는고?
강호에 밝은 달이 비치니 더욱 무심하구나.

〈제3수〉

청하(靑荷)에 밥을 싸고 녹류(綠柳)에 고기 꿰어
노적 화총(蘆荻花叢)에 비 미야 두고
두어라 일반청의미(一般淸意味)를 어늬 부니 아ᄅᆞ실고

- 청하(靑荷): 푸른 연잎
- 녹류(綠柳): 푸른 버드나무 가지
- 노적 화총(蘆荻花叢): 갈대와 물억새의 덤불
- 두어라: 감탄사
- 일반청의미(一般淸意味): 자연의 참된 의미
- 어늬 부니 아ᄅᆞ실고: 설의적 표현 Link 표현상 특징 ❷
- ❯ 자연과 벗하며 느끼는 참된 의미

〈제3수〉
푸른 연잎에다 밥을 싸고 푸른 버들가지에 (잡은) 물고기를 꿰어
갈대꽃이 우거진 곳에 배를 매어 두니
두어라, 자연의 참된 의미를 어느 분이 아시겠는가?

〈제4수〉

산두(山頭)에 한운(閒雲)이 기(起)ᄒᆞ고 수중(水中)에 백구(白鷗)이 비(飛)이라
무심(無心)코 다정(多情)ᄒᆞ니 이 두 거시로다
『일생(一生)애 시르믈 닛고 너를 조차 노로리라』

- 한운(閒雲): 한가로운 구름
- 무심(無心): 세속적 욕심이 없음
- 『 』: 물아일체(物我一體)
- 너: 한운과 백구의 의인화 Link 표현상 특징 ❹
- ❯ 자연과 하나 되어 즐기는 삶

〈제4수〉
산머리에는 한가로운 구름이 일고 물 위에는 갈매기가 날고 있네.
아무런 사심 없이 다정한 것으로는 이 두 가지뿐이로다.
한평생의 근심 걱정을 잊어버리고 너희들과 더불어 놀리라.

〈제5수〉

장안(長安)을 도라보니 북궐(北闕)이 천 리(千里)로다
어주(漁舟)에 누어신들 니즌 스치 이시랴
두어라 내 시름 아니라 제세현(濟世賢)이 업스랴

- 장안(長安): 한양
- 북궐(北闕): 경복궁(임금이 계신 곳)
- 천 리(千里): 정서적 거리감
- 니즌 스치: 잊은 적이
- → 〈제1수〉의 종장과 대비
- 두어라: 감탄사
- 제세현(濟世賢): 세상을 구제할 현인, 우국지정(憂國之情)
- 업스랴: 설의적 표현 Link 표현상 특징 ❷
- ❯ 세상에 대한 근심과 염려

〈제5수〉
멀리 서울을 돌아보니 경복궁이 천 리로다.
고깃배에 누워 있은들 (나랏일을) 잊을 새가 있으랴.
두어라, 나의 걱정이 아니다. 세상을 건져 낼 위인이 없겠느냐?

출제자 톡! 화자를 이해하라!

1 **화자는 누구이고, 화자가 처한 상황은?**
고기잡이배를 타면서 자연을 벗하고 있는 '나'

2 **화자의 정서 및 태도는?**
한가롭고 여유로운 어부의 삶을 즐기면서도 나라에 대한 걱정을 하고 있음.

Link

출제자 톡! 표현상의 특징을 파악하라!

❶ 시선의 이동에 따라 시상을 전개함.
❷ 설의적 표현을 사용하여 화자의 정서를 강조함.
❸ 상투적 한자어를 많이 사용하여 정경 묘사가 구체적이지 않고 관념적임.
❹ 대상을 의인화하여 친밀감을 드러내고 있음.

최우선 출제 포인트!

1 화자의 내적 갈등

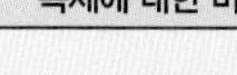

강호한정(江湖閑情)		속세에 대한 미련
〈제1수〉: 인간 세상 일을 다 잊고 세월 가는 줄을 모르는 삶 〈제2수〉: 세속적 욕망이 없는 안분지족의 삶	⟷ 대립	〈제5수〉: 고기잡이배에 누워 있어도 나랏일을 잊은 적이 없음.

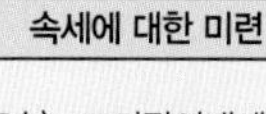

이 작품에서 화자는 〈제1수〉, 〈제2수〉와 〈제5수〉에서 대립되는 태도를 보이는데, 이는 화자가 강호에 있으면서도 정치 현실을 완전히 망각하고 있지 못하고 있음을 보여 준다. 즉 화자는 자연의 생활과 속세의 삶 사이에서 내적 갈등을 겪고 있다고 할 수 있다.

2 '어부(漁父)'의 의미

'어부'는 굴원의 「어부사(漁父辭)」 이래로 우리 문학 작품에 자주 등장하는 은자(隱者)의 상징이 되어 왔다. 다시 말해 이 작품 속 '어부'는 고기잡이를 생업으로 하는 어부가 아니라, 세속과 정치 현실에서 벗어나 자연 속에서 풍류를 즐기며 사는 일종의 풍류객이라 할 수 있다.

함께 볼 작품 '어부'를 화자로 내세운 작품: 윤선도, 「어부사시사」

최우선 핵심 Check!

1 화자는 고기잡이를 생업으로 하고 있다. (O / ×)

2 화자의 시선의 이동에 따라 시상이 전개되고 있다. (O / ×)

3 고려 때부터 전해 오는 「어부가」를 개작한 것이다. (O / ×)

4 색채 이미지를 활용하여 시적 공간을 형상화하고 있다. (O / ×)

5 상투적 한자어를 많이 사용하여 정경을 추상적으로 묘사하고 있다. (O / ×)

6 강호가도의 맥을 잇는 시로, 윤선도의 ㅇㅂㅅㅅㅅ에 영향을 주었다.

7 화자는 〈제1수〉, 〈제4수〉에서는 자연 속의 삶에 대해 만족감을 드러내다가, 〈제5수〉에서는 속세에서 ㅇㄱ적 이념을 실현하고자 하는 욕망을 드러내며 이중적 태도를 보이고 있다.

정답 1. × 2. ○ 3. ○ 4. ○ 5. ○ 6. 어부사시사 7. 유교

1등급! 〈보기〉!

작품에 반영된 작가의 정치적 삶

이현보는 32세 때 문과에 급제한 뒤 관직에 진출하여 은퇴할 때까지 많은 갈등과 번민 속에서 관료 생활을 하였다. 이현보의 대표작인 「어부단가(漁父短歌)」는 그가 76세 때 평탄하지 못했던 관료 생활을 마치고 지칠 대로 지친 상황에서 고향으로 돌아와 지은 작품이다. 이러한 까닭으로 작품 속에서 화자는 비록 몸은 강호에서 한가롭게 풍류를 즐기고 있지만, 여전히 임금과 나라에 대한 걱정을 완전히 떨치지 못하고 있다. 즉 작품에는 유교적 이념의 실현과 한가로운 강호 생활의 동경 사이에서 갈등하는 이중적 모습이 드러나 있다.

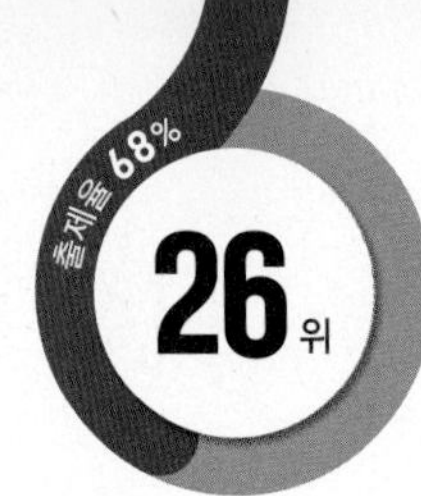

병산에서 부른 여섯 곡의 노래

병산육곡(屛山六曲) | 권구

갈래 연시조(전 6수) **성격** 예찬적, 세태 비판적
주제 자연과 더불어 유유자적하는 기쁨
시대 조선 후기

안동의 병산리는 작가의 고향으로, 혼탁한 정치 현실에 대한 염려를 드러내기는 하지만 대체로 고향의 자연 속에서 안분지족하는 모습이 드러나 있다.

〈제1곡〉

『부귀(富貴)라 구(求)치 말고 빈천(貧賤)이라 염(厭)치 말아』
세속적인 삶 / 세속을 벗어난 삶 / 싫어하지 / 『 』: 대조법, 대구법 **Link 표현상 특징 ❶**
인생(人生) 백년(百年)이 한가할사 사니 이 내 것이
백구를 의인화함 **Link 표현상 특징 ❶**
『백구(白鷗)야 날지 말아 너와 망기(忘機)하오리라』
『 』: 자연과 더불어 살고자 하는 화자의 물아일체의 경지가 드러남 / 속세의 일이나 욕심을 잊음
> 자연과 더불어 살아가고자 하는 삶

〈제1곡〉
부귀라고 추구하지 말고 빈천이라고 싫어하지 마라.
인생 백 년을 한가하게 살고자 하는 것이 이 내 마음이니
흰 갈매기야, 날아가지 마라, 너와 더불어 속세의 일을 잊으리라.

〈제2곡〉

『천심절벽(千尋絕壁) 섯난 아래 일대 장강(一帶長江) 흘너간다』
천 길이나 되는 높은 절벽 / 『 』: 수직과 수평의 이미지를 통해 공간을 묘사함
백구(白鷗)로 벗을 삼아 어조 생애(漁釣生涯) 늘거가니
자연 친화적, 긍정적 대상 / 물고기를 잡으며 살아가는 생활
두어라 세간 소식(世間消息) 나는 몰나 하노라
속세와 단절되고자 하는 태도가 드러남
> 속세를 잊고 자연과 더불어 사는 삶

〈제2곡〉
높은 절벽이 솟아 있는 아래 한 줄기 긴 강이 흘러간다.
갈매기를 벗을 삼아 어부의 생애로 늙어 가니
두어라, 세상 소식을 나는 모르고 살고 싶구나.

〈제3곡〉

보리밥 파 생채(生菜)를 양(量) 맛차 먹은 후(後)에
화자의 소박한 삶의 모습을 보여 줌 - 안분지족
모재(茅齋)를 다시 쓸고 북창하(北窓下)에 누엇시니
띠로 지붕을 이은 집
눈 압해 태공 부운(太空浮雲)이 오락가락 하놋다
넓은 하늘에 떠다니는 구름
> 자연 속에서 안분지족하는 삶

〈제3곡〉
보리밥과 파, 생채를 알맞게 먹은 후에
초가집을 다시 쓸고 북쪽 창 아래 누웠으니
눈앞의 넓은 하늘에 뜬 구름이 오락가락하는구나.

〈제4곡〉

화자와 동일시 - 의지할 곳 없음(감정 이입) **Link 표현상 특징 ❷**
『공산리(空山裏) 저 가는 달에 혼자 우난 저 두견(杜鵑)아』
속세와 단절된 곳 / 『 』: 시각, 청각적 이미지로 애상적 분위기 조성
『낙화 광풍(落花狂風)에 어느 가지 의지 하리』 『 』: 설의적 표현으로 대상의 처지를 드러냄 **Link 표현상 특징 ❸**
꽃잎이 떨어지도록 미친듯이 부는 바람(정치적으로 혼탁한 현실을 비유) **Link 표현상 특징 ❶**
백조(百鳥)야 한(恨)하지 말아 내곳 설워 하노라
모든 새, 감정 이입 **Link 표현상 특징 ❷**
> 혼탁한 현실에 대한 탄식

〈제4곡〉
아무도 없는 산속에서 저기 흘러가는 달을 보고 홀로 우는 저 두견새야
꽃잎 지게 하는 매서운 바람 부니 어느 가지에 의지하랴?
온갖 새들아 한탄하지 마라. 내 또한 서러워하노라.

〈제5곡〉

『저 가막이 즛지 말아 이 가막이 좃지 말아』 『 』: 대구법 **Link 표현상 특징 ❶**
벼슬아치(서로를 헐뜯는 세력)
『야림 한연(野林寒烟)에 날은 죠차 저물거날』 『 』: 암울한 시대상을 드러냄
들판 숲속의 차가운 안개
어엿불사 편편 고봉(翩翩孤鳳)이 갈 바 업서 하낫다
훨훨 나는 외로운 봉황 - 혼탁한 정치 현실 때문에 꿈을 펼칠 수 없는 화자 자신(또는 극심한 정쟁 속에서 길을 잃은 임금을 상징) **Link 표현상 특징 ❹**
> 혼탁한 현실에 대한 염려

〈제5곡〉
저 까마귀 울지 마라. 이 까마귀 쫓지 마라.
숲속은 차가운 안개 속에 날마저 저물어 가니
불쌍하구나, 훨훨 나는 외로운 봉황이 갈 곳이 없어 하는구나.

〈제6곡〉

서산(西山)에 해 저 간다 고기 빅 떳단 말가

죽간(竹竿)을 둘너 뫼고 십 리(十里) 장사(長沙) 나려가니

대나무 장대. 여기서는 대나무로 만든 낚싯대

『연화(烟花) 수삼(數三) 어촌(漁村)』이 무릉(武陵)인가 하노라

안개가 피어오르는 / 안빈낙도의 삶을 실현하는 공간 / 이상향

> 어촌에서의 삶에 대한 자부심

『 』: 화자가 낙향한 곳

〈제6곡〉

서산에 해가 진다, 고깃배가 떴단 말인가?

대나무로 만든 낚싯대를 둘러메고 십 리 모래밭을 내려가니

연기 피어오르는 작은 어촌이 무릉도원인가 하노라.

출제자 톡! 화자를 이해하라!

1 **화자는 누구이고, 화자가 처한 상황은?**
당쟁이 극심했던 시절 벼슬길에서 떠나 낙향하여 자연 속에서 살고 있는 '나'

2 **화자의 정서 및 태도는?**
세상에 대한 미련을 완전히 버리지 못하는 모습을 보이면서도 자연을 벗 삼아 안분지족하는 삶을 더 의미 있게 생각함.

Link

출제자 톡! 표현상의 특징을 파악하라!

❶ 대구법, 의인법, 대조법 등 다양한 표현 방법을 활용함.

❷ 자연물에 감정을 이입하여 화자의 정서를 드러냄.

❸ 설의적 표현을 활용하여 시적 상황을 강조함.

❹ 비유적 표현을 사용하여 현실을 우의적으로 비판함.

개념 Tip

객관적 상관물과 감정 이입

- **객관적 상관물**: 화자의 감정과 동일한 경우일 수도 있지만 화자에게 대상의 속성과는 상반된 감성을 유발하는 경우도 있음(예 유리왕의 「황조가」).
- **감정 이입**: 화자의 정서를 대상(객체)에 '옮겨 집어넣는', 투영(投影)하는 것을 의미함.

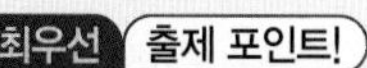

1 감정 이입의 대상

두견	의지할 곳 없는 화자의 슬픔과 외로움이 투영
백조	한스럽고 서러운 화자의 심정이 투영

2 이미지의 활용

공산, 달, 낙화 → 시각
두견, 백조 → 청각

➔ 시각적, 청각적 이미지를 제시하여 애상적 분위기를 드러냄.

함께 볼 작품 자연 친화적, 안빈낙도의 삶을 노래한 작품: 맹사성, 「강호사시가」

최우선 핵심 Check!

1 시조 여섯 수가 하나의 틀로 창작된 육가계 연시조로, 강호에서 은거하는 삶을 노래하고 있다. (O / ×)

2 〈제2곡〉의 '세간 소식'을 단절하려는 화자의 태도는 〈제4곡〉의 'ㄴㅎㄱㅍ'으로 비유된 상황에서 비롯되었다.

3 〈제4곡〉에서는 의지할 곳 없는 화자의 처지를 '백조'로 대변하여 애상적인 분위기를 조성하고 있다. (O / ×)

4 〈제5곡〉에서 화자는 '가막이'에 감정을 이입하고 있다. (O / ×)

정답 1. ○ 2. 낙화광풍 3. ○ 4. ×

강호에서 사계절을 보내며 부르는 노래

강호사시가(江湖四時歌) | 맹사성

갈래 연시조(전 4수) **성격** 풍류적, 낭만적
주제 강호에서 한가한 생활을 즐기며 임금의 은혜에 감사함. **시대** 조선 전기

자연 속에서 안분지족하는 은사(隱士)의 유유자적한 삶을 다룬 우리나라 최초의 연시조이다.

〈춘사(春詞)〉

'봄 – 여름 – 가을 – 겨울' 계절의 흐름에 따라 시상을 전개함 **Link 표현상 특징 ❶**

강호(江湖)에 봄이 드니 미친 흥(興)이 절로 난다
(강호: 자연(대유법) **Link 표현상 특징 ❸** / 미친 흥: 참을 수 없는 흥취, 화자의 정서가 집약됨)
탁료 계변(濁醪溪邊)에 금린어(錦鱗魚) ㅣ 안주로라
이 몸이 한가(閑暇)히옴도 역군은(亦君恩)이샷다 > 강호에서 느끼는 봄의 흥취
('미친 흥'이 일어난 이유 / 역군은: 사대부의 충성심이 드러남)

□: 매 수마다 동일한 통사 구조를 반복 – 형식적 통일성을 줌 **Link 표현상 특징 ❷**

〈하사(夏詞)〉

강호(江湖)에 녀름이 드니 초당(草堂)에 일이 업다
(녀름: 여름(夏) / 초당에 일이 업다: 유유자적하는 사대부의 모습이 드러남)
유신(有信)흔 강파(江波)는 보내느니 ᄇᆞ람이다
('강 물결'을 의인화하여 바람을 보내 준다고 표현함 **Link 표현상 특징 ❸**)
이 몸이 서늘ᄒᆡ옴도 역군은(亦君恩)이샷다 > 초당에서의 한가로운 생활

〈추사(秋詞)〉

강호(江湖)에 ᄀᆞ올이 드니 고기마다 ᄉᆞᆯ져 잇다
(ᄀᆞ올: 가을 / 고기마다 ᄉᆞᆯ져 잇다: 가을의 풍요로움이 드러남)
『소정(小艇)에 그물 시러 흘리 ᄯᅴ여 더뎌 두고』 『 』: 유유자적한 삶의 모습
(소정: 작은 배 / 흘리 ᄯᅴ여: 흘러가는 대로 띄워)
이 몸이 소일(消日)ᄒᆡ옴도 역군은(亦君恩)이샷다 > 강에서 고기를 잡으며 즐기는 생활
(소일: 심심하지 않게 세월을 보냄)

〈동사(冬詞)〉

강호(江湖)에 겨월이 드니 눈 기픠 자히 남다
(겨월: 겨울 / 눈 기픠 자히 남다: 눈이 많이 내림)
『삿갓 빗기 쓰고 누역으로 오슬 삼아』 『 』: 대구법 **Link 표현상 특징 ❸**
(안분지족의 소박한 삶)
이 몸이 칩지 아니ᄒᆡ옴도 역군은(亦君恩)이샷다 > 안빈낙도하는 생활
(칩지: 춥지)

〈춘사(春詞)〉

강호(자연)에 봄이 찾아오니 깊은 흥이 절로 일어난다.
막걸리를 마시며 노는 시냇가에 싱싱한 물고기가 안주로다.
이 몸이 한가하게 노니는 것도 역시 임금의 은덕이시도다.

〈하사(夏詞)〉

강호에 여름이 찾아오니 초당에 (있는 이 몸은) 할 일이 없다.
신의가 있는 강 물결이 보내는 것은 바람이다.
이 몸이 시원하게 지내는 것도 역시 임금의 은덕이시도다.

〈추사(秋詞)〉

강호에 가을이 찾아오니 물고기마다 살이 올라 있다.
작은 배에 그물을 싣고 물결 따라 흐르게 던져 놓고
이 몸이 소일하며 지내는 것도 역시 임금의 은덕이시도다.

〈동사(冬詞)〉

강호에 겨울이 찾아오니 눈의 깊이가 한 자가 넘는다.
삿갓을 비스듬히 쓰고 도롱이를 둘러 덧옷을 삼으니
이 몸이 춥지 않게 지내는 것도 역시 임금의 은덕이시도다.

출제자 팁! 화자를 이해하라!

1 **화자는 누구이고, 화자가 처한 상황은?**
강호에서 한가로운 삶을 즐기면서 임금님의 은혜를 생각하고 있는 '나'

2 **화자의 정서 및 태도는?**
자연에서의 안분지족과 안빈낙도의 삶의 태도가 드러남.

Link

출제자 팁! 표현상의 특징을 파악하라!

❶ 계절 흐름에 따라 시상을 전개하고 있음.
❷ 동일한 통사 구조를 반복하여 형식을 통일함으로써 주제를 효과적으로 드러냄.
❸ 의인법, 대유법, 대구법 등 다양한 표현 기법을 사용함.

최우선 출제 포인트!

1 형식적 통일성

초장	중장	종장
계절에 따른 흥취 표현: '강호(江湖)에 ~이 드니~'	화자의 구체적인 생활 모습	임금의 은혜에 감사: '이 몸이 ~ 히옴도 역군은(亦君恩)이샷다'

동일한 통사 구조의 반복을 통한 형식적 통일성은 자연과 조화를 이루는 삶의 자세와 임금의 은혜에 감사하는 마음을 드러내는 데 효과적인 구성이라고 할 수 있다.

2 계절의 변화에 따른 화자의 태도

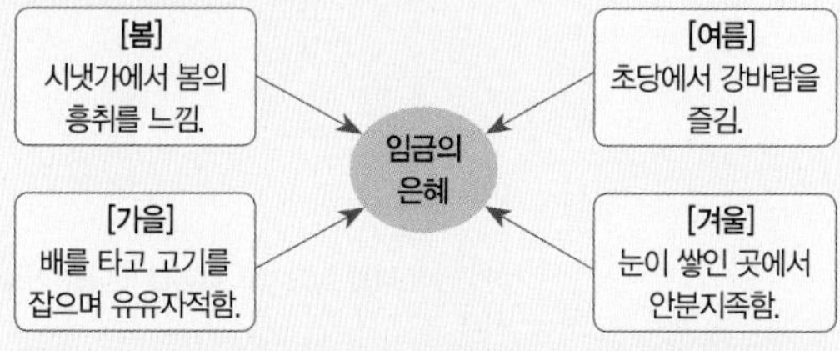

화자는 각 계절에 따라 자연과 하나 되어 자신이 처한 상황에 만족하는 모습을 보이고 있으며, 이 모든 것을 임금의 은혜 덕분이라고 정리함으로써 유교적 충의 사상을 드러내고 있다.

최우선 핵심 Check!

1 화자는 자연에서의 삶에 만족감을 드러내고 있다. (O / ×)

2 사계절의 한가로운 정취가 나타나 있다. (O / ×)

3 화자는 현실에서 찾기 어려운 이상향을 동경하고 있다. (O / ×)

4 문답법을 통해 사계절의 아름다움을 예찬하고 있다. (O / ×)

5 〈하사(夏詞)〉의 중장에서 의인화된 자연물은 '[ㄱ][ㅍ]'이다.

6 〈동사(冬詞)〉에서 화자의 소박한 생활을 나타내는 소재는 '[ㅅ][ㄱ]'과 '[ㄴ][ㅇ]'이다.

7 매 수마다 '[ㅇ][ㄱ][ㅇ][ㅇ][ㅅ][ㄷ]'로 끝나 조선 사대부의 유교적 충의관을 드러내고 있다.

8 강호가도의 선구적 작품이자 우리나라 최초의 연시조이다. (O / ×)

정답 1. ○ 2. ○ 3. × 4. × 5. 강파 6. 삿갓, 누역 7. 역군은이샷다 8. ○

1등급! 〈보기〉!

'사시가(四時歌)'계 작품에 나타난 자연 인식

'사시가(四時歌)'는 사계절의 순환을 통해 삶과 자연에 대한 화자의 태도를 노래한 것으로, 연시조의 한 갈래에 해당한다. 사시가계 작품에서 화자는 자신이 처한 공간에 대한 일정한 인식을 보이는데, 시대에 따라 공간에 대한 태도가 달라진다. 다음은 사시가계 대표 작품들의 공간에 대한 인식을 정리한 것이다.

작품	공간 인식
맹사성, 「강호사시가」	임금에 대한 충성을 다짐하고 자연 친화가 이루어지는 공간
이이, 「고산구곡가」	시간의 순환을 통해 학문 수양을 이루고자 하는 공간
신계영, 「전원사시가」	생활 터전에서 느끼는 흥취와 여흥을 보여 주는 공간
이휘일, 「저곡전가팔곡」	땀 흘리는 생산의 현장으로서의 공간

사람의 다섯 가지 도리에 대한 노래

오륜가(五倫歌) | 주세붕

갈래 연시조(전 6수) **성격** 교훈적, 계도적
주제 삼강오륜의 교훈 강조 **시대** 조선 중기

삼강오륜의 교훈을 강조하며 백성을 교화시키고자 한 목적성이 강하게 드러나 있다.

〈제1수〉

사룸 사룸마다 이 말솜 드러ᄉᆞ라
(교화의 대상이 백성임을 밝힘. 설교조의 어조 사용 Link 표현상 특징 ❶)
이 말솜 아니면 사룸이오 사룸 아니니
(사룸이오: 사람이면서)
이 말솜 닛디 말오 ᄇᆡ호고야 마로리이다

› 삼강오륜을 배워야 하는 이유

〈제1수〉
사람 사람마다 이 말씀(삼강오륜의 말)을 들으십시오.
이 말씀이 아니면 사람이면서도 사람이 아니니,
이 말씀을 잊지 않고 배우고야 말 것입니다.

〈제2수〉

『아바님 날 나ᄒᆞ시고 어마님 날 기ᄅᆞ시니
부모(父母)옷 아니시면 내 모미 업슬랏다
이 덕을 갑ᄑᆞ려 ᄒᆞ니 하늘 ᄀᆞ이 업스샷다』

(『 』: 부생모육지은(父生母育之恩) → 자식이 부모에게 효도해야 하는 이유. 대구법)
(옷: 강세의 뜻을 표시하는 접미사)
(이 덕을 ~ 업스샷다: 직설적으로 교훈을 전달함 Link 표현상 특징 ❷)

› 부자유친(父子有親)

〈제2수〉
아버님이 나를 낳으시고 어머님이 나를 기르시니
부모님이 아니시면 내 몸이 없을 것입니다.
이 덕을 갚으려 하니 하늘처럼 끝이 없습니다.

〈제3수〉

(음영: 비유적 표현의 대상 Link 표현상 특징 ❸)
동과 항것과를 뉘라셔 삼기신고
(동=신하 항것=임금)
『벌과 가여미사 이 ᄠᅳ들 몬져 아니』
(벌과 가여미: 벌과 개미)
(『 』: 한 마리의 여왕벌과 여왕개미를 섬기는 벌과 개미들을 예로 들어 임금과 신하의 관계를 강조함)
ᄒᆞᆫ ᄆᆞᄋᆞ매 두 ᄠᅳᆮ 업시 속이지나 마옵새이다
(ᄒᆞᆫ ᄆᆞᄋᆞ매 두 ᄠᅳᆮ 업시: 일편단심(一片丹心))

› 군신유의(君臣有義)

〈제3수〉
종과 상전을 누가 만들었습니까?
벌과 개미가 이 뜻을 먼저 압니다.
한 마음에 두 뜻을 가지는 일이 없도록 속이지나 마십시오.

〈제4수〉

지아비 받 갈라 간 ᄃᆡ 밥고리 이고 가
(밥고리: 밥을 담은 광주리)
반상을 들오ᄃᆡ 눈썹의 마초이다
(눈썹의 마초이다: 거안제미(擧案齊眉) - 남편을 깍듯이 공경함)
친코도 고마오시니 손이시나 다ᄅᆞ실가
(손이시나 다ᄅᆞ실가: 남편을 손님처럼 공경함. 설의적 표현 Link 표현상 특징 ❹)

› 부부유별(夫婦有別)

〈제4수〉
지아비가 밭을 갈러 간 곳에 밥을 담은 광주리를 이고 가서,
밥상을 들되 눈썹에 맞춥니다.
친하고도 고마운 분이시니 손님과 다르겠습니까?

〈제5수〉
(오륜의 '붕우유신(朋友有信)' 대신 들어감)

형(兄)님 자신 져즐 내 조쳐 머궁이다 → 화자: 아우
어와 뎌 아ᄋᆞ야 어마님 너 ᄉᆞ랑이아 → 화자: 형
(아ᄋᆞ: 아우)
형제(兄弟)옷 불화(不和)ᄒᆞ면 개 도티라 ᄒᆞ리라
(개 도티: 개, 돼지 - 부도덕한 사람)

› 형제우애(兄弟友愛)

〈제5수〉
형님이 잡수신 젖을 내가 따라 먹습니다.
아아, 우리 아우야, 너는 어머님의 사랑이야.
형제가 불화하면 개나 돼지라 할 것입니다.

〈제6수〉

늘그니ᄂᆞᆫ 부모(父母) ᄀᆞᆮ고 얼우ᄂᆞᆫ 형(兄) ᄀᆞᄐᆞ니
ᄀᆞᄐᆞᆫᄃᆡ 불공(不恭)ᄒᆞ면 어ᄃᆡ가 다ᄅᆞᆯ고
날료셔 ᄆᆞ디어시ᄃᆞᆫ 절ᄒᆞ고야 마로리이다

얼우ᄂᆞᆫ: 어른 / ᄀᆞᄐᆞᆫᄃᆡ: (이와) 같은데 / ᄆᆞ디어시ᄃᆞᆫ: 맞이하게 되면 / 어ᄃᆡ가: 짐승과 / 어ᄃᆡ가 다ᄅᆞᆯ고: 설의적 표현 Link 표현상 특징 ❹ / 날료셔: 나로서는

> 장유유서(長幼有序)

〈제6수〉

노인은 부모님 같고 어른은 형 같습니다.

(이와) 같은데 공경하지 않으면 (짐승과) 어디가 다르겠습니까?
나로서는 (노인과 어른을) 맞이하게 되면 절하고야 말 것입니다.

출제자 톡! 화자를 이해하라!

1 **화자는 누구이고, 화자가 처한 상황은?**
목민관으로서 백성들에게 삼강오륜을 알려 주고자 하는 '나'

2 **화자의 정서 및 태도는?**
설교적 어조로 훈계적인 태도를 보임.

Link

출제자 톡! 표현상의 특징을 파악하라!

❶ 청자를 백성으로 설정하고 설교조의 어조를 사용함.

❷ 직설적으로 윤리적 이념을 전달함.

❸ 비유적 시어를 사용하여 화자가 말하고자 하는 바를 강조함.

❹ 설의적 표현 등을 써서 화자의 태도를 강조함.

최우선 출제 포인트!

1 비유적 표현

시어	의미
둉(종), 항것(상전)	신하, 임금
벌, 가여미(개미)	엄격한 상하 질서를 지닌 존재로, 인간이 지켜야 할 도리를 강조하는 대상
개, 도티(돼지)	부도덕한 사람

이 작품은 백성 교화라는 목적의식이 뚜렷한 노래로, 화자가 말하고자 하는 윤리적 이념을 주위 사람들에게 확산시키겠다는 직설적인 의도가 매우 강하다. 이 때문에 문학적인 특징보다는 유교적인 교훈에 치우쳐 있어서 시적인 긴장을 찾기가 어렵다. 하지만 이러한 목적의식 가운데에서도 작가는 대구와 설의 및 비유에 의한 정서적 환기를 통해 문학적 표현을 최대한 갖추려 하고 있다.

최우선 핵심 Check!

1 감각적이고 서정적 측면이 두드러지게 나타나 있다. (O / ×)

2 엄격한 상하 질서를 지닌 자연물인 'ㅂ'과 'ㄱㅇㅁ'를 예로 들어 임금에 대한 신하의 도리를 강조하고 있다.

3 〈제1수〉는 〈제2수〉~〈제6수〉를 소개하는 역할을 하고 있다. (O / ×)

4 〈제2수〉에는 부모님에게 효도해야 하는 이유가 제시되어 있다. (O / ×)

5 〈제6수〉에서는 부모와 형제에 대한 도리를 강조하고 있다. (O / ×)

정답 1. × 2. 벌, 가여미 3. ○ 4. ○ 5. ×

사람이 지켜야 할 다섯 가지 도리에 대한 노래

오륜가(五倫歌) | 김상용

갈래 연시조(전 5수) **성격** 교훈적, 유교적, 계몽적
주제 사람이 지켜야 할 다섯 가지 도리 강조
시대 조선 중기

사람은 지켜야 할 도리가 있다는 계몽적인 내용을 직접적으로 전달하여 서정성보다 교훈성을 강하게 드러내고 있다.

〈제1수〉

▭: 각 수에서 주제로 삼고 있는 것

어버이 자식(子息) ᄉᆞ이 하ᄂᆞᆯ 삼긴 지친(至親)이라
하늘이 만든 / 매우 가까운 친족
부모곳 아니며 이 몸이 이실소냐
설의적 표현 **Link** 표현상 특징 ❷ / 말하고자 하는 바를 직설적으로 전달함 **Link** 표현상 특징 ❹
오조(烏鳥)도 반포(反哺)를 ᄒᆞ니 부모 효도하여라
까마귀 / 까마귀 새끼가 자라서 늙은 어미에게 먹이를 물어다 주는 일. 자식이 커서 부모를 봉양하는 일 → 반포지효(反哺之孝) **Link** 표현상 특징 ❶, ❸

❯ 부자유친(父子有親): 부모님께 효도할 것

〈제2수〉

님군을 셤기오ᄃᆡ 정(正)ᄒᆞᆫ 길노 인도(引導)ᄒᆞ야
임금 / 바른 길
국궁진췌(鞠躬盡瘁) ᄒᆞ야 죽은 후(後)의 마라ᄉᆞ라
공경하고 조심하며 몸과 마음을 다하여 힘씀
가다가 불합(不合)곳ᄒᆞ면 믈너간들 엇더리
(임금과) 뜻이 서로 맞지 않으면 / 설의적 표현 **Link** 표현상 특징 ❷

❯ 군신유의(君臣有義): 임금을 바르게 섬길 것

〈제3수〉

부부라 하온 거시 남으로 되어 이셔
서로 모르는 사람끼리 만나 인연을 맺음
여고슬금(如鼓瑟琴)하면 긔 아니 즐거오냐
거문고와 비파의 합주처럼 부부가 서로 화합하는 것을 이름 / 설의적 표현 **Link** 표현상 특징 ❷
그러고 공경곳 아니면 즉동금수(卽同禽獸) ᄒᆞ리라
금수(짐승)와 같음(비교법)

❯ 부부유별(夫婦有別): 부부간에 공경할 것

〈제4수〉

형제(兄弟) 두 몸이나 일기(一氣)로 ᄂᆞᆫ화시니
한 몸의 정기
인간(人間)의 귀(貴)ᄒᆞᆫ 거시 이 외(外)예 또 잇ᄂᆞᆫ가
형제의 소중함을 드러냄 / 설의적 표현 **Link** 표현상 특징 ❷
갑 주고 못 어들 거슨 이ᄲᅮᆫ인가 ᄒᆞ노라
값, 돈 / 형제간의 우애

❯ 형제우애(兄弟友愛): 형제간에 우애 있을 것

〈제5수〉

벗을 사괴오ᄃᆡ 처음의 삼가ᄒᆞ야
경계하여, 조심하여
날도곤 나으니로 ᄀᆞᆯᄒᆡ여 사괴여라
보다 - 비교 / 가려서 / 오래도록 공경함 / 『 』: 말하고자 하는 바를 직설적으로 전달함 **Link** 표현상 특징 ❹
『종시(終始)히 신의(信義)를 딕희여 구이경지(久而敬之)ᄒᆞ여라』
처음부터 끝까지 / 믿음과 의리

❯ 붕우유신(朋友有信): 벗에 대한 신의를 지킬 것

〈제1수〉

어버이와 자식 사이는 하늘이 만든 지극히 가까운 사이라.
부모가 아니면 이 몸이 있겠는가?

까마귀도 반포지효(反哺之孝)하니 부모에게 효도하여라.

〈제2수〉

임금을 섬기되 바른 길로 인도하여

몸과 마음을 다하여 힘쓰고 죽은 후에나 그만두어라.
가다가 (임금과) 뜻이 맞지 않으면 (벼슬길에서) 물러간들 어떠리?

〈제3수〉

부부라 하는 것은 (서로) 남으로 되어 있어서

부부간에 서로 화합하면 그것이 즐겁지 않겠는가?
그리하고 공경하지 않으면 짐승이나 다름없을 것이다.

〈제4수〉

형제는 두 몸이지만 한 (부모의) 정기에서 나뉘었으니
인간에게 귀한 것이 이외에 또 있는가?

돈을 주고도 못 얻을 것은 이뿐인가 하노라.

〈제5수〉

벗을 사귀되 처음에 경계하여

나보다 나은 사람으로 가려서 사귀어라.

처음부터 끝까지 신의를 지켜 오래도록 공경하여라.

출제자 톡! 화자를 이해하라!

1 **화자는 누구이고, 화자가 처한 상황은?**
사람이 지켜야 할 다섯 가지 도리를 백성들에게 일깨우고 있는 사람

2 **화자의 정서 및 태도는?**
개인적인 정서를 드러내지 않고 사람들이 교훈을 얻기를 바라며 훈계하는 태도를 드러냄.

Link

출제자 톡! 표현상의 특징을 파악하라!

❶ 훈계하는 말투를 사용하여 교훈을 직접적으로 전달함.

❷ 설의적 표현을 활용하여 화자의 생각을 강조함.

❸ 자연물을 활용하여 부모에 대한 효를 강조함.

❹ 한자어의 빈번한 사용과 직설적인 내용으로 인해 문학성은 다소 떨어짐.

최우선 출제 포인트!

1 작품에 나타난 오륜의 덕목

	관계	오륜 덕목	
제1수	부모와 자식	부자유친(父子有親)	유교적 윤리 강조
제2수	임금과 신하	군신유의(君臣有義)	
제3수	남편과 아내	부부유별(夫婦有別)	
제4수	형과 아우	형제우애(兄弟友愛)	
제5수	친구 사이	붕우유신(朋友有信)	

이 작품은 백성들에 대한 교화를 목적으로 지어진 연시조로, 유교에서 중시하는 오륜을 제시하고 있다. 실제 오륜에는 '형제우애' 대신 '장유유서(長幼有序, 어른과 아이 사이는 차례와 질서가 있음.)'가 포함되어 있는데 이 작품에는 '장유유서' 대신에 '형제우애'가 포함되어 있다.

2 관련 한자 성어

오조(烏鳥)도 반포(反哺)를 ᄒᆞ니

반포지효(反哺之孝)

까마귀는 새끼 때는 어미가 먹이를 물어다 주지만 새끼가 다 자라면 어미에게 먹이를 물어다 준다고 한다. 까마귀가 어미를 되먹이는 이러한 습성을 '반포(反哺)'라 한다. '반포지효'는 어버이의 은혜에 대한 자식의 지극한 효심을 의미한다.

최우선 핵심 Check!

1 이 작품에서 언급하고 있는 오륜의 덕목에 해당하지 않는 것은?

① 부자유친(父子有親) ② 군신유의(君臣有義)
③ 부부유별(夫婦有別) ④ 장유유서(長幼有序)
⑤ 붕우유신(朋友有信)

2 삼강오륜의 유교적 가치관을 전달하여 백성을 교화할 목적으로 지어졌다. (○ / ×)

3 삼강오륜의 유교적 윤리가 무너진 사회 현실을 비판하고 있다. (○ / ×)

4 훈계하는 말투를 사용하여 주제를 직접적으로 전달하고 있다. (○ / ×)

5 자연물인 [ㄲ][ㅁ][ㄱ]를 소재로 하여 부모에 대한 효를 강조하고 있다.

6 설의적 표현과 비교법 등의 표현 방법을 사용하여 화자의 전달 의도를 강조하고 있다. (○ / ×)

정답 1. ④ 2. ○ 3. × 4. ○ 5. 까마귀 6. ○

「사미인곡」의 속편

속미인곡(續美人曲) | 정철

갈래 가사(연군 가사, 유배 가사) **성격** 서정적, 연정적, 여성적, 충신연주지사 **주제** 임을 향한 그리움, 연군지정 **시대** 조선 중기

두 여인의 대화를 통해 임에 대한 간절한 마음을 노래한 충신연주지사(忠臣戀主之詞: 충성스러운 신하가 임금을 그리워하는 노래)의 대표적 작품이다.

대화 형식 Link 표현상 특징 ❷

「뎨 가는 뎌 각시 본 듯도 흔뎌이고
(뎨: 저기 / 뎌 각시: 저 각시(젊은 여자) / 을녀가 천상계에서 하강한 인물임을 보여 줌)
텬상(天上) 빅옥경(白玉京)을 엇디 ᄒᆞ야 니별(離別)ᄒᆞ고」
(빅옥경: 임금이 있는 궁궐을 의미함 / 니별: 이별, 을녀의 상황)
「」: 연군의 정을 임과 이별한 여인의 마음에 빗대어 표현 Link 표현상 특징 ❸
ᄒᆡ 다 뎌 져믄 날의 눌을 보라 가시ᄂᆞ고
(ᄒᆡ 다 뎌: 해가 다 져서 / 눌을: 누구를)
➤ 서사 1 : 갑녀의 질문 – 백옥경을 떠난 이유

저기 가는 저 각시, (어디서) 본 듯도 하구나.
천상의 백옥경(임금이 계시는 대궐)을 어찌하여 이별하고,
해가 다 져서 저문 날에 누구를 만나러 가시는가?

어와 네여이고 이내 ᄉᆞ셜 드러 보오
(네여이고: 너로구나 / ᄉᆞ셜: 시정 이야기)
내 얼굴 이 거동이 님 괴얌 즉ᄒᆞᆫ가마는
(얼굴: 모습, 형체 / 괴얌 즉ᄒᆞᆫ: 사랑받음직)
엇딘디 날 보시고 네로다 녀기실ᄉᆡ
(녀기실ᄉᆡ: 여기시기에)
나도 님을 미더 군쁘디 젼혀 업서
(군쁘디: 다른 생각이)
이ᄅᆡ야 교ᄐᆡ야 어ᄌᆞ러이 ᄒᆞ돗쎤디
(이ᄅᆡ야: 아양이며 / 을녀가 생각하는 이별의 이유 – 자신의 응석과 아양이 지나침)
반기시는 ᄂᆞᆺ비치 녜와 엇디 다ᄅᆞ신고
(ᄂᆞᆺ비치: 얼굴빛이 / 녜와: 옛날과)
누어 ᄉᆡᆼ각ᄒᆞ고 니러 안자 혜여ᄒᆞ니
(혜여ᄒᆞ니: 헤아리니, 생각하니)
내 몸의 지은 죄 뫼ᄀᆞ티 빠혀시니
(뫼ᄀᆞ티: 산같이 / 빠혀시니: 쌓였으니)
「하ᄂᆞᆯ히라 원망ᄒᆞ며 사ᄅᆞᆷ이라 허믈ᄒᆞ랴」
(허믈ᄒᆞ랴: 탓하겠는가)
「」: 자신의 잘못이므로 누구를 원망하거나 탓할 수 없다는 말. 대구법, 설의적 표현
셜워 플텨 혜니 조믈(造物)의 타시로다
(셜워: 서러워 / 플텨: 풀어)
➤ 서사 2 : 을녀의 대답 – 자책과 체념

이, 너로구나. 내 사정 이야기를 들어 보오.
내 모습과 이 나의 태도가 임께서 사랑함직 한가마는
어쩐지 나를 보시고 너로구나 하고 여기시기에(사랑하시기에)
나도 임을 믿어 딴 생각이 전혀 없어
응석과 아양을 부리며 지나치게 하였던지
반기시는 얼굴빛이 옛날과 어찌 다르신고?
누워 생각하고 일어나 앉아 헤아려 보니
내 몸의 지은 죄가 산같이 쌓였으니
하늘이라 원망하겠으며, 사람을 탓하겠는가?
서러워 여러 가지 풀어 생각하니 조물주의 탓이로다.

글란 ᄉᆡᆼ각 마오
(글란: 그렇게는)
➤ 본사 1 : 갑녀의 위로

그렇게는 생각하지 마오.

ᄆᆡ친 일이 이셔이다
(ᄆᆡ친: (마음에) 맺힌)
님을 뫼셔 이셔 님의 일을 내 알거니
(뫼셔 이셔: 모셨던 적이 있어)
믈 ᄀᆞᄐᆞᆫ 얼굴이 편ᄒᆞ실 적 몃 날일고
(믈 ᄀᆞᄐᆞᆫ: 물같이 연약한)
츈한고열(春寒苦熱)은 엇디ᄒᆞ야 디내시며
츄일동텬(秋日冬天)은 뉘라셔 뫼셧ᄂᆞᆫ고
쥭조반(粥早飯) 죠셕(朝夕) 뫼 녜와 ᄀᆞᆺ티 셰시ᄂᆞᆫ가
(쥭조반: 자릿조반. 아침에 잠에서 깨어나는 대로 그 자리에서 먹는 죽이나 미음 따위의 간단한 식사 / 뫼: 진지, 밥 / 녜와 ᄀᆞᆺ티: 옛날과 같이 / 셰시ᄂᆞᆫ가: 잡수시는가)
기나긴 밤의 ᄌᆞᆷ은 엇디 자시ᄂᆞᆫ고
➤ 본사 2 : 을녀의 하소연 – 임에 대한 염려

(마음에) 맺힌 일이 있습니다.
(예전에) 임을 모시어서 임의 일을 내가 알거니,
물같이 연약한 몸이 편하실 때가 몇 날일까?
이른 봄날의 추위와 여름철의 무더위는 어떻게 지내시며,
가을과 겨울은 누가 모셨는가?
자릿조반과 아침, 저녁 진지는 예전과 같이 잘 잡수시는가?
기나긴 밤에 잠은 어떻게 주무시는가?

「님다히 쇼식(消息)을 아므려나 아쟈 ᄒᆞ니」
(님다히: 임 계신 곳, 한양 / 아므려나: 어떻게든)
「」: 화자의 적극적 태도
오ᄂᆞᆯ도 거의로다 ᄂᆡ일이나 사ᄅᆞᆷ 올가
(거의로다: 거의 지나갔구나)
내 ᄆᆞ음 둘 ᄃᆡ 업다 어드러로 가쟈 말고
(어드러로 가쟈 말고: 어느 곳으로 가자는 말인가)

임 계신 곳의 소식을 어떻게 해서라도 알려고 하니,
오늘도 거의 저물었구나. 내일이나 (임의 소식 전해 줄) 사람이 올까?
내 마음 둘 곳이 없다. 어디로 가자는 말인가?

잡거니 밀거니 놉픈 뫼힉 올라가니	(나무, 바위 등을) 잡기도 하고 밀기도 하면서 높은 산에 올라가니,
구롬은ᄏᆞ니와 안개는 므ᄉᆞ 일고	구름은 물론이거니와 안개는 또 무슨 일로 저렇게 끼어 있는가?
산쳔(山川)이 어둡거니 일월(日月)을 엇디 보며	산천이 어두우니 해와 달은 어떻게 바라보며,
지쳑(咫尺)을 모ᄅᆞ거든 쳔리(千里)ᄅᆞᆯ ᄇᆞ라보랴	눈앞의 가까운 곳도 모르는데 천 리나 되는 먼 곳을 바라볼 수 있으랴.
ᄎᆞᆯ하리 믈ᄀᆞ의 가 ᄇᆡ길히나 보랴 ᄒᆞ니	차라리 물가에 가서 뱃길이나 보려고 하니
ᄇᆞ람이야 믈결이야 어둥정 된뎌이고	바람과 물결로 어수선하게 되었구나.
샤공은 어ᄃᆡ 가고 븬 ᄇᆡ만 걸렷ᄂᆞᆫ고	뱃사공은 어디 가고 빈 배만 걸렸는가?
강텬(江天)의 혼쟈 셔셔 디ᄂᆞᆫ ᄒᆡᄅᆞᆯ 구버보니	강가에 혼자 서서 지는 해를 굽어보니
님다히 쇼식(消息)이 더옥 아득ᄒᆞᆫ뎌이고	임 계신 곳의 소식이 더욱 아득하구나.

□: 간신을 상징하는 자연물 (구롬, 안개, ᄇᆞ람, 믈결)

Link 표현상 특징 ❹ (구롬은ᄏᆞ니와 ~ 일월(日月)을 엇디 보며)

일월(日月): 해와 달(임금) / 어둥정: 어수선하게 / 샤공은 어ᄃᆡ 가고 븬 ᄇᆡ만 걸렷ᄂᆞᆫ고: 화자의 외로움을 심화함 / 디ᄂᆞᆫ ᄒᆡ: 지는 해

> 본사 3: 을녀의 하소연 – 임의 소식을 듣고 싶은 마음

모쳠(茅簷) ᄎᆞᆫ 자리의 밤듕만 도라오니	초가집 찬 잠자리에 한밤중이 돌아오니,
반벽쳥등(半壁靑燈)은 눌 위ᄒᆞ야 ᄇᆞᆰ갓ᄂᆞᆫ고	벽 가운데 걸려 있는 등불은 누구를 위하여 밝았는가?
오ᄅᆞ며 ᄂᆞ리며 헤ᄯᅳ며 바자니니	산을 오르내리며 여기저기를 헤매며 시름없이 오락가락하니
져근덧 녁진(力盡)ᄒᆞ야 픗ᄌᆞᆷ을 잠간 드니	잠깐 사이에 힘이 다하여 풋잠을 잠깐 드니
졍셩(精誠)이 지극ᄒᆞ야 ᄭᅮᆷ의 님을 보니	정성이 지극하여 꿈에 임을 보니
옥(玉) ᄀᆞᄐᆞᆫ 얼구리 반(半)이 나마 늘거셰라	옥과 같이 곱던 (임의) 모습이 반 넘게 늙었구나.
ᄆᆞᄋᆞᆷ의 머근 말ᄉᆞᆷ 슬ᄏᆞ장 ᄉᆞᆲ쟈 ᄒᆞ니	마음속에 품은 생각을 실컷 사뢰려고 하였더니
눈믈이 바라 나니 말ᄉᆞᆷ인들 어이ᄒᆞ며	눈물이 계속 나니 말인들 어찌 하며
졍(情)을 못다 ᄒᆞ야 목이조차 메여ᄒᆞ니	정을 못다 풀어 목마저 메니
오뎐된 계셩(鷄聲)의 ᄌᆞᆷ은 엇디 ᄭᆡ돗던고	방정맞은 닭 소리에 잠은 어찌 깨었는가?

모쳠(茅簷): 초가집 / ᄎᆞᆫ 자리: 찬 잠자리 / 반벽쳥등(半壁靑燈): 화자의 슬픔을 심화시키는 소재 / 눌 위ᄒᆞ야 ᄇᆞᆰ갓ᄂᆞᆫ고: 누구를 위하여 밝았는가 / 헤ᄯᅳ며: 헤매며 / 바자니니: 방황하니 / 져근덧: 잠깐 동안 / 픗ᄌᆞᆷ: 선잠 / ᄭᅮᆷ: 임과 만날 수 있는 공간 / 옥(玉) ᄀᆞᄐᆞᆫ 얼구리: 임의 곱던 모습 / ᄆᆞᄋᆞᆷ의 머근 말ᄉᆞᆷ: 그리움의 사연 / 바라: 연달아 / 오뎐된 계셩(鷄聲): 방정맞은 닭의 울음 소리, 화자의 잠을 깨워 꿈에서 만난 임과 헤어지게 하는 소리

> 본사 4: 을녀의 하소연 – 독수공방의 애달픔과 꿈에서 만난 임

어와 허ᄉᆞ(虛事)로다 이 님이 어ᄃᆡ 간고	아, 헛된 일이로구나. 이 임이 어디 갔는가?
결의 니러 안자 창(窓)을 열고 ᄇᆞ라보니	꿈결에 일어나 앉아 창을 열고 바라보니
어엿븐 그림재 날 조ᄎᆞᆯ ᄲᅮᆫ이로다	가엾은 그림자만이 나를 따를 뿐이로다.
ᄎᆞᆯ하리 싀여디여 낙월(落月)이나 되야이셔	차라리 죽어서 지는 달이나 되어
님 겨신 창(窓) 안ᄒᆡ 번드시 비최리라	임 계신 창 안에 환하게 비추리라.

결의: 꿈결에 / 어엿븐: 가련한 / 싀여디여: 죽어서 / 낙월(落月): 화자의 분신 / 번드시: 번듯하게, 환하게 / ᄎᆞᆯ하리 ~ 비최리라: 을녀의 애타는 심정과 비장한 마음이 최고조에 달함

> 결사 1: 을녀의 하소연 – 죽어서라도 임을 따르고 싶은 마음

『각시님 ᄃᆞᆯ이야ᄏᆞ니와 구ᄌᆞᆫ비나 되쇼셔』	각시님 달은커녕 궂은비나 되시옵소서.

구ᄌᆞᆫ비: 을녀의 눈물과 슬픔의 함축 / 『 』: 비가 되어 임께 직접 다가가라는 갑녀의 위로

> 결사 2: 갑녀의 위로

출제 최우선 작품

출제자 톡! 화자를 이해하라!

1 **화자는 누구이고, 화자가 처한 상황은?**
- 갑녀: 보조 화자로, 을녀를 위로함.
- 을녀: 중심 화자로, 죄를 짓고 백옥경을 떠나 임과 이별한 상황에서 임을 향한 일편단심을 노래함.

2 **화자의 정서 및 태도는?**
을녀는 임에 대한 간절한 그리움을 드러냄.

Link

출제자 톡! 표현상의 특징을 파악하라!

❶ 순우리말을 절묘하게 구사함.
❷ 대화 형식으로 시상을 전개함.
❸ 연군의 정을 임과 이별한 여인의 마음에 빗대어 표현함.
❹ 자연물에 상징적 의미를 부여하여 화자의 심정을 효과적으로 표현함.

최우선 출제 포인트!

1 시상 전개 방식 – 대화를 통한 전개

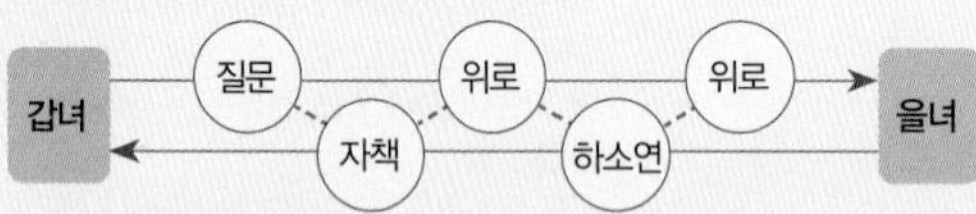

이 작품은 두 인물의 대화 형식을 통해 시상을 전개함으로써 내적인 슬픔을 객관화 · 일반화할 뿐만 아니라 주제를 효과적으로 전달하고 있다. '갑녀'와 '을녀'는 편의상 붙인 이름인데, '을녀'가 서러운 사연을 길게 하소연하는 주인공이라면, '갑녀'는 아주 짧게 개입하여 화제를 전환하고 매듭짓는 역할을 하는 인물이다. 갑녀와 을녀의 이러한 역할 분담은 을녀의 사연이 일방적인 것이 아니라 여러 사람이 공감할 수 있는 절절한 사연이 되도록 만들고 있다.

2 화자의 분신

낙월(落月)	구즌비
을녀의 소망	갑녀의 위로
멀리서라도 잠깐 동안 임을 볼 수 있음.	오랫동안 내리기 때문에 임의 옷을 적실 수 있음.
소극적 사랑	적극적 사랑

'낙월'과 '구즌비'는 모두 화자가 죽어서라도 임을 따르고자 하는 마음을 대변하는 소재로, 화자의 분신이라고 할 수 있다. 을녀의 소망인 '낙월'이 소극적 사랑을 의미한다면, 갑녀의 위로인 '구즌비'는 적극적 사랑을 의미한다고 볼 수 있다.

최우선 핵심 Check!

1 두 사람이 말을 주고받는 대화 형식으로 구성되어 있다. (O / ×)

2 갑녀는 ㅈㅁ과 ㅇㄹ를 통해 을녀의 하소연을 유도한다.

3 ㅇㄴ는 자신의 처지를 하소연하며 정서적 분위기를 주도하고 있는 중심 화자이다.

4 심층적 주제는 임금에 대한 신하의 변함없는 충성심으로 볼 수 있다. (O / ×)

5 시간의 흐름에 따라 시상이 전개되며 화자의 태도 변화가 두드러지게 나타난다. (O / ×)

6 객관적 상관물인 '빈 빅'를 통해 화자의 쓸쓸함과 외로움을 심화하고 있다. (O / ×)

7 '계성'으로 인해 을녀는 잠을 깨 꿈에서 만난 임과 헤어지게 된다. (O / ×)

8 대상을 비추는 '낙월'의 속성을 통해 임을 따르겠다는 주제를 강화하고 있다. (O / ×)

9 을녀는 'ㄱㅈㅂ'가 되어 임에게 직접 다가가라며 갑녀를 위로하고 있다.

정답 1. ○ 2. 질문, 위로 3. 을녀 4. ○ 5. × 6. ○ 7. ○ 8. ○ 9. 구즌비

1등급! 〈보기〉!

「사미인곡」과 「속미인곡」

「사미인곡」과 「속미인곡」은 모두 정철이 관직에서 물러난 뒤 임금을 그리워하는 마음을 표현한 작품이다. 가사라는 형식적 특성 위에 임에게 버림받은 여성 화자를 등장시켜 연군지정(임에 대한 간절한 그리움)의 주제를 표현하였다는 공통점이 있다.
반면, 두 작품은 다음과 같은 차이점이 있으므로 이를 염두에 두고 감상할 필요가 있다.

	「사미인곡」	「속미인곡」
진술 방식	독백체	대화체
내용 전개	계절의 변화	장소의 이동
표현	한문 구절의 인용	고유어의 활용
태도	임을 기다리는 소극적인 모습	임의 소식을 알아보는 적극적인 모습
어조	그리움을 안으로 삭이는 사대부 여성의 목소리	직설적이고 소박한 서민 여성의 목소리

봄을 감상하며 부르는 노래

상춘곡(賞春曲) | 정극인

갈래 가사(은일 가사) **성격** 풍류적, 낭만적
주제 봄의 완상과 안빈낙도 **시대** 조선 전기

조선 성종 때 지어진 우리나라 최초의 가사로, 봄의 아름다운 경치를 완상(玩賞)하는 풍류와 안빈낙도를 추구하는 삶의 자세를 드러내고 있다.

원문	현대어 풀이
홍진(紅塵)에 뭇친 분네 이 내 생애(生涯) 엇더혼고 (붉은 먼지 → 속세, 번잡한 세상)	속세에 묻혀 사는 분들이여, 이 나의 생활이 어떠한고?
녯사름 풍류(風流)롤 미출가 못 미출가 (자신의 삶이 속세의 삶보다 낫다는 은근한 자부심의 표현)	옛사람의 풍류에 미치겠는가, 못 미치겠는가?
천지간(天地間) 남자(男子) 몸이 날만 혼 이 하건마는 (나만 한 사람이 많지만은)	세상에 남자의 몸으로 태어나 나와 비슷한 사람이 많건마는,
산림(山林)에 뭇쳐 이셔 지락(至樂)을 모롤 것가 (자연에 묻혀 지내는 / 더할 수 없는 즐거움)	(그들은 왜) 자연에 묻혀 지내는 지극한 즐거움을 모르는 것인가?
『수간모옥(數間茅屋)을 벽계수(碧溪水) 앏픠 두고』 『 』: '자연 친화'를 드러냄 (□: 공간의 이동 Link 표현상 특징 ❶ / □: 화자가 추구하는 것)	몇 칸짜리 초가집을 푸른 시냇물 앞에 두고,
송죽(松竹) 울울리(鬱鬱裏)예 풍월주인(風月主人)되여셔라 ('청빈한 삶' / 빽빽하게 우거진 속 / 자연 친화적 태도 제시, 풍류 생활에 대한 자부심을 드러냄) **› 서사: 자연에 묻혀 사는 즐거움**	소나무와 대나무가 울창한 속에서 자연의 주인이 되었도다.
『엇그제 겨을 지나 새봄이 도라오니 (『 』: 계절감의 표현)	엊그제 겨울이 지나고 새봄이 돌아오니,
도화행화(桃花杏花)는 석양리(夕陽裏)예 퓌여 잇고 (무릉도원의 이미지 제시 / 저녁 햇빛 속에)	복숭아꽃과 살구꽃은 석양 속에 피어 있고,
녹양방초(綠楊芳草)는 세우 중(細雨中)에 프르도다』 (가랑비 속) 대구법 Link 표현상 특징 ❷	푸른 버드나무와 향기로운 풀은 가랑비 속에 푸르구나.
칼로 몰아 낸가 붓으로 그려 낸가 (봄날의 경치가 갖는 아름다움을 형상화함)	칼로 재단하여 내었는가? 붓으로 그려 내었는가?
조화신공(造化神功)이 물물(物物)마다 헌ᄉᆞ롭다	조물주의 신비로운 재주가 사물마다 야단스럽다.
수풀에 우는 (새)는 춘기(春氣)롤 뭇내 계워 소릐마다 교태(嬌態)로다 (감정 이입의 대상 Link 표현상 특징 ❹ / 새가 사람처럼 아양을 부린다고 표현함, 의인법 Link 표현상 특징 ❷)	수풀에 우는 새는 봄기운을 끝내 이기지 못하여 소리마다 아양을 떠는 모습이로구나.
물아일체(物我一體)어니 흥(興)이ᄋᆡ 다롤소냐 (자연과 '나'가 하나된 경지 / 화자의 정서 집약 / 설의적 표현 Link 표현상 특징 ❸)	자연과 내가 한 몸이 되니, 흥겨움이 다를 것이냐?
시비(柴扉)예 거러 보고 정자(亭子)애 안자 보니 (사립문)	사립문 (주변)을 걸어 보고, 정자에 앉아 보니,
소요음영(逍遙吟詠)ᄒᆞ야 산일(山日)이 적적(寂寂)혼ᄃᆡ (자유로이 천천히 걸으며 시를 읊조림 / 산속의 하루가 조용하고 쓸쓸함)	이리저리 거닐며 나직이 시를 읊조려, 산속의 하루가 적적한데,
한중진미(閑中眞味)롤 알 니 업시 호재로다 (한가로움 속에서 느끼는 참다운 맛)	한가로움 속에서 느끼는 참다운 맛을 알 사람이 없이 혼자로구나.
이바 니웃드라 산수(山水) 구경 가쟈스라 (돈호법 Link 표현상 특징 ❺)	여보게 이웃 사람들아, 산수 구경 가자꾸나.
답청(踏靑)으란 오늘 ᄒᆞ고 욕기(浴沂)란 내일(來日) ᄒᆞ새 (풀 밟기)	풀 밟기는 오늘 하고, 개울에서 목욕하는 일은 내일 하세.
아ᄎᆞᆷ에 채산(採山)ᄒᆞ고 나조ᄒᆡ 조수(釣水)ᄒᆞ새 (산나물을 캠 / 저녁에 / 낚시)	아침에는 산에서 나물을 캐고, 저녁에는 낚시하세.
ᄀᆞᆺ 괴여 닉은 술을 갈건(葛巾)으로 밧타 노코 (발효하여)	이제 막 익은 술을 칡베로 만든 두건으로 걸러 놓고,
곳나모 가지 것거 수 노코 먹으리라 (자연 속에서 풍류를 즐기는 모습)	꽃나무 가지를 꺾어, (술잔의) 수를 세어 가며 먹으리라.
화풍(和風)이 건ᄃᆞᆺ 부러 녹수(綠水)롤 건너오니	화창한 봄바람이 문득 불어 푸른 물을 건너오니,
청향(淸香)은 잔에 지고 낙홍(落紅)은 옷새 진다 (자연 친화, 물아일체의 모습을 감각적으로 형상화함)	맑은 향기는 잔에 스미고, 붉은 꽃잎은 옷에 떨어진다.
준중(樽中)이 뷔엿거든 날ᄃᆞ려 알외여라 (술동이)	술동이가 비었거든 나에게 말하여라.
소동(小童) 아ᄒᆡᄃᆞ려 주가(酒家)에 술을 믈어 (아이에게)	아이에게 술집에 술이 있는지 물어,
얼운은 막대 집고 아ᄒᆡ는 술을 메고 (어른)	어른은 막대 짚고, 아이는 술동이를 메고,
미음완보(微吟緩步)ᄒᆞ야 시냇ᄀᆞ의 호자 안자 (작은 소리로 읊으며 천천히 거닒 / 혼자)	시를 나직이 읊조리며 천천히 걸어가 시냇가에 혼자 앉아,

명사(明沙) 조ᄒᆞᆫ 믈에 잔 시어 부어 들고
(깨끗한)
『청류(淸流)를 굽어보니 ᄯᅥ오ᄂᆞ니 도화(桃花)ㅣ로다』 『 』: 도연명의 『도화원기』 인용 **Link 표현상 특징 ❸**
(맑은 시냇물) (복숭아꽃)
무릉(武陵)이 갓갑도다 져 ᄆᆡ이 긘 거인고
(무릉도원 → 이상향)
송간(松間) 세로(細路)에 두견화(杜鵑花)를 부치 들고
(좁은 오솔길) (진달래꽃) (붙들어 잡고)
봉두(峰頭)에 급피 올나 구름 소긔 안자 보니
천촌만락(千村萬落)이 곳곳이 버려 잇ᄂᆡ
(수많은 촌락)
연하일휘(煙霞日輝)는 금수(錦繡)를 재폇ᄂᆞᆫ ᄃᆞᆺ → 비단을 펼쳐 놓은 것처럼 아름다운 자연(직유법) **Link 표현상 특징 ❷**
(안개와 노을, 빛나는 햇살 → 아름다운 자연 경치) (└수놓은 비단)
엇그제 검은 들이 봄빗도 유여(有餘)ᄒᆞᆯ샤
(계절의 변화에 따른 자연)
> 본사: 봄의 아름다운 경치와 풍류

고운 모래 (비치는) 깨끗한 물에 잔을 씻어 (술을) 부어 들고,
맑은 시냇물을 굽어보니, 떠 오는 것이 복숭아꽃이로구나.
무릉도원이 가깝도다. 저 들이 그곳인 것인가?
소나무 사이로 난 좁은 길에 진달래꽃을 붙잡아 들고,
산봉우리에 급히 올라 구름 속에 앉아 보니,
수많은 마을이 곳곳에 벌여져 있네.
안개와 노을, 빛나는 햇살은 수놓은 비단을 펼쳐 놓은 듯하구나.
엇그제(까지만 해도) 검은 들판이 (이제) 봄빛이 넘치는구나.

『공명(功名)도 날 ᄭᅴ우고 부귀(富貴)도 날 ᄭᅴ우니』
『 』: 주객전도식 표현 → 화자가 공명과 부귀를 꺼리는 것임 **Link 표현상 특징 ❻**
청풍명월(淸風明月) 외(外)예 엇던 벗이 잇ᄉᆞ올고
(맑은 바람과 밝은 달 → 자연) (헛된 생각 → 공명, 부귀) (└의인법)
단표누항(簞瓢陋巷)에 흣튼 혜음 아니 ᄒᆞᄂᆡ
(가난한 생활)
아모타 백년행락(百年行樂)이 이만ᄒᆞᆫ들 엇지ᄒᆞ리
(평생 즐거움을 누림)
> 결사: 안빈낙도의 삶

공명도 날 꺼리고, 부귀도 날 꺼리니,
맑은 바람과 달 외에 어떤 벗이 있겠는가?
누추한 곳에서 청빈한 생활을 하며 헛된 생각 아니 하네.
아무튼 한평생 즐겁게 지내는 일이 이만하면 어떠하리?

출제자 톡! 화자를 이해하라!

1 **화자는 누구이고, 화자가 처한 상황은?**
봄의 아름다운 경치를 즐기고 있는 '나'

2 **화자의 정서 및 태도는?**
자연과 함께 사는 자신의 삶에 자부심을 느끼고 안빈낙도하는 삶의 태도를 보임.

Link
출제자 톡! 표현상의 특징을 파악하라!

❶ 공간의 이동에 따라 시상을 전개함.
❷ 의인법, 대구법, 직유법 등 다양한 표현 방식을 사용함.
❸ 설의적 표현, 고사 인용을 통해 화자의 정서를 강조함.
❹ 자연물에 감정을 이입하여 화자의 정서를 부각함.
❺ 돈호법을 사용하여 청자를 설정함.
❻ 주객전도식 표현을 사용함.

최우선 출제 포인트!

1 자연과 속세에 대한 화자의 태도

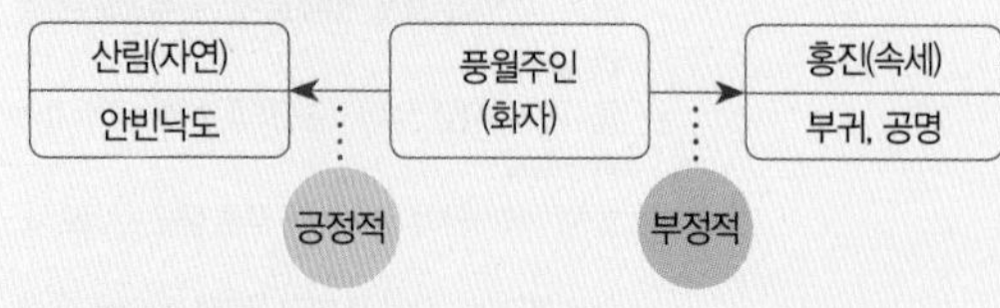

2 주객전도식 표현
행위의 주체와 객체를 바꾸어 표현함으로써 의도를 효과적으로 전달하는 방식이다.

공명도 날 ᄭᅴ우고(꺼리고), 부귀도 날 ᄭᅴ우니(꺼리니)

실제로 '공명'과 '부귀'는 화자가 꺼리는 것인데, '공명'과 '부귀'가 화자를 꺼린다고 역전하여 표현하고 있다.

최우선 핵심 Check!

1 '수간모옥 → 정자 → ㅅㄴㄱ → 봉두'로 공간의 이동에 따라 시상을 전개하고 있다.

2 설의적 표현을 통해 화자의 정서를 강조하고 있다. (O / ×)

3 '봄'은 화자의 애상감을 자극하고 있다. (O / ×)

4 'ㅎㅈ'은 화자가 거리를 두고자 하는 속세로, '산림'과 대조되고 있다.

5 '공명도 날 ᄭᅴ우고 부귀도 날 ᄭᅴ우니'는 행위의 주체와 객체를 바꾸어 표현하는 ㅈㄱㅈㄷ식 표현이다.

정답 1. 시냇가 2. ○ 3. × 4. 홍진 5. 주객전도

아름다운 임에 대한 노래

사미인곡(思美人曲) | 정철

갈래 가사(연군 가사, 유배 가사) **성격** 서정적, 연정적, 여성적, 충신연주지사 **주제** 임을 향한 일편단심, 연군지정 **시대** 조선 중기

유배지에서 임금을 그리워하는 마음을 임에게 버림받은 여성의 목소리를 통해 노래하고 있다.

이 몸 삼기실 제 님을 조차 삼기시니
(삼기실 제: 생겨날 때, 태어날 때 / 님: 임금(선조))
ᄒᆞᆫ ᄉᆡᇰ 연분(緣分)이며 하ᄂᆞᆯ 모ᄅᆞᆯ 일이런가
(ᄒᆞᆫ ᄉᆡᇰ 연분(緣分): 한평생의 인연(천생연분))
『나 ᄒᆞ나 졈어 잇고 님 ᄒᆞ나 날 괴시니』 『 』: 임이 '나'를 사랑했던 과거의 상황
(괴시니: 사랑하시니)
이 ᄆᆞᄋᆞᆷ 이 ᄉᆞ랑 견졸 ᄃᆡ 노여 업다
(노여: 전혀)
평ᄉᆡᇰ(平生)애 원(願)ᄒᆞ요ᄃᆡ ᄒᆞᆫᄃᆡ 녜자 ᄒᆞ얏더니
(ᄒᆞᆫᄃᆡ 녜자 ᄒᆞ얏더니: 함께 지내고자 하였더니 - 화자의 소망)
늙거야 므ᄉᆞ 일로 외오 두고 그리ᄂᆞᆫ고
(외오: 홀로)
엇그제 님을 뫼셔 광한뎐(廣寒殿)의 올낫더니
(광한뎐(廣寒殿): 임금이 계시는 대궐을 의미함)
그 더ᄃᆡ 엇디ᄒᆞ야 하계(下界)예 ᄂᆞ려오니
(하계(下界): 인간 세상(정철의 유배지인 창평))
— 과거의 삶과 현재의 삶을 대조
올 저긔 비슨 머리 헛틀언디 삼 년(三年)일ᄉᆡ
(유배 생활이 3년째임)
[연지분(臙脂粉)] 잇ᄂᆡ마ᄂᆞᆫ 눌 위ᄒᆞ야 고이 ᄒᆞᆯ고
[ ]: 화자가 여성임을 알 수 있음 **Link** 표현상 특징 ❶
ᄆᆞ음의 ᄆᆡ친 실음 텹텹(疊疊)이 ᄡᅡ혀 이셔
『짓ᄂᆞ니 한숨이오 디ᄂᆞ니 눈믈이라』 『 』: 대구법
(디ᄂᆞ니: 떨어지는 것이)
인ᄉᆡᇰ(人生)은 유ᄒᆞᆫ(有限)ᄒᆞᆫᄃᆡ 시ᄅᆞᆷ도 그지업다
(시름 속에서 나날을 보내는 자신의 처지에 대한 탄식)
무심(無心)ᄒᆞᆫ 셰월(歲月)은 믈 흐ᄅᆞ ᄃᆞᆺ ᄒᆞᄂᆞᆫ고야
(임금이 자신을 불러 주지 않는 상황에서 덧없이 세월이 흘러가는 것에 대한 안타까움이 드러남)
염냥(炎凉)이 ᄣᅢᄅᆞᆯ 아라 가ᄂᆞᆫ ᄃᆞᆺ 고텨 오니
(염냥(炎凉): 더위와 서늘함 → 세월의 흐름을 의미)
듯거니 보거니 늣길 일도 하도 할샤

› 서사: 임과의 인연과 이별 후의 그리움

(음영 표시: 계절감을 드러내는 구절 **Link** 표현상 특징 ❷)

동풍(東風)이 건듯 부러 젹셜(積雪)을 헤텨 내니
(동풍(東風): 봄바람(계절적 배경) / 건듯: 잠깐 / 젹셜(積雪): 쌓인 눈)
창(窓) 밧긔 심근 ᄆᆡ화(梅花) 두세 가지 픠여셰라
(음영 표시: 임에 대한 화자의 마음을 상징하는 자연물 **Link** 표현상 특징 ❸)
ᄀᆞ득 ᄂᆡᇰ담(冷淡)ᄒᆞᆫᄃᆡ 암향(暗香)은 므ᄉᆞ 일고
(암향(暗香): 매화 향기 - 임에 대한 변함없는 충성심을 상징)
황혼(黃昏)의 ᄃᆞᆯ이 조차 벼마ᄐᆡ 빗최니
(ᄃᆞᆯ: 임금을 비유함 / 벼마ᄐᆡ: 베갯머리에)
늣기ᄂᆞᆫ ᄃᆞᆺ 반기ᄂᆞᆫ ᄃᆞᆺ 님이신가 아니신가
『뎌 ᄆᆡ화(梅花) 것거 내여 님 겨신 ᄃᆡ 보내오져
님이 너ᄅᆞᆯ 보고 엇더타 너기실고』 『 』: 임에게 충성심을 알리고 싶어 하는 화자의 마음

› 본사 1 – 춘원(春怨): 임에 대한 충성심을 전하고 싶음

ᄭᅩᆺ 디고 새닙 나니 녹음(綠陰)이 ᄭᆞᆯ렷ᄂᆞᆫᄃᆡ
(녹음(綠陰): 푸른 숲의 그늘)
[나위(羅幃)] 젹막(寂寞)ᄒᆞ고 슈막(繡幕)이 뷔여 잇다 → 화자의 외로운 심정을 드러냄
(나위(羅幃): 비단 휘장 / 슈막(繡幕): 수를 놓은 비단 휘장)
부용(芙蓉)을 거더 노코 공쟉(孔雀)을 둘러 두니
(분위기를 바꾸고자 공간의 변화를 꾀함)

이 몸이 생겨날 때 임을 따라 생겨나니,
한평생 인연임을 하늘이 어찌 모를 일이던가?
나 하나 젊어 있고 임은 오로지 날 사랑하시니
이 마음 이 사랑 견줄 데가 전혀 없구나.
평생에 원하건대 (임과) 함께 살자 하였더니
늙어서 무슨 일로 외따로 두고 그리워하는가?
엊그제까지는 임을 모시고 광한전에 오르고는 했는데,
그 사이에 어찌하여 속세에 내려오게 되니
올 적에 빗은 머리가 헝클어진 지 삼 년이라.
연지분 있지마는 누굴 위하여 고이 단장할까?
마음에 맺힌 설움 첩첩이 쌓여 있어
짓는 것이 한숨이요, 흐르는 것이 눈물이라.
인생은 유한한데 시름은 끝이 없다.
무심한 세월은 물 흐르는 듯 흐르는구나.
더위와 추위가 때를 알아 지나가는 듯 다시 돌아오니
듣거니 보거니 느낄 일이 많기도 많구나.

봄바람이 잠깐 불어 쌓인 눈을 헤쳐 내니,
창밖에 심은 매화가 두세 가지 피었구나.
가뜩이나 춥고 쌀쌀한데 그윽한 향기는 무슨 일인가?
황혼에 달이 따라와서 베개 맡에 달빛을 비치니
흐느끼는 듯 반기는 듯 임이신가 아니신가?
저 매화를 꺾어 내어 임 계신 데 보내고 싶구나.
임이 너를 보고 어떻게 여기실고?

꽃 지고 새 잎이 나니 녹음이 깔렸는데,
비단 휘장이 적막하고 수놓은 장막은 비어 있다.
부용장을 걷어 놓고 공작을 수놓은 병풍을 둘러 두니,

ᄀᆞᆺ득 시ᄅᆞᆷ 한ᄃᆡ 날은 엇디 기돗던고

『원앙금(鴛鴦衾) 버혀 노코 오ᄉᆡᆨ션(五色線) 플텨 내여
원앙 그림이 수놓인 이불 / 임을 향한 정성

금자히 견화이셔 님의 옷 지어 내니』
금으로 만든 자로 / 겨누어서, 재어서
『 』: 임을 위해 정성스럽게 옷을 짓는 여성 화자의 모습 **Link** 표현상 특징 ❶

슈품(手品)은ᄏᆞ니와 졔도(制度)도 ᄀᆞᄌᆞᆯ시고
솜씨 / 격식 / 갖추었구나

산호수(珊瑚樹) 지게 우희 ᄇᆡᆨ옥함(白玉函)의 다마 두고

님의게 보내오려 님 겨신 ᄃᆡ ᄇᆞ라보니

산(山)인가 구름인가 머흐도 머흘시고
간신을 상징 **Link** 표현상 특징 ❸

쳔리(千里) 만리(萬里) 길히 뉘라셔 ᄎᆞ자갈고
화자와 '임' 사이의 심리적 거리감

니거든 여러 두고 날인가 반기실가
옷이 담긴 백옥함을

▶ 본사 2 – 하원(夏怨): 임에게 자신의 정성을 전하고 싶음

가뜩이나 시름이 많은데 날은 어찌 길던고?
원앙 수놓은 비단을 베어 놓고 오색실을 풀어 내어
금으로 만든 자로 재어서 임의 옷을 지어 내니
솜씨는 물론이거니와 격식도 갖추었구나.
산호로 만든 지게 위에 백옥으로 만든 함에 담아 두고,
임에게 보내려 임 계신 곳을 바라보니
산인가 구름인가 험하기도 험하구나.
천 리 만 리 길을 누가 찾아갈까?
가거든 (임께서 옷이 담긴 백옥함을) 열어 두고 나를 본 듯 반가워하실까?

ᄒᆞᄅᆞ밤 서리김의 기러기 우러 녈 제
하룻밤 / 가을의 계절감을 드러냄 / 감정 이입의 대상 / 가을의 쓸쓸한 분위기 조성

위루(危樓)에 혼자 올나 슈졍념(水晶簾) 거든 마리
수정으로 만든 발

동산(東山)의 ᄃᆞᆯ이 나고 북극(北極)의 별이 뵈니
임금을 상징 / 북극성 - 임금을 상징 **Link** 표현상 특징 ❸

님이신가 반기니, 눈믈이 절로 난다

청광(淸光)을 ᄆᆡ워 내여 봉황누(鳳凰樓)의 븟티고져
지혜를 상징하는 빛 - 임금의 선정 / 임금이 있는 궁궐

누(樓) 우희 거러 두고 팔황(八荒)의 다 비최여

심산궁곡(深山窮谷) 졈낫ᄀᆞ티 ᄆᆡᆼ그쇼셔
대낮같이

▶ 본사 3 – 추원(秋怨): 임에게 선정을 갈망함

하룻밤 사이 서리 내릴 무렵에 기러기가 울면서 지나갈 때,
높은 누각에 혼자 올라 수정으로 만든 발을 걷으니,
동산에 달이 뜨고 북극성이 보이니,
임이신가 하여 반가워하니 눈물이 절로 난다.
맑은 달빛을 쥐어 내어 봉황누(임금 계신 곳)에 부쳐 보내고 싶다.
누각 위에 걸어 두고 온 세상에 다 비추어,
깊은 산골 궁벽한 골짜기도 대낮같이 환하게 만드소서.

건곤(乾坤)이 폐ᄉᆡᆨ(閉塞)ᄒᆞ야 ᄇᆡᆨ셜(白雪)이 ᄒᆞᆫ 빗친 제
얼어붙어 / 겨울의 계절감을 드러냄 / 눈으로 덮었을 때

사ᄅᆞᆷ은ᄏᆞ니와 ᄂᆞᆯ새도 긋처 잇다

쇼샹남반(瀟湘南畔)도 치오미 이러커든
전남 창평을 가리킴

옥누(玉樓) 고쳐(高處)야 더옥 닐너 므ᄉᆞᆷᄒᆞ리

양츈(陽春)을 부쳐 내여 님 겨신 ᄃᆡ 쏘이고져
임에 대한 사랑과 정성 반영

모쳠(茅簷) 비친 ᄒᆡᄅᆞᆯ 옥누(玉樓)의 올리고져

홍샹(紅裳)을 니믜ᄎᆞ고 취슈(翠袖)ᄅᆞᆯ 반(半)만 거더
붉은색 치마 / 여미어 입고

일모슈듁(日暮脩竹)의 혬가림도 하도 할샤
생각이 많기도 많구나

댜른 ᄒᆡ 수이 디여 긴 밤을 고초 안자
꼿꼿이

청등(靑燈) 거른 겻ᄐᆡ 뎐공후(鈿箜篌) 노하두고

ᄭᅮᆷ의나 님을 보려 ᄐᆞᆨ 밧고 비겨시니
턱 받치고

앙금(鴦衾)도 ᄎᆞ도 ᄎᆞᆯ샤 이 밤은 언제 샐고
원앙 이불

▶ 본사 4 – 동원(冬怨): 임에 대한 염려와 외로움

하늘과 땅이 닫히고 막힌 것처럼 흰 눈이 내려 온 세상이 한 빛인데,
사람은 물론이거니와 날짐승도 자취를 감추었다.
소상강 남쪽 언덕처럼 따뜻한 이곳도 춥기가 이렇거늘
임이 계시는 높은 곳(북쪽)이야 더욱 말해 무엇하겠는가?
따뜻한 봄볕을 부치어 임 계신 데 쏘이고 싶구나.
초가집 처마에 비친 해를 임 계신 곳에 올리고 싶다.
붉은 치마를 여며 입고 푸른 소매를 반만 걷어,
해는 저물었는데 긴 대나무에 기대서서 이런 저런 생각이 많기도 많구나.
짧은 겨울 해가 이내 지고 긴 밤을 꼿꼿이 앉아,
푸른 등을 걸어 놓은 옆에 자개로 수놓은 공후를 놓아두고,
꿈에서라도 임을 보려고 턱을 받치고 기대 있으니,
원앙을 수놓은 이불이 차기도 차구나. 이 밤은 언제나 지나갈까?

ᄒᆞᄅᆞ도 열두 ᄣᆡ ᄒᆞᆫ ᄃᆞᆯ도 셜흔 날 (하루 / 한 달)

져근덧 ᄉᆡᆼ각 마라, 이 시ᄅᆞᆷ 닛쟈 ᄒᆞ니 (잠시 동안이라도)

ᄆᆞᄋᆞᆷ의 ᄆᆡ쳐 이셔 골슈(骨髓)의 ᄢᅦ텨시니 (사무쳤으니)

편쟉(扁鵲)이 열히 오다 이 병을 엇디ᄒᆞ리 → 화자의 그리움과 시름을 표현(과장법)
('명의'의 대유적 표현 / 임에 대한 사모의 정)

어와 내 병이야 이 님의 타시로다

출하리 싀어디여 범나뷔 되오리라 → 임에 대한 영원한 사랑을 다짐함
(화자의 분신)

곳나모 가지마다 간 ᄃᆡ 족족 안니다가

향 므틴 ᄂᆞᆯ애로 님의 오ᄉᆡ 올므리라 (날개)

님이야 날인 줄 모ᄅᆞ셔도 내 님 조ᄎᆞ려 ᄒᆞ노라
(임을 향한 일편단심(一片丹心))

> 결사: 임에 대한 영원한 사랑을 다짐함

하루도 열두 때 한 달도 서른 날,

잠깐이라도 임 생각을 말고 이 시름을 잊고자 하니,
마음에 맺혀 있어 뼈 속까지 사무쳤으니,

편작 같은 명의가 열 명이 온들 이 병을 어찌하랴.
아, 내 병은 임의 탓이로다.

차라리 죽어서 호랑나비가 되고 싶구나.

꽃나무 가지마다 간 데 족족 앉았다가,

향 묻은 날개로 임의 옷에 옮으리라.

임이야 나인 줄 모르셔도 내가 임을 따르고자 하노라.

출제자 톡! 화자를 이해하라!

1 **화자는 누구이고, 화자가 처한 상황은?**
여성인 '나'로, 임과 이별하여 홀로 있는 상황임.

2 **화자의 정서 및 태도는?**
- 멀리 떨어져 있는 임을 염려하고 간절히 그리워함.
- 자신의 사랑과 정성을 임에게 보내고자 함.

Link

출제자 톡! 표현상의 특징을 파악하라!

❶ 여성 화자의 목소리를 빌려 호소력을 높이고 있음.
❷ 계절의 흐름에 따라 시상을 전개함.
❸ 다양한 비유와 상징적 기법을 활용하여 화자의 정서를 드러냄.
❹ 뛰어난 우리말 구사와 세련된 표현이 돋보임.

최우선 출제 포인트!

1 여성 화자의 설정

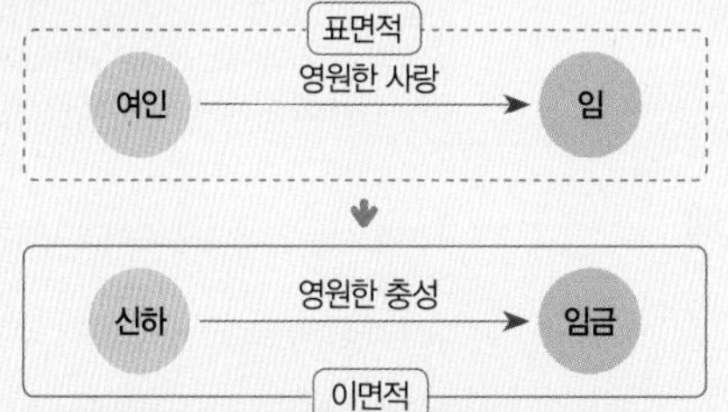

고전 시가에는 헤어진 임에 대한 그리움과 변함없는 사랑을 여성 화자의 목소리로 표현한 작품들이 많다. 이러한 작품들에는 여성 작가가 자신이 실제 겪었던 이별의 상황과 아픔을 진솔하게 표현한 노래도 있으며, 이 작품처럼 남성인 사대부가 임금의 곁에서 멀어져 있는 자신의 처지를 이별한 여인의 모습에 빗대어 표현한 노래도 있다.

2 내용 전개에 따른 소재의 의미

서사	임과의 이별 후 그리움		
본사	춘	매화	임에 대한 사랑
	하	옷	임을 향한 정성
	추	청광(달빛)	선정(善政)에 대한 기원
	동	양춘(봄볕)	임에 대한 염려
결사	범나비		임에 대한 영원한 사랑

최우선 핵심 Check!

1 화자는 임과 이별한 상황에 놓여 있다. (O / ×)

2 계절의 흐름에 따라 시상을 전개하고 있다. (O / ×)

3 임을 연모하는 여인의 심정에 빗대어 임금에 대한 충정을 드러내고 있다. (O / ×)

4 원경에서 근경으로 시선의 변화에 따라 화자의 심리도 변화하고 있다. (O / ×)

5 '동풍(東風)이 건듯 부러 젹셜(積雪)을 헤텨 내니'를 통해 겨울의 계절감을 표현하고 있다. (O / ×)

6 'ᄆᆡ화'는 임(임금)에 대해 변함없는 ㅊ ㅈ 을 상징하는 자연물이다.

7 화자는 임을 위해 금으로 만든 자로 재어서 '님의 ㅇ'을 지으려 한다.

8 〈결사〉에서 ㅂ ㄴ ㅂ 는 죽어서라도 임에게 닿고 싶은 화자의 마음을 상징하는 소재이다.

정답 1. ○ 2. ○ 3. ○ 4. × 5. × 6. 충정 7. 옷 8. 범나비

출제 최우선 작품

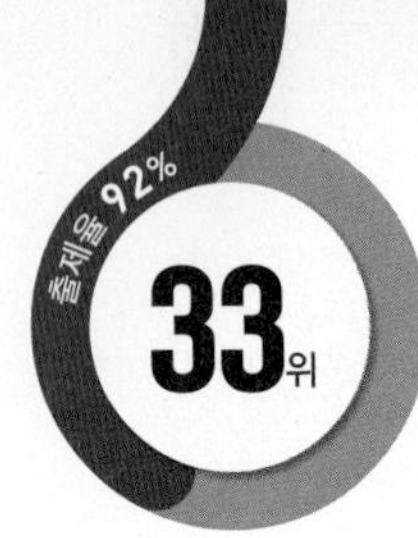

관동의 풍경을 노래함

관동별곡(關東別曲) | 정철

갈래 가사(기행 가사) **성격** 서경적, 서정적
주제 관동 지방의 절경 유람과 연군 · 애민 정신
시대 조선 중기

강원도 관찰사로 부임한 작가가 관동 팔경을 돌아보면서 선정을 베풀고자 하는 심정을 읊은 노래로, 우리말의 구사가 뛰어나 가사 문학의 백미로 꼽히고 있다.

(음영): 여정(공간의 이동에 따른 시상 전개) **Link** 표현상 특징 ❶

강호(江湖)애 병(病)이 깁퍼 듁님(竹林)의 누엇더니
자연(대유법) / 자연을 사랑하는 마음 / 대숲 → 창평
관동(關東) 팔ᄇᆡᆨ(八百) 니(里)에 방면(方面)을 맛디시니
강원도, 관동 지방 / 관찰사의 소임
어와 셩은(聖恩)이야 가디록 망극(罔極)ᄒᆞ다
감탄사 **Link** 표현상 특징 ❹ / 갈수록
『연츄문(延秋門) 드리ᄃᆞ라 경회(慶會) 남문(南門) ᄇᆞ라보며
경복궁의 서문
하직(下直)고 믈너나니 옥졀(玉節)이 알ᄑᆡ 셧다』 『 』: 과감한 생략으로 인한 속도감 있는 전개 **Link** 표현상 특징 ❷
관찰사의 신표로 주던 옥으로 된 패
평구역(平丘驛) ᄆᆞᆯ을 ᄀᆞ라 흑슈(黑水)로 도라드니
경기도 양주 / 경기도 여주의 강
셤강(蟾江)은 어듸메오 티악(雉岳)이 여긔로다 **›서사 1: 관찰사 부임과 그 여정**
강원도 원주를 지나 한강으로 흘러드는 강 / 치악산(원주)

> 자연을 사랑하는 마음의 병이 깊어 대숲에 누웠더니,
> (임금님께서) 관동 팔백 리에 관찰사 직분을 맡기시니,
> 아아, 성은이여! 갈수록 망극하다.
> 연추문 달려들어 경회 남문 바라보며
> (임금님께) 하직하고 물러나니, 옥으로 된 관직 신표가 앞에 서 있다.
> 평구역에서 말을 갈아타고 흑수로 돌아드니,
> 섬강은 어디인가? 치악산이 여기로다.

쇼양강(昭陽江) ᄂᆞ린 믈이 어드러로 든단 말고 → 연군지정
소양강(춘천) / 한강(한양 - 임금이 계신 곳)을 생각함
고신거국(孤臣去國)에 ᄇᆡᆨ발(白髮)도 하도 할샤 → 우국지정
임금의 신임이나 사랑을 받지 못하는 신하가 서울을 떠남 / 근심
동ᄌᆔ(東州) 밤 계오 새와 븍관뎡(北寬亭)의 올나ᄒᆞ니
철원 / 날이 새자마자 / 철원에 있는 정자
삼각산(三角山) 뎨일봉(第一峰)이 ᄒᆞ마면 뵈리로다 → 연군지정
북한산 → 한양 → 임금
『궁왕(弓王) 대궐(大闕) 터희 오쟉(烏鵲)이 지지괴니
궁예
쳔고(千古) 흥망(興亡)을 아ᄂᆞᆫ다 몰ᄋᆞᄂᆞᆫ다』
『 』: 회고의 정과 생의 무상함에 젖음 - 맥수지탄(麥秀之歎)
『회양(淮陽) 녜 일홈이 마초아 ᄀᆞᄐᆞᆯ시고 『 』: 선정에의 포부가 드러남
화자가 부임한 지역 / 마침
급댱유(汲長孺) 풍ᄎᆡ(風彩)를 고텨 아니 볼 게이고』
중국 한무제 때의 회양 태수를 지낸 인물 / □: 고사의 사용
›서사 2: 관내 순시와 선정의 포부

> 소양강에서 내려온 물이 어디로 흘러 든단 말인가?
> 임금 곁을 떠난 외로운 신하가 백발이 많기도 많구나.
> 철원에서 밤을 겨우 새우고 북관정에 올라가니,
> 삼각산 제일 높은 봉우리가 웬만하면 보일 듯하구나.
> 궁왕 대궐터에 까마귀와 까치가 지저귀니,
> 천고 흥망을 아는가, 모르는가?
> (이곳이 옛날 한나라에 있던) 회양이라는 옛 이름과 마침 같구나.
> (중국의 회양 태수로, 선정을 베풀었다는) 급장유의 풍채를 다시 아니 볼 것인가?

선정에의 자부심
영듕(營中)이 무ᄉᆞ(無事)ᄒᆞ고 시졀(時節)이 삼월(三月)인 제
감영(관찰사가 직무를 보던 관아) 안
화쳔(花川) 시내길히 풍악(楓岳)으로 버더 잇다
회양 동쪽의 마을 / 금강산의 가을 이름(봄 - 금강산, 여름 - 봉래산, 가을 - 풍악산, 겨울 - 개골산)
ᄒᆡᆼ장(行裝)을 다 ᄯᅥᆯ티고 셕경(石逕)의 막대 디퍼
간편히 하고
ᄇᆡᆨ쳔동(百川洞) 겨ᄐᆡ 두고 만폭동(萬瀑洞) 드러가니
곁을 지나서
『은(銀) ᄀᆞᄐᆞᆫ 무지게 옥(玉) ᄀᆞᄐᆞᆫ 룡(龍)의 초리
만폭동 폭포의 모습(직유법) **Link** 표현상 특징 ❸
섯돌며 ᄲᅮᆷᄂᆞᆫ 소ᄅᆡ 십(十) 리(里)의 ᄌᆞ자시니
들을 제ᄂᆞᆫ 우레러니 보니ᄂᆞᆫ 눈이로다』 『 』: 우리말의 아름다움을 잘 살림 **Link** 표현상 특징 ❹
폭포 소리 / 폭포 모습
금강ᄃᆡ(金剛臺) ᄆᆡᆫ 우층(層)의 션학(仙鶴)이 삿기 치니
신선이 타는 학(미화법) / 새끼
츈풍(春風) 옥뎍셩(玉笛聲)의 첫ᄌᆞᆷ을 ᄭᅵ돗던디
옥피리 소리(미화법) - 바람 소리
호의현샹(縞衣玄裳)이 반공(半空)의 소소 ᄠᅳ니
흰 저고리와 검은 치마 = 학(의인법)
셔호(西湖) 녯 쥬인(主人)을 반겨셔 넘노ᄂᆞᆫ ᄃᆞᆺ → 물아일체의 경지
화자 자신을 임포 - 송나라 때 서호에서 학을 자식으로 여기며 살았던 은사(隱士)-에 비유
›본사 1-①: 만폭동 폭포와 금강대의 선학

> (직무를 보는 관아) 감영 안이 무사하고 시절이 3월인 때
> 화천 시냇길이 금강산 쪽으로 뻗어 있다.
> 행장을 간편히 하고 돌길에 지팡이 짚어
> 백천동 곁을 지나서 만폭동으로 들어가니,
> 은 같은 무지개, 옥 같은 용의 꼬리,
> 섞어 돌며 뿜는 소리 십 리까지 퍼졌으니,
> (멀리서) 들을 때는 우레더니, (가까이) 보니 눈이로다.
> 금강대 맨 꼭대기에 선학이 새끼를 치니,
> 봄바람에 들려오는 옥피리 소리에 첫잠을 깨었던지
> 흰 비단 저고리에 검은 치마를 입은 듯한 두루미가 허공에 솟아 뜨니,
> 서호의 옛 주인을 반겨서 넘노는 듯

쇼향노(小香爐) 대향노(大香爐) 눈 아래 구버보고
만폭동에 있는 향로처럼 생긴 봉우리들. 구체적 지명 제시 - 자연물 나열
정양ᄉᆞ(正陽寺) 진헐ᄃᆡ(眞歇臺) 고텨 올나 안즌마리
내금강의 표훈사 북쪽에 있는 절
『녀산(廬山) 진면목(眞面目)이 여긔야 다 뵈ᄂᆞ다』 『 』: 소동파의 시에서 인용 → 금강산의 절경 예찬
중국 여산 = 금강산
『어와 조화옹(造化翁)이 헌ᄉᆞ토 헌ᄉᆞᄒᆞᆯ샤』 『 』: 영탄적 표현 - 대상 예찬
산세(山勢)가 다양함을 찬양함
놀거든 ᄯᅱ디 마나 셧거든 솟디 마나
금강산의 수많은 봉우리의 변화무쌍하고 역동적인 모습 표현
부용(芙蓉)을 고잣ᄂᆞᆫ ᄃᆞᆺ ᄇᆡᆨ옥(白玉)을 믓것ᄂᆞᆫ ᄃᆞᆺ → 정적 이미지
아름다운 산봉우리
동명(東溟)을 박ᄎᆞᄂᆞᆫ ᄃᆞᆺ 북극(北極)을 괴왓ᄂᆞᆫ ᄃᆞᆺ → 동적 이미지
동해 바다 / 신하(산봉우리)가 임금(북극)을 받들고 있다는 뜻
『놉흘시고 망고ᄃᆡ(望高臺) 외로올샤 혈망봉(穴望峰)이
화자가 추구하는 충신의 모습
하ᄂᆞᆯ의 추미러 므ᄉᆞ 일을 ᄉᆞ로리라』 『 』: 자신의 절개와 의지를 산세에 비유하고 있음(의인법) **Link** 표현상 특징 ❸
임금
쳔만(千萬) 겁(劫) 디나ᄃᆞ록 구필 줄 모ᄅᆞᄂᆞᆫ다
망고대, 혈망봉 / 주체: 망고대, 혈망봉(충신의 지조와 절개)
어와 너여이고 너 ᄀᆞᄐᆞ니 ᄯᅩ 잇ᄂᆞᆫ가
자신도 망고대와 혈망봉처럼 충신이 되고자 함

송순의 「면앙정가」에서 영향을 받은 구절

> **본사 1-②: 진헐대에서 바라본 금강산과 충절에 대한 생각**

소향로 대향로 눈 아래 굽어보고
정양사 진헐대 다시 올라 앉으니
여산의 진면목이 여기서 다 보인다.
아아, 조물주의 솜씨가 훌륭하고 훌륭하구나.
(수많은 봉우리들이) 날거든 뛰지 말거나 섰거든 솟지 말거나
연꽃을 꽂은 듯, 백옥을 묶은 듯
동해를 박차는 듯, 북극을 떠받쳐 괴어 놓은 듯
높기도 하구나 망고대, 외롭기도 하구나 혈망봉이
하늘에 치밀어 올라 무슨 일을 아뢰려고
천만 겁이 지나도록 굽힐 줄 모르는가?
아아, (망고대와 혈망봉) 너로구나! 너 같은 (높은 기상을 지닌) 이 또 있겠는가?

ᄀᆡ심ᄃᆡ(開心臺) 고텨 올나 듕향셩(衆香城) ᄇᆞ라보며
만(萬) 이쳔 봉(二千峰)을 녁녁(歷歷)히 혀여ᄒᆞ니
금강산(대유법) / 분명히, 똑똑히
봉(峰)마다 ᄆᆡᆺ쳐 잇고 긋마다 서린 긔운
ᄆᆞᆰ거든 조티 마나 조커든 ᄆᆞᆰ디 마나 → 대구법, 연쇄법 **Link** 표현상 특징 ❸
맑고도 깨끗한 산의 정기
뎌 긔운 흐터 내야 인걸(人傑)을 ᄆᆡᆫᄃᆞᆯ고쟈 → 정치가적 포부(우국지정)
인재를 양성하고 싶은 마음
『형용(形容)도 그지업고 톄셰(體勢)도 하도 할샤』 『 』: 금강산 일만 이천 봉의 다양한 형세에 대해 강조함
금강산의 정적인 모습 / 형세, 모양새. 금강산의 동적인 모습
텬디(天地) 삼기실 제 ᄌᆞ연(自然)이 되연마ᄂᆞᆫ
이제 와 보게 되니 유졍(有情)도 유졍ᄒᆞᆯ샤
조물주의 깊은 뜻이 담겨 있음
비로봉(毗盧峰) 샹샹두(上上頭)의 올라 보니 긔 뉘신고
올라 본 사람이 아무도 없음
동산(東山) 태산(泰山)이 어ᄂᆞ야 놉돗던고
중국의 산
노국(魯國) 조븐 줄도 우리ᄂᆞᆫ 모ᄅᆞ거든
노나라. 공자의 고향
넙거나 넙은 텬하(天下) 엇ᄯᅵᄒᆞ야 젹닷 말고
『어와 뎌 디위ᄅᆞᆯ 어이ᄒᆞ면 알 거이고』
지위. 공자의 정신적 경지 / 『 』: 넓은 천하를 작다고 말한 사람의 호연지기를 부러워함
오ᄅᆞ디 못ᄒᆞ거니 ᄂᆞ려가미 고이ᄒᆞᆯ가
자신의 한계 인식

중국 동산에 올라 노나라가 작다고 하고, 태산에 올라 천하가 작다고 한 공자의 높은 경지를 찬양하며 자신은 그 경지에 미치지 못함을 한탄함 → 비로봉에 올라갈 수 없는 자신을 정당화함

> **본사 1-③: 개심대에서 바라본 비로봉과 공자의 덕**

개심대에 다시 올라 중향성 바라보며
만 이천 봉을 똑똑이 헤아려 보니,
산봉우리마다 맺혀 있고 끝마다 서린 기운
맑거든 깨끗하지 않거나 깨끗하거든 맑지 않거나
저 (맑고 깨끗한) 기운 흩어 내어 뛰어난 인재를 만들고 싶다.
(산봉우리) 생긴 모양도 이루 말할 수 없고, 기세도 대단하구나.
(산봉우리들은) 천지 생기실 때 저절로 이루어진 것이지만
이제 와 보게 되니 조물주의 깊은 뜻이 담겨 있구나.
비로봉 꼭대기에 올라 본 이 누구신가?
동산 태산이 어느 것이 높았던가?
노나라가 좁은 줄도 우리는 모르는데
넓고도 넓은 천하를 어찌하여 작다고 말하는가?
아아, 저 (공자님과 같은 높고 넓은) 경지를 어찌하면 알 것인가?
오르지 못하니 내려감이 이상할까?

원통(圓通)골 ᄀᆞᄂᆞᆫ 길로 ᄉᆞᄌᆞ봉(獅子峰)을 ᄎᆞᄌᆞ가니
그 알ᄑᆡ 너러바회 화룡(化龍)쇠 되여셰라
『쳔년(千年) 노룡(老龍)이 구ᄇᆡ구ᄇᆡ 서려 이셔』 『 』: 화룡소에서 흘러내리는 물을 마치 용의 모습처럼 표현함
① 화룡소의 물 ② 화자 자신(정철)
듀야(晝夜)의 흘녀 내여 창ᄒᆡ(滄海)예 니어시니
넓고 큰 바다

원통골 좁은 길로 사자봉을 찾아가니,
그 앞에 넓은 바위 화룡소(연못)가 되었구나.
(화룡소에는) 천년 노룡이 굽이굽이 서려 있어
밤낮으로 (물이) 흘러내려 넓은 바다에 이어져 있으니,

풍운(風雲)을 언제 어더 삼일우(三日雨)를 디련ᄂᆞ냐
선정의 여건 / 백성에게 베푸는 선정
『음애(陰崖)예 이온 플을 다 살와 내여ᄉᆞ라』 ▶ 본사 1-④: 화룡소에서의 감회
그늘진 벼랑에 시든 풀 / 『 』: 선정의 포부

바람과 구름을 언제 얻어 많은 비를 내리려는지
그늘진 벼랑에 시든 풀을 다 살려 내자꾸나.

마하연(摩訶衍) 묘길샹(妙吉祥) 안문(雁門)재 너머 디여
만폭동의 가장 깊은 골짜기 / 돌벽에 새긴 커다란 불상
외나모 ᄡᅥ근 ᄃᆞ리 블뎡ᄃᆡ(佛頂臺) 올라 ᄒᆞ니
쳔심졀벽(千尋絶壁)을 반공(半空)애 셰여 두고
높이가 천길이 되는 절벽
은하슈(銀河水) 한 구ᄇᆡ를 촌촌이 버혀 내여
원관념: 십이 폭포
실ᄀᆞ티 플텨 이셔 뵈ᄀᆞ티 거러시니
(십이 폭포 모습(은유법, 직유법) Link 표현상 특징 ❸)
폭포의 근경 / 폭포의 원경
도경(圖經) 열두 구ᄇᆡ 내 보매ᄂᆞᆫ 여러히라
산수를 그림으로 설명한 책 / 십이폭포 / 열두 폭이 더 되어 보인다
니뎍션(李謫仙) 이제 이셔 고텨 의논ᄒᆞ게 되면
당나라 시인 이백 / 비교법
녀산(廬山)이 여긔도곤 낫단 말 못 ᄒᆞ려니
당나라 시인 이백(이적선)의 시구에 나오는 중국의 명산 ▶ 본사 1-⑤: 불정대에서 바라본 십이 폭포의 장관

마하연(에 들러) 묘길상(을 보고) 안문재 넘어서
외나무 썩은 다리를 건너 불정대에 오르니,
(물기둥이) 천 길이나 되는 절벽을 허공에 세워 두고,
은하수 큰 굽이를 마디마디 베어 내어
실같이 풀어서 베같이 걸었으니,
도경에는 열두 굽이라 하였으나, 내 보기는 여럿이라.
이태백이 지금 살아 있어서 다시 의논하게 되면,
(중국) 여산의 폭포가 여기보다 낫다는 말은 못하리라.

산듕(山中)을 ᄆᆡ양 보랴 동ᄒᆡ(東海)로 가쟈ᄉᆞ라
금강산(내금강) / 관동 팔경(해금강)
남여완보(籃輿緩步)ᄒᆞ야 산영누(山映樓)의 올나ᄒᆞ니
뚜껑이 없는 작은 가마
『녕농(玲瓏) 벽계(碧溪)와 수셩(數聲) 뎨됴(啼鳥)ᄂᆞᆫ 니별(離別)을 원(怨)ᄒᆞᄂᆞᆫ 듯』
감정 이입의 대상
『 』: 주객전도의 표현 → 이별을 아쉬워하는 것은 화자임 Link 표현상 특징 ❺
졍긔(旌旗)를 ᄯᅥᆯ티니 오ᄉᆡᆨ(五色)이 넘노ᄂᆞᆫ 듯
깃발이 서로 뒤섞여 나부끼는 모양
고각(鼓角)을 섯부니 ᄒᆡ운(海雲)이 다 것ᄂᆞᆫ 듯
(시각과 청각의 조화 - 관찰사 행렬의 위풍당당함 묘사(대구법) Link 표현상 특징 ❸)
명사(鳴沙)길 니근 ᄆᆞᆯ이 취션(醉仙)을 빗기 시러
취한 신선 = 화자 자신(정철), 도가적 사상
바다ᄒᆞᆯ 겻ᄐᆡ 두고 ᄒᆡ당화(海棠花)로 드러가니
『ᄇᆡᆨ구(白鷗)야 ᄂᆞ디 마라 네 버딘 줄 엇디 아ᄂᆞᆫ』
『 』: 물아일체, 자연 친화 ▶ 본사 2-①: 금강산에서 동해로 향하는 감회

내금강의 경치만 항상 보겠는가? 동해로 가자꾸나.
뚜껑이 없는 가마를 타고 천천히 걸어서 산영루에 오르니,
눈부시게 맑은 시냇물과 아름다운 소리로 우는 새는 (나와의) 이별을 원망하는 듯(하다.)
깃발을 휘날리니 오색이 넘노는 듯
북과 나팔을 섞어 부니 바다의 구름이 다 걷힌 듯
모래 길에 익숙한 말이 취한 신선을 비스듬히 태우고,
바다 곁에 지나서 해당화 핀 꽃밭으로 들어가니,
갈매기야 날지 마라. (내가) 네 벗인 줄 어찌 아냐?

금난굴(金欄窟) 도라드러 총셕뎡(叢石亭) 올라ᄒᆞ니
ᄇᆡᆨ옥누(白玉樓) 남은 기동 다만 네히 셔 잇고야
옥황상제가 거처하는 누각 = 총석정
공슈(工倕)의 셩녕인가 귀부(鬼斧)로 다ᄃᆞ믄가
고대 중국의 장인 / 귀신의 도끼 - 신기한 연장
구ᄐᆞ야 뉵면(六面)은 므어슬 샹(象)톳던고 ▶ 본사 2-②: 총석정의 장관
천지사방(동·서·남·북·하늘·땅) / 본떴는가

금란굴 돌아들어 총석정에 올라가니,
(옥황상제가 거처하던) 백옥루 남은 기둥이 다만 넷이 서 있구나.
(옛날 중국의 명장인) 공수의 솜씨인가? 귀신의 도끼로 다듬었나?
구태여 육 면은 무엇을 본떴는가?

신라의 네 화랑이 삼일 동안 놀았던 장소
고셩(高城)을란 뎌만 두고 삼일포(三日浦)를 ᄎᆞ자가니
네 명의 신선 - 신라의 네 화랑(영랑, 남랑, 술랑, 안상랑)
단셔(丹書)ᄂᆞᆫ 완연(宛然)ᄒᆞ되 ᄉᆞ션(四仙)은 어ᄃᆡ 가니
붉은 글씨 - 삼일포 남쪽 절벽에 '영랑의 무리가 남석으로 가다'라고 쓰여 있음
예 사흘 머믄 후(後)의 어ᄃᆡ 가 ᄯᅩ 머믈고
'삼일포' 지명의 유래
션유담(仙遊潭) 영낭호(永郎湖) 거긔나 가 잇ᄂᆞᆫ가
간성 남쪽에 있는 사선이 놀았다는 연못
쳥간뎡(淸澗亭) 만경ᄃᆡ(萬景臺) 몃 고ᄃᆡ 안돗던고
(주체: 사선)
▶ 본사 2-③: 삼일포에서 사선을 생각함

고성을 저만치 두고 삼일포를 찾아가니,
(신라의 국선이었던 영랑의 무리가 남석으로 갔다는) 붉은 글씨는 뚜렷한데 사선은 어디 갔는가?
여기에서 사흘 머문 후에 어디 가 또 머물까?
선유담, 영랑호 거기나 가 있는가?
청간정, 만경대 몇 곳에 앉았던가?

『니화(梨花)ᄂᆞᆫ ᄇᆞᆯ셔 디고 졉동새 슬피 울 제』
『 』: 계절적 배경 - 늦봄 → 3월에 시작된 여행이 늦봄까지 이어짐
낙산(洛山) 동반(東畔)으로 의샹ᄃᆡ(義相臺)예 올라 안자
일츌(日出)을 보리라 밤듕만 니러ᄒᆞ니
해 = 임금
샹운(祥雲)이 집픠ᄂᆞᆫ 동 뉵뇽(六龍)이 바퇴ᄂᆞᆫ 동 → 해 뜨기 전
충신
바다ᄒᆡ ᄯᅥ날 제ᄂᆞᆫ 만국(萬國)이 일위더니 → 해 뜨는 중
일출 순간의 광경
텬듕(天中)의 티ᄠᅳ니 호발(毫髮)을 혜리로다 → 해 뜬 후
가늘고 짧은 털. 아주 작은 물건을 이름
『아마도 녈구름 근쳐의 머믈셰라』 『 』: 이백의 시 「등금릉봉황대」에서 인용한 구절 - 우국지정
지나가는 구름 = 간신
시션(詩仙)은 어ᄃᆡ 가고 ᄒᆡ타(咳唾)만 나맛ᄂᆞ니
이백 / 훌륭한 사람의 입에서 나온 말이나 글 → 이백의 시
텬디간(天地間) 장(壯)ᄒᆞᆫ 긔별 ᄌᆞ셔히도 ᄒᆞᆯ셔이고

▶ 본사 2-④: 의상대에서 일출을 봄

배꽃은 벌써 지고 접동새 슬피 울 때
낙산 동쪽 언덕으로 의상대에 올라 앉아
일출을 보려고 밤중에 일어나니,
상서로운 구름이 피어나는 듯 여섯 마리 용이 (해를) 받치는 듯
바다에서 솟아오를 때는 온 세상이 일렁이더니
하늘 가운데에 치솟아 뜨니 가는 털을 셀 수 있을 만큼 밝도다.
혹시나 지나가는 구름이 근처에 머무를까 두렵구나.
이백은 어디 가고 시구만 남았는가?
천지 간에 굉장한 소식이 자세히도 표현되었구나!

샤양(斜陽) 현산(峴山)의 텩툑(躑躅)을 ᄆᆞ니ᄇᆞᆯ와
비스듬히 비치는 볕 / 철쭉 / 잇달아 밟아
우개지륜(羽蓋芝輪)이 경포(鏡浦)로 ᄂᆞ려가니
신선이 탄다는 수레 → 자신을 신선에 비유함. 도가적 사상
십 리(十里) 빙환(氷紈)을 다리고 고텨 다려
얼음같이 맑고 깨끗한 비단=호수의 잔잔한 수면(은유)
댱숑(長松) 울흔 소개 슬ᄏᆞ장 펴뎌시니
에워싼, 둘러싼
믈결도 자도 잘샤 모래ᄅᆞᆯ 혜리로다
(원경 → 근경)
매우 맑다
고쥬(孤舟) ᄒᆡ람(解纜)ᄒᆞ야 뎡ᄌᆞ(亭子) 우ᄒᆡ 올나가니
한 척의 배 / 닻줄을 풀어 배를 띄움 / 동해
강문교(江門橋) 너믄 겨ᄐᆡ 대양(大洋)이 거긔로다
경포 동쪽의 다리 / 동해
『동용(從容)ᄒᆞᆫ댜 이 긔샹(氣像) 활원(闊遠)ᄒᆞᆫ댜 뎌 경계(境界)』
조용하구나 / 경포의 기상 / 넓고 아득하다 / 대양의 경계
이도곤 ᄀᆞ잔 ᄃᆡ ᄯᅩ 어ᄃᆡ 잇닷 말고
『 』: 정자 위에서 바라다보이는 강문교 주변의 풍경을 예찬함. 대구법 **Link** 표현상 특징 ❸
경포보다 아름다운 경치를 가진 곳
홍장(紅粧) 고ᄉᆞ(古事)ᄅᆞᆯ 헌ᄉᆞ타 ᄒᆞ리로다 → 홍장의 고사가 야단스럽게 느껴질 정도로 조용하고 아름다운 경포호
고려 때 강원 감사 박신과 기생 홍장이 경포에서 사랑을 나눈 고사
강능(江陵) 대도호(大都護) 풍쇽(風俗)이 됴흘시고
조선 시대 행정 구역
졀효졍문(節孝旌門)이 골골이 버러시니
효자, 열녀, 충신 등을 표창하기 위해 마을에 세운 붉은 문
비옥가봉(比屋可封)이 이제도 잇다 ᄒᆞᆯ다
집집마다 덕행이 있어 모두 벼슬에 봉할 만하다 → 선정의 과시

▶ 본사 2-⑤: 경포의 아름다운 경치와 강릉의 미풍양속

저녁 햇빛이 비껴드는 현산의 철쭉을 잇달아 밟아
신선이 타는 수레를 타고 경포로 내려가니,
십 리나 뻗어 있는 얼음같이 흰 비단을 다리고 다시 다려
큰 소나무 숲으로 둘러싼 속에 한껏 펼쳐져 있으니,
물결이 잔잔하기도 잔잔하구나. 모래를 셀 수 있을 만하다.
배 한 척을 띄워 정자 위에 올라가니,
강문교 넘은 곁에 동해가 거기로다.
조용하다 이 (경포의) 기상! 넓고 아득하구나 저 (동해의) 경계!
이곳보다 (아름다운 경치를) 갖춘 곳이 또 어디 있단 말인가?
박신과 홍장의 이야기가 야단스럽다 하리로다.
강릉 대도호 풍속이 좋기도 하구나.
충신, 효자, 열녀를 표창하기 위해 세운 정문이 동네마다 널렸으니,
요순 시절의 태평성대가 이제도 있다고 하겠다.

진쥬관(眞珠館) 듁셔루(竹西樓) 오십쳔(五十川) ᄂᆞ린 믈이
삼척
태ᄇᆡᆨ산(太白山) 그림재ᄅᆞᆯ 동ᄒᆡ(東海)로 다마 가니
남산의 옛 명칭
출하리 한강(漢江)의 목멱(木覓)의 다히고져
한강과 목멱(남산) = 임금이 계신 곳
왕뎡(王程)이 유한(有限)ᄒᆞ고 풍경(風景)이 못 슬믜니
관원의 여정 / 싫증나지 않으니
유회(幽懷)도 하도 할샤 ᄀᆡᆨ수(客愁)도 둘 ᄃᆡ 업다
마음속에 품은 회포 / 나그네의 쓸쓸한 심정
(관찰사로서의 의무와 자연을 즐기고 싶은 개인적 욕망 사이에서의 갈등이 드러남)
션사(仙槎)ᄅᆞᆯ ᄯᅴ워 내여 두우(斗牛)로 향(向)ᄒᆞ살가
신선이 타는 뗏목 / 북두칠성과 견우성
션인(仙人)을 ᄎᆞᄌᆞ려 단혈(丹穴)의 머므살가
신라의 신선 = 사선 / 신라 때 사선이 놀았다는 동굴
(초월적 신선 세계를 추구함. 도가적 사상)

▶ 본사 2-⑥: 죽서루에서 느끼는 객창감

진주관 죽서루 (아래) 오십천을 흘러 내린 물이
태백산 그림자를 동해로 담아 가니,
(그 물줄기를) 차라리 (임금이 계신) 한강의 남산에 닿게 하고 싶다.
(관원의) 여정이 유한하고 풍경이 싫증 나지 않으니,
마음속 깊은 생각도 많고 많다. 객지의 쓸쓸함과 시름도 둘 곳이 없다.
신선이 탄다는 배를 띄워 내어 북두성과 견우성으로 향할까?
(영랑, 남랑, 술랑, 안상) 네 명의 선인을 찾으러 단혈에 머무를까?

텬근(天根)을 못내 보와 망양뎡(望洋亭)의 올은말이
하늘의 끝

바다 밧근 하ᄂᆞᆯ이니 하ᄂᆞᆯ 밧근 므서신고
더 넓은 세계에 대한 궁금증

『ᄀᆞᆺ득 노ᄒᆞᆫ 고래 뉘라셔 놀내관ᄃᆡ 『 』: 커다란 파도가 출렁이는 모습과 물보라를 일으키는 모습(은유법)
거칠고 큰 파도(은유)

블거니 쁨거니 어즈러이 구ᄂᆞᆫ디고 **Link** 표현상 특징 ❸

은산(銀山)을 것거 내여 뉵합(六合)의 ᄂᆞ리ᄂᆞᆫ ᄃᆞᆺ
높이 솟아 부서지는 흰 파도(은유) / 온 세상

오월(五月) 댱텬(長天)의 ᄇᆡᆨ셜(白雪)은 므ᄉᆞ 일고』
여름의 넓은 하늘 / 하얗게 부서지는 물보라(은유)

> 본사 2-⑦: 망양정에서 파도를 바라봄

져근덧 밤이 드러 풍낭(風浪)이 뎡(定)ᄒᆞ거ᄂᆞᆯ
잠깐 사이에 / 동해 바닷가

부상(扶桑) 지쳑(咫尺)의 명월(明月)을 기ᄃᆞ리니
해가 뜨는 곳

셔광(瑞光) 쳔댱(千丈)이 뵈ᄂᆞᆫ ᄃᆞᆺ 숨ᄂᆞᆫ고야
천 길이나 뻗은 상서로운 빛 = 달빛

쥬렴(珠簾)을 고텨 것고 옥계(玉階)ᄅᆞᆯ 다시 쓸며 → 경건한 마음가짐으로 달을 기다림
구슬을 꿰어 만든 발 / 옥같이 희고 고운 섬돌(미화법)

계명셩(啓明星) 돗도록 곳초 안자 ᄇᆞ라보니 → 시간의 경과
금성 = 샛별

ᄇᆡᆨ년화(白蓮花) ᄒᆞᆫ 가지ᄅᆞᆯ 뉘라셔 보내신고
하얀 연꽃 - 달(은유), 임금의 은혜(미화법)

일이 됴ᄒᆞᆫ 셰계(世界) ᄂᆞᆷ대되 다 뵈고져 → 애민 정신 - 선정에의 포부
백성에게

뉴하쥬(流霞酒) ᄀᆞ득 부어 ᄃᆞᆯᄃᆞ려 무론 말이
신선이 마신다는 술

영웅(英雄)은 어ᄃᆡ 가며 ᄉᆞ션(四仙)은 긔 뉘러니
이백 / 신선 - 신라 때의 화랑

아ᄆᆡ나 맛나 보아 녯 긔별 뭇쟈 ᄒᆞ니
(신선 세계에 대한 질문 → 도가적 사상)

션산(仙山) 동ᄒᆡ(東海)예 갈 길히 머도 멀샤
중국 전설에 나오는 삼신산(우리나라의 금강산, 지리산, 한라산) → 신선 세계에 대한 동경

> 결사 1: 망양정에서의 달맞이와 도선적 풍류

숑근(松根)을 볘여 누어 픗ᄌᆞᆷ을 얼픗 드니

ᄭᅮᆷ애 ᄒᆞᆫ 사ᄅᆞᆷ이 날ᄃᆞ려 닐온 말이 △: 신선 ○: 화자(정철)
화자의 갈등을 해소해 주는 매개 / 화자

『그ᄃᆡᄅᆞᆯ 내 모ᄅᆞ랴 샹계(上界)예 진션(眞仙)이라
화자 / 신선

황뎡경(黃庭經) 일ᄌᆞ(一字)ᄅᆞᆯ 엇디 그ᄅᆞᆺ 닐거 두고
신선들이 읽는다는 도가의 경서

인간(人間)의 내려와셔 우리ᄅᆞᆯ ᄯᆞ로ᄂᆞᆫ다
인간 세상 / 신선

져근덧 가디 마오 이 술 ᄒᆞᆫ 잔 머거 보오』 『 』: 꿈속 신선의 말

븍두셩(北斗星) 기우려 챵ᄒᆡ슈(滄海水) 부어 내여
북두칠성 = 술 국자(은유) / 푸른 바닷물 = 술

저 먹고 날 머겨ᄂᆞᆯ 서너 잔 거후로니
기울이니

화풍(和風)이 습습(習習)ᄒᆞ야 냥익(兩腋)을 추혀 드니
봄바람이 산들산들 불어 / 양쪽 겨드랑이

구만(九萬) 리(里) 댱공(長空)애 져기면 ᄂᆞᆯ리로다
아득히 높고 먼 하늘에

이 술 가져다가 ᄉᆞᄒᆡ(四海)예 고로 ᄂᆞᆫ화
온 세상 / 골고루 나누어

억만창ᄉᆡᆼ(億萬蒼生)을 다 취(醉)케 ᄆᆡᆼ근 후(後)의
수많은 백성

그제야 고텨 맛나 ᄯᅩ ᄒᆞᆫ 잔 ᄒᆞ잣고야
다시 만나

(화자의 말: 관리로서 백성을 먼저 걱정하고 나중에 즐긴다는 '선우후락(先憂後樂)' 정신과 애민 정신이 나타남)

말 디쟈 학(鶴)을 ᄐᆞ고 구공(九空)의 올나가니
주체 - 신선

하늘 끝을 보지 못해 망양정에 오르니,

바다 밖은 하늘이니 하늘 밖은 무엇인가?

가뜩 성난 파도 누가 놀라게 하기에

(물을) 불거니 뿜거니 하며 어지럽게 구는 것인가?

큰 파도를 꺾어 내어 온 세상에 흩뿌려 내리는 듯

오월 맑은 하늘에 백설(하얀 물보라)은 무슨 일인가?

잠깐 사이에 밤이 되어 바람과 물결이 멈추거늘

(해가 뜨는 곳인) 부상 가까이서 밝은 달을 기다리니,

상서로운 빛줄기가 보이는 듯하다가 숨는구나.

구슬로 꿰서 만든 발을 다시 걷고 옥으로 된 계단을 다시 쓸며

샛별이 돋도록 꼿꼿이 앉아 바라보니,

흰 연꽃 한 가지(달)를 누가 보내셨나?

이리 좋은 세상 남에게 다 보이고 싶구나.

(신선이 마신다는) 유하주를 가득 부어 달에게 묻는 말이

영웅(이태백)은 어디 가며 (신라 때) 사선은 그 누구냐?

아무나 만나 보아 (사선의) 옛 기별을 묻자 하니,

삼신산이 있다는 동해에 갈 길이 멀기도 멀구나.

소나무 뿌리를 베고 누워 풋잠을 얼핏 드니,

꿈에 한 사람이 나에게 이른 말이

그대를 내 모르라? (그대는) 하늘의 진선이라.

황정경 한 글자를 어찌 잘못 읽어서

인간 세상에 내려와서 우리(신선의 무리)를 따라 다니는가?

잠깐 가지 마오. 이 술 한 잔 먹어 보오.

북두성을 기울여 동해물 같은 술을 부어 내어

자기가 먹고 나에게도 먹이거늘 서너 잔을 기울이니,

따뜻한 봄바람이 산들산들 불어 양쪽 겨드랑이를 추켜올리니,

아득히 먼 하늘도 웬만하면 날 것 같구나.

이 술 가져다가 온 세상에 고루 나눠

수많은 백성을 다 취하게 만든 후에

그제야 다시 만나 또 한잔 하자꾸나.

말이 끝나자마자 (신선은) 학을 타고 높은 하늘에 올라가니

공듕(空中) 옥쇼(玉簫) 소릐 어제런가 그제런가
장면 전환 기법: 꿈 - 현실(비몽사몽)
나도 잠을 씨여 바다흘 구버보니
기픠롤 모르거니 ᄀ인들 엇디 알리
『 』: 시조의 종장과 같은 음수율 → 정격 가사
『명월(明月)이 쳔산만낙(千山萬落)의 아니 비쵠 ᄃᆡ 업다』
밝은 달 = 임금의 은혜　온 세상

> 결사 2: 꿈에서 잠을 깸

공중에서 들려오는 옥피리 소리 어제던가, 그제던가?
나도 잠을 깨어 바다를 굽어보니,
깊이를 모르는데 끝인들 어찌 알겠는가?
밝은 달이 온 세상에 아니 비친 곳이 없구나.

출제자 톡! 화자를 이해하라!

1 **화자는 누구이고, 화자가 처한 상황은?**
작가 자신으로, 강원도 관찰사로 부임한 후 관동 팔경을 유람하고 있는 '나'

2 **화자의 정서 및 태도는?**
경치를 유람하며 강호가도적 마음을 가지고 있지만 유교적 충의 사상과 도교적 신선 사상 사이에서 갈등하고 있음.

Link

출제자 톡! 표현상의 특징을 파악하라!

❶ 여정에 따라(공간의 이동에 따라) 시상을 전개함.
❷ 과감한 생략과 압축을 통해 시상을 속도감 있게 전개함.
❸ 대구법, 직유법, 은유법, 의인법, 연쇄법 등 다양한 표현 방법을 사용함.
❹ 우리말의 아름다움을 잘 살린 표현들을 사용함.
❺ 주객전도의 표현을 통해 화자의 정서를 강조함.

최우선 출제 포인트!

1 시상 전개 방식 – 여정에 따른 전개

구성	내용	여정
서사	관찰사 부임과 관내 순력	전라도 창평 – 한양(서울) – 평구(양주) – 흑수(여주) – 섬강 · 치악(원주) – 소양강(춘천) – 동주(철원) – 회양
본사 1	금강산(내금강) 유람	만폭동 – 금강대 – 진헐대 – 개심대 – 화룡소 – 불정대 – 산영루
본사 2	관동 팔경과 동해안 유람	산영루 – 총석정 – 삼일포 – 의상대 – 현산 – 경포 – 강릉 – 죽서루 – 망양정
결사	여로의 종착	–

2 공간 이동에 따른 심리 변화

산	→	바다
• 위정자로서의 책임감 • 유교적 충의 사상	→	• 인간 내면의 자유분방한 욕구 • 도교적 신선 사상

화자는 산에서는 신하로서의 직분이나 관리로서의 의무감을 저버리지 않는데 반해, 바다에서는 현실을 초월하고 싶은 개인적 욕망을 드러내고 있다. 이는 화자가 곧고 변함없는 산에서는 그 덕성을 본받고자 한 것이고, 끝없이 넓게 펼쳐진 바다에서는 자신의 내면세계를 펼치고자 하는 것으로 볼 수 있다.

최우선 핵심 Check!

1 연군의 정과 애민의 정을 드러내고 있다. (O / ×)

2 ㅇ ㅈ에 따라 시상을 전개한 기행 가사이다.

3 망고대, 혈망봉, 화룡소 등의 자연물을 인간의 삶에 적용시켜 주관적으로 변용하고 있다. (O / ×)

4 속세에서 떠나 자연의 일부분으로 살아가고자 하는 화자의 세계관이 담겨 있다. (O / ×)

5 산에서는 위정자로서의 포부가 주로 나타나지만, 바다에서는 자연을 즐기고 싶어 하는 개인의 자유분방한 욕구가 나타나고 있다. (O / ×)

6 강원도 관찰사로 부임하는 과정을 과감한 ㅅ ㄹ을 통해 속도감 있게 전개하고 있다.

7 〈본사 1〉에서는 구체적 지명과 관련된 자신의 경험과 그에 대한 소회를 전달하고 있다. (O / ×)

정답 1. ○ 2. 여정 3. ○ 4. × 5. ○ 6. 생략 7. ○

1등급! 〈보기〉!

「관동별곡」의 이해

조선의 사대부들은 자연에 하늘의 이치[天理]가 구현된 것으로 보았으며, 그들 중 대부분은 자연의 미를 관념적으로 형상화하였다. 한편 이 작품의 작가 정철은 자연의 미를 현실에서 발견하여 사실감 있게 묘사함으로써 그들과의 차별성을 드러내었다. 또한 그는 자연을 바라보며 사회적 책무를 떠올리고 자연에 투사된 이상적 인간상을 모색하기도 하였다. 즉, '혈망봉'을 '천만겁'이 지나도록 굽히지 않는 존재로 본 것은, 작가가 지향하는 이상적 인간상을 자연에 투사한 것으로 볼 수 있고, '개심대'에서 '뎌 긔운 흐터 내야 인걸을 만들'겠다는 의지를 드러낸 것은, 작가가 자연을 바라보며 자신의 사회적 책무를 인식하고 있음을 보여 주는 것으로 볼 수 있다. '불정대'에서 본 폭포의 아름다움을 '실'이나 '베'와 같은 구체적 사물을 활용하여 표현한 것은 자연을 사실감 있게 나타내려는 작가의 태도를 반영한 것으로 볼 수 있다. 또한 '불정대'의 풍경을 중국의 '여산'과 비교하며 우리 자연의 아름다움을 강조한 것은 관념이 아닌 현실에서 아름다움을 발견하는 작가의 차별성을 보여 주는 것으로 볼 수 있다.

누추한 집에서 부른 노래

누항사(陋巷詞) | 박인로

갈래 가사(은일 가사) **성격** 전원적, 사색적, 사실적
주제 누항에서 가난하게 살면서도 빈이무원과 안빈낙도를 추구함 **시대** 조선 중기

작가가 경기도 용진에 은거하고 있을 때 이덕형이 찾아와 근황을 묻자 그에 대한 답으로 지은 가사로, 임진왜란 후에 궁핍해진 현실과 사대부로서의 이상 추구 사이의 갈등을 노래하고 있다.

어리고 우활(迂闊)홀산 이 닉 우히 더니 업다
(어리석고 / 더한 사람이)
길흉화복(吉凶禍福)을 하날긔 부쳐 두고 (: 운명론적 사고방식)
누항(陋巷) 깁푼 곳의 초막(草幕)을 지어 두고
풍조우석(風朝雨夕)에 석은 딥히 셥히 되야
(변화가 심한 날씨 / 섶(땔감)이)
『셔 홉 밥 닷 홉 죽(粥)에 연기(煙氣)도 하도 할샤
(보잘것없는 음식, 넉넉지 못한 생활 형편 / 많기도 많구나)
설 데인 숙냉(熟冷)애 뷘 븨 쇡일 뿐이로다』 (『 』: 화자의 궁핍한 삶의 모습)
(숭늉 / 빈 배를 속일 뿐이로다. 고픈 배를 달랠 뿐이로다)
생애(生涯) 이러호다 장부(丈夫) 뜻을 옴길넌가
(살림살이, 생활 형편 / 옮기겠는가(설의적 표현)) **Link 표현상 특징 ❶**
안빈(安貧) 일념(一念)을 젹을망졍 품고 이셔
『수의(隨宜)로 살려 호니 날로조차 저어(齟齬)호다』 (『 』: 궁핍한 현실과 안빈낙도하려는 이상 사이의 괴리감에서 오는 탄식)
(옳은 일을 좇음 / 날이 갈수록 어긋난다(뜻대로 되지 않는다))
ᄀ올히 부족(不足)거든 봄이라 유여(有餘)호며
(가을이 / 부족한데 / 여유가 있을 것이며)
주머니 뷔엿거든 병(甁)의라 담겨시랴
(술 살 돈이 없는데 / 술병이라고 한들 술이 담겨 있겠는가 / 나뿐이랴, 나뿐이겠는가(설의적 표현))
빈곤(貧困)훈 인생(人生)이 천지간(天地間)의 나뿐이랴 **Link 표현상 특징 ❶**

> 서사: 길흉화복을 하늘에 맡기고 안빈 일념으로 살고자 함

어리석고 세상 물정을 잘 모르기로는 나보다 더한 사람이 없다.
길흉화복을 하늘에 맡겨 두고,
누추한 거리 깊은 곳에 초가를 지어 두고,
변화가 심한 날씨 탓에 썩은 짚이 땔감이 되어,
세 홉 밥, 다섯 홉 죽에 연기도 많기도 많구나.
설 데운 숭늉에 빈 배 속일 뿐이로다.
살림살이가 이러하다고 대장부의 뜻을 바꿀 것인가.
안빈낙도하겠다는 한결같은 마음을 적을망정 품고 있어,
옳은 일을 좇아 살려고 하니 날이 갈수록 뜻대로 되지 않는다.
가을이 부족한데 봄이라고 여유가 있을 것이며,
주머니가 비었는데 술병이라고 한들 (술이) 담겨 있겠는가?
빈곤한 인생이 천지간에 나뿐이겠는가?

(배고픔과 추위 / 몸에 사무치게 절실함)
기한(飢寒)이 절신(切身)호다 일단심(一丹心)을 이질는가
(의에 분발하여 제 몸을 잊음 / 한결같은 마음 / 잊겠는가(설의적 표현)) **Link 표현상 특징 ❶**
분의망신(奮義忘身)호야 죽어야 말녀 너겨
(전대와 망태, 군인의 배낭 / 죽고야 말겠노라고 여겨(생각하여, 마음먹어))
우탁우낭(于橐于囊)의 줌줌이 모와녀코
(5년 동안 / 한 줌 한 줌 / 모아 넣고)
『병과 오재(兵戈五載)예 감사심(敢死心)을 가져 이셔
(병장과 창, 전쟁 / 죽음을 각오한 마음 / 지냈던가, 치렀던가)
이시섭혈(履尸涉血)호야 몃 백전(百戰)을 지ᄂ연고』
(주검을 밟고 피를 건너 감 - 전쟁의 참혹성이 드러남, 과장법) **Link 표현상 특징 ❶**
(『 』: 임진왜란에 참전한 일을 회상함)

> 본사 1: 죽을 각오를 하고 참전했던 임진왜란 회상

배고픔과 추위가 몸에 사무치게 절실하다고 해서 일편단심을 잊겠는가?
의(義)에 분발하여 목숨을 돌보지 않고 죽고야 말겠노라고 생각하여,
전대와 망태에 한 줌 한 줌 모아 넣고,
전쟁(임진왜란) 5년 동안 죽고 말리라는 마음을 가지고 있어,
주검을 밟고 피를 건너 몇 백 번의 전투를 치렀던가?

일신(一身)이 여가(餘暇) 잇사 일가(一家)를 도라보랴
(겨를, 틈 / 있어서 / 돌아보겠는가(설의적 표현)) **Link 표현상 특징 ❶**
일노장수(一奴長鬚)는 노주분(奴主分)을 이졋거든
(긴 수염이 난 종, 늙은 종 / 종과 주인의 분수 / 잊어버렸는데)
고여춘급(告余春及)을 어ᄂ 사이 싱각호리
(나에게 봄이 왔다고 알려 줌)
경당문노(耕當問奴)인들 눌ᄃ려 물룰는고
(밭 가는 것은 종에게 물어보는 것이 마땅함 / 누구에게 / 물어볼 것인가 → 가난하여 물어볼 종이 없다)
궁경가색(躬耕稼穡)이 닉 분(分)인 줄 알리로다
(몸소 밭을 갈고 씨를 뿌려 곡식을 거둠 / 분수)
신야경수(莘野耕叟)와 농상 경옹(壟上耕翁)을 천(賤)타 호리 업것마는
(천하다고 할 사람이)
(갈겠는가 → 탄식)
『아므려 갈고젼들 어닉 쇼로 갈로손고』 (『 』: 밭을 갈 소가 없는 가난한 현실)
(갈고자 한들 / 어느 소)

> 본사 2: 전란 후에 누항에서 몸소 농사를 지음

(이) 한 몸이 겨를이 있어서 한 집안을 돌보겠는가?
늙은 종은 종과 주인 사이의 분수를 잊어버렸는데,
나에게 봄이 왔다고 알려 주기를 어느 사이에 생각을 하겠는가?
밭 가는 일은 종에게 물어보는 것이 마땅하지만 (종이 없으니) 누구에게 물어볼 것인가?
몸소 농사를 짓는 것이 내 분수인 줄을 알겠도다.
들에서 밭 갈던 늙은이와 밭두둑 위에서 밭 갈던 늙은이를 천하다고 할 사람이 없지마는
아무리 갈려고 한들 어느 소로 갈겠는가?

한기 태심(旱旣太甚)ᄒᆞ야 시절(時節)이 다 느즌 제
가뭄이 너무 심함 농사짓기에 알맞은 시기
서주(西疇) 놉흔 논애 잠깐 긴 녈비에
서쪽에 있는 두둑 지나가는 비에
도상 무원수(道上無源水)를 반만깐 ᄃᆡ혀 두고
길 위에 흐르는 근원이 없는 물 반쯤만 대어
쇼 ᄒᆞᆫ 젹 듀마 ᄒᆞ고 엄섬이 ᄒᆞᄂᆞᆫ 말삼
소 한 번(빌려) 주마 엉성히, 탐탁지 않게
친절(親切)호라 너긴 집의
여긴
달 업슨 황혼(黃昏)의 허위허위 다라가셔 □: 화자의 정서 암시 → 양반의 위상이 추락했음을 보여 줌
허우적 허우적, 허둥지둥(의태어)
『구디 다든 문(門) 밧긔 어득히 혼자 서셔
우두커니
큰 기츰 아함이를 양구(良久)토록 ᄒᆞ온 후(後)에』
인기척, '에헴' 하는 소리 꽤 오래도록 『 』: 체면을 중시하는 선비 의식이 드러남
『어화 긔 뉘신고 염치(廉恥) 업산 ᄂᆡ옵노라』 『 』: 대화체 **Link** 표현상 특징 ❷
소 주인의 말 화자의 말

▶ **본사 3: 농사를 짓기 위해 이웃집에 소를 빌리러 감**

가뭄이 이미 극심하여 농사철이 다 늦은 때에,
서쪽 두둑 높은 논에 잠깐 지나가는 비에
길 위에 흘러가는 근원 없는 물을 반쯤만 대어 두고,
'소 한 번 빌려 주마.' 하고 엉성하게 하는 말(을 듣고,)
친절하다고 여긴 집에
달 없는 저녁에 허둥지둥 달려가서,
굳게 닫은 문 밖에 우두커니 혼자 서서,
큰 기침으로 에헴 소리를 꽤 오래도록 한 후에,
"어, 거기 누구신가?" 묻기에 "염치없는 저올시다."

『초경(初更)도 거원ᄃᆡ 긔 엇지 와 겨신고
거의 지났는데
연년(年年)에 이러ᄒᆞ기 구차(苟且)ᄒᆞᆫ 줄 알건마는
해마다 이렇게 하기가
쇼 업슨 궁가(窮家)애 혜염 만하 왓삽노라
가난한 집에 걱정, 근심
공ᄒᆞ니나 갑시나 주엄즉도 ᄒᆞ다마는
공짜로나 값을 치거나
다만 어제 밤의 거넨집 져 사람이
건넛집
목 불근 수기 치(雉)를 옥지읍(玉脂泣)게 ᄭᅮ어 ᄂᆡ고
수꿩(장끼) 구슬 같은 기름이 튀어 오르게 구워 내고
간 이근 삼해주(三亥酒)를 취(醉)토록 권(勸)ᄒᆞ거든
갓 익은
이러한 은혜(恩惠)를 어이 아니 갑흘넌고
꿩고기와 술을 가져온 이웃에게 소를 빌려 주어야 한다는 핑계로 소 빌려 주는 것을 거절함
내일(來日)로 주마 ᄒᆞ고 큰 언약(言約) ᄒᆞ야거든
실약(失約)이 미편(未便)ᄒᆞ니 사셜이 어려왜라』 『 』: 대화체 사용 - 실생활을 사실적으로 묘사 **Link** 표현상 특징 ❷
약속을 어기는 것 편하지 못함 말씀 → 빌려 주겠다는 말
실위(實爲) 그러ᄒᆞ면 혈마 어이ᄒᆞᆯ고
사실로, 진실로 설마
헌 먼덕 수기 스고 측 업슨 집신에 설피설피 물너오니
짚으로 만든 모자 숙여 축 없는 맥없이 어슬렁
『풍채(風采) 저근 형용(形容)애 ᄀᆡ 즈칠 ᄲᅮᆫ이로다』 (중략)
『 』: 소를 빌리지 못해 위축된 심리가 드러남

▶ **본사 4: 소를 빌리러 갔다가 수모만 당하고 돌아옴**

"초경도 거의 지났는데 그 어찌 와 계십니까?"
"해마다 이러하기가 구차한 줄 알지마는,
소 없는 가난한 집에 근심이 많아 왔습니다."
"공짜로나 값을 치거나 간에 빌려 줄 만도 하다마는,
다만 어젯밤에 건넛집 저 사람이
목 붉은 수꿩을 구슬 같은 기름이 끓어오르게 구워 내고,
갓 익은 삼해주를 취하도록 권하였는데,
이러한 은혜를 어찌 아니 갚겠는가?
내일 (소를 빌려) 주마 하고 굳게 약속을 하였기에,
약속을 어기는 것이 편하지 못하니 말하기가 어렵구료."
사실이 그렇다면 설마 어찌 하겠는가?
헌 모자를 숙여 쓰고 축 없는 짚신을 신고 맥없이 어슬렁 물러나오니,
풍채 작은 모습에 개가 짖을 뿐이로다. (중략)

무상(無狀)ᄒᆞᆫ 이 몸애 무슨 지취(志趣) 이스리마ᄂᆞᆫ
보잘것없는, 내세울 만한 선행이나 공적이 없는 의지와 취향
두세 이렁 밧논을 다 무겨 더뎌 두고
이시면 죽(粥)이오 업시면 굴물망졍
안빈낙도(安貧樂道)하려는 삶의 자세
남의 집 남의 거슨 젼혀 부러 말렷노라
욕심 없는 삶을 추구하려는 의지와 자신에 대한 경계
『ᄂᆡ 빈천(貧賤) 슬히 너겨 손을 헤다 물너가며
가난하고 천함 싫게 내젓는다고
남의 부귀(富貴) 불리 너겨 손을 치다 나아오랴』 『 』: 가난을 물리칠 수 없다는 운명론적 세계관, 대구법 **Link** 표현상 특징 ❶
부럽게 오라는 표시로 손짓을 하다
인간(人間) 어ᄂᆡ 일이 명(命) 밧긔 삼겨시리
운명론적 사고방식

보잘것없는 이 몸이 무슨 소원이 있으랴마는,
두세 이랑 되는 밭과 논을 다 묵혀 던져 두고,
있으면 죽이요, 없으면 굶을망정,
남의 집 남의 것은 전혀 부러워하지 않겠노라.
나의 빈천함을 싫게 여겨 손을 내젓는다고 물러가며,
남의 부귀를 부럽게 여겨 손짓을 한다고 오겠는가?
인간의 어느 일이 운명 밖에서 생겼겠는가?

가난타 이제 죽으며 가ᄋᆞ며다 백년(百年) 살냐
(부유하다)

「원헌이ᄂᆞᆫ 몃 날 살고 석숭이ᄂᆞᆫ 몃 ᄒᆡ 산고」 「 」: 고사 속 인물을 통해 화자의 생각을 강조함 Link 표현상 특징 ❹
(원헌: 공자의 제자인 자사 / 석숭: 진 나라 때의 큰 부자)

빈이무원(貧而無怨)을 어렵다 ᄒᆞ건마ᄂᆞᆫ
(가난하지만 원망하지 않음)

ᄂᆡ 생애(生涯) 이러호ᄃᆡ 설온 ᄠᅳᆮ은 업노왜라
(생활 / 빈이무원을 추구함)

단사표음(簞食瓢飮)을 이도 족(足)히 너기로라
(안빈낙도(安貧樂道)하려는 삶의 자세)

평생(平生) ᄒᆞᆫ ᄠᅳᆮ이 온포(溫飽)애ᄂᆞᆫ 업노왜라
(선비다운 삶을 살아가고자 하는 자세가 드러남)

태평천하(太平天下)애 충효(忠孝)를 일을 삼아

화형제(和兄弟) 신붕우(信朋友) 외다 ᄒᆞ리 뉘 이시리
(형제간의 우애 / 친구 사이의 신의)

그 밧긔 남은 일이야 삼긴 ᄃᆡ로 살렷노라

> 결사: 빈이무원, 안분지족과 유교적 가치를 추구함

가난하다고 금방 죽으며 부유하다고 백 년 살겠느냐?
원헌이는 며칠을 살았고 석숭이는 몇 해나 살았던가.
가난해도 원망하지 않음이 어렵다고 하건마는,
내 생활이 이러하되 서러운 뜻은 없노라.
가난하게 살고 있지만 이것도 만족하게 여기고 있노라.
평생의 한 뜻이 따뜻하게 입고 배불리 먹는 데에는 없노라.
태평천하에 충효를 일 삼아,
형제간에 화목하고 친구 사이에 신의 있게 사귀는 것을 그르다고 할 사람이 누가 있겠는가?
그 밖의 나머지 일이야 타고난 대로 살겠노라.

출제자 톡! 화자를 이해하라!

1 **화자는 누구이고, 화자가 처한 상황은?**
임진왜란을 겪고 난 뒤 궁핍한 생활을 하고 있는 '나'

2 **화자의 정서 및 태도는?**
- 가난 속에서 비애와 좌절감을 느끼면서도 이를 원망하지 않음
- 안빈낙도의 삶을 추구하는 태도를 보임.

Link

출제자 톡! 표현상의 특징을 파악하라!

❶ 과장법, 대구법, 설의적 표현 등 다양한 표현법이 사용됨.
❷ 대화체를 사용하여 실생활 모습을 사실적으로 묘사함.
❸ 농촌의 일상 언어와 어려운 한자가 혼재되어 사용됨.
❹ 고사 속 인물을 제시하여 화자의 생각을 강조함.

최우선 출제 포인트!

1 현실과 이상의 갈등

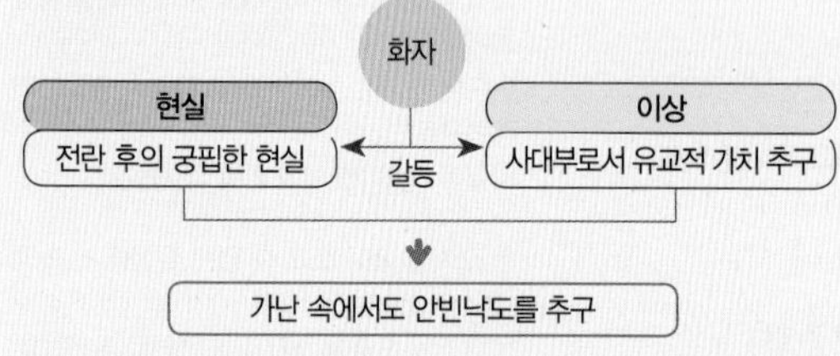

2 가사 문학의 전환점

조선 전기 가사	「누항사(陋巷詞)」	조선 후기 가사
자연에 대한 관념적인 풍류관 제시	→ 사실적이고 구체적인 상황 제시 및 유교적 충의 사상을 노래함.	현실 생활을 사실적으로 그림.

최우선 핵심 Check!

1 화자는 궁핍하고 누추한 현실에 처해 있다. (O / ×)

2 화자는 자신이 겪는 가난에 대해 수치심과 울분을 느끼며 사회 현실을 비판하고 있다. (O / ×)

3 화자와 소 주인의 대화를 제시하여 실생활의 모습을 사실적으로 드러내고 있다. (O / ×)

4 일상 언어를 사용하여 현실을 사실적이고 구체적으로 그려 냈다는 점에서 조선 전기 양반 가사와 차이를 보이고 있다. (O / ×)

5 화자는 길흉화복은 ㅎㄴ에 달려 있다는 운명론적 사고 방식을 보여 주고 있다.

6 'ㅂㅇㅁㅇ', '단사표음' 등의 시어를 통해 화자의 안빈낙도의 태도를 엿볼 수 있다.

정답 1. ○ 2. × 3. ○ 4. ○ 5. 하늘 6. 빈이무원

1등급! 〈보기〉!

「누항사」의 이해

이 작품은 전란을 겪은 사대부가 누항에서 스스로 노동하며 가난하게 살면서도 이상적 삶을 추구하려고 노력하는 모습을 그리고 있다. 화자가 처한 상황과 심리의 변화는 다음과 같은 흐름을 드러낸다.

상황	몸소 농사를 지어야 함.	→ 농사를 짓기 위한 소를 빌리지 못함.	→ 명월청풍과 더불어 한가롭게 삶.
심리	안빈 일념을 추구함.	암담함을 느낌.	시름을 잊고자 함.

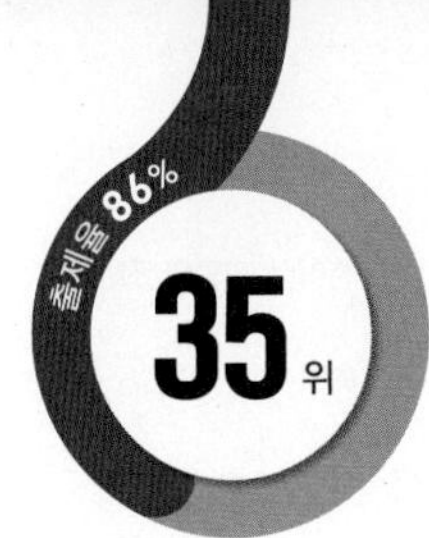

규방의 한을 노래함

규원가(閨怨歌) | 허난설헌

갈래 가사(내방 가사) **성격** 원망적, 한탄적
주제 독수공방하는 부녀자의 외로움
시대 조선 중기

남편의 사랑을 받지 못하고 규방에서 독수공방하며 눈물과 한숨으로 늙어 가는 여인이 남편에 대한 원망과 그리움, 그리고 자신의 신세를 한탄하는 내용의 작품이다.

엇그제 저멋더니 ᄒᆞ마 어이 다 늘거니
(과거의 젊고 행복했던 시절과 늙고 외로운 현재의 처지를 대비함)
소년행락(小年行樂) 생각ᄒᆞ니 일러도 속절업다 (속절업다: 소용없다)
늘거야 서른 말숨ᄒᆞ자 하니 목이 멘다 (서른: 서러운)

> 서사 1 : 늙음을 한탄함

엇그제 젊었더니 어찌 벌써 이렇게 다 늙어 버렸는가?
어릴 적 즐겁게 지내던 일을 생각하니 말해야 소용없구나.
(이렇게) 늙은 뒤에 서러운 사연 말하자 하니 목이 멘다.

부생모육(父生母育) 신고(辛苦)ᄒᆞ야 이내 몸 길러 낼 제 (신고ᄒᆞ야: 고생하여)
공후배필(公侯配匹) 못 바라도 군자호구(君子好逑) 원(願)ᄒᆞ더니 (공후배필: 높은 벼슬아치의 아내 / 월하: 부부의 인연을 맺어 준다는 전설상의 노인 / 군자호구: 군자의 좋은 배필)
삼생(三生)의 원업(怨業)이오 월하(月下)의 연분(緣分)으로 (삼생: 불교의 윤회 사상 / 연분: 부부의 인연)
장안유협(長安遊俠) 경박자(輕薄子)를 숨ᄀᆞ치 만나잇서 (경박자: 남편을 가리킴 / 숨ᄀᆞ치: 꿈같이)
당시(當時)의 용심(用心)ᄒᆞ기 살어름 디디는 ᄃᆞᆺ
(여리박빙(如履薄氷). 남편을 시중하면서 살얼음을 디디듯 조심스럽게 살아왔음(직유법))
Link 표현상 특징 ❷

> 서사 2 : 어린 시절의 결혼에 대한 환상과 실제 결혼 생활

부모님이 낳아 기르며 몹시 고생하여 이 내 몸을 길러 낼 때,
높은 벼슬아치의 아내는 바라지 못할지라도 군자의 좋은 짝이 되기를 바랐더니,
전생에 지은 원망스러운 업보요, 부부의 인연으로
장안의 호탕하면서도 경박한 사람을 꿈같이 만나,
시집간 뒤에 남편 시중들면서 조심하기를 마치 살얼음 디디는 듯(하였다.)

삼오 이팔(三五二八) 겨오 지나 천연여질(天然麗質) 절로 이니 (삼오 이팔: 15, 16세 / 천연여질: 타고난 아름다운 모습 / 절로 이니: 저절로 되니)
이 얼골 이 태도(態度)로 백년기약(百年期約) ᄒᆞ얏더니 (백년기약: 부부가 되어 평생 같이 지낼 것을 다짐하는 언약)
연광(年光)이 훌훌ᄒᆞ고 조물(造物)이 다시(多猜)ᄒᆞ야 (연광: 세월 / 훌훌ᄒᆞ고: 훌쩍 지나가고 / 다시ᄒᆞ야: 시기심이 많아서)
봄바람 가을 믈이 뵈오리 북 지나듯 (세월이 빠르게 지나감을 비유함 **Link** 표현상 특징 ❷)
『설빈화안(雪鬢花顔) 어ᄃᆡ 가고 면목가증(面目可憎) 되거고나』 (설빈화안: 고운 머리결과 아름다운 얼굴 / 면목가증: 얼굴 생김새가 밉살스러움 / 『 』: 젊은 시절과 현재의 대조 **Link** 표현상 특징 ❸)
내 얼골 내 보거니 어느 님이 날 괼소냐 (괼소냐: 사랑하겠느냐)
스스로 참괴(慚愧)ᄒᆞ니 누구를 원망(怨望)ᄒᆞ랴 (□: 설의적 표현을 통해 화자의 생각을 강조함 **Link** 표현상 특징 ❺)
(수원수구(誰怨誰咎). 자신의 불행이 모두 운명 때문이라고 생각함)

> 서사 3 : 세월의 덧없음과 늙은 자신에 대한 한탄

열다섯, 열여섯 살을 겨우 지나 타고난 아름다운 모습 저절로 나타나니,
이 얼굴 이 태도로 평생을 약속하였더니,
세월이 빨리 지나고 조물주마저 다 시기하여
봄바람 가을 물, 곧 세월이 베틀의 베올 사이에 북이 지나가듯 (빨리 지나가)
꽃같이 아름다운 얼굴 어디 가고 모습이 밉게 도 되었구나.
내 얼굴을 내가 보고 알거니와 어느 임이 나를 사랑할 것인가?
스스로 부끄러워하니 누구를 원망할 것인가?

삼삼오오(三三五五) 야유원(冶遊園)의 새 사람이 나단 말가 (야유원: 술집 / 새 사람: 새로운 기생)
곳 피고 날 저물 제 정처(定處) 업시 나가 잇어
백마금편(白馬金鞭)으로 어ᄃᆡ어ᄃᆡ 머무는고 (흰말과 금 채찍. 호사스러운 차림을 나타내는 관용적 표현)
원근(遠近)을 모르거니 消息(소식)이야 더욱 알랴 (소식: 남편의 소식)
인연(因緣)을 긋쳐신들 ᄉᆡᇰ각이야 업슬소냐
얼골을 못 보거든 그립기나 마르려믄 (그립기나: 임에 대한 그리움)
열두 ᄯᅢ 김도 길샤 설흔 날 지리(支離)ᄒᆞ다
(임의 부재로 인해 화자는 하루가 길고 지루하다고 느낌 - 남편을 기다리는 화자의 외로운 처지 강조)

> 본사 1 : 행방을 알 수 없는 남편에 대한 원망

여러 사람이 떼를 지어 다니는 술집에 새 기생이 나타났다는 말인가?
꽃 피고 날 저물 때 정처 없이 나가서
호사스러운 행장을 하고 어디어디 머물러 노는가?
집 안에만 있어서 원근 지리를 모르는데 임의 소식이야 더욱 알 수 있으랴.
(겉으로는) 인연을 끊었다지만 임에 대한 생각이야 없을 것인가?
(임의) 얼굴을 못 보니 그립지나 말았으면 좋으련만,
하루가 길기도 길구나. 한 달 곧 서른 날이 지루하다.

옥창(玉窓)에 심근 매화(梅花) 몃 번이나 픠여 진고
남편 없이 홀로 지낸 것이 여러 해가 되었음
『겨울밤 차고 찬 제 자최눈 섯거 치고
여름날 길고 길 제 구즌비는 므스 일고
대구법, 설상가상(雪上加霜) Link 표현상 특징 ❷
자연의 아름다움과 화자의 정서 대비 - 임이 없는 상황이기에 삼춘화류의 계절이지만 감흥을 느끼지 못함
삼춘화류(三春花柳) 호시절(好時節)의 경물(景物)이 시름업다
봄 / 좋은 시절 / 아름다운 풍경 / 관심없다
가을 ᄃᆞᆯ 방(房)에 들고 실솔(蟋蟀)이 상(牀)에 울 제
귀뚜라미 / : 감정 이입의 대상 Link 표현상 특징 ❹
긴 한숨 디는 눈물 속절업시 혬만 만타』
『』: 홀로 지내는 외로움을 계절의 변화에 따라 압축적으로 제시
생각만
아마도 모진 목숨 죽기도 어려울사
▶ 본사 2: 남편에 대한 그리움과 한

규방 앞에 심은 매화 몇 번이나 피었다 졌는가?
겨울밤 차고 찬 때는 진눈깨비 섞어 내리고,
여름날 길고 긴 때 궂은 비는 무슨 일인가?
봄날 온갖 꽃 피고 버들잎이 돋아나는 좋은 시절에 아름다운 경치를 보아도 아무 생각이 없다.
가을 달빛이 방 안에 비추어 들어오고 귀뚜라미가 침상에서 울 때
긴 한숨 흘리는 눈물 헛되이 생각만 많다.
아마도 모진 목숨 죽기도 어렵구나.

도로혀 풀쳐 혜니 이리 ᄒᆞ여 어이 ᄒᆞ리
돌이켜 / 곰곰이 따져 생각해 보니
청등(靑燈)을 돌라 노코 녹기금(綠綺琴) 빗기 안아
벽련화(碧蓮花) 한 곡조를 시름 조ᄎᆞ 섯거 타니
거문고 곡의 하나
소상야우(瀟湘夜雨)의 댓소리 섯도는 ᄃᆞᆺ
중국 소상강의 밤비
화표 천년(華表千年)의 별학(別鶴)이 우니는 ᄃᆞᆺ
화자의 구슬프고 처량한 심정을 고사에 비유하여 표현 Link 표현상 특징 ❶, ❷
묘 앞에 세우는 문, 망주석 따위가 있음
옥수(玉手)의 타는 수단(手段) 녯 소래 잇다마는
여성의 아름답고 고운 손 / 솜씨
부용장(芙蓉帳) 적막(寂寞)ᄒᆞ니 뉘 귀에 들리소니
화자의 독수공방의 처지 강조
간장(肝腸)이 구곡(九曲) 되야 구븨구븨 ᄭᅳᆫ쳐서라
구곡간장 → 시름에 쌓인 마음을 비유적으로 표현 Link 표현상 특징 ❷
▶ 본사 3: 거문고를 타며 시름을 달래 보지만 더욱 애가 끊어짐

돌이켜 여러 가지 일을 하나하나 생각하니 이렇게 살아서 어찌할 것인가?
등불을 돌려 놓고 푸른 거문고를 비스듬히 안아
벽련화곡을 시름에 싸여 타니,
소상강 밤비에 댓잎 소리가 섞여 들리는 듯,
망주석에 천 년 만에 찾아온 특별한 학이 울고 있는 듯,
아름다운 손으로 타는 솜씨는 옛 가락이 아직 남아 있지마는,
연꽃 무늬가 있는 휘장을 친 방이 텅 비었으니 누구의 귀에 들릴 것인가?
구곡 간장이 끊어지는 듯 슬프다.

ᄎᆞᆯ하리 잠을 드러 ᄭᅮᆷ의나 임을 보려 ᄒᆞ니
화자가 임을 만날 수 있다고 여기는 공간
바람의 디ᄂᆞᆫ 닙과 풀 속에 우는 즘생
: 화자와 임의 만남을 방해하는 장애물
므스 일 원수로서 잠조차 ᄭᆡ오ᄂᆞᆫ다
『천상(天上)의 견우직녀(牽牛織女) 은하수(銀河水) 막혀서도
칠월칠석(七月七夕) 일년 일도(一年一度) 실기(失期)치 아니거든
우리 님 가신 후는 무슨 약수(弱水) 가렷관ᄃᆡ
오거니 가거니 소식(消息)조차 ᄭᅳᆫ쳣는고』
『』: 대조적 상황 제시 → 소식 없는 임에 대한 원망 강조 Link 표현상 특징 ❸
난간(欄干)의 비겨 셔서 님 가신 ᄃᆡ 바라보니
기대어 서서
초로(草露)는 맷쳐 잇고 모운(暮雲)이 디나갈 제
화자의 고독하고 서글픈 심정 강조
죽림(竹林) 푸른 고ᄃᆡ 새 소리 더욱 설다
감정 이입의 대상 Link 표현상 특징 ❹
세상의 서룬 사람 수업다 ᄒᆞ려니와
박명(薄命)ᄒᆞᆫ 홍안(紅顔)이야 날 가ᄐᆞ니 ᄯᅩ 이실가
화자의 기구한 운명 / 나 같은 이
『아마도 이 님의 지위로 살동말동ᄒᆞ여라』
『』: 임에 대한 원망과 비난을 직접적으로 표출함
탓으로
▶ 결사: 서러운 마음으로 임을 기다리며 자신의 기구한 운명 한탄

차라리 잠이 들어 꿈에나 임을 보려 하니,
바람에 지는 잎과 풀 속에서 우는 벌레는
무슨 일로 원수가 되어 잠마저 깨우는가?
하늘의 견우성과 직녀성은 은하수가 막혔을지라도,
칠월 칠석 일 년에 한 번씩 때를 어기지 않고 만나는데,
우리 임 가신 후에는 무슨 장애물이 가리었기에
오고 가는 소식마저 그쳤는가?
난간에 기대어 서서 임 가신 데를 바라보니,
풀 이슬은 맺혀 있고 저녁 구름이 지나갈 때
대 수풀 우거진 푸른 곳에 새 소리가 더욱 서럽다.
세상에 서러운 사람 많다고 하겠지만
운명이 기구한 젊은 여자야 나 같은 이 또 있을까?
아마도 임의 탓으로 살 듯 말 듯 하구나.

- **소상야우~섯도ᄂᆞᆫ 듯**: 순임금의 두 비(妃)인 아황과 여영이 순임금이 죽었다는 소식을 듣고 소상강가에서 슬피 울다 몸을 던져 죽었다. 이때 흘린 눈물 자국이 대나무에 반점으로 남았다 하여 이를 소상반죽(瀟湘斑竹)이라고 하며, 남녀의 슬픈 이별을 뜻하는 고사로 인용된다.
- **화표 천년~우니ᄂᆞᆫ 듯**: 옛날 중국 요동의 정영위라는 사람이 영허산에 가서 도를 닦은 뒤 학이 되어 천 년 만에 돌아와 화표주(華表柱)에 앉았다고 하는 전설에서 인용한 표현이다.
- **약수**: 중국 서쪽의 전설 속의 강. 길이가 3,000리나 되며 부력이 매우 약하여 기러기의 털도 가라앉는다고 한다.

출제자 톡! 화자를 이해하라!

1 **화자는 누구이고, 화자가 처한 상황은?**
남편 없이 독수공방을 하고 있는 '나'

2 **화자의 정서 및 태도는?**
- 남편 없이 살아가는 자신의 신세를 한탄함.
- 임을 원망하면서도 그리워하고 있음.

Link

출제자 톡! 표현상의 특징을 파악하라!

❶ 한자와 고사성어의 사용이 두드러짐.
❷ 대구법, 비유법 등 다양한 표현 방법을 사용함.
❸ 대조적인 상황을 제시하여 화자의 처지를 드러냄.
❹ 감정 이입을 활용하여 화자의 정서를 드러냄.
❺ 설의적 표현을 통해 화자의 생각을 강조함.

최우선 출제 포인트!

1 봉건 제도하에서의 부녀자의 한(恨)

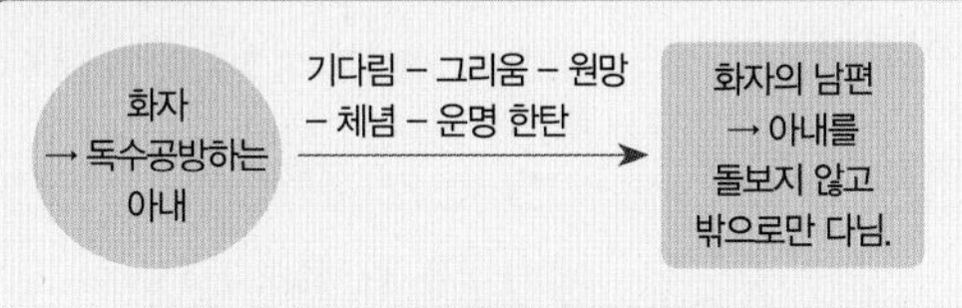

봉건 제도하의 부녀자의 원정(怨情)

이 작품은 소식마저 끊어진 채 밖으로만 다니는 남편을 그리움과 원망 속에서 기다리는 한 여인의 한과 슬픔, 운명적 체념을 그리고 있다. 특히 낙구의 '아마도 이 님의 지위로 살동말동ᄒᆞ여라'라는 구절은 임에 대한 비난인 동시에 가부장적인 문화에 대한 비판을 내포하고 있다고 볼 수 있다.

최우선 핵심 Check!

1 화자는 남성 중심 사회에서 슬픔과 한을 느끼고 있는 여성이다. (O / ×)

2 화자는 자신이 처한 상황을 개선하려는 적극적 의지를 드러내고 있다. (O / ×)

3 〈서사 2〉의 '살어름 디디는 ᄃᆞᆺ'은 화자의 조심스러웠던 마음을 비유적으로 나타내는 표현이다. (O / ×)

4 〈서사 3〉에서는 설의적 표현을 사용하여 화자의 생각을 강조하고 있다. (O / ×)

5 〈본사 2〉의 'ㅅㅅ'과 〈결사〉의 'ㅅ'는 홀로 지내는 화자의 서러운 감정을 이입하고 있는 대상이다.

정답 1. ○ 2. × 3. ○ 4. ○ 5. 실솔, 새

1등급! 〈보기〉!

내방 가사(內房歌辭)

규방 가사(閨房歌辭)·규중 가도(閨中歌道)라고도 한다. 조선 시대 부녀자들이 지어서 전해진 가사의 총칭으로 조선 시대 여성 문학의 한 전형이다. 조선 시대 여성들은 학자·문인들로부터 소외된 계층이었으나 한글의 보급과 함께 그들이 가지고 있었던 정한을 절절히 노래하게 되었고 그것이 자연스럽게 가사 형식과 연결되어 여성 문학의 발전을 이룩할 수 있었다.

형식상 특징	일상적인 생활 용어와 과감한 표현 등이 한글로 드러남.
내용상 특징	여성의 슬픔과 원한, 남녀 간의 애정, 고된 시집살이의 고통, 친정 부모에 대한 그리움 등

만 가지 말을 담은 노래

만언사(萬言詞) | 안도환

갈래 가사(유배 가사) **성격** 애상적, 한탄적
주제 유배 생활의 어려움과 자신의 죄에 대한 반성
제재 조선 후기

작가가 추자도로 유배되는 과정과 그 속에서의 경험, 자신의 죄에 대한 뉘우침 등을 담고 있다.

원문	현대어 풀이
어와 벗님네야 이 내 말씀 들어 보소 (벗님네야: 세상 사람들 - 청자로 설정된 대상)	아아, 세상 사람들이여 이내 말씀 들어 보오.
인생 천지간에 그 아니 느껴온가 (느껴온가: 어떤 느낌이 가슴에 사무치게 일어나지 않는가)	인간으로서 세상을 살아감에 그 얼마나 마음에 복받침이 많이 일어나는가?
평생을 다 살아도 다만지 백년이라 (다만지: 기껏해야, 다만)	평생을 다 살아도 기껏해야 백 년이라.
하물며 백년(百年)이 반듯기 어려우니 (반듯기: 순탄하게 살기, 반듯하게 살기)	하물며 백 년도 반듯하게 살기 어려우니
백구지과극(白駒之過郤)이요 창해지일속(滄海之一粟)이라 (백구지과극: 흰 말이 달려가는 것을 문틈으로 봄 - 인생이니 세월이 덧없이 짧다는 의미 / 창해지일속: 넓고 큰 바다 속의 좁쌀 한 톨 - 하찮은 존재)	인생이 덧없이 짧고 하찮구나.
역려건곤(逆旅乾坤)에 지나가는 손이로다 (역려건곤: 여관과 같은 세상 - 덧없고 허무한 세상 / 손: 나그네)	덧없고 허무한 세상에 지나가는 나그네로다.
빌리어 온 인생이 꿈의 몸 가지고서 (꿈의 몸: 꿈처럼 허망하고 덧없는 인생)	빌려 온 인생이 꿈처럼 덧없는 몸 가지고서
남아의 하올 일을 역력히 다 하여도 (역력히: 똑똑히, 분명히, 낱낱이)	남자의 할 일을 낱낱이 다하여도
풀끝에 이슬이라 오히려 덧없거든 (풀끝에 이슬이라: 풀끝에 맺힌 이슬처럼 인생이 허망하고 덧없음을 드러낸 말)	풀끝의 이슬이라 오히려 덧없거든
어와 내 일이야 광음을 헤어보니 (내 일이야: 내 신세야 / 광음: 세월(나이))	아아, 내 신세야, 나이를 세어 보니
반생이 채 못 되어 육륙(六六)에 둘이 없네 (육륙에 둘이 없네: 34세(6×6=36에 2가 부족함))	한평생의 반도 못 되어 서른넷이네.
이왕 일 생각하고 즉금 일 헤아리니 (이왕 일: 지나간 일 / 즉금 일: 지금의 일)	지나간 일 생각하고 지금의 일 헤아리니
번복도 측량없다 승침(昇沈)도 하도할사 (번복도 측량없다: 되돌리기 어렵다 / 승침: 올라감과 내려감, 인생의 기복)	되돌리기도 어렵다, 인생의 잘됨과 못됨이 많기도 많았구나.
남대되 그러한가 내 홀로 이러한가 (남대되: 남에게도 / 내 홀로: 나에게만)	남들도 이러한가? 나 혼자 이러한가?
아무리 내 일이라 내 역시 내 몰라라	아무리 내 일이라 한들 나 역시 나를 몰라라.
장우단탄(長吁短歎) 절로 나니 도중 상감(島中傷感) 뿐이로다 (장우단탄: 긴 한숨 짧은 탄식 / 도중 상감: 섬(유배지)에서 느끼는 비참한 느낌)	긴 한숨과 짧은 탄식이 절로 나니 마음이 아플 뿐이로다.
(중략) ➤ 서사: 귀양을 가는 자신의 신세에 대한 한탄	(중략)
아깝다 내 몸이야 애닯다 내 일이야	아깝다 내 몸이야, 애달프다 내 일이야.
평생 일심 원하기를 충효겸전(忠孝兼全) 하잤더니 (평생 일심: 평생 한결같이 살아가기 / 충효겸전: 나라에 충성함과 부모에 효도함을 똑같이 온전히 함)	평생 한결같은 마음으로 충효를 하려 했는데
한 번 일을 그릇하고 불충불효 다 되겠다	한 번 일을 잘못하여 불충불효 다 되었다.
회서자이막급(悔逝者而莫及)이라 뉘우친들 무상하리 (회서자이막급: 일이 잘못되어 아무리 후회해도 어쩔 수 없음)	이제 와 후회하여 뉘우친들 무엇하리.
등잔불 치는 나비 저 죽을 줄 알았으면 (음영: 화자 자신)	등잔불 치는 나비 저 죽을 줄 알았으면
어디서 식록지신(食祿之臣)이 죄 짓자 하랴마는 (식록지신: 녹을 받아먹는 신하)	어디서 신하가 죄 짓자 했겠냐마는
대액(大厄)이 당전(當前)하니 눈조차 어둡고나 (대액: 큰 액운 / 당전: 앞에 도달함)	큰 액운이 앞에 닥치니 눈조차 어둡구나.
「마른 섶을 등에 지고 열화에 들미로다」 (「」: 앞뒤 구별 못하는 미련한 행동 / 열화: 맹렬히 타는 불)	마른 섶을 등에 지고 불속으로 들어간다.
재가 된들 뉘 탓이리 살 가망 없다마는	재가 된들 누구 탓이리. 살 가망이 없다마는
일명을 꾸이오셔 해도(海島)에 보내시니 (일명을 꾸이오셔: 한 목숨을 귀하게 여겨 / 해도: 섬(유배지인 추자도를 말함))	한 목숨을 귀하게 여기셔서 섬으로 보내시니
어와 성은이야 가지록 망극하다 (가지록: 갈수록 / 망극하다: 임금의 은혜가 끝이 없다) ➤ 본사 1: 관리로 있으면서 죄 짓고 섬으로 귀양을 감	아아, 성은이야 갈수록 망극하다.

강두에 배를 대어 부모 친척 이별할 제
강나루

슬픈 눈물 한숨소리 막막수운(漠漠愁雲) 머무는 듯
막막한 근심의 구름

손잡고 이른 말씀 좋이 가라 당부하니

가슴이 막히거든 대답이 나올소냐

여취여광(如醉如狂)하여 눈물로 하직이라
취한 듯 미친 듯함 - 이성을 잃음

강상에 배 떠나니 이별 시가 이 때로다

산천이 근심하니 부자 이별함이로다
의인화, 감정 이입

요도 일성(櫓棹一聲)에 흐르는 배 살 같으니
노 젓는 소리 / 화살

일대 장강이 어느덧 가로 서라
한 줄기의 긴 강

풍편에 우는 소리 긴 강을 건너오네

행인도 낙루(落淚)하니 내 가슴 미어진다
눈물을 떨어뜨림

호부 일성(呼父一聲) 엎더지니 애고 소리뿐이로다
아버지를 부르는 외마디 큰 소리

› 본사 2: 귀양살이 노정의 시작과 이별의 아픔

(중략)

강나루에 배를 대어 부모, 친척과 이별할 때
슬픈 눈물, 한숨 소리에 막막하고 근심스러운 구름이 머무는 듯(하고)
손 잡고 이르는 말씀 잘 가거라 당부하니
가슴이 막히는데 대답이 나오겠느냐?
취한 듯 미친 듯 눈물로 작별을 고하니라.
강 위에 배 떠나니 이별의 시간이 이때로구나.
산과 물이 근심하니 부자가 이별하기 때문이로다.
노 젓는 소리에 흐르는 배가 화살처럼 빨리 나아가니
한 줄기 긴 강이 어느덧 가로막았구나.
바람결에 우는 소리 긴 강을 건너오네.
행인도 눈물을 흘리니 내 가슴이 미어진다.
아버지를 부르는 소리 엎어지니 애고 소리뿐이로다.

(중략)

눈물로 밤을 새와 아침에 조반 드니

『덜 쓰른 보리밥에 무장떵이 한 종자라』 『 』: 거친 밥과 초라한 반찬을 이름
익은 / 된장 덩이

한 술 떠서 보고 큰 덩이 내어놓고

그도 저도 아조 없어 굶을 적이 간간이라
간혹 있다

여름날 긴긴 날에 배고파 어려웨라

의복을 돌아보니 한숨이 절로 난다

『남방 염천(南方炎天) 찌는 날에 빨지 못한 누비바지
남쪽 지방의 몹시 더운 날씨

땀이 배고 때 올라 굴둑 막은 덕석인가』 『 』: 여름이 되었어도 유배지에 처음 왔을 당시의 겨울 의복을 입고 있음. 유배객의 사실적 체험이 드러남
덮는 용도로 쓰이는 멍석

덥고 검기 다 바리고 내암새를 어이하리

어와 내 일이야 가련히도 되었고나

손 잡고 반가는 집 내 아니 가옵더니
과거 귀양 오기 전의 생활을 말함

등밀어 내치는 집 구차히 빌어 있어
유배지에서 깃들어 사는 집(현재)

□: 과거 ←대조적 표현→ ○: 현재 Link 표현상 특징 ❶

『옥식 진찬(玉食珍饌) 어데 가고 맥반 염장(麥飯鹽醬) 대하오며
훌륭한 밥과 반찬 / 보리밥에 소금장

금의 화복(錦衣華服) 어데 가고 현순백결(懸鶉百結) 하였는고』
비단옷과 화려한 옷 / 옷이 해져서 백 군데나 기움

『 』: 대구법 Link 표현상 특징 ❹

이 몸이 살았는가 죽어서 귀신인가

말하니 살았으나 모양은 귀신일다
▒: 화자 자신의 비참한 모습 Link 표현상 특징 ❷

한숨 끝에 눈물 나고 눈물 끝에 한숨이라
대구적 표현, 화자 자신의 처지를 한스럽게 여김 Link 표현상 특징 ❹

눈물로 밤을 새워 아침에 조반 드니
덜 익은 보리밥에 된장 덩이 한 종지라
한 술 떠서 보고 큰 덩이 내어놓고
그도 저도 아주 없어 굶을 때도 적지 않다.
여름날 긴긴 날에 배고파 어려워라.
의복을 돌아보니 한숨이 저절로 난다.
남쪽의 여름 찌는 날에 빨지 못한 누비바지
땀이 배고 때 올라 굴뚝 막은 멍석 같구나.
덥고 검은 것은 내버려 두고라도 냄새를 어찌하리.
아아, 내 신세야 가련하게도 되었구나.
(예전에) 손을 잡고 반겨하는 집에도 내가 가지 않았었는데
(지금은) 등을 밀어 내치는 집에 구차하게 빌붙어 있으니
훌륭한 밥과 반찬은 어디로 가고 보리밥에 소금과 장을 대하며
화려하고 비싼 옷은 어디로 가고 여기저기 기운 헌옷을 입고 있는가?
이 몸이 살아 있는가? 죽어서 귀신이 되었는가?
말을 하는 것으로 보아 살아는 있으나 모양은 귀신이로다.
한숨 끝에 눈물이 나고 눈물 끝에 한숨이라.

도로혀 생각하니 어이없어 웃음 난다
(도로혀: 돌이켜)

이 모양이 무슴 일고 미친 사람 되었고나

> 본사 3: 유배지에서의 궁핍한 생활상과 신세 한탄

어와 보리가을 되었는가 전산 후산(前山後山)에 황금빛이로다
(보리가을: 익은 보리를 거두어들이는 일. 또는 그런 철)

남풍은 때때 불어 보리 물결 치는고나

지게를 벗어 놓고 전간(田間)에 굽닐면서
(전간: 밭)

한가히 뵈는 농부 묻노라 저 농부야

밥 우희 보리술을 몇 그릇 먹었느냐

청풍에 취한 얼골 깨연들 무엇하리

연년(年年)이 풍년 드니 해마다 보리 베어

마당에 두드려서 방아에 쓸어 내어

일분(一分)은 밥쌀 하고 일분(一分)은 술쌀 하여

밥 먹어 배부르고 술 먹어 취한 후에

함포고복(含哺鼓腹)하여 격양가(擊壤歌)를 부르나니
(함포고복: 잔뜩 먹고 배를 두드림 - 먹을 것이 풍족하여 즐겁게 지냄을 이름 / 격양가: 풍년이 들어 농부가 태평한 세월을 즐기는 노래)

농부의 저런 흥미 이런 줄 알았더면

공명(功名)을 탐치 말고 농사를 힘쓸 것을
(화자가 자신의 과거에 대해 후회하고 있음)

『백운(白雲)이 즐거운 줄 청운(靑雲)이 알았으면
(백운: 욕심 없는 삶 / 청운: 공명을 추구하는 삶)

탐화봉접(探花蜂蝶)이 그물에 걸렸으랴』
(탐화봉접: 꽃을 탐하는 벌과 나비 = 화자 자신 / 그물에 걸렸으랴: 죄를 짐)

『 』: 개인의 잘못에 의한 유배를 그물에 걸린 벌과 나비에 비유하여 표현함 **Link** 표현상 특징 ❸

(중략)

> 본사 4: 자신의 과거 삶에 대한 반성과 농부의 삶에 대한 부러움

날이 지나 달이 가고 해가 지나 돌이로다
(돌: 1주년 / 유배지인 추자도에 온 지 벌써 1년이 되었다는 의미)

상년에 비던 보리 올해 고쳐 비어 먹고
(상년: 지난해 / 고쳐: 다시)

지난 여름 낚던 고기 이 여름에 또 낚으니

새 보리밥 담아 놓고 가삼 맥혀 못 먹으니
(지난 일 년을 되돌아보면서 설움이 북받쳐 오름)

뛰든 고기 회를 친들 목이 메어 들어가랴

설워함도 남에 없고 못 견딤도 별로하니
(별로하니: 남과 다르니)

내 고생 한 해 함은 남의 고생 십 년이라
(자신이 유배 생활 일 년이 그만큼 힘들었음을 토로함)

흉즉길함 되올는가 고진감래(苦盡甘來) 언제 할고
(흉즉길함: 흉한 것이 길한 것으로 변함 / 고진감래: 고생 끝에 낙이 옴)

하나님께 비나이다 설은 정원(情願) 비나이다
(정원: 진정으로 바람)

책력도 해 묵으면 고쳐 쓰지 아니하고
(책력: 달력 / 고쳐: 다시)

노호염도 밤이 자면 풀어져서 버리나니
(노호염: 노여움)

세사도 묵어지고 인사도 묵었으니
(세사: 그 해에 일어났던 일 / 인사: 사람의 일)

돌이켜 생각하니 어이없어 웃음이 난다.

이 모양이 무슨 일인고, 미친 사람이 다 되었구나.

아아, 보리를 수확하는 때가 되었는가? 앞산 뒷산에 황금빛이로다.

남풍은 때때로 불어 보리 물결 치는구나.

지게를 벗어 놓고 밭에서 꾸물거리며

한가하게 보이는 농부들, 내 물어보노라, 저 농부야.

밥 위에 보리술을 몇 그릇이나 먹었느냐?

청풍에 취한 얼굴이 깨어난들 무엇하리.

해마다 풍년이 드니 해마다 보리를 베어

마당에서 두드려서 방아를 찧어 내어

일부는 밥을 하고 일부는 술을 만들어

밥 먹어 배 부르고 술 먹어 취한 후에

배를 두드리며 즐거이 풍년가를 부르나니

농부의 저런 즐거움이 이렇게 좋은 줄을 알았더라면

공명을 탐하지 말고 농사에나 힘을 쓸 것을

흰 구름이 즐거운 줄을 푸른 구름이 알았다면

꽃을 찾는 나비와 벌이 그물에 걸렸겠느냐?

(중략)

날이 지나 달이 가고 해가 지나 일 년이로다.

작년에 베던 보리 올해 다시 베어 먹고

지난 여름 낚던 고기 이 여름에 또 낚으니

새 보리밥 담아 놓고 가슴이 막혀 못 먹으니

싱싱하게 뛰던 고기 회를 친들 목이 메어 들어가랴.

설움도 남에게는 없는 것이고 못 견딤도 남과 다르니

나의 일 년 고생은 남의 고생 십 년과 같다.

나쁜 것이 좋게 되려는가, 고생 끝에 즐거움이 언제 올 것인가?

하나님께 비나이다. 서러운 마음 비나이다.

달력도 해 지나면 다시 쓰지 아니하고

노여움도 밤이 지나면 풀어져 버리나니

세상 일도 묵은 일이 되고 사람의 일도 묵은 일이 되니

천사만사 탕척하고 그만 저만 서용하사
죄를 씻음 / 용서
끊쳐진 옛 인연을 고쳐 잇게 하옵소서

> 결사: 유배지에서 풀려나기를 기원함

모든 죄를 씻어 주시어 이제 그만 용서하셔서
끊어진 옛 인연을 다시 잇게 하옵소서.

출제자 톡! 화자를 이해하라!

1 **화자는 누구이고, 화자가 처한 상황은?**
죄를 짓고 추자도라는 섬에서 힘들게 유배 생활을 하고 있는 '나'

2 **화자의 정서 및 태도는?**
자신이 저지른 죄를 뉘우치고 자신의 현재 상황을 한탄하면서 풀려나기를 기원함.

Link
출제자 톡! 표현상의 특징을 파악하라!

❶ 과거와 현재를 대비하여 현재의 초라한 처지에 놓인 자신의 신세를 한탄함.
❷ 화자 자신의 모습을 '귀신', '미친 사람'에 빗대어 자조적인 인식을 드러냄.
❸ 자연물인 '백운', '청운', '탐화봉접(벌과 나비)'에 빗대어 과거의 삶에 대한 반성을 드러냄.
❹ 대구적 표현을 사용하여 화자가 자신의 처지에서 느끼는 한스러움을 부각함.

최우선 출제 포인트!

1 전체 작품의 시상 전개 과정

서사	귀양 가는 신세 한탄
본사	지난 시절을 회상함.
	유배의 노정
	유배 생활
결사	유배지에서 잘못을 뉘우치며 풀려나기를 기원함.

2 이 작품의 특징

조선 전기의 유배 가사들은 대부분 정치적 사건에 연루된 사대부들이 자신의 억울함을 호소하고 임금에 대한 충성심을 강조하여 쓴 것에 반해, 이 작품의 작가는 중인 출신으로 정치와는 상관없는 개인의 비리로 유배되었다. 따라서 억울함의 호소나 임금에 대한 충절보다는 유배 생활의 괴로움을 사실적으로 표현하고 있다.

함께 볼 작품 조선 후기의 장편 유배 가사 작품: 김진형, 「북천가」, 유배되어 쓴 연시조: 윤선도, 「견회요」

최우선 핵심 Check!

1 화자는 유배지에서 힘든 생활을 하고 있다. (O / ×)

2 화자는 자신이 귀양을 가는 것을 억울해 하고 있다. (O / ×)

3 〈본사 2〉에서 화자는 강나루에서 'ㅂㅁ ㅊㅊ'과 이별하며 다시 만날 날을 기약하고 있다.

4 〈본사 3〉에서 화자는 과거와 대비하여 초라해진 자신의 처지를 한탄하고 있다. (O / ×)

5 〈본사 4〉에서 화자는 농부의 삶을 부러워하며 자신의 과거를 반성하고 있다. (O / ×)

6 조선 전기의 ㅇㅂㄱㅅ가 임금에 대한 변함없는 충절을 노래하는 데 비해, 이 작품은 유배 생활의 괴로움을 구체적·사실적으로 형상화하는 데 초점이 맞추어져 있다.

정답 1. ○ 2. × 3. 부모 친척 4. ○ 5. ○ 6. 유배 가사

1등급! 〈보기〉!

「만언사」의 이해

유배 시가는 유배지로 가는 여정이나 유배지에서 느끼고 경험한 바를 소재로 하여 창작된 시가들을 총칭한다. 유배 시가는 고려 시대 정서의 「정과정곡(鄭瓜亭曲)」을 시초로 하여, 조선 시대에 들어와 시조나 가사 등의 다양한 문학 양식으로 활발하게 창작되었다. 시조는 초·중·종 3장의 정형화된 형식 안에 유배객의 삶과 정서를 간결하게 응축해서 전달할 수 있었다. 한편 가사는 연속체(連續體)로, 길이의 조절이 자유로웠기에 유배지에서의 삶과 정서를 좀 더 구체적으로 담아낼 수 있었다.

정치적 분쟁으로 인한 유배객이 많았던 조선 시대의 유배 시가에는 정적(政敵)에 대한 원망, 결백의 호소, 정계 복귀에 대한 소망 들이 주로 표현되었다. 또한 정치적 유배객들은 임금에 대한 변함없는 충정을 드러내며 유배의 고통 속에서도 유교 이념을 굳건히 지키는 태도를 보였다. 한편, 정치적 유배객 중에는 현실에서 소외된 자신의 처지를 달래기 위해 자연에 대한 사랑을 노래하는 탈속적 태도를 보이는 경우도 있었다.

유배는 정치적인 이유가 아닌 개인적인 잘못으로 인한 경우도 있다. 개인적 잘못으로 인한 유배객은 정적을 원망하거나 임금에게 자신의 결백을 호소하는 데 중점을 두기보다는 자신의 과거 잘못에 대한 반성과 후회, 유배지에서의 고통스러운 삶과 사실적 체험을 서술하는 데 중점을 두는 경우가 많았다. 정조 때, 안도환이 공무상의 개인 비리로 유배되어 쓴 가사 「만언사」가 대표적이다.

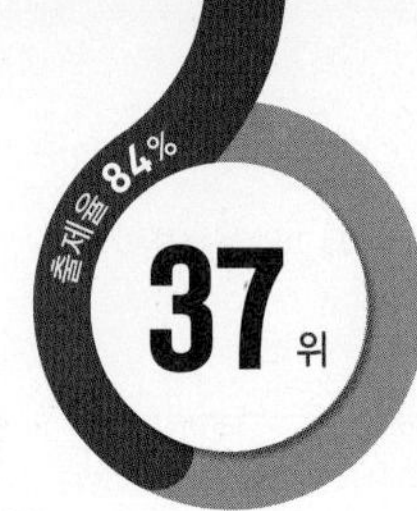

청나라의 연경(북경)을 다녀와서 부른 노래

연행가(燕行歌) | 홍순학

갈래 가사(기행 가사, 장편 가사, 사행 가사)
성격 직설적, 사실적, 관찰적 **주제** 청나라 연경을 다녀온 견문과 감상 **시대** 조선 후기

고종의 왕비 책봉을 주청하기 위한 사신 일행으로 연경(북경)에 다녀온 작가가 청나라의 문물과 풍속을 예리한 관찰력과 사실적이고 비판적인 필치로 그려 내고 있다.

어와 쳔지간에 남ᄌᆞ 되기 쉽지 안타
편방의 이 ᄂᆡ 몸이 즁원 보기 원ᄒᆞ더니
(편방: 우리나라(조선) / 즁원 보기 원ᄒᆞ더니: 화자가 평소 중국에 가 보고 싶어 했음을 알 수 있음)
병인년 츈삼월의 가례 ᄎᆡᆨ봉 되오시ᄆᆡ
(가례 ᄎᆡᆨ봉: 고종이 민치록의 딸인 민 씨(명성황후)를 맞아들인 것)
국ᄀᆞ에 ᄃᆡ경이요 신민의 복녹이라
(복녹: 복되고 평화로운 삶)
상국의 쥬청헐식 삼 ᄉᆞ신을 ᄂᆡ이시니
(상국: 청나라 / 쥬청: 임금께 상주하여 청원함)
상ᄉᆞ에 뉴 승상과 셔 시랑은 부ᄉᆡ로다
(뉴 승상: 유후조 / 셔 시랑: 서당보)
ᄒᆡᆼ즁 어ᄉᆞ 셔장관은 직ᄎᆡᆨ이 즁헐시고
(ᄒᆡᆼ즁 어ᄉᆞ: 왕명에 의해 특별한 임무를 띠고 파견되는 임시직 / 셔장관: 외국에 보낸 사신 가운데 기록을 맡아보던 임시 벼슬)
겸집의 사복 판ᄉᆞ 어영 낭쳥 ᄡᅵ여스니
(사복 판ᄉᆞ: 궁중의 가마나 말에 관한 일을 맡아보던 관청의 판사 / 어영 낭쳥: 조선 시대 군부를 맡아보던 관청의 당사관)
시년이 이십 오라 쇼년 공명 장ᄒᆞ도다
(시년: 이때의 나이 / 쇼년 공명: 일찍 출세함)
> 가례 책봉 주청사의 서장관으로 임명된 기쁨

하 오월 초칠일의 도강 날ᄌᆞ 졍ᄒᆞ여네
(하 오월 초칠일: 1866년 5월 7일(음력) / 도강: 강을 건넘)
방물을 졍검ᄒᆞ고 ᄒᆡᆼ장을 슈습ᄒᆞ여
(방물: 조선 시대에 중국에 보내던 우리나라의 산물)
압녹강변 다다르니 송객졍이 여긔로다
의쥬 부윤 나와 안고 다담상을 ᄎᆞ려 놋코
(부윤: 종2품의 문관 외관직 / 다담상: 손님을 접대하기 위해 차린 상)
『삼 사신을 젼별ᄒᆞᆯ식 쳐창키도 그지업다
일ᄇᆡ 일ᄇᆡ 부일ᄇᆡᄂᆞᆫ 셔로 안져 권고ᄒᆞ고
(일ᄇᆡ 일ᄇᆡ 부일ᄇᆡ: 이백의 「산충대작」 인용 - 한 잔 한 잔 또 한 잔)
상ᄉᆞ별곡 ᄒᆞᆫ 곡조를 참아 듯기 어려워라』
(상ᄉᆞ별곡: 남녀 간의 그리움을 노래)
『 』: 전별연의 구슬픈 분위기 - 사신의 길이 고행길이기 때문임
장계을 봉ᄒᆞᆫ 후의 ᄯᅥᆯ더리고 이러나셔
(장계: 관원이 임금에게 보고하는 글 / ᄯᅥᆯ더리고 이러나셔: 사신으로서의 책임감)
거국지회 그음 업셔 억졔ᄒᆞ기 어려운 즁 → 호기심, 두려움, 책임감 등 고국을 떠나는 복합적 감정
(거국지회: 나라를 떠나는 감회 / 그음 업셔: 한이 없어)
홍상의 ᄭᅩᆺ눈물이 심회을 돕ᄂᆞᆫ도다
(홍상: 붉은 치마 = 아름다운 여인)
뉵인교을 물녀 노니 장독교을 등ᄃᆡᄒᆞ고
(장독교: 양옆은 창이며 뚜껑은 지붕처럼 된 가마 / 뉵인교: 여섯 사람이 메는 가마 / 등ᄃᆡᄒᆞ고: 미리 준비하고 기다림)
젼ᄇᆡ 토인 ᄒᆞ직ᄒᆞ니 일산 좌견ᄲᅮᆫ만 잇고
(일산: 양산을 담당하는 하인 / 젼ᄇᆡ: 벼슬아치의 행차 때 앞을 인도하는 하인 / 좌견: 고삐를 잡는 하인)
공형 급창 물너셔니 마두 셔ᄌᆞᄲᅮᆫ이로다
(공형: 삼공형(호장, 이방, 수형리) / 마두: 역마에 관한 일을 맡아보던 관리 / 셔ᄌᆞ: 각 역에서 일하던 관리)
> 청나라로 가기 위해 압록강을 건널 준비를 함

일엽 소션 ᄇᆡ를 져어 졈졈 멀어 ᄯᅥ셔 가니
(일엽 소션: 잎사귀처럼 자그마한 배)
푸른 봉은 쳡쳡ᄒᆞ여 날을 보고 즐귀ᄂᆞᆫ 듯
ᄇᆡᆨ운은 요요ᄒᆞ고 광ᄉᆡᆨ이 참담ᄒᆞ다
(요요ᄒᆞ고: 멀리 아득하고)
비치 못ᄒᆞᆯ 이ᄂᆡ 마음 오날이 무ᄉᆞᆷ 날고
출셰ᄒᆞᆫ 지 이십오 년 시ᄒᆞ의 ᄌᆞ라나셔
(시ᄒᆞ: 부모나 조부모를 모심)

아아, 천지 사이에 남자 되기가 쉽지 않다.
변방의 이내 몸이 중국 보기를 원했더니,
병인년 3월에 가례 책봉이 되오시니,
국가의 큰 경사요 백성의 복이라.
청나라에 청원하기 위해 세 명의 사신을 뽑으시니,
정사에는 우의정 유후조요, 부사에는 예조 시랑 서당보로다.
일행 중에 어사인 서장관은 직책이 중요하구나.
겸직으로 사복 판사와 어영 낭청을 하였으니,
이때 나이가 25세라, 이른 출세 장하구나.

여름 5월 7일이 압록강 넘는 날짜로 정해졌네.
방물을 점검하고 행장을 수습하여,
압록강가에 다다르니 송객정이 여기로다.
의주 부윤 나와 앉아 손님 상을 차려 놓고,
세 사신을 잔치를 베풀어 작별하는데 구슬프기도 한이 없다.
한 잔 한 잔 또 한 잔으로 서로 앉아 권고하고,
상사별곡 한 곡조를 차마 듣기 어려워라.
장계를 (봉투에 넣어) 봉한 후에 떨뜨리고 일어나서,
나라를 떠나는 감회가 한이 없어 억제하기 어려운 중,
여인의 꽃다운 눈물이 마음속의 회포를 더하게 하도다.
육인교를 물려 놓고 장독교를 대령하고,
가마 앞 통인이 하직하니 양산과 말고삐를 담당하는 하인만 있고,
삼공형과 급창이 물러서니 마두와 서자만 남았도다.

한 조각 자그마한 배를 저어 점점 멀리 떠서 가니,
푸른 봉은 첩첩하여 나를 보고 즐기는 듯
흰 구름은 멀리 아득하고 햇살의 빛깔이 참담하다.
비하지 못할 이내 마음 오늘이 무슨 날인고?
세상에 난 지 25년 부모님을 모시고 자라나서

평일의 이측ᄒᆞ여 오ᄅᆡ 써나 본 일 업다
부모의 곁을 떠남
반 년이나 엇지홀고 이위정이 어려우며
부모가 계신 곳을 떠나는 정
경긔 지경 ᄇᆡᆨ 니 밧긔 먼길 단여 본 일 업다
허박ᄒᆞ고 약ᄒᆞᆫ 긔질 만 리 ᄒᆡᆼ역 걱정일세

> 선상에서 느끼는 여행에 대한 걱정

(중략)

녹색 창과 붉은 문 / 서민들이 모여 사는 곳
『녹창 쥬호 여염들은 오ᄉᆡᆨ이 영농ᄒᆞ고
채색과 난간
화ᄉᆞ ᄎᆡ란 시졍들은 만물이 번화ᄒᆞ다』 『 』: 청나라의 화려한 집과 시가지
화려한 집 / 시가지
집집이 호인들은 길의 나와 구경ᄒᆞ니
청나라 사람
의복기 괴려ᄒᆞ여 처음 보기 놀납도다 : 청나라에서의 견문 **Link 표현상 특징 ❹**
이치에 맞지 않아 온당치 않음 / 호인의 의복에 대한 문화적 충격
『머리ᄂᆞᆫ 압을 깍가 뒤만 ᄯᆞᄒᆞ 느리쳐셔
댕기
당ᄉᆞ실노 당긔ᄒᆞ고 말익이을 눌너 쓰며』 『 』: 변발에 대한 묘사
명주실의 일종 / 마래기. 중국 청나라 때 관리들의 모자
『일 년 삼백육십 일에 양치 한 번 아니ᄒᆞ여
이썔은 황금이오 손톱은 다섯 치라』 『 』: 호인에 대한 업신여김(해학적) **Link 표현상 특징 ❶**
『거문빗 져구리ᄂᆞᆫ 깃 업시 지어쓰되
옷고름은 아니 달고 단초 다라 입어 쓰며』 『 』: 호인의 저고리와 우리나라 저고리 비교
아쳥 바지 반물 속것 허리ᄯᅴ로 눌러 ᄆᆡ고
검푸른 빛 / 짙은 남빛
두 다리의 힝젼 모양 타오구라 일홈 ᄒᆞ여
바지를 입을 때 정강이에 꿰어 무릎 아래에 매는 물건
회목의셔 오금까지 회ᄆᆡᆨᄒᆞ게 드리 끼고
손목이나 발목의 잘록한 부분 / 옷 매무새가 가뿐하게
깃 업슨 청두루막기 단초가 여러히요
좁은 ᄉᆞᄆᆡ 손등 덥허 손이 겨오 드나들고
소매가 매우 좁음 → 추위에서 몸을 보호하기 위해
두루막 위에 배자이며 무릅 우에 슬갑이라
저고리 위에 덧는 옷 / 추위를 막기 위해 무릎까지 내려오게 입는 옷

> 호인들의 외양 및 옷차림

(중략)

하쳐라고 ᄎᆞᄌᆞ가니 집 졔도가 우습도다
묵을 곳 / 청나라 문화에 대한 멸시 **Link 표현상 특징 ❸**
오량각 이 간 반의 벽돌을 곱게 ᄭᆞᆯ고
보를 다섯 줄로 놓아 두 간통이 되게 지은 집
반 간식 캉을 지어 좌우로 ᄃᆡ캉ᄒᆞ니
중국식 온돌방 / 두 개의 캉이 마주 봄
캉 모양 엇더터냐 캉 졔도을 못 보거든
우리나라 붓두막이 그와 거의 흡ᄉᆞᄒᆞ여
캉에 대한 이해를 돕기 위해 부뚜막을 예로 듦
그 밋ᄒᆡ 구둘 노하 불을 ᄯᅵ게 마련ᄒᆞ고
그 우ᄒᆡ ᄌᆞ리 펴고 밤이면 누어 ᄌᆞ며 → 침실 역할
낫이면 손임 졉ᄃᆡ 걸터앉기 가장 죠코 → 거실 역할
ᄎᆡ유ᄒᆞ온 완ᄌᆞ창과 면회ᄒᆞ온 벽돌담은
채소로 짠 기름 / 卍 자 모양의 창 / 벽의 겉면에 회를 바름
미쳔ᄒᆞᆫ 호인들도 집치레 과람코나
청의 주거 문화를 업신여기는 태도 **Link 표현상 특징 ❸**

> 호인들의 주거 문화

평소에 부모님 곁을 떨어져 오래 떠나 본 일이 없다.
반 년이나 어찌할꼬. 부모 곁을 떠나는 정이 어려우며,
경기도 지방 백 리 밖에 먼 길 다녀 본 적 없다.
허약하고 약한 기질에 만 리 여행길이 걱정일세.

(중략)

녹색 창과 붉은 문의 여염집은 오색이 영롱하고,
화려한 집과 채색한 난간의 시가지는 만물이 번화하다.
집집마다 호인들은 길에 나와 구경하니,
옷차림이 괴이하여 처음 보기에 놀랍도다.
머리는 앞을 깎아 뒤만 땋아 늘어뜨려,
당사실로 댕기를 드리고 마래기라는 모자를 눌러 쓰며,
일 년 삼백육십 일에 양치질 한 번도 아니하여,
이빨은 황금빛이요 손톱은 다섯 치라.
검은 빛의 저고리는 깃이 없이 지었으되,
옷고름은 달지 않고 단추 달아 입었으며,
검푸른 바지와 짙은 남빛 속옷 허리띠로 눌러 매고,
두 다리에 행전 모양(으로 맨 것을) 타오구라 이름하여,
발목에서 오금까지 가뿐하게 들이끼우고,
깃 없는 푸른 두루마기 단추가 여럿이요,
좁은 소매가 손등을 덮어 손이 겨우 드나들고,
두루마기 위에 덧저고리 입고 무릎 위에는 슬갑이라.

(중략)

묵을 곳이라고 찾아가니 집 제도가 우습도다.
보 다섯 줄로 된 집 두 칸 반에 벽돌을 곱게 깔고,
반 칸씩 캉이라는 걸 지어 좌우로 마주 보게 하니,
캉의 모양이 어떻더냐? 캉 제도를 못 보았으면
우리나라의 부뚜막이 그것과 거의 흡사하여,
그 밑에 구들 놓아 불을 땔 수 있게 마련하고,
그 위에 자리 펴고 밤이면 누워 자며,
낮이면 손님 접대 걸터앉기에 매우 좋고,
기름칠을 한 완자창과 회를 바른 벽돌담은
미천한 오랑캐 주제에 집치레가 지나치구나.

일정한 시간 없이
ᄣᅢ업시 먹ᄂᆞᆫ 밥은 기장 좁살 슈슈ᄊᆞᆯ을
볏과의 한해살이풀. 열매가 떡, 술, 엿, 빵 따위의 원료나 가축의 사료로 쓰임
녹난ᄒᆞ게 ᄉᆞᆯ마 ᄂᆡ여 ᄂᆡᆼ슈의 ᄎᆡ워 두고
무르익게 / 밥의 보관법
진긔ᄂᆞᆫ 다 ᄲᆡ져셔 아모 맛ᄯᅩ 업ᄂᆞᆫ 거ᄉᆞᆯ
청의 밥에 대한 평가
『남녀 노소 식구ᄃᆡ로 부모 형뎨 쳐ᄌᆞ 권쇽
한 집안 식구
한 상의 둘너 안져 ᄒᆞᆫ 그릇식 밥을 ᄯᅥ셔
져까치로 그러먹고 낫부면 더 ᄯᅥ온다』 『 』: 우리와는 다른 식사 문화 소개
젓가락
『반찬이라 ᄒᆞᄂᆞᆫ 거ᄉᆞᆫ 돗희 기름 날파 나물』 『 』: 보잘것없는 반찬
돼지 기름
『큰 독의 담은 장은 소금물의 며쥬 너코
날마다 ᄀᆞᆺ금ᄀᆞᆺ금 막ᄃᆡ로 휘져ᄒᆞ니
가끔가끔
쥭 ᄀᆞᆺ튼 된장물을 쟝이라고 ᄯᅥ다 먹ᄃᆡ』 『 』: 청의 장이 우리의 장보다 저급함을 알고 업신여김 **Link 표현상 특징 ❷**
장 같지도 않은 것

❯ 호인들의 식문화

때도 없이 먹는 밥은 기장, 좁쌀, 수수쌀을,
푹 삶아 내어 냉수에 채워 두고,
끈끈한 기운은 다 빠져서 아무 맛도 없는 것을,
남녀노소 식구대로 부모, 형제, 처자, 권속,
한 상에 둘러앉아 한 그릇씩 밥을 떠서
젓가락으로 긁어 먹고 부족하면 더 떠온다.
반찬이라 하는 것은 돼지기름, 날파 나물,
큰 독에 담근 장은 소금물에 메주 넣고,
날마다 가끔가끔 막대기로 휘저으니,
죽 같은 된장 물을 장이라고 떠다 먹네.

호인들의 풍속들이 즘ᄉᆡᆼ치기 슝상ᄒᆞ여
유목 민족의 특징
쥰춍 ᄀᆞᆺ튼 말들이며 범 갓튼 큰 노ᄉᆡ을
준마 = 좋은 말
굴네도 아니 ᄡᅴ고 ᄌᆡ갈도 아니 먹여
말의 입에 가로 물리는 쇠로 된 물건
ᄇᆡᆨ여 필식 압셰우고 ᄒᆞᆫ ᄉᆞ람이 모라 가ᄃᆡ
구율의 드러셔셔 달ᄂᆡᄂᆞᆫ 것 못 보게고
구유 - 가축에게 먹이를 담아주는 그릇 / 능숙하게 다룸
『양이며 도야지를 슈ᄇᆡᆨ 마리 ᄯᅦ를 지어
조고마ᄒᆞᆫ 아희놈이 ᄒᆞᆫ둘이 모라 가ᄃᆡ
ᄃᆡ가리을 ᄒᆞᆫᄃᆡ 모화 허여지지 아니ᄒᆞ고』 『 』: 아이들도 가축들을 능숙하게 다룸
『집ᄎᆡ ᄀᆞᆺ튼 황소라도 코 안 ᄯᅮᆯ코 잘 부리며
조고마ᄒᆞᆫ 당나귀도 ᄆᆡᆺ돌질을 능히 ᄒᆞ고』 『 』: 호인들의 가축 다루는 솜씨를 부각함(긍정적 안목)
ᄃᆡᄃᆞᆰ 당ᄃᆞᆰ 오리 거우 개 괴ᄭᆞ지 길으며
고양이까지
발발이라 ᄒᆞᄂᆞᆫ ᄀᆡᄂᆞᆫ 계집년들 품고 자ᄂᆡ
애완용 강아지를 기름
심지어 초롱 속의 온갓 ᄉᆡ를 너허시니
새장
잉무ᄉᆡ며 ᄇᆡᆨ셜조ᄂᆞᆫ 사ᄅᆞᆷ의 말 능히ᄒᆞᆫ다
지빠귀

❯ 호인들의 짐승 치기

오랑캐의 풍속들이 가축 치기를 숭상하여,
잘 달리는 좋은 말들이며 범 같은 큰 노새를,
굴레도 씌우지 않고 재갈도 물리지 않은 채,
백여 필씩 앞세우고 한 사람이 몰아가되,
구유에 들어서서 달래는 것 못 보겠고,
양이며 돼지를 수백 마리 떼를 지어
조그마한 아이 놈이 한둘이 몰아가되,
대가리를 한데 모아 흩어지지 아니하고,
집채 같은 황소라도 코 안 뚫고 잘 부리며,
조그마한 당나귀도 맷돌질을 능히 하고,
댓닭, 장닭, 오리, 거위, 개, 고양이까지 기르며,
발바리라 하는 개는 계집년들이 품고 자네.
심지어 새장 속에 온갖 새를 넣었으니,
앵무새며 지빠귀는 사람의 말을 능히 한다.

어린아희 길은 법은 풍속이 괴상ᄒᆞ다
신기함, 경이감
『힝담의 줄을 ᄆᆡ여 그ᄂᆡ 밀듯 축혀 달고
길 가는 데 가지고 다니는 작은 요람
우ᄂᆞᆫ 아희 졋 먹여셔 강보의 뭉둥그려
포대기 / 뭉뚱그려
힝담 속의 누여 주고 쥴을 잡아 흔들며은
아모 소ᄅᆡ 아니ᄒᆞ고 보ᄎᆡᄂᆞᆫ 일 업다 ᄒᆞ네』 『 』: 어린아이 달래는 법 소개

어린아이 기르는 법은 풍속이 괴상하다.
작은 상자에 줄을 매어 그네 매듯 추켜 달고,
우는 아이 젖을 먹여 포대기로 대강 싸서,
행담 속에 뉘어 놓고 줄을 잡아 흔들면은,
아무 소리 아니 하고 보채는 일 없다 하네.

농ᄉᆞᄒᆞ기 길삼ᄒᆞ기 브즈런이 위업ᄒᆞᆫ다
(위업ᄒᆞᆫ다: 생업으로 삼는다)
집집이 ᄃᆡ문 압ᄒᆡ ᄡᆞ흔 거름 ᄐᆡ산 ᄀᆞᆺ고
논은 업고 밧만 잇셔 온갓 곡셕 다 심운다
나긔말긔 장기 메여 소 업셔도 능히 갈며
(나긔말긔: 나귀와 말에게 / 장기: 쟁기)
홈의ᄌᆞ로 길게 ᄒᆞ여 기음ᄆᆡ기 셔셔 ᄒᆞᆫ다 → 능률적이고 실용적임
(홈의ᄌᆞ로: 호미 자루 / 기음ᄆᆡ기: 김매기)
ᄡᅵ아질의 물네질과 ᄭᅮ리 겻ᄂᆞᆫ 계집이라
(ᄡᅵ아질: 목화씨를 빼는 일 / 물네질: 실 만드는 일 / ᄭᅮ리 겻ᄂᆞᆫ: 실꾸리를 감는)
도토마리 날을 ᄆᆡᆯ 졔 풀칠 안코 잘들 ᄒᆞ며 → 길쌈을 하는 청나라 여인들의 근면한 모습
(도토마리: 베를 짤 때 날을 감아 베틀 위에 얹어 두는 틀)
뵈틀이라 ᄒᆞᄂᆞᆫ 거슨 경쳡ᄒᆞ고 ᄌᆡ치 잇다
(경쳡: 가뿐하고 민첩함)
쇠ᄭᅩ리가 아니라도 잉아 능녹 어렵잔코
(쇠ᄭᅩ리: 베틀신과 신대를 잇는 끈 / 잉아: 베틀의 날실을 끌어 올리도록 맨 굵은 줄)
『북을 지어 더지며ᄂᆞᆫ 바듸질은 졀노 ᄒᆞᆫ다』 『 』: 베를 짜는 솜씨가 능숙함
(바듸질: 베틀에서 날을 꿰어 베의 날을 고르고 북의 통로를 만들어 주는 일)

> 호인들의 생활 모습(육아, 농사, 길쌈)

농사하기, 길쌈하기 부지런히 일을 한다.
집집마다 대문 앞에 쌓은 거름이 태산 같고,
논은 없고 밭만 있어 온갖 곡식을 다 심는다.
나귀와 말에게 쟁기를 메어 소 없어도 능히 갈며,
호미 자루 길게 하여 김매기를 서서 한다.
씨아질에 물레질과 실꾸리 감는 계집이라.
도투마리 날을 맬 때 풀칠을 하지 않고 잘들 하며,
베틀이라 하는 것은 가뿐하고 재치가 있다.
쇠꼬리가 없더라도 잉아 사용이 어렵지 않고,
북을 집어던지면 바디질은 저절로 한다.

출제자 톡! 화자를 이해하라!

1 **화자는 누구이고, 화자가 처한 상황은?**
서장관으로 북경에 다녀온 사람

2 **화자의 정서 및 태도는?**
- 낯선 문물을 세밀하게 관찰하고, 대상에 대한 우월감을 드러냄.
- 청나라를 무시하고 있으나 실용적 풍속에 대해서는 긍정적인 태도를 보임.

Link

출제자 톡! 표현상의 특징을 파악하라!

❶ 해학과 유머가 돋보이는 표현을 사용하고 있음.
❷ 중국 고사나 한자어보다는 소박한 표현이 사용됨.
❸ 존명 배청(尊明排淸, 명나라를 높이고 청나라를 배척함) 의식을 드러냄.
❹ 치밀한 관찰력으로 이국(異國)의 문물과 풍속, 인물 등을 사실적으로 묘사함.
❺ 시간과 여정에 따른 추보식 구성으로 시상을 전개함.

최우선 출제 포인트!

1 청나라에 대한 인식 변화

호인들을 업신여기는 태도		호인들에 대한 긍정적인 태도
• 호인들의 복식 • 호인들의 주거 문화 • 호인들의 식문화	➔	• 호인들의 짐승 치기 • 호인들의 아이 기르기 • 호인들의 농사 및 길쌈하기
존명 배청(尊明排淸) 의식		문화 상대주의 관점

이 작품의 작가는 명나라는 높이고 청나라는 배척하는 존명 배청(尊明排淸)의 시각을 기본으로 하여 청나라의 풍속을 서술하고 있다. 그러나 당시 시대 배경을 고려할 때 이 작품의 필치가 청나라의 문물을 깔보는 태도에서 점차 그 실용성을 인정하고 객관적으로 평가하려는 태도로 변화하는 점은 작가가 객관적이고 현실주의적인 태도를 가지고 있음을 보여 주는 것이라 할 수 있다.

함께 볼 작품 외국으로 나간 사신들이 여정과 견문을 기록한 작품: 김인겸, 「일동장유가」

최우선 핵심 Check!

1 화자는 청나라로 여행을 떠나는 상황에서 사신단으로 선발된 기쁨과, 고국을 떠나는 슬픔을 함께 드러내고 있다. (O / ×)

2 여행지의 이국적 소재와 풍물을 자세하게 소개하고 있다. (O / ×)

3 청나라에 대한 사대주의적 태도가 드러나 있다. (O / ×)

4 화자는 우리 민족과 호인을 비교하며 호인들의 생활 문화를 [ㅁ][ㅅ]하는 태도를 보이고 있으나, 호인들의 부지런한 행실과 좋은 풍속은 [ㅇ][ㅈ]하는 양면적인 태도를 보이고 있다.

5 치밀한 관찰력과 세밀한 [ㅁ][ㅅ]를 통해 대상을 객관적, 사실적으로 표현하고 있다.

정답 1. ○ 2. ○ 3. × 4. 무시(멸시), 인정 5. 묘사

농가의 열두 달을 노래함

농가월령가(農家月令歌) | 정학유

갈래 월령체 가사(전 13장) **성격** 교훈적, 계몽적
주제 각 달과 절기에 따라 농가에서 해야 할 일과 세시 풍속 소개 **시대** 조선 후기

월령체(月令體) 작품 중 질적으로 높은 수준에 있는 작품으로, 권농을 주제로 하여 농가에서 일 년 동안 할 일을 각 달의 순서에 따라 읊었다.

〈정월령(正月令)〉

(음영): 계절 소개(시간의 흐름에 따라 시상 전개) Link 표현상 특징 ❶, ❷

정월(正月)은 맹춘(孟春)이라 입춘(立春) 우수(雨水) 절후(節候)로다
(맹춘: 초봄) → 정월의 절기 소개
『산중 간학(山中澗壑)에 빙설(氷雪)은 남아시니
(산중 간학: 산속 물이 흐르는 골짜기)
평교(平郊) 광야(廣野)에 운물(雲物)이 변(變)ᄒᆞ도다』 『 』: 계절의 변화(겨울 → 봄)
(운물: 하늘 모양과 천지간의 경물. 경치를 의미함)
▶ 정월의 절기 소개

〈정월령〉
1월은 초봄이라, 입춘과 우수가 있는 절기로다.
산골짜기에 얼음과 눈이 남아 있으나,
넓고 평평한 들판에는 경치가 (겨울에서 봄으로) 변하기 시작하도다.

어와 우리 성상(聖上) 애민 중농(愛民重農)ᄒᆞ오시니
(성상: 임금) (애민 중농: 백성을 사랑하고 농사를 중시함)
간측(懇惻)ᄒᆞ신 권농 윤음(勸農綸音) 방곡(坊曲)에 반포(頒布)ᄒᆞ니
(간측: 간절하고 정성스러움) (권농 윤음: 농사를 권장하는 임금의 말씀)
『슬프다 농부(農夫)들아 아무리 무지(無知)ᄒᆞᆫ들
(슬프다: 감정의 직접적 표출) (농부들아: 청자 Link 표현상 특징 ❻) 임금의 뜻을 명분으로 제시하여 농사를 강조함. 설의적 표현
네 몸 이해(利害) 고사(姑捨)ᄒᆞ고 성의(聖意)를 어길소냐』 Link 표현상 특징 ❹
『 』: 집필 동기 → 백성들에게 임금의 뜻을 받들어 농사에 힘쓸 것을 권함 → 교훈적 어조
산전 수답(山田水畓) 상반(相半)ᄒᆞ여 힘ᄃᆡ로 ᄒᆞ오리라
(상반: 서로 절반씩 나누어)
일 년 풍흉(一年豊凶)은 측량(測量)치 못ᄒᆞ여도
인력(人力)이 극진(極盡)ᄒᆞ면 천재(天災)는 면(免)ᄒᆞ나니
(지성이면 감천. 진인사대천명(盡人事待天命))
제각각 권면(勸勉)ᄒᆞ는 게을리 굴지 마라
(권면: 알아듣도록 권하고 격려하여 힘쓰게 함) (교훈적 성격) (□: 명령형 어미 Link 표현상 특징 ❸)
▶ 농사일에 힘쓰도록 권장함

아아, 우리 임금님께서 백성을 사랑하고 농사를 중요하게 여기시니,
지극히 간절하신 농사일을 권하는 임금님의 말씀을 방방곡곡에 알리시니,
슬프다, 농부들이여! 아무리 무지한들
네 자신의 이해관계를 고집하고 임금님의 뜻을 어길 것인가?
밭과 논을 반반씩 나누어 힘써 경작하오리라.
일 년의 풍년과 흉년은 예측하지 못해도,
사람의 힘을 다 쏟으면 자연의 재앙을 면하나니,
제각각 권면하여 게을리 굴지 마라.

일년지계(一年之計) 재춘(在春)ᄒᆞ니 범사(凡事)를 미리 ᄒᆞ라
(시기를 중시하는 태도)
봄에 만일 실시(失時)ᄒᆞ면 종년(終年) 일이 낭패되네
(실시: 때를 놓치면)
농지(農地)를 다스리고 농우(農牛)를 살펴 먹여
(음영: 농촌 생활과 관련 있는 어휘 Link 표현상 특징 ❺)
ᄌᆡ거름 ᄌᆡ와 노코 일변(一邊)으로 시러 ᄂᆡ니
(ᄌᆡ거름: 재로 만든 거름)
맥전(麥田)에 오좀 듀기 세전(歲前)보다 힘써 ᄒᆞ소
(세전: 작년. 설 쇠기 전) (ᄒᆞ소: 명령형 어미)
늙은이 근력(筋力) 업서 힘든 일은 못 ᄒᆞ여도
낮이면 이영 녁고 밤이면 ᄉᆡ기 ᄭᅩ아 → 대구법 Link 표현상 특징 ❹
(이영: 지붕을 이기 위해 짚이나 새 따위로 엮은 것)
ᄯᅢ 맛쳐 집 니우니 큰 근심 더럿도다
(집 니우니: 지붕을 이니) (과일 수확이 많기를 빌어 나뭇가지 사이에 돌을 끼워 넣는 풍속)
실과(實果)나무 벗곳 ᄯᅡ고 가지 ᄉᆞ이 돌 ᄭᅵ우기
(벗곳: 보굿 - 굵은 나무줄기에 비늘 모양으로 덮여 있는 겉껍질)
정조(正朝)날 미명시(未明時)의 시험(試驗)죠로 ᄒᆞ여 보소 △: 청유형 어미
며느리 잇지 말고 송국주(松菊酒) 밋ᄒᆞ여라
(송국주: 꽃으로 빚는 가양주) (밋ᄒᆞ여라: 걸러라 - 명령형 어미 Link 표현상 특징 ❸)
삼춘 백화시(三春百花時)에 화전 일취(花前一醉)ᄒᆞ여 보ᄌᆞ
(삼춘 백화시: 온갖 꽃이 만발한 춘삼월)
▶ 정월의 농사일
상원(上元)날 달을 보아 수한(水旱)을 안다 ᄒᆞ니
(상원: 정월 대보름) (수한: 홍수와 가뭄)
노농(老農)의 징험(徵驗)이라 대강은 짐작(斟酌)ᄂᆞ니
(노농: 농사짓는 노인) (징험: 경험에 비추어 앎)

일 년의 계획은 봄에 하는 것이니 모든 일을 미리 하라.
만일 봄에 때를 놓치면 해를 마칠 때까지 일이 낭패가 되네.
농지를 다스리고 농우를 잘 보살펴 먹여,
재거름을 재워 놓고 한편으로 실어 내니,
보리밭에 오줌 주기 새해가 되기 이전보다 힘써 하라.
늙은이 기운 없어 힘든 일은 못 하여도
낮이면 이엉을 엮고 밤에는 새끼를 꼬아
때 맞추어 지붕 이으니 큰 근심 덜었도다.
과일나무 보굿을 벗겨 내고 가지 사이에 돌 끼우기
정월 초하룻날 날이 밝기 전에 시험 삼아 하여 보자.
며느리는 잊지 말고 송국주를 걸러라.
온갖 꽃이 만발한 춘삼월에 화전을 (안주 삼아) 한번 취해 보자.
정월 대보름날 달을 보면 (그 해의) 홍수와 가뭄을 안다 하니,
농사짓는 노인의 경험이라 대강은 짐작하니,

『정초(正初)에 세배(歲拜)ᄒᆞ믄 돈후(敦厚)ᄒᆞᆫ 풍속(風俗)이라
정월 초하루(설날) / 인정이 두터운
ᄉᆡ 의복(衣服) ᄯᅥᆯ쳐 닙고 친척(親戚) 인리(隣里) 셔로 ᄎᆞᄌᆞ
친척과 이웃사람
노소 남녀(老少男女) 아동(兒童)ᄭᆞ지 삼삼오오(三三五五) 다닐 적의
새 옷이 마찰되어 나는 소리
와셕버각 울긋불긋 물색(物色)이 번화(繁華)ᄒᆞ다
새 옷의 빛깔 / 색동옷을 입고 다니기 때문에 화려하다
『산나ᄒᆡ 연 ᄯᅴ오고 계집아ᄒᆡ 널 ᄠᅱ고』 『 』: 대구법
늇 노라 ᄂᆡ기ᄒᆞ기 소년(少年)들 노리로다
윷을 놀아 내기하기
사당(祠堂)의 세알(歲謁)ᄒᆞ니 병탕(餠湯)의 주과(酒果)로다
설에 사당에 인사드리는 일 / 떡국
엄파와 미나리를 무어엄의 겻드리면
겨울에 움 속에서 자란 누런 파 / 무의 싹 / 설의적 표현 Link 표현상 특징 ❹
보기에 신신(新新)ᄒᆞ여 오신채(五辛菜)를 불워ᄒᆞ랴』 ❯ 설날 풍속
부추, 겨자, 파, 마늘, 무릇의 자극성이 있는 다섯 가지 채소

정월 초하룻날 세배하는 것은 인정이 두텁고 후한 풍속이라.
새 옷을 떨쳐입고 친척과 이웃을 서로 찾아
남녀노소에 아이들까지 삼삼오오 다닐 적에,
(설빔 새 옷이) 와삭버석거리고 울긋불긋하여 빛깔이 화려하다.
남자아이들은 연을 띄우고 여자아이들은 널을 뛰고,
윷을 놀아 내기하기 소년들의 놀이로다.
사당에 설 인사를 드리니 떡국과 술과 과일이로다
움파와 미나리를 무 싹에다 곁들이면,
보기에 새롭고 싱싱하여 오신채를 부러워하랴?

『보름날 약식(藥食) 제도 신라(新羅) 적 풍속(風俗)이라
묵은 산채(山菜) 삶아 ᄂᆡ여 육미(肉味)를 밧골소냐
설의적 표현 Link 표현상 특징 ❹
귀 밝히ᄂᆞᆫ 약(藥)술이며 부름 삭ᄂᆞᆫ 생률(生栗)이라
'부스럼'의 준말
먼저 불러 더위팔기 달맞이 홰불 켜기
흘러오는 풍속이요 아이들 놀이로다』 『 』: 정월 대보름의 풍속
❯ 정월 대보름의 풍속

(중략)

보름날 약밥을 지어 먹고 차례를 지내는 것은 신라 때의 풍속이라
지난해 (캐어 말린) 산나물을 삶아 내니 고기 맛과 바꿀 것인가?
귀 밝으라고 먹는 약술이며, 부스럼 삭으라고 먹는 생밤이라
먼저 불러 더위팔기와 달맞이 횃불 켜기는
(옛날부터) 전해 오는 풍속이요 아이들 놀이로다

(중략)

〈팔월령(八月令)〉

팔월(八月)이라 중추(仲秋)되니 백로(白露) 추분(秋分) 절긔로다
음력 8월 / → 팔월의 절기 소개
『북두성(北斗星) ᄌᆞ로 도라 셔편을 가르치니』 『 』: 계절의 변화 - 북두성의 방향을 통해 가을이 옴을 짐작함
자루, 손잡이
선선ᄒᆞᆫ 죠셕(朝夕) 긔운 추의(秋意)가 완연ᄒᆞ다
가을의 기운
귀ᄯᅩ람이 말근 쇼ᄅᆡ 벽간(壁間)에 들거고나
아춤에 안ᄀᆡ끼고 밤이면 이슬 ᄂᆞ려
백곡(百穀)을 셩실(成實)ᄒᆞ고 만물을 ᄌᆡ촉ᄒᆞ니
열매를 여물게 하고
들 구경 돌아보니 힘드린 일 공생(功生)ᄒᆞ다
백곡(百穀)의 이삭 픠고 여믈 드러 고ᄀᆡ 숙어
셔풍(西風)에 익ᄂᆞᆫ 빛은 황운(黃雲)이 이러난다 ❯ 팔월의 절기의 특징과 들판 풍경
누렇게 익은 벼(은유법) Link 표현상 특징 ❹

〈팔월령〉
팔월이라 중추가 되니 백로, 추분이 있는 절기로다.
북두칠성의 (국자 모양의) 자루가 돌아 서쪽을 가리키니,
선선한 아침저녁 기운은 가을의 모습이 완연하다.
귀뚜라미 맑은 소리가 벽 사이에 들리는구나.
아침에 안개가 끼고 밤이면 이슬이 내려,
온갖 곡식 여물게 하고, 만물의 결실을 재촉하니,
들 구경을 돌아보니 힘들여 일한 공이 나타난다.
온갖 곡식의 이삭이 피고 곡식의 알이 들어 고개를 숙여,
서풍에 익는 빛은 누런 구름이 이는 듯하다.

『백셜(白雪) 가튼 면화송이 산호(珊瑚) 가튼 고초다리』 『 』: 대구법, 직유법
고추 열매 / Link 표현상 특징 ❹
쳠아에 너럿스니 가을 볏 명낭ᄒᆞ다
발채 - 짐을 싣기 위해 지게에 얹는 소쿠리 모양의 물건 / 명령형 어미
안팟 마당 닷가 노코 발치망구 장만ᄒᆞ소
옹구 - 소의 안장 위에 얹는 망태기처럼 생긴 것
면화(棉花) ᄯᅡᄂᆞᆫ 다락키에 수수 이삭 콩가지오
입구가 작은 바구니

눈같이 하얀 목화송이, 산호 같은 고추 열매,
처마에 널어놓으니 가을볕이 맑고 밝다.
안팎의 마당을 닦아 놓고 발채와 옹구를 마련해 보자.
목화 따는 작은 바구니에 수수 이삭과 콩 가지(도 담고,)

나뭇꾼 도라올 제 머루 다릐 산과(山果)로다
뒷동산 밤 ᄃᆡ츄ᄂᆞᆫ 아희들 셰샹이라
알암 모화 말리어라 철 듸여 쓰게 ᄒᆞ쇼
(명령형 어미 / 제사 준비를 미리함)

> 팔월의 밭농사와 산과(山果)

나무꾼 돌아올 때 머루, 다래 산에 나는 과일이로다(과일을 따도다.)
뒷동산의 밤과 대추는 아이들의 세상이라.
알밤을 모아 말려서 필요한 때에 쓸 수 있게 하소.

명지(明紬)를 끈허 내여 추양(秋陽)에 마젼ᄒᆞ고
(명주 / 잇꽃의 꽃부리에서 얻은 붉은빛의 물감 / 생피륙을 삶거나 빨아 볕에 바래는 일)
쪽 듸리고 잇 듸리니 청홍(靑紅)이 색색이라
(쪽과 잇으로 물을 들이니 / 시각적 이미지)
부모님 연만(年晩)ᄒᆞ니 수의(壽衣)ᄅᆞᆯ 유의ᄒᆞ고
(염습할 때 시신에게 입히는 옷)
그 남아 마루재아 ᄌᆞ녀의 혼슈(婚需)ᄒᆞ세
(재단해서 / 청유형 어미)

> 옷감 장만하기

명주를 끊어 내어 가을볕에 표백하여,
쪽과 잇으로 물을 들이니 청홍이 색색이로구나.
부모님 연세가 많으니 수의를 미리 준비하고,
그 나머지는 마르고 재어서 자녀의 혼수하세.

집 우희 굿은 박은 요긴ᄒᆞᆫ 기명(器皿)이라
(살림살이에 쓰이는 그릇을 통틀어 이르는 말)
댑ᄉᆞ리 뷔ᄅᆞᆯ 매아 마당질에 쓰오리라
(빗자루를 만들어)
참깨 들깨 거둔 후의 즁오려 타작ᄒᆞ고
(일찍 익은 벼)
담배 줄 녹두 말을 아쉬야 작젼(作錢)ᄒᆞ랴
(물건을 팔아서 돈을 마련함)
쟝 구경도 ᄒᆞ려니와 흥정할 것 잊지 마쇼
(명령형 어미)
북어쾌 젓조기를 추석 명일(秋夕名日) 쇠아 보셰
(젓을 담그는 조기 / 청유형 어미)
신도쥬(新稻酒) 오려송편 박나믈 토란국을
(햅쌀로 빚은 술 / 올벼로 만든 송편)
선산(先山)의 제물(祭物)ᄒᆞ고 이웃집 ᄂᆞᆫ화 먹세
(청유형 어미)

> 가을걷이와 추석 쇠기

집 위의 익은 박은 요긴한 그릇이라.
댑싸리로 빗자루를 만들어 곡식을 떨어 알곡을 거두는 일에 쓰리라.
참깨, 들깨를 수확한 후에 다소 일찍 여문 벼를 타작하고,
담배나 녹두 등을 (팔아서) 아쉬운 대로 돈을 마련해라.
장 구경도 하려니와 흥정할 것 잊지 마소.
북어쾌와 젓조기를 사서 추석 명절을 쇠어 보세.
햅쌀로 빚은 술과 올벼로 만든 송편, 박나물과 토란국을
조상께 제사를 지내고 이웃집이 서로 나누어 먹세.

며느리 말믜 바다 본집에 근친(覲親)갈제
(말미, 휴가)
개 잡아 살마 건져 떡고리와 슐병이라
초록 장옷 반믈 치마 장속(裝束)ᄒᆞ고 다시 보니
여름지이에 지친 얼골 쇼복(蘇復)이 되엿ᄂᆞ냐
(농사짓기 / 원기 회복)
중추야(中秋夜) ᄇᆞᆰ은 달에 지기(志氣) 펴고 놀고 오소
(청유형 어미)

> 며느리의 근친 나들이

며느리가 휴가 얻어 친정에 근친 갈 때에,
개를 잡아 삶아 건져 떡고리와 술병을 함께 보내라.
초록색 장옷과 남빛 치마로 단장하고 다시 보니,
여름동안 (농사짓기에) 지친 얼굴이 원기가 회복되었느냐?
추석날 밝은 달 아래 기를 펴고 놀다 오소.

출제자 톡! 갈래와 창작 의도를 이해하라!

1 **월령체(月令體) 노래란?**
월령(月令)이란 한 달의 할 일을 열거한 표를 뜻하며 각 달의 농사일과 의식(儀式), 세시 풍속 등이 담긴 노래

2 **이 작품의 창작 의도는?**
농가에서 일 년 동안 해야 할 일을 알려 주기 위함.

Link

출제자 톡! 표현상의 특징을 파악하라!

❶ 1월령부터 12월령까지가 모두 동일한 구조(절기 소개 – 감상 – 농사일 – 세시풍속)로 이루어짐.
❷ 시간의 흐름에 따라 시상을 전개함.
❸ 명령형, 청유형 어미를 사용하여 말하고자 하는 바를 직설적으로 표현함.
❹ 대구법, 직유법, 은유법, 설의적 표현 등 다양한 표현법을 사용함.
❺ 농촌 생활과 관련 있는 어휘를 사용함.
❻ 청자를 설정하여 말을 건네는 방식을 활용함.

최우선 출제 포인트!

1 작품의 전체 구조

서사	일월성신의 운행과 역대 월령 및 역법의 기원 설명
정월령	정월 절기, 일 년 농사 준비, 정초의 세배와 풍속, 보름날 풍속 소개
2월령	2월의 절기, 춘경과 가축 기르기, 약재 캐기 등 노래
3월령	3월의 절기, 논농사 및 밭농사의 파종, 과일나무 접붙이기, 천렵 등 노래
4월령	4월의 절기, 모내기, 간작(間作), 분봉(分蜂), 팔일 현등(八日懸燈), 천렵 등 노래
5월령	5월의 절기, 보리타작, 고치 따기, 그네뛰기, 민요 화답 등 노래
6월령	6월의 절기, 간작, 북돋우기, 유두의 풍속, 장관리, 삼 수확, 길쌈 등 노래
7월령	7월의 절기, 김매기, 선산 벌초하기, 겨울을 위한 채소 준비 등 노래
9월령	9월의 절기, 가을 추수의 이모저모, 이웃 간 온정 등 노래
10월령	10월의 절기, 무, 배추 수확, 겨울 준비, 가내 화목, 동네 화목 등 노래
11월령	11월의 절기, 메주 쑤기, 동지 풍속, 가축 기르기, 거름 준비 등 노래
12월령	12월의 절기, 새해 세배 등 묘사, 결사에서는 농업에 힘쓰기를 권장

2 정월령과 팔월령

절기	정월의 농사	설날과 대보름 풍속
입춘, 우수	농지 다스리기, 농우 보살피기, 재거름 재워 놓기, 재거름 실어 내기, 보리밭에 오줌(거름) 주기, 이엉 엮기, 새끼 꼬기, 과일나무 껍질 벗기기, 가지 사이 돌 끼우기	• 설날: 새배하기, 연날리기, 널뛰기, 윷놀이, 사당에 인사드리기, 움파와 미나리 먹기 • 대보름: 약밥 먹기, 차례 지내기, 묵은 산채 삶아 먹기, 귀밝이술 마시기, 부럼 깨물기, 더위팔기, 달맞이 횃불 켜기

절기	팔월의 농사	팔월의 풍속
백로, 추분	목화와 고추 따서 처마에 널어 말리기, 안팎 마당 닦아 놓고 발채와 옹구 장만하기, 수수 이삭과 콩 가지 꺾기, 알밤 말리기, 댑싸리로 비 만들어 타작에 쓰기, 참깨와 들깨 수확하기, 일찍 익은 벼 타작하기, 담배와 녹두 팔아 돈 마련하기	추석 명절 쇠기, 며느리 근친 가기

함께 볼 작품 농민의 건강한 삶의 모습을 노래한 작품: 정약용, 「보리타작」
월령체 가요(달거리 노래) 형식의 작품: 작자 미상, 「동동」

최우선 핵심 Check!

1 시간의 흐름에 따라 시상을 전개하고 있다. (O / ×)

2 각 달마다 '절기 소개 → 감상 → 농사일 → 세시풍속' 순으로 이루어져 있다. (O / ×)

3 농촌에 거주하는 양반이 농민들에게 농사일을 장려하고 있다. (O / ×)

4 화자는 자연을 세속과 대조를 이루는 관념적 · 이상적 공간으로 인식하고 있다. (O / ×)

5 농가에서 할 일을 일 년 열두 달의 순서에 따라 읊은 ㅇㄹㅊ 가사이다.

6 명령형, ㅊㅇㅎ 어미를 사용하여 말하고자 하는 바를 직설적으로 표현하고 있다.

정답 1. ○ 2. ○ 3. ○ 4. × 5. 월령체 6.청유형

1등급! 〈보기〉!

「농가월령가」의 이해

작품의 형식이 일 년 열두 달을 차례대로 맞추어 가며 구성된 시가를 '월령체'라 한다. 조선 후기의 '월령체'는 내용상 농사요와 애정요로 나눌 수 있는데, 「농가월령가」는 대표적인 농사요이다. 농사요는 농촌에 거주하는 양반이 창작한 작품으로, 달의 변화에 따른 농사 일정을 고려하여 농민들에게 필요한 농사일을 장려하고 유교적 윤리를 강조한 시가이다. 「농가월령가」에서도 농촌에 거주하는 양반이 농민들에게 농사일을 장려하고 있으며, 부모에 대한 유교적 윤리를 강조하고 있다.

머슴을 비판하는 노래

고공가(雇工歌) | 허전

갈래 가사 **성격** 교훈적, 비판적, 우의적, 비유적
주제 고공에 대한 훈계와 잘못된 현실에 대한 비판
시대 조선 후기

임진왜란 직후 나태해진 관리들을 한 집안의 고공(머슴)에 빗대어 그들의 탐욕과 정치적 무능을 비판하고 있다.

청자인 머슴. 여기서는 벼슬아치를 의미함 **Link 표현상 특징 ❶, ❸**

집의 옷 밥을 언고 들먹ᄂᆞᆫ 져 고공(雇工)아

제쳐 놓고 / 들락날락하며 빌어먹는

우리 집 긔별을 아ᄂᆞᆫ다 모로ᄂᆞᆫ다

우리나라의 역사(내력)

비 오ᄂᆞᆫ ᄂᆞᆯ 일 업ᄉᆞᆯ 직 ᄉᆞᆺᄭᅩ면서 니ᄅᆞ리라

조부모 / 살림살이 / 새끼를 꼬면서 / 주체: 화자 - 한 집안의 주인

『처음의 한어버이 사롬ᄉᆞ리 ᄒᆞ려 ᄒᆞᆯ 직

조선을 건국한 이성계를 지칭 / 나라를 건국하려 할 때

인심(仁心)을 만히 쓰니 사ᄅᆞᆷ이 졀로 모다 『 』: 시간의 흐름에 따라 '우리 집'이 재산을 축적하게 된 과정을 제시함

풀 ᄡᅥᆺ고 터을 닷가 큰 집을 지어 내고

베고, 깎고 / 나라를 세우고

셔리 보십 장기 쇼로 전답(田畓)을 ᄀᆡ경(起耕)ᄒᆞ니

농기구들 / 여드레 갈이 / 땅을 갈아 논밭을 만드니

오려논 터밧치 여드레 ᄀᆞ리로다

올벼 논(제철보다 일찍 여무는 벼를 심은 논) / 매우 큰 논으로, 조선 팔도를 의미함

자손(子孫)에 전계(傳繼)ᄒᆞ야 대대(代代)로 나려오니』

전하여 계승하여

논밧도 죠커니와 고공(雇工)도 근검(勤儉)터라 **➤ 서사: 우리 집안(나라)의 내력**

예전 머슴들의 모습 - 근면하고 검소함

◯: 예전의 고공 ⟷(대조) □: 지금의 고공 **Link 표현상 특징 ❷**

> 제 집 옷과 밥을 두고 빌어먹는 저 머슴아.
> 우리 집 소식을 아느냐 모르느냐?
> 비 오는 날 일 없을 때 새끼 꼬면서 말하리라.
> 처음에 조부모님께서 살림살이를 시작할 때에
> 어진 마음을 많이 베푸시니 사람들이 저절로 모여
> 풀을 베고 터를 닦아 큰 집을 지어 내고
> 써레, 보습, 쟁기, 소로 논밭을 갈아 일으키니
> 올벼 논과 텃밭이 여드레 동안 갈 만한 큰 땅이 되었도다.
> 자손에게 물려주어 대대로 내려오니
> 논밭도 좋거니와 머슴들도 근검하더라.

저희마다 여름지어 가ᄋᆞᆷ여리 사던 것슬

농사지어 / 재산이나 자원 따위가 넉넉하고 많게

『요ᄉᆞ이 고공(雇工)들은 혬이 어이 아조 업서

생각(사리분별) / 어찌

밥사발 큰나 쟈그나 동옷시 죠코 즈나

녹봉, 벼슬자리 / 남자가 입는 저고리(이권, 벼슬자리)

ᄆᆞᄋᆞᆷ을 ᄃᆞᆺ호ᄂᆞᆫ ᄃᆞᆺ 호슈을 ᄉᆡ오ᄂᆞᆫ ᄃᆞᆺ

호수(공물과 세금을 거두어 바치는 일을 책임지는 사람)를 시기하는 듯

무ᄉᆞᆷ 일 갸드러 흘긧할긧 ᄒᆞᄂᆞᄉᆞᆫ다』 『 』: 유사한 통사 구조를 반복하여 게으르고 탐욕스러운 관리들의 당파 싸움을 비판함

속임을 들어 / 서로 반목하고 질시하는 모습

너희ᄂᆡ 일 아니코 시절(時節) 좃ᄎᆞ ᄉᆞ오나와

시절조차 사나워서(흉년이 들어서)

ᄀᆞᆺ득의 ᄂᆡ 셰간이 플러지게 되야ᄂᆞᆫᄃᆡ

가뜩이나 / 살림살이가 / 줄어들게

『엇그직 화강도(火强盜)에 가산(家産)이 탕진(蕩盡)ᄒᆞ니

왜적

집 ᄒᆞ나 불타 ᄇᆞᆺ고 먹을 썻시 젼혀 업다』 『 』: 전란으로 피폐해진 나라의 살림살이를 한탄함

오직 / 버리고

큰나큰 셰ᄉᆞ(歲事)을 엇지ᄒᆞ여 니로려료

일으키려는가

김가(金哥) 이가(李哥) 고공(雇工)들아 ᄉᆡ ᄆᆞᄋᆞᆷ 먹어슬라

머슴(벼슬아치)들의 각성을 촉구함 **➤ 본사 1: 머슴(관리)들의 반목으로 인한 폐해**

△: 청유형, 명령형 **Link 표현상 특징 ❹**

> 저희들이 각각 농사 지어 부유하게 살던 것을
> 요새 머슴들은 생각이 어찌하여 아주 없어
> 밥그릇이 크거나 작거나 입은 옷이 좋거나 나쁘거나
> 마음을 다투는 듯 우두머리를 시기하는 듯
> 무슨 일에 속임을 들어 서로 시기하고 미워하느냐?
> 너희들 일 아니 하고 흉년조차 들어
> 가뜩이나 내 살림살이가 줄어들게 되었는데
> 엊그제 강도를 만나 재산을 잃으니
> 집은 불타 버리고 먹을 것이 전혀 없다.
> 크나큰 살림살이를 어떻게 일으키려는가?
> 김가, 이가 머슴들아, 새 마음을 먹으려무나.

너희ᄂᆡ 졀머ᄂᆞᆫ다 혬 혈나 아니ᄉᆞᆫ다

젊었다 하여 / 생각하려고 / 아니하느냐

ᄒᆞᆫ 소ᄐᆡ 밥 먹으며 매양의 회회(恢恢)ᄒᆞ랴

한 나라에서 벼슬살이를 하며 / 서로 아웅다웅하는 모양

ᄒᆞᆫ ᄆᆞᄋᆞᆷ ᄒᆞᆫ ᄯᅳᆺ으로 녀름을 지어스라

농사 / 청유형

ᄒᆞᆫ 집이 가ᄋᆞᆷ열면 옷 밥을 분별(分別)ᄒᆞ랴

부자가 되면 / 인색하게 하랴(설의적 표현)

누고ᄂᆞᆫ 장기 잡고 누고ᄂᆞᆫ 쇼을 몰니

서로 협동하는 모습 - 협동심을 강조함(대구)

> 너희는 젊다 하여 생각하려고 아니하느냐?
> 한 솥에 밥 먹으면서 항상 다투기만 하면 되겠느냐?
> 한마음 한뜻으로 농사를 짓자꾸나.
> 한 집안이 부유하게 되면 옷과 밥을 인색하게 하랴?
> 누구는 쟁기를 잡고 누구는 소를 모니

밧 갈고 논 살마 벼 셰워 더져 두고
(셰워: 심어)
ᄂᆞᆯ 됴흔 호ᄆᆡ로 기음을 ᄆᆡ야스라
산전(山田)도 것츠럿고 무논도 기워 간다
(것츠럿고: 우거지고 / 무논: 물이)
사립피 ᄆᆞᆯ목 나셔 볏 겨ᄐᆡ 셰올셰라
(사립피: 도롱이와 삿갓 / ᄆᆞᆯ목 나셔: 말뚝에 씌워서(허수아비를 세우기 위함))
칠셕(七夕)의 호ᄆᆡ 씻고 기음을 다 ᄆᆡᆫ 후의
ᄉᆞᆺ ᄭᅩ기 뉘 잘 ᄒᆞ며 셤으란 뉘 엿그랴
(ᄉᆞᆺ ᄭᅩ기: 새끼줄 꼬기는 / 셤으란: 섬(멱서리 - 짚으로 만든 그릇)은)
너희 ᄌᆡ조 셰아려 자라자라 맛스라
(셰아려: 헤아려 / 자라자라 맛스라: 서로서로 맡아라)
ᄀᆞ을 거둔 후면 성조(成造)를 아니ᄒᆞ랴
(ᄀᆞ을: 추수 / 성조(成造): 집을 짓는 것 / 아니ᄒᆞ랴: 설의적 표현)
『집으란 내 지으게 움으란 네 무더라
(집으란 내 지으게: 집안의 재건을 위해 솔선수범하는 화자('나'))
너희 ᄌᆡ조을 내 짐작(斟酌)ᄒᆞ엿노라
(고공들의 재주 인정)
너희도 머글 일을 분별(分別)을 ᄒᆞ려므나』
(분별(分別)을 ᄒᆞ려므나: 깊이 생각하려므나 / 『 』: 솔선수범을 통해 고공들을 타이름)
멍셕의 벼ᄅᆞᆯ 넌들 됴흔 ᄒᆡ 구름 씨여 볏뉘을 언ᄌᆡ 보랴
(됴흔 ᄒᆡ 구름 씨여: 나라의 상황이 좋지 않음 / 볏뉘: 햇볕)
『방하을 못 씨거든 거츠나 거츤 오려
(오려: 올벼)
옥 ᄀᆞᆺ튼 백미(白米) 될 쥴 뉘 아라 오리스니』
(아라 오리스니: 알아보겠는가 / 『 』: 조정에서 탁상공론만 일삼는 관리들을 비판함)

> 본사 2: 머슴(관리)들의 각성을 촉구함

너희ᄂᆡ ᄃᆞ리고 새 ᄉᆞ리 사쟈 ᄒᆞ니
(ᄃᆞ리고: 데리고 / 새 ᄉᆞ리: 새 살림)
엇저ᄌᆡ 왓던 도적 아니 멀리 갓다 ᄒᆞᄃᆡ
(엇저ᄌᆡ 왓던 도적: 왜적)
너희ᄂᆡ 귀눈 업서 져런 줄 모르관ᄃᆡ
화살을 젼혀 언고 옷 밥만 닷토ᄂᆞᆫ다 → 왜적의 침입에 대비를 해야 하는데 당파 싸움만 일삼는 관리들의 모습
(화살: 병력, 방비(대유) / 옷 밥: 벼슬자리 / 닷토ᄂᆞᆫ다: 비판적 질문)
너희ᄂᆡ ᄃᆞ리고 텁ᄂᆞᆫ가 주리ᄂᆞᆫ가
(주리ᄂᆞᆫ가: 굶주리는가)
죽조반(粥早飯) 아ᄎᆞᆷ 져녁 더 하다 먹엿거든
(죽조반(粥早飯): 아침 먹기 전에 먹는 죽 / 더 하다: 더 해다가)
은혜란 ᄉᆡᆼ각 아녀 제 일만 ᄒᆞ려 ᄒᆞ니
(배은망덕(背恩忘德))
혬 혜ᄂᆞᆫ 새 들이리 어ᄂᆡ 제 어더 이셔
(새 들이리: 새 머슴(새로운 인재))
집일을 맛치고 시름을 니즈려뇨
(집일: 나랏일 / 맛치고: 맡기고 / 시름을 니즈려뇨: 현 상황에 대한 탄식과 나라의 앞날에 대한 기원)
너희 일 ᄋᆡᄃᆞ라ᄒᆞ며셔 ᄉᆞᆺ ᄒᆞᆫ ᄉᆞ리 다 ᄭᅩ괘라
(ᄋᆡᄃᆞ라ᄒᆞ며셔: 애달파하면서)

> 결사: 사려 깊은 새 머슴(인재)의 출현을 기원함

밭 갈고 논 갈아서 벼를 심어 던져 두고
날카로운 호미로 김을 매려무나.
산에 있는 밭도 잡초가 우거지고 물이 고여 있는 논에도 풀이 무성하여 간다.
도롱이와 삿갓을 말뚝에 씌워서 허수아비를 만들어 벼 곁에 세워라.
칠월 칠석에 호미 씻고 김을 다 맨 후에
새끼는 누가 잘 꼬며 섬은 누가 엮겠는가?
너희 재주를 헤아려 서로서로 맡아라.
추수를 한 후에는 집 짓는 일을 아니하랴?
집은 내가 지을 것이니 움은 네가 묻어라.
너희 재주를 내가 짐작하였노라.
너희도 먹고 살 일을 깊이 생각하려무나.
멍석에 벼를 널어 말린들 좋은 해를 구름이 가리면 햇빛을 언제 보겠느냐?
방아를 못 찧는데 거칠고도 거친 올벼가
옥 같은 흰쌀이 될 줄을 누가 알아보겠는가?

너희들 데리고 새 살림 살고자 하니
엇그제 왔던 도적이 멀리 달아나지 않았다고 하는데
너희들은 귀와 눈이 없어서 그런 사실을 모르는 것인지
화살은 전혀 없고 옷과 밥만 다투느냐?
너희들을 데리고 행여 추운지 굶주리는가 (염려하며)
죽조반 아침저녁을 더 해다가 먹였는데
은혜는 생각하지 않고 제 일만 하려 하니
사려 깊은 새 머슴을 언제 얻어서
집안일을 맡기고 걱정을 잊을 수 있겠는가?
너희 일을 애달파하면서 새끼 한 사리를 다 꼬았도다.

Link

출제자 톡! 화자와 창작 의도를 이해하라!

1. **화자는 누구이고, 화자가 처한 상황은?**
   한 집안의 주인인 '나'로, 고공(머슴)들의 반목과 게으름 때문에 폐해가 심각한 상황에 처해 있음.
2. **이 작품의 창작 의도는?**
   임진왜란으로 인해 황폐해진 나라를 재건하자는 의도에서 지어짐.

출제자 톡! 표현상의 특징을 파악하라!

❶ 나라일을 한 집안의 농사일로, 탐욕을 추구하는 관리들을 머슴으로 비유하여 주제 의식을 드러냄.
❷ 과거의 고공과 현재의 고공을 대조하여 현재의 고공들의 행동을 비판함.
❸ 구체적인 청자를 설정하여 주의를 환기함.
❹ 청유형과 명령형 등을 구사하여 머슴으로서의 해야 할 일을 당부함.

최우선 출제 포인트!

1 은유적 표현과 주제 의식

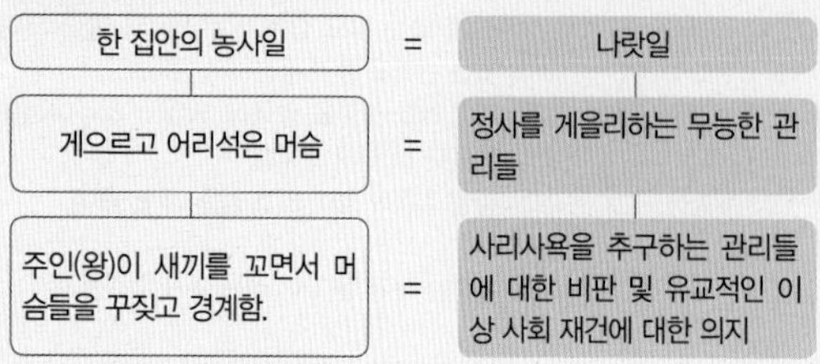

2 시어의 의미

고공	벼슬아치
우리 집, 큰 집, 전답	우리나라
밥사발, 동옷, 옷, 밥	녹봉, 벼슬자리, 이권
살림살이, 세간, 가산	나라 살림
호수	우두머리, 왕
화강도, 도적	임진왜란 때 쳐들어온 왜적

함께 볼 작품 어른의 입장에서 종을 나무라는 내용의 작품: 이원익, 「고공답주인가」

최우선 핵심 Check!

1 전란으로 인해 나라가 피폐해진 상황을 배경으로 창작되었다. (O / ×)

2 청자를 설정하여 구체적인 행위를 요청하는 방식으로 주제 의식을 드러내고 있다. (O / ×)

3 화자는 자신의 잘못으로 인해 어려워진 살림살이에 대해 자책하고 있다. (O / ×)

4 화자는 집안의 재건을 위해 솔선수범하는 의지를 보이고 있다. (O / ×)

5 나랏일을 한 집안의 [ㄴ][ㅅ][ㅇ]에 빗대어 표현하고 있나.

6 <서사>에서 '한어버이'는 나라의 시조인 이성계를, '사롬ᄉᆞ리 ᄒᆞ려 홀 적'는 조선의 건국을 비유한 것이다. (O / ×)

7 나태하고 이기적인 벼슬아치들을 '[ㄱ][ㄱ]'에 빗대어 자신의 소임을 다할 것을 촉구하고 있다.

정답 1. ○ 2. ○ 3. × 4. ○ 5. 농사일 6. ○ 7. 고공

1등급! <보기>!

조선 후기의 가사

거듭 닥쳐온 전란으로 인해 태평성대의 환상이 흔들리는 충격 속에 가사는 시대적 조류인 산문 정신을 적극적으로 수용하여 화려하게 변모하였다. 조선 전기의 가사에 비해 형식이 느슨해졌으며, 거의 수필에 가까운 장편 기행 가사가 등장하게 된 것이다. 특히 기울어진 나라를 어떻게 다시 일으킬 것인가에 대한 노래도 많이 등장하였는데 전후의 복구를 힘써 다짐하는 가사로 「고공가」와 「고공답주인가」가 있다.

한편 가사는 실제로 겪은 일을 늘어놓으면서도 탄식을 곁들일 수 있어, 화자의 정서를 실감나게 읊을 수 있었다. 이러한 까닭으로 조선 후기의 가사는 평민가사, 내방 가사 등으로 그 세력이 점점 확장되어 갔다.

면앙정에서의 노래

면앙정가(俛仰亭歌) | 송순

갈래 가사(은일 가사) **성격** 강호한정가, 서정적, 묘사적, 자연 친화적 **주제** 면앙정 주변에서 즐기는 자연의 풍류와 군은(君恩) **시대** 조선 중기

작가가 고향인 전라남도 담양에 '면앙정'이라는 정자를 짓고 은거하면서, 정자 주변의 아름다운 자연 경관을 즐기는 풍류 생활을 노래하고 있다.

원문	주석	현대어 풀이
『무등산(无等山) ᄒᆞᆫ 활기 뫼희 동다히로 버더 이셔	활기: 줄기 / 동다히로: 동쪽으로	무등산의 한 줄기가 동쪽으로 뻗어 있어
멀리 ᄠᅦ쳐 와 제월봉(霽月峯)의 되어거ᄂᆞᆯ』	ᄠᅦ쳐 와: 떨쳐 버리고 와 / 『 』: 제월봉의 지리적 근원을 밝힘	(무등산을) 멀리 떨치고 나와 제월봉이 되었거늘
무변대야(無邊大野)의 므ᄉᆞᆷ 짐쟉 ᄒᆞ노라	무변대야: 끝없이 넓은 들판 / 므ᄉᆞᆷ 짐쟉 ᄒᆞ노라: 무슨 생각 하느라고(의인법) Link 표현상 특징 ❷ / → 제월봉을 의인화	끝없이 넓은 들판에 무슨 짐작(생각)을 하느라고
일곱 구비 ᄒᆞᆷ머움쳐 므득므득 버렷ᄂᆞᆫ ᄃᆞᆺ	ᄒᆞᆷ머움쳐: 함께 움츠려	일곱 굽이가 함께 뭉쳐서 우뚝우뚝 벌여 놓은 듯하고
가온대 구비ᄂᆞᆫ 굼긔 든 늘근 뇽이	굼긔: 구멍에 / 늘근 뇽: 제월봉의 한 봉우리 / 제월봉의 모습을 늙은 용에 비유 Link 표현상 특징 ❷	가운데 굽이는 구멍에 들어 있는 늙은 용이
선ᄌᆞᆷ을 ᄀᆞᆺ ᄭᆡ야 머리ᄅᆞᆯ 안쳐시니		선잠을 막 깨어 머리를 얹히어 놓은 듯하니
너ᄅᆞ바회 우히 송죽(松竹)을 헤혀고	너ᄅᆞ바회: 넓고 평평한 바위 / 우히: 위에	넓고 평평한 바위 위에 소나무와 대나무를 헤치고
정자(亭子)ᄅᆞᆯ 안쳐시니 구름 ᄐᆞᆫ 청학(靑鶴)이	정자: 면앙정 / 청학: 원관념 - 면앙정(은유법) / 면앙정의 모습을 청학에 비유(직유법) Link 표현상 특징 ❷	정자(면앙정)를 앉혔으니 구름을 탄 청학이
천 리(千里)를 가리라 두 ᄂᆞ래 버렷ᄂᆞᆫ ᄃᆞᆺ	ᄂᆞ래: 날개 → 면앙정의 지붕	천 리를 가려고 두 날개를 벌리고 있는 듯하다.

(1~9행) 제월봉과 면앙정 묘사, 시각적 이미지 Link 표현상 특징 ❶

> 서사: 제월봉의 형세와 면앙정의 모습

원문	주석	현대어 풀이
옥천산(玉泉山) 용천산(龍泉山) ᄂᆞ린 믈히	: 면앙정 주변의 풍경(근경에서 원경으로 묘사함)	옥천산, 용천산에서 흘러 내린 물이
정자(亭子) 압 너븐 들히 올올(兀兀)히 펴진 드시	올올히: 끊임없이	정자 앞 넓은 들에 끊임없이 펴져 있으니
넙거든 기노라 프르거든 희지마니	넓으면서도 길고 푸르면서도 흼(대구법 - 'ᄂᆞ린 믈'의 다양한 속성에 대한 감탄 표현)	넓으면서도 길고, 푸르면서도 희다.
『쌍룡(雙龍)이 뒤트ᄂᆞᆫ ᄃᆞᆺ 긴 깁을 ᄎᆡ 폇ᄂᆞᆫ ᄃᆞᆺ』	쌍룡: 시냇물 / 깁: 비단 → 시냇물 / 『 』: 시냇물을 쌍룡과 비단에 비유(직유법), 대구법 Link 표현상 특징 ❷	쌍룡이 몸을 뒤트는 듯, 긴 비단을 쫙 펼쳐 놓은 듯
어드러로 가노라 므ᄉᆞᆷ 일 ᄇᆡ얏바	ᄇᆡ얏바: 바빠서 / → 'ᄂᆞ린 믈'의 의인화	어디로 가느라고 무슨 일이 바빠서
닷ᄂᆞᆫ ᄃᆞᆺ ᄯᆞ로ᄂᆞᆫ ᄃᆞᆺ 밤낫즈로 흐르ᄂᆞᆫ ᄃᆞᆺ』	닷ᄂᆞᆫ ᄃᆞᆺ: 달리는 듯(직유법)	달리는 듯, 따르는 듯, 밤낮으로 흐르는 듯(하다.)
『므소친 사정(沙汀)은 눈ᄀᆞᆺ치 펴졋거든』	므소친 사정: 물을 따라 펼쳐진 백사장 / 『 』: 모래밭≒눈(직유법) Link 표현상 특징 ❷	물을 따라 펼쳐진 모래밭은 눈같이 펼쳐져 있는데
이즈러온 기러기ᄂᆞᆫ 므스거슬 어로노라	이즈러온: 어지럽게 나는 / 어로노라: 사랑하느라	어지러운 기러기는 무엇을 어르느라고(짝을 짓느라고)
안즈락 ᄂᆞ리락 모드락 흐트락	기러기의 움직이는 모습, 열거법 Link 표현상 특징 ❸	앉았다 날았다, 모였다 흩어졌다 하며
노화(蘆花)를 ᄉᆞ이 두고 우러곰 좃니ᄂᆞᆫ고	노화: 갈대꽃 / 우러곰: 울면서	갈대꽃을 사이에 두고 울면서 따라다니는가?
너븐 길 밧기요 긴 하ᄂᆞᆯ 아래		넓은 길 밖, 긴 하늘 아래
두르고 ᄭᅩᄌᆞᆫ 거ᄉᆞᆫ 뫼힌가 병풍(屛風)인가 그림인가 아닌가	산인 듯 병풍인 듯 그림인 듯하다	두르고 꽂은 것은 산인가 병풍인가 그림인가 아닌가?
노픈 ᄃᆞᆺ ᄂᆞ즌 ᄃᆞᆺ 긋ᄂᆞᆫ ᄃᆞᆺ 닛ᄂᆞᆫ ᄃᆞᆺ	면앙정 주변 봉우리의 다채로운 모습 / 열거법, 직유법 Link 표현상 특징 ❷, ❸	높은 듯 낮은 듯, 끊어지는 듯, 이어지는 듯
숨거니 뵈거니 가거니 머믈거니		숨거니 보이거니 가거니 머물거니
이즈러온 가온ᄃᆡ 일흠 난 양ᄒᆞ야 하ᄂᆞᆯ도 젓치 아녀	이즈러온: 어지러운 / 일흠 난 양ᄒᆞ야: 유명한 체하여 / 젓치 아녀: 두려워하지 않아	어지러운 가운데 유명한 체 뽐내며 하늘도 두려워 않고
웃독이 셧ᄂᆞᆫ 거시 추월산(秋月山) 머리 짓고	우뚝 서 있는 것이 여러 산봉우리인데 그중에서 추월산이 머리를 이루고 있음	우뚝하게 서 있는 것이 추월산이 머리를 이루고
『용귀산(龍歸山) 봉선산(鳳旋山) 불대산(佛臺山) 어등산(漁燈山)		용귀산, 봉선산, 불대산, 어등산,
용진산(湧珍山) 금성산(錦城山)이 허공(虛空)의 버러거든』	『 』: 열거법 Link 표현상 특징 ❸	용진산, 금성산이 허공에 늘어서 있는데,
원근(遠近) 창애(蒼崖)의 머믄 것도 하도 할샤	창애: 푸른 벼랑 / 머믄 것: 펼쳐진 경치	멀리 가까이에 있는 푸른 벼랑에 머문 것이 많기도 많구나.

> 본사 1: 면앙정 주변의 풍경

[ ]: 계절감을 드러내는 소재

흰구름 브흰 연하(煙霞) 프로니는 산람(山嵐)이라
[연하: 안개와 노을 / 산람: 산 아지랑이 / '봄'이라는 계절감을 드러냄 / 구름, 안개, 노을, 산 아지랑이가 사람처럼 야양을 떤다고 표현함(의인법) Link 표현상 특징 ❷]

천암(千巖) 만학(萬壑)을 제 집을 삼아 두고
['나며 들며'를 음악성을 고려하여 표현함]

나명셩 들명셩 일히도 구ᄂᆞᆫ지고
[나면서 들면서 / 아양도 / 떠는구나 → 구름, 안개, 노을, 아지랑이 등이 바위와 골짜기에 끼었다 사라졌다 함]

오르거니 ᄂᆞ리거니

장공(長空)의 ᄯᅥ나거니 광야(廣野)로 거너거니
[장공: 하늘]

프르락 블그락 여트락 지트락

사양(斜陽)과 서거지어 세우(細雨)조ᄎᆞ ᄲᅳ리ᄂᆞᆫ다
[석양 무렵 가랑비가 내리는 경치를 표현함]

남여(藍輿)를 ᄇᆡ야 ᄐᆞ고 솔 아ᄅᆡ 구븐 길로
[뚜껑 없는 가마 / 재촉하여]

오며 가며 ᄒᆞᄂᆞᆫ 적의

녹양(綠楊)의 우ᄂᆞᆫ 황앵(黃鶯) 교태(嬌態) 겨워 ᄒᆞᄂᆞᆫ괴야
['여름'이라는 계절감을 드러냄 / 싱그러운 자연 속에서 느끼는 화자의 흥겨운 감정이 이입됨 - 의인법]

나모 새 ᄌᆞᄌᆞ지어 수음(樹陰)이 얼린 적의
[촘촘하여 / 푸른 잎이 우거진 그늘]

백 척(百尺) 난간(欄干)의 긴 조으름 내여 펴니

수면(水面) 양풍(涼風)이야 긋칠 줄 모르ᄂᆞᆫ가
[서늘한 바람]

ᄌᆞᆫ 서리 ᄲᅡ진 후의 산 빗치 금수(錦繡)로다
[된서리 / '가을'이라는 계절감을 드러내는 소재 / 수놓은 비단 → 단풍]

황운(黃雲)은 ᄯᅩ 엇지 만경(萬頃)의 편거지요
[노랗게 익은 곡식을 비유 / 펼쳐 있는가?]

어적(漁笛)도 흥을 계워 ᄃᆞᆯ를 ᄯᆞ라 브니ᄂᆞᆫ다

초목(草木) 다 진 후의 강산(江山)이 매몰커ᄂᆞᆯ
[겨울에 눈이 내려 자연이 눈 속에 묻혀 있는 모습]

조물(造物)리 헌ᄉᆞᄒᆞ야 빙설(氷雪)노 ᄭᅮ며 내니
['겨울'이라는 계절감을 드러내는 소재]

경궁요대(瓊宮瑤臺)와 옥해 은산(玉海銀山)이 안저(眼底)에 버러셰라
[원관념: 눈 덮인 자연]

건곤(乾坤)도 가ᄋᆞᆷ열샤 간 대마다 경이로다
[풍성하구나 / 절경]

(화자가 바라본 풍경 묘사)

➤ 본사 2: 사계절에 따른 면앙정 주변의 풍경

인간(人間)을 ᄯᅥ나와도 내 몸이 겨를 업다
[인간 세상, 속세 - 화자는 현재 자연 속에 있음]

『이것도 보려 ᄒᆞ고 져것도 드르려코

[ᄇᆞ람]도 혀려 ᄒᆞ고 [ᄃᆞᆯ]도 마즈려코』 [『 』: 주변의 자연 경치를 구경하며 즐김 / 혀려 ᄒᆞ고: 쏘이려 하고]

『[ᄇᆞᆷ]으란 언제 줍고 [고기]란 언제 낙고 [□: 화자가 즐기고 싶어 하는 것]

시비(柴扉)란 뉘 다드며 딘 곳츠란 뉘 쓸려뇨』 [『 』: 구경하고 감상하기에도 시간이 부족하여 사립문 닫고 떨어진 꽃을 쓸 시간도 없음 / 떨어진 꽃은]

아ᄎᆞᆷ이 낫브거니 나조히라 슬흘소냐
[부족하니 / 저녁이라고 / 설의적 표현 Link 표현상 특징 ❹]

오ᄂᆞᆯ리 부족(不足)거니 내일(來日)리라 유여(有餘)ᄒᆞ랴
[자연 경치를 감상하기에 바빠서 오늘도 시간이 없고 내일도 여유가 있으랴(설의적 표현) Link 표현상 특징 ❹]

이 뫼히 안ᄌᆞ 보고 져 뫼히 거러 보니

번로(煩勞)ᄒᆞᆫ ᄆᆞᄋᆞᆷ의 ᄇᆞ릴 일리 아조 업다
[자연을 완상하기에 바쁜 마음]

쉴 ᄉᆞ이 업거든 길히나 젼ᄒᆞ리야
[자연을 즐기기에 바빠 다른 사람들에게 면앙정을 찾아오는 길을 알려 줄 틈이 없음]

다만 ᄒᆞᆫ 청려장(靑藜杖)이 다 뫼되여 가노ᄆᆡ라
[명아주대로 만든 지팡이]

술리 닉어거니 벗지라 업슬소냐
[화자의 낙천적 모습]

(자연 속에서 화자의 생활 묘사)

흰 구름, 뿌연 안개와 노을, 푸른 것은 산 아지랑이로구나.
수많은 바위와 골짜기를 제 집처럼 삼아 두고
나면서 들면서 아양도 떠는구나.
날아 오르거니 내려 앉거니
긴 하늘로 떠났다가 넓은 들로 건너갔다가
푸르기도 하고 붉기도 하고, 옅기도 하고 짙기도 하고
석양과 섞여 가랑비조차 뿌린다.
뚜껑 없는 가마를 재촉해 타고 소나무 아래 굽은 길로
오며 가며 하는 때에
푸른 버드나무에서 우는 꾀꼬리는 흥에 겨워 아양을 떠는구나.
나무 사이가 우거져 녹음이 짙어진 때에
백 척 난간에서 긴 졸음을 내어 펴니
물 위의 서늘한 바람이야 그칠 줄을 모르는구나.
된서리 걷힌 후에 산 빛이 수놓은 비단 물결 같구나.
누렇게 익은 곡식은 또 어찌 넓은 들에 퍼져 있는가?
고기잡이를 하며 부르는 피리도 흥을 이기지 못하여 달을 따라 계속 부는구나.
초목이 다 진 후에 강산이 묻혔거늘
조물주가 야단스러워 얼음과 눈으로 꾸며 내니
경궁요대와 옥해 은산 같은 설경이 눈 아래 펼쳐져 있구나.
하늘과 땅도 풍성하구나. 가는 곳마다 아름다운 경치로구나.

인간 세상을 떠나와도 내 몸이 (한가로울) 겨를이 없다.
이것도 보려 하고 저것도 들으려 하고,
바람도 쏘이려 하고 달도 맞으려 하고,
밤은 언제 줍고 고기란 언제 낚으며,
사립문은 누가 닫으며 떨어진 꽃은 누가 쓸 것인가?
아침이 (자연을 완상하느라고) 부족한데 저녁이라고 싫을소냐?
오늘도 (완상할 시간이) 부족한데 내일이라고 넉넉하랴?
이 산도 앉아 보고 저 산에 걸어 보니
번거로운 마음이면서도 버릴 것이 전혀 없다.
쉴 사이도 없는데 길이나마 전할 틈이 있으랴?
다만 지팡이 하나만이 다 무디어져 가는구나.
술이 익었는데 벗이 없을 것인가?

블ᄂᆡ며 ᄐᆞ이며 혀이며 이아며
노래를 악기를
온가짓 소ᄅᆡ로 취흥(醉興)을 ᄇᆡ야거니
근심이라 이시며 시ᄅᆞᆷ이라 브터시랴
『누으락 안즈락 구부락 져츠락 ○: '~락'을 반복하여 취흥을 드러냄
을프락 ᄑᆞ람ᄒᆞ락 노혜로 놀거니』 『 』: 어미 '~락'의 반복 → 취흥에 젖어 있는 화자의 행동 열거
시를 마음 놓고 노니
천지(天地)도 넙고넙고 일월(日月)도 ᄒᆞᆫ가ᄒᆞ다
희황(羲皇)을 모을너니 니적이야 긔로고야
중국의 태평성대를 이룬 복희 황제 지금이야 그것이로구나
신선(神仙)이 엇더턴지 이 몸이야 긔로고야
자연 속에서 풍류를 즐기는 삶을 태평성대와 신선의 삶에 견줌 → 현재 생활에 대한 만족감 표현
자신을 신선과 동일시함 - 도교적 분위기
강산풍월(江山風月) 거ᄂᆞ리고 내 백 년(百年)을 다 누리면
자연 친화 사상 화자의 생애
악양루(岳陽樓) 상(上)의 이태백(李太白)이 사라 오다
중국 호남성 악양현에 있는 누각 이백(당나라 시인)
『호탕정회(浩蕩情懷)야 이에서 더ᄒᆞᆯ소냐』 『 』: 자신의 풍류 생활에 대한 자부심이 나타남(설의적 표현) **Link** 표현상 특징 ❹
지금이 최고임
이 몸이 이렁 굼도 역군은(亦君恩)이샷다
이렇게 지내는 것도 임금의 은혜. 유교적 연군 사상이 드러남

› 결사: 풍류 생활의 만족감과 임금의 은혜에 대한 감사

(노래를) 부르게 하며, (악기를) 타게 하며, 켜게 하며, 흔들며
온갖 소리로 술에 취한 흥취를 재촉하니
근심이라 있겠으며 시름이라 붙었으랴.
누웠다가 앉았다가 구부렸다가 젖혔다가
(시를) 읊다가 휘파람을 불었다가 마음 놓고 노니
천지도 넓디넓고 세월도 한가하다.
복희 황제 시대의 태평성대를 몰랐더니 지금이야말로 그때로구나.
신선이 어떤 것인가 몰랐는데 이 몸이야말로 신선이로구나.
아름다운 자연을 거느리고 내 평생을 다 누리면
악양루 위의 이태백이 살아온들
호탕한 마음이 이보다 더할쏘냐?
이 몸이 이렇게 지내는 것도 역시 임금의 은혜이시도다.

출제자 톡! 화자를 이해하라!

1 **화자는 누구이고, 화자가 처한 상황은?**
관직에서 잠시 물러나 자연 속에 살고 있는 '나'

2 **화자의 정서 및 태도는?**
면앙정의 아름다움을 예찬하고, 자연 속에서 흥취를 느끼며, 임금에게 감사하고 있음.

Link

출제자 톡! 표현상의 특징을 파악하라!

❶ 시각적 이미지를 활용하여 자연의 경치를 실감나게 묘사함.
❷ 의인법, 직유법, 대구법 등을 사용하여 생동감 있게 묘사함.
❸ 열거법을 사용하여 리듬감을 살림.
❹ 설의적 표현과 영탄적 표현을 사용하여 화자의 정서를 효과적으로 표현함.

개념 Tip
은일 가사: 세속을 떠나 산속에 파묻혀 지내는 선비의 생활을 노래한 가사

최우선 출제 포인트!

1 작품의 전체 구조

서사	제월봉의 형세와 면앙정의 모습		
본사 1	면앙정 주변의 풍경(근경 → 원경)		
본사 2	사계절에 따른 면앙정 주변의 풍경	춘	안개와 노을, 아지랑이
		하	버드나무, 꾀꼬리, 나무 그늘
		추	단풍, 노란 곡식
		동	얼음, 눈
결사	풍류 생활에 대한 만족감과 임금의 은혜에 대한 감사		

2 '강호가도(江湖歌道)'의 맥

정극인, 「상춘곡」 (강호가도의 시초) → 송순, 「면앙정가」 (강호가도의 확립) → 정철, 「성산별곡」 (강호가도의 발전)

조선 시대 사대부들은 복잡한 현실을 떠나 자연을 지향하며 도학(道學)을 기반으로 한 자연미를 만들어 내었다. 그러나 이러한 도학적 자연미를 구했다고 해서 조선의 사대부들이 유학자로서의 본연을 버린 것은 아니다. 비록 몸은 자연 공간에 존재하지만 임금에 대한 마음과 현실적인 정치를 고민하는 모습을 작품에 같이 담아내는 경우가 대부분이었다. 이렇게 도학적 자연미에 유학자로서의 삶의 태도를 같이 담아낸 작품들을 흔히 '강호가도(江湖歌道) 문학'이라고 한다.

최우선 핵심 Check!

1 3음보의 율격을 이용하여 규칙적인 리듬감을 형성하였다. (○ / ×)

2 화자는 자연에 대한 예찬적인 태도와 자연 속에서의 삶에 대한 자부심을 드러내고 있다. (○ / ×)

3 〈서사〉에서는 비유법을 사용하여 ㅈㅇㅂ의 형세와 면앙정의 모습을 묘사하고 있다.

4 〈본사 1〉에서 면앙정 주변의 경치를 근경에서 원경의 순으로 묘사하였다. (○ / ×)

5 〈본사 2〉의 '나명셩 들명셩 일히도 구ᄂᆞᆫ지고'에서 주체는 '구름, 안개, 노을, 산 아지랑이'로, 의인법이 사용된 표현이다. (○ / ×)

6 사대부들이 자연에 은거하는 삶에 대한 만족감을 표현하는 'ㄱㅎㄱㄷ의 문학'이면서 동시에 임금에 대한 유교적 충의가 드러나고 있다.

정답 1. × 2. ○ 3. 제월봉 4. ○ 5. ○ 6. 강호가도

덴동어미의 화전놀이 노래

덴동어미 화전가(花煎歌) | 작자 미상

갈래 가사(규방 가사) **성격** 사실적, 훈계적
주제 덴동어미의 기구한 인생 역정
시대 조선 후기

부녀자들의 놀이 문화를 배경으로, 덴동어미의 기구한 삶을 사실적으로 담아내고 있다.

가세 가세 화전(花煎) 가세 꽃 지기 전에 화전 가세
(화전놀이 - 꽃잎으로 전을 부쳐 먹으며 노는 부녀자들의 봄놀이)
이때가 어느 땐가 때마침 삼월이라
(문답법 - 계절적 배경 강조 **Link** 표현상 특징 ❷)
동군(東君)이 포덕택(布德澤)하니 춘화일난 때가 맞고
(봄의 신 / 은덕을 베풂 / 봄이 되어 날씨가 따뜻해짐)
화신풍(花信風)이 화공(畵工) 되어 만화방창(萬化方暢) 단청(丹靑) 되네
(꽃이 필 무렵에 부는 바람 / 따뜻한 봄날에 온갖 생물이 자람)
이럴 때를 잃지 말고 화전 놀음 하여 보세
불출 문외(不出門外)하다가 소풍도 하려니와
(문밖에 나가지 않음 - 당시 여성들의 생활상)
우리 비록 여자라도 흥체 있게 놀아 보세
(재미있게)

> 서사: 봄을 맞이하며 화전놀이를 제안함

(중략)

덴 자식을 젖 물리고 가르더 안고 생각하니
(덴동어미의 아들)
지난 일도 기막히고 이 앞 일도 가련하다
(과거 인생 역정에 대한 회한)
건널수록 물도 깊고 넘을수록 산도 높다
어쩐 년의 고생 팔자 일평생을 고생인고
(자신의 신세에 대한 한탄)
이 내 나이 육십이라 늙어지니 더욱 슬의
(정서의 직접적 표출)
자식이나 성했으면 저나 믿고 사지마난
(불에 덴 아이를 기르고 있음)
『나인 점점 많아가니 몸은 점점 늙어 가네
이렇게도 할 수 없고 저렇게도 할 수 없다』
(『 』: 덴동어미가 고향으로 돌아온 이유)
덴동이를 뒷더업고 본 고향을 돌아오니
이전 강산은 의구하나 인정 물정 다 변했네
우리 집은 터만 남아 쑥대밭이 되었고나
아는 이는 하나 없고 모르는 이 뿐이로다
그늘 맺진 은행나무 불개청음대아귀(不改淸陰待我歸)라
(변함없이 시원한 나무 그늘을 간직하고 내가 돌아오기를 기다림)

> 본사 1: 덴동어미가 덴동이를 업고 고향에 찾아옴

난데없는 두견새가 머리 위에 둥둥 떠서
(남편의 죽음에 대한 서러움을 촉발하는 대상)
불여귀 불여귀 슬피 우니 서방님 죽은 넋이로다
(감정 이입 **Link** 표현상 특징 ❷)
새야 새야 두견새야 내가 올 줄 어찌 알고
여기 와서 슬피 울어 내 서럼을 불러내나
(덴동어미의 정서 - 서러움)

가세. 가세. 화전놀이 가세. 꽃 지기 전에 화전놀이 가세.
이때가 어느 때인가? 때마침 삼월이라.
동군의 은택 덕에 봄 날씨가 때가 맞고
꽃 소식을 알리는 바람이 화가 되어 생물이 한창 피어 단청 되었네.
이런 때를 놓치지 말고 화전 놀음 하여 보세.
문밖에 나가지도 못하다가 소풍도 하려니와
우리가 비록 여자라도 재미있게 놀아 보세.

(중략)

(불에) 덴 자식을 젖 물려 거두어 안고 생각하니
지난 일도 기막히고 이 앞 일도 가련하다.
건널수록 물도 깊고 넘을수록 산도 높다.
어떤 년의 고생스러운 팔자 일평생을 고생하느냐.
이내 나의 육십이어서 늙어지니 더욱 슬퍼
자식이나 멀쩡하면 자식 믿고 살겠지만
나이는 점점 많아지고 몸은 점점 늙어 가네.
이렇게도 할 수 없고 저렇게도 할 수 없다.
덴동이를 뒤로 엎고 고향으로 돌아오니
예전의 강산은 변함이 없는데, 인정과 물정은 다 변했네.
우리 집은 터만 남아 쑥대밭이 되었구나.
아는 사람 하나 없고 모르는 사람 뿐이로다.
그늘 드리워진 은행나무 변함없이 시원한 나무 그늘을 간직하고 내가 오길 기다리고 있구나.
난데없는 두견새가 머리 위 둥둥 떠서
불여귀 불여귀 슬피 우니, 우리 서방님 죽은 넋이구나.
새야 새야 두견새에 내가 올 줄 어찌 알고
여기 와서 슬피 울어 내 서러움을 불러내느냐?

반가워서 울었던가 서러워서 울었던가
서방님의 넋이거든 내 앞으로 날아오고
임의 넋이 아니거든 아주 멀리 날아가게
두견새가 펄쩍 날아 내 어깨에 앉아 우네
임의 넋이 분명하다 애고 탐탐 반가워라
두견새를 죽은 첫째 남편의 혼이라고 확신함
나는 살아 육신이 왔네 넋이라도 반가워라
근 오십년 이곳 있어 날 오기를 기다렸나
어이 할고 어이 할고 후회막급 어이할고야
새야 새야 우지 마라 새 보기도 부끄러워
내 팔자를 셔겨더면 새 보기도 부끄럽잖지
첨에 당초에 친정 와서 서방님과 함께 죽어
남편이 친정에 놀러와서 죽었음을 알 수 있음
저 새와 같이 자웅되어 천만 년이나 살아볼 걸
> 본사 2: 덴동어미가 두견새를 보고 죽은 남편의 넋으로 여김

반가워서 울었느냐? 서러워서 울었느냐?
서방님의 넋이거든 내 앞으로 날아오고
임의 넋이 아니거든 아주 멀리 날아가거라.
두견새가 펄쩍 날아 내 어깨에 앉아 우네.
임의 넋이 분명하다 아이고 정말 반가워라.
나는 살아서 육신이 왔지만 (임의) 넋이라도 반가워라.
오십 년 가까이 이곳에 있으면서 내가 오기를 기다렸나.
어이 할꼬. 어이 할꼬. 밀려 오는 후회야 어이 할꼬야.
새야 새야 울지 마라 새 보기도 부끄러워
내 팔자를 생각해 보면 새 보기도 부끄럽구나.
맨 처음에 친정 와서 서방님과 함께 죽어
저 새와 같이 암수 짝이 되어 천만 년 살아볼 것을.

내 팔자를 내가 속아 기어이 한번 살아 볼라고
『첫째 낭군은 추천에 죽고 둘째 낭군은 괴질에 죽고
그네 / 원인을 알 수 없는 이상한 병(콜레라)
셋째 낭군은 물에 죽고 넷째 낭군은 불에 죽어
이 내 한 번 못 잘살고 내 신명이 그만일세』
『 』: 덴동어미가 네 번 개가(改嫁)한 사연을 얘기함 - 화자의 기구한 운명을 열거와 대구를 통해 요약 서술함, 유사한 구절의 반복 Link 표현상 특징 ❶, ❷, ❸
첫째 낭군 죽을 때에 나도 한가지 죽었거나
살더래도 수절하고 다시 가지나 말았다면
개가한 것을 후회함
산을 보아도 부끄럽잖고 저 새 보아도 무렴찮지 → 대구법 Link 표현상 특징 ❷
염치없지는 않지
살아생전에 못된 사람 죽어서 귀신도 악귀로다
나도 수절만 하였다면 열녀각은 못 세워도
열녀각(烈女閣) - 절개가 굳은 여인의 행적을 기리기 위해 세운 누각
남이라도 칭찬하고 불쌍하게나 생각할 걸
개가에 대한 사회적 인식 / 설의적 표현 Link 표현상 특징 ❹
남이라도 욕할게요 친정일가들 반가할까
개가해서 실패한 인생 - 고향 사람들과 친정 일가의 반응을 걱정함
> 본사 3: 고향에 돌아와 자신의 기구한 운명을 한탄함
(중략)

내 팔자에 내가 속아 기어이 한번 살아 보려고
첫째 낭군은 그네에서 떨어져 죽고, 둘째 낭군은 괴질에 걸려 죽고,
셋째 낭군은 물에 빠져 죽고, 넷째 낭군은 불에 타 죽어,
이내 한 번을 못 잘살고 내 운명이 그만일세.
첫째 낭군 죽을 때에 나도 함께 죽었거나
살더라도 수절하고 다시 개가하지나 말았더라면
산을 보아도 부끄럽지 않고 저 새를 보아도 염치없지는 않지.
살아생전에 못된 사람은 죽어서 귀신도 악귀로다.
나도 수절만 하였으면 열녀각은 못 세워도
남이라도 칭찬하고 불쌍하게는 생각할 것을.
(그러지 못했으니) 남이라도 욕할 것이요 친정 일가인들 반가워할까?
(중략)

『춘삼월 호시절에 화전 놀음 와서들랑
계절적 배경: 봄 / 꽃잎을 따서 전을 부쳐 먹으며 춤추고 노는 부녀자들의 봄놀이
꽃빛일랑 곱게 보고 새소리는 좋게 듣고
밝은 달은 예사 보며 맑은 바람 시원하다
좋은 동무 좋은 놀음에 서로 웃고 놀다 보소』
『 』: 봄날 아름다운 자연을 보고 즐기라고 제안함
사람의 눈이 이상하여 제대로 보면 관계찮고
어떤 마음으로 인생을 보는가에 따라 시름도 이겨 낼 수 있음

춘삼월 좋은 시절에 화전놀음 와서들랑
꽃빛일랑 곱게 보고 새소리는 좋게 듣고
밝은 달은 예사 보며 맑은 바람 시원하다.
좋은 동무 좋은 놀음에 서로 웃고 놀다 보소.
사람의 눈이 이상하여 제대로 보면 괜찮고

고운 꽃도 새겨보면 눈이 캄캄 안 보이고
귀도 또한 별일이지 그대로 들으면 괜찮은걸
새소리도 고쳐 듣고 슬픈 마음 절로 나네
맘 심 자 제일이라 단단하게 맘 잡으면
(마음 심(心))
『꽃은 절로 피는 거요 새는 예사 우는 거요
달은 매양 밝은 거요 바람은 일상 부는 거라』 『 』: 유사한 구절의 반복 Link 표현상 특징 ❶
마음만 예사 태평하면 예사로 보고 예사로 듣지
(모든 일은 마음먹기에 달려 있음 → 일체유심조(一切唯心造))
보고 듣고 예사로 하면 고생될 일 별로 없소

> 본사 4: 청춘과부에 대한 덴동어미의 충고

고운 꽃도 새겨 보면 눈이 캄캄하여 안 보이고
귀도 또한 별일이지 그대로 들으면 괜찮은걸.
새소리도 고쳐 듣고 슬픈 마음 절로 나네.
마음 심자가 제일이라 단단하게 맘 잡으면
꽃은 저절로 피는 것이오, 새는 예사 우는 것이오
달은 항상 밝은 것이오, 바람은 일상 부는 것이라.
마음만 예사 태평하면 예사로 보고 예사로 듣지
보고 듣고 예사하면 고생될 일이 별로 없소.

출제자 톡! 화자를 이해하라!

1 **화자는 누구이고, 화자가 처한 상황은?**
덴동어미로, 화전놀이 중 자신의 기구한 사연을 이야기함.

2 **화자의 정서 및 태도는?**
- 네 번이나 결혼한 것을 한탄하며 개가한 것을 후회함.
- 청춘과부에게 모든 것은 마음먹기에 달렸다고 하여 마음을 단단하게 먹을 것을 조언함.

Link
출제자 톡! 표현상의 특징을 파악하라!

❶ 4음보의 율격과 유사한 구절을 반복하여 운율을 형성함.
❷ 문답법, 대구법, 열거법, 감정 이입 등의 표현 방식을 사용함.
❸ '화전가'의 양식 속에 '덴동어미'의 사연이 액자 형식으로 들어 있음.
❹ 설의적 표현을 사용하여 화자의 인식을 강조해 줌.

최우선 출제 포인트!

1 액자식 구성

외부 이야기		내부 이야기		외부 이야기
봄날, 덴동어미와 함께 부녀자들이 화전놀이를 떠남.	→	청춘과부의 신세 한탄을 듣고 덴동어미가 개가를 말리며 자신의 인생 역정을 이야기함.	→	신나게 화전놀이를 즐긴 부녀자들이 내년을 기약하며 화전놀이를 마무리함.

이 작품은 삼월에 부녀자들이 하는 화전놀이에 관한 외부 이야기 안에 '덴동어미의 사연'이 들어 있는 액자식 구성을 취하고 있으며, '덴동어미의 일생담'이 작품의 주요 내용을 이루고 있다.

2 덴동어미의 인생관

덴동어미의 인생		인생관
거듭되는 재가와 경제적인 궁핍, 남편의 죽음과 자식의 장애를 경험	→	자신의 운명에 순응하면서 삶을 긍정해 나가야 함.

함께 볼 작품 유사한 형식을 보이는 작품: 작자 미상, 「화전가」

최우선 핵심 Check!

1 유사한 구절을 반복하여 운율을 형성하고 있다. (○ / ×)

2 덴동어미는 자신의 신세를 한탄하면서도, 자신의 처지를 극복하려 하고 있다. (○ / ×)

3 〈본사 3〉에서 화자는 개가한 것을 후회하며 가부장적인 제도의 모순을 비판하고 있다. (○ / ×)

4 조선 후기 하층민의 기구한 인생 역정을 사실적으로 그리고 있다. (○ / ×)

5 화전놀이에 관한 외부 이야기 안에 덴동어미의 기구한 삶이 들어 있는 ㅇㅈㅅ 구성으로 이루어져 있다.

6 〈본사 4〉에서 덴동어미가 청춘과부에게 하는 충고에는 모든 것이 마음먹기에 달려 있다는 ㅇㅊㅇㅅㅈ의 사고가 담겨 있다.

정답 1. ○ 2. × 3. × 4. ○ 5. 액자식 6. 일체유심조

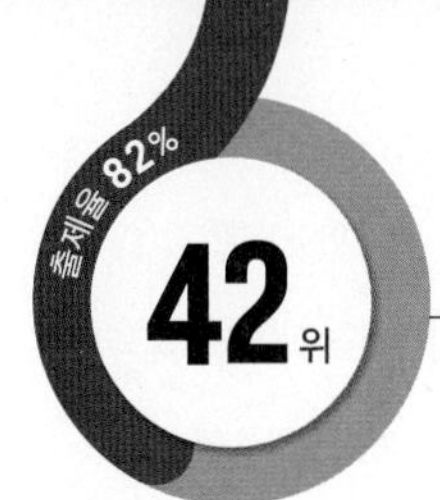

일본을 장쾌하게 유람하고서 적은 노래

일동장유가(日東壯遊歌) | 김인겸

갈래 가사(기행 가사, 장편 가사, 사행 가사)
성격 직설적, 사실적
주제 일본의 견문에 대한 감상 **시대** 조선 후기

영조 39년(1763)에 통신사의 서기로서 일본에 간 작가가 보고 느낀 일본의 문물, 제도, 풍속 등을 한글로 기록한 장편 기행 가사이다.

출제 최우선 작품

장풍(壯風)의 돛을 달고 육선(六船)이 함께 떠나 (장풍: 거센 바람 / 육선: 기선 셋, 복선 셋)	거센 바람에 돛을 달고 배 여섯 척이 함께 떠날 때,
『삼현(三絃)과 군악 소리 해산(海山)을 진동하니 (삼현: 거문고, 가야금, 향비파의 세 가지 현악기)	악기 소리 산과 바다를 진동하니,
물속의 어룡(魚龍)들이 응당이 놀라리라』 (어룡: 고기들 / 『 』: 통신사를 보내는 성대한 환송식(과장법) Link 표현상 특징 ❶)	물속의 고기들이 마땅히 놀라도다.
해구(海口)를 얼른 나서 오륙도(五六島) 뒤 지우고 (해구: 바다의 후미진 곳으로 들어간 어귀 = 부산항 / 음영: 화자의 여정이 드러남 Link 표현상 특징 ❷)	부산항을 얼른 떠나 오륙도를 뒤로 하고,
고국(故國)을 돌아보니 야색(夜色)이 창망(蒼茫)하여 (고국에 대한 염려 / 야색: 밤 경치 / 창망: 넓고 멀어서 아득함)	고국을 돌아보니 밤빛이 아득하여,
아모것도 아니 뵈고 연해(沿海) 각진포(各鎭浦)에 (각진포: 육지 가까이에 있는 군영)	아무것도 보이지 않고, 바닷가 각진포에
불빛 두어 점이 구름 밖에 뵐 만하다 ▸ 부산항 출발 광경	불빛 두어 점이 구름 밖에서 보일 듯 말 듯하다.
배 방에 누워 있어 내 신세(身勢)를 생각하니 (배 방: 선실)	선실에 누워서 내 신세를 생각하니,
가뜩이 심란한데 대풍(大風)이 일어나서	가뜩이나 심란한데 큰 바람이 일어나서
태산(泰山) 같은 성난 물결 천지(天地)에 자욱하니 (과장법, 직유법 Link 표현상 특징 ❶)	태산 같은 성난 물결 천지에 자욱하니,
『큰나큰 만곡주가 나뭇잎 불리이듯 (만곡주: 만석을 실을 만한 큰 배 / 『 』: 바다의 성난 물결에 흔들리는 배의 모습을 형상화)	커다란 만곡주가 나뭇잎이 나부끼듯,
하늘의 올랐다가 지함(地陷)의 내려지니 (지함: 땅이 푹 주저앉은 곳)	하늘에 올랐다가 땅 밑으로 떨어지니,
열두 발 쌍돛대는 차아처럼 굽어 있고 (차아: 줄기에서 벋어 나간 곁가지)	열두 발 쌍돛대는 곁가지처럼 굽어 있고,
쉰두 폭 초석(草席) 돛은 반달처럼 배불렀네』 (직유법 Link 표현상 특징 ❶)	쉰두 폭으로 풀을 엮어 만든 돛은 반달처럼 배가 불렀네.
굵은 우레 잔 벼락은 등[背] 아래서 진동하고	큰 천둥과 작은 벼락은 등 뒤에서 떨어지고,
성난 고래 동(動)한 용(龍)은 물속에서 희롱하니 (험하고 거센 파도(은유법) Link 표현상 특징 ❶)	성난 고래와 기운 찬 용이 물속에서 제멋대로 노네.
방 속의 요강 타구(唾具) 자빠지고 엎어지며 (타구: 가래나 침을 뱉는 그릇)	선실의 요강과 타구가 자빠지고 엎어지고,
상하좌우 배 방 널은 잎잎이 우는구나 (널: 판판하고 넓게 켠 널빤지) ▸ 바다에서 풍랑을 만남	상하좌우 선실의 널빤지들은 제각각 우는 듯한 소리를 내는구나.
이윽고 해 돋거늘 장관(壯觀)을 하여 보세	이윽고 해가 돋거늘 장대한 광경을 구경해 보세.
일어나 배 문 열고 문설주 잡고 서서	일어나서 선실 문을 열고 문설주를 잡고 서서,
사면(四面)을 돌아보니 어와 장할시고 (영탄적 어조 Link 표현상 특징 ❸)	사면을 바라보니 아아, 굉장하도다.
인생 천지간(天地間)에 이런 구경 또 있을까	인생 천지간에 이런 구경이 또 어디 있을꼬?
구만리 우주 속의 큰 물결뿐이로다 → 영탄적 어조 Link 표현상 특징 ❸ (아득하게 멀고 넓어서 끝이 없는 모습 - 일망무제(一望無際))	구만 리 우주 속의 큰 물결뿐이로다.
등 뒤쪽을 돌아보니 동래(東萊) 산이 눈썹 같고 → 직유법 Link 표현상 특징 ❶ (부산에서 멀리 떨어짐)	등 뒤로 돌아보니 동래의 산이 가물가물 눈썹처럼 작게 보이고,
동남(東南)을 바라보니 바다가 가이 없어	동남쪽을 바라보니 바다가 끝없어,
위아래로 푸른빛이 하늘 밖에 닿아 있다 (수평선의 모습 - 일망무제) ▸ 바다의 장관	위아래로 푸른빛이 하늘 밖에 닿아 있다.

슬프다 우리 길이 어디로 가는 건가
① 배의 항로에 대한 근심, ② 우리나라의 미래에 대한 근심
함께 떠난 다섯 배는 간 데를 모르겠다
사면을 돌아보니 이따금 물결 속에
부채만 한 작은 돛이 들락날락하는구나
배 안을 돌아보니 저마다 수질(水疾)하야
배멀미
똥물을 다 토하고 혼절하야 죽게 앓네
다행할샤 종사상(從史上)은 태연히 앉았구나
종사관(조선 시대에 통신사를 수행하던 임시 벼슬)을 높여 이르던 말
배 방의 도로 들어 눈 감고 누웠더니
"대마도(對馬島) 가깝다."고 사공이 이르거늘
다시 일어나와 보니 십 리는 남았구나
왜선 십여 척이 예선차로 모두 왔네
예인선. 다른 배를 끌고 가는 배

> 대마도에 도착함

(중략)

고려·조선 시대에, 각 고을에 설치하여 외국 사신이나 다른 곳에서 온 벼슬아치를 대접하고 묵게 하던 숙소
이십칠 일 사상네가 관소(館所)에 잠간 내려
1764년 1월 27일 / └통신사인 조엄, 이인배, 김상익
숙공(熟供) 받고 잠간 쉬어
익은 음식
저무도록 행선(行船)하여 정포(淀浦)로 올라오니
배가 감
여염도 즐비하며
빗살처럼 빽빽하게 늘어서 있으며
물가에 성을 쌓고 경개(景槪)가 기이하다
경치 / 기묘하고 이상하다
물속에 수기(水機) 놓아 강물을 자아다가
낮은 데에 있는 물을 빨아 올려다가
홈으로 인수(引水)하여 성안으로 들어가니
물을 끌어다 댐
제작(製作)이 기묘하여 법 받음직 하고나야
본받을 만하다 - 작가의 실학사상
그 수기(水機) 자세 보니 물레를 만들어서
좌우에 박은 살이 각각 스물여덟이오
살마다 끝에다가 널 하나씩 가로 매어
물속에 세웠으니

수기의 구조 묘사 - 화자의 세밀한 관찰력이 드러남
Link 표현상 특징 ❹

강물이 널을 밀면 물레가 절로 도니
살 끝에 작은 통을 노로 매었으니
실, 삼, 종이 따위를 가늘게 비비거나 꼬아 만든 줄
그 통이 물을 떠서 돌아갈 제 올라가면
통 아래 말뚝 박아 공중에 낡을 매어
나무
말뚝이 걸리면 그 물이 쏟아져서
홈 속으로 드는구나

수기에서 물이 운반되는 원리

물레가 빙빙 도니 빈 통이 내려와서

슬프다, 우리가 가는 길이 어디인가?
함께 떠난 다섯 척의 배는 간 곳을 모르겠도다.
사면을 두루 살펴보니 가끔 물결 속에
부채만 한 작은 돛이 들락날락하는구나.
배 안을 돌아보니 저마다 배멀미를 하여
똥물을 토하고 까무러쳐 심하게 앓네.
다행이도다, 종사상은 태연히 앉았구나.
선실로 다시 들어와 눈 감고 누웠더니
대마도가 가깝다고 사공이 말하여
다시 일어나 선실 밖으로 나와 보니 십 리 정도는 남았구나.
왜선 열 두 척이 배를 끌려고 마중을 나왔네.
(중략)

27일 사신들이 숙소에 잠깐 내려
음식 받고 잠깐 쉬어,
저물도록 배가 가서 정포(요도우라)로 올라오니,
집들이 빽빽하게 늘어서 있으며
물가에 성을 쌓고 경치가 기이하다.
물속에 물을 관리하는 기계를 놓아 강물을 올려다가
홈으로 물을 끌어다 대어 성 안으로 들어가니,
제작이 기묘하여 본받을 만하구나.
그 물 기계 자세히 보니 물레를 만들어서
좌우에 박은 살이 각각 스물여덟이요,
살마다 끝에다가 널 하나씩 가로 매어
물속에 세웠으니,
강물이 널을 밀면 물레가 절로 도니,
살 끝에 작은 통을 줄로 매었으니,
그 통이 물을 떠서 돌아갈 때 올라가면,
통 아래 말뚝 박아 공중에 나무를 매어,
말뚝에 걸리면 그 물이 쏟아져서
홈 속으로 들어가는구나.
물레가 빙빙 도니 빈 통이 내려와서

또 떠서 순환(循環)하여 주야로 불식(不息)하니
두루 돌아 / 밤낮으로 / 쉬지 않으니
인력(人力)을 아니 들였어도
사람의 노동력
성가퀴 높은 위에 물이 절로 넘어가서
성안에 낮게 쌓은 담
『온 성안 거민(居民)들이 이 물을 받아먹어
부족들 아니 하니 『 』: 수기의 실용성에 대한 감탄과 일본 문물에 대한 긍정적 태도
진실로 기특하고 묘함도 묘할씨고』
영탄적 어조 **Link** 표현상 특징 ❸
> 일본의 '수기'에 대한 견문과 감상

또 떠서 돌고 돌아 밤낮으로 쉬지 않으니,
사람의 힘을 들이지 않았어도
성 담 높은 위에 물이 저절로 넘어가서,
온 성 안 주민들이 이 물을 받아먹어
부족하지 않으니,
진실로 기특하고 묘하기도 묘하구나.

지명은 하내주(河內州)요 사십 리 와 있구나
『이십팔 일 발행(發行)할 새 수백 필 금안 준마(金鞍駿馬)
1764년 1월 28일 / 집을 떠남 / 금 안장을 놓은 좋은 말
중하관(中下官)을 다 태우니 기구(器具)도 장할시고』 『 』: 육로로 이동하기 시작함
중간 관리, 하급 관리
각 방 노자(奴子)들도 호사(豪奢)가 참람(僭濫)하다
사내종 / 호화로운 사치 / 분수에 넘쳐 너무 지나침
좌우에 쌍견마(雙肩馬)요 한 놈은 우산 받고
말 한 필에 고삐 둘을 하여 양쪽으로 나누어 두 사람의 마부가 이끄는 말
두 놈은 부축하고 담배 기구 한 놈 들고
한 놈은 등불 들고 한 놈은 그릇 메어
한 사람의 거느린 수 여덟씩 들었구나
나하고 삼 문사는 가마 타고 먼저 가니
제술관 남옥, 상방서기 성대중, 부방서기 원중거
금안(金鞍) 지운 재고 큰 말 거듭말로 앞에 섰다
발걸음이 빠르고 / 두 마리 말
> 통신사의 성대한 행렬

지명은 하내주요, 사십 리 와 있구나.
28일 길을 떠날 때 수백 필의 금으로 안장을 놓은 좋은 말
중간 관리, 하급 관리를 다 태우니 기구도 장하구나.
각 방 사내종들도 호화롭게 사치하기가 지나치다.
좌우에 양쪽에서 두 사람씩 끄는 말이요, 한 놈은 우산 받고
두 놈은 부축하고 담배 기구 한 놈 들고
한 놈은 등불 들고 한 놈은 그릇 메어,
한 사람의 거느린 수 여덟씩 들었구나.
나하고 세 문사는 가마 타고 먼저 가니,
금안장을 얹은 빠르고 큰 말 두 마리가 앞에 섰다.

이따금
여염도 왕왕 있고 흔할손 죽전(竹田)일다
대나무밭 - 우리나라 중부 이남 지역과 유사한 기후일 것으로 예상됨
토지가 고유(膏腴)하여 전답(田畓)이 마이 좋이
기름지고 걸어 / 논밭
『이십 리 실상사(實相寺)가 삼사상(三使相) 조복(朝服)할 제
관원이 조정에 나아가 하례할 때에 입던 예복. 여기서는 그 행위를 가리킴
나는 내리잖고 왜성(倭城)으로 바로 가니』 『 』: 하례하지 않는 화자의 행동 - 일본에 대한 부정적 태도
교토(여정)
"인민(人民)이 부려(富麗)하기 대판(大阪)만은 못하여도
부유하고 화려하기 / 지금의 오사카
서(西)에서 동(東)에 가기 삼십 리라" 하는구나 → 매우 넓음을 알 수 있음
동서로 30리나 되는 일본의 도성 규모에 대한 놀라움 - 그 당시의 조선의 도성 규모는 10리 정도였음
관사(館舍)는 봉국사요 오층 문루(門樓) 위에
구름 낀 하늘
여나문 구리 기둥 운소(雲霄)에 닿았구나 **Link** 표현상 특징 ❶
여남은, 열이 조금 넘은 / 신기하고 기이함 / 과장법 / 그윽한 정취
수석(水石)도 기절(奇絕)하고 죽수(竹樹)도 유취(幽趣) 있네
일본 경치에 대한 감상
『왜황(倭皇)의 사는 데라 사치(奢侈)가 측량없다』 『 』: 화자의 비판 정신
일본의 왕
> 실상사 주변과 교토에 대한 견문

집들도 종종 있고 흔한 것이 대나무밭이다.
땅이 기름져서 논밭이 매우 좋다.
이십 리 실상사에 가 세 사신이 하례할 때,
나는 내리지 않고 왜성으로 바로 가니,
사람들이 부유하고 화려하기가 오사카만은 못하여도,
서에서 동에 가기 삼십 리라 하는구나.
관사는 봉국사요 오층 문루 위에
여남은 구리 기둥 구름 낀 하늘에 닿았구나.
물과 돌로 이루어진 자연의 경치도 아주 기이하고 대나무도 그윽한 운치가 있네.
일본의 왕이 사는 곳이라 매우 사치스럽기 그지없다.

『산형(山形)이 웅장하고 수세(水勢)도 환포(環抱)하여 『 』: 천해의 지리적 요건을 갖춘 요새를 일본이 차지한 것에 대한 안타까움
사방으로 둘러싸여
옥야천리(沃野千里) 생겼으니 아깝고 애달플손
끝없이 넓은 기름진 들판

산 모양이 웅장하고 물의 흐름이 사방으로 둘러싸여
끝없이 넓고 기름진 들판이 생겼으니, 아깝고 애달프다.

출제 최우선 작품

천연의 요충지 / 일본에 대한 적개심을 드러낸 말

이리 좋은 천부 금탕(天賦金湯) 왜놈의 기물(器物) 되어』

'금성탕지(金城湯池)'의 준말로 방어 시설이 잘 되어 있는 성을 이름 / 살림살이에 쓰는 그릇

칭제 칭황(稱帝稱皇)하고 전자 전손(傳子傳孫)하니

황제라고 칭함 / 대대손손(代代孫孫)

『개돗 같은 비린 유(類)를 다 몰속(沒屬) 소탕(掃蕩)하고

개와 돼지 / 질이나 속성이 비슷한 부류 / 몰수

사천 리 육십 주를 조선(朝鮮) 땅 만들어서

일본의 국토와 행정 구역(대유법) Link 표현상 특징 ❶ / 『 』: 일본에 대한 화자의 적개심이 드러남

왕화(王化)에 목욕(沐浴) 감겨 예의(禮儀) 국민 만들고자』

일본인들을 예의 바른 국민으로 만들고 싶다는 작가의 재치 있는 말 / ➤ 관사와 경치에 대한 감상과 비판

이렇게 좋은 방어 시설을 타고난 성이 왜놈의 살림살이에 쓰이는 그릇이 되어,
황제라고도 칭하고 군왕이라고 칭하며 자식, 손자에게 전하니
개와 돼지 같은 더럽고 아니꼬운 종자를 다 몰수하고 없애 버려,
일본 땅을 조선 땅으로 만들어서,

왕의 교화에 목욕 감겨 예의 국민 만들고 싶구나.

출제자 톡! 화자를 이해하라!

1 **화자는 누구이고, 화자가 처한 상황은?**
통신사 임무 수행을 위해 한양을 떠나 일본으로 가는 '나'

2 **화사의 성서 및 태도는?**
조국의 앞날에 대해 걱정하는 마음과 일본의 신문물과 자연 환경 등에 대한 감탄, 일본에 관한 불편한 감정들이 나타남.

Link

출제자 톡! 표현상의 특징을 파악하라!

❶ 대유법, 직유법, 과장법, 은유법 등 다양한 표현 방법을 사용함.

❷ 여정에 따른 추보식 시상 전개가 나타남.

❸ 영탄적 어조를 통해 화자의 정서를 실감나게 드러냄.

❹ 관찰자적 시선으로 대상을 세밀하게 묘사함.

최우선 출제 포인트!

1 여정의 묘사

부산항 출항	환송식을 마치고 부산항을 떠남.
↓	
바다에서 풍랑을 만남.	우레가 치는 가운데 큰 파도를 만나 고생함.
↓	
바다의 장관	풍랑이 끝난 아침 바다의 장대한 광경을 보고 감탄함.

2 일본 묘사에 반영된 작가의 생각이나 감정

27일		28일
'수기(水機)'에 대한 묘사	➔	'왜성'에 대한 묘사
일본 문물에 대해 긍정적임.		일본에 대해 부정적임.

이 작품에는 임진왜란 이후 아직 가시지 않은 당시의 일본에 대한 불편한 감정과 미묘한 고민, 조선인으로서 지닌 자존심 등이 일본에 대한 묘사에 드러나 있다. 특히 '왜성'을 묘사하는 부분에서는 성의 웅장함에 대해 표현하면서도 '사치가 측량없다'거나 일본의 국토를 모두 조선 땅 만들어서 조선인에게 예의를 아는 국민으로 만들고 싶다는 등의 일본에 대한 적개심이 나타나 있다.

함께 볼 작품 • 여행의 체험을 형상화한 작품: 홍순학, 「연행가」
• 일본에 대한 우리 민족의 태도와 정서를 반영한 작품: 박인로, 「선상탄」

최우선 핵심 Check!

1 여정에 따른 추보식 시상 전개가 나타나고 있다. (○ / ×)

2 여정이 진행됨에 따라 갈등이 해소되고 있다. (○ / ×)

3 '이십칠 일~관소에 잠간 내려', '지명은 하내주요~이십팔 일 발행(發行)할 새' 등 구체적인 여정과 일자를 기록하고 있다. (○ / ×)

4 '슬프다 우리 길을 어디로 가는 건가'는 배의 항로에 대한 근심과 더불어 우리나라의 미래에 대한 근심을 함께 나타내는 것으로 볼 수 있다. (○ / ×)

5 '수기'에 대해서는 ㄱ ㅈ 적인 태도를 보이는 반면, '왜성'에 대해서는 ㅂ ㅈ 적인 태도를 보이고 있다.

6 기행 가사의 한 갈래로, 작가가 국가로부터 부여받은 공식적인 외교 임무를 띠고 외국의 문물을 경험하고 이를 기록한 ㅅ ㅎ ㄱ ㅅ 이다.

정답 1. ○ 2. × 3. ○ 4. ○ 5. 긍정, 부정 6. 사행 가사

1등급! <보기>!

사행 가사(使行歌辭)

사행 가사는 기행 가사의 한 갈래로 작가가 국가로부터 부여받은 공식적인 외교 임무를 띠고 파견된 사신이나 그 일행으로 동반하여 외국의 풍물이나 문물을 경험하고 이를 기록한 가사를 말한다. 이러한 사행 가사는 작가가 사신의 일행으로서 공적인 임무를 띠고 기록한 것이지만, 실제 작품은 개인적 기록의 성격이 강하다는 점에서 공적·사적 성격을 공유하는 경우가 많다. 사행 가사의 대표작으로는 홍순학의 「연행가(燕行歌)」와 김인겸의 「일동장유가(日東壯遊歌)」 등이 있다.

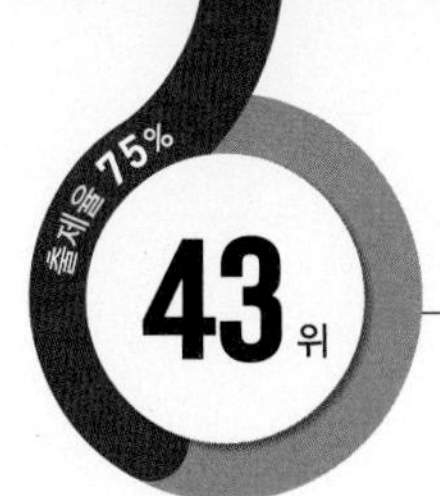

누런 닭에 대한 노래

황계사(黃鷄詞) | 작자 미상

갈래 가사(가창 가사) **성격** 서정적, 한탄적, 소망적
주제 임에 대한 간절한 그리움 **시대** 조선 후기

조선 시대 십이가사 중의 하나로, 임에 대한 애절한 그리움을 병풍에 그린 황계 수탉에 의탁하여 표현하고 있다.

원문	현대어 풀이
일조(一朝) 낭군(郎君) 이별 후(離別後)에 소식(消息)조차 돈절(頓絕)하야 (일조: 하루아침(갑작스럽도록 짧은 사이) / 낭군 이별 후: 화자가 처한 상황 / 돈절: 편지나 소식 따위가 갑자기 끊어짐)	하루아침에 낭군과 이별한 후에 소식조차 끊어져
자네 일정(一定) 못 오던가 무삼 일로 아니 오더냐	자네(임이여) 정말 못 오는가? 무슨 일이 있어 안 오는가?
이 아해야 말 듣소 (① 후렴구와 유사한 기능 - 가창을 고려한 반복적 요소. ② 제 삼의 인물인 '아해'를 청자로 설정함)	이 아이야 말 들어 보소.
황혼(黃昏) 저문 날에 개가 짖어 못 오는가 (△: 임을 못 오게 하는 장애물. 오지 않는 임에 대한 원망을 간접적으로 표현)	황혼이 저무는 날에 개가 짖어 못 오던가?
이 아해야 말 듣소	이 아이야 말 들어 보소.
춘수(春水)가 만사택(滿四澤)하니 물이 깊어 못 오던가 (도연명의 「사시(四時)」에 나오는 시구 인용 - 봄철의 물이 사방의 못에 가득함 Link 표현상 특징 ❷)	봄물은 못마다 가득 차 넘치니 물이 깊어 못 오던가?
이 아해야 말 듣소	이 아이야 말 들어 보소.
『하운(夏雲)이 다기봉(多奇峰)하니 산이 높아 못 오던가』 (도연명의 「사시(四時)」에 나오는 시구 인용 - 여름 구름이 많은 기이한 봉우리를 이름 / 『 』: 열거와 가정을 사용하여 임에 대한 원망을 드러냄 Link 표현상 특징 ❶)	여름 구름이 수많은 기이한 봉우리와 같으니 산이 높아 못 오던가?
이 아해야 말 듣소	이 아이야 말 들어 보소.
한 곳을 들어가니 『육관대사(六觀大師) 성진(性眞)이는 석교상(石橋上)에서 팔선녀(八仙女) 다리고 희롱한다』 (석교상: 돌다리 위 / 『 』: 김만중의 소설 「구운몽」의 내용 인용. 이 작품의 창작 연대가 「구운몽」 이후임을 알 수 있음 Link 표현상 특징 ❷)	한 곳을 들어가니 육관대사의 (제자) 성진이는 돌다리 위에서 팔 선녀를 데리고 희롱한다.
지어자 좋을시고 (소설 속 인물에 대한 부러움의 표현)	지화자 좋을시고.
병풍(屛風)에 그린 황계(黃鷄) 수탉이 두 나래 둥덩 치고 짜른 목을 길게 빼어 긴 목을 에후리어 (갑자기 이별한 임과 소식조차 끊긴 화자가 의탁하는 자연물 / 짜른: 짧은 / ◯: 의성어와 의태어의 사용 Link 표현상 특징 ❸)	병풍에 그린 황계 수탉이 두 날개를 툭툭 치며 짧은 목을 길게 빼어 긴 목을 휘둘러
사경 일점(四更一點)에 날 새라고 꼬끼요 울거든 오랴든가 (새벽 1시에서 3시 사이인 사경(四更)의 한 시점)	사경일점에 날이 새라고 꼬끼오 울거든 오려고 하는가?
자네 어이 그리하야 아니 오던고 ▸ 이별한 임에 대한 원망의 마음	자네(임이여) 어이 그토록 안 오는가?
너란 죽어 황하수(黃河水) 되고 날란 죽어 도대선(都大船) 되야 밤이나 낮이나 낮이나 밤이나 (황하수: 황하강. 여기서는 큰 강을 말함 / 도대선: 큰 나룻 배. 저승에서나마 만나고자 하는 간절한 소망 / 밤이나 낮이나 낮이나 밤이나: 항상(반복과 변주, 대구의 활용))	너는 죽어 큰 강 되고 나는 죽어 돛단배 되어 밤이나 낮이나 낮이나 밤이나
바람 불고 물결치는 대로 어하 둥덩실 떠서 노자 (언제나 임과 함께하고 싶은 화자의 소망) ▸ 죽어서라도 임을 만나고 싶은 소망	바람 불고 물결 치는 대로 어하 두둥실 떠다니며 놀자.
저 달아 보느냐 (기원의 대상. 임의 앞길에 광명의 세상이 열리길 기원 - 화자의 소망을 드러내는 소재)	저 달아 보느냐?
임 계신 데 명휘(明暉)를 빌리려문 나도 보게 (밝은 빛을 비춰주면)	임이 계신 곳 밝은 빛을 비춰 주렴, 나도 보게.
이 아해야 말 듣소	이 아이야 말 들어 보소.
추월(秋月)이 양명휘(揚明暉)하니 달이 밝아 못 오던가	가을 달이 밝게 빛나 달이 밝아 못 오시나.
어데를 가고서 네 아니 오더냐	어디를 가고 네(임) 아니 오느냐
지어자 좋을시고 ▸ 오지 않는 임에 대한 그리움	지화자 좋을시고.

Link

출제자 톡! 갈래를 이해하라!

1 **화자는 누구이고, 화자가 처한 상황은?**
임과 이별한 상황에 있는 '나'

2 **화자의 정서 및 태도는?**
• 임에 대한 원망과 그리움을 드러냄.
• 임을 만나고 싶은 소망을 간절히 드러냄.

출제자 톡! 표현상의 특징을 파악하라!

❶ 임이 오지 못하는 상황을 열거하거나 가정하여 임에 대한 원망과 그리움을 강조함.

❷ 시구와 고전 소설을 인용하여 화자의 정서를 구체화함.

❸ 의성어나 의태어를 사용하여 화자의 정서를 감각적으로 표현함.

최우선 출제 포인트!

1 시상 전개 과정

오지 않는 임을 원망함. → 임과의 재회를 소망함. → 오지 않은 임을 그리워함.

2 고전적 상상력을 활용한 화자의 정서 전달

화자와 임 ↔ 소설 작품 속 성진과 팔 선녀

↓

소설 속 인물과 화자 자신의 처지를 대비하여 부러운 마음을 나타냄.

최우선 핵심 Check!

1 임에 대한 막막한 기다림을 병풍에 그려진 황계가 우는 불가능한 상황을 가정하여 표현하고 있다. (O / ×)

2 '이 아해야 말 듣소'는 후렴구에 해당하는 시행으로, 주제를 강조하는 역할을 한다. (O / ×)

3 화자는 임이 자신에게 오지 못하도록 막는 외부적 장애물로 [ㄱ], [ㅁ], [ㅅ], [ㄷ]을 추측하여 설정하고 있다.

4 화자는 자신이 죽은 뒤에라도 임을 만나러 가고 싶은 소망을 '[ㄷ][ㄷ][ㅅ]'을 통해 드러내고 있다.

정답 1. ○ 2. × 3. 개, 물, 산, 달 4. 도대선

1등급! 〈보기〉!

「황계사」의 이해

이 작품은 임과 이별한 상황에서 화자가 느끼는 답답함과 그리움을 형상화한 작품이다. 화자는 임과의 재회가 늦어지는 이유를 외부적 요인에서 찾으려 하거나, 불가능한 상황을 가정함으로써 임이 돌아오지 않는 것에 대한 원망을 드러내고 있다. 그런데 이런 원망에는 이별의 상황에서 벗어나 임과 재회하기를 간절하게 바라는 화자의 마음이 담겨 있다. '일조 낭군 ~ 소식조차 돈절하야'에서 화자가 하루아침에 임과 이별하여 소식이 갑자기 끊긴 상황임을 알 수 있다. '자네 일정 ~ 아니 오더냐'에서 임이 오지 않는 이유를 알지 못하는 상황에서 처한 화자가 답답해하고 있음을 알 수 있다. 또한 '병풍에 그린 ~ 울거든 오랴는가'에서는 불가능한 상황을 가정하여 임이 돌아오지 않는 것에 대한 원망을 드러내고 있다. '너란 죽어 ~ 떠서 노자'에서 화자는 죽어서라도 다시 임과 재회하고 싶어 한다.

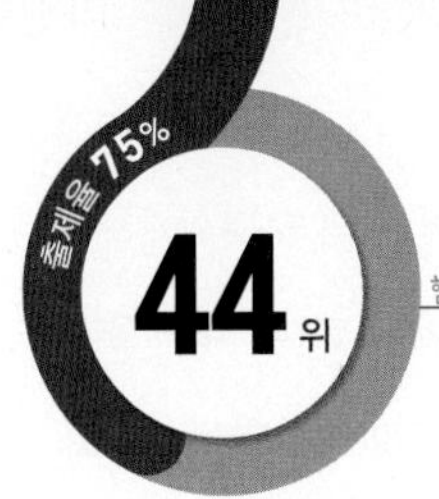

함경남도 갑산에 사는 백성의 하소연

갑민가(甲民歌) | 작자 미상

함경남도 갑산 지역의 백성

갈래 가사(평민 가사) **성격** 사실적, 고발적, 비판적
주제 수탈에 시달리는 백성들의 고통 및 부조리한 현실 비판 **시대** 조선 후기

조선 후기 백성들의 삶을 힘겹게 하는 당대 사회의 모습을 작품 속 갑민의 삶을 통해 고발하고 있다.

→ 화자: 생원 **Link 표현상 특징 ❶**

어져어져 저기 가는 저 사람아
네 행색 보아하니 군사 도망(軍士逃亡) 네로고나
(감탄사 / 갑산을 떠나는 갑민 / 학정에 시달려 도망칠 수밖에 없는 당시의 사회상)
『허리 위로 볼작시면 베적삼이 깃만 남고
허리 아래 굽어보니 헌 잠방이 노닥노닥』
(『 』: 도망가는 갑민의 누추한 행색을 묘사함. 대구법 **Link 표현상 특징 ❹** / 잠방이: 가랑이가 무릎까지 내려오도록 만든 짧은 홑바지)
곱장할미 앞에 가고 전태발이 뒤에 간다
(갑민과 함께 가는 일행의 모습 표현. 대구법 **Link 표현상 특징 ❹**)
십 리 길을 하루 가니 몇 리 가서 엎쳐지리
(지치고 힘든 모습이어서 곧 쓰러질지 모르는 상황임)
『내 고을의 양반(兩班) 사람 타도타관(他道他官) 옮겨 살면
(타도타관: 자신이 속한 곳이 아닌 다른 고을)
천(賤)히 되기 예사거든 본토(本土) 군정(軍丁) 싫다 하고
(본토: 본디의 고향 / 군정: 군역과 공역에 종사해야 하는 장정)
자네 또한 도망하면 한 나라의 한 인심에
근본 숨겨 살려 한들 어데 간들 면할손가』
(『 』: 갑민이 갑산에 머물러야 하는 근거 ① - 갑산을 떠나 다른 지역으로 가서 살게 되면 천한 신세가 됨 / 면할손가: 설의적 표현 **Link 표현상 특징 ❹**)
『차라리 네 살던 곳에 아무렇게 뿌리박아
(→ 떠나려 하는 갑민에게 생원이 말하는 근본 의도 - 갑산을 떠나지 말아야 함)
칠팔월에 삼을 캐고 구시월에 돈피(獤皮) 잡아
(돈피: 담비 가죽)
공채(公債) 신역(身役) 갚은 후에 그 나머지 두었다가
(갑산에서 문제를 해결할 수 있는 방법에 해당 / 공채: 나라에 내는 세금 / 신역: 나라에서 부과하는 군역과 신역)
함흥 북청 홍원 장사 돌아들어 몰래 팔 때
후한 값 받고 팔아 내어 살기 좋은 넓은 곳에
집과 논밭 다시 사고 살림 도구 장만하여
부모처자 보전하고 새 즐거움 누리려믄』
(『 』: 갑민이 갑산에 머물러야 하는 근거 ② - 갑산에서 문제를 해결할 수 있는 방법이 있음)

> 서사: 도망가는 갑민에게 갑산을 떠나지 말 것을 권유하는 생원

→ 화자: 갑민 * 생원과 갑민의 대화 형식으로 내용을 전개함 **Link 표현상 특징 ❶**

어와 생원인지 초관(哨官)인지
(초관: 조선 시대에, 한 초(哨)를 거느리던 종구품 무관 벼슬)
그대 말씀 그만두고 이내 말씀 들어 보소 **Link 표현상 특징 ❹**
이내 또한 갑민(甲民)이라 이 땅에서 생장하니 이때 일을 모를소냐
(잘 알고 있음을 강조한 말(설의적 표현) / 갑민은 생원이 자신의 상황을 모르기 때문에 위와 같은 말을 했다고 생각함)
『우리 조상 남중 양반(南中兩班) 진사 급제 계속하여
금장 옥패 빗기 차고 시종신(侍從臣)을 다니다가
(시종신: 임금 곁에서 문학으로 보필하던 벼슬아치)
남의 시기 참소 입어 전가사변(全家徙邊)한 후에
(전가사변: 조선 시대에, 죄인을 그 가족과 함께 평안북도, 함경북도와 같은 변방으로 옮겨 살게 하던 일)
극변방(極邊方)인 이 땅에서 칠팔 대를 살아오니』
(『 』: 갑민 일가가 갑산에서 살게 된 내력 / 극변방: 갑산의 지리적 특성 / 이 땅: 갑산)
『조상 덕에 하는 일이 읍중(邑中) 구실 첫째로다』
(『 』: 조상 덕분에 갑민이 읍중에서 양반으로서의 역할을 담당했음을 알 수 있음 / 읍중: 조선 시대에, 관찰 관아가 아닌 지방 관아가 있던 마을)
들어가면 좌수 별감 나가서는 풍헌 감관
(조선 말기에, 나라의 여러 가지 예식에 관한 일을 맡아보던 벼슬)
유사(有司) 장의(掌儀) 채지 나면 체면 보아 사양터니
(유사: 단체의 사무를 맡아보는 직무)

아아, 저기 가는 저 사람아
너의 행색을 보아하니 병역을 기피하고 도망가는 너로구나.
허리 위를 보게 되니 베적삼이 깃만 남아 있고
허리 아래를 굽어보니 헌 잠방이가 너덜너덜 (하는구나.)
허리 굽은 할미는 앞에 가고 다리를 저는 사람은 뒤에 간다.
십 리 길을 하루에 가니 몇 리 못가서 넘어지리.
자기 고을에 (살던) 양반도 다른 지역으로 옮겨 가서 살게 되면
천하게 되는 것이 보통 있는 일인데 자기 고을의 군정 싫다 하고
자네 또한 도망하면, 한 나라의 같은 인심에
근본을 숨기고 살려 한들 (네가) 어디를 간들 (천한 신세를) 면할 것인가.
차라리 네가 살던 곳에 아무렇게나 터를 잡고
칠팔월에는 인삼을 캐고, 구시월에는 담비 가죽을 구하여
나라에서 부과하는 군역과 부역을 갚은 후에, 그 나머지는 두었다가
함흥, 북청, 홍원의 장사하는 사람들이 돌아들어 몰래 팔 때
후한 값을 받고 팔아서 살기 좋은 넓은 곳에
집과 논밭을 다시 사고 살림 도구를 장만하여
부모와 처자식을 지키고 새 즐거움을 누리려무나.

어와, 생원인지 초관인지
그대 말씀을 그만두고 이내 말을 들어 보소.
나도 또한 갑산에 살아가는 백성이라. 이 땅에서 나고 자랐으니 이때의 일을 모르겠느냐.
우리 조상이 남중 양반이고 진사 급제를 계속하여
금 장식과 옥으로 만든 패물을 비스듬히 차고 임금을 모시는 신하로 다니다가
남의 시기와 참소를 입어 변방으로 가족들과 옮겨 살게 되어
나라에서 가장 변방인 이 땅에서 칠팔 대를 살아오니.
조상의 음덕을 입어 하는 일이 읍중의 구실이 첫째로다.
들어가면 좌수 별감이고 나가서는 풍헌 감관(을 하여)
사무나 예식을 맡아보는 일을 하라 하면 체면 보아서 사양했는데

애슬프다 내 시절에 원수인(怨讐人)의 모해(謀害)로써

갑민의 정서 / 갑민의 처지가 바뀌게 된 원인

군사 강정(降定) 되단 말가 『내 한 몸이 헐어나니

신분이 하락함

좌우 전후 많은 가족 차차 충군(充軍) 되거고야』 『 』: 신분이 강등된 후, 갑민의 일가가 이전에 치르지 않은 군역을 치르게 되었다는 의미

누대봉사(累代奉祀) 이내 몸은 하릴없이 매어 있고

여러 대의 조상의 제사를 받듦

시름없는 친족들은 자취 없이 도망하고 → 갑민이 친족들의 신역을 모두 물게 된 이유

『여러 사람 모든 신역 내 한 몸에 모두 무니 → 갑민이 세금을 대신 물게 되는 피해를 입음

나라에서 성인 장정에게 부과하던 군역과 부역

한 몸 신역 삼 냥 오 전(三兩五錢) 돈피 두 장 의법(依法)이라

신역을 대신하여 내야 하는 돈과 물품

열두 사람 없는 구실 합쳐 보면 사십육 냥(四十六兩)

중국 진나라때의 부자 이름.

해마다 맞춰 무니 석숭인들 당할소냐』 『 』: 속상의 폐해를 드러냄

설의법

약간 농사 전폐하고 삼을 캐러 입산(入山)하여

어떻게든 신역을 감당해 보려는 갑민의 태도 ①

허항령(虛項嶺) 보태산(寶泰山)을 돌고 돌아 찾아보니

실제 지명을 제시하여 작품의 사실성을 높임 Link 표현상 특징 ❷

인삼 싹은 전혀 없고 오가잎이 날 속인다 → 의인법 Link 표현상 특징 ❹

찾으려는 대상 / 두릅나무과의 활엽 관목

하릴없이 헛되이 와서 팔구월 고추바람

살을 에는 듯한 찬바람 - 백성들의 고통 상징

안고 돌아 입산하여 돈피 산행(獤皮山行) 하려 하고

어떻게든 신역을 감당해 보려는 갑민의 태도 ②

백두산 등에 지고 강 아래로 내려가서

『싸리 꺾어 누대 치고 잎갈나무로 모닥불 놓고

하늘에 제사를 지내기 위한 과정. 대구법 Link 표현상 특징 ❹

하나님께 축수(祝手)하며 산신(山神)님께 발원(發願)하여』

『 』: 갑산 지방에서 돈피 사냥에 앞서 행하던 민속 행위

물채줄을 갖춰 꽂고 사망 일기 원하되

장사의 이익이 많이 남는 재수

내 정성이 부족한지 사망 기회 아니 붙네

> 본사 1: 신역을 감당하기 위해 노력했지만 허사였음을 말하는 갑민

(중략)

『나라님께 아뢰자니 구중천문(九重天門) 멀어 있고 『 』: 임금의 덕이 갑신까지 미치지 못하는 현실에 대한 개탄

임금이 있는 대궐을 의미

요순(堯舜) 같은 우리 성주(聖主) 일월(日月)같이 밝으신들

어질고 덕이 뛰어난 임금 - 성군 / 직유법 Link 표현상 특징 ❹

불점성화(不沾聖化) 이 극변(極邊)에 복분하(覆盆下)라 비칠소냐』

임금의 은혜가 미치지 못하는 곳을 이르는 말 / 설의적 표현

그대 또한 내 말 듣소 타관 소식(他官消息) 들어 보게 Link 표현상 특징 ❹

청자인 '생원'을 가리킴

북청 부사(北靑府使) 뉘실런고 성명(姓名)은 잠깐 잊었네

선정을 베푸는 것으로 알려진 원님. 갑산 원님과 대비됨.

『많은 군정 안보(安保)하고 백골 도망(白骨逃亡) 원통함 풀고

백골이 되어 도망감 - 죽어 없어진 사람을 가리킴

각대 초관(各隊哨官) 여러 신역 대소민호(大小民戶) 나눠 걷으니

많으면 닷 돈 푼수 적으면 서 돈이라』 『 』: 북청 부사가 선정을 베풀고 있는 모습 - 갑산과 달리 신역을 모든 사람들이 골고루 부담하게 함 Link 표현상 특징 ❸

부담스럽지 않은 정도의 신역 비용

인읍(隣邑) 백성 이 말 듣고 남부여대(男負女戴) 모여드니

가난한 사람들이 살 곳을 찾아 이리저리 떠돌아다님을 비유적으로 이르는 말

군정 허오(軍丁虛伍) 없어지고 민호(民戶) 점점 늘어 간다

나도 또한 이 말 듣고 우리 고을 군정 신역

북청 부사가 군정을 적절하게 안배한다는 말

슬프구나. 내 시절에 원수의 모해를 받아
군사로 신분이 떨어졌단 말인가. 내 한 몸이 하찮게 되니,
주변의 수많은 가족들이 차차 모자란 군역을 채우게 되었구나.
여러 대의 조상의 제사를 받드는 이내 몸은 할 수 없이 매어 있고
시름이 없는 친족들은 자취도 없이 도망하고

여러 사람의 모든 신역을 내 한 몸에 모두 물게 하니
한 사람의 신역의 대가는 삼 냥 오 전, 담비 가죽 두 장을 내는 것이 정해진 법이라.
(도망간 친족) 열두 명이 내야 할 신역까지 합쳐 보면 사십육 냥
해마다 맞춰서 물어내려니 (천하의 부자인) 석숭인들 감당하겠느냐.
얼마 안 되는 농사를 전부 버려 두고 인삼을 캐러 산에 들어가
허항령 보태산을 돌고 돌아서 찾아보니

인삼 싹은 전혀 없고 오가피 잎이 나를 속인다.

할 수 없이 헛되이 되돌아왔다가 살을 에는 듯한 찬바람
안고 돌아 산에 들어가 담비 가죽을 구하기 위한 사냥을 하려 하고
백두산을 등에 지고 강 아래로 내려가서

싸리나무 꺾어 누대를 치고 잎갈나무로 모닥불을 피워 놓고
하나님께 빌고 산신님께 발원하여

사냥 도구를 갖춰 꽂고 장사의 이익이 많이 남기를 원하였지만
내 정성이 부족한지 장사 이익이 많이 남을 기회가 붙지 않네.

나라님께 아뢰자니 아홉 겹의 대궐문은 멀기만 하고
요순 임금 같은 우리 어진 임금님, 해와 달같이 밝으신들
임금의 교화가 미치지 못하는 이 극한 변방의 뒤집힌 항아리 아래에 있으니 (임금님의 밝음이) 비치겠느냐?
그대 또한 내 말을 들어보소. 다른 지역의 소식을 들어보게.
북청 부사가 누구시던가. 성명은 잠깐 잊었네.
많은 군정을 편하게 보장하고 죽어 없어진 이의 원통한 마음을 풀게 하고
각 부대 초관의 여러 신역을 크고 작은 민가에서 나누어 걷으니,
많으면 다섯 돈, 푼수가 적으면 세 돈이라.
이웃 고을 백성들이 이 말을 듣고 (북청으로) 남자는 지고 여자는 이고 모여드니,
군적에 등록만 되어 있고 실제로는 없던 지방의 장정이 없어지고 백성들이 사는 집이 점점 늘어 간다.
나도 또한 이 말을 듣고 우리 고을의 군정의 신역을

북청 일례(北靑一例) 하여지라 영문(營門) 의송(議送) 정(呈)탄 말가
북청의 예를 듦 / 조선 시대에, 백성이 고을 원의 판결에 불복하여 관찰사에게 올리던 민원 서류
본읍(本邑) 맡겨 제사(題辭) 맡아 본 관아에 부치온즉
관부에서 백성이 제출한 소장(訴狀)이나 원서(願書)에 쓰던 관부의 판결이나 지령
불문시비(不門是非) 올려 매고 형문(刑問) 한 번 맞았단 말가
문제가 해결되기는커녕 형벌만 당함 - 학정에 시달리던 갑산 백성의 삶을 엿볼 수 있음
천신만고(千辛萬苦) 놓여나서 고향 생애 다 떨치고
갑산에서의 삶에 대한 미련이 없어짐
이웃 친구 하직(下直) 없이 부로휴유(扶老携幼) 한밤중에
노인은 부축하고 어린이는 보살핌
『후치령 길 비켜 두고 금창령(金昌嶺)을 허위 넘어 「」: 북청에 가기까지의 경로
구체적인 지명 Link 표현상 특징 ❷
단천(端川) 땅을 바로 지나 성대산(聖大山)을 넘어서면
북청 땅이 긔 아닌가』 거처호부(居處好否) 다 떨치고
갑민이 가고자 하는 곳 / 거처가 좋고 싫음
모든 가속(家屬) 안보하고 신역 없는 군사 되세
갑민의 소망이 직접적으로 드러남
내 곧 신역 이러하면 이친기묘(離親棄墓) 하올소냐
갑산의 신역이 북청과 같다면 북청으로 가지 않는다는 의미(설의적 표현) Link 표현상 특징 ❹

> 본사 2: 선정을 베푸는 북청 부사가 있는 북청으로 가 살고자 하는 갑민

비나이다 비나이다 하나님께 비나이다
단어의 반복을 통해 화자의 간절함을 강조 Link 표현상 특징 ❺
충군애민(忠君愛民) 북청 원님 우리 고을 빌이시면
임금에게 충성하고 백성을 사랑함
군정도탄(軍丁塗炭) 그려다가 임금님께 올리리라
몹시 곤궁하여 고통스러운 지경을 이르는 말
『그대 또한 내년 이때 처자 동생 거느리고
이 영로(嶺路)로 접어들 때 그때 내 말 깨치리라』 「」: 생원 역시 수탈을 당하게 되면 그때는 자신의 말을 이해하게 될 것이라는 의미
내 심중에 있는 말씀 횡설수설하려 하면
내일 이때 다 지나도 반나마 모자라리
갑산에서의 고통스러운 일이 많았음을 엿볼 수 있음
일모총총(日暮悤悤) 갈 길 머니 하직하고 가노매라
해가 저물어 바쁨

> 결사: 자신의 소원을 빌고 생원과 이별 인사를 하는 갑민

북청의 예를 들어 관아에 (상소를) 부쳤는데
본 고을에 (백성 소장에 대한 판결을) 맡겨서 제사를 맡아 본 관아에서 부치게 된즉,
옳고 그름은 묻지 않고 형벌을 한 번 맞았단 말인가.
천신만고 끝에 풀려나서 고향 생활 다 떨치고
이웃 친구에게 하직 인사 없이 노부모를 부축하고 어린아이를 끌고 한밤중에
후치령 길을 비켜 두고 금창령을 허우적거리며 (힘들게) 넘어
단천 땅을 바로 지나 성대산을 넘어서면
북청 땅이 거기 아닌가. 사는 곳의 좋고 나쁨을 다 떨치고
모든 가족을 편히 보전하고 신역 없는 군사 되세.
내 사는 곳의 신역이 북청과 같다면 친족들과 이별하고 조상의 묘를 버리고 떠나겠느냐.

비나이다 비나이다. 하나님께 비나이다.
(하나님께서) 충군애민 북청 원님을 우리 고을에 빌려주시면
군정의 고통스러운 상태를 그려다가 임금님께 올리리라
그대 또한 내년 이때에 처자식과 동생을 거느리고
이 고갯길로 접어들 때 그때 내 말을 깨달으리라.
내 마음에 있는 말을 횡설수설 하려 하면
내일 이때 다 지나도 반도 모자랄 것이리라.
해가 저물어 바빠서 갈 길이 머니 하직하고 가노라.

출제자 톡! 화자를 이해하라!

1 **화자는 누구이고, 화자가 처한 상황은?**
- 서사: 생원으로 갑민에게 갑산을 떠나지 말 것을 권유함.
- 본사 · 결사: 생원의 말에 대답하는 갑민으로, 현재 북청으로 가는 길임.

2 **화자의 정서 및 모습은?**
- 신분이 강등된 후 신역을 다시 물게 되어 고통스러워함.
- 신역을 마련하기 위해 여러 가지 노력하는 모습을 보임.
- 도탄에 빠진 백성들의 모습을 임금님께 간절하게 알리고 싶어 함.
- 선정을 베푸는 관리가 출현하기를 소망함.

Link

출제자 톡! 표현상의 특징을 파악하라!

❶ 갑민과 생원의 대화 형식으로 시상을 전개함.
❷ 실제 지명을 언급하여 작품에 사실성을 부여함.
❸ 인물들의 행위를 대조하여 비판 의식을 효과적으로 드러냄.
❹ 설의적 표현, 대구법, 직유법, 의인법 등 다양한 표현 방법을 사용함.
❺ 단어의 반복을 통해 화자의 태도를 강조함.

최우선 출제 포인트!

1 작품의 전체 구조

서사	**갑민을 본 생원의 말** 고향인 갑산을 떠나지 말 것을 권유함.
본사	**생원의 말에 대한 갑민의 대답** • 조상의 내력과 군역을 지게 된 이유 • 신역을 감당하기 위한 노력과 연이은 실패 • 선정을 베푸는 부사가 있는 북청으로 떠나고자 함.
결사	**갑민의 소원과 인사** 북청 부사와 같은 어진 수령이 갑산에도 출현하기를 소망함.

2 '생원'과 '갑민'의 입장

	생원	갑민
입장	갑민에게 갑산을 떠나지 말 것을 권유함.	갑산을 떠나야 함.
근거	• 타 지역에 가서 살게 되면 천한 신세가 됨. • 갑산에서 문제를 해결할 수 있는 방법(삼을 캐거나 돈피를 얻을 수 있음.)이 있음.	• 신역을 부담하기 위해 채삼과 돈피를 위한 사냥을 했지만 뜻대로 되지 않았음. • 북청 부사의 선정을 예로 들어 상소하였지만 형벌만 받음. • 북청 부사가 선정을 베푸는 북청은 살기가 좋음.

3 '갑산'과 '북청'의 대조

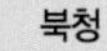

갑산	↔	북청
• 고된 신역을 부담해야 하는 곳 • 관아에 올린 상소로 인해 형벌을 당하는 곳	↔	• 신역을 골고루 부담할 수 있는 곳 • 선정을 베푸는 북청부사가 있는 곳

↓

갑산을 떠날 수밖에 없는 이유에 대한 정당성을 부여함으로써 백성들을 수탈하는 부조리한 현실을 비판함.

최우선 핵심 Check!

1 생원과 갑민이 ㄷ ㅎ하는 방식으로 시상을 전개하고 있다.

2 백성을 도탄에 빠뜨리고 있는 갑산 원님과 대비되는 인물로는 ㅂ ㅊ ㅂ ㅅ가 있다.

3 '삼, 돈피'는 갑민이 신역을 부담하기 위해 얻고자 한 생존 수단이라 할 수 있다. (O / ×)

4 '북청'은 갑산보다 신역에 대한 부담이 적어, 갑민은 북청으로 가려 한다. (O / ×)

5 생원은 여러 이유를 들어 북청으로 가려 하는 갑민의 태도를 비판하고 있다. (O / ×)

6 갑민은 도탄에 빠진 갑산 백성들의 고통을 임금님께 알리고 싶어 한다. (O / ×)

정답 1. 대화 2. 북청 부사 3. ○ 4. ○ 5. × 6. ○

1등급! 〈보기〉!

「갑민가」의 이해

'갑산'은 함경남도에 있는 변방이자 오지로, 유배지로 유명한 곳이다. 갑산은 날씨가 춥고 산세가 험한 곳으로 알려져 있다. 「갑민가」가 창작되던 시기는 신분의 이동이 있었던 조선 후기로 세금을 내지 못하는 사람이 있으면 그 친족에게 대신 세금을 물리는 족징(族徵)의 폐혜가 심각하였다. 갑민이 고향인 갑산을 버리고 북청으로 가려 하는 이유도 족징으로 인한 고달픔 때문이었다. 갑산에서 후치령 고개를 넘어가면 '북청'이라는 고을이 나오는데, 북청은 갑산보다는 생활 여건이 나았다고 한다. 당시 북청에는 서얼 출신의 부사인 '성대중'이라는 인물이 있었는데 그는 박지원, 이덕무, 유득공 등과 같은 북학파들과 교류를 하며 선정을 베풀었다고 한다.

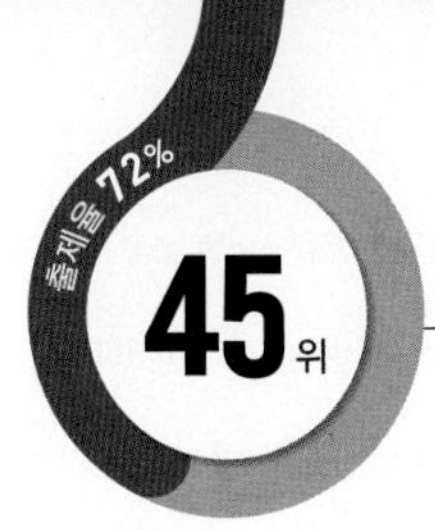

임을 그리워하는 노래

상사곡(相思曲) | 박인로

갈래 가사 **성격** 애상적, 한탄적 **주제** 임과의 이별로 인한 안타까움과 변함없는 연군의 정
시대 조선 중기

장부(丈夫)가 임을 그리워하는 형식을 빌려 임금에 대한 그리움을 노래한 충신연주지사(忠信戀主之詞)이다.

원문	현대어 풀이
천지간에 어느 일이 남들에겐 서러운가 (문답법으로 임에 대한 그리움을 부각 Link 표현상 특징 ❶)	천지간의 어떤 일이 남들에게는 서러운가?
아마도 서러운 건 임 그리워 서럽도다	아마도 서러운 건 임 그리워 서럽도다.
양대(陽臺)(해가 잘 비치는 대(남녀 간에 정을 나누는 방))에 구름비는 내린 지 몇 해인가 (몇 해 동안 임을 보지 못함)	양대에 구름 비는 내린 지가 몇 해인가?
반쪽 거울 녹이 슬어 티끌 속에 묻혀 있다 (사랑의 징표 - 이별의 상징)	반쪽 거울에 녹이 슬어 티끌 속에 묻혀 있구나.
청조(靑鳥)도 아니 오고 백안(白鴈)도 그쳤으니 (좋은 소식(편지)을 전하는 이를 말함)	푸른 새도 안 오고 흰 기러기도 그쳤으니
소식도 못 듣거늘 임의 모습 보겠는가 (임을 볼 수 없는 상황을 강조. 설의적 표현 Link 표현상 특징 ❹)	소식을 못 듣는데 임의 모습을 볼 수 있겠는가?
화조월석(花朝月夕)(꽃이 핀 아침과 달 밝은 저녁 - 경치가 가장 좋은 때)에 울며 그리워할 뿐이로다	경치가 가장 좋을 때에 울면서 (임을) 그리워할 뿐이다.
그리워해도 못 보기에 그리워하지도 말리라 여겨	그리워해도 못 본다면 그리워하지도 말리라 생각하여
나도 장부(丈夫)(화자 - 남성 Link 표현상 특징 ❷)로서 모진 마음 지어 내어	나도 장부로서 모진 마음을 지어 내어
이제나 잊자 한들 눈에 절로 밟히거늘 설워 아니 그리워할쏘냐	이제는 잊자 한들 눈에 절로 밟히거늘 서러워 안 그리워하겠는가?
그리워해도 못 보니 하루가 삼 년 같도다 (임을 기다리는 간절한 마음을 '하루'와 '삼 년'이라는 시어의 대비로 표출)	그리워해도 못 보니 하루가 삼 년같이 길구나.
원수(怨讐)가 원수 아니라 못 잊는 게 원수로다 (시어의 반복 - 임을 못 잊는 마음을 강조)	원수가 원수가 아니라 못 잊는 것이 원수로다.

▶ 서사: 임별한 임을 그리워함

원문	현대어 풀이
사택망처(徙宅忘妻)(이사하면서 아내를 잊고 간다 - 가장 중요한 것을 잊는 일을 말함)는 그 어떤 사람인고	이사하면서 아내를 잊고 간 사람은 그 어떤 사람인가.
그 있는 곳 알고자 진초(秦楚)(진나라, 초나라 지역 - 매우 먼 곳을 말함)엔들 아니 가랴	그가 있는 곳을 알고자 먼 곳인들 안 가겠는가?
무심하고 쉽게 잊기 배워나 보고 싶구나 (화자는 임을 잊기가 매우 힘듦을 강조)	무심하고 쉽게 잊는 법을 배워나 보고 싶구나.
어리석은 분수에 무슨 재주가 있을까마는	어리석은 분수에 무슨 재주가 있을까마는
임 향한 총명이야 사광(師曠)(춘추 시대 진나라 악사로 청각 능력이 뛰어나고 총명한 사람이었음)인들 미칠쏘냐	임을 행한 총명함은 사광인들 미치겠는가?
총명도 병이 되어 날이 갈수록 짙어가니 (임에 대한 기억이 갈수록 더함)	총명도 병이 되어 날이 갈수록 짙어 가니
먹던 밥 덜 먹히고 자던 잠 덜 자인다 (임에 대한 그리움으로 인한 고통)	먹던 밥이 덜 먹히고 자던 잠을 덜 자게 되는구나.
수척한 얼굴이 시름 겨워 검어 가니	수척한 얼굴이 시름겨워 검게 변하니
취한 듯 흐릿한 듯 청심원 소합환(명약) 먹어도 효험 없다	취한 듯 흐릿한 듯 청심원, 소합환과 같은 명약을 먹어도 효험이 없다.
고황(膏肓)(병이 그 속에 생기면 낫기 어렵다는 부분)에 든 병(임에 대한 그리움)을 편작(扁鵲)(중국의 전설적 명의)인들 고칠쏘냐 (설의적 표현 Link 표현상 특징 ❹)	고치기 힘든 이 병을 명의라고 고칠 수 있겠느냐?
목숨이 중한지라 못 죽고 살고 있노라	목숨이 중한지라 못 죽고 살고 있노라.

▶ 본사 1 : 임에 대한 그리움이 깊어 병이 듦

원문	현대어 풀이
처음 인연 맺을 적에 이리 되자 맺었던가 (처음 인연을 맺었을 때는 이별하려고 하지 않았다는 의미)	처음 인연 맺을 적에 이렇게 되자고 맺었던가?
비익조(比翼鳥)(암수가 각각 하나의 눈과 날개만 있어서 짝을 지어야만 날 수 있다는 전설 속의 새) 부부 되어 연리지(連理枝)(가지가 맞닿은 두 나무) 수풀 아래	비익조와 같은 부부 되어 연리지 수풀 아래
나무 얽어 집을 짓고 나무 열매 먹을망정	나무 얽어 집을 짓고 나무 열매를 먹을망정

원문	현대어 풀이
이승 동안은 하루도 이별 세상 안 보기를 원했건만	이승에서 사는 동안에는 하루도 이별 세상 보지 않기를 원했건만
동과 서에 따로 살며 그리워하다 다 늙었다	동과 서에 따로 살며 그리워하다가 다 늙었다.
「예로부터 이른 말이 견우직녀를 (: 화자와 비교가 되는 대상)	예로부터 이르는 말이 견우와 직녀를
천상(天上)의 인간 중에 불쌍하다 하건마는	천상의 인간 중에 불쌍하다 하건마는
그래도 저희는(견우와 직녀) 한 해에 한 번을 해마다 보건마는	그래도 저희는 한 해에 한 번을 해마다 보건마는
애달프구나 우리는 몇 은하가(임과의 만남을 가로막는 장애물) 가려서 이토록 못 보는고」 (「」: 이별한 화자의 처지를 견우직녀에 견주어 강조함)	애달프구나, 우리는 몇 은하가 가려서 이토록 못 보는고?
명황(明皇)은 귀비(貴妃)를 죽어서나 여의였으나	명황과 귀비는 죽어서나 이별했지만
섧다 섧다한들 우리같이 서러울런가	서럽다 서럽다한들 우리같이 서러울까?
살아서 못 보니 더욱하나 망극(罔極)하나 (죽어서 이별한 것보다 살아 있는데 이별한 것이 더욱 슬픔)	살아서 못 보니 더욱 망극하다.

> 본사 2: 임과의 이별로 인하여 애달픈 처지에 놓임

(중략)

원문	현대어 풀이
춘창(春窓)에 늦게 일어 유회(幽懷)(그윽한 회포)를 둘 데 없어	봄빛이 어린 창에 늦게 일어나 마음속 그윽한 생각을 둘 데 없는데
임풍(臨風) 초창(怊悵)(한탄스러우며 슬픔)하여 사우(四隅)(사방)로 돌아보니	바람을 맞으니 슬퍼져 사방을 돌아보니
온갖 꽃 다 피어 그린 듯이 고운데	온갖 꽃들은 다 피어 그린 듯이 아름다운데
탐화봉접(探花蜂蝶)(꽃을 찾아다니는 벌과 나비 - 여자를 좋아하는 사람을 비유함)들은 다투어 다니거든	꽃을 탐하는 벌과 나비는 다투어 다니거든,
「버들 위에 꾀꼬리는(객관적 상관물 Link 표현상 특징 ❸) 쌍쌍(雙雙)이 비끼 날아	버들 위의 꾀꼬리는 쌍쌍이 비껴 날아
쫓기거니 따르거니 금(金)북(구리로 속을 비게 만들어 달아매고 치는 악기)을 던지는 듯	쫓기거니 따르거니 금북을 던지는 듯
한 소리 두 소리 높으락 낮으락	한 소리 두 소리가 높았다가 낮았다가
무정(無情)(의미 없이)히 울건마는 (비유적(직유), 감각(시각, 청각)적 표현이 드러남 Link 표현상 특징 ❸)	의미 없이 울건마는
어찌한 내 귀에는 유정(有情)하게 들리는구나	어찌하여 내 귀에는 의미 있게 들리는구나.
저 같은 미물(微物)(꾀꼬리)도 자웅(雌雄)(암수)을 각각(各各) 생겨	저 같은 미물도 암수로 각각 태어나
교태(嬌態) 겨워 논다마는	아양 떨며 놀지마는
최귀(最貴)한 사람은(가장 귀한 사람(화자)) 새만도 못하구나」 (「」: 화자가 자신의 처지를 꾀꼬리와 비교하면서 한탄함)	가장 귀한 인간은 새만도 못하구나.
박명(薄命) 인생(人生)은 만물 중(萬物中) 불쌍하다	복 없는 인생은 만물 중에서 불쌍하다.
가을밤 채 긴 제(아주 길어진 때) 적막(寂寞)한 방 안에	가을밤이 아주 길어진 때 적막한 방 안에
어둑한 그림자 말 없는 벗이 되어(의인법 Link 표현상 특징 ❸)	어두운 그림자가 말 없는 벗이 되어
고등(孤燈)(외따로 켜 있는 등불)을 도진(挑盡)(심지를 돋우어 태우고)하고 전전반측(輾轉反側)(걱정거리로 마음이 괴로워 잠을 이루지 못함)하여	외따로 켜 있는 등불 심지를 돋우어 태우고 근심 걱정으로 잠을 이루지 못하여
밤중만 어느 잠이 오동비(오동나무 잎에 떨어지는 빗소리)에 깨달으니	한밤중 어느 잠이 오동 비에 깨어나니
구곡(九曲) 간장(肝腸)(아홉 번 구부러진 간과 창자라는 뜻으로, 굽이굽이 사무친 마음속 또는 깊은 마음속)을 끊는 듯 째는 듯	구곡 간장을 끊는 듯 (칼로) 째는 듯
새도록 끓인다(애를)	밤새도록 애를 끓이는구나.

> 본사 3: 임과 이별한 자신의 처지를 한탄함

원문	현대어 풀이
하물며	하물며
「풍청(風淸) 월백(月白)(달이 밝은 가을밤의 경치)하고 삼경(三更)(밤 11~새벽 1시)이 깊어 갈 제」 (「」: 화자의 쓸쓸한 심정을 더욱 부각하는 시간적 배경)	바람소리 맑고 달이 밝고 밤이 깊어 갈 때

동창(東窓)을 더디 닫고 외로이 앉았으니

임의 낯에 비친 달이 한빛으로 밝았으니

화자가 반기는 대상이나 화자의 슬픔을 심화함

반기는 진정(眞情)은 임을 본 듯하다마는

임도 달을 보고 나를 본 듯 반기는가

임도 화자 자신을 생각해 주기를 바라는 마음이 반영됨

저 달을 높이 불러 물어나 보고전들

구만리(九萬里) 장천(長天)에 어느 달이 대답하리

심리적, 정서적 거리감 / 높고 멀고 넓은 하늘 / 설의적 표현

묻지도 못하니 눈물 질 뿐이로다

어디 뉘 말이 춘풍추월(春風秋月)을 흥 많다 하던가

봄바람과 가을 달

어찌한 내 눈에는 다 슬퍼 보이는구나

아름다운 풍경이 임과 떨어져 있어 슬픔으로 느껴짐

봄이라 이러하고 가을이라 그러하니

계절이 변하여도 화자는 임을 잊지 못하고 계속 슬픔을 느낌

『옛 근심과 새 한(恨)이 첩첩이 쌓였구나』 『 』: 관념적 대상을 시각적으로 형상화

옛날의 근심과 새로운 한 / **Link** 표현상 특징 ❺

세월이 아무리 흐른들 이내 한이 그칠까

그치지 않는다(설의적 표현)

몇 백세(百歲) 인생이 천년의 근심을 품어 있어 → 사람의 생은 짧은데 걱정만 많음

천 년 뒤를 걱정함

못 보는 저 임을 이토록 그리는가

화자의 심정을 직설적으로 표현

❯ 본사 4: 방 안에 앉아 달을 보며 이별한 임을 절절히 그리워함

잠깐 동안 아주 잊어 후리쳐 던져두자

임을 잊으려고 함 / 설의적 표현

운수에 정해진 만남과 이별을 마음대로 할 수 있는가

운명으로 정해진 만남과 이별을 내 의지대로 결정할 수는 없음(운명론적 가치관)

언약을 굳게 믿고 기다려는 보자구나

임에 대한 신의를 표현

『행복과 불행은 하늘의 이치에 자연 그러하니 『 』: 하늘의 이치가 자연 그러하듯 초승달도 보름달이 될 테니 화자의 상황도 나아질 것이라고 기대함

하늘의 뜻 / 스스로

초생(初生)에 이지러진 달도 보름에 둥글 듯이

초승

청춘에 나눈 거울 이제 아니 모을소냐

모으겠느냐(설의적 표현)

신혼에 즐거웠거늘 오랜 옛정이 지금이라고 어떠하랴』

신혼 때도 즐거웠는데 오래된 옛정은 어떠하랴(옛정이 더 강하다) - 오랜 인연이어서 더욱 그리움

흰머리 속의 소년의 마음을 가져 있어

늙었지만 어린 시절의 마음을 가지고 있음

산수(山水) 갖춘 골에 초막(草幕)을 작게 짓고

자연 / 골짜기

편안치 못한 생애를 유여(有餘)하고자 바랄소냐

바랄 것이냐, 바라지 않는다 - 안분지족(설의적 표현)

두세 이랑 돌밭을 갈거니 짓거니 → 임과 함께면 어떤 상황도 좋다는 의미

경작하기 좋지 않은 땅

오곡이 익거든 조상 제사 받들고 성경(誠敬)을 이룬 후에

조상에게 정성을 들여 제사를 지냄

있으면 밥이오 없으면 죽을 먹고 → 대구법

가난해도 만족을 하고(안분지족, 안빈낙도)

좋은 일 못 보아도 궂은일 없을지니

오십에 아들 낳아 자손 아기 늙도록

사랑하는 임과 소박한 삶일지라도 함께하고 싶은 소망

일생에 덜 밉던 정을 밉도록 좇으리라

❯ 결사: 신의를 가지고 임을 기다리며 안분지족하겠다는 다짐

동쪽 창문을 늦게 닫고 외롭게 앉았으니

임의 얼굴을 비춘 달이 같은 빛으로 (나 있는 곳에서도) 밝으니

(달을 보고) 반기는 마음은 임을 본 듯하다마는

임도 달을 보고 나를 본 듯 반기실까?

저 달을 크게 불러 물어나 보고 싶지만

구만 리 높고 먼 하늘에 어떤 달이 대답할까?

묻지도 못하니 눈물만 흐를 뿐이다.

어느 누가 말하기를 봄바람, 가을 달을 흥이 많다 했는가

어찌하여 내 눈에는 다 슬퍼보이는가.

봄이라 이러하고, 가을이라 그러하니

옛날의 근심과 새로운 한이 겹겹이 쌓였구나.

오랜 시간이 흐른들 이내 한이 그칠 것인가

몇백 년 사는 인생이 천년 뒤를 걱정하며

못 보는 저 임을 이렇도록 그리는가.

잠깐 동안 아주 잊어 팽개쳐 던져두자.

운명적인 이별과 만남을 힘으로 할 수 있겠는가

언약을 굳게 믿고 기다려는 보자꾸나.

행복과 불행(가득함과 이지러짐)은 하늘이 정해 준 운수가 자연히 그러하니

초승에 이지러진 달도 보름에는 둥글거늘

청춘에 나눠 가진 거울이 이제 아니 모으겠느냐?

신혼 때 그토록 즐거웠는데 오래된 옛정은 지금이야 어떠하랴?

흰 머리 속에 소년의 마음을 가지고 있어

산수 간 골짜기에 초막을 작게 짓고

넉넉하지 못한 생애에 여유까지 바라겠는가?

두세 이랑 돌밭을 갈거니 먹으니

오곡이 잘 익거든 조상의 덕을 생각하여 정성껏 제사를 지낼 곳이나 정성을 다한 후에

있으면 밥이요 없으면 죽을 먹고

좋은 일 못 보아도 궂은 일 없이 하여

오십에 아들 낳아 자손의 아기 늙도록

일생에 덜 밉던 정을 싫도록 따르리라

출제자 톡! 화자를 이해하라!

1 **화자는 누구이고, 화자가 처한 상황은?**
장부(丈夫)로, 임과 이별한 상황임.

2 **화자의 정서 및 태도는?**
- 임에 대한 그리움과 자신의 처지에 대한 안타까움을 토로함.
- 신의를 지니며 임을 기다리면서 자연 속에서 안분자족하겠다고 다짐함.

Link

출제자 톡! 표현상의 특징을 파악하라!

❶ 문답법을 활용하여 임에 대한 그리움을 부각함.

❷ 장부가 임을 그리워하는 형식을 빌려 연군의 정을 노래함.

❸ 다양한 비유와 객관적 상관물을 통해 화자의 정서를 표현함.

❹ 설의적 표현을 사용하여 화자의 생각을 강조함.

❺ 관념적인 대상을 시각적으로 구체화하여 표현함.

최우선 출제 포인트!

1 비교를 통한 슬픔의 강조

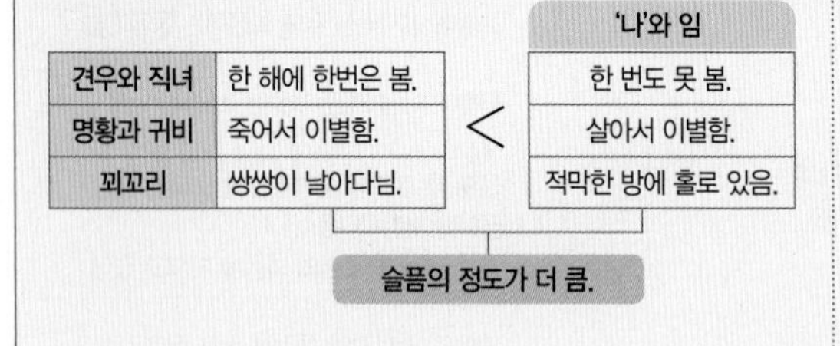

			'나'와 임
견우와 직녀	한 해에 한번은 봄.	<	한 번도 못 봄.
명황과 귀비	죽어서 이별함.		살아서 이별함.
꾀꼬리	쌍쌍이 날아다님.		적막한 방에 홀로 있음.

→ 슬픔의 정도가 더 큼.

함께 볼 작품 견우와 직녀를 예로 들어 이별의 슬픔을 표현한 작품: 작자 미상, 「청춘과부가」

최우선 핵심 Check!

1 화자는 이별한 임을 떠올리며 신의를 가지고 임을 기다리겠다고 다짐하고 있다. (O / ×)

2 〈본사 2〉에서 화자는 자신을 ㄱㅇㅈㄴ, 명황과 귀비에 견주어 임과 이별한 슬픔을 강조하고 있다.

3 〈본사 3〉에서 ㄲㄲㄹ는 자신과 대비되는 객관적 상관물로 화자의 외로움을 강조하고 있다. (O / ×)

4 〈본사 4〉에서 화자는 '달'을 통해 임과의 소통을 확신하고 있다. (O / ×)

정답 1. ○ 2. 견우직녀 3. 꾀꼬리 4. ×

1등급! 〈보기〉!

「상사곡」의 이해

이 작품은 이별한 임에 대한 연정의 마음을 잘 표현한 시가로서 화자를 둘러싼 배경과 자연물을 활용하여 임에 대한 간절함을 잘 드러내고 있다. 또한 이 작품은 이별의 상황을 신의로 극복하려는 모습에서 더 나아가 안분지족의 일념으로 자신의 부정적 상황을 견디려는 선비로서의 자세를 드러낸다는 점이 특징이다.

또한 이 작품은 충성스러운 신하가 왕을 그리워하며 부른 노래인 '충신연주지사'에 속한다. 이러한 주제 의식을 담은 노래들은 신하가 왕으로부터 멀리 떨어져 이별이 오래 지속된 상황에서 생긴 감정을 표현하고 있다. 왕에 대한 신하의 사랑과 그리움을 주로 표현하며, 자신의 마음을 몰라주는 왕에 대한 원망을 드러내기도 한다.

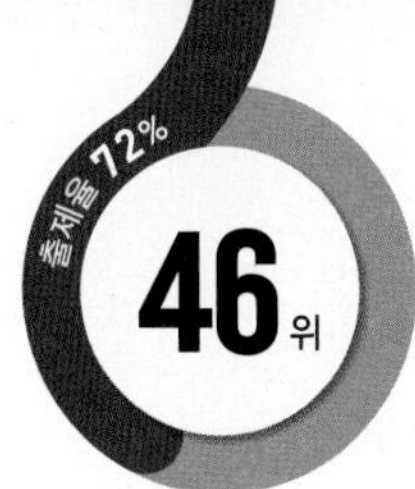

지리산 아래에 있는 용추동 일대의 경치를 노래함

용추유영가(龍湫游詠歌) | 정훈

갈래 가사(서경 가사, 양반 가사) **성격** 풍류적, 한정적, 자연 친화적 **주제** 지리산 용추동의 아름다운 경치와 풍류 예찬 **시대** 조선 중기

작자가 살던 방장산(지금의 지리산) 아래 용추동의 뛰어난 경관을 노래하면서 자연에서 사는 삶의 만족감과 자부심을 노래하고 있다.

○: 계절의 변화에 따른 시상 전개 Link 표현상 특징 ❶

원문	현대어 풀이
불어오는 (봄바람)이 봄볕을 부쳐내니	불어오는 봄바람이 봄볕을 부쳐내니
「지저귀는 새소리는 노래하는 소리이니 (봄의 계절감을 엿볼 수 있음)	지저귀는 새소리는 (봄을) 노래하는 소리이니
곱디고운 수풀 꽃은 웃음을 머금었다」 「」: 봄의 경치를 청각적, 시각적으로 드러냄 Link 표현상 특징 ❷ (수풀 꽃: 감정 이입의 대상)	곱디고운 수풀 속의 꽃은 웃음을 머금고 있다.
이곳에 앉아보고 저곳에 앉아보니	이곳에 앉아보고 저곳에 앉아보니
골 안의 맑은 향기 지팡이에 묻었구나 ▶ 3단: 용추동의 봄 경치 (골짜기에 퍼져 있는 꽃향기를 감각적으로 표현, 공감각적 이미지(후각의 시각화))	골짜기 안의 맑은 (꽃) 향기가 지팡이에 묻어 있구나.
봄빛 반짝 흩어 날고 (초목이 무성)하니 Link 표현상 특징 ❷ (봄에서 여름으로 계절이 변화했음을 드러냄)	봄빛이 잠깐 나타났다 흩어져 사라지고 초목이 우거지니
푸른빛은 그늘 되어 나무 아래 어리었고 (색채 이미지를 활용하여 여름의 계절감을 표현)	(초목의) 푸른빛은 그늘이 되어 나무 아래 배어 있고
하늘의 빛난 구름 골짜기에 잠겼으니	하늘의 (떠다니는) 빛난 구름 골짜기에 잠겼으니
「송정에서 긴 잠은 더위도 모르더라」 「」: 여름날 화자의 한가한 모습을 드러냄 ▶ 4단: 용추동의 여름 경치	숲속 사이에 지은 정자에서 (자는) 긴 낮잠은 더위도 잊게 하는구나.
먼 하늘은 맑디맑고 (기러기)는 울어 예니 (가을의 계절감을 드러내는 자연물)	먼 하늘은 맑디맑고 기러기는 울면서 날아가니
양쪽 언덕 단풍 숲은 비단처럼 비치거늘 ('단풍 숲'의 비유적 표현 Link 표현상 특징 ❹)	양쪽 언덕에 있는 단풍 숲은 비단처럼 비치거늘
일대의 강 그림자 푸른 유리 되었구나 (맑고 잔잔한 강물을 비유한 표현)	일대의 (맑고 잔잔한) 강의 그림자는 푸른 유리가 되었구나.
국화를 잔에 띄워 무지개를 맞아 오니 (아름다운 자연을 즐기는 화자의 풍류적 모습)	국화를 잔에 띄워 (마시면서) 무지개를 맞아 오니
이 작은 즐거움은 세상모를 일이로다 ▶ 5단: 용추동의 가을 경치 (풍류를 즐기는 화자의 만족감과 자부심이 드러남)	이 작은 즐거움은 세상 사람들이 모를 일이로다.
「하늘 높이 부는 바람 고요하고 쓸쓸하여	하늘 높이 부는 바람 고요하고 쓸쓸하여
나뭇잎 다 진 후에 산계곡이 삭막하고 (겨울의 적막감) Link 표현상 특징 ❶	나뭇잎 다 진 후의 산의 계곡은 삭막하고
섣달그믐 조화 부려 (백설)을 나리오니」 「」: 겨울의 계절감을 드러냄	섣달그믐(겨울)이 조화를 부려 하얀 눈을 내리게 하니
수많은 산봉우리가 경요굴이 되었거늘 (경요굴: 달나라에 있는 아름다운 구슬로 된 굴)	(눈이 쌓인) 수많은 산봉우리가 경요굴이 되었거늘
눈썹이 솟구치고 눈동자를 높이 뜨니 (눈이 쌓인 경치에 대한 예찬; 아름다운 경치를 눈에 담으려는 행동)	눈썹이 솟구치고 눈동자를 높이 뜨니
끝없는 설경은 시의 제재가 되었으니 (시의 소재가 될 만큼 경치가 아름다움)	끝없는 설경은 시의 제재가 되었으니
세상 물정을 모르니 추위를 어이 알까 ▶ 6단: 용추동의 겨울 경치 (화자가 세속과 단절된 삶을 살고 있음을 알 수 있음 / 추위를 잊을 정도로 경치가 아름다움을 강조, 설의적 표현)	세상 물정을 모르니 추위를 어이 알까?
사계절의 모습이 간 듯 돌아오니 Link 표현상 특징 ❹ (계절의 순환을 드러냄)	사계절의 모습이 가는 듯 다시 돌아오니
아름다운 경치에 흥취도 일어난다	아름다운 경치에 즐거움의 정취도 일어난다.
맑은 물에 귀 씻으니 허유를 내가 부러워하랴 (허유: 중국 요임금 때 왕을 하라는 제안에 더럽다고 귀를 씻은 인물로, 속세를 떠난 은사를 의미함; 자연에 은거하며 사는 삶의 만족감, 설의적 표현)	맑은 물에 귀를 씻으니 허유를 부러워할 일이 있겠는가?
「낚싯대 드리우니 칠리탄과 어떠한가 (낚싯대: 화자의 흥취를 드러내는 소재; 칠리탄: 중국 후한 때 엄광이 몸을 숨긴 동강의 여울)	낚싯대를 내리고 칠리탄과 비교하니 어떠한가.
이원의 반곡이 이렇던가 어떠하며 (반곡: 중국 당나라 때 이원이 은거한 곳)	이원이 은거한 반곡이 이곳과 같이 아름다우며,
무이산의 맑은 물이 이곳보다 더 좋은가」 「」: 중국의 경치와 비교하여 자신이 있는 공간이 더 아름다움을 강조함 Link 표현상 특징 ❸ (설의적 표현)	무이산의 맑은 물이 여기(용추동)보다 더 좋은가?
화산(華山)의 한 부분은 나누자 하거니와 (용추동의 자연을 즐기는 자부심을 드러냄)	화산의 한 부분은 나누자 하거니와
이 별천지는 나밖에 누가 아는가 ▶ 7단: 용추동에 사는 삶에 대한 만족감 및 자부심 (화자가 현재 머문 용추동을 이상적인 공간으로 여기는 모습)	이 아름다운 곳은 나밖에 누가 알겠는가?

(중략)

「깨끗하고 맑은 바람 실컷 쏘인 후에
대여섯 아이들과 노래하며 돌아오니」 「」: 자연에서 유유자적하는 화자의 삶의 모습. 풍류적
옛사람 기상에 미칠까 못 미칠까
선인들이 누린 자연의 정취와 탈속의 경지를 따르고 싶음
옛일을 떠올리니 어제인 듯하다마는
깨끗한 풍채를 꿈에서나 얻어 볼까
화자가 추구하는 모습 / 깨끗한 풍채를 얻기 어려움
옛사람 못 보거든 지금 사람 어이 알고
옛사람의 기상을 지금은 알 수 없다는 의미
이 몸이 늦게 나니 애통함도 쓸 데 없다
산새와 산꽃을 내 벗으로 삼아두고 물아일체
자연 친화적
경치를 만끽하며 생긴 대로 노는 몸이
공명을 생각하며 빈천을 설워할까
부귀공명 - 세속적 가치 / 자연속에서 만족하며 살겠다는 마음 - 안빈낙도
단사표음이 내 분이니 세월도 한가하네
안분지족 / 자연에서의 한가한 삶
이 계곡 경치를 싫도록 거느리고
백 년 세월을 노닐다가 마치리라
평생을 자연 속에서 살고 싶은 소망을 드러냄
아이야 사립문 닫아라 세상 알까 하노라 > 9단: 아름다운 자연 속에서 살고 싶은 마음
속세와의 단절 의지를 엿볼 수 있음

(중략)

깨끗하고 맑은 바람을 실컷 쏘인 후에
대여섯 아이들과 노래하며 (집으로) 돌아오니」
(나의 이러한 생활이) 옛 선인들의 기상에 미칠 것인가? 못 미칠 것인가?
옛날 일을 떠올리니 어제인 듯하지만
깨끗한 풍채는 꿈에서나 얻어 볼까.
옛사람을 보지 못하므로 지금 사람이 어찌 알 것인가?
이 몸이 늦게 태어나니 애통함도 쓸 데가 없다.
산새와 산꽃을 내 친구로 삼아서
경치를 마음껏 즐기며 천성대로 즐기는 이 몸이
부귀공명을 생각하며 가난과 천함을 서러워하겠는가?
소박한 삶이 나의 분수이니 세월도 한가하네.
이 계곡의 아름다운 경치를 실컷 거느리고
백년 세월 동안 놀다가 생을 마치리라.
아이야, 사립문 닫아라 세상 사람들이 (이 좋은 경치를) 알까 하노라.

출제자 톡! 화자를 이해하라!

1 **화자는 누구이고, 화자가 처한 상황은?**
자연(용추동) 속에서 한가하게 살아가고 있는 '나'

2 **화자의 정서 및 모습은?**
- 자연 속에서 살아가는 삶에 대한 만족감과 자부심을 드러냄.
- 아름다운 자연 경치에 대해 예찬적 태도를 드러냄.
- 속세와 단절하며 자연 속에서 살고자 하는 의지를 드러냄.

Link

출제자 톡! 표현상의 특징을 파악하라!

❶ 계절의 변화에 따라 시상을 전개함.
❷ 시각적, 청각적, 공감각적 이미지를 사용하여 자연의 경치를 효과적으로 표현함.
❸ 중국의 경치와 비교하여 화자 자신이 있는 공간의 아름다움을 드러냄.
❹ 설의적 표현, 은유법, 직유법 등 다양한 표현 방법을 사용함.

최우선 출제 포인트!

1 작품의 전체 구조

서사	1단	용추동과 작가	용추동 소개
	2단	용추동 일대의 뛰어난 경치	
본사	3단	용추동의 봄 경치	계절의 흐름에 따른 전개
	4단	용추동의 여름 경치	
	5단	용추동의 가을 경치	
	6단	용추동의 겨울 경치	
결사	7단	중국 명승지와 비교하여 본 용추동 일대의 뛰어난 경치	
	8단	용추동의 뛰어난 경치 속에서의 한가로움	
	9단	속세와의 단절에 대한 의지와 아름다운 경치에 대한 몰입	

최우선 핵심 Check!

1 '봄 – 여름 – 가을 – 겨울'의 ㄱ ㅈ의 흐름에 따라 시상을 전개하고 있다.

2 '수풀 꽃'은 즐거움을 느끼는 화자의 감정이 이입된 자연물이다. (O / ×)

3 '비단'과 '푸른 유리'는 아름다운 자연의 경치를 비유적으로 표현한 시어이다. (O / ×)

4 화자가 중국의 경치를 제시한 것은 자신이 있는 공간의 아름다움을 부각시키기 위한 것이다. (O / ×)

5 화자는 속세를 비판적으로 인식하여 속세와 단절하고자 한다. (O / ×)

정답 1. 계절 2. ○ 3. ○ 4. ○ 5. ×

출제율 72%

47위

봄잠을 잔 후의 노래

춘면곡(春眠曲) | 작자 미상

갈래 가사(애정 가사, 가창 가사) **성격** 애상적
주제 이별의 슬픔, 임에 대한 그리움
시대 조선 후기

임과 이별한 괴로움을 잊으려 애쓰는 한 남자의 애절한 심정을 그린 가창 가사(긴 운문시를 가사로 하는 노래곡)이다.

『춘면(春眠)을 느즛 깨야 죽창(竹窓)을 반개(半開)하니
봄잠 - 계절적 배경이 드러남
정화(庭花)는 작작(灼灼)한데 가난 나뷔 머므난 듯
활짝 피어 있고
안류(岸柳)는 의의(依依)하야 성긔 내를 띄워세라』 『』: 봄날의 정경
강기슭의 버들 / 우거져서 / 성긴 안개
창전(窓前)의 덜 고인 술을 이삼배(二三盃) 먹은 후(後)의
덜 익은 술 / 부질없이
호탕(浩蕩)한 미친 흥(興)을 부젼업시 자아내여
취기가 오름
백마금편(白馬金鞭)으로 야유원(冶遊園)을 찾아가니
화려한 행장 / 기생집 - 화자가 남성임을 알 수 있음 Link 표현상 특징 ❶
화향(花香)은 습의(襲衣)하고 월색(月色)은 만정(滿庭)한데
기생집의 분위기를 후각적 · 시각적 이미지로 묘사함
광객(狂客)인 듯 취객(醉客)인 듯 흥(興)을 겨워 머무는 듯

❯ 서사: 봄날 야유원에 놀러감

봄잠을 늦게 깨어 대나무 창을 반쯤 여니
정원의 꽃은 활짝 피어 있고 가던 나비가 머무는 듯
강기슭의 버들은 우거져서 성긴 안개를 띄었구나.
창 앞에서 덜 익은 술을 두세 잔 먹은 후에
호탕한 미친 흥을 부질없이 자아내어
백마 타고 금 채찍을 들고 기생집을 찾아가니
꽃향기는 옷에 배고 달빛은 뜰에 가득한데
미친 사람인 듯 취한 사람인 듯 흥에 겨워 머무는 듯하구나.

풍치 있게
배회(徘徊) 고면(顧眄)하야 유정(有情)이 셧노라니
목적 없이 이리저리 거닐면서 이곳저곳 기웃거림
취와주란(翠瓦朱欄) 놉흔 집의 녹의홍상(綠衣紅裳) 일미인(一美人)이
푸른 기와와 붉은 난간이 있는 높은 집
사창(紗窓)을 반개(半開)하고 옥안(玉顔)을 잠간 들러
비단 창(여인의 창) / 옥같이 아름다운 얼굴을 잠깐 들어
웃난 듯 반기난 듯 교태(嬌態)하며 머므난 듯
추파(秋波)를 암주(暗注)하고 녹의금 빗기 안고
은근한 눈빛을 하고 / 푸른색의 거문고(녹기금)
청가(淸歌) 일곡(一曲)으로 춘흥(春興)을 자아내니
맑은 목소리로 부르는 노래
운우(雲雨) 양대상(陽臺上)에 초몽(楚夢)이 다정(多情)하다
초나라 양왕이 꿈속에서 선녀와 운우지정(남녀 간의 사랑)을 나누던 전설을 인용 Link 표현상 특징 ❹
사랑도 그지 업고 연분(緣分)도 깁흘시고
사랑의 기쁨을 묘사함
이 사랑 이 연분(緣分)을 비할 데도 전혀 없다

❯ 본사 1: 아름다운 여인과 사랑을 나눔

이리저리 거닐면서 기웃거리다가 풍치 있게 섰노라니
푸른 기와와 붉은 난간이 있는 높은 집에 연두저고리와 다홍치마를 입은 아름다운 여인이
비단으로 가린 창을 반쯤 열고 고운 얼굴을 잠깐 들어
웃는 듯 반기는 듯 요염한 자태로 머무는 듯(하구나.)
은근한 눈빛을 하고 거문고를 비스듬히 안고
맑고 청아한 노래로 봄의 흥을 자아내니
양대 위에서 선녀와 운우지정을 나누던 초나라 왕의 꿈이 다정도 하구나.
사랑도 끝이 없고 연분도 깊다.
이 사랑 이 연분을 비길 데 전혀 없다.

두 손목 마조 잡고 평생(平生)을 언약(言約)함이
여인과 영원한 사랑을 약속함
『너난 죽어 곳치 되고 나는 죽어 나뷔 되야 → 대구법 Link 표현상 특징 ❸
청춘(靑春)이 진(盡)하도록 떠나 사자 마자터니』 『』: 사랑의 언약
인간(人間)의 일이 하고 조물(造物)조차 새암하야
사람들의 입방아에 오르내림 / 두 사람의 사랑을 조물주조차 시샘함
신정미흡(新情未洽)하야 애달을손 이별이라
새로운 정을 다 펴지 못함
『청강(淸江)의 떳난 원앙(鴛鴦) 우러녜고 떠나는디
화자와 여인
광풍(狂風)의 놀난 봉접(蜂蝶) 가다가 돌티난 듯』
벌과 나비 - 화자와 여인
『』: 사랑하지만 이별하게 된 화자와 여인의 처지를 자연물에 비유하여 표현 Link 표현상 특징 ❷, ❸
석양(夕陽)은 다 져가고 정마(征馬)난 자조 울제
먼 길을 갈 때 타는 말
나삼(羅衫)을 뷔여잡고 암연(黯然)히 여희 후의
부녀자들이 입던 예복. 비단으로 만든 적삼 / 침통하게 이별한 후에

두 손목 마주 잡고 평생을 약속함이
너는 죽어 꽃이 되고 나는 죽어 나비가 되어
청춘이 다 지나가도록 헤어져 살지 않으려고 했더니
세상 사람들의 입방아에 오르내리고 조물주도 시기하여
새로운 정을 다 펴지 못하고 애달프지만 이별이라.
맑은 강에 놀던 원앙 울면서 떠나는 듯
거센 바람에 놀란 벌과 나비가 가다가 돌아오는 듯
석양은 다 져 가고 말은 자주 울 때
나삼을 부여잡고 침울한 마음으로 이별한 후에

원문	현대어 풀이
슬흔 노래 긴 한숨을 벗을 삼아 도라오니	슬픈 노래 긴 한숨을 벗을 삼아 돌아오니
이제 임(任)이어 생각하니 원수(怨讐)로다 (여인과 헤어진 화자의 정서 - 슬픔과 안타까움) ▶본사 2: 여인과 이별하고 돌아옴	이제 임하여 생각하니 원수로다.
간장(肝臟)이 다 셔그니 목숨인들 보전(保全)하랴	간장이 다 썩으니 목숨인들 보전하겠는가?
일신(一身)의 병(病)이 되고 만사(萬事)의 무심(無心)하여 (간과 창자 - 마음 / 그리움으로 애가 탐 / 상사병)	몸에 병이 드니 모든 일에 무심하여
서창(書窓)을 구지 닷고 섬거이 누어시니	서재 창을 굳게 닫고 힘없이 누워 있으니
화용월태(花容月態)난 안중(眼中)의 암암(黯黯)하고 (아름다운 여인(이별한 여인))	꽃 같은 얼굴에 달 같은 모습이 눈앞에 아른거리고
분벽사창(粉壁紗窓)은 침변(枕邊)에 의의(依依)하야 (여인이 거처하는 방 / 기억이 어렴풋하여)	아름다운 여인이 거처하는 방이 베갯머리에 어렴풋하게 떠오르는구나.
『화총(花叢)의 노적(露滴)하니 별루(別淚)를 뿌리는 듯	꽃떨기에 이슬이 떨어지니 이별의 눈물을 뿌리는 듯
유막(柳幕)의 연롱(煙籠)하니 이한(離恨)을 먹음은 듯』 (『 』: 이별의 슬픔을 자연물에 빗대어 표현 Link 표현상 특징 ❷, ❸)	버들막에 안개가 끼니 이별의 한을 머금은 듯
공산야월(空山夜月)의 [두견(杜鵑)]이 슬피 울 제 (이별의 한)	사람 없는 산중에 달이 비치는 가운데 두견이 슬피 울 때
슬푸다 져 시소릭 내 말갓치 [불여귀(不如歸)]라 (이별의 슬픔을 두견에 이입하여 표현함 / 두견새(감정 이입) / [ ]: 감정 이입의 대상 Link 표현상 특징 ❹) ▶본사 3: 여인과의 이별로 인한 슬픔	슬프다 저 새소리 내 마음과 같은 두견이구나.
삼경(三更)에 못든 잠을 사경말(四更末)에 비러 드니 (밤 11시～새벽 1시 / 새벽 1시～새벽 3시)	삼경(밤 11시~새벽 1시)에 못 든 잠을 사경(새벽 1시~새벽 3시) 끝에 간신히 드니
상사(相思)하던 우리 님을 꿈 가온데 해후하니 (전전반측(輾轉反側))	마음속으로 그리워하던 우리 임을 꿈속에서 잠깐 만나고
쳔수만한(千愁萬恨) 못다 일너 일장호접(一枕蝴蝶) 흐터지니 (소망을 성취하는 공간(여인과의 만남의 매개물) / 천 가지 시름과 만 가지 한 - 이것저것 슬퍼하고 원망함. 또는 그런 슬픔과 한 / 한바탕 꿈(허무한 꿈)에서 깨어남)	시름과 한을 못다 말하여 부질없는 꿈을 깨니
아릿다온 옥빈홍안(玉鬢紅顔) 겻헤 얼풋 안잣는 듯 (옥 같은 귀밑머리와 붉은 얼굴이라는 뜻으로, 아름다운 젊은이를 이르는 말)	아리따운 임의 얼굴이 곁에 얼핏 앉아 있는 듯
어화 황홀(恍惚)ᄒ다 꿈을 생시(生時) 삼고지고 (현실)	아아, 황홀하다 꿈을 생시로 삼고 싶구나.
무침허희(無寢噓唏)하야 밧비 니러 바라보니 (잠도 못 자고 탄식함 / 바삐)	잠 못 들어 탄식하며 바삐 일어나 바라보니
운산(雲山)은 첩첩(疊疊)하야 천리안(千里眼)을 가리왓고 (구름 낀 산(장애물) / 강조 부분: 화자와 임을 가로막는 장애물. 화자가 느끼는 임과의 거리감을 나타냄 / 대구 Link 표현상 특징 ❸)	구름 낀 산은 첩첩히 천리안을 가리었고
호월(皓月)은 창창(蒼蒼)하야 님 향심(向心)을 비취엿다 (아주 밝게 비치는 달 - 화자의 정서를 심화시키는 객관적 상관물 Link 표현상 특징 ❸) ▶본사 4: 이별한 여인을 꿈속에서 만남	흰 달은 창창하여 임 향한 마음을 비춰 주는구나.
가기(佳期)는 격절(隔絶)하고 세월이 하도 할사 (막혀 있고 / 좋은 시절은 끊어지고(시간이 봄에서 가을로 흐름))	사랑을 맺었던 좋은 시절은 끊어지고 세월이 많이 흘러서
엇그제 곳이 안류변(岸柳邊)의 붉엇더니 (꽃 / 버들 곁 / → 임과 함께했던 과거를 환기하며 임에 대한 그리움을 드러냄)	엊그제 꽃이 강 언덕 버드나무 가에 붉었더니
그 덧의 훌훌하야 낙엽 추성(落葉秋聲)이라 (그동안 세월이 빨리 흘러)	그 사이 재빠르게 세월이 흘러 낙엽 떨어지는 소리가 나는구나.
새벽 서리 디난 달의 [외기럭이] 슯히울 제 (감정 이입의 대상 Link 표현상 특징 ❸)	새벽 서리 지는 달에 외기러기 슬피 울 때
반가온 님의 소식(消息) 행여 올가 바라보니	반가운 임의 소식 행여 올까 바라보니
창망(滄茫)한 구름밧에 뷘소래뿐이로다	아득한 구름 밖에 빈소리뿐이구나.
지리(支離)타 이 이별(離別)이 언제면 다시 볼고 ▶본사 5: 세월이 흘러도 여인을 잊지 못하고 그리워함	지루하다. 이 이별이 (끝나) 언제면 다시 만나볼까?
어화 내 일이야 나도 모를 일이로다	아아, 내 일이야 나도 모를 일이로다.
이리저리 그리면서 어이 그리 못 보는고 (어찌 그리)	이리저리 그리면서 어찌 그리 못 보는가?
약수(弱水) 삼천리(三千里) 머단 말이 이런 내를 니르도다 (신선이 살았다는 중국 서쪽의 전설 속의 강. 길이가 3,000리나 되며 부력이 매우 약하여 기러기의 털도 가라앉는다고 함)	약수 삼천리가 멀다는 말은 이런 때를 두고 이르는 것이구나.

: 화자의 분신, 임에게 가고 싶은 화자의 마음을 자연물을 통해 표현함 Link 표현상 특징 ❷

원문	현대어 풀이
산두(山頭)의 편월(片月) 되야 님의 낯에 비취고자 (산두: 산머리, 편월: 조각달)	산꼭대기의 조각달 되어 임의 얼굴을 비추고 싶구나.
석상(石上)의 오동(梧桐) 되야 님이 무릅 베이고져	바위 위의 오동나무 되어 임의 무릎을 베어 보고 싶구나
공산(空山)의 잘새 되야 북창(北窓)의 가 울고지고	빈산에 자러 가는 새가 되어 북창에 가 울고 싶구나.
옥상(屋上) 조양(朝陽)의 제비 되야 날고지고 (조양: 아침 해)	지붕 위 아침 햇살에 제비 되어 날고 싶구나.
옥창(玉窓) 앵도화(櫻桃花)에 나뷔 되여 날고지고 (앵도화: 사랑하는 여인을 빗댐)	옥창 앵두꽃에 나비가 되어 날고 싶구나.
태산(泰山)이 평지(平地) 되도록 금강(錦江)이 다 마르나 (임에 대한 그리운 마음을 과장하여 강조함 Link 표현상 특징 ❸)	태산이 평지 되고 금강이 다 마르더라도
평생(平生) 슯흔 회포(懷抱) 어대를 가을하리 (가을하리: 비교하겠는가, 설의적 표현)	평생 슬픈 회포를 어디에 비교하겠는가?

❯ 본사 6: 여인과 함께 있고 싶은 소망

원문	현대어 풀이
서중유옥안(書中有玉顔)은 나도 잠간(暫間) 들엇으니 (글 속에 임의 모습이 있음(공부를 열심히 하면 아름다운 아내를 얻을 수 있음) → 화자의 의지)	책 속에 아름다운 여인이 있음은 나도 잠깐 들었으니
마음을 고쳐먹고 강개(慷慨)를 다시 내야 (강개: 의기가 북받치는 마음)	마음을 고쳐먹고 정신을 가다듬어서
장부(丈夫)의 공업(功業)을 긋긋이 이룬 후(後)의 (공업: 입신양명(立身揚名))	대장부의 공명을 끝까지 이룬 후에
그제야 님을 다시 맞나 백년(百年) 살려 하노라 (님을 다시 맞나: 임과의 재회를 기약함)	그제야 임을 다시 만나 오래오래 살겠노라.

❯ 결사: 대장부의 공명을 이루겠다고 다짐함

출제자 톡! 화자를 이해하라!

1 **화자는 누구이고, 화자가 처한 상황은?**
임과 이별한 남성으로, 입신양명한 후 임과 다시 만날 것을 다짐하고 있음.

2 **화자의 정서 및 태도는?**
야유원에서 만나 사랑을 나누던 여인과의 이별에 대해 안타까움과 슬픔의 심정을 드러내고 있음.

Link

출제자 톡! 표현상의 특징을 파악하라!

❶ 남성 화자의 목소리로 이별의 정한을 노래함.
❷ 자연물을 이용하여 화자의 정서를 드러냄.
❸ 대구, 감정 이입, 비유, 과장, 객관적 상관물 등 다양한 표현 방법을 활용하여 화자의 정서를 드러냄.
❹ 중국의 전설을 인용함.

최우선 출제 포인트!

1 자연물을 통한 화자의 심정 강조

편월(片月), 오동(梧桐), 잘새, 제비, 나뷔

↓

임과 헤어진 화자가 어떤 특정한 자연물로 다시 태어나서 임의 곁에 머물고 싶어 함.

↓

임과 함께하고 싶은 화자의 소망을 강조함.

2 화자와 임을 가로막는 장애물

운산	구름 낀 장애물	여인과의 거리감을 나타냄
약수 삼천리	중국의 전설 속의 강	임을 가로막는 장애물

함께 볼 작품 특정한 자연물로 다시 태어나 임의 곁에 머물고자 하는 마음을 노래한 작품: 정철, 「사미인곡」, 「속미인곡」

최우선 핵심 Check!

1 화자는 임과 이별한 여성이다. (O / ×)

2 '만남 – 이별 – 그리움'의 구조로 시상이 전개되고 있다. (O / ×)

3 자연물을 활용하여 화자의 상황과 심정을 효과적으로 표현하고 있다. (O / ×)

4 〈본사 5〉에서 'ㄱ'과 'ㄴㅇ'은 임을 만나지 못하고 그리워하는 사이에 세월이 빠르게 흘렀음을 보여 주는 소재이다.

5 〈본사 6〉에서 화자는 불가능한 상황을 설정하여 임과 이별한 슬픔을 탄식하고 있다. (O / ×)

6 〈결사〉의 'ㅅㅈㅇㅇㅇ(書中有玉顔)'은 입신양명을 이룬 후에 임을 다시 만나고자 하는 화자의 의지가 담긴 시어이다.

정답 1. × 2. ○ 3. ○ 4. 곳, 낙엽 5. × 6. 서중유옥안

성산에서 부르는 노래

성산별곡(星山別曲) | 정철

갈래 가사 **성격** 전원적, 풍류적, 예찬적
주제 성산의 사계절 풍경과 식영정 주인의 풍류를 예찬함. **시대** 조선 중기

작가가 당쟁으로 정계에서 물러나 있었을 때 처의 외재당숙인 김성원을 위해 지은 노래로, 전남 담양에 있는 성산의 아름다운 사계절과 그 속에서 풍류를 즐기며 사는 삶을 예찬한 작품이다.

엇던 디날 손이 성산(星山)의 머믈며셔
화자(정철을 가리킴) / 전남 담양에 있는 산
서하당(棲霞堂) 식영정(息影亭) 주인(主人)아 내 말 듯소
김성원이 지은 정자 / 김성원이 자신의 스승이자 장인인 임억령을 위해 지은 정자
인생 세간(人生世間)의 됴ᄒᆞᆫ 일 하건마ᄂᆞᆫ
인간 세상 / 많건마는
엇디 ᄒᆞᆫ 강산(江山)을 가디록 나이 녀겨
성산을 의미함 / 낫게(좋게) 여겨
적막(寂寞) 산중(山中)의 들고 아니 나시ᄂᆞᆫ고
손(정철)이 주인에게 질문함 Link 표현상 특징 ❶
송근(松根)을 다시 쓸고 죽상(竹床)의 자리 보아
대나무
져근덧 올라안자 엇던고 다시 보니
천변(天邊)의 떳ᄂᆞᆫ 구름 서석(瑞石)을 집을 사마
식영정 주인을 비유 / 상서로운 돌 - 식영정 근처의 서석대를 가리킴
나ᄂᆞᆫ ᄃᆞᆺ 드ᄂᆞᆫ 양이 주인(主人)과 엇더ᄒᆞᆫ고
들락날락하는 모양이 / 식영정 주인(김성원)
창계(滄溪) 흰 물결이 정자(亭子) 알ᄑᆡ 둘러시니
앞에
천손 운금(天孫雲錦)을 뉘라셔 버혀 내여
직녀가 짠 아름다운 비단으로, 은하수를 가리킴
닛ᄂᆞᆫ ᄃᆞᆺ 펴티ᄂᆞᆫ ᄃᆞᆺ 헌ᄉᆞ토 헌ᄉᆞᄒᆞᆯ샤
매우 호화롭고 아름답다는 뜻
산중(山中)의 책력(冊曆) 업서 사시(四時)ᄅᆞᆯ 모ᄅᆞ더니
달력
눈 아래 헤틴 경(景)이 쳘쳘이 절노 나니
펼쳐진 경치가
듯거니 보거니 일마다 선간(仙間)이라
신선이 사는 세계 - 식영정 주변 경관

▶ 서사: 식영정 주변의 절경과 그 주인의 풍류

□: 서하당과 식영정의 주인인 김성원
○: 김성원과 비교되는 대상

어떤 지나가던 손님이 성산에 머물면서
서하당 식영정의 주인아, 내 말 들어 보소.
인간 세상에 좋은 일이 많건마는
어찌하여 한 강산을 갈수록 좋게 여기어
고요하고 쓸쓸한 산중에 들어가 나오지 않으시는가?
소나무 뿌리를 다시 쓸고 대나무 평상에 자리를 마련하여
잠시 올라앉아 어떤가 하고 (주변 경관을) 다시 보니
하늘가에 떠 있는 구름이 서석대를 집을 삼아
나갔다가 이내 들어가는 모양이 주인과 어떠한가?(주인과 비교하여 같지 않은가?)
푸른 시내의 흰 물결이 정자 앞에 둘러 있으니
하늘의 은하수를 누가 베어 내어
잇는 듯 펼치는 듯 야단스럽기도 야단스럽구나.
산속에 달력이 없어서 사계절을 모르더니
눈 아래 펼쳐진 경치가 철을 따라 저절로 일어나니
듣는 것 보는 것이 모두 신선이 사는 세상이로다.

▒: 계절적 배경 - 봄 Link 표현상 특징 ❷

아침 볕에 - 선옹이 맞고 있는 아침의 분위기를 자아내는 역할 / 선옹의 잠을 깨우는 역할
매창(梅窓) 아젹 벼ᄐᆡ 향기(香氣)에 잠을 깨니
매화가 핀 창 - 선옹이 머물러 있는 곳의 안과 밖을 연결하는 통로 역할
선옹(仙翁)의 ᄒᆡ욜 일이 ᄀᆞᆺ 업도 아니ᄒᆞ다 → 선옹의 생활에 대한 긍정적 인식이 드러남
늙은 신선(김성원) / 강세의 뜻을 지닌 부사
울 밋 양지(陽地)편의 외씨ᄅᆞᆯ ᄢᅦ허 두고
울타리 밑 / 오이씨
ᄆᆡ거니 도도거니 빗김의 달화 내니
김을 매거나 흙을 돋우거나 / 다루어(가꾸어) 내니
청문고사(青門故事)ᄅᆞᆯ 이제도 잇다 ᄒᆞᆯ다
중국 한나라 때 소평이라는 사람이 창문 밖에 오이를 심었다는 고사 Link 표현상 특징 ❸
망혜(芒鞋)ᄅᆞᆯ 뵈야 신고 죽장(竹杖)을 ᄒᆞᆺ더디니
짚신(미투리) / 재촉하여 / 여기저기 옮겨 짚으니
도화(桃花) 핀 시내 길히 방초주(芳草州)예 니어셰라
무릉도원을 연상하게 함 / 아름다운 풀이 우거진 물가의 작은 섬
ᄃᆞᆺ봇근 명경(明鏡) 중 절로 그린 석병풍(石屛風)
잘 닦은 / 병풍처럼 둘러친 석벽
그림재 버들 사마 서하(西河)로 함ᄭᅴ 가니
도원(桃源)은 어드매오 무릉(武陵)이 여긔로다
무릉도원 - 무릉현에 있었다는 별천지(도연명의 『도화원기』에 나오는 선경)

▶ 본사 1: 춘(春) – 소박한 주인의 생활과 성산의 봄 경치

매화가 핀 창에 든 아침볕의 향기에 잠을 깨니
산속 늙은이의 할 일이 아주 없지 않구나.
울타리 밑 양지에 오이씨를 뿌려 두고
김을 매기도 하고 흙을 돋우기도 하고 비가 온 김에 손질하니
청문의 고사가 이제도 있다고 하겠다.
짚신을 재촉하여 신고 대나무 지팡이를 흩어 짚으니
복숭아꽃 핀 시냇길이 풀이 우거진 물가로 이어졌구나.
잘 닦은 거울(맑은 물) 속에 저절로 그린 병풍
그림자를 벗 삼아 서하로 함께 가니
무릉도원이 어디인가 여기가 바로 그곳이로다.

: 계절적 배경 - 여름 **Link** 표현상 특징 ❷

남풍(南風)이 건듯 부러 녹음(綠陰)을 헤텨 내니
마파람
절(節) 아ᄂᆞᆫ 괴ᄭᅩ리ᄂᆞᆫ 어드러셔 오돗던고
때(계절)
희황(羲皇) 벼개 우희 픗ᄌᆞᆷ을 얼픗 ᄭᅵ니
모서리에 희황상인(羲皇上人)을 수놓은 베개. 이 베개를 베면 잠을 편안하게 잔다는 말이 있음 - 태평함을 상징함
공중(空中) 저즌 난간(欄干) ᄆᆞᆯ 우희 ᄯᅥ 잇고야
공중에 솟아 있으면서도 그림자는 물속에 젖어 있는 정자의 난간
마의(麻衣)랄 니믜 차고 갈건(葛巾)을 기우 쓰고
삼베옷 / 칡베로 만든 두건
구브락 비기락 보ᄂᆞᆫ 거시 고기로다
굽혔다가 기대었다가
ᄒᆞᄅᆞ밤 비 ᄭᅴ운의 홍백련(紅白蓮)이 섯거 픠니
비가 온 기운에 / 붉은 연꽃과 흰 연꽃
ᄇᆞ람ᄭᅴ 업서셔 만산(萬山)이 향긔로다

염계(濂溪)ᄅᆞᆯ 마조보와 태극(太極)을 믓ᄌᆞᆸᄂᆞᆫ ᄃᆞᆺ
송나라의 학자 주돈이의 호 / 우주만물이 생긴 근원이라고 보는 본체(本體)
태을진인(太乙眞人)이 옥자(玉字)ᄅᆞᆯ 헤혓ᄂᆞᆫ ᄃᆞᆺ
하늘에 있는 진선(眞仙) / 황제가 남긴 비결서인 '금간옥자'
노자암(鸕鶿巖) ᄇᆞ라보며 자미탄(紫微灘) 겨ᄐᆡ 두고
식영정 아래에 있는 바위 이름 / 식영정 아래에 있는 여울 이름
장송(長松)을 차일(遮日) 사마 석경(石逕)의 안자ᄒᆞ니
햇빛을 가리기 위해 치는 포장 / 돌이 많은 좁은 길
인간(人間) 유월(六月)이 여긔ᄂᆞᆫ 삼추(三秋)로다 → 속세는 덥겠지만 여기는 시원하다는 의미
인간 세상(속세)
청강(淸江)의 ᄯᅥᆺᄂᆞᆫ 올히 백사(白沙)의 올마 안자
오리
백구(白鷗)ᄅᆞᆯ 벗을 삼고 ᄌᆞᆷ ᄭᅵᆯ 줄 모ᄅᆞ나니

무심(無心)코 한가(閑暇)ᄒᆞ미 주인(主人)과 엇더ᄒᆞ니
한가하게 잠을 자는 오리의 모습과 잡념 없이 한가한 주인을 비교함

› 본사 2: 하(夏) – 시원한 정자 위에서 즐기는 성산의 여름 풍경

남풍이 갑자기 불어 녹음을 헤쳐 내니
계절을 아는 꾀꼬리는 어디에서 왔는가?
희왕 베개 위에서 든 풋잠(얕게 든 잠)을 얼핏 깨니
공중의 젖은 난간이 물 위에 떠 있구나.
삼베옷을 여미어 입고 갈건을 기울여 쓰고
(몸을) 굽혔다가 (난간에) 기대었다가 (하면서) 보는 것이 물고기로다.
하룻밤 비가 온 기운에 붉은 연꽃과 흰 연꽃이 섞여 피니
바람이 불지 않아도 온 산이 향기로다.
염계를 마주하여 태극의 이치를 묻는 듯
태을진인이 옥자를 헤쳐 낸 듯
노자암을 바라보며 자미탄을 곁에 두고
큰 소나무를 햇빛 가리개 삼아 돌길에 앉으니
인간 세상은 유월이지만 여기는 가을이구나.
맑은 강에 떠 있는 오리가 흰 모래에 옮겨 앉아
흰 갈매기를 벗 삼아 잠을 깰 줄을 모르니
무심하고 한가함이 주인(김성원)과 비교하여 같지 아니한가?

: 계절적 배경 - 가을 **Link** 표현상 특징 ❷

오동(梧桐) 서리ᄃᆞᆯ이 사경(四更)의 도다 오니
서리가 내릴 때 뜨는 달 / 새벽 1시 ~ 3시
천암만학(千巖萬壑)이 나진ᄃᆞᆯ 그러ᄒᆞᆯ가
수많은 바위와 골짜기 / 설의적 표현 - 자연에 대한 애정을 드러냄
호주(湖州) 수정궁(水晶宮)을 뉘라셔 옴겨 온고
중국 서호에 있는 수정궁
은하(銀河)ᄅᆞᆯ ᄯᅱ여 건너 광한전(廣寒殿)의 올랏ᄂᆞᆫ ᄃᆞᆺ
달 속에 있다는 궁전(옥황상제가 거처하는 곳)
ᄶᅡᆨ 마ᄌᆞᆫ 늘근 솔란 조대(釣臺)예 셰여 두고
짝이 맞는 늙은 소나무 / 낚시터에
그 아래 ᄇᆡᄅᆞᆯ ᄯᅴ워 갈 대로 더뎌 두니
흰 마름꽃이 피어 있는 물가
홍료화(紅蓼花) 백빈주(白蘋洲) 어ᄂᆞ ᄉᆞ이 디나관ᄃᆡ
붉은 여뀌꽃 / 연못
환벽당(環碧堂) 용(龍)의 소히 ᄇᆡᆺ머리예 다하셰라
식영정 맞은편에 있는 집으로 산촌 김윤제가 지어 살던 집
청강(淸江) 녹초변(綠草邊)의 쇼 머기ᄂᆞᆫ 아희들이
푸른 풀이 우거진 강변
석양(夕陽)의 어위 계워 단적(短笛)을 빗기 부니
즐거움(흥)을 못 이겨 / 옆으로 부는 짧은 피리
ᄆᆞᆯ 아래 ᄌᆞᆷ긴 용(龍)이 ᄌᆞᆷ ᄭᆡ야 니러날 ᄃᆞᆺ

ᄂᆡᄭᅴ예 나온 학(鶴)이 제 기ᄉᆞᆯ ᄇᆞ리고 반공(半空)의 소소 ᄯᅳᆯ ᄃᆞᆺ
집(보금자리)를

오동나무 사이로 가을달이 사경에 돋아오니
수많은 바위와 골짜기가 낮인들 이렇게 아름다울까?
호주의 수정궁을 누가 옮겨 왔는가?
은하수를 건너 띄어 광한전에 올라 있는 듯
한 쌍의 늙은 소나무를 낚시터에 세워 놓고
그 아래에 배를 띄워 가는 대로 내버려 두니
홍료화 백빈주를 어느 사이에 지났기에
환벽당 용의 연못에 뱃머리가 닿았구나.
맑은 강 풀이 우거진 물가에서 소 먹이는 아이들이
석양의 즐거움을 못 이겨 짧은 피리를 비스듬이 부니
물 아래 잠긴 용이 잠을 깨어 일어날 듯
안개 기운에 나온 학이 제 깃(보금자리)을 버리고 하늘에 솟아오를 듯하다.

소선(蘇仙) 적벽(赤壁)은 추칠월(秋七月)이 됴타 호ᄃᆡ
팔월(八月) 십오야(十五夜)ᄅᆞᆯ 모다 엇디 과ᄒᆞᄂᆞᆫ고

송나라 문인 소동파가 지은 「적벽부」 **Link** 표현상 특징 ❸ / 칭찬하는가

소동파의 적벽부에는 음력 칠월이 좋다 하였으되
팔월 보름날 밤을 모두 어찌 칭찬하는가?

섬운(纖雲)이 사권(四捲)ᄒᆞ고 믈결이 채 잔 적의
하ᄂᆞᆯ의 도ᄃᆞᆫ ᄃᆞᆯ이 솔 우ᄒᆡ 걸려거ᄃᆞᆫ

엷고 아름다운 구름 / 사방으로 걷히고

고운 구름이 사방으로 걷히고 물결도 잔잔할 때에
하늘에 돋은 달이 소나무 위에 걸렸으니

잡다가 ᄲᅡ딘 줄이 적선(謫仙)이 헌ᄉᆞᄒᆞᆯ샤

강에 비친 달을 건지러 갔다가 돌아오지 않았다는 이백을 이르는 말

> 본사 3: 추(秋) – 성산의 가을 풍경

(물에 비친 달을) 잡는다고 물에 빠진 이태백이 야단스럽구나.

: 계절적 배경 – 겨울 **Link** 표현상 특징 ❷

공산(空山)의 ᄊᆞ힌 닙흘 삭풍(朔風)이 거두 부러
ᄣᅦ구름 거ᄂᆞ리고 눈조차 모라오니

이무도 없는 산 / 북풍

쓸쓸한 산중에 쌓인 낙엽을 북풍이 거두듯 불어
구름떼를 거느리고 눈까지 몰아오니

천공(天公)이 호ᄉᆞ로와 옥(玉)으로 고ᄌᆞᆯ 지어
만수천림(萬樹千林)을 ᄭᅮ며곰 낼셰이고

조물주 / 옥으로 만든 꽃=눈 / 수많은 나무와 수풀

조물주가 호사스러워 옥으로 꽃을 만들어
수많은 나무와 수풀을 꾸며 내었구나.

압 여흘 ᄀᆞ리 어러 독목교(獨木橋) 빗겻ᄂᆞᆫᄃᆡ
막대 멘 늘근 즁이 어ᄂᆡ 뎔로 간닷 말고

앞 여울 / 가로 얼어 / 외나무 다리

앞 여울물 가로 얼고 (그 위에) 외나무다리 비스듬히 놓여 있는데
지팡이를 멘 늙은 중이 어느 절로 간단 말인가?

산옹(山翁)의 이 부귀(富貴)ᄅᆞᆯ ᄂᆞᆷᄃᆞ려 헌ᄉᆞ 마오
『경요굴(瓊瑤窟) 은세계(隱世界)ᄅᆞᆯ ᄎᆞᄌᆞ리 이실셰라』

산에 사는 늙은이=김성원 / 아름다운 자연을 벗하며 즐기는 마음의 부귀 / 옥으로 만든 굴. 성산을 이름

> 본사 4: 동(冬) – 눈 덮인 성산의 겨울 풍경

『 』: 눈이 내린 겨울 산의 아름다운 경치를 비유적으로 표현

산옹의 이 부귀를 남에게 소문내지 마오.
경요굴 은밀한 세계를 찾을 이가 있을까 두렵도다.

산중(山中)의 벗이 업서 한기(漢紀)ᄅᆞᆯ ᄡᅡ하 두고
만고 인물(萬古人物)을 거ᄉᆞ리 혜혀ᄒᆞ니
성현(聖賢)도 만ᄒᆞ니와 호걸(豪傑)도 하도 할샤
하늘 삼기실 제 곳 무심(無心)ᄒᆞᆯ가마ᄂᆞᆫ
엇디ᄒᆞᆫ 시운(時運)이 일락배락 ᄒᆞ얏ᄂᆞᆫ고
모ᄅᆞᆯ 일도 하거니와 애ᄃᆞᆯ옴도 그지업다
기산(箕山)의 늘근 고블 귀ᄂᆞᆫ 엇디 싯돗던고
일표(一瓢)ᄅᆞᆯ ᄯᅥᆯ틴 후의 조장이 ᄀᆞ장 놉다
인심(人心)이 ᄂᆞᆺ ᄀᆞᆺᄐᆞ야 보도록 새롭거ᄂᆞᆯ
세사(世事)ᄂᆞᆫ 구롬이라 머흐도 머흘시고
엇그제 비준 술이 어도록 니건ᄂᆞ니
잡거니 밀거니 슬ᄏᆞ장 거후로니
ᄆᆞᄋᆞᆷ의 ᄆᆡ친 시름 져그나 ᄒᆞ리ᄂᆞ다
거문고 시욹 언저 풍입송(風入松) 이야고야

책 / 옛 시대의 인물 / 거슬러 올라가 / 하늘이 (사람을) 나게 하실 때 / 시대나 그때의 운수 / 흥했다가 망했다가 / 나이가 많은 사람. 여기서는 '허유'를 이름 / 허유가 귀를 씻은 고사를 의미함 **Link** 표현상 특징 ❸ / 표주박 하나 / 기개 있는 품행 / 세상일 / 시름을 덜어 주는 매개물 / 기울이니 / 조금이나마 / 덜어진다 / 시울(현악기의 줄) / 악곡 이름

산중에 벗이 없어 책을 쌓아 놓고
옛 시대의 인물들을 거슬러 올라가 헤아려 보니
성현도 많을 뿐만 아니라 호걸도 많기도 많다.
하늘이 (사람을) 만드실 때 무심할 리 없지만
어찌하여 한 시대의 운이 흥했다가 망했다가 하는가?
모를 일도 많거니와 애달픔도 끝이 없구나.
기산의 늙은 허유가 귀는 어찌 씻었던가?
표주박 하나도 귀찮다고 던져 버린 (허유의) 지조와 행장이 가장 고상하다.
인간의 마음이 얼굴 같아서 볼수록 새롭거늘
세상일은 구름 같아서 멀기도 멀구나.
엊그제 빚은 술이 얼마나 익었느냐?
(술잔을) 잡거니 밀거니 실컷 기울이니
마음에 맺힌 걱정이 조금이나마 덜어진다.
거문고 줄을 얹어 풍입송을 타자꾸나.

손인동 주인(主人)인동 다 니저 ᄇᆞ려셔라
누가 손님이고 주인인지

「장공(長空)의 떳ᄂᆞᆫ 학(鶴)이 이 골의 진선(眞仙)이라
높고 먼 공중 / 진정한 신선, 학을 의미함

요대(瑤臺) 월하(月下)의 ᄒᆡᆼ혀 아니 만나신가
신선이 사는 달 아래

손이셔 주인(主人)ᄃᆞ려 닐오ᄃᆡ 그ᄃᆡ 귄가 ᄒᆞ노라」
손님(정철)이 주인(김성원)에게 / 그(학=진선)인가

① 아름다운 성산의 자연이 마치 신선의 세계와 같음
② 주인 김성원이 자연에서 사는 모습이 신선과 같음

「 」: 서사에서 화자의 물음이 해결됨 **Link** 표현상 특징 ❶

> 결사: 세속을 떠난 신선 같은 주인의 삶

(누가) 손님이고 (누가) 주인인지 다 잊어 버렸도다.
높은 하늘에 떠 있는 학이 이 골짜기의 진정한 신선이라.
신선이 사는 달 아래에서 행여 아니 만나셨는가?
손님이 주인에게 말하기를 그대가 그 진선인가 하노라.

- **기산(箕山)의 ~ 싯돗던고**: 기산에 숨어 살던 허유가 임금의 자리를 주겠다는 요임금의 말을 듣자, 이를 거절하고 더러운 소리를 들었다 하며 영천(潁川)에 귀를 씻었다는 고사
- **일표(一瓢)를 ~ 놉다**: 허유가 기산에 살고 있을 때 술잔과 그릇이 없어서 손으로 물을 마시는 것을 보고 어떤 사람이 표주박 하나를 주었다. 허유는 이것으로 물을 떠서 마시고 다 마시면 나무 위에 걸어 두었는데, 바람이 불어 물 떨어지는 소리가 났다. 이 일로 허유는 번민하다가, 드디어 그것을 버렸다고 한다.

출제자 팁! 화자를 이해하라!

1 **화자는 누구이고, 화자가 처한 상황은?**
'엇던 디날 손(어떤 지나가는 손님)'으로, 성산의 식영정에서 주인과 앉아 풍류를 즐김.

2 **화자의 정서 및 태도는?**
성산의 자연 경관과 식영정 주인의 풍모를 예찬함.

Link

출제자 팁! 표현상의 특징을 파악하라!

❶ 서사에서 '손'이 궁금해한 내용이 '결사'에서 드러나는 구조로 이루어짐.
❷ 성산의 절경을 시간(계절)의 흐름에 따라 전개함.
❸ 중국의 고사와 관련된 표현들을 주로 활용하여 자연에 묻혀 사는 즐거움을 부각함.

최우선 출제 포인트!

1 작품의 전체 구조

서사	식영정 주인의 삶에 대한 '손'의 의구심
본사	식영정 주변의 사계절 경관을 살펴본 '손'
결사	식영정 주인이 성산에서 나오지 않는 이유를 알게 된 '손'

2 작품에 드러난 대화체 형식

화자=손(정철) —말을 걺.→ 청자=주인(김성원)
주인의 목소리는 들리지 않음.

함께 볼 작품 자연 속에서 풍류를 읊은 작품: 송순, 「면앙정가」

최우선 핵심 Check!

1 계절의 흐름에 따라 시상을 전개하고 있다. (○ / ×)

2 〈본사 1〉에서 '선옹의 ᄒᆡ욜 일'은 '선옹'이 '세상을 위해 해야 할 과업'을 의미한다. (○ / ×)

3 〈본사 1〉의 '매창, 도화', 〈본사 2〉의 '남풍, 녹음', 〈본사3〉의 'ㅅㄹㄷ', 〈본사 4〉의 'ㅅㅍ' 등을 통해 계절감을 드러내고 있다.

4 〈결사〉에서 화자는 '손'의 말을 빌려 '주인'을 '진선'에 비유하면서 '주인'의 풍류 생활을 예찬하고 있다. (○ / ×)

5 〈결사〉의 '기산의 늘근 고불 귀ᄂᆞᆫ 엇디 싯돗던고'는 기산에 숨어 살던 허유가 임금의 자리를 주겠다는 요임금의 말을 듣자 이를 거절하고 ㄱ를 씻었다는 고사를 인용한 것이다.

정답 1. ○ 2. × 3. 서리둘, 삭풍 4. ○ 5. 귀

1등급! 〈보기〉!

「성산별곡」의 이해

고전 시가에서는 고사(古事) 속에 등장하는 '인물'이나 '소재'를 활용한 표현이 자주 등장하는데, 이러한 표현들은 고사와 시적 상황의 유사성을 바탕으로 한 연상의 과정을 통해 이루어지는 경우가 많다.

'외씨'는 중국 진나라 때 '소평'이 나라가 망하자 벼슬을 버리고 청문 부근에서 농사를 지으며 심었다는 '오이씨'로, 외씨를 뿌리며 사는 산옹의 소박한 삶에서 소평의 삶이 연상되었기 때문에 활용한 것으로 보인다.

'도화(桃花)'는 중국 진나라 때 한 어부가 별천지인 무릉도원에 가게 되었다는 고사에 나오는 복숭아꽃으로, '무릉도원'에는 복숭아꽃이 만발하였다고 한다. '시내 길'에서 본 '도화'의 모습에서 '복숭아꽃'이 만발한 무릉도원이 연상되었기 때문으로 이를 활용한 것으로 보인다.

'희황'은 태평성대를 이룬 중국 전설에 나오는 '복희씨'의 다른 이름으로, '희황 베개'는 '태평한 세상'을 상징한다. 풋잠을 자다 깨며 느낀 평안함에서 희황의 태평한 시대가 연상되었기 때문에 활용한 것으로 보인다.

'홍백련'은 '임계'가 지은 「애련설」에 나오는 연꽃으로, 이 연꽃은 군자의 풍모를 빗댄 것으로, '만산'의 연꽃 '향기'를 맡으면서 염계가 말한 군자의 덕이 연상되었기 때문에 활용한 것으로 보인다.

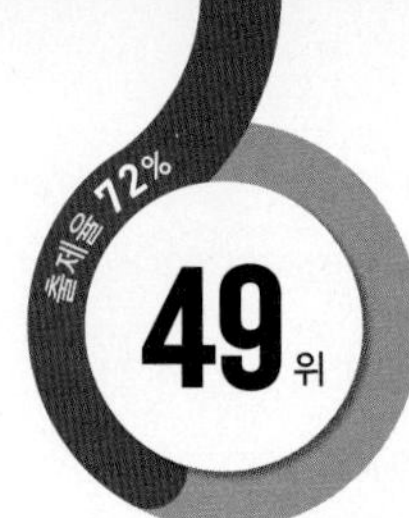

홀로 즐거움을 누리는 집

독락당(獨樂堂) | 박인로

갈래 가사 **성격** 예찬적, 추모적
주제 독락당 경치에 대한 예찬과 이언적에 대한 추모
시대 조선 중기

회재 이언적이 벼슬을 그만두고 고향에 지은 사랑채인 경주 고산의 독락당을, 무사로서 임진왜란에 참전하고 늙어서야 찾아가 그의 자취를 더듬으며 선비로서의 길을 닦는 모습을 보여 주고 있다.

: 공간의 이동 Link 표현상 특징 ❶
독락당 – 조선 중기의 문신 회재 이언적의 제사를 모시는 자옥산 서원 안에 있는 건물

원문	현대어 풀이
자옥산 명승지에 독락당이 소쇄(瀟灑)홈을 들은지 오래로딕	자옥산 명승지에 독락당이 맑고 깨끗하다는 말을 들은 지 오래인데
(자옥산: 독락당이 있는 경주의 산 / 소쇄: 기운이 맑고 깨끗하다)	
「이 몸이 무부(武夫)로서 해변사(海邊事) ㅣ 공극(孔棘)거놀	이 몸이 무사로서 바다의 일(임진왜란 때의 상황)이 매우 급박하여
(무부: 화자의 신분 / 해변사: 바다의 일(수군 통주사로 근무했던 일) / 공극: 매우 급박함)	
일편단심(一片丹心)에 분의(奮義)를 못내 ᄒᆞ야	일편단심의 충의를 떨치지 못해서
금창철마(金槍鐵馬)로 여가(餘暇) 업시 분주터가」 「」: 임진왜란에 참전한 일	금으로 만든 창을 들고 무쇠로 만든 말을 몰아 여가 없이 분주하다가
(금창철마: 금으로 만든 창과 쇠로 만든 말(좋은 무기))	
중심 경앙(中心景仰)이 백수(白首)에 더옥 깁허	우러러 흠모하는 마음이 늙을수록 더욱 깊어
(중심 경앙: 마음속으로 사모하여 추앙함 / 백수: 백발 - 나이가 듦)	
죽장망혜(竹杖芒鞋)로 오날사 ᄎᆞ자오니	간편한 차림으로 오늘에야 (독락당을) 찾아오니
(죽장망혜: 대나무 지팡이와 짚신(소박하고 간편한 차림))	
「봉만(峰巒)은 수려(秀麗)ᄒᆞ야 무이산(武夷山)이 되여 잇고	산봉우리는 빼어나 무이산이 되어 있고
(무이산: 독락당이 있는 자옥산을 주자가 은거하던 무이산에 견줌)	
유수(流水)ᄂᆞᆫ 반회(盤回)ᄒᆞ야 후이천(後伊川)이 되엿ᄂᆞ다」 「」: 대구법 Link 표현상 특징 ❸	흐르는 물은 휘감아 돌아 후이천이 되었도다.
(후이천: 자옥산의 시내를 송나라 유학자 정이가 살던 곳의 후이천에 견줌)	

› 서사: 만년에야 찾아간 독락당의 절경

원문	현대어 풀이
이러ᄒᆞᆫ 명구(名區)에 임ᄌᆡ 어이 업도ᄯᅥᆫ고	이러한 명승지에 주인이 어찌 없었던가?
(명구: 산수가 좋아 널리 이름난 고장)	
일천 년(一千年) 신라(新羅)와 오백재(五百載) 고려(高麗)에	일천 년의 신라와 오백 년의 고려에
현인(賢人) 군자(君子)들이 만히도 지닌마ᄂᆞᆫ	현인과 군자들이 많이도 나왔으련만
천간지비(天慳地秘)ᄒᆞ야 아선생(我先生)ᄭᅴ 기치도다 ☐: 독락당을 지은 회재 이언적 선생	하늘이 아끼고 땅이 감추어 나의 선생께 남겼도다.
(천간지비: 하늘이 아끼고 땅이 숨김 / 아선생: 회재 이언적 선생)	
물각유주(物各有主) ㅣ 어든 ᄃᆞ토리 이실소냐	물건에는 각각의 주인이 있으니 다툴 사람이 있겠느냐?
(물각유주: 물건은 각각 주인이 있음 / 설의적 표현 Link 표현상 특징 ❸)	
청라(靑蘿)를 헤혀 드러 독락당(獨樂堂)을 여러 ᄂᆡ니	푸른 담쟁이 덩굴 헤치고 들어가 독락당을 처음 지어 내니
(청라: 푸른 담쟁이 덩굴)	
유한 경치(幽閑景致)ᄂᆞᆫ 견흘 ᄃᆡ 뇌야 업ᄂᆡ → 영탄적 어조 Link 표현상 특징 ❸	그윽하고 한적한 경치는 견줄 데가 전혀 없구나.
(유한 경치: 그윽하고 한적한 경치 / 견흘 ᄃᆡ: 비교할 데 / 뇌야: 전혀)	
「천간 수죽(千竿脩竹)은 벽계(碧溪)조차 둘너 잇고	우거진 대나무 숲은 시냇물을 따라 둘러 있고
(천간 수죽: 길게 자란 수많은 대나무)	
만권 서책(萬卷書册)은 사벽(四壁)의 사혀시니」 「」: 외부의 자연 경관과 내부의 모습을 나란히 제시하여 독락당을 보고 받은 인상을 객관적으로 표현함	만 권의 서책은 사방의 벽에 쌓였으니
(사혀시니: 쌓였으니)	
「안증(顔曾)이 재좌(在左)ᄒᆞ고 유하(遊夏)ᄂᆞᆫ 재우(在右)ᄒᆞᆫ 둧」	안회와 증삼이 왼쪽에 있고 자유와 자하가 오른쪽에 자리를 잡고 있는 듯(하다.)
(안증: 공자의 제자 안회와 증삼 / 유하: 공자의 제자 자유와 자하 / 「」: 회재 선생의 삶을 공자의 모습에 빗대어 표현 Link 표현상 특징 ❷, ❸)	
상우천고(尙友千古)ᄒᆞ며 음영(吟詠)을 일을 삼아	옛 벗(유학자들의 경전들)을 숭상하며 시를 읊조리는 것을 일을 삼아
(상우천고: 아주 옛날의 책을 벗으로 삼음)	
한중정리(閑中靜裏)예 잠사자득(潛思自得)ᄒᆞ야 혼자 즐겨 ᄒᆞ시덧다	한가롭고 고요한 가운데 깊이 생각하여 스스로 깨달아 혼자 즐겨 하시었다.
(잠사자득: 깊이 생각하여 스스로 깨달음 / 혼자 즐겨: 독락당이라는 의미를 염두에 둔 표현)	
독락(獨樂) 이 일홈 칭정(稱情)ᄒᆞᆫ 줄 긔 뉘 알리	독락의 이 이름이 뜻에 맞을 줄 그 누가 알겠는가?
(칭정: 뜻에 맞음)	
사마온공(司馬溫公) 독락원이 아무리 조타ᄒᆞᆫ들	사마광의 독락원이 아무리 좋다 한들
(사마온공: 북송의 명신 사마광을 이름)	
기간 진락(其間眞樂)이야 이 독락(獨樂)애 더로손가	그 속의 즐거움이야 이 독락보다 더 하겠는가?
(기간 진락: 그 속의 참된 즐거움 / 설의적 표현과 고사 속 인물을 사용하여 독락당에 대한 예찬적 태도를 드러냄 Link 표현상 특징 ❸)	

› 본사 1: 독락당의 경치와 이름의 의미

원문	현대어 풀이
심진(尋眞)을 못ᄂᆡ ᄒᆞ야 양진암(養眞菴)의 도라 드러	진리를 못내 찾아 양진암에 돌아들어
(심진: 진리를 탐구함 / 양진암: 회재 선생이 후학을 가르치던 곳)	
임풍정간(臨風靜看)ᄒᆞ니 ᄂᆡ 뜻도 형연(瑩然)ᄒᆞ다	바람을 쏘이면서 경치를 조용히 바라보니 내 뜻도 맑아지는구나.
(임풍정간: 바람을 쐬며 경치를 고요히 바라봄 / 형연: 맑고 아름다운 모양)	

퇴계 선생(退溪先生) 수필이 진득(眞得)인 줄 알리로다
퇴계 선생이 쓴 글 / 진리
관어대(觀魚臺) ᄂᆞ려오니 ᄭᆞᆯ온 던ᄒᆞᆫ 반석(盤石)의 장구흔(杖屨痕)이 보이ᄂᆞᆫ 닷
물고기를 구경할 수 있는 높은 언덕 / 지팡이와 신발 자국(회재 선생의 발자취)

퇴계 선생의 글(이황의 친필이 담긴 양진암의 글)이 진리임을 알겠구나.
관어대를 내려오니 깔아 놓은 듯한 바위에 선생의 지팡이와 발자국이 보이는 듯하구나.

수재장송(手栽長松)은 녯 빗출 ᄯᅴ여시니
손수 심은 큰 소나무
의연물색(依然物色)이 긔 더욱 반가올샤
전과 다름없는 경치
『신청기상(神淸氣爽)ᄒᆞ야 지란실(芝蘭室)에 든 덧ᄒᆞ다』
정신이 맑고 속이 시원함 / 지초와 난초의 향기가 있는 방
다소(多少) 고적(古跡)을 보며 문득 ᄉᆡᆼ각ᄒᆞ니

『 』: 후각적 이미지와 비유를 결합하여 관어대에서 보는 경치를 그려냄 **Link** 표현상 특징 ❸

손수 심으셨던 큰 소나무는 옛 빛을 띠었으니
옛날과 다름없는 경치가 더욱 반갑구나.
정신이 맑고 상쾌하여 지초와 난초가 있는 향기로운 방에 든 듯하다.
얼마간 옛 책을 뒤져 보며 문득 생각하니

층암절벽(層巖絶壁)은 운모병(雲母屛)이 절로 되야
운모(바위)로 만든 병풍 - 층암절벽을 말함
용면묘수(龍眠妙手)로 그린 덧시 버려잇고
송나라 때의 화가 이공린의 뛰어난 솜씨
백척징담(百尺澄潭)애 천광운영(天光雲影)이 얼희여 ᄌᆞᆷ겨시니
깊고 맑은 못 / 하늘빛과 구름 그림자
광풍제월(光風霽月)이 부ᄂᆞᆫ ᄃᆞᆺ ᄇᆞᄉᆡᄂᆞᆫ ᄃᆞᆺ
비 온 뒤 부는 맑은 바람과 밝은 달
연비어약(鳶飛魚躍)을 말 업ᄉᆞᆫ 벗을 삼아
솔개는 날고 물고기는 뜀
침잠완색(沈潛翫索)ᄒᆞ야 성현사업(聖賢事業) ᄒᆞ시덧다
마음을 가라앉히고 깊이 생각하여 찾음 / 성현이 하던 일 - 학문 수양
청계(淸溪)를 빗기 건너 조기(釣磯)도 완연(宛然)ᄒᆞᆯ샤
낚시터
『문노라 백구(白鷗)들아 녜 닐을 아ᄂᆞ산다』

『 』: 자연물에 인격을 부여하여 질문을 던짐. 이어질 고사를 이끌어 냄 **Link** 표현상 특징 ❸

엄자릉(嚴子陵)이 어ᄂᆡ ᄒᆡ예 한실(漢室)로 가단 말고
중국 후한 때의 은사(隱士) **Link** 표현상 특징 ❷
태심기상(苔深磯上)애 모연(暮烟)만 ᄌᆞᆷ겨셔라
이끼 낀 물가 모래 위 / 저녁 연기

> 본사 2: 독락당 주변 경치를 보며 회재 선생을 생각함

층암절벽은 운모로 만든 병풍이 저절로 되어 있고
이공린의 훌륭한 솜씨로 그린 듯하고
깊고 맑은 못에 하늘빛과 구름의 그림자가 어리어 잠겨 있으니
비 갠 뒤의 맑은 바람과 밝은 달이 부는 듯 비치는 듯
나는 솔개와 연못에서 뛰어노는 물고기를 말없는 벗으로 삼아
마음을 고요히 가라앉히고 깊이 생각하여 성현처럼 학문을 닦고 덕을 쌓으셨구나.
맑은 시내를 비스듬히 건너 낚시터도 뚜렷이 보이는구나.
묻노라 갈매기들아, 옛일을 아느냐?
엄자릉이 어느 해에 한나라 조정으로 갔단 말인가?
이끼 낀 물가 모래 위에 저녁 연기만 잠겼어라.

춘복(春服)을 ᄉᆡ로 입고 영귀대(詠歸臺)에 올라오니
시문을 외며 즐기는 언덕
여경(麗景)은 고금(古今) 업서 청흥(淸興)이 절로 하니
아름다운 경치 / 저절로 많으니
풍호영이귀(風乎詠而歸)를 오ᄂᆞᆯ 다시 본 ᄃᆞᆺᄒᆞ다
바람을 쐬고 시를 읊조리고 돌아옴(풍류를 즐기는 모습)
『대하 연당(臺下蓮塘)의 세우(細雨) 잠ᄭᆞᆫ 지ᄂᆡ가니
대(영귀대) 아래 연꽃이 핀 못 / 가는 비
벽옥(碧玉) ᄀᆞᆺᄒᆞᆫ 너분 닙헤 ᄒᆞ칙ᄂᆞ니 명주(明珠)로다』
직유법 / 흩어지는 것이 / 빛이 고운 구슬
이러ᄒᆞᆫ 청경(淸景)을 보암즉도 ᄒᆞ다마ᄂᆞᆫ

『 』: 비유적 표현을 활용하여 영귀대 아래 연못의 아름다운 모습을 드러냄 **Link** 표현상 특징 ❸

봄옷을 새로 입고 영귀대에 올라오니
아름다운 경치는 옛날과 다름없어 맑은 흥취가 저절로 일어나니
풍류를 즐기는 옛사람의 모습을 오늘 다시 본 듯하구나.
영귀대 아래 연꽃 핀 못에 가랑비 잠깐 지나가니
벽옥 같은 넓은 잎에 흩어지는 것이 고운 구슬 같구나.
이러한 푸른 경치를 봄 직도 하다마는

염계(濂溪) 가신 후(後)에 몃몃 ᄒᆡ를 디닌 게오
송나라 학자 주돈이의 호
의구 청향(依舊淸香)이 다ᄆᆞᆫ 혼자 남아고야
옛날의 맑은 향기
자연(紫烟)이 빗긴 아래 폭포(瀑布)를 멀리 보니
자줏빛 연기. 햇빛으로 인해 불그스레하게 보이는 안개
단애(丹崖) 노픈 긋히 긴 ᄂᆡ히 걸려ᄂᆞᆫ ᄃᆞᆺ
붉은 바위 절벽 / 긴 시냇물 - 폭포를 비유한 말
『향로봉(香爐峰) 긔 어ᄃᆡ오 여산(廬山)이 예롯던가』
여산에 있는 이름난 봉우리 / 선경을 간직한 중국의 명산 / 『 』: 여산에 견주어 폭포의 절경을 예찬함
『징심대(澄心臺) 구어보니 비린(鄙吝)텃 흉금(胸襟)이 새로 온 ᄃᆞᆺᄒᆞ다마ᄂᆞᆫ』
마음을 맑게 하는 언덕 / 더럽고 인색함
『 』: 자연의 기상을 온 몸으로 받아들이는 모습

염계 선생이 가신 후에 몇몇 해를 지낸 것이냐?
옛날의 맑은 향기가 다만 혼자 남았구나.
자줏빛 안개 비낀 아래 폭포를 멀리 보니
낭떠러지 높은 끝에 긴 시내가 걸려 있는 듯
향로봉은 그 어디요, 여산이 여기던가?
징심대 굽어보니 더럽고 인색하던 가슴속이 새로워지는 듯하다마는

적막공대(寂寞空臺)예 외로이 안자시니
적막한 빈 대

적막한 빈 대에 외로이 앉아 있으니

풍청경면(風淸鏡面)에 산영(山影)만 잠겨 잇고
바람이 맑아 거울처럼 잔잔한 물 / 산 그림자

녹수음중(綠樹陰中)에 왼갓 식 슬피 운다 : 감정 이입의 대상 Link 표현상 특징 ❹
우거진 푸른 나무 그늘 / 감정 이입의 대상

배회사억(徘徊思憶)ᄒᆞ며 진적(眞跡)을 다 차ᄌᆞ니
천천히 거닐면서 생각함

『탁영대(濯纓臺) 연천(淵泉)은 고금(古今)업시 말다마ᄂᆞᆫ

말로홍진(末路紅塵)에 사ᄅᆞᆷ마다 분경(紛競)커든
길 끝의 더러운 세상 - 말세, 번거롭고 속된 세상 / 어지럽게 다툼

이리 조ᄒᆞᆫ 청담(淸潭)애 탁영(濯纓)ᄒᆞᆯ 줄 긔 뉘 알리』
맑은 못 / 갓끈을 씻음 / 설의적 표현 Link 표현상 특징 ❸

『 』: 늘 변함없는 자연과 서로 반목하는 인간 세상을 대비하여 속세를 개탄 Link 표현상 특징 ❸

➤ 본사 3: 영귀대의 경치를 보며 인간 세상의 어지러움을 개탄함

거울같이 맑은 물에는 산 그림자만 잠겨 있고
푸른 숲 그늘 속에서는 온갖 새가 슬피 운다.
천천히 거닐면서 생각하며 옛 자취를 다 찾으니
탁영대 연천은 예나 지금이나 맑지마는
말세의 속된 세상에서는 사람마다 어지럽게 다투거든
이렇게 맑은 연못에 갓끈의 때를 씻을 줄 그 누가 알겠는가?

사자암(獅子巖) 노ᄑᆡ 올라 도덕산(道德山)을 바라보니

옥온함휘(玉蘊含輝)ᄂᆞᆫ 어제론 덧 ᄒᆞ다마ᄂᆞᆫ → 회재 선생을 추모함
구슬이 쌓여 빛을 머금고 있음 - 회재 선생의 학덕을 빗댄 표현

봉거산공(鳳去山空)ᄒᆞ니 두견(杜鵑)만 나죄 운다
회재 선생(봉황)이 죽고 없는 빈산에서 우는 두견에 화자의 쓸쓸한 감정을 이입함

도화동(桃花洞) ᄂᆞ린 물리 불사주야(不舍晝夜)ᄒᆞ야 낙화(落花)조차 흘러오니
밤낮을 가리지 않고, 쉼 없이

사자암 높이 올라 도덕산을 바라보니
구슬이 쌓여 빛을 머금고 있는 것(회재 선생의 학덕)은 어제와 같다마는
봉황이 날아가고 산은 비었으니 두견만 저녁에 운다.
도화동에서 내리는 물이 밤낮없이 흘러 떨어진 꽃잎조차 흘러오니

천태(天台)인가 무릉(武陵)인가 이 ᄯᅡ히 어ᄃᆡᆫ 게오
천태산, 중국의 명산 / 무릉도원으로 이름난 중국 호남성에 있는 선경

선종(仙蹤)이 아득ᄒᆞ니 아모ᄃᆡᆫ 줄 모ᄅᆞ로다
신선의 자취

인자(仁者)도 아닌 몸이 므슴 이(理)를 알리마ᄂᆞᆫ
무슨 이치

요산망귀(樂山忘歸)ᄒᆞ야 기암(奇岩)을 다시 비겨
산이 좋아 돌아가는 것을 잊음 / 의지해서

천원 원근(川原遠近)에 경치(景致)를 살펴보니
시냇가의 멀고 가까운 곳

만자천홍(萬紫千紅)은 비단빗치 되어 잇고
만 가지 보랏빛과 천 가지 붉은 빛 - 다양한 빛깔의 꽃

중훼군방(衆卉群芳)은 곡풍(谷風)에 ᄂᆞᆯ려 오고
모든 풀과 여러 꽃 / 골바람

산사 종성(山寺鐘聲)은 구름 밧긔 들리ᄂᆞ다
산사의 종소리

이러ᄒᆞᆫ 형승(形勝)을 범희문의 문필인들 다 서ᄂᆡ기 쉬울런가
송나라 때의 문필가 / 설의적 표현 Link 표현상 특징 ❸

만안 풍경(滿眼風景)이 객흥(客興)을 도오ᄂᆞᆫ 듯
눈에 가득 펼쳐지는 풍경 / 나그네의 흥취

임의소요(任意逍遙)ᄒᆞ며 짐즉 더듸 도라오니
마음대로 돌아다님

거목 서잠(擧目西岑)의 석양(夕陽)이 거의로다
눈에 뜨이는 서쪽 봉우리

➤ 본사 4: 사자암에 올라 도덕산의 경치를 바라봄

천태산인가 무릉도원인가 이 땅이 어디인가?
신선의 자취가 아득하니 어디인 줄 모르겠네.
어진 사람도 아닌 몸이 무슨 이치를 알겠냐마는
산이 좋아 돌아가는 것을 잊고 기이한 바위에 다시 의지하여
시냇가의 멀고 가까운 곳 경치를 살펴보니
다양한 빛깔의 꽃들은 비단 빛이 되어 있고
여러 가지 풀과 향기로운 꽃은 골바람에 날려 오고
산사의 종소리는 구름 밖에서 들리는구나.
이러한 모습을 범희문의 문필이라 한들 다 써 내기 쉽겠는가?
눈앞에 가득 펼쳐진 풍경이 나그네의 흥을 돋우는 듯
여기저기 거닐면서 짐짓 더디게 돌아오니
눈에 뜨이는 서쪽 봉우리에 저녁 해가 거의 지네.

독락당(獨樂堂) 고쳐 올나 좌우(左右)를 살펴보니
독락당에 다시 오름

선생 풍채(先生風彩)을 친(親)히 만나 뵈ᄋᆞᆸᄂᆞᆫ ᄃᆞᆺ
회재 선생의 풍채

갱장(羹墻)의 엄연(儼然)ᄒᆞ야 부앙탄식(俯仰歎息)ᄒᆞ며
자나깨나 눈에 선함 / 뚜렷하여 / 아래를 굽어보고 위를 우러러보며 탄식함

당시(當時) ᄒᆞ시던 닐 다시곰 사상(思想)ᄒᆞ니
다시금

명창정궤(明窓靜机)에 세려(世慮)을 이즈시고
밝은 창과 고요한 책상 / 세상 근심

『성현서(聖賢書)의 착의(着意)ᄒᆞ야 공효(功效)를 일워 ᄂᆡ며
뜻을 붙임 / 공을 들인 보람, 효과

독락당에 다시 올라 좌우를 살펴보니
회재 선생의 풍채를 친히 만나 뵈옵는 듯하다.
자나 깨나 눈에 선함이 확실하여 땅을 굽어보고 하늘을 우러러 탄식하며
당시 하시던 일 다시 생각하니
밝은 창과 고요한 책상에서 세상의 근심을 잊으시고
성현의 책에 뜻을 두어 공들인 보람을 이루어 내니

계왕개래(繼往開來)ᄒᆞ야 오도(吾道)를 밝히시니
옛일을 이어 배우고 앞길을 엶 / 우리나라의 도(유학)

오동방(吾東方) 낙지군자(樂只君子)ᄂᆞᆫ 다만 인가 너기로라』
우리나라의 도를 즐기는 군자 / 『 』: 회재 선생에 대한 예찬적 태도

ᄒᆞ믈며 효제(孝悌)를 본(本)을 삼고 충성을 볘혀 ᄂᆡ여
어버이에 대한 효도와 형제간의 우애 / 베풀어 내어

성조(聖朝)의 나아 들러 직설(稷契)의 몸이 되야
성군이 다스리는 조정 / 중국 요순 시대의 유명한 신하인 후직과 설

당우성시(唐虞盛時)를 일월가 바라더가
요순의 태평성대 / 이룰까

시운(時運)이 불행ᄒᆞ야 충현(忠賢)을 원척(遠斥)ᄒᆞ니
충성스럽고 현명함 / 멀리 물리침

듯ᄂᆞ니 보ᄂᆞ니 심산궁곡(深山窮谷)앤들 뉘 아니 비감(悲感)ᄒᆞ리

칠년장사(七年長沙)의 불견천일(不見天日)ᄒᆞ고
7년간 유배당한 회재 선생의 일을 중국 한나라 가의가 직언하였다가 7년간 귀양간 고사에 빗댐

폐문심성(閉門深省)ᄒᆞ샤 도덕(道德)만 닷그시니
문을 닫고 들어앉아 깊이 반성함

『사불승정(邪不勝正)이라 공론(公論)이 졀로 이러
바르지 않은 것은 정의를 이길 수 없음

존숭도덕(尊崇道德)을 사람마다 ᄒᆞᆯ 줄 아라
도덕을 높이 받들어 숭배함

강계(江界)ᄂᆞᆫ 적소(謫所)로ᄃᆡ 유화(遺化)를 못ᄂᆡ 이져
강계는 회재 선생의 유배지로되

궁항절역(窮巷絕域)의 사우(祠宇)좃차 ᄉᆡ워시니
궁벽한 시골 외딴 고장

사림추앙(士林趨仰)이야 더욱 닐러 무엇ᄒᆞ리』
『 』: 선비들이 회재 선생을 추앙하여 사당을 세움 ▶ 본사 5: 후학들이 회재 선생을 추앙하여 사당을 지음

자옥천석(紫玉泉石) 우희 서원(書院)을 디어 두고
자옥산의 자연 경관

제제청금(濟濟青襟)이 현송성(絃誦聲)을 이어시니
재주 많은 선비 / 거문고를 타고 시를 낭송하는 소리

염락군현(濂洛群賢)이 이 ᄯᅡ희 뫼왓ᄂᆞᆫ 둣
어진 선비들

구인당(求仁堂) 도라 올라 체인묘(體仁廟)도 엄숙ᄒᆞᆯ샤
옥산 서원 안에 있는 집 / 옥산 서원 안에 있는 사당

천추혈식(千秋血食)이 우연(偶然) 아닌 일이로다
제사를 끊이지 않고 지내는 것

추숭존경(追崇尊敬)을 ᄒᆞᆯ소록 못ᄂᆡ ᄒᆞ야
세월이 흐를수록 우러러 높이고 모심

문묘(文廟) 종향(從享)이 긔 더옥 성사(盛事)로다
학덕이 높은 이를 공자의 신위를 모신 문묘에 배향함

오동방 문헌(吾東方文獻)이 한당송(漢唐宋)애 비긔로쇠
회재 선생이 우리나라의 학문 발전에 기여하였다는 의미

『자양(紫陽) 운곡(雲谷)도 어즈버 여긔로다』 『 』: 영탄적 어조 **Link** 표현상 특징 ❸
주자가 독서하던 중국의 산

세심대(洗心臺) ᄂᆞ린 물에 덕택(德澤)이 이어 흘러
베풀어 준 은혜

용추(龍湫) 깁흔 곳에 신물(神物)조차 ᄌᆞᆷ겨시니
폭포수가 떨어지는 바로 밑 웅덩이 / 신령스러운 물건

천공조화(天工造化) 긔 더옥 기이(奇異)코야
자연의 오묘함

무변진경(無邊眞景)을 다 ᄎᆞᆺ기 어려올시
끝없이 훌륭한 경치

낙이망반(樂而忘返)ᄒᆞ야 순월(旬月)을 엄류(淹留)ᄒᆞ며
즐겨 돌아오기를 잊음 / 열흘 또는 한 달 / 오래 머물며

고루(固陋)ᄒᆞᆫ 이 몸애 성경(誠敬)을 넙이 ᄒᆞ야
융통성이 없고 견문이 좁은 / 정성을 다해 공경함

『선생 문집(先生文集)을 자세히 살펴보니』 『 』: 회재 선생의 학덕이 미친 영향을 극찬함
회재 선생의 시문을 엮어 놓은 문집

천언만어(千言萬語) 다 성현(聖賢)의 말삼이라

옛일을 이어 배우고(성현의 가르침을 배움) 앞길을 열어(후인을 가르치는 일) 우리나라의 도를 밝히시니
우리나라의 덕 있는 선비는 다만 그대인가 여기노라.
하물며 효제를 근본으로 삼고 충성을 베풀어 내어
조정에 나아가 후직과 설 같은 충신이 되어
요순의 태평성대를 이룰까 바라다가
한 시대의 운이 불행하여 충성스러움과 현명함을 멀리 물리치니
듣는 이 보는 이 깊은 산속 험한 골짜기엔들 누가 아니 슬퍼하겠는가?
칠 년 동안의 귀양살이에 하늘의 해를 보지 않고
문을 닫고 들어앉아 깊이 반성하여 덕만 닦으시니
바르지 않은 것은 정의를 이길 수 없으니 공론이 저절로 일어나
도덕을 숭상함을 사람마다 할 줄 알아
강계는 유배지로되 선생이 끼친 교화를 잊지 못해
궁벽한 시골에 사당을 세웠으니
선비들의 우러름이야 더 말해 무엇하리.

자옥산의 자연 경관 위에 서원을 지어 두고
재주 많은 선비들이 거문고를 타고 글 읽는 소리를 이었으니
많은 어진 선비들이 이 땅에 다 모인 듯
구인당 돌아 올라 체인묘도 엄숙하구나.
끊임없이 이어지는 제사가 우연이 아닌 일이로다.
세월이 흐를수록 우러러 높이고 모시는 것을 다 못하여
문묘 종향이 그 더욱 훌륭하고 장한 일이로다.
우리나라 문헌이 한당송에 비기리라.
(주자가 공부하던) 자양 운곡도 아아 여기로다.
세심대 내린 물에는 선생의 은혜가 지금도 이어 흘러
용추 깊은 곳에는 신물조차 잠겨 있는 듯하니
조물주의 오묘한 솜씨가 그 더욱 기이하구나.
끝없이 훌륭한 경치를 다 찾기 어려우니
즐거움에 취해 돌아감도 잊어 열흘이나 한 달을 머물면서
고루한 이 몸에 정성을 다하여 공경함을 넓게 하여
선생 문집을 자세히 살펴보니
천 마디 만 마디가 다 성현의 말씀이라.

도맥공정(道脈工程)이 일월(日月)갓치 불가시니
도학의 계통과 공부의 과정
어드운 밤길히 명촉(明燭) 잡고 녠 덧ᄒᆞ다
밝은 촛불
진실로 이 유훈(遺訓)을 강자리(腔子裏)예 가득 담아
죽은 사람이 남긴 훈계 / 마음속
성의 정심(誠意正心)ᄒᆞ야 수성(修誠)을 넙게 ᄒᆞ면
뜻을 정성스럽게 하고 마음을 바르게 함
언충행독(言忠行篤)ᄒᆞ야 사ᄅᆞᆷ마다 어질로다
말은 충성스럽고 행실은 두터움
선생(先生) 유화(遺化) 지극(至極)홈이 엇더ᄒᆞ뇨』
회재 선생이 남기신 교화
차재(嗟哉) 후생(後生)들아 추앙(推仰)을 더옥 놉혀
감탄사, 아아!
만세천추(萬世千秋)에 산두(山斗)갓치 바ᄅᆡ사라
천년 만년의 긴 세월 / 태산과 북두칠성
천고지후(天高地厚)도 유시진(有時盡) ᄒᆞ려니와
하늘은 높고 땅은 두터움 / 다할 때가 있음
독락당(獨樂堂) 청풍(淸風)은 가업실가 ᄒᆞ노라
독락당의 맑은 기운

> 결사: 독락당에 다시 올라 회재 선생을 추모함

도학의 맥과 공부의 과정이 해와 달같이 밝으시니
어두운 밤길에 밝은 촛불 잡고 가는 듯하다.
진실로 이 유훈을 마음속에 가득 담아
뜻을 정성스럽게 하고 마음을 바르게 하여 수양을 넓게 하면
말은 충성스럽고 행실은 두터워 사람마다 어질도다.
선생이 끼쳐 놓은 교화의 지극함이 어떠한가?
아아, 후생들아, (회재 선생에 대한) 추앙을 더욱 높여
천년만년 오래도록 태산과 북두칠성같이 바라보세.
하늘이 높고 땅이 두터움도 마침내 끝이 있으려니와
독락당의 맑은 기운은 끝이 없을 듯싶다.

출제자 톡! 화자를 이해하라!

1 **화자는 누구이고, 화자가 처한 상황은?**
무신의 신분으로 왜란에 참전한 뒤 회재 이언적의 자취를 느낄 수 있는 자옥산에 와서 독락당 곳곳을 둘러보는 '나'

2 **화자의 정서 및 태도는?**
독락당의 경치를 예찬하고, 회재 이언적을 추모함.

Link

출제자 톡! 표현상의 특징을 파악하라!

❶ 공간의 이동에 따라 자연을 예찬하며 그 속에서 대상(회재 이언적)의 흔적을 찾아 추모함.

❷ 한자 성어와 중국 고사를 많이 활용하여 대상을 예찬함.

❸ 직유법, 은유법, 대구법, 설의적 표현, 대조, 영탄적 어조 등 다양한 표현 방법을 사용함.

❹ 자연물에 감정을 이입하여 화자의 정서를 드러냄.

최우선 출제 포인트!

1 시상 전개 방식

독락당을 찾아옴.
↓
독락당 주변 경치를 돌아봄.(양진암 – 관어대 – 영귀대 – 탁영대 연천 – 사자암)
↓
독락당에 다시 오름.

→ 시간의 흐름에 따른 공간 이동

함께 볼 작품 자연의 절경과 인물에 대한 예찬을 노래한 작품: 정철, 「성산별곡」

최우선 핵심 Check!

1 공간의 이동에 따라 시상을 전개하고 있다. (○ / ×)

2 자연의 경치와 회재 ㅇㅇㅈ의 학덕을 중국의 사례에 견주어 가며 예찬하고 있다.

3 ㄷㄹㅇ의 아름다운 경치를 묘사한 서경과 그에 대한 감회를 노래한 서정이 적절하게 어우러지고 있다.

정답 1. ○ 2. 이언적 3. 독락원

1등급! 〈보기〉!

「독락당」의 이해

이 작품은 회재 이언적이 거처하던 독락당 및 후학 양성의 뜻을 드러낸 양진암 등을 다룬 가사로, 이 작품의 공간은 학문 수양의 공간과 그 주변의 자연 공간을 아우르고 있다. 화자는 이언적이 명명한 것으로 전해지는 이들 공간을 둘러보면서 그 명칭의 의미와 관련지어 자신의 소회를 드러낸다. 즉, '깨우치는 것을 혼자서 즐기'는 행위는 '독락당'이라는 명칭의 의미와 연결되면서 학문을 목적으로 하는 공간의 성격을 부각하고 있고, '내 뜻도 뚜렷하다'는 진술은 '양진암'에 대한 것으로, 화자는 후학 양성에 뜻을 두었던 이언적에 대한 공감을 표현하고 있다.
또한 화자는 관어대에서 몇몇 옛 자취를 보며 연비어약을 말없는 벗으로 삼아 독서에 골몰하여 성현의 일 도모하시던 이언적의 모습을 떠올리고 있다. 이는 화자가 관어대에서 이언적이 도모하던 성현 사업(성현의 길)을 흠모하는 마음을 드러내는 것이라 할 수 있다.

밝은 달을 노래함

명월음(明月吟) | 최현

갈래 가사(연군 가사) **성격** 비유적, 상징적, 애상적, 의지적 **주제** 나라의 위기에 대한 걱정과 임금에 대한 충정 **시대** 조선 중기

임진왜란 때 지어진 가사로, 나라가 어려운 상황에 처한 것을 달이 구름에 가려진 것에 비유하여 표현한 작품이다.

: 화자가 지향하는 존재, 임금(선조) 상징 **Link 표현상 특징 ❶**

원문	현대어 풀이
ᄃᆞᆯ아 ᄇᆞᆯ근 ᄃᆞᆯ아 청천(靑天)에 ᄯᅧᆺᄂᆞᆫ ᄃᆞᆯ아	달아, 밝은 달아, 푸른 하늘에 떠 있는 달아.
얼굴은 언제 나며 ᄇᆞᆰ기난 뉘 삼기뇨 (달이 매우 밝음)	얼굴은 언제 났으며 밝기는 누가 시켰는가?
서산(西山)에 ᄒᆡ 숨고 긴 밤이 침침(沈沈)ᄒᆞᆫ 제 (부정적 상황에 처함)	서산에 해 숨고 긴 밤이 침침한 때
청렴(淸廉)을 여러노코 보경(寶鏡)을 닷가내니 (청렴: 젊은 여인이 쓰는 경대 / 보경: 보배롭고 귀중한)	경대를 열어 놓고 거울을 닦아 내니
일편 광휘(一片光輝)에 팔방(八方)이 다 ᄇᆞᆰ거다 (한 조각 달이 환하고 아름답게 빛남 - 임금의 덕을 밝은 달에 빗대어 찬양)	한 조각 달빛에 온 세상이 다 밝구나.
❯ 서사: 온 세상을 비추는 밝은 달에 대한 예찬	
ᄒᆞᄅᆞ밤 ᄎᆞᆫ ᄇᆞ람의 눈이 온가 서리 온가	하룻밤 찬바람에 눈이 왔는가? 서리가 왔는가?
어이 ᄒᆞᆫ 건곤(乾坤)이 백옥경(白玉京)이 도엿ᄂᆞᆫ고 (백옥경: 옥황상제가 지낸다는 궁궐) → 눈서리가 내려 온 천지가 하얗고 아름답게 변한 정경 예찬	어찌 한 세상이 백옥경이 되었는가?
동창(東窓) 채 ᄇᆞᆰ거늘 수정렴(水晶簾)을 거러노코 (수정렴: 수정으로 만든 발)	동쪽 창이 모두 밝거든 수정으로 만든 발을 걸어 놓고
요금(瑤琴)을 빗기 안아 봉황곡(鳳凰曲)을 타집ᄒᆞ니 (요금: 아름다운 소리를 내는 거문고 / 봉황곡: 당나라 현종이 즐겼다는 '봉황우의곡'의 준말)	아름다운 거문고를 비스듬히 안아 봉황곡을 타니
성성(聲聲)이 청원(淸遠)ᄒᆞ여 태공(太空)의 드러가니 (태공: 아득히 좁고 먼 하늘)	소리마다 맑고 멀리 퍼져 먼 하늘에까지 들어가니
파사(婆娑) 계수하(桂樹下)의 옥토(玉免)도 도라본다 (파사: 너울너울 춤추는 모양 / 계수하의 옥토: 달에 있는 계수나무 아래의 옥토끼)	너울너울 춤추는 계수나무 아래의 옥토끼도 돌아본다.
유리(琉璃) 호박주(琥珀酒)를 ᄀᆞ득 부어 권(勸)챠 ᄒᆞ니	유리처럼 맑은 호박잔에 술을 가득 부어 권하자 하니
유정(有情)한 상아도 잔밋티 ᄇᆞ싀얏다 (상아: 달 속에 있다는 전설 속의 선녀. 여기서는 달을 비유한 표현)	인정 있는 항아도 잔 밑에 빛난다.
청광(淸光)을 머그므니 폐부(肺腑)의 흘너 드러	맑은 빛을 머금으니 마음속 깊이 흘러들어
호호(浩浩)ᄒᆞᆫ 흉중(胸中)이 아니 비췬 ᄀᆞᆺ기 업다 (호호ᄒᆞᆫ 흉중: 넓고 넓은 가슴 속 / ᄀᆞᆺ: 구멍이)	넓고도 넓은 가슴 속에 아니 비친 구멍이 없다(달빛이 가슴 깊은 곳까지 비춘다.).
❯ 본사 1: 달빛을 바라보며 거문고를 탐	
옷가슴 헤쳐 내어 광한전(廣寒殿)에 도라안자 (광한전: 옥황상제가 머물러 사는 궁궐. 여기서는 임금이 계신 궁궐)	옷가슴 헤쳐 내어 광한전에 돌아앉아
ᄆᆞᄋᆞᆷ에 먹은 ᄠᅳᆺ을 다 ᄉᆞ로려 ᄒᆞ엿더니	마음에 먹은 뜻을 다 아뢰려 하였더니
숨구ᄌᆞᆫ 부운(浮雲)이 어디러셔 ᄀᆞ리완고 (숨구ᄌᆞᆫ: 마음 나쁜 / 부운: 뜬구름 — 달을 가리는 존재(왜적의 침입을 비유함) **Link 표현상 특징 ❷**) → 소망을 실현할 수 없는 현실에서 오는 안타까움을 나타냄	마음 나쁜 뜬구름이 어디서 와 가리었는가?
천지(天地) 회맹(晦盲)ᄒᆞ야 백물(百物)을 다 못 보니 (하늘과 땅이 캄캄하여 눈이 안 보임)	천지가 깜깜하여 온갖 것을 다 못 보니
상하 사방(上下四方)애 갈길ᄒᆞᆯ 모ᄅᆞᆯ노다	위아래 사방에 갈 길을 모르겠다.
요잠 반각(遙岑半角)애 녯빗치 비취는 ᄃᆞᆺ (요잠 반각: 멀리 아득히 보이는 우뚝 솟은 산봉우리의 반쪽 끝) → 직유적 표현(시적 상황 표현)	멀리 보이는 산봉우리의 반쪽 끝에 달빛이 비치는 듯
운간(雲間)에 나왓더니 ᄯᅦ구름 밋처 나니	구름 사이에 나왔더니 떼구름 미쳐 나니
희미(熹微)ᄒᆞᆫ ᄒᆞᆫ 비치 점점(漸漸) 아득ᄒᆞ여 온다	희미한 한 빛이 점점 아득하여 온다.
중문(重門)을 다다 노코 정반(庭畔)의 ᄯᆞ로 셔셔 (중문: 뜰로 들어가는 문 / 정반: 뜰 가장자리)	중문을 닫아 놓고 뜰 가장자리에 따로 서서
매화(梅花) ᄒᆞᆫ 가지 계영(桂影)인가 도라보니 (매화: 감정 이입의 대상 **Link 표현상 특징 ❸** / 계영: 계수나무의 그림자)	매화 한 가지 계수나무 그림자인가 돌아보니
처량(凄凉)한 암향(暗香)이 날조쳐 시름ᄒᆞᆫ다 (나라에 대한 걱정) → 감정 이입하는 방식을 활용하여 정서를 드러냄	처량한 매화 향기가 나를 따라 근심한다.

소렴(疎簾)을 지워 노코 동방(洞房)애 혼자 안자
엉성하게 짠 발 / 깊숙한 침실이나 규방
금작경(金鵲鏡) 쏠텨나여 벽상(壁上)애 걸어두니
제 몸만 뷝키고 눔 비칠 줄 모르ᄂᆞ다 ▶ 본사 2: 구름이 몰려와 달을 가려 근심함
달과 다르게 금작경은 온 세상을 비추지 못함

엉성하게 짠 발을 치워 놓고 침실에 혼자 앉아
황금까치를 조각한 거울을 닦아 내어 벽 위에 걸어 두니
제 몸만 밝히고 남 비출 줄을 모르는구나.

「단단(團團) 환선(紈扇)으로 긴 ᄇᆞ람 ᄇᆞ처 내여
흰 비단으로 만든 둥근 부채
이 구름 다 것고쟈 기원(淇園) 녹죽(綠竹)으로
중국 허난성 기현에 있는 정원에서 나는 푸른 대나무
일천장(一千丈) 뷔롤 ᄆᆡ야 져 구름 다 쓸고쟈」 「 」: 구름을 걷어 내고 싶은 화자의 마음
빗자루 / 환란을 의미함
장공(長空)은 만리(萬里)오 이 몸은 진토(塵土)니
끝없이 높고 먼 공중
서의ᄒᆞᆫ 이내 뜻이 혜ᄂᆞ니 허사(虛事)로다
쓸쓸한 / '단단(團團) 환선(紈扇)으로 ~ 져 구름 다 쓸고쟈' 부분이 쓸데없는 생각이라는 의미
▶ 본사 3: 부채와 비를 만들어 구름을 걷어 내고 싶어 함

비단으로 만든 둥근 부채로 긴 바람을 부쳐 내어
이 구름 다 걷어 내고 싶구나. 기원의 푸른 대나무로
천 길의 빗자루를 만들어 저 구름을 다 쓸고 싶구나.
먼 하늘은 만 리요 이 몸은 티끌과 흙이니
쓸쓸한 이 내 뜻이 생각하니 허사로다.

ᄀᆞ득 시름 한ᄃᆡ 긴 밤이 어도록고
나라에 대한 걱정
전전반측(輾轉反側)ᄒᆞ여 다시곰 ᄉᆡᆼ각ᄒᆞ니
밤에 잠을 제대로 이루지 못하며 뒤척임 / 화자의 생각이 전환됨
영허 소장(盈虛消長)이 천지(天地)도 무궁(無窮)ᄒᆞ니
달이 차고 기울며, 초목이 자라고 스러짐
풍운(風雲)이 변화(變化)ᄒᆞᆫ돌 본색(本色)이 어ᄃᆡ기료 → 설의적 표현(화자의 의도 부각)
나라와 임금에 대한 충정 / 사물의 본질은 변하지 않을 것이라는 생각
우리도 단심(丹心)을 직희여 명월(明月) 볼 날 기ᄃᆞ리노라
전쟁이 곧 끝날 것임을 기대함 ▶ 결사: 단심을 지켜 다시 밝은 달을 볼 수 있는 날을 기다림
현재의 부정적 상황이 개선되기를 바람

가뜩이나 근심이 많은데 긴 밤을 어찌할까?
이리저리 뒤척이며 다시금 생각하니
달이 차고 지며 초목이 자라고 스러지는 것이 하늘과 땅에도 무궁하니(끝이 없으니)
바람과 구름이 변한들 본색이 어디 가겠는가?
우리도 단심을 지켜서 밝은 달을 볼 날을 기다리노라.

출제자 톡! 화자를 이해하라!

1 화자는 누구이고, 화자가 처한 상황은?
나라와 임금을 걱정하는 '나'로, 밤하늘의 달을 보며 노래함.

2 화자의 정서 및 태도는?
• 구름이 달을 가린 것을 걱정함.
• 명월을 볼 날을 기대하며 충성을 다짐하고 있음.

Link

출제자 톡! 표현상의 특징을 파악하라!

❶ 자연물에 상징적 의미를 부여하여 내용을 전개함.
❷ 대조적인 사물('달' ↔ '구름')을 통해 주제를 부각함.
❸ 자연물에 감정을 이입하여 화자의 정서를 표현함.

최우선 출제 포인트!

1 시상 전개 과정

서사	세상을 환하게 비추는 달을 예찬함.
본사	구름에 가려 빛을 잃은 달을 염려함.
결사	임금에 대한 충성을 다짐하며 밝은 달을 볼 날을 기대함.

2 시어의 상징적 의미

ᄃᆞᆯ(명월)	임금
부운, 쎼구름, 구름	나라의 환란을 불러일으키는 존재(왜적)

함께 볼 작품 임금을 그리워하는 신하의 마음을 노래한 작품: 정서, 「정과정」, 정철, 「사미인곡」

최우선 핵심 Check!

1 '명월'은 임금을 상징한다. (○ / ×)

2 〈본사 2〉에서 화자는 자연물인 ㅁ ㅎ에 감정을 이입하여 나라에 대한 근심과 우국충정을 드러내고 있다.

3 〈본사 3〉에서 '구름'을 걷어 내고 싶은 화자의 마음을 드러내는 소재는 '환선'과 '뷔'이다. (○ / ×)

4 〈결사〉의 '풍운이 변화ᄒᆞᆫ돌 본색이 어ᄃᆡ기료'에는 환란이 머지않아 끝날 것이라는 화자의 ㄱ ㄷ ㄱ이 나타나 있다.

정답 1. ○ 2. 매화 3. ○ 4. 기대감

생각하여 그리워하는 노래

상사별곡(相思別曲) | 작자 미상

갈래 가사(애정 가사) **성격** 애상적
주제 독수공방의 외로움, 임에 대한 간절한 그리움
시대 조선 후기

성리학 이념에 따른 연군 가사의 틀에서 벗어나 남녀 사이의 순수한 연정을 주제로 한 상사류 가사의 전형성을 보이고 있다.

원문	현대어 풀이
인간리별(人間離別) 만ᄉᆞ 즁(萬事中)의 독슈공방(獨守空房) 더욱 셟다 (세상의 모든 일 / 화자의 처지 / 서럽다)	인간의 많은 이별 중에서 독수공방이 가장 서럽다.
상ᄉᆞ불견(相思不見) 이ᄂᆡ 진졍(眞情) 그 뉘 알니 (서로 그리워하면서 만나지 못함 - 임을 그리워하는 화자의 심리)	임 못 보아 그리운 이내 심정을 그 누가 알리.
ᄆᆡ친 셔름 이렁져렁 헛튼 근심 다 후리쳐 던져두고	맺힌 시름과 이런저런 흐트러진 근심 다 팽개쳐 던져두고,
자나 ᄭᆡ나 ᄭᆡ나 자나 님 못 보니 가삼 답답 (남녀 사이의 연정으로 고민하는 화자의 처지가 드러남)	자나깨나 깨나자나 임을 못 보니 가슴이 답답
어린 양ᄌᆞ(樣子) 고흔 소ᄅᆡ 눈에 암암 귀에 징징 (얼굴의 생긴 모양 / 잊히지 않고 눈에 어른어른하는 모양)	(눈에) 어린 얼굴, 고운 소리 눈에 아른거리고 귀에 들리는 듯(하다.)
듯고 지고 님의 소ᄅᆡ 보고 지고 님의 얼골 → 대구법 **Link** 표현상 특징 ❶ (청각적, 시각적 이미지로 임에 대한 그리움 형상화)	듣고 싶구나 임의 소리, 보고 싶구나 임의 얼굴
『비나이다 하나님ᄭᅦ셔 이졔 보게 심기소셔』 『 』: 임과의 재회 기원 (기원의 대상) **›** 독수공방의 서러움	비나이다, 하나님께서 임 생기라 비나이다.
젼ᄉᆡᆼ차ᄉᆡᆼ(前生此生) 무ᄉᆞᆷ 죄로 우리 두리 ᄉᆡᆼ겨나셔 (전생과 금생)	전생과 금생에 무슨 죄로 우리 둘이 생겨나서
그린 상ᄉᆞ 한ᄃᆡ 만나 잇지 마자 ᄇᆡᆨ년 긔약(百年期約)	그리워하는 마음으로 함께 만나서 백년기약을 잊지 말자 하였고
쥭지 말고 한ᄃᆡ 잇셔 리별 마자 쳐음 ᄆᆡᆼ셰(盟誓)	죽지 말고 함께 있어 처음 맹세대로 이별하지 말자고 한 말을
『쳔금 쥬옥(千金珠玉) 귀에 빗기고 셰상 일불 관계ᄒᆞ랴』 (온갖 보물 / 관심 없음 / '세사 일분(世事一分) 관계ᄒᆞ랴'의 착오인 듯함) 『 』: 임이 없으면 온갖 보물이나 세상일이 모두 무의미한 것임	온갖 보물도 관심 밖이요, 세상일에 조금이라도 관계하랴
『근원(根源) 흘너 ⓜ물이 되야 깁고 깁고 다시 깁고』 『 』: 시어의 반복, 대구법 **Link** 표현상 특징 ❶ (충만한 사랑 / a-a-b-a 구조)	근원 흘러 물이 되어 깊고 깊고 다시 깊고
사랑 모혀 ⓜ뫼히 되야 놉고 놉고 다시 놉고』 ○: 임에 대한 사랑 (높고 고귀한 사랑 비유)	사랑 모여 산이 되어 높고 높고 다시 높고
문허질 쥴 모로거던 ᄭᅳᆫ어질 쥴 게 뉘 알니 (설의적 표현 **Link** 표현상 특징 ❸)	무너질 줄 모르더니 끊어질 줄 누가 알겠는가?
『화옹(化翁)조ᄎᆞ 싀음 발나 귀신(鬼神)됴ᄎᆞ 희짓는다』 (시샘하는지 / 장난질) 『 』: 임과의 이별을 외부 요인의 탓으로 돌림	조물주마저 샘을 내는지 귀신조차 장난질하는구나.
일죠 낭군(一朝郎君) 리별 후에 소식죠ᄎᆞ 돈졀(頓絕)ᄒᆞ니	하루아침에 낭군과 이별 후에 소식조차 뚝 끊기니,
오날이나 긔별 올가 ᄂᆡ일이ᄂᆞ 사람 올ᄉᆞ (현재 상황을 극복하려 하기보다는 임의 기별을 기다리는 소극적인 자세를 취함)	오늘이나 기별 올까? 내일이나 들어올까?
기다린 지 오ᄅᆡ더니 무졍셰월(無情歲月) 졀로 간다	기다린 지 오래되니 무정한 세월이 저절로 간다.
소년 쳥츈(少年青春) 다 보ᄂᆡ고 옥빈홍안(玉鬢紅顏) 공노(空老)로다 (옥 같은 귀밑머리와 붉은 얼굴이라는 뜻으로, 아름다운 젊은이를 이르는 말 / 나이 들어 가는 자신의 신세에 대한 화자의 한탄이 표현됨)	어린 시절 청춘 시절 다 보내고, 젊음이 지나가고 헛되이 늙었구나
오동 추야(梧桐秋夜) 밝은 달에 밤은 어이 수거 가며 (계절감을 드러내는 소재 - 시간의 변화를 드러냄)	오동나무에 밝은 달이 비치는 가을밤은 어찌 쉽게 가며,
녹음방초(綠陰芳草) 져믄 날에 ᄒᆡ는 어이 더듸 가노 (푸른 버드나무와 향기로운 풀)	푸르른 초목이 우거진 여름 낮은 어찌 더디게 가는가.
이ᄂᆡ 상ᄉᆞ(相思) 알으시면 님도 응당 늣기리라 (그리워하는 마음)	이내 그리움을 아시게 되면 임도 나를 그리워하리라.
독슈공방(獨守空房) 홀노 안ᄌᆞ 반야 잔등(半夜殘燈) 벗슬 삼ᄋᆞ (상황의 직접적 언급 - 화자의 처지를 드러냄)	임이 없는 텅 빈 방에 홀로 앉아 깊은 밤에 희미한 등불을 벗 삼아
일촌간장(一寸肝腸) 셕은 물이 소ᄉᆞ나니 눈물이라	한 토막의 애타는 마음속에서 썩어서 나온 물이 솟아난 것이 눈물이네.
가삼속에 물이 나셔 ᄯᅱ여나니 한슘이라 (가슴속)	가슴속에서 (썩은) 물이 나와 솟아난 것이 한숨이다.
『눈물이 바다 되면 ᄇᆡ를 타고 [아니 가랴] □: 설의적 표현 **Link** 표현상 특징 ❸	눈물이 바다를 이루면 배를 타고 가야 하지 않겠는가?
한숨 ᄭᅳᆺᄒᆡ 불이 나면 님의 옷셰 당긔리라』 『 』: 화자의 서글픔을 과장하여 표현함 **Link** 표현상 특징 ❶	한숨 끝에 불이 나면 임의 옷에 옮아 붙으리라.
『교틔(嬌態) 겨워 웃든 우슴 ᄉᆡᆼ각ᄒᆞ니 목이 멘다』 (이기지 못하여) 『 』: 화자는 과거의 상황을 떠올리며 자신의 감정을 표출함	(지난날에) 애교 떨며 웃었던 웃음을 생각하니 목이 멘다.

원문	현대어 풀이
디쳑(咫尺) 동방(洞房)[잠자는 방] 쳔 리(千里) 되야 바라보니 암암(暗暗)토다 (임과 이별하여 지내는 화자의 처지를 드러내는 표현 - 공간적 거리감을 통해 표현)	가까이에 있는 침실이 천 리는 떨어져 있는 것처럼 보여 가물가물하다.
만쳡 쳔희(萬妾千姬) 그려 닌들 흔 붓으로 다 그리랴	수많은 내 모습을 그린다면 붓 하나로 다 그릴 수 있겠는가?
날기 돗친 학이 되면 나라가다 아니 가랴 (□: 설의적 표현 - 반복 사용, 임에 대한 사랑 강조 Link 표현상 특징 ❸) (학: 임에게 가고 싶은 마음을 투영한 대상)	날개 달린 학이 되면 날아가다가 아니 가겠는가?
산은 쳡쳡 고기 지고 물은 즁즁(重重) 흘너 근원 되니 (△: 임을 만나기 위해 넘어야 할 장애물 - 임을 만나기가 매우 어려운 상황임)	산은 겹겹이 고개를 이루고, 물은 겹겹이 흘러 내리니,
텬디 인간(天地人間) 리별 즁에 날 갓트니 또 잇는가	세상 사람의 이별 중에서 나와 같은 사람이 또 있겠는가?
쏫츤 퓌여 졀노 지고 히도 다 져물것다	꽃은 피어서 저절로 지고, 해도 다 저물었다.
초로(草露) 갓튼 이닉 인싱(人生) 무숨 죄로 못 쥭는가 (비유적 표현으로 임과 이별하고 살아가는 화자의 비애감 표출 Link 표현상 특징 ❷)	풀 이슬 같은 나의 인생이 무엇 때문에 죽지도 못하는가.
바람 부러 구진 비와 구름 찌여 져믄 날에	바람 불어서 궂은비가 내리고 구름이 끼여 저물어가는 날에
「오락가락 빈방으로 혼ᄌ 셔셔 바자니며	왔다갔다 빈방에서 혼자 서서 서성거리며
님 계신 ᄃ 바라보니」 이닉 상ᄉ(相思) 허ᄉ(虛事)로다 (「」: 임에 대한 그리움이 행동으로 표출됨)	임 계신 곳을 바라보니 나의 그리워하는 마음이 헛것이로구나.
▶ 이별로 인한 외로움과 임에 대한 그리움	
공방 미인(空房美人) 독상ᄉ(獨相思)는 예로붓터 잇것마는 (독수공방하여 임 생각에 몸부림치는 일)	혼자 사는 여자가 홀로 그리워하는 것은 예로부터 있는 일이지마는
나 혼ᄌ 그리는가 님도 날을 그리는가	나 혼자서 임을 그리워하는 것인가, 임도 나를 그리워하는 것인가?
노류장화(路柳墻花) 썩거 들고 봄빗츨 놀닉는가 (길가의 버드나무와 담 밑의 꽃, 화류계의 여인(질투의 대상))	버들가지와 꽃송이 꺾어 쥐고 봄날을 즐기고 있는 것인가?
날 ᄉ랑ᄒ든 긋히 남 ᄉ랑ᄒ시는가	나를 사랑하던 끝에 다른 사람을 사랑하시는 것인가?
산계야목(山鷄野鶩) 길을 드려 노흘 쥴을 모로는가 (산 꿩과 들오리, 성질이 사납고 거칠어서 길들이기 어려운 사람, 여기서는 임을 뜻함) (동일 어구 반복 Link 표현상 특징 ❶)	산꿩과 들오리(같은 임을) 길을 들여 놓을 줄 모르는가?
노류장화 썩거 들고 봄빗츨 놀닉는가	버들가지와 꽃송이 꺾어 쥐고 봄날을 즐기고 있는 것인가?
「가는 길이 자최 나면 오는 길이 무되리라」 (「」: 임에게 갈 수 있는 길의 자취가 없어서 임이 '나'에게 올 수 있는 길도 무더짐을 의미(가정법))	가는 길 자취 없이 오는 길이 무디리라.
「훈번 쥭어 도라가면 다시 오기 쉬울년가」 (「」: 임을 다시 보지 못할 것에 대한 염려)	한번 죽어 돌아가면 다시 오기 쉽겠는가?
▶ 임과의 재회에 대한 소망	

출제자 톡! 화자를 이해하라!

1 **화자는 누구이고, 화자가 처한 상황은?**
임과 이별한 여인으로, 독수공방의 외로운 처지에 놓여 있음.

2 **화자의 정서 및 태도는?**
독수공방의 외로움, 임에 대한 그리움, 임과의 재회에 대한 소망 등이 나타남.

Link
출제자 톡! 표현상의 특징을 파악하라!

❶ 반복법, 대구법, 과장적 표현, 동일 어구의 반복을 사용하여 화자의 처지와 심경을 드러냄.

❷ 비유적 표현을 활용하여 화자의 비애감을 표출함.

❸ 설의적인 표현을 사용하여 화자의 생각을 강조함.

최우선 출제 포인트!

1 시구의 역할과 기능

시구	역할	기능
오동 추야 밝은 달	화자에게 이별한 임을 떠올리게 만드는 계기를 마련함.	화자의 정서 유발
산계야목	길들이기 어려운 존재, 임을 상징함	화자의 정서 심화
노류장화	임이 한눈 파는 상대(질투의 대상)	

이 작품에서는 가을 밤에 떠 있는 달과 화자를 버리고 떠난 임과 임이 한눈 파는 상대를 통해 이별의 쓸쓸한 분위기를 형성함과 동시에 화자의 정서를 유발하고 심화시킨다. 또한, 다시 임을 보기 바라는 화자의 간절한 염원을 드러내고 있다.

함께 볼 작품 임에 대한 사랑과 그리움을 형상화한 작품: 작자 미상, 「춘면곡」

최우선 핵심 Check!

1 화자는 임에게 버림받고 독수공방하는 여인이다. (O / ×)

2 화자는 임을 직접 찾아나서는 등 적극적인 자세를 취하고 있다. (O / ×)

3 결사 부분에서는 ㄱㅈㅂ을 활용하여 임과의 재회라는 화자의 소망을 드러낸다.

4 화자의 정서를 형상화하는 과정에서 자연물을 활용하고 있다. (O / ×)

정답 1. ○ 2. × 3. 가정법 4. ○

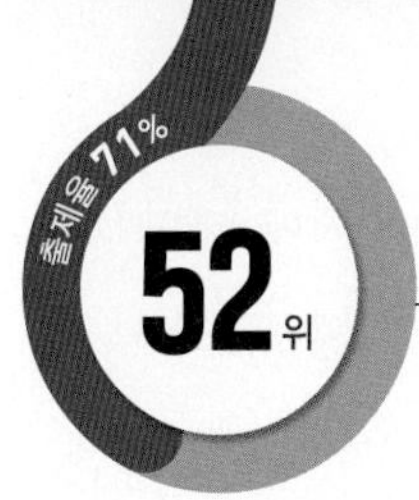

분노가 가득한 노래

만분가(萬憤歌) | 조위

갈래 가사(유배 가사, 연군 가사) **성격** 한탄적, 비분적, 원망적 **주제** 유배 당한 현실에 대한 원망과 연군의 정 **시대** 조선 전기

조선 연산군 때 무오사화로 인해 투옥된 작가가 유배지에서 지은 작품으로, 유배 가사의 효시이다.

: 임금이 계신 곳을 천상으로 비유함 Link 표현상 특징 ❶

원문	현대어 풀이
『천상(天上) 백옥경(白玉京) 십이루(十二樓) 어듸매오 옥황상제가 사는 궁궐. 여기서는 임금(성종)이 있는 한양의 궁궐을 의미함	하늘 위의 옥황상제가 산다는 궁궐의 열두 누각은 어디인가?
오색운(五色雲) 깁픈 곳의 자청전(紫淸殿)이 ᄀᆞ려시니 신선이 사는 집	오색구름 깊은 곳에 하늘의 신선이 사는 집이 가렸으니
천문(天門) 구만 리(九萬里)를 ᄭᅮᆷ이라도 갈동말동』 『』: 유배지에서 임을 그리는 마음 유배지와 한양 궁궐의 심리적 거리가 멂	하늘 문 구만 리를 꿈이라도 갈동말동(하는구나.)
ᄎᆞ라리 싀여지여 억만(億萬) 번 변화(變化)ᄒᆞ여	차라리 죽어져서 억만 번 변화하여
남산(南山) 늣즌 봄의 두견(杜鵑)의 넉시 되어	남산 늦은 봄날에 두견의 넋이 되어
이화(梨花) 가디 우희 밤낫즐 못 울거든 : 유배 온 억울한 심정과 임금에 대한 그리움이 내포된 화자의 분신(객관적 상관물) Link 표현상 특징 ❷	배꽃 가지 위에서 밤낮으로 못 울거든,
삼청동리(三淸洞裡)의 졈은 한널 구름 되여 신선이 사는 곳	신선이 사는 고을 안에 저문 하늘 구름 되어
ᄇᆞ람의 흘리 ᄂᆞ라 자미궁(紫微宮) ᄂᆞ라 올라 천제가 사는 곳. 여기서는 한양의 궁궐을 의미함	바람에 흩날리며 궁궐에 날아올라,
옥황(玉皇) 향안전(香案前)의 지쳑(咫尺)의 나아 안자 향로나 향합을 올려놓는 상 앞	옥황상제 앞에 놓인 상 앞에 가까이 나가 앉아
흉중(胸中)의 싸힌 말솜 쓸커시 ᄉᆞ로리라 글을 쓰는 동기 - 자신의 억울함 호소 ➤ 서사: 유배지에서 임금에게 마음속에 있는 마음을 호소하고 싶은 마음	가슴속에 쌓인 말씀 실컷 말하리라.
어와 이 내 몸이 천지간(天地間)의 느저 나니	아아, 이내 몸이 세상에 늦게 나니
황하수(黃河水) ᄆᆞᆯ다만는 초객(楚客)의 후신(後身)인가 죽어서 태어난 몸 초나라 사람. 즉 굴원을 이름. 누명을 쓰고 귀양을 가서 멱라수에 투신함	황하수 맑다마는 굴원의 후신인가?
상심(傷心)도 ᄀᆞ이 업고 가태부(賈太傅)의 넉시런가 한나라 가의를 일컬음. 대신들의 시기를 받아 벼슬에서 좌천됨 □: 화자 자신을 비유 / 억울한 누명을 썼던 인물들을 자신과 비유함 Link 표현상 특징 ❸	상심도 끝이 없고 가의의 넋이런가?
한숨은 무스 일고 형강(荊江)은 고향(故鄕)이라 중국 강소성 형상 근처의 강. 유배지	한숨은 무슨 일인고? 형강(중국 강소성 근처의 강)은 고향이라.
십 년(十年)을 유락(流落)ᄒᆞ니 백구(白鷗)와 버디 되여 유배 생활로 떠돌아다니니	십 년을 유배 생활로 떠돌아다니니 흰 갈매기와 벗이 되어,
ᄒᆞᆷᄭᅴ 놀자 ᄒᆞ엿더니 어루는 둣 괴는 둣 얼루는 듯, 아양 부리는 듯	함께 놀자 하였더니 아양을 부리는 듯 사랑하는 듯(하구나.)
ᄂᆞᆷ의 업슨 님을 만나 금화성(金華省) 백옥당(白玉堂) 인간이었다가 신선이 된 적송자가 득도한 곳	남의 없는 임을 만나 금화성 백옥당의
ᄭᅮᆷ이 죠차 향긔롭다	꿈조차 향기롭다.
『오색(五色) 실 니음 졀너 님의 옷슬 못ᄒᆞ야도 이음이 짧아 / 화자가 여성임이 드러남 Link 표현상 특징 ❹	오색실 이음 짧아 임의 옷을 못하여도
바다 ᄀᆞ튼 님의 은(恩)을 추호(秋毫)나 갑프리라』 『』: 임금에 대한 충성 은혜 / 조금이나마	바다 같은 임의 은혜 조금이나마 갚으리라.
『백옥(白玉)ᄀᆞ튼 이 내 ᄆᆞ음 님 위ᄒᆞ여 직희더니』 『』: 임(임금)을 향한 변함없는 충성심	백옥 같은 이내 마음 임 위하여 지키고 있었더니,
장안(長安) 어제 밤의 무서리 섯거치니 시련과 역경(무오사화)	장안 어젯밤에 무서리 섞어 치니
일모 수죽(日暮脩竹)의 취수(翠袖)도 냉박(冷薄)홀샤 푸른 소매 해가 저물 무렵 대나무에 의지함 (두보의 시에서 인용) / 촉각적 심상 - 화자의 어려운 처지	해질녘 긴 대나무에 의지하여 선 푸른 옷소매도 찬 기운이 돌 만큼 엷구나.
유란(幽蘭)을 것거 쥐고 님 겨신 듸 ᄇᆞ라보니 난꽃의 일종 / 백옥경(한양) 가는 길 / 한양	난꽃을 꺾어 쥐고 임 계신 데 바라보니
약수(弱水) ᄀᆞ리진듸 구룸 길이 머흐러라 △: 임과 화자를 가로막는 장애물 - 간신배, 정적 비중이 낮아 기러기의 털도 가라앉는다는 전설 속의 강 / 험하구나	도저히 건널 수 없는 전설의 강이 가로놓인 데에 구름 길이 험하구나.
다 서근 ᄃᆞᆰ긔 얼굴 쳣맛도 채 몰나셔 썩은	다 썩은 닭의 얼굴 첫맛도 채 몰라서

초췌(憔悴)ᄒᆞᆫ 이 얼굴이 님 그려 이러컨쟈
이리 되었구나
『천층랑(千層浪) ᄒᆞᆫ가온대 백척간(百尺竿)의 올나더니
천 층 높이의 험한 물결 / 백척간두(百尺竿頭) = 몹시 위태로운 상황
무단(無端)ᄒᆞᆫ 양각풍(羊角風)이 환해중(宦海中)의 나리나니』
아무 까닭 없는 / 회오리바람 = 무오사화 / 관리의 사회 가운데
억만장(億萬丈) 소(沼)희 ᄲᅡ져 하ᄂᆞᆯ ᄯᅡ흘 모ᄅᆞᆯ노다

『 』: 환해풍파(宦海風波): 벼슬살이에서 겪는 온갖 풍파 → 화자가 겪은 무오사화를 뜻함

➤ 본사 1: 혼란스러운 상황으로 화자 자신이 유배에 처하게 됨

초췌한 이 얼굴이 임 그려서 이리 되었구나.
험한 물결 한가운데 긴 장대 위에 올랐더니,
아무 까닭이 없는 회오리바람이 관리의 바다 중에 내리나니
억만 길이의 못에 빠져 하늘땅을 모르겠도다.

『노(魯)나라 흐린 술희 한단(邯鄲)이 무슴 죄(罪)며
중국 전국 시대 조나라의 서울
진인(秦人)이 취ᄒᆞᆫ 잔(盞)의 월인(越人)이 우음 탓고』
진나라 사람 / 월나라 사람 / 웃음을 웃은 탓인가
『 』: 서로 무관함 - 자신의 무고함 강조
성문(城門) 모딘 블의 옥석(玉石)이 ᄒᆞᆷᄭᅴ ᄐᆞ니
무오사화 / 충신과 간신이 모두 화를 당함
ᄯᅳᆯ 압희 심은 난(蘭)이 반(半)이나 이우레라
충신 / 시들었구나
오동(梧桐) 져즌 비의 외기럭이 우러 녤 제
저물녘 오동잎에 내리는 비 / 감정 이입, 객관적 상관물 **Link 표현상 특징 ❷**
관산 만리(關山萬里) 길이 눈의 암암 ᄇᆞᆯ피ᄂᆞᆫ ᄃᆞᆺ
고향의 산, 여기서는 궁궐을 의미함
청련시(青蓮詩) 고쳐 읇고 팔도 한을 ᄉᆞ쳐 보니
이백의 시(이백은 자신을 스스로 '청련거사'라 하였음)
화산(華山)의 우ᄂᆞᆫ 새야 이별(離別)도 괴로왜라
화자의 감정 이입의 대상
망부 산전(望夫山前)의 석양(夕陽)이 거의로다
남편을 기다리는 산 앞에
기도로고 ᄇᆞ라다가 안력(眼力)이 진(盡)톳던가
낙화(落花) 말이 업고 벽창(碧窓)이 어두으니
입 노른 삿기 새들 어이도 그리 건쟈
어미를 그리는구나
『팔월 추풍(八月秋風)이 ᄯᅴ집을 거두우니
『 』: 무오사화로 위기에 처한 자신의 처지를 비유함
뷘 깃의 ᄡᅡ인 알히 수화(水火)ᄅᆞᆯ 못 면토다』
생리사별(生離死別)을 ᄒᆞᆫ 몸의 혼자 맛다
살아 있을 때는 멀리 떨어져 있고 죽어서는 영원히 헤어짐
삼천장(三千丈) 백발(白髮)이 일야(一夜)의 기도 길샤
고통스러운 화자의 마음을 나타냄
『풍파(風波)의 헌 ᄇᆡ ᄐᆞ고 ᄒᆞᆷᄭᅴ 노던 져뉴덜아
무오사화 / 저네들이여
『 』: 함께 정치하던 조정의 신하들을 걱정하는 말
강천(江天) 지ᄂᆞᆫ ᄒᆡ의 주즙(舟楫)이나 무양(無恙)ᄒᆞᆫ가』
배와 노 / (몸에) 병이나 탈이 없는가
밀거니 혀거니 염여퇴(灩澦堆)ᄅᆞᆯ 겨요 디나
중국 사천성의 물길이 험한 곳 - 뱃사람들이 물길이 탈이 없는가 조심한다는 곳
만리 붕정(萬里鵬程)을 멀니곰 견주더니
멀고도 험한 길
ᄇᆞ람의 다브치여 흑룡강(黑龍江)의 ᄯᅥ러진 ᄃᆞᆺ
다붙여
천지(天地) ᄀᆞ이 업고 어안(魚雁)이 무정(無情)ᄒᆞ니
물고기와 기러기
옥(玉)ᄀᆞᄐᆞᆫ 면목(面目)을 그리다가 말년지고
임(임금)의 용안(얼굴)
매화(梅花)나 보내고져 역로(驛路)ᄅᆞᆯ ᄇᆞ라보니
임금에 대한 화자의 충정 / 역마(驛馬)를 바꿔 타는 곳과 통하는 길
옥량 명월(玉樑明月)을 녜 보던 ᄂᆞᆺ 비친 ᄃᆞᆺ
옥으로 된 대들보에 걸린 밝은 달
양춘(陽春)을 언제 볼고 눈비ᄅᆞᆯ 혼자 마자
햇볕, 임금의 은총 / 온갖 고초를 혼자 겪어

노나라 흐린 술에 한단이 무슨 죄며
진나라 사람들이 취한 잔에 월나라 사람들이 웃은 탓인고?
성문 모진 불에 옥석이 함께 타니
뜰 앞에 심은 난이 반이나 시들었구나.
저물녘 오동잎에 내리는 비에 외기러기 울며 갈 때
관산 만 리 길이 눈에 아른아른 밟히는 듯
이백의 시 고쳐 읊고 팔도 한을 스쳐 보니
화산에 우는 새야, 이별도 괴로워라.
망부 산전에 석양이 되었구나.
기다리고 바라다가 시력이 다했던가?
낙화는 말이 없고 창문이 어두우니
입 노란 새끼 새들이 어미를 그리는구나.
팔월 가을바람이 띠집을 거두니
빈 새집에 쌓인 알이 물과 불을 못 면하도다.
살아서 이별하고 죽어서 헤어짐을 한 몸에 혼자 맡아
긴 흰머리가 하룻밤에 길기도 길구나.
풍파에 헌 배 타고 함께 놀던 저 무리들아,
강 위의 하늘에서 지는 해의 배와 노는 탈이 없는가?
밀거니 당기거니 염여퇴를 겨우 지나
만 리나 되는 멀고도 험한 길을 멀리멀리 견주더니
바람에 다붙여 흑룡강에 떨어진 듯,
천지는 끝이 없고 물고기와 기러기가 무정하니
옥 같은 얼굴을 그리다가 말려는고?
(임금에게) 매화나 보내고자 역마를 바꾸어 타는 곳과 통하는 길을 바라보니
옥 대들보에 걸린 밝은 달을 옛 보던 낯빛인 듯
햇볕을 언제 볼고 눈비를 혼자 맞아

원문	현대어 풀이
벽해(碧海) 너븐 ᄀᆞ의 넉시조차 흣터지니	푸른 바다 넓은 가에 넋조차 흩어지니
내의 긴 소매ᄅᆞᆯ 눌 위ᄒᆞ여 적시ᄂᆞᆫ이고	나의 긴 소매를 누굴 위하여 적시는고?
태상(太上) 칠위분이 옥진군자(玉眞君子) 명(命)이시니 눈물을 흘리고 있는 화자 / 선대의 일곱 임금 / 신선	태상 일곱 분이 신선의 명이시니
천상(天上) 남루(南樓)의 생적(笙笛)을 울니시며 생황과 피리	천상 남루에 생황과 피리를 울리시며
지하(地下) 북풍(北風)의 사명(死命)을 벗기실가	지하 북풍의 죽을 목숨을 벗기실까?
죽기도 명(命)이요 살기도 하ᄂᆞ리니	죽기도 운명이요, 살기도 하늘이니
진채지액(陳蔡之厄)을 성인(聖人)도 못 면ᄒᆞ며 공자가 진과 채나라 땅에서 당한 굴욕	진나라와 채나라에서 당한 횡액을 공자도 못 면하며
유예비죄(縲絏非罪)ᄅᆞᆯ 군자(君子)인들 어이 ᄒᆞ리 죄인같이 묶였지만 죄가 없음 = 화자의 상황	죄인처럼 묶였으나 죄가 없음을 군자인들 어이 하리?
오월비상(五月飛霜)이 눈물로 어릐ᄂᆞᆫ 듯 오월에 날리는 서리. 여성이 품은 깊은 원한을 이름	오월의 서리가 눈물로 어리는 듯
삼년대한(三年大旱)도 원기(寃氣)로 니뢰도다 삼 년간의 큰 가뭄 / 원한의 기운	삼 년 큰 가뭄도 원한으로 되었도다.
초수남관(楚囚南冠)이 고금(古今)의 ᄒᆞᆫ 둘이며 초나라 종의가 남관을 쓰고 갇힘 = 죄인	죄 지은 사람이 고금에 한둘이며
백발황상(白髮黃裳)의 셔룬 일도 하고 만타 고위직의 늙은 신하 / 서러운 / 많기도 많다	고위직의 늙은 신하의 서러운 일도 많기도 많다.
건곤(乾坤)이 병(病)이 드러 혼돈(混沌)이 죽은 후(後)의	하늘과 땅이 병이 들어 혼돈 상태가 죽은 후에
하ᄂᆞᆯ이 침음(沈吟)ᄒᆞᆯ 듯 관색성(貫索星)이 비취ᄂᆞᆫ 듯 근심에 잠겨 신음함 / 신분이 낮은 사람을 가두는 감옥. 관색구성(貫索九星)의 준말	하늘이 침울할 듯 천한 이의 감옥이 비치는 듯,
고졍의국(孤情依國)의 원분(寃憤)만 싸혓시니 유배지에서 나라만을 생각하는 정 / 화자의 심정 - 원망스럽고 분통함	유배지에서 나라만 생각하는 충정에 원망스럽고 분한 마음만 쌓였으니
ᄎᆞ라리 할마(瞎馬)ᄀᆞ치 눈 ᄀᆞᆷ이고 지내고져 한쪽 눈이 먼 말	차라리 한 눈이 먼 말같이 눈 감고 지내고 싶구나.
창창막막(蒼蒼漠漠)ᄒᆞ야 못 미들ᄉᆞᆫ 조화(造化)일다 끝이 없고 쓸쓸함	울적하고 막막하여 못 믿을 것은 조화로다.
이러나 저러나 하ᄂᆞᆯ을 원망ᄒᆞᆯ가	이러나 저러나 하늘을 원망할까?

> 본사 2: 자신의 처지에서 느끼는 원망과 슬픔

원문	현대어 풀이
도척(盜跖)도 셩히 놀고 백이(伯夷)도 아사(餓死)ᄒᆞ니 옛날 중국의 큰 도적 이름 / 중국 은나라의 충신 백이 숙제. 절의를 지키다 뜻을 이루지 못하자 수양산에서 굶어 죽음	큰 도적도 몸 성히 놀고 백이도 굶어 죽으니
동릉(東陵)이 놉픈 작가 수양(首陽)이 ᄂᆞ즌 작가 도척이 살던 곳 / 것일까 / 백이가 절의를 지키다가 굶어 죽은 곳	동릉이 높은 걸까, 수양산이 낮은 걸까?
남화(南華) 삼십 편(三十篇)의 의논(議論)도 하도 할샤 책 『장자』의 다른 이름	『장자』 삼십 편에 의논도 많기도 많구나.
남가(南柯)의 디난 ᄭᅮᆷ을 ᄉᆡᆼ각거든 슬므어라 남가지몽(南柯之夢) - 부귀와 권세가 꿈과 같음을 일컫는 말	남가의 지난 꿈을 생각거든 싫고 미워라.
고국송추(故國松楸)를 ᄭᅮᆷ의 가 ᄆᆞᆫ져 보고 고국에 있는 산소 둘레의 나무 - 무덤을 비유적으로 이르는 말	고국 무덤을 꿈에 가 만져 보고
선인(先人) 구묘(丘墓)를 ᄭᅵᆫ 후(後)의 ᄉᆡᆼ각ᄒᆞ니 무덤. 선산	선인의 무덤을 깬 후에 생각하니
구회간장(九回肝腸)이 굽의굽의 그쳐셰라 '굽이굽이 서린 창자'라는 뜻으로 시름이 쌓인 마음속을 비유한 말	겹쳐진 속마음이 굽이굽이 끊어졌구나.
장해 음운(瘴海陰雲)의 백주(白晝)의 흣터디니 독기가 서린 바다의 구름 / 대낮	병을 발생하게 하는 구름이 대낮에 흩어지니
호남(湖南) 어늬 고디 귀역(鬼蜮)의 연수(淵藪)런디 귀신과 불여우. 음험한 사람 / 연못과 숲. 사람이나 물건이 모여 있는 곳	호남의 어느 곳이 음험한 사람이 모이는 곳인지,
이매망량(魑魅魍魎)이 쓸커디 저즌 ᄀᆞ의 온갖 도깨비	온갖 도깨비가 실컷 젖은 가에
백옥(白玉)은 므ᄉᆞ 일로 청승(靑蠅)의 깃시 되고 푸른색이 도는 파리 / 보금자리. 소굴	백옥은 무슨 일로 푸른색이 도는 파리의 깃이 되고
북풍(北風)의 혼자 셔셔 ᄀᆞ 업시 우ᄂᆞᆫ ᄯᅳᆺ을	북풍에 혼자 서서 끝없이 우는 뜻을

하ᄂᆞᆯ ᄀᆞ튼 우리 님이 젼혀 아니 ᄉᆞᆯ피시니
임금. 여기서는 성종
목란추국(木蘭秋菊)에 향기(香氣)로운 타시런가
목란과 가을 국화. 간신을 비유
첩여(婕妤) 소군(昭君)이 박명(薄命)ᄒᆞᆫ 몸이런가
한나라 때의 반첩여와 궁녀 왕소군 　복이 없고 팔자가 사나움
군은(君恩)이 믈이 되여 흘러가도 자최 업고
옥안(玉顔)이 ᄭᅩᆺ이로되 눈믈 ᄀᆞ려 못 볼로다
임금의 얼굴
『이 몸이 녹아져도 옥황상제(玉皇上帝) 처분(處分)이요
이 몸이 싀여져도 옥황상제(玉皇上帝) 처분(處分)이라』
『 』: 화자의 처지 - 스스로 무언가를 해결해 낼 수 없음. 체념적 태도(반복, 대구)
노가디고 싀어지여 혼백(魂魄)조차 흣터지고
비참한 화자의 처지
공산(空山) 촉루(髑髏) ᄀᆞ치 님자 업시 구니다가
텅 빈 산의 해골. 살점이 없어진 흰 두골
곤륜산(崑崙山) 제일봉(第一峯)의 만장송(萬丈松)이 되여 이셔
중국 전설상의 높은 산
ᄇᆞ람비 ᄲᅳ린 소ᄅᆡ 님의 귀예 들니기나
화자의 분신. 임에 대한 변함 없는 마음을 드러내는 자연물 - 연군지정
청각적 이미지 　영원한시간. 여러번 되풀이함을 뜻함 **Link 표현상 특징 ❷**
윤회(輪迴) 만겁(萬劫)ᄒᆞ여 금강산(金剛山) 학(鶴)이 되여
오랜 세월을 두고 이승에서의 업보에 따라 내세에 다시 태어남 　상승의 이미지 구현
일만(一萬)이천봉(二千峯)의 ᄆᆞ음ᄭᆞᆺ 소사 올나
청각적 이미지 　마음껏
ᄀᆞ을 ᄃᆞᆯ ᄇᆞᆯ근 밤의 두어 소ᄅᆡ 슬피 우러
계절적 배경. 서글픈 분위기 형성 　억울함과 답답함. 임에 대한 그리움 호소
님의 귀의 들리기도 옥황상제(玉皇上帝) 처분(處分)일다 → 체념과 순종의 태도
임에게 알리고 싶은 화자의 심정을 나타냄
❯ 본사 3: 유배 생활의 운명에 대한 체념과 왕의 처분만을 바라는 심정

하늘 같은 우리 임이 전혀 아니 살피시니
목란과 가을 국화의 향기로운 탓이런가?
한나라 때의 반첩여와 궁녀 왕소군이 복이 없고 팔자가 사나운 몸이런가?
임금의 은혜가 물이 되어 흘러가도 자취 없고
임금의 얼굴이 꽃이로되 눈물 가려 못 보겠구나.
이 몸이 녹아져도 옥황상제 처분이요,
이 몸이 죽어져도 옥황상제 처분이라.
녹아지고 죽어서 혼백조차 흩어지고
빈산의 해골같이 임자 없이 굴러다니다가
곤륜산 제일봉에 매우 큰 소나무가 되어 있어
바람 비 뿌린 소리 임의 귀에 들리게 하거나,
내세에 다시 태어나서 금강산의 학이 되어
일만 이천 봉에 마음껏 솟아올라
가을 달 밝은 밤에 두어 소리 슬피 울어
임의 귀에 들리게 하는 것도 옥황상제 처분이겠구나.

뿌리 　가지
『한(恨)이 ᄲᅮᆯ희 되고 눈물로 가디 삼아 → 한의 정서 형상화
화자의 억울하고 분한 심정을 드러냄
님의 집 창밧긔 외나모 매화(梅花) 되여
지조와 절개의 상징. 화자의 분신
설중(雪中)의 혼자 픠여 침변(枕邊)의 이위ᄂᆞᆫ 듯
계절적 배경. 고난을 강조 　베갯머리 　시드는
월중(月中) 소영(疎影)이 님의 옷의 빗취어든
달빛에 언뜻언뜻 비치는 그림자. 화자의 분신
어엿븐 이 얼굴을 네로다 반기실가』 『 』: 임의 곁에 있고 싶은 화자의 간절한 소망
동풍(東風)이 유정(有情)ᄒᆞ여 암향(暗香)을 블어 올려
화자의 마음을 아는 존재 　그윽한 향내. 여기서는 매화 향기를 의미함 - 임금에 대한 화자의 충정
고결(高潔)ᄒᆞᆫ 이 내 ᄉᆡᆼ계 죽림(竹林)의나 부치고져
대나무 숲. 자연(대유법)
빈 낙대 빗기 들고 뷘 ᄇᆡ를 혼자 ᄯᅴ워
중국 송과 요의 분계를 이루던 강 - 여기서는 한강을 가리킴
백구(白溝) 건네 저어 건덕궁(乾德宮)의 가고지고
천자의 궁궐. 임금이 사는 궁궐 - 여기서는 한양의 궁궐을 가리킴
그려도 ᄒᆞᆫ ᄆᆞ음은 위걸(魏闕)의 달녀 이셔
높고 큰 문. 조정을 의미함(대궐)
ᄂᆡ 무든 누역 속의 님 향ᄒᆞᆫ ᄭᅮᆷ을 ᄭᆡ여
연기를 쐬어 검어진 도롱이. 화자의 처지
일편(一片) 장안(長安)을 일하(日下)의 ᄇᆞ라보고
서울. 임금이 계신 곳 　하늘 아래 온 세상
외오 굿겨 올히 굿겨 이 몸의 타실넌가
머뭇거림 → 임금에 대한 간절한 그리움
이 몸이 젼혀 몰라 천도(天道) 막막(漠漠)ᄒᆞ니
하늘의 이치가 아득하여 알 수 없음
『물을 길이 젼혀 업다 복희씨(伏羲氏) 육십사괘(六十四卦)
중국 고대 전설상의 제왕으로, 팔괘를 처음 만듦 　『주역』에 나오는 64개의 괘

한이 뿌리 되고 눈물로 가지 삼아
임의 집 창밖에 외나무 매화 되어
눈 속에 혼자 피어 베갯머리에 시드는 듯,
드문드문 비치는 달 그림자가 임의 옷에 비치거든
불쌍한 이 얼굴을 너로구나 반기실까?
동풍이 정이 있어 매화 향기를 불어 올려
고결한 이내 생애 죽림에나 부치고 싶구나.
빈 낚싯대 비껴들고 빈 배를 혼자 띄워
한강 건너 저어 옥황상제(임금)가 거처하는 곳에 가고 싶구나.
그래도 한 마음은 조정에 달려 있어,
연기를 쐬어 검어진 도롱이 속에 임 향한 꿈을 깨어
임금이 계신 곳을 온 세상에 바라보고
그릇되이 머뭇거리며 옳게 머뭇거리며 이 몸의 탓이런가?
이 몸이 전혀 몰라 하늘의 이치가 아득하여 알 수 없으니
물을 길이 전혀 없다. 복희씨 육십사괘

천지만물(天地萬物) 상긴 ᄠᅳᆮ을 주공(周公)을 ᄭᅮᆷ의 뵈와
주나라 문왕의 아들(임금)

ᄌᆞ시이 뭇ᄌᆞᆸ고져』하ᄂᆞᆯ이 놉고 놉하
『 』: 자연과 인간의 이치를 연구한 이들에게 천도를 묻고 싶다 함 → 자신의 억울함 호소

말 업시 놉흔 ᄠᅳᆮ을 구룸 우희 ᄂᆞᄂᆞᆫ 새야

네 아니 아돗더냐 어와 이 내 가ᄉᆞᆷ

『산(山)이 되고 돌이 되여 어ᄃᆡ 어ᄃᆡ 사혀시며

비 되고 믈이 되여 어ᄃᆡ 어ᄃᆡ 우러 녤고』 『 』: 화자의 억울한 심정을 자연물을 활용하여 형상화함 - 대구, 반복, 과장으로 억울함과 분한 마음이 깊음

아모나 이 내 ᄠᅳᆮ 알 니 곳 이시면

백세 교유(百歲交遊) 만세 상감(萬世相感)ᄒᆞ리라
영원토록 사귐 / 영원토록 공감함

> 결사: 임에 대한 변치 않는 그리움과 자신의 뜻을 알아줄 사람을 간절히 원함

천지 만물 생긴 뜻을 주공을 꿈에 뵈어
자세히 여쭙고 싶구나. 하늘이 높고 높아
말없이 높은 뜻을 구름 위에 나는 새야.
네 아니 알겠더냐? 아아, 이내 가슴
산이 되고 돌이 되어 어디 어디 쌓였으며
비가 되고 물이 되어 어디 어디 울며 갈꼬?
아무나 이내 뜻 알 이 곧 있으면
영원토록 사귀어서 영원토록 공감하리라.

출제 최우선 작품

출제자 톡! 화자를 이해하라!

1 **화자는 누구이고, 화자가 처한 상황은?**
임과 이별을 한 상황인 '나'

2 **화자의 정서 및 태도는?**
억울하게 임과 헤어져 슬픔과 원통함을 토로하면서도 임금을 향한 연군의 정도 드러내고 있음.

Link

출제자 톡! 표현상의 특징을 파악하라!

❶ 자신을 하계로 내려온 신선에, 임금을 옥황상제에 빗대어 표현함.
❷ 자연물에 의탁하여 정서를 드러냄.
❸ 고사를 활용하여 유배에 대한 억울한 심정을 토로함.
❹ 화자를 임을 잃은 여성으로 설정하여 호소력을 높임.

최우선 출제 포인트!

1 천상과 하계의 설정

백옥경(白玉京) 자청전(紫淸殿) 삼청동리(三靑洞裏) 자미궁(紫微宮)	➜	'옥황상제' 또는 '신선'이 사는 곳 = 임금이 계신 곳

이 작품은 임을 잃은 여성을 화자로 설정하여 충신연주지사(忠臣戀主之辭)의 형상을 취하는 한편, 「만분가」라는 제목에서 볼 수 있듯이 귀양간 자신의 처지를 천상 백옥경에서 하계로 추방된 것에 비유하여 유배를 당하게 된 현실에 대한 발분의 정서를 표출하고 있다. 이러한 형태는 조선 시대 유배 가사에서 흔히 볼 수 있는 표현법이다.

함께 볼 작품 화자를 여성으로 설정하고, 천상과 하계로 나누어 임금을 그리워하는 작품: 정철, 「사미인곡」, 「속미인곡」

최우선 핵심 Check!

1 〈서사〉의 '흉중(胸中)의 싸힌 말슴 쓸커시 ᄉᆞ로리라'를 보면 화자는 현재 삶에 대해 부정적으로 인식하고 있다. (○ / ×)

2 화자 자신이 현재 상황에 처하게 된 원인이 구체적으로 나타나 있다. (○ / ×)

3 화자를 임을 잃은 여성으로 설정하여 호소력을 높이고 있다. (○ / ×)

4 'ㄷㄱ, ㄱㄹ, 외기럭이, 새, 만장송, 학, 매화, 월중 소영' 등의 자연물을 화자의 분신으로 삼아 감정을 이입하고 있다.

5 〈본사 1〉에서 'ㅇㅅ, 구름'은 화자와 임 사이를 가로막는 장애물을 의미한다.

정답 1. ○ 2. × 3. ○ 4. 두견, 구름 5. 약수

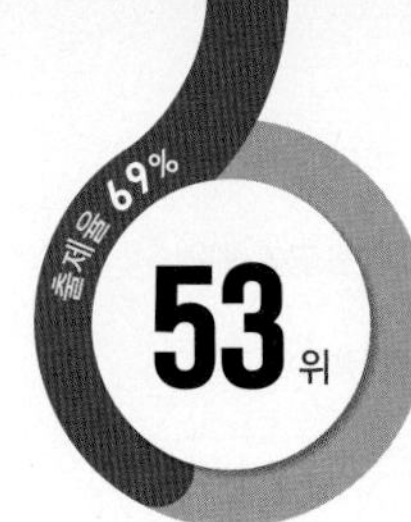

곤궁함을 탄식하는 노래

탄궁가(嘆窮歌) | 정훈

갈래 가사 **성격** 사실적, 체념적
주제 가난으로 인한 고통과 이를 수용하려는 자세
시대 조선 중기

가난한 생활에서 벗어날 수 없음을 탄식하면서도 결국은 그 가난을 수용하는 자세를 보여 주는 작품이다.

하늘이 삼기시믈(만드시기를) 일정(일정하게) 고로 ᄒᆞ련마는
엇지ᄒᆞᆫ 인생(人生)이 이대도록 고초(苦楚)(고난스러운가)ᄒᆞᆫ고 — 가난한 현실에 대한 원망을 설의적 표현으로 드러냄
삼순구식(三旬九食)(삼십 일 동안 아홉 끼니를 먹음)을 엇거나 못 엇거나
십년일관(十年一冠)(십 년 동안 하나의 갓만 씀. 지독히 가난함)을 쓰거나 못 쓰거나
안표누공(顔瓢屢空)(안회의 표주박이 자주 빈다는 뜻으로, 공자의 제자인 안회의 가난한 생활)인ᄃᆞᆯ 날ᄀᆞ치 뷔여시며
원헌간난(原憲艱難)(공자의 제자인 원헌이 몹시 가난했음. 원헌은 청빈의 대명사적인 인물)인ᄃᆞᆯ 날ᄀᆞ치 이심(已甚)ᄒᆞᆯ가

□: 매우 가난함
유사한 문장 구조 반복 - 시적 상황 부각 **Link** 표현상 특징 ❶, ❷
> 서사: 곤궁한 생활에 대한 한탄

하늘이 만드시기를 일정하고 고르게 하련만
어찌된 인생이 이토록 괴로운가?
삼십 일 동안 아홉 끼니를 얻거나 못 얻거나
십 년 동안 하나의 갓만을 쓰거나 못 쓰거나
안연의 밥그릇이 비었다고 한들 나같이 비었으며
원헌이 가난한들 나같이 심할까?

춘일(春日)(봄날)이 지지(遲遲)(늦고도 늦어서)ᄒᆞ야 포곡(布穀)(뻐꾸기 - 농사철을 환기함)이 ᄇᆡ야거ᄂᆞᆯ(재촉하거늘)
『동린(東鄰)에 ᄯᅡ보(따비. 풀뿌리를 뽑거나 밭을 가는 데 쓰는 농기구) 엇고 서사(西舍)(서쪽에 사는 이웃)에 호ᄆᆡ 엇고』 → 너무 가난하여 이웃에게 농기구를 빌림
집 안희 드러가 ᄡᅵ갓ᄉᆞᆯ(씨앗을) 마련ᄒᆞ니
올벼씨(제철보다 일찍 여무는 벼) ᄒᆞᆫ 말은 반(半)나마 쥐 먹엇고(농사지을 볍씨마저 쥐가 먹음. 설상가상(雪上加霜)) → 가난한 생활을 사실적으로 드러냄
기장 피 조 ᄑᆞᆺ튼(조와 팥) 서너 되 부터거ᄂᆞᆯ(서너 되밖에 농사짓지 못함)
한아한(춥고 굶주린) 식구(食口) 일이ᄒᆞ야 어이 살리

『 』: 유사한 문장 구조 반복 - 시적 상황 부각 **Link** 표현상 특징 ❷
Link 표현상 특징 ❸
> 본사 1: 농사조차 어려운 집안 상황

봄날이 깊어져 뻐꾸기가 재촉하거늘
동쪽 이웃에게 따비(쟁기)를 얻고 서쪽 이웃에게 호미를 얻어
집안에 들어가 씨앗을 마련 하니
올벼 씨 한 말은 반 넘게 쥐가 먹었고
기장, 피, 조, 팥은 서너 되 부쳤거늘
춥고 배고픈 식구 이리하여 어찌 살리?

이바 아희들아(하인들을 가리킴) 아모려나 힘ᄡᅥ 쓰라(명령적 어조 - 화자의 강한 의지 표출 **Link** 표현상 특징 ❹)
『쥭운(죽을 쑤어) 물 샹쳥(윗사람) 먹고 거니(건더기(좋은 진국)) 건져 죵을 주니
눈 우희 바ᄂᆞᆯ 졋고 코흐로 ᄑᆞ람 분다』 『 』: 주인은 종을 배려하였으나, 종은 죽을 준다고 주인을 무시함
올벼는 ᄒᆞᆫ 블 ᄲᅮᆺ고(수확하고) 조 ᄑᆞᆺ튼 다 무기니(묵히니 - 수확하지 못함)
『살히파 바랑이(잡초의 종류)ᄂᆞᆫ 나기도 슬찬턴가(싫지 않던가)』 『 』: 곡식은 나지 않고 잡초만 무성함
환자 장리ᄂᆞᆫ 무어스로 당만ᄒᆞ며(환자 - 관청에서 빌려 준 곡식, 이자/장리 - 민간의 고리 사채 → 봄에 빌린 곡식의 높은 이자)
요역(徭役) 공부(貢賦)(국가에서 시켜 의무적으로 해야 하는 육체적 노동과 세금)ᄂᆞᆫ 엇지ᄒᆞ야 출와 낼고
백이사지(百爾思之)(이리저리 여러 가지로 생각함)라도 견ᄃᆡᆯ 셩(견딜 가능성)이 젼혜 업다
장초(萇楚)의 무지(無知)를 불어ᄒᆞ나 엇지ᄒᆞ리(『시경』의 한 구절로 세금 걱정 없이 살면 좋겠다는 의미)

> 본사 2: 종들이 무시할 정도의 가난

이봐 아이들아 어쨌거나 힘써 살아가라.
죽을 쑤어 국물은 상전이 먹고 건더기 건져 종을 주었는데
눈살을 찌푸리며 콧방귀만 뀐다.
올벼는 한 발만 수확하고 조와 팥은 다 묵히니
싸리, 피, 바랑이 등 (잡초는) 나기도 싫지 않던가?
환자 장리(빌린 곡식의 이자)는 무엇으로 장만하며
부역과 세금은 어찌하여 채워 낼꼬?
이리저리 여러 가지로 생각하여도 견딜 가망이 전혀 없다.
장초가 아무 걱정 모르는 것을 부러워하니 어찌하리?

시절(時節)이 풍(豊)ᄒᆞᆫᄃᆞᆯ(풍년인들) 지어미(화자의 아내) ᄇᆡ 브르며
겨스를(겨울을) 덥자 ᄒᆞᆫᄃᆞᆯ 몸을 어이 ᄀᆞ리올고(몸을 가릴 옷조차 없음)
기저(機杼)(베틀의 북)도 ᄡᅳᆯ ᄃᆡ 업서 공벽(空壁)(빈 벽)의 ᄭᅵ쳐 잇고
부증(釜甑)(떡을 찌는 시루)도 ᄇᆞ려 두니 ᄇᆞᆰ근 비티 다 되엿다(솥에 붉은 녹이 끼었음)

시절이 풍년인들 지어미 배부르며
겨울이 덥다 한들 몸을 어이 가릴까?
베틀의 북은 쓸데없이 빈 벽에 걸려 있고
시루 솥도 버려 두니 붉은 빛이 다 되었다.

세시(歲時) 삭망(朔望) 명일(名日) 기제(忌祭)는 무어스로 향사(饗祀)ᄒᆞ며

세시 절기 / 명절 때의 각종 잔치와 제사 / 제사를 받듦

세시 절기, 명절 제사는 무엇으로 해 올리며

원근 친척(遠近親戚) 내빈왕객(來賓往客)은 어이ᄒᆞ야 접대(接待)홀고

멀고 가까운 친척 / 왔다 가는 손님들

멀리서 온 친척, 왔다가는 손님들은 어찌 대접할 것인고?

이 얼굴 진여 이셔 어려운 일 하고 만타

몰골 / 지니고 / 많고 많다

이 몰골 지니고 있어 어려운 일 많고 많다.

> **본사 3: 가난한 상황에 대한 한탄**

『이 원수(怨讐) 궁귀(窮鬼)를 어이ᄒᆞ야 녀희려뇨』 『 』: 가난을 의인화하여 이별하고 싶은 대상을 표현함

가난 귀신. 가난을 의인화함 / 여희다(이별하다)

이 원수 이 가난 귀신을 어찌해야 이별할까?

수릐 후량(餱糧)을 ᄀᆞ초오고 일홈 불러 전송(餞送)ᄒᆞ야

말린 음식 / 잔치를 베풀어(예를 갖추어) 떠나보냄

술에 음식을 갖추어서 이름 불러 보내어

일길 신량(日吉辰良)에 사방(四方)으로 가라 ᄒᆞ니

좋은 날 좋을 때에

좋은 날 좋은 때에 사방으로 가라 하니

추추분분(啾啾憤憤)ᄒᆞ야 원노(怨怒)ᄒᆞ야 니론 말이

시끄럽게 떠들며 화를 냄 - 가난을 의인화하여 대화 상대자로 끌어들임 / 화를 내어 / 이른

시끄럽게 떠들며 화를 내며 하는 말이

『자소지로(自少至老)히 희로우락(喜怒憂樂)을 너와로 ᄒᆞᆷᄭᅴ ᄒᆞ야

어려서부터 지금 늙어서까지 / 기쁨, 노여움, 근심, 즐거움 / 화자는 줄곧 가난 속에서 살아왔음

어려서부터 지금까지 기쁨과 슬픔을 너와 함께하여

죽거나 살거나 녀흴 줄이 업섯거늘

죽거나 살거나 이별한 일이 없었거늘

Link 표현상 특징 ❺

어듸 가 뉘 말 듯고 가라 ᄒᆞ여 니ᄅᆞᄂᆞ뇨』 『 』: 궁귀의 말 - 가난에 대한 화자의 인식을 변화시키는 계기

어디 가서 누구 말 듣고 가라고 말하는가?

우는 덧 ᄭᅮ짓는 덧 온 가지로 공혁(恐嚇)커늘

타이르듯 / 꾸짖는 듯 / 을러대며 꾸짖음

우는 듯 꾸짖는 듯 온갖 방법으로 을러대며 꾸짖거늘

도롯셔 싱각ᄒᆞ니 네 말도 다 올토다

돌이켜 / 화자의 태도 변화 - 가난에서 벗어나려다가 체념적으로 수용함

도리어 생각하니 네 말도 다 옳도다.

무정(無情)ᄒᆞᆫ 세상(世上)은 다 나를 ᄇᆞ리거늘

세상에 대한 화자의 부정적 인식

무정한 세상은 다 나를 버리거늘

네 호자 유신(有信)ᄒᆞ야 나를 아니 ᄇᆞ리거든

믿음이 있어

너 혼자 믿음이 있어 나를 아니 버리니

인위(人威)로 피절(避絕)ᄒᆞ며 좀ᄭᅬ로 녀흴너냐

사람의 위협으로 / 피하여 관계를 끊음 / 잔꾀

억지로 피하여서 잔꾀로 이별할 수 있겠느냐?

하늘 삼긴 이 내 궁(窮)을 혈마ᄒᆞᆫ둘 어이ᄒᆞ리 → 가난을 운명으로 여김

하늘이 만든 / 가난 / 설마한들

하늘이 준 이내 궁함을 설마한들 어찌하리?

빈천(貧賤)도 내 분(分)이어니 셜워 므슴ᄒᆞ리

가난과 천함을 자신의 분수로 여김(안분지족의 태도)

가난도 내 분수이니 서러워하여 무엇하리?

> **결사: 가난한 삶에 대한 체념과 수용**

출제자 톡! 화자를 이해하라!

1 **화자는 누구이고, 화자가 처한 상황은?**
농사도 짓기 힘들고 명절조차 지낼 수 없을 만큼 궁핍한 생활을 하고 있는 '나'

2 **화자의 정서 및 태도는?**
- 가난한 자신의 처지를 한탄함.
- 궁귀의 말을 듣고 가난을 운명으로 여기고 수용하려는 태도를 보임.

Link

출제자 톡! 표현상의 특징을 파악하라!

❶ 고사를 인용하여 화자의 궁핍한 상황을 부각함.

❷ 유사한 문장 구조를 반복하여 시적 상황을 부각함.

❸ 현실을 구체적으로 묘사하여 사실성을 높임.

❹ 명령적 어조를 사용하여 화자의 강한 의지를 표출함.

❺ 가난을 '궁귀'로 의인화하며 가난한 상황을 희화화함.

최우선 **출제 포인트!**

1 작품에 나타난 사회상

쥭운 물 샹쳥 먹고 ~ 코흐로 ᄑ람 분다	가난한 상전을 업신여기는 하인들이 있음.
요역 공부ᄂ 엇지ᄒ야 출와 낼고	부역을 하고 세금을 냄.
시절이 풍ᄒ들 ~ 어이 ᄀ리올고	풍년이 들어도 빈한함.
세시 삭망 명일 기제ᄂ 무어스로 향사ᄒ며	때에 맞춰 제사를 지내야 함.

2 '가난'의 의인화

궁귀(窮鬼) → 가난을 '궁귀(가난 귀신)'로 의인화하여 대화를 나눔으로써 가난한 생활을 해학적으로 풀어냄.

3 '궁귀(窮鬼)'의 역할

작가 정훈은 작품에서 저항적이고 비판적이기보다 자신의 신세를 한숨 쉬며 한탄하는 정도의 현실 인식을 보여 준다. 그래서 그의 작품을 통해 당대의 어려움이나 궁핍함의 정도를 생생하게 엿볼 수는 없다. 그의 대표작 「탄궁가(嘆窮歌)」에서는 가난을 '궁귀(窮鬼)'로 설정하여 자신의 일생을 괴롭혀 온 궁귀를 내치려 하는데, 이 궁귀는 일생 동안 희로우락을 함께하고서는 어디서 어떤 요사한 말을 듣고 자신을 버리려 하느냐고 화자를 나무란다. 이에 화자는 궁귀를 내치려 한 자신의 행동을 후회하고 자신의 가난을 받아들이게 된다. 이러한 궁귀의 역할을 통해 궁귀는 작가의 내면에 있는 또 다른 자신의 목소리로 생각할 수 있으며, 이 작품은 가난을 둘러싼 작가의 내적 갈등을 형상화한 것이라 볼 수 있다. 즉 화자는 평생을 어렵게 살아온 자신의 삶을 되돌아보면서, 궁귀와의 대화를 통해 가난을 하늘이 결정한 자신의 운명으로 받아들여야 할 것인가의 문제로 고민한 것이다.

최우선 **핵심 Check!**

1 화자는 자신의 가난을 한탄하고 있다. (O / ×)

2 화자는 현실을 관념적으로 묘사하여 괴로움을 극복하고 있다. (O / ×)

3 화자는 자신의 곤궁함을 구체적으로 표현하는 데 '안표누공', '원헌간난' 등의 ㄱ ㅅ를 사용하였다.

4 〈서사〉의 '십년일관', 〈본사 2〉의 '쥭운 물 샹쳥 먹고 거니 건져 죵을 주니'에서 몰락한 사대부의 처지를 엿볼 수 있다. (O / ×)

5 〈결사〉의 가난을 의인화한 'ㄱ ㄱ'와의 대화 부분에서는, 자신의 가난한 삶을 운명으로 여기고 수용하고자 하는 화자의 태도가 드러나 있다.

정답 1. ○ 2. × 3. 고사 4. ○ 5. 궁귀

1등급! 〈보기〉!

「탄궁가」의 이해

「탄궁가」는 경제적으로 몰락한 사대부가 자신이 처한 궁핍한 현실에 대해 한탄하는 가사이다. 이 작품에는 가난으로 인해 사대부로서의 도리를 지키지 못하는 형편과 극심한 궁핍으로 인해 사대부임에도 불구하고 종에 대한 권위를 내세울 수 없는 상황이 드러나 있다. 이와 함께 경제적인 무능력으로 인해 가난에서 벗어나지 못하고 이를 수용할 수밖에 없는 처지 등이 잘 나타나 있다. 이를 구체적으로 본문에서 살펴보면, '쥭운 물 샹쳥 먹고 거니 건져 죵을 주니'에서 농사일로 종의 눈치를 보는 몰락한 사대부의 처지를 엿볼 수 있고, '세시 삭망 명일 기제ᄂ 무어스로 향사ᄒ며'에서 사대부로서의 도리를 다하지 못하는 현실에 대한 한탄을 엿볼 수 있다. 또한 '무정ᄒ 세상(世上)은 다 나를 ᄇ리거늘'에서 힘겨운 경제적 상황을 타개해 나갈 수 없는 비관적 현실을 엿볼 수 있으며, '빈천도 내 분이어니 셜워 므슴ᄒ리'에서 궁핍한 현실을 체념적으로 수용하는 태도를 엿볼 수 있다.

「고공가」에 답하는 노래 Link 표현상 특징 ❶

고공답주인가(雇工答主人歌) | 이원익

갈래 가사 **성격** 교훈적, 비유적, 경세적
주제 집안을 일으키기 위해 주인과 종이 가져야 할 자세 **시대** 조선 중기

임진왜란 이후 나라가 황폐해진 상황에서도 당쟁만 일삼고 부정한 방법으로 자신의 이익만을 챙기는 신하들을 비판하고, 임금에게 나라를 일으킬 수 있는 방도를 제시하고 있다.

(Link 표현상 특징 ❷: 1~3행)

원문	주석	현대어 풀이
어와 져 양반아 도라안자 내 말 듯소	져 양반아: 청자를 설정하여 말을 건네는 방식임	아 저 양반아! 돌아앉아 내 말 좀 들어 보시오.
엇지ᄒᆞᆫ 져믄 소니 헴업시 단니ᄂᆞᆫ다	져믄 소니: 새 머슴(새로운 인재) / 헴업시: 헤아림 없이, 생각 없이	어찌하여 젊은 손이 생각 없이 다니는 것인가?
마누라 말ᄉᆞᆷ을 아니 드러 보ᄂᆞᆫ다	마누라: 주인, 여기서는 임금을 비유함	주인님 말씀을 아니 들어 보았는가?

> 서사: 이야기를 들어볼 것을 권유함

원문	주석	현대어 풀이
나ᄂᆞᆫ 일얼만뎡 외방(外方)의 늙은 죵이	나: 화자(어른 종)	나는 이럴지언정 외방의 늙은 종이
공밧치고 도라갈 직 ᄒᆞᄂᆞᆫ 일 다 보앗ᄂᆡ	공밧치고: 조정에 공물을 바치고	(조정에) 공물을 바치고 돌아갈 때 하는 일을 다 보았네.
우리 ᄃᆡᆨ 셰간이야 녜붓터 이러튼가	우리 ᄃᆡᆨ 셰간: 우리 집(우리나라)의 형편 / 이러튼가: 이러하지 않았음을 강조(설의적 표현)	우리 집 살림살이가 예부터 이러했던가?
전민(田民)이 만탄 말리 일국(一國)에 소ᄅᆡ나데	전민: 농민	농민이 많단 말이 온 나라에 소문이 났는데
먹고 입ᄂᆞᆫ 드난죵이 백여구(百餘口) 나마시니	드난죵: 드나들며 머슴살이를 하는 종	먹고 입으며 드나들며 머슴살이하는 종이 백여 명이 넘는데도
므ᄉᆞᆷ 일 ᄒᆞ노라 터밧츨 무겨ᄂᆞᆫ고	머슴들의 게으름을 비판함	무슨 일 하느라 텃밭을 묵혔는가?
농장(農莊)이 업다 ᄒᆞᄂᆞᆫ가 호ᄆᆡ연장 못 갓던가	일할 수 있는 땅과 연장은 모두 갖추고 있음	농장이 없다 하는가? 호미 연장을 못 갖추었는가?
『날마다 무ᄉᆞᆷ하려 밥 먹고 단기면서		날마다 무엇을 하려 밥 먹고 다니면서
열나모 정자(亭子) 아ᄅᆡ 낫ᄌᆞᆷ만 자ᄂᆞᆫ다』	『 』: 게으른 관리들의 모습	열 나무 정자 아래 낮잠만 자는가?

> 본사 1: 머슴의 게으름으로 가세가 기운 현실 개탄

원문	주석	현대어 풀이
아ᄒᆡ들 타시런가 우리 ᄃᆡᆨ 죵의 버릇 보거든 고이ᄒᆞ데	고이ᄒᆞ데: 이상한데	아이들 탓이던가? 우리 집 종의 버릇 보노라면 이상한데
쇼 먹이ᄂᆞᆫ ᄋᆞᄒᆡ드리 샹ᄆᆞ름을 능욕(凌辱)ᄒᆞ고	쇼 먹이ᄂᆞᆫ ᄋᆞᄒᆡ드리: 소 먹이는 아이들 - 지방 관청의 이속들(하급 관리들) / 샹ᄆᆞ름: 상마름 - 지방 관청의 수령들	소 먹이는 아이들이 상마름을 업신여겨 욕보이고
진지(進止)ᄒᆞᄂᆞᆫ 어린 손ᄂᆡ 한 계대를 긔롱ᄒᆞᆫ다	진지: 나아감과 물러섬 / 계대: 양반 / 긔롱ᄒᆞᆫ다: 희롱하는가	왔다 갔다 하는 어리석은 손이 양반을 (실없는 말로 빗대어) 희롱하는가?
ᄡᅦᄡᅦ름 제급(除給) 못고 에에로 제 일 ᄒᆞ니	→ 사리사욕만을 채우는 신하 비판 / ᄡᅦᄡᅦ름: 올바르지 못하게 / 제급 못고: 물건의 한 부분을 빼돌려 모으고 / 에에로: 딴 꾀를 부리며, 딴 길로 돌리어	옳지 못하게 재물을 빼돌려 모으고, 꾀부려 자기 일만 하니
ᄒᆞᆫ 집의 수한 일을 뉘라셔 심써 ᄒᆞᆯ고	수한: 많은 / 심써: 힘써	큰 집의 많은 일을 누가 힘써 할까?
곡식고(穀食庫) 븨엿거든 고직(庫直)인들 어이 ᄒᆞ며	곡식고: 곡식 창고 / 고직: 창고지기	곡식 창고 비었거든 창고지기인들 어찌 하며
셰간이 흐터지니 될자힌들 어이 ᄒᆞᆯ고	될자힌들: 질그릇인들	세간 살림이 흐트러지니, 질그릇인들 어찌할 것인가?
내 왼 줄 내 몰나도 남 왼 줄 모롤넌가	왼 줄: 잘못된 줄	자신의 잘못은 몰라도 남의 잘못을 모르겠는가?
『플치거니 ᄆᆡᆺ치거니 할거니 돕거니	할거니: 헐뜯거니 / 『 』: 당파 싸움에 여념 없는 신하들 비판	풀어헤치거니 맺히거니 헐뜯거니 돕거니
ᄒᆞ로 열두 ᄢᅴ 어수선 핀거이고』	어수선: 사내 하인끼리 서로 존대하여 부르던 말	하루 열두 때 어수선을 핀 것인가?
『밧별감 만하 이ᄉᆞ 외방사음(外方舍音) 도달화(都達化)도	밧별감: 바깥 별감 / 외방사음: 바깥 마름 / 도달화: 달화주 - 주인집 밖에서 생활하는 종들에게서 주인에게 내야 할 대가를 받아오는 일을 맡아보던 사람	바깥 별감이 많이 있어 바깥 마름과 도달화도
제 소임(所任) 다 바리고 몸 ᄉᆞ릴 ᄲᅮᆫ이로다』	『 』: 변방을 지키는 무관들마저 직무에 태만하고 제 몸만 사림 / 외방사음~: 직분을 망각하여 화자에 의해 비판을 받고 있는 존재	제 맡은 바 책임을 다 버리고 몸만 사릴 뿐이로다.
비 ᄉᆡ여 셔근 집을 뉘라셔 곳쳐 이며	셔근 집: 썩은 집	비 새어 썩은 집을 누가 고쳐 이으며
옷 버서 문허진 담 뉘라셔 곳쳐 ᄊᆞᆯ고		옷 벗어 무너진 담을 누가 고쳐 쌓을 것인가?
블한당 구모 도적 아니 멀니 단이거든	구모 도적: 가까운 곳에 있으며, 화자에게 불안감을 주고 있는 세력	불한당 구멍에 든 도적은 멀리 다니지 아니하거든

화살 촌 수하상직(誰何上直) 뉘라셔 심써 홀고
"누구냐!" 하고 외치는 상직군 - 나라를 지키는 군사 / 힘써 ❯본사 2: 직무에 태만한 종(신하)에 대한 비판

화살을 찬 상직군은 누가 힘써 할 것인가?

큰나큰 기운 집의 마누라 혼즈 안자
형편이 기울어진 나라 / 상전, 마님 등을 이르는 말
긔걸을 뉘 드루며 논의(論議)을 눌하 홀고
명령
낫 시름 밤 근심 혼자 맛다 계시거니
옥 ᄀᆞᄐᆞᆫ 얼굴리 편ᄒᆞ실 적 면 날이리 → 임금에 대한 충정어린 근심
임금의 얼굴을 의미함
이 집 이리 되기 뉘 타시라 홀셔이고
국운이 / 이렇게 기운 것이
『혬 업는 죵의 일은 뭇도 아니 ᄒᆞ려니와
생각 없는 종 때문인 것은 당연함
도로혀 혜여ᄒᆞ니 마누라 타시로다』 『 』: 나라가 기울게 된 원인을 신하뿐만 아니라 임금에게서도 찾음
임금에 대한 충언, 직언의 태도
닉 항것 외다 ᄒᆞ기 죵의 죄 만컨마는
주인, 상전(임금) - 잘못된 일을 고치도록 화자가 설득하고 있는 청자
그러타 뉘을 보려 민망ᄒᆞ야 ᄉᆞᆲᄂᆞ이다
세상을 보려니까 / 사뢰나이다
ᄉᆞᆺ ᄭᅩ기 마르시고 내 말ᄉᆞᆷ 드로쇼셔 → 머슴(신하)들만 탓하지 말고, 임금이 마땅히 할 일을 들어보라는 뜻
새끼 / 맥락상 청자는 「고공가」의 화자. 여기서는 임금을 가리킴
『집 일을 곳치거든 죵들을 휘오시고
마누라(임금)의 임무
죵들을 휘오거든 상벌(賞罰)을 볼키시고
화자가 공정하고 엄중하게 시행되기를 바라고 있는 일
상벌(賞罰)을 발키거든 어른죵을 미드쇼셔』
어른 종(영의정인 작가 자신 또는 자신과 같은 상급 관리)
진실노 이리 ᄒᆞ시면 가도(家道) 절노 닐니이다
집안 살림을 하는 방도 / 일어날 것입니다
『 』: 연쇄법
Link 표현상 특징 ❸, ❹
❯결사: 집안 살림을 일으킬 수 있는 방도를 제시함

크나크게 기운 집에 주인님 혼자 앉아
명령을 누가 들으며 논의를 누구와 할까?
낮 시름 밤 근심을 혼자 맡아 하시거니
옥 같은 얼굴이 편하실 적 몇 날이리.
이 집 이리 된 것을 누구 탓이라 할 것인가?
헤아림 없는 종의 일은 묻지도 아니하려니와
돌이켜 생각하니, 주인님 탓이로다.
내 주인님 그르다 하기에는 종의 죄가 많지만
그렇다 세상 보려니 민망하여 여쭙니다.
새끼 꼬는 일 멈추고, 내 말씀 들으소서.
집일을 고치려거든 종들을 휘어잡으시고
종들을 휘어잡으려거든 상과 벌을 밝히시고
상과 벌을 밝히시려거든 어른 종을 믿으소서.
진실로 이렇게 하시면 집안의 도가 절로 일어날 것입니다.

출제자 톡! 창작 의도를 이해하라!

1 이 작품의 창작 의도는?
한 국가의 살림살이를 농사짓는 주인과 종의 관계에 비유하여 '어른죵'(높은 벼슬아치)의 입장에서 '죵'(낮은 벼슬아치)들을 나무라고 '마누라'(임금)를 경계하려는 의도로 지어진 작품임.

Link

출제자 톡! 표현상의 특징을 파악하라!

❶ 허전의 「고공가」에 대한 답변 형식으로 지어짐.
❷ 임금과 신하의 관계를 농사짓는 주인과 종의 관계에 빗대어 표현함.
❸ 문제 상황에 대한 인식뿐만 아니라 그 해결 방법까지 제시함.
❹ 연쇄와 반복을 통해 리듬감이 나타남.

최우선 출제 포인트!

1 「고공가」와 「고공답주인가」의 작품 간 비교

	「고공가」	「고공답주인가」
공통점	집안이 위태로운 상황에 처해 있음.	
차이점	주인이 고공에게 하고 싶은 말을 전하는 형식임.	어른 종이 다른 종을 나무라면서 주인에게 하고 싶은 말을 전하는 형식임.

이 작품은 허전이 지은 「고공가」에 화답한 가사로, 「고공답가(雇工答歌)」라고도 한다. 허전의 「고공가」에서와 마찬가지로 나라의 관리들을 대가집의 머슴들에 비유하여 주인의 무너진 살림을 일으킬 생각은 하지 않고 자신의 소임도 다하지 않는 머슴들의 잘못된 행태를 비판하고 있다.

최우선 핵심 Check!

1 「고공가」에 화답하여 지은 가사이다. (O / ×)

2 나랏일을 한 집안일에 빗대어 종의 행태를 비판하고, 상전이 갖추어야 할 도리를 당부하고 있다. (O / ×)

3 '마누라'는 '주인'의 옛말로, '임금'을 비유하고 있다. (O / ×)

4 '죵'은 신하를, '어른 죵'은 정승, 판서 등의 고위 관료를 비유한 말이다. (O / ×)

5 화자가 스스로를 투영하고 있는 '[ㅇ][ㄹ][ㅈ]'은 주인의 외롭고 힘든 처지를 염려하고 있다.

정답 1. ○ 2. ○ 3. ○ 4. ○ 5. 어른죵

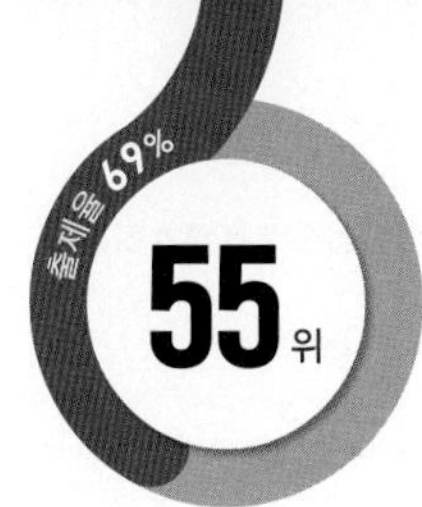

배 위에서의 탄식

선상탄(船上嘆) | 박인로

갈래 가사(전쟁 가사) **성격** 우국적, 비판적
주제 우국충정과 태평성대를 염원하는 마음
시대 조선 중기

임진왜란이 끝난 후 작가가 통주사(統舟師)로 부산에 부임하며, 배 위에서 전쟁의 비애와 평화를 추구하는 심정을 노래하고 있다.

늘고 병(病)든 몸을 주사(舟師)로 보ᄂᆡ실ᄉᆡ
(늘고 병(病)든 몸을: 화자가 자신을 낮추어 이르는 말 / 주사(舟師): 수군(水軍) 통주사)
을사(乙巳) 삼하(三夏)애 진동영(鎭東營) ᄂᆞ려오니
(을사(乙巳) 삼하(三夏): 선조 38년 여름 / 진동영(鎭東營): 동쪽을 지키는 진영. 부산진(지금의 부산))
관방중지(關方重地)예 병(病)이 깁다 안자실랴 → 변방을 지키는 군인으로서의 우국충정(설의적 표현) Link 표현상 특징 ❶
(관방중지(關方重地): 변방의 중요한 땅 / 안자실랴: 앉아 있을 수 없다)
일장검(一長劍) 비기 ᄎᆞ고 병선(兵船)에 구테 올나
(비기: 비스듬히)
여기 진목(勵氣瞋目)ᄒᆞ야 대마도(對馬島)을 구어보니 → 왜적에 대한 적개심 표현
(여기 진목(勵氣瞋目): 기운을 내고 눈을 부릅뜸)
『ᄇᆞ람 조친 황운(黃雲)은 원근(遠近)에 사혀 잇고
(조친: 따르는 / 황운(黃雲): 전쟁의 기운을 비유한 표현 Link 표현상 특징 ❶)
아득ᄒᆞᆫ 창파(滄波)ᄂᆞᆫ 긴 하ᄂᆞᆯ과 ᄒᆞᆫ 빗칠쇠』
『 』: 색채 이미지를 활용하여 배경이 되는 공간의 분위기를 전달함
> 서사: 병선에 올라 바라보는 바다의 적막함

선상(船上)에 배회(徘徊)하며 고금(古今)을 사억(思憶)ᄒᆞ고
(사억(思憶): 생각)
어리 미친 회포(懷抱)애 헌원씨(軒轅氏)를 애ᄃᆞ노라
(헌원씨(軒轅氏): 중국 고대 전설상의 제왕. 배와 수레를 처음 만들었다고 전해짐)
[음영]: 역사 속 인물 - 화자의 원망 대상 Link 표현상 특징 ❷
대양(大洋)이 망망(茫茫)ᄒᆞ야 천지(天地)예 둘려시니
진실로 ᄇᆡ 아니면 풍파 만리(風波萬里) 밧긔 어ᄂᆡ 사이(四夷) 엿볼넌고
(사이(四夷): 사방의 오랑캐. 여기서는 왜적임)
(배가 없으면 왜적들이 풍파가 심한 바다를 건널 수 없으므로 우리나라를 침략하지 못했을 것으로 생각함)
무삼 일ᄒᆞ려 ᄒᆞ여 ᄇᆡ 못기를 비롯ᄒᆞᆫ고
(ᄇᆡ 못기: 배 만들기)
만세천추(萬世千秋)에 ᄀᆞ업순 큰 폐(弊) 되야
(만세천추(萬世千秋): 오랜 세월)
보천지하(普天之下)애 만민원(萬民怨) 길우ᄂᆞ다』
(보천지하(普天之下): 온 천지)
『 』: 헌원씨를 원망하는 이유 - 헌원씨가 배를 만들어 오랑캐가 쳐들어오게 만들었음
> 본사1: 배를 처음 만든 헌원씨를 원망함

어즈버 ᄭᆡᄃᆞ라니 진시황(秦始皇)의 타시로다
(어즈버: 감탄사)
『ᄇᆡ 비록 잇다 ᄒᆞ나 왜(倭)를 아니 삼기던들
(진시황 때문에 왜가 생겨났다고 여김)
일본(日本) 대마도(對馬島)로 뷘 ᄇᆡ 졀로 나올넌가
뉘 말을 미더 듯고 동남동녀(童男童女)를 그ᄃᆡ도록 드려다가
(동남동녀(童男童女): 총각과 처녀)
해중(海中) 모든 셤에 난당적(難當賊)을 기쳐 두고』
(난당적(難當賊): 감당하기 어려운 적 = 왜적)
『 』: 진시황을 원망하는 이유 - 진시황이 불로초를 구하기 위해 왜로 사람을 보냄. 돌아오지 않은 신하들의 자손이 왜족이 되었다고 생각함
통분(痛憤)ᄒᆞᆫ 수욕(羞辱)이 화하(華夏)애 다 밋나다
(밋나다: 미치다(及) / 조선이 일본에 침략당한 수치가 중국까지 미친다)
장생(長生) 불사약(不死藥)을 얼ᄆᆡ나 어더 ᄂᆡ여
만리장성(萬里長城) 놉히 사고 몃 만 년(萬年)을 사도ᄯᅥᆫ고
(사도ᄯᅥᆫ고: 살았던가)
ᄂᆞᆷᄃᆡ로 죽어 가니 유익(有益)ᄒᆞᆫ 줄 모ᄅᆞ도다
(ᄂᆞᆷᄃᆡ로: 남처럼 / ᄂᆞᆷᄃᆡ로 죽어 가니: 인생무상 / 유익(有益)ᄒᆞᆫ 줄 모ᄅᆞ도다: 이로움이 전혀 없다)
어즈버 ᄉᆡᆼ각ᄒᆞ니 서불(徐市) 등(等)이 이심(已甚)ᄒᆞ다
(서불(徐市): 진시황이 불사약을 구하러 보낸 사람 / 이심(已甚)ᄒᆞ다: 매우 심하다)
『인신(人臣)이 되야셔 망명(亡命)도 ᄒᆞᄂᆞᆫ 것가
(인신(人臣): 신하(서불을 가리킴))
신선(神仙)을 못 보거든 수이나 도라오면
(신선(神仙)을 못 보거든: 불로초를 구하지 못했거든 / 수이나: 빨리나)
주사(舟師) 이 시럼은 젼혀 업게 삼길럿다』
(주사(舟師): 화자 자신)
『 』: 서불을 원망하는 이유 - 불로초를 구하러 갔다가 돌아오지 않고 왜에 살아서 그 후손들이 왜적이 되었다고 생각함
> 본사 2: 왜적을 생기게 한 진시황을 원망함

(현대어 풀이)

(임금께서) 늙고 병든 몸을 수군 통주사로 보내시므로,
을사년 여름에 부산진에 내려오니,

변방의 중요한 요새지에서 병이 깊다고 앉아만 있겠는가?
한 자루 긴 칼을 비스듬히 차고 병선에 굳이 올라가서,
기운을 내서 눈을 부릅뜨고 대마도를 굽어보니,

바람을 따르는 누런 구름은 멀고 가까운 곳에 쌓여 있고,
아득한 푸른 물결은 긴 하늘과 같은 빛이로구나.

배 위에서 이리저리 돌아다니며 옛날과 오늘날을 생각하고
어리석고 미친 마음에 (배를 처음 만든) 헌원씨를 원망하노라.
큰 바다가 아득히 넓어 천지에 둘러 있으니,

진실로 배가 아니면 풍파가 거센 바다 만 리 밖에서 어느 오랑캐가 우리나라를 엿볼 것인가?
무슨 일을 하려고 배 만들기를 시작하였는고?

오랜 세월에 끝없는 큰 폐단이 되어,

온 천하에 만백성의 원한을 길렀는가?

아, 깨달으니 진시황의 탓이로다.

배가 비록 있었더라도 왜족이 생기지 않았더라면,
일본 대마도로부터 빈 배가 저절로 나오겠는가?

누구의 말을 곧이 듣고 총각과 처녀를 그토록 데려다가,
바다의 모든 섬에 감당하기 어려운 도적을 만들어
원통하고 분한 수치와 모욕이 중국에까지 미치게 하였는가?
죽지 않고 오래 사는 약을 얼마나 얻어 내어,

만리장성을 높이 쌓고 몇만 년을 살았던가?

(진시황도) 남처럼 죽어 갔으니 (불로초를 구하려고 한 일이) 유익한 줄 모르겠도다.
아, 생각하니 서불의 무리가 매우 지나친 일을 하였다.
신하의 몸으로 망명도주를 한 것인가?

신선을 만나 불로초를 얻는 일을 못 하였거든 빨리 돌아왔더라면
(섬나라 오랑캐의 씨가 퍼지지 않아) 통주사('나')의 이 시름은 전혀 생기지 않았을 것이다.

과거의 사건에 대한 부정적 평가를 그만두려는 화자의 마음이 드러남

두어라 기왕불구(旣往不咎)라 일너 무엇 ᄒᆞ로소니

이미 지나간 일은 탓하지 않음

쇽졀업ᄉᆞᆫ 시비(是非)를 후리쳐 더뎌 두쟈

헌원씨에 대한 원망

잠사 각오(潛思覺悟)ᄒᆞ니 내 ᄠᅳᆺ도 고집(固執)고야

깊이 생각하고 깨달음 / 고집스럽다

황제(黃帝) 작주거(作舟車)ᄂᆞᆫ 왼 줄도 모ᄅᆞ로다

헌원씨가 배를 만든 일 / 그릇된 / 잘못이 아님

아무리 아름다운 자연을 맞이하더라도 배를 타고 즐겨야 그 감흥이 더욱 일어남

장한(張翰) 강동거(江東去)애 추풍(秋風)을 만나신들

중국 진나라 사람으로 가을 바람이 불자 고향이 생각나서 고향으로 돌아간 사람

편주(扁舟) 곳 아니 타면 천청 해활(天淸海濶)ᄒᆞ다

작은 배 / 하늘이 맑고 바다가 넓음

어ᄂᆡ 흥(興)이 졀로 나며 삼공(三公)도 아니 밧골

삼정승(영의정, 좌의정, 우의정)

제일 강산(第一江山)애 부평(浮萍) ᄀᆞᆺᄒᆞᆫ 어부 생애(漁夫生涯)을

물 위에 떠 있는 풀(개구리밥) 같은 어부 생활(비유) **Link 표현상 특징 ❶**

일엽주(一葉舟) 아니면 어ᄃᆡ 부쳐 ᄃᆞᆫ힐ᄂᆞᆫ고

풍류를 즐기는 데 유용한 배

❯ 본사 3: 풍류와 흥취를 느낄 수 있도록 하는 배를 떠올림

그만두어라. 이미 지난 일을 탓해서 무엇 하겠는가?
아무 소용이 없는 시비를 내던져 두자.
깊이 생각하여 깨달으니 내 뜻도 고집스럽구나.
황제(헌원씨)가 배와 수레를 만든 것은 그릇된 줄을 모르겠도다.
(저 진나라 때) 장한이 강동으로 돌아가 가을 바람을 만났다고 해도,
만일 작은 배를 타지 않았다면 하늘이 맑고 바다가 넓다고 해도
어느 흥이 저절로 나겠으며, 삼공(영의정, 좌의정, 우의정)과도 바꾸지 않을 만큼
경치가 좋은 강산에서, 부평초 같은 어부의 생활이
한 조각의 작은 배가 아니면 무엇에 의지하여 다니겠는가?

일언 닐 보건된 ᄇᆡ 삼긴 제도(制度)야

지묘(至妙)ᄒᆞᆫ 덧ᄒᆞ다마ᄂᆞᆫ 엇디ᄒᆞᆫ 우리 물은

무리

ᄂᆞᄂᆞᆫ ᄃᆞᆺᄒᆞᆫ 판옥선(板屋船)을 주야(晝夜)의 빗기 ᄐᆞ고

넓빤지로 지붕을 덮은 전투선

임풍 영월(臨風咏月)호ᄃᆡ 흥(興)이 젼혀 업ᄂᆞᆫ 게오

맑은 바람과 밝은 달을 보며 시를 짓고 놂 / 자연의 경치와 대조되는 화자의 심정

『석일(昔日) 주중(舟中)에ᄂᆞᆫ 배반(杯盤)이 낭자(狼藉)터니

술잔과 술상이 어지럽게 흩어져 있음

금일(今日) 주중(舟中)에ᄂᆞᆫ 대검 장창(大劍長槍)ᄲᅮᆫ이로다』

배건마는 / 큰 칼과 긴 창 - 전쟁을 대유적으로 표현

『 』: 유사한 구절을 반복하여 과거와 대조적인 현재의 상황을 부각함. 대구법 **Link 표현상 특징 ❶**

ᄒᆞᆫ가지 ᄇᆡ언마ᄂᆞᆫ 가진 ᄇᆡ 다라니

옛날 배: 풍류를 위한 술상이 존재 ↔ 오늘날의 배: 전쟁을 위한 무기가 존재

기간(其間) 우락(憂樂)이 서로 ᄀᆞᆺ지 못ᄒᆞ도다

그 사이 걱정과 즐거움이

❯ 본사 4: 판옥선을 타고 있는 상황을 안타까워함

이런 일을 보면 배를 만든 제도가
지극히 묘한 듯하다마는, 어찌하여 우리 무리는
나는 듯이 빠른 판옥선을 밤낮으로 비스듬히 타고,
바람과 달을 보며 시를 짓고 놀되 흥이 전혀 없는 것인가?
옛날의 배에는 술상이 어지럽더니,
오늘날의 배에는 큰 칼과 긴 창뿐이로다.
똑같은 배건마는 가진 바가 다르니,
그 사이의 근심과 즐거움이 서로 같지 못하도다.

『시시(時時)로 멀이 드러 북신(北辰)을 ᄇᆞ라보며

머리 / 북극성 - 임금이 계신 곳

상시(傷時) 노루(老淚)를 천일방(天一方)의 ᄃᆡ이ᄂᆞ다』 『 』: 화자의 우국충정

오동방(吾東方) 문물(文物)이 한당송(漢唐宋)애 디랴마ᄂᆞᆫ

우리 문화에 대한 자부심 / 바다 도적의 음흉한 모략

국운(國運)이 불행(不幸)ᄒᆞ야 해추 흉모(海醜兇謀)애 만고수(萬古羞)을 안고 이셔 / 백분(百分)에 ᄒᆞᆫ 가지도 못 시셔 ᄇᆞ려거든

오랜 세월에도 씻을 수 없는 치욕 → 임진왜란 / 씻어

이 몸이 무상(無狀)ᄒᆞᆫ둘 신자(臣子)ㅣ 되야 이셔다가

변변치 못함

『궁달(窮達)이 길이 달라 몬 뫼ᄋᆞᆸ고 늘거신돌

곤궁과 영달. 여기서는 임금과 신하의 신분

『 』: 설의적 표현을 활용하여 화자의 변치 않는 마음 강조 **Link 표현상 특징 ❶**

우국 단심(憂國丹心)이야 어ᄂᆡ 각(刻)애 이즐넌고』

나라에 대한 걱정과 임금에 대한 충성 / 시각

❯ 본사 5: 왜적에 대한 분노와 적개심

때때로 머리를 들어 임금님이 계신 곳을 바라보며,
시국을 근심하는 늙은이의 눈물을 하늘 한 모퉁이에 떨어뜨린다.
우리나라의 문물이 한나라, 당나라, 송나라에 뒤떨어지랴마는
나라의 운수가 불행하여 왜적의 흉악한 꾀에 빠져 오랜 세월에 씻을 수 없는 수치를 안고 있어, / (그 수치의) 백분의 일도 못 씻어 버렸거든,
이 몸이 변변치 못하지만 신하가 되어 있다가,
신하와 임금의 신분이 서로 달라 모시지 못하고 늙은들,
나라를 걱정하는 충성스런 마음이야 어느 때인들 잊을 수 있겠는가?

강개(慷慨) 계운 장기(壯氣)ᄂᆞᆫ 노당익장(老當益壯) ᄒᆞ다마ᄂᆞᆫ

이기지 못하는 / 긴장한 기운 / 늙으면서 더욱 씩씩함

됴고마ᄂᆞᆫ 이 몸이 병중(病中)에 드러시니

보잘것없는

설분신원(雪憤伸寃)이 어려울 ᄃᆞᆺ ᄒᆞ건마ᄂᆞᆫ

분함을 씻고 원한을 풂

(왜적의 침입을) 분하게 여기는 마음을 이기지 못하는 씩씩한 기운은 나이가 들수록 더욱 강해지고 있지만,
보잘것없는 이 몸이 병중에 들었으니,
분함을 씻고 원한을 풀어 버리기가 어려울 듯하건마는,

「 」: 제갈공명과 손빈의 고사를 인용하여, 화자는 비록 늙었으나 손빈이나 제갈공명에 비하면 몸도 멀쩡하고 목숨도 있다며 왜구 격퇴에 대한 결의를 드러내고 있음. '그러나' 이후로 현재의 상황에 대한 화자의 태도 변화가 나타남

「그러나 사제갈(死諸葛)도 생중달(生仲達)을 멀리 좃고 **Link** 표현상 특징 ❸
(죽은 제갈공명 / 살아 있는 사마중달)
발 업슨 손빈(孫臏)도 방연(龐涓)을 잡아거든
(중국 전국 시대의 병법가, 손자(孫子) / 손빈의 친구, 손빈을 배반함)
ᄒᆞ믈며 이 몸은 수족(手足)이 ᄀᆞ자 잇고 명맥(命脈)이 이어시니」
(조금이나마 두려워할쏘냐)
서절구투(鼠竊狗偸)을 저그나 저흘소냐
(쥐가 도둑질하듯 하고 개가 남의 것을 훔치듯 함. 여기서는 왜적)
「비선(飛船)에 ᄃᆞᆯ려드러 선봉(先鋒)을 거치면
구시월(九十月) 상풍(霜風)에 낙엽(落葉)가치 헤치리라」
(「 」: 비유적 표현을 사용하여 적을 물리치겠다는 화자의 강한 의지를 표현 **Link** 표현상 특징 ❶)
(설의적 표현 **Link** 표현상 특징 ❶)
칠종칠금(七縱七擒)을 우린ᄃᆞᆫ 못 ᄒᆞᆯ 것가
(제갈공명이 남만왕 맹획을 일곱 번 잡았다가 일곱 번 놓아준 일)

> 본사 6: 왜적을 무찌르고 설분신원할 것임을 다짐함

그러나 죽은 제갈공명이 살아 있는 중달을 멀리 쫓아 버렸고,
발이 없는 손빈도 방연을 잡았는데,
하물며 이 몸은 손과 발이 갖추어 있고 목숨이 살아 있으니,
쥐나 개와 같은 도적을 조금이나마 두려워하겠느냐?
나는 듯이 빠르게 가는 배에 달려들어 선봉을 휘몰아치면,
구시월에 부는 서릿바람에 떨어지는 낙엽처럼 (왜적을) 헤치리라.
칠종칠금을 우리인들 못할 것인가?

(빨리)
준피 도이(蠢彼島夷)들아 수이 걸항(乞降)ᄒᆞ야ᄉᆞ라
(꾸물거리는 섬나라 오랑캐 - 왜적을 비하하는 표현 / 항복)
항자 불살(降者不殺)이니 너를 구ᄐᆡ 섬멸(殲滅)ᄒᆞ랴
(왜적에게 항복을 권유함)
(항복하는 사람은 죽이지 않음)
오왕(吾王) 성덕(聖德)이 욕병생(欲并生)ᄒᆞ시니라
(우리 임금 / 함께 살고자 함)
태평천하(太平天下)애 요순 군민(堯舜君民) 되야 이셔
(태평성대의 백성)
일월 광화(日月光華)ᄂᆞᆫ 조부조(朝復朝)ᄒᆞ얏거든
(임금의 성덕을 비유한 표현 / 아침이고 또 아침 = 태평성대의 계속)
전선(戰船) ᄐᆞ던 우리 몸도 어주(漁舟)에 창만(唱晩)ᄒᆞ고
(고기잡이 배 / 늦도록 노래함)
추월 춘풍(秋月春風)에 놉히 베고 누어 이셔
성대(聖代) 해불양파(海不揚波)ᄅᆞᆯ 다시 보려 ᄒᆞ노라
(태평성대에 대한 소망)
(바다에 파도가 일지 않음 = 태평성대)

> 결사: 태평성대를 염원함

꾸물거리는 저 섬나라 오랑캐들아, 빨리 항복하여라.
항복한 자는 죽이지 않는 법이니 너희들을 구태여 모두 죽이랴?
우리 임금님의 성스러운 덕이 너희와 더불어 살아가고자 하시느니라.
태평스러운 천하에 요순시대와 같은 임금과 백성이 되어 있어,
해와 달의 빛 같은 임금님의 성덕이 매일 아침마다 밝게 비치니,
전쟁하는 배를 타던 우리 몸도 고기잡이배에서 저녁 늦게까지 노래하고,
가을 달 봄바람에 (베개를) 높이 베고 누워서,
성군 치하의 태평성대를 다시 보려 하노라.

출제자 톡! 화자를 이해하라!

1 **화자는 누구이고, 화자가 처한 상황은?**
임진왜란이 끝난 후 부산에 통주사로 부임한 '나'

2 **화자의 정서 및 태도는?**
왜구에 대한 분노와 적개심, 우국충정(憂國衷情)의 마음을 드러내고, 설분신원할 것을 다짐함.

Link
출제자 톡! 표현상의 특징을 파악하라!

❶ 비유적 표현, 대구법, 유사한 구절 반복, 설의적 표현 등 다양한 표현 방법이 사용됨.
❷ 역사 속 인물을 제시하여 화자의 생각을 드러내고 있음.
❸ 고사를 인용하여 화자의 태도를 효과적으로 드러냄.

최우선 출제 포인트!

1 '배'의 이중적 성격

과거의 '배'	↔	현재의 '배'
술상이 어지럽게 흩어져 있음.		칼과 창을 싣고 있음.
풍류의 수단		전쟁의 수단

2 화자의 평화 공존 의지

왜적에게 항복 요구	+	성군 치하에서 다 같이 잘 살기를 바람.
항복한 자는 죽이지 않고 살려 줌.		왜적과도 평화롭게 살고자 하는 의지

함께 볼 작품 무인으로서의 기개를 노래한 작품: 김종서, 「삭풍은 나모 긋ᄐᆡ 불고」

최우선 핵심 Check!

1 화자의 의지적인 태도가 드러나 있다. (○ / ×)

2 화자는 배의 가치를 긍정적 측면과 부정적 측면으로, 이중적으로 인식하고 있다. (○ / ×)

3 화자는 전란이라는 현실 문제를 도외시했던 양반에 대한 반감과 분노를 표출하고 있다. (○ / ×)

4 '일엽주'는 ㅍㄹ의 수단이 되는 배를 의미하는 반면, '판옥선'은 ㅈㅈ의 수단이 되는 배라고 할 수 있다.

5 〈결사〉의 '성대(聖代) 해불양파(海不揚波)ᄅᆞᆯ 다시 보려 ᄒᆞ노라'에는 ㅌㅍㅅㄷ에 대한 화자의 바람이 나타나 있다.

정답 1. ○ 2. ○ 3. × 4. 풍류, 전쟁 5. 태평성대

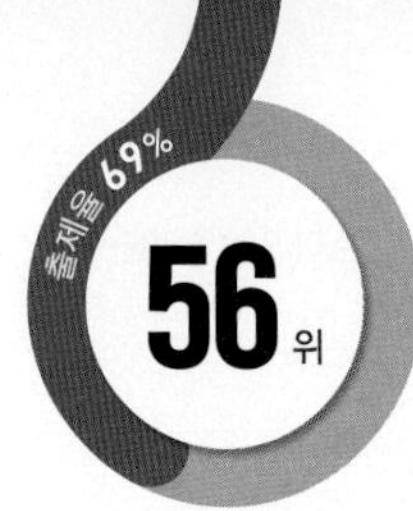

어리석은 남자들에 대한 노래

우부가(愚夫歌) | 작자 미상

갈래 가사(계녀 가사) **성격** 풍자적, 경세적, 교훈적
주제 도덕적 타락에 대한 비난과 경계
시대 조선 후기

어리석은 남자들의 모습을 제시하여 양반의 경제적 몰락과 도덕적 타락 그리고 봉건적 윤리 의식이 파탄된 조선 후기의 사회상을 사실적으로 묘사하고 있다.

원문	현대어 풀이
내 말씀 광언(狂言)인가 저 화상을 구경하게 (자신의 말에 확신을 가짐 / 화상: 풍자의 대상을 3인칭으로 설정하여 객관화함)	내 말이 미친 소리인가? 저 인간을 구경하게.
남촌 한량(閑良) 개똥이는 부모 덕에 편히 놀고 (한량: 일정한 직업 없이 놀고먹던 말단 양반층 / 개똥이: 비판의 대상, 행위의 주체를 3인칭으로 설정. 희화화된 이름 Link 표현상 특징 ❶ / 음영: 주인공이 양반 신분임을 알 수 있게 함)	남촌의 한량 개똥이는 부모 덕에 편히 놀고
호의호식 무식하고 미련하고 용통하여 (용통하여: 소견머리가 없고 미련하여)	좋은 옷을 입고 좋은 음식을 먹지만 무식하고 미련하며 소견머리가 없어
눈은 높고 손은 커서 가량없이 주제넘어 (가량없이: 분수를 모름 / 손은 커서: 낭비가 심함)	눈은 높고 손은 커서 대중없이 주제넘어
시체(時體) 따라 의관(衣冠)하고 남의 눈만 위하것다 (시체: 유행 / 의관: 옷과 갓 / 남의 눈만 위하것다: 남에게 과시하는 성격, 비판적 평가) ▶ 개똥이 구경 권유와 개똥이에 대한 평가	유행에 따라 옷차림을 하고 남의 눈만 즐겁게 한다.
『장장춘일(長長春日) 낮잠 자기 조석(朝夕)으로 반찬 투정 (『 』: 인물의 부정적인 모습을 구체적으로 묘사 Link 표현상 특징 ❸ / 장장춘일: 기나긴 봄날)	긴긴 봄날에 낮잠이나 자고 아침저녁으로 반찬 투정하며
매팔자로 무상출입(無常出入) 매일 장취 게트림과 (매팔자: 놀고먹는 팔자(매는 자유롭게 날아다니는 팔자) / 게트림: 거드름을 피우면서 하는 트림)	항상 놀고먹는 팔자로 술집에 아무 때나 거리낌 없이 출입하여 매일 취해서 게트림을 하고,
이리 모여 노름 놀기 저리 모여 투전질에 (투전질: 노름의 한 가지)	이리 모여서 노름하기, 저리 모여서 투전질에
기생첩 치가(置家)하고 외입장이 친구로다』 (치가: 살림을 마련함 / 외입: 다른 여자와 바람을 피우는 일(외도))	기생첩을 얻어 살림을 마련해 주고 오입쟁이 친구로다.
사랑에는 조방(助幇)군이 안방에는 노구(老嫗) 할미 (조방군, 노구 할미: 외입을 중매하는 사람)	사랑방에는 조방군, 안방에는 노구 할머니(가 드나들고)
『명조상(名祖上)을 떠세하고 세도(勢道) 구멍 기웃기웃』 (명조상: 이름난 조상 / 떠세: 위세를 떪 / 『 』: 개똥이가 양반 출신임을 알 수 있게 함)	조상을 팔아 위세를 떨고 세도를 찾아 기웃기웃하며,
염량(炎凉) 보아 진봉(進奉)하기 재업(財業)을 까불리고 (염량: 세력의 성함과 쇠함 / 진봉: 권문세가에 뇌물을 받침 / 재업: 재산)	세도를 따라 뇌물을 바치느라고 재산을 날리고,
허욕(虛慾)으로 장사하기 남의 빚이 태산이라	헛된 욕심으로 장사를 하여 남의 빚이 태산처럼 많다.
내 무식은 생각 않고 어진 사람 미워하기	자기가 무식한 것은 생각하지 않고 어진 사람을 미워하며,
『후(厚)할 데는 박하여서 한 푼 돈에 땀이 나고	후하게 해야 할 곳에는 야박하여 한 푼 돈에 땀이 나고,
박할 때는 후하여서 수백 냥이 헛것이라』 (박하여서: 인색함 / 『 』: 대구법, 대조법 Link 표현상 특징 ❷ / 후하여서: 사치와 낭비를 함)	박하게 해도 되는 곳에는 후덕하게 하여 수백 냥이 헛것이다.
승기자(勝己者)를 염지(厭之)하니 반복소인(反覆小人) 허기진다 (승기자: 자기보다 나은 사람 / 염지: 싫어함, 질투함 / 반복소인: 이랬다 저랬다 하는 줏대없는 사람)	자기보다 나은 사람을 싫어하니 소인배들이 (비위 맞추느라) 허기질 지경이다.
내 몸에 이(利)할 대로 남의 말을 탄(憚)하지 않고 (남의 말: 잘못된 말 / 탄하지: 따지지)	자기에게 유리하면 남의 말도 따지지 않고,
친구 벗은 좋아하며 제 일가(一家)는 불목(不睦)하며 (일가: 친척)	친구는 좋아 지내지만 제 친척과는 화목하지 못하며,
병날 노릇 모다 하고 인삼 녹용 몸 보(補)하기와 (모다: 모두)	병이 날 일은 모두 하고 인삼 녹용으로 몸보신하거니와
주색잡기 모다 하여 돈 주정을 무진 하네 (주색잡기: 술과 여자와 노름 / 돈 주정: 언행을 정신없이 함)	주색잡기를 모두 하여 돈 쓰기를 매우 하네.
부모 조상 돈망(頓望)하며 계집 자식 재물 수탐(搜探) (돈망: 완전히 잊어버림 / 계집: 처자)	부모와 조상은 아주 잊어버리고 처자와 재물만 탐하며
일가친척 구박하며 내 인사는 나종이요	일가친척을 구박하며 자기가 할 도리는 나중 일이요
남의 흉만 잡아낸다	남의 흉만 잡아낸다.
내 행세는 개차반에 경계판(警戒板)을 짊어지고 (경계판: 행동을 깨우치는 말이 적힌 나무판 / 개차반: 언행이 몹시 더러운 사람을 속되게 이르는 말)	자기 행동은 개차반이면서 경계판을 짊어지고 다니며,
없는 말도 지어내고 시비의 선봉(先鋒)이라	없는 말도 지어내고 시비에 앞장을 선다.
날 데 없는 용전여수(用錢如水) 상하탱석(上下撐石)하여 가니 (용전여수: 돈을 물처럼 흔하게 씀 / 상하탱석: 아랫돌 빼서 윗돌 괴고 윗돌 빼서 아랫돌 괴기. 임시변통(臨時變通))	(돈이) 나올 데가 없는데도 물처럼 쓰고 나서 임시변통하기에 바쁘니,

손님은 채객(債客)이요 윤의(倫義)는 내 몰라라
빚쟁이 / 윤리와 의리
입 구멍이 제일이라 돈 날 노릇 하여 보세
이자를 무는 빚돈
전답 팔아 변돈 주기 종을 팔아 월수(月收) 주기
무덤 주변에 풍치를 위해 세운 나무 / 고리대금업
『구목(丘木) 베어 장사하기 서책 팔아 빚 주기와』 『 』: 양반의 몰락을 상징함
양반의 상징물
동네 상놈 부역이요 먼 데 사람 행악이며
모질고 나쁜 짓을 행함 또는 그런 행동
잡아오라 꺼물려라 자장격지(自將擊之) 몽둥이질
움켜잡고 함부로 휘두름 / 남에게 시키지 않고 손수 몽둥이질을 함
전당(典當) 잡고 세간 뺏기 계집 문서 종 삼기와
기한 내에 돈을 갚지 못하면 맡긴 물건을 마음대로 처분해도 좋다는 조건에 돈을 빌리는 일
사(私) 결박(結縛)에 소 뺏기와 불호령에 솥 뺏기와
(횡포를 부리는 양반의 모습을 구체적으로 묘사함)
여기저기 간 곳마다 적실인심(積失人心) 하겼고나
인심을 많이 잃음
사람마다 도적이요 원망허는 소리로다 이사나 하야 볼까
: 개똥이에 대한 사람들의 평가 / 개똥이로 인한 폐해가 심각함을 드러냄

› 개똥이의 도덕적 타락상 열거

인물의 타락한 행동	헛된 욕심으로 장사하여 빚을 짐	주색잡기	부모와 조상을 잊음	일가친척을 구박함	고리대금업을 하여 양민에게 횡포를 부림

가장(家藏)을 다 팔아도 상팔십이 내 팔자라
집에 간직한 물건 / 장수하는 것(강태공이 80년 동안 가난하게 산 것에서 유래)
종손 핑계 위전(位田) 팔아 투전질이 생애로다
산소에서 제사를 지내는 데 드는 비용을 마련하기 위해 경작하는 밭
제사 핑계 제기(祭器) 팔아 관재구설(官災口舌) 일어난다
관가에 잡혀가고 남의 시비에 오르내리는 일
뉘라셔 도라 볼까 독부(獨夫)가 되단 말가
인심을 잃어 아무도 상대해 주지 않는 외로운 사람
가련타 저 인생아 일조 걸객이라
화자의 정서가 직접 표출됨 / 패가망신한 개똥이를 드러낸 말 → 조롱의 말
(□: 화려했던 과거 / ○: 걸객이 된 현재 - 대조)
『대모관자(玳瑁貫子) 어디 가고 물네줄은 무삼 일고
보석으로 관자를 달아 쓰던 갓
통냥갓슨 어디 가고 헌 파립(破笠)에 통모자라
품질 좋은 갓
(과거와 현재의 대비 ① - 의복)
쥬체로 못 먹든 밥 책력 보아 먹는다
술을 마셔서 생기는 체증 / 밥 먹은 날을 달력에 표시해야 할 정도로 굶기를 자주한다는 뜻
양복이는 어디 가고 쓴바귀를 단 꿀 빨 듯
양(소의 위) 볶음 / 쓴맛이 나는 봄나물
쥭력고(竹瀝膏) 어디 가고 모주 한 잔 어려워라
푸른 대쪽을 불에 구워서 받은 진액을 섞어 만든 소주 / 막걸리
울타리가 땔나무요 동네 소곰 반찬일세
(과거와 현재의 대비 ② - 음식)
각장 장판 소라 반자 장지문이 어디 가고
넓고 두꺼운 장판지
벽 떨어진 단간방의 거젹자리 열두 닙에
단칸방
호(逷) 조희 문 바르고 신주보(神主褓)가 갓끈이라
호적 종이 / 신주 싸는 보자기
(과거와 현재의 대비 ③ - 주거)
은안 쥰마 어디 가며 션후 구종(驅從) 어디 간고
은으로 장식한 안장을 얹은 말 / 말을 탈 때 고삐를 잡는 하인
셕세 집신 지팡이에 졍강말이 제격이라
자기 두 발로 걷는 것을 빗댄 표현
삼승 보션 태사혜가 어디 가고 끌레발이 불쌍허고
비단이나 가죽으로 만든 남자의 신발 / 끄레발 - 신을 질질 끄는 모양
비단 주머니 십륙사끈 화류 면경(樺榴面鏡) 어디 가고
아주 좋은 끈
보션목 주머니에 삼노끈 꿰어 차고
삼 껍질로 꼰 노끈
돈피 배자 담뷔 휘양 어디 가며 릉라주의 어디 간고
담비 종류 동물의 모피 / 비단으로 지은 두루마기
(과거와 현재의 대비 ④ - 행차의 모습)

손님은 빚쟁이요, 윤리나 의리는 나 몰라라 한다.
먹는 것이 제일 중요하니 돈 나올 일을 하여 보세.
논밭 팔아 이자 돈 놓기, 종을 팔아 이자 돈 놓기,
무덤가의 나무를 팔아먹고, 서책을 팔아 빚을 주고
동네 상놈을 불러다가 일을 시키고, 먼 데 사람에게는 행패를 부리며,
잡아 오라, 꿇어 앉혀라, 스스로 나서 두들겨 패고 몽둥이질을 하고,
전당 잡아 세간을 뺏고, 계집 문서로 종을 삼고,
알몸으로 결박하여 소를 뺏고, 불호령으로 솥을 뺏고,
여기저기 가는 곳마다 인심을 많이 잃는구나.
사람마다 도적이라 하며 원망하는 소리로다. (이를 피해서) 이사나 하여 볼까?

집 안의 물건을 다 팔아도 가난하게 사는 것이 내 팔자라.
종손이라 핑계하고 위전을 팔아 노름하는 것이 일이로다.
제사를 핑계 삼아 제사 도구를 팔아 관가로부터 봉변을 당한다.
누가 그를 돌아볼까? 외톨이가 된단 말인가?
가련하다. 저 인생아. 하루아침에 거지가 되었구나.
고급스런 관자는 어디 가고 물렛줄은 무슨 일인가?
통영갓은 어디 가고 찢어진 갓에 통모자라.
술을 너무 마셔서 못 먹던 밥, 달력을 보아 가며 먹는다.
쇠고기는 어디 가고 씀바귀를 단 꿀 빨 듯하고,
좋은 소주는 어디 가고 좋지 않은 막걸리 한 잔 (마시기도) 어려워라.
울타리가 땔나무요 동네 소금이 반찬일세.
고급스런 장판과 반자 장지문은 다 어디 가고,
벽이 허물어진 단칸방에 열두 닢의 거적을 깔았으며,
호적 종이로 문을 바르고 신주 싸는 보자기가 갓끈이라.
은으로 장식한 안장을 얹은 말은 어디 가고 앞뒤에서 모시던 하인은 어디 갔는가?
거칠게 만든 짚신과 지팡이에 두 발로 걷는 것이 제격이라.
삼승 버선과 태사혜(태사신)는 어디 가고 신을 질질 끄는 협수룩한 발이 불쌍하고,
비단 주머니, 아주 고운 끈이 달린 고급 거울은 어디 가고,
버선목 주머니로 삼노끈을 꿰어 차고,
담비 털로 만든 배자와 모자는 어디 갔으며, 비단 두루마기는 어디 갔는가?

출제 최우선 작품

동지 섯달 베창옷에 삼복다름 바지거죽
베로 만든 창옷, 두루마기와 비슷함 / 삼복더위
궁둥이는 울근불근 염거름질 병신같이
담배 없는 빈 연죽을 소일조로 손의 들고
담뱃대
어슥비슥 다니면서 남에 문전걸식하며
역질 핑계 제사 핑계 야속허다 너의 인심 원망헐사 팔자 타령
천연두

「 」: 패가망신한 현재의 모습을 과거의 화려했던 모습과 대비하여 표현함. → 양반 계층의 몰락을 의미. 열거와 반복
Link 표현상 특징 ❷, ❹

> 패가망신한 개똥이의 모습 제시

동지섣달에 베 창옷을 걸쳤으며, 삼복더위에 두꺼운 바지를 입고,
엉덩이를 울근불근하며 병신같이 옆 걸음질을 치는구나.
담배도 없는 빈 담뱃대를 심심풀이로 손에 들고,
비실비실 남의 집 돌아다니며 빌어먹고,
천연두 핑계하고 제사 핑계하니 야속하다. 너의 인심 원망스럽구나. 팔자를 한탄하네

출제자 톡! 화자를 이해하라!

1 **화자는 누구이고, 화자가 처한 상황은?**
어리석은 남자인 개똥이의 행동을 제시하고 비판하고 있는 사람

2 **화자의 정서 및 태도는?**
화자는 개똥이에 대해 냉소적인 태도로 비아냥거리며 비판하고 있음.

Link

출제자 톡! 표현상의 특징을 파악하라!

❶ 비판의 대상이 되는 행동의 주체를 3인칭으로 처리함.

❷ 대구법, 열거와 반복의 방법으로 운율감을 형성함.

❸ 인물의 부정적인 모습을 구체적으로 묘사함으로써, 인물의 잘못된 행위를 비판, 풍자함.

❹ 인물의 과거와 현재를 대비하여 패가망신한 인물의 모습을 효과적으로 보여 줌.

최우선 출제 포인트!

1 작품 전체에 등장하는 우부(愚夫)

개똥이	부모덕으로 호의호식하나 재물을 사치와 낭비로 탕진하고 거지가 됨(수록 부분).
꼼 생원	넉넉한 편이었으나 무절제한 삶을 살고 사기를 치다가 비참해짐.
꾕 생원	경제적으로 철저히 몰락하여 평생 빚에 의지하여 술과 노름에 빠져 지냄.

이 작품에는 총 세명의 어리석은 남자들이 등장하는데, '개똥이, '꼼 생원', '꾕 생원'이 바로 그들이다. 이 세 남자는 모두 당시 양반의 상층과 중층 그리고 하층을 각각 대표하는 인물이며, 이들 모두가 도덕적으로 타락한 삶을 살아가다가 비참한 말로를 맞는다. 이러한 결말을 보았을 때 이 작품은 조선 후기 양반 사회의 붕괴와 더불어 봉건적 윤리 의식의 파탄을 그리고 있다고 할 수 있다.

함께 볼 작품 인물의 타락상을 비판하고 경계하면서 교훈성을 전달하는 작품: 작자 미상, 「용부가」

최우선 핵심 Check!

1 화자는 어리석은 인물을 냉소적인 태도로 비아냥거리고 있다. (O / ×)

2 조선 후기 양반층의 타락을 해학적인 어투와 사실적인 묘사를 통해 보여 주고 있다. (O / ×)

3 '개똥이'는 이 작품에서 비판하고 있는 '우부'를 상징하는 인물이다. (O / ×)

4 화자는 '개똥이'의 경제적인 몰락에 대해 동정하고 있다. (O / ×)

5 ㄷㅈ과 ㄱㄱ은 '개똥이'에 대한 사람들의 평가를 단적으로 드러낸 말이다.

6 '개똥이'는 사회적 체면을 중시하지만 스스로 체면을 손상하는 인물이기도 하다. (O / ×)

정답 1. ○ 2. ○ 3. ○ 4. × 5. 도적, 걸객 6. ○

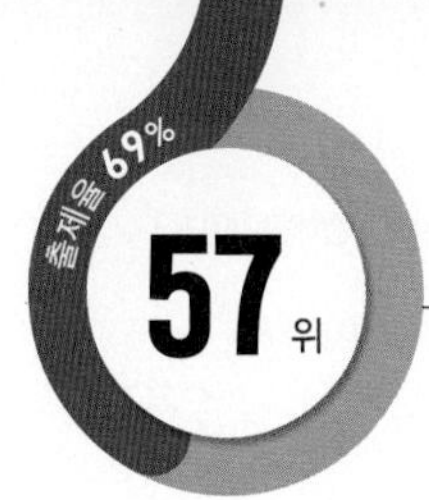

노처녀가 부른 노래

노처녀가 1(老處女歌) | 작자 미상

갈래 가사 **성격** 해학적, 서사적, 비판적
주제 양반의 허위의식으로 혼기를 놓친 노처녀의 한과 설움 **시대** 조선 후기

부모의 가난과 사대부가의 체면 등의 이유로 좋은 혼처를 가리는 바람에, 나이 사십이 넘도록 혼인을 못한 노처녀의 비애를 노래하고 있다.

인간 세상 사람들아 이내 말씀 들어 보소 → 세상 사람들에게 하소연
불특정 다수를 청자로 삼아 말을 걸어 이야기를 시작함 - 말을 건네는 어투 / Link 표현상 특징 ❹
「인간 만물 생긴 후에 금수 초목 짝이 있다
풀과 나무와 날짐승과 길짐승으로 온갖 생물
인간에 생긴 남자 부귀 자손 같건마는
없다. 자신의 비참한 팔자를 설의적 표현으로 강조
이내 팔자 험궂을손 날 같은 이 또 있든가」
자신의 팔자가 가장 험궂다
「 」: 짝이 있는 인간 만물과 짝이 없는 화자 자신을 대조. 화자의 비참한 처지 부각 / Link 표현상 특징 ❶
> 서사: 혼인을 하지 못한 화자의 처지 한탄

인간 세상 사람들아 내 얘기 좀 들어 보소.
인간 만물 생긴 후에 온갖 동물과 식물에 짝이 있고
세상에 태어난 모든 남자(여자)가 부유하고 귀한 자손이지마는
내 팔자처럼 험한 이가 또 있겠는가?

[ ]: 짝, 어떤 처녀 ↕ 대조되는 대상 [ ]: 날 같은 이, 혼자, 사십까지 처녀

「백 년을 다 살아야 삼만 육천 날이로다
혼자 살면 천년 살며 정녀 되면 만년 살까」
「 」: 혼자 살거나 정녀(순결한 여자)로 사는 것은 의미가 없음(혼자 산다고 오래 사는 것이 아님.). 홀로 사는 처지를 한탄함
대구법
「답답한 우리 부모 가난한 좀 양반이
화자와 화자의 부모 신분을 알 수 있음
양반인 체 도를 차려 처사가 불민하여
둔하여
괴망을 일삼으며 다만 한 딸 늙어 간다」
말이나 행동이 괴상하고 망측함 / 화자 자신을 객관화한 표현
「 」: 화자가 생각하는 자신이 시집을 못 가고 늙어 가는 원인과 그에 대한 불만: 가난+양반 치레 → 부모에 대한 불만과 원망
> 본사 1: 자신을 혼가 시키지 않은 부모에 대한 원망

백 년을 다 살아도 삼만육천 일인데
혼자 산다거나 정녀(숫처녀)로 산다면 오래 살까?
답답한 우리 부모 가난하고 좀스러운 양반이
양반인 척 거들먹여도 하는 일은 어리석어
망측한 일만 하니 다만 딸만 늙어 간다.

적막한 빈방 안에 적료하게 홀로 앉아
화자의 외로운 처지
전전반측 잠 못 이뤄 혼자 사설 들어 보소 → 화자의 한탄
이리저리 뒤적이며 잠을 들지 못함 / 말을 건네는 어투(세상 사람들에게 하소연)
「노망한 우리 부모 날 길러 무엇 하리
죽도록 날 길러서 잡아 쓸까 구워 쓸까」
「 」: 늦게까지 시집을 보내지 않는 부모에 대한 원망
유사한 문장 구조 반복 - 운율 형성, 화자의 의도 강조 Link 표현상 특징 ❶
「인황씨 적 생긴 남녀 복희씨 적 지은 가취 → 대구법
인황씨, 복희씨: 중국 고대 전설상의 제왕
인간 배필 혼취함은 예로부터 있건마는」
인간이 혼인하는 것 / 혼인은 예로부터 이어진 오랜 인간의 전통임
「 」: 남녀 구별과 혼인의 역사가 아주 오래 전부터 당연한 일임
어떤 처녀 팔자 좋아 이십 전에 시집간다
일찍 시집가는 처녀에 대한 부러움 ↔ 화자와 대조
남녀 자손 시집 장가 떳떳한 일이건만
이내 팔자 기험하야 사십까지 처녀로다
기구하고 험하여 / 화자의 처지
이럴 줄을 알았으면 처음 아니 나올 것을
월명 사창 긴긴 밤에 침불안석 잠 못 들어
달이 뜨는 창가 / 불안이나 근심 등으로 편히 자지 못함
적막한 빈방 안에 오락가락 다니면서
장래사 생각하니 더욱 답답 민망하다
미래에 다가올 일 / 정서의 직접적 표출
> 본사 2: 독수공방의 상황

적막한 빈방 안에 고요하게 혼자 앉아
전전불매 잠 못 드니 내 하소연 들어 보소.
노망한 우리 부모 날 길러 무엇할까?
죽도록 나를 길러서 잡아먹나 구워 먹나.
인황씨 때 생긴 남녀 복희씨 때 만든 혼인
배필 맞아 혼인함은 예로부터 있었지만
어떤 처녀는 팔자 좋아 이십 전에 시집 간다
아들 딸 시집 장가 떳떳한 일이건만
이내 팔자 기구하여 사십까지 처녀로다.
이럴 줄 알았으면 태어나지 말았을 것을
월명사창 긴 긴 밤에 침불안석 잠 못 들어
적막한 빈방 안에 오락가락 다니면서
장래 일을 생각하니 답답하고 민망하다.

「부친 하나 반편이요 모친 하나 숙맥불변」 「 」: 부모에 대한 원망. 대구법
지능이 모자란 사람 / 쌀과 보리를 구별하지 못하는 무식한 사람
「날이 새면 내일이요 세가 쇠면 내년이라」
「 」: 시집가지 못하는 자신의 상황은 변함없는데 시간만 빨리 흘러감. 대구법
혼인 사설 전폐하고 가난 사설뿐이로다
부모가 혼인에 대해서는 말하지 않고 가난에 대해서만 말함

부친 하나 반편이 같고 모친 하나 숙맥일세.
날이 새면 내일이요 해가 가면 내년이라.
혼인 얘기 전혀 없고 가난 타령뿐이로다.

『어디서 손님 오면 행여나 중매신가 (중매에 대한 기대감)

아이 불러 힐문한즉 풍헌 약정 환자 재촉 → 실체를 알고 실망

(풍헌: 조선 시대 향약 조직의 임원 / 약정: 풍습과 도덕 규범 / 환자: 환곡. 곡식을 백성들에게 봄에 꾸어 주고 가을에 이자를 붙여 거두던 일)

어디서 편지 왔네 행여나 청혼선가 (중매에 대한 기대감)

아이더러 물어보니 외삼촌의 부음이라』 (편지의 실체 - 실망(해학))

> 본사 3: 중매에 대한 기대

『 』: 중매가 들어왔나 기대했으나 실체는 환자 재촉과 외삼촌의 부음임. 실망이 반복됨. 화자의 슬픔 고조와 소망의 간절함 부각

어디서 손님 오면 행여나 중매장이인가?
아이 불러 따져 물으니 환자 재촉
어디서 편지 왔네 행여나 청혼서인가?
아이에게 물어보니 외삼촌의 부음이라.

애고애고 설운지고 이내 간장 어이할꼬 (정서의 직접적 표출)

앞집에 아모 아기 벌써 자손 보단 말가 (부러움의 대상 ①)

동편 집 용골녀는 금명간에 시집가네 (부러움의 대상 ② / 금명간: 오늘이나 내일 사이, 조만간)

> 본사 4: 혼가한 주변 인물에 대한 부러움

애달프고 서럽구나. 이내 간장을 어이할꼬?
앞집 사는 아무개는 벌써 자식 낳았다고
동편집 용골녀도 조만간에 시집 가니

그동안에 무정세월 시집가서 풀련마는 (무정세월: 덧없이 흘러가는 세월)

친구 없고 혈족 없어 위로할 이 전혀 없고 (자신의 외로운 처지 한탄)

우리 부모 무정하여 내 생각 전혀 없다 (무정한 부모에 대한 원망 - 서운함)

부귀빈천 생각 말고 인물 풍채 마땅커든 (신랑감의 경제적 형편이나 신분을 따지지 말고)

처녀 사십 나이 적소 혼인 거동 차려 주오 (부모에 대한 직접적 요구)

김동이도 상처하고 이동이도 가처로다 (혼인 가능한 구체적 대상)

> 본사 5: 혼인 대상들에 대한 관심

그 동무들 무정한 세월 시집가서 풀겠지만
친구 없고 친척 없어 위로할 이 전혀 없네.
우리 부모 무정하여 내 생각은 전혀 없네.
부귀빈천 생각 말고 됨됨이가 마땅한데
처녀 사십 나이 적소, 결혼식을 올려주오.
김동이도 상처하고 이동이는 이혼했네.

중매 할미 전혀 없네 날 찾을 이 어이 없노

감정 암소 살져 있고 봉사 전답 같건마는 (혼인 가능한 최소한의 경제적 여건)

사족 가문 가리면서 이대도록 늙히노니 (신랑감의 가문을 따지면서)

> 본사 6: 혼인 가능한 집안의 재물 상황

중매 할매 전혀 없네. 날 찾을 이 누구인가?
검정 암소 살쪄 있고 봉사 전답 기름지지만
사족 가문 가리면서 이대로 늙어 간다.

연지분도 있건마는 성적 단장 전폐하고 (연지분: 화장품. 화자가 여성임을 알 수 있음 / 성적: 신부 화장 - 예쁘게 연지 찍고)

감정 치마 흰 저고리 화경 거울 앞에 놓고 (화경: 좋은 거울)

원산 같은 푸른 눈썹 세류 같은 가는 허리 → 화자의 아름다운 외모(비유), 시각적 이미지, 대구법 **Link 표현상 특징 ❶, ❷** (세류: 가지가 가는 버드나무)

아름답다 나의 자태 묘하도다 나의 거동

흐르는 이 세월에 아까울손 나의 거동 (미모가 늙어 가는 현실에 대한 안타까움)

(대구법, 도치법, 반복법 **Link 표현상 특징 ❶, ❸**)

거울더러 하는 말이 어화 답답 내 팔자여

갈데없다 나도 너도 쓸데없다 너도 나도 → 신세 한탄(대구, 도치) **Link 표현상 특징 ❶, ❸** (나: 화자 / 너: 거울(동병상련, 의인화))

> 본사 7: 혼인 적기인 노처녀 자신의 아름다움

연지분도 있지만은 고운 단장 전폐하고
검정치마 흰 저고리 화경 거울 앞에 놓고
먼 산 같은 푸른 눈썹 버들 같은 가는 허리,
아름답다 나의 자태, 묘하구나 나의 거동.
흐르는 세월에 아깝도다. 나의 거동.
거울에게 하는 말이 아아, 답답 내 팔자야.
갈데없다 나도 너도, 쓸데없다 너도 나도.

『우리 부친 병조 판서 할아버지 호조 판서

우리 문벌 이러하니 풍속 좇기 어려워라』 (풍속: 대등한 가문끼리 혼인하는 풍속)

『 』: 허울만 좋은 명문 집안이라, 대등한 수준의 상대를 찾기 어려워 혼인이 더 어려움

『아연듯 춘절 되니 초목 군생 다 즐기네 (춘절: 봄 / 초목 군생: 무리 지어 자라난 풀과 나무)

두견화 만발하고 잔디 잎 속잎 난다』 (두견화: 진달래꽃)

『 』: 화자의 처지와 대비되는 봄의 자연의 싱그러운 모습(즐기고 소생함)

우리 부친 병조 판서, 할아버지 호조 판서
우리 가문 이러하니 풍속 따르기 어려워라
급하게 봄철 드니 초목군생 다 즐기네.
진달래 만발하고 잔디 잎 속잎 나네.

삭은 바자 쟁쟁하고 종달새 도루 뜬다』
오래되어 바스러진 댑싸리 울타리. 오래된 울타리는 새로 갈아 소리 나고(청각적 이미지)
춘풍 야월 세우 시에 독수공방 어이할꼬
봄바람 부는 밤에 달이 뜨고 가랑비가 내림. 화자의 외로움을 심화시키는 배경
원수의 아이들아 그런 말 하지 마라

앞집에는 신랑 오고 뒷집에는 신부 가네
주변에서는 혼인하는 상황. 화자의 처지와 대비(외로움 심화, 대구, 대조) Link 표현상 특징 ❶
내 귀에 듣는 바는 느낄 일도 하도 많다
흐느낄 일
『녹양방초 저문 날에 해는 어이 수이 가노』 『 』: 좋은 계절에 세월만 빨리 간다는 의미(화자의 외로움과 시름 심화)
푸른 버드나무와 향기로운 풀(좋은 계절) 쉽게
초로 같은 우리 인생 표연히 늙어 가니
풀잎에 맺힌 이슬(덧없는 인생을 비유) Link 표현상 특징 ❷
머리채는 옆에 끼고 다만 한숨뿐이로다
늙어 가는 현실에 대한 한탄
긴 밤에 짝이 없고 긴 날에 벗이 없다
짝과 벗이 없어 외로움을 느낌(대구법)
앉았다가 누웠다가 다시금 생각하니
시름에 잠을 들지 못함(전전반측)
아마도 모진 목숨 죽지 못해 원수로다
화자의 운명에 대한 한탄

› 결사: 세월의 흐름과 혼기를 놓쳐 가는 것에 대한 슬픔

썩은 바자 새로 갈고 종달새는 높이 뜬다.

봄바람에 달이 밝고 가는 비가 내리는데 독수공방 어이할꼬.
원수의 아이들아 그런 말 하지 마라.

앞집에는 신랑 오고 뒷집에는 신부 왔네.

내 귀에 듣는 대로 느낄 일도 많고 많다.

녹양방초 저문 날에 해는 어찌 쉽게 쉬고

이슬 같은 우리 인생 거침없이 늙어 가니

머리채는 옆에 끼고 다만 한숨이로세.

긴 밤에 짝이 없고 긴 날에 벗이 없다.

앉았다가 누웠다가 다시금 생각하니

아마도 모진 목숨 죽지 못해 원수로다.

출제자 톡! 화자를 이해하라!

1 **화자는 누구이고, 화자가 처한 상황은?**
혼기를 놓친 노처녀로, 혼인하고 싶은 상황을 노래함.

2 **화자의 정서 및 태도는?**
독수공방의 상황으로, 혼인시키지 않은 부모에 대한 원망과 혼기를 놓쳐 가는 것에 대해 슬퍼하고 있음.

Link

출제자 톡! 표현상의 특징을 파악하라!

❶ 대구, 대조, 반복 등의 다양한 표현법을 사용하여 화자의 정서를 드러냄.

❷ 비유와 시각적 이미지를 통해 화자의 아름다움을 드러냄.

❸ 도치를 활용하여 화자의 모습에 대한 자족감을 드러냄.

❹ 말을 건네는 어투를 사용하여 화자의 상황이나 정서를 드러냄.

최우선 출제 포인트!

1 작품의 전체 구성

서사	혼인을 하지 못한 화자의 처지 한탄
본사	1. 자신을 혼가시키지 않은 부모에 대한 원망 2. 독수공방의 상황 3. 중매에 대한 기대 4. 혼가한 주변 인물에 대한 부러움 5. 혼인 대상들에 대한 관심 6. 혼인이 가능한 집안의 재물 상황 7. 혼인 적기인 노처녀 자신의 아름다움
결사	세월의 흐름과 혼기를 놓쳐 가는 것에 대한 슬픔

2 시어, 시구의 의미

가난한 좀 양반	부모의 처지를 알 수 있게 함
적막한 빈방, 독수공방	화자의 외로운 처지
혼자 사설	화자의 한탄
부친 하나 반편, 모친 하나 숙맥불변	부모에 대한 원망
손님, 편지	중매에 대한 기대

최우선 핵심 Check!

1 혼인하고 싶은 노처녀와 양반이기 때문에 아무 데나 시집갈 수 없는 대조적 상황을 해학적으로 그리고 있다. (○ / ×)

2 불특정 다수인 청자를 설정하여 하소연하는 형식으로 시상을 전개하고 있다. (○ / ×)

3 대조되는 소재와 대비를 통해서 화자의 처지를 부각하고 있다. (○ / ×)

4 자신의 처지에 대한 한탄과 부모에 대한 원망을 반복적으로 제시하고, 이를 개선하려는 노력도 보이고 있다. (○ / ×)

5 화자와 대비되는 ㅂ 의 싱그러운 모습을 통해, 대비되는 화자의 처지를 강조하여 드러내 주고 있다.

6 화자의 외모와 인생을 자연물에 빗대어 형상화하고 있다. (○ / ×)

정답 1. ○ 2. ○ 3. ○ 4. × 5. 봄 6. ○

노처녀가 부른 노래

노처녀가 2(老處女歌) | 작자 미상

갈래 가사 **성격** 해학적, 서사적
주제 장애를 극복하고 결혼에 성공하는 노처녀의 인생 역정 **시대** 조선 후기

온갖 장애를 지닌 화자가 50세가 되도록 결혼을 하지 못하다가 이를 극복하려는 새로운 결단을 보이고, 결국 결혼에 성공한다는 이야기를 해학적으로 그려 내고 있다.

원문	현대어 풀이
어와 ᄂᆡ몸이어 셟고도 분ᄒᆞᆫ지고	어와 내 몸이야 서럽고도 분하다.
이 셔름을 어이ᄒᆞ리 (셔름: 아직 혼인을 못해 서러운 심정)	이 설움을 어이할까?
인간만ᄉᆞ 셔룬 중의 이ᄂᆡ 셔름 갓ᄒᆞᆯ손가 (이ᄂᆡ 셔름 갓ᄒᆞᆯ손가: 화자의 설움이 매우 큼을 강조. 설의적 표현)	인간 만사 서러운 일 중에 이내 설움만 같을까?
셔룬 말 ᄒᆞᄌᆞᄒᆞ니 붓그럽기 측량(測量)업고 (측량(測量)업고: 측량할 수 없고)	서러운 말 하려 하니 부끄럽기가 이루 말할 수 없고
분ᄒᆞᆫ 말 ᄒᆞᄌᆞᄒᆞ니 가슴 답답 긔 뉘 알니	분한 말 하려 하니 가슴 답답함을 누가 알겠는가?
남모르ᄂᆞᆫ 이런 셔름 천지간의 ᄯᅩ 잇ᄂᆞᆫ가	남모르는 이 설움이 천지간에 또 있는가?
밥이 업셔 셜워ᄒᆞᆯ가 옷시 업셔 셜워ᄒᆞᆯ가 (화자의 서러움이 의식주의 결핍과 관련된 것이 아님을 강조함)	밥이 없어 서러워할까? 옷이 없어 서러워할까.
이 셔름을 어이 풀니 부모님도 야속ᄒᆞ고 친쳑들도 무졍ᄒᆞ다 (부모님, 친쳑: 원망의 대상)	이 설움 어이 풀까? 부모님도 야속하고 친척들도 무정하다.
ᄂᆡ 본시 둘ᄶᆡ ᄯᆞᆯ노 쓸ᄃᆡ업다 ᄒᆞ려니와	내 본래 둘째 딸로 쓸데없다 하려니와
ᄂᆡ 나ᄒᆞᆯ 혜여 보니 오십쥴에 드러고나 (나ᄒᆞᆯ: 나이를 / 오십쥴: 화자가 자신의 나이를 밝힘)	내 나이를 세어 보니 오십 줄에 들었구나.
먼져ᄂᆞᆫ 우리 형님 십구세의 시집가고	먼저 태어난 우리 형님 열아홉에 시집가고
셋ᄶᆡ 아오년은 이십의 셔방 마ᄌᆞ	셋째 아우는 스물에 서방 맞아
ᄐᆡ평(太平)으로 지ᄂᆡ는ᄃᆡ 불상ᄒᆞᆫ 이 ᄂᆡ 몸은	태평으로 지내는데 불쌍한 이내 몸은
엇지 그리 이러ᄒᆞᆫ고 어ᄂᆡ덧 늙어지고	어찌 그리 이러한고, 어느덧 늙어 버렸고
ᄎᆞ릉군이 되거고나 (ᄎᆞ릉군 - 'ᄎᆞ기(가엽게, 측은히) 여기다'에서 나온 말)	측은한 신세가 되었구나.
『시집이 엇더ᄒᆞᆫ지 셔방맛시 엇더ᄒᆞᆫ지 (『 』: 아직 혼인을 못한 노처녀임을 밝힘)	시집가는 것이 어떠한지 서방과 사는 즐거움이 어떠한지
ᄉᆡᆼ각ᄒᆞ면 ᄉᆡᆼ슝상슝 쓴지 단지 ᄂᆡ 몰ᄂᆡ라』	생각하면 싱숭생숭 쓴지 단지 내 모르겠다.
▶ 나이 50이 되도록 혼인을 못한 화자의 처지	
(중략)	(중략)
『목이 비록 옴쳐시나 만져보면 업슬손가 (옴쳐시나: 오므라 들어 있으나 - 신체적 장애가 있음)	비록 내 몸은 오므라들어 있으나 만져 보면 없겠는가?
ᄂᆡ 얼골 볼작시면 곱든 비록 아니ᄒᆞ나	내 얼굴 보자면 비록 곱지는 아니 하나
일등 슈모 불너다가 헌거롭게 단장ᄒᆞ며 (슈모: 혼인할 때 신부의 단장을 해 주고 예절에 관해 받들어 주는 것을 업으로 하는 여자 / 헌거롭게: 풍채가 남달리 보기 좋고 의젓하게)	치장을 잘해 주는 여자 불러다가 보기 좋고 의젓하게 단장하면
남ᄃᆡ되 맛ᄂᆞᆫ 셔방 ᄂᆡᆫ들 혈마 못 마즐가 (남ᄃᆡ되: 남들은 죄다, 사람마다)	남들은 죄다 맞는 서방을 낸들 설마 못 맞을까?
얼골 모냥 그만 두고 시속 ᄒᆡᆼ실 웃듬이니 (시속 ᄒᆡᆼ실: 그 시대의 풍속에 맞는 행실)	얼굴 모습은 그만두고라도 풍속에 맞는 행실 또한 으뜸이니
ᄂᆡ 본시 총명키로 무ᄉᆞᆫ 노릇 못ᄒᆞᆯ숀냐』 (『 』: 해학성을 느낄 수 있음 **Link** 표현상 특징 ❶)	내 본시 총명하기로 무슨 노릇을 못하겠느냐?
▶ 화자의 신체적 장애	
(중략)	(중략)
손님 보기 붓그럽고 일가 보기 더옥 슬타	손님 보기 부끄럽고 일가친척들 보기는 더욱 싫다.
이 신세 어이 ᄒᆞᆯ고 살고 시분 ᄯᅳᆺ이 업ᄂᆡ	이 신세 어이할까? 살고 싶은 뜻이 없구나.
간슈 먹고 쥭ᄌᆞᄒᆞᆫ듈 목이 쓰려 엇지 먹그며 (간슈: 소금이 습기를 만나 저절로 녹아 흐르는 물)	간수 먹고 죽으려 하니 목이 쓰려 어찌 먹으며

원문	현대어 풀이
비상 먹고 죽ᄌᆞ ᄒᆞᆫ들 ᄂᆡ음ᄉᆡ를 엇지 ᄒᆞᆯ고 (비상: 비석(砒石)에 열을 가해 승화시켜 얻은 결정체로 독성이 있음)	비상 먹고 죽으려 하니 냄새를 어찌 할까?
부모유체(父母遺體) 난쳐ᄒᆞ다 (부모유체: 부모가 남긴 몸. 즉 '자식된 몸'을 일컬음)	자식 된 몸으로 어찌할 줄을 모르겠다.
이런 ᄉᆡᆼ각 져런 ᄉᆡᆼ각 뷘 방 즁의 혼ᄌᆞ 안져	이런 생각 저런 생각을 하며 빈 방에 혼자 앉아
온 가지로 ᄉᆡᆼ각ᄒᆞ나	여러 가지로 생각하지만
닙맛만 업셔지고 인물만 쵸최(憔悴)ᄒᆞ다 (쵸최ᄒᆞ다: 초췌하다 - 병, 근심, 고생 따위로 얼굴이나 몸이 여위고 파리하다)	입맛만 없어지고 인물만 초췌해지는구나.
ᄉᆡᆼ각를 마ᄌᆞᄒᆞ나 ᄌᆞ연이 졀노나고	생각을 말자 하나 저절로 일어나고
용심(用心)을 마ᄌᆞᄒᆞ나 스스로 먼져나늬 (용심: 남을 시기하는 심술궂은 마음)	심술궂은 마음을 말자 하니 스스로 먼저 일어나니
『곤츙도 짝이 잇고 금슈도 ᄌᆞ웅 잇고	곤충도 짝이 있고 금수도 짝이 있고
헌 집신도 짝이 이셔』 (『 』: 짐승과 사물이 짝이 있음을 드러냄 - 짝이 없는 화자의 신세 부각)	헌 짚신도 짝이 있으니
음양의 ᄇᆡ합법을 ᄂᆡᆫ들 아니 모를숀가 (음양의 ᄇᆡ합법: 남녀가 화합함)	남녀 간의 화합을 낸들 모르겠는가?
부모님도 보기슬코 형님도 보기슬코	부모님도 보기 싫고 형님도 보기 싫고
아오년도 보기 실타	아우도 보기 싫다.
날다려 니른 말리 불상ᄒᆞ다 ᄒᆞ는 쇼ᄅᆡ (니른: 이른)	나에게 하는 말이 불쌍하다 하는 소리
더고나 듯기 슬코 눈물만 소ᄉᆞ나늬 (소ᄉᆞ나늬: 솟아나네)	더구나 듣기 싫고 눈물만 솟아나네.
ᄂᆡ 신세 이러ᄒᆞ고 ᄂᆡ 마음이 이러ᄒᆞᆫ들	내 신세 이러하고 내 마음이 이러한들
뉘라셔 걱정ᄒᆞ며 뉘라셔 념녀(念慮)ᄒᆞ리	누가 걱정할 것이며 누가 염려할 것인가?
이런 ᄉᆡᆼ각 마ᄌᆞᄒᆞ고 혼ᄌᆞ 안ᄌᆞ ᄆᆡᆼ셰ᄒᆞ여	이런 생각 말자 하고 혼자 앉아 맹세하여
ᄆᆞ음을 활작 풀고 잠이나 ᄌᆞᄌᆞᄒᆞ니	마음을 활짝 풀어내고 잠이나 자자 하니
무슨 잠이 ᄎᆞ마오며 ᄌᆞ고 ᄭᆡ면 원통ᄒᆞ다	무슨 잠이 오겠으며 자고 깨면 원통할 뿐이다.

> 혼인을 못한 자신의 처지를 한탄함

원문	현대어 풀이
아모 사람 맛나 볼제 헷 우숨이 졀노 나고 (헷 우숨: 헛웃음) (아모 사람 맛나 볼제: 사람들을 만날 때마다 자신의 처지를 자각함)	아무 사람 만나 볼 때 헛웃음이 절로 나고
무안ᄒᆞ여 도라셔면 긴 한숨이 졀노 나늬	무안하여 돌아서면 긴 한숨이 절로 나네.
웃지 말고 ᄉᆡ침ᄒᆞ면 남 보기의 ᄆᆡ몰ᄒᆞ고	웃지 말고 새침하면 남 보기에 매몰차고
게정푸리 ᄒᆞᄌᆞᄒᆞ면 심슐 구즌 사ᄅᆞᆷ되ᄂᆡ (게정푸리: 심술궂고 불평하는 말과 행동)	불평 풀이 하자 하면 심술궂은 사람 되니
아모리 ᄉᆡᆼ각ᄒᆞ나 이런 팔ᄌᆞ ᄯᅩ 잇는가	아무리 생각해도 이런 팔자 또 있는가?
이리 ᄒᆞ기 더 어렵고 져리 ᄒᆞ기 더 어렵다	이리하기 더 어렵고 저리하기 더 어렵다.
아조 죽거 넛ᄌᆞᄒᆞ미 ᄒᆞᆫ두 번이 안이로되	아주 죽어 있자 함이 한두 번이 아니로다.
목슘이 기러던지 무슨 낙을 보려던지	목숨이 길었는지 무슨 낙을 보려는지
날리 가고 달리 가ᄆᆡ 갈ᄉᆞ록 셔른 심ᄉᆞ	날이 가고 달이 가며 갈수록 서러운 심사
엇지ᄒᆞ고 엇지ᄒᆞ리	어찌하고 어찌하리.
벼ᄀᆡ를 탁 던지고 넙은ᄎᆡ 드러누어 (벼ᄀᆡ를 탁 던지고: 화자가 자신의 답답한 심정을 행동으로 표출함)	베개를 탁 던지고 (옷을) 입은 채로 드러누워
옷가삼을 활작 열고 가삼을 두다리면	옷가슴을 활짝 열고 가슴을 두드리면

원문	현대어 풀이
답답ᄒᆞ고 답답ᄒᆞ다	답답하고 답답하다.
이 ᄆᆞ음을 엇지할고 미친 ᄆᆞ음(맺힌 마음) 졀노 난다	이 마음을 어찌할까, 맺힌 마음 절로 일어난다.

> 혼인을 못한 답답한 마음

원문	현대어 풀이
ᄃᆡ쳬로 ᄉᆡᆼ각ᄒᆞ면 ᄂᆡ가 결단 못ᄒᆞᆯ숀가(심경의 변화가 일어나면서 새로운 결심을 함 → 내용의 전환 Link 표현상 특징 ❷)	대체로 생각하면 내가 결단 못하랴.
부모동ᄉᆡᆼ(화자가 처한 어려움을 해결해 주지 못함) 밋다가는 셔방 마시 망연(茫然)ᄒᆞ다	부모 동생 믿다가는 서방 볼 일 아득하다.
오날밤이 어셔가고 ᄂᆡ일 아ᄎᆞᆷ 도라오며	오늘 밤이 어서 가고 내일 아침 돌아오며
즁ᄆᆡ파(仲媒婆)(혼인을 중매하는 할멈 - 화자의 욕망을 해결해 줄 수 있는 인물)를 불너다가 긔운 죠작으로(힘을 써서, 강제로)	중매 매파 불러다가 힘을 써서
표ᄎᆞ로이(남 못지않게) 구혼ᄒᆞ면 엇지 아니 못될숀가	번듯하게 구혼하면 어찌 아니 못 되랴.
이쳐로 ᄉᆡᆼ각ᄒᆞ니 업던 우음 졀노 는다	이렇게 생각하니 없던 웃음 절로 난다.
음식 먹고 체ᄒᆞᆫ 병의 졍긔산(위장을 다스리는 탕약)을 먹은다시	음식 먹고 체한 병에 정기산을 먹은 듯이
급히 알는 곽난병(음식이 체하여 갑자기 토하고 설사가 심한 급성 위장병)의 청심환(淸沈丸)을 먹은다시	급히 앓는 곽란병에 청심환을 먹은 듯이
활짝이 니러 안즈면서 돌통ᄃᆡ(흙이나 나무로 만든 담뱃대)를 닙의 물고	활짝 일어나 앉아 돌콩대를 입에 물고
ᄭᅳ덕이며 궁니(窮理)ᄒᆞ되	(고개를) 끄덕이며 궁리하되
ᄂᆡ 셔방(화자가 지닌 욕망의 구체적 대상)을 ᄂᆡ 갈히지 남다려 부탁할가	내 서방을 내 가리지 남더러 부탁할까?
ᄂᆡ 엇지 미련ᄒᆞ여 이 이ᄉᆞ(意思)(생각)를 못 ᄂᆡ던고	내 어찌 미련하여 이 생각을 못 냈던가?
만일 발셔 ᄭᆡ쳐더면(깨쳤으면) 이 모양이 되여실가	만일 벌써 깨쳤으면 이 모양이 되었을까?
청각(淸覺) 먹고 ᄉᆡᆼ각ᄒᆞ니 아죠 쉬운 일이로다	마음먹고 생각하니 아주 쉬운 일이로다.
(후략)	(후략)

> 마음을 고쳐먹고 혼인할 수 있는 방법을 모색함

출제자 톡! 화자를 이해하라!

1 **화자는 누구이고, 화자가 처한 상황은?**
신체적으로 장애를 지닌 여성으로, 나이 50이 되도록 결혼을 못한 상황임.

2 **화자의 정서 및 태도는?**
자신의 처지에 대한 한탄과 부모, 형제에 대한 원망, 새로운 기대감 등이 나타남.

Link

출제자 톡! 표현상의 특징을 파악하라!

❶ 화자가 자신의 신체적 불구를 변명하고 행실과 총명함을 자랑하는 구절에서 해학성을 느낄 수 있음.

❷ 자신의 처지를 비관하던 화자가 심경의 변화를 보임에 따라 작품 전개상 반전이 일어남.

최우선 출제 포인트!

1 작품의 전체 구성

서사	혼인을 이루지 못한 화자의 처지(본문 수록 부분)
본사	김 도령과 혼인하는 꿈을 꾸고 착란 증세를 보이지만 결국 자신의 장애를 극복하고 실제로 혼인을 함.
결사	자손을 낳고 행복한 노년을 보냄.

함께 볼 작품 여성 화자가 자신의 처지를 한탄하는 작품: 허난설헌, 「규원가」

최우선 핵심 Check!

1 화자는 자신의 처지를 비관하지만 자신의 능력에 대해서는 자신감을 내비치고 있다. (○ / ×)

2 화자를 서운하게 하는 부모, 형제에 대한 풍자가 이 작품의 주요 내용을 이루고 있다. (○ / ×)

3 'ᄃᆡ쳬로 ᄉᆡᆼ각ᄒᆞ면 ᄂᆡ가 결단 못ᄒᆞᆯ숀가'라는 구절을 시작으로, 화자의 심경 변화가 일어나면서 스스로 ㅎㅇ 문제를 해결할 방법을 모색하고 있다.

정답 1. ○ 2. × 3. 혼인

「만언사」에 답하는 노래

만언사답(萬言詞答) | 안도환

갈래 가사(유배 가사) **성격** 교훈적, 설득적
주제 유배객에 대한 위로 **시대** 조선 후기

작가가 지은 노래 「만언사」에 자신이 화답함으로써, 스스로의 처지를 위로하고 있다.

이보시오 손님네야 셜운 말삼 그만ᄒᆞ오 (: 청자 / : 화자)
「만언사」의 화자. 이 작품에서는 청자임 Link 표현상 특징 ❶
광부(狂夫)의 말이라도 셩인(聖人)니 갈희시니
미친 사람 - 이 작품의 화자. 자신을 낮추어 말함
시골말이 무식(無識)ᄒᆞ나 이ᄂᆡ 말삼 드러보소
화자 자신의 말을 겸손하게 표현
▶ 서사: 화자가 손님에게 자신의 말을 들어주기를 바람

> 여보시오 손님네야, 서러운 말 그만하오.
> 미친 사람의 말이라도 성인이 가리시니
> 시골말이 무식하나 내 말씀 들어 보소.

천지 인간(天地人間) 큰 기틀의 존비귀천(尊卑貴賤) 분변(分辨)ᄒᆞ니
하늘과 땅, 인간 세상 / 신분의 높고 낮음, 귀함과 천함 / 분별하니
하로 ᄒᆞᆫ쪅 근심업시 다 질거오미 뉘 잇슬고 (: 설의적 표현 Link 표현상 특징 ❺)
하루 한때
『하늘의도 변홰 잇셔 일월식(日月蝕)이 되시옵고
일식, 월식
바다의도 진퇴(進退) 잇셔 조셕슈(潮汐水)가 잇사오니
나아감과 물러감 / 조수와 석수(밀물과 썰물)
츈하츄동 사시졀(四時節)의 한셔온닝 도라가니
춥고 덥고 따뜻하고 서늘함
(자연의 변화처럼 귀양살이의 처지가 바뀔 수 있음)
부귀(富貴)읜들 풀칠ᄒᆞ여 몸의 붓쳐 두엇시며
부귀가 늘 함께 있을 수 없음
공명(功名)읜들 쓴을 다라 엽히 ᄎᆡ워 잇슬손가』
『 』: 자연이 변화하는 것처럼 인간사도 늘 좋을 수만은 없다고 위로함(대구법) Link 표현상 특징 ❷
손임 팔자(八字) 좃타 ᄒᆞᆫ들 한갈갓치 다 조흐며
번화(繁華)타가 고싱ᄒᆞᆫ들 져런 고싱 ᄆᆡ양 ᄒᆞᆯ가
번성하고 화려함 / 계속
『요금패옥(腰金佩玉) 공경ᄃᆡ부(公卿大夫) 금지옥엽(金枝玉葉) 귀공자(貴公子)』
화려한 차림새 / 높은 벼슬아치
『 』: 귀한 사람들(열거법) Link 표현상 특징 ❹
졀도고싱(絶島苦生) 다 진(盡)ᄒᆞ고 쳔은(天恩) 닙어 올나가면
외딴 섬에서의 고생
니 고싱(苦生) 다 격그니 손임뿐니 아니로식 → 모든 사람이 고생을 한다는 의미
누구나 한 번쯤은 고생을 겪는다고 위로함
▶ 본사 1: 지금 고생하고 있는 상황이 바뀔 수 있음

> 하늘과 땅과 인간 세상 큰 기틀에는 신분의 높고 낮음과 귀함과 천함의 구분이 분명하니
> 하루 한때 근심 없이 다 즐거워하는 이가 누가 있겠는가?
> 하늘에도 변화 있어 일식과 월식이 있고
> 바다에도 나아감과 물러남이 있어 밀물과 썰물이 있사오니
> 춘하추동 매 계절마다 춥고 덥고 따뜻하고 서늘함이 돌아오니
> 부귀인들 풀칠하여 몸에 붙여 두었으며
> 공명인들 끈을 달아 옆에 채워 놓을 수 있겠는가?
> 손님 팔자 좋다 한들 한결같이 다 좋으며
> 번화하다가 고생한들 저런 고생 항상 할까?
> 화려한 차림의 높은 벼슬아치와 금지옥엽 귀공자도
> 섬 유배 생활 잘 지내고 천은을 입어 올라갔으니
> 이 고생 다 겪은 사람 손님뿐이 아니로세.

그ᄃᆡ도록 셜워ᄒᆞ며 져ᄃᆡ도록 익를 썩여
그토록 / 저토록
귀향ᄉᆞ리 이쓰나니 쾌(快)히 쥭어 모로자나
시원스럽게
망히투사(望海投死) ᄒᆞ려는가 불식아사(不食餓死) ᄒᆞ려는가
바다에 빠져 죽음 / 굶어 죽음
ᄌᆞ문이사(自刎而死) ᄒᆞ려는가 음독치사(飮毒致死) ᄒᆞ려는가
스스로 목을 베어 죽음 / 독약을 먹고 죽음
(대구 Link 표현상 특징 ❷)
『셜운 사름 다 쥭으면 조션(朝鮮)사름 반(半)니 되고』
『 』: 세상에는 서러운 사람이 많다고 위로함
귀향이쎠 다 쥭으면 도중젹긱(島中謫客) 뉘 잇을가
섬에 갇혀 유배 생활을 하는 사람
(가정, 과장법 Link 표현상 특징 ❷)
녹음방쵸(綠陰芳草) 욱어진 ᄃᆡ 두견(杜鵑) 슬피 우는 곳의
푸르게 우거진 나무와 향기로운 풀 / 한(恨)을 상징
만고영웅(萬古英雄) 뭇친 뫼히 면몃친 쥴 모나니
여기서는 시신을 말함
셜워 쥭은 무덤 업고 익써 쥭은 신체(身體) 업닉
(귀양살이의 어려움을 많은 사람이 견뎌냈음을 강조)
서러워서 죽지는 않음 → 서럽다고 죽을 생각을 하면 안 된다는 의미
▶ 본사 2: 고생하고 서러운 사람이 손님만이 아님

> 그토록 서러워하며 저토록 애를 썩어
> 귀양살이 애쓰나니 시원스럽게 죽어 모르려고 하는가?
> 바다에 빠져 죽으려는가, 굶어 죽으려는가?
> 스스로 목을 베어 죽으려는가? 독약 먹고 죽으려는가?
> 서러운 사람 다 죽으면 조선 사람 반이 되고
> 귀양 가서 다 죽으면 유배 생활을 할 사람 누가 있을까?
> 녹음방초 우거진 데 두견새 슬피 우는 곳에
> 먼 옛날의 영웅 묻힌 산이 몇몇인 줄 모르나
> 서러워 죽은 무덤 없고 애써 죽은 시신 없네.

원문	현대어 풀이
손임 얼골 보아ᄒᆞ니 피골상연(皮骨相連) ᄒᆞ엿시니 보기에 안쓰러울 정도로 몸이 야윔	손님 얼굴 보아 하니 피골이 상접하였으니
『됴희 붓친 ᄇᆡ롱(焙籠)인가 두 눈 박은 슈슈ᄃᆡᆫ가 종이 / 화로 위에 얹어 젖은 옷 따위를 말리는 데 쓰는 기구 / 수숫대	종이 붙인 배롱인가, 두 눈을 박아 놓은 수숫대인가?
십오리(十五里)의 장승인가 열나ᄒᆞᆫ 날 졔용인가 제웅 - 짚으로 사람의 형상을 만든 것	십오 리의 장승인가? 열나흘 날 제웅인가?
상셩(喪性)ᄒᆞᆫ 광인(狂人)인가 실혼(失魂)ᄒᆞᆫ 병인(病人)인가 실성. 이성을 잃음	실성한 미치광이인가? 혼이 나간 병자인가?
거문눈 희게 ᄯᅳ고 북역만 바라볼 졔 임금이 계신 곳	검은 눈 희게 뜨고 북쪽만 바라볼 때,
밧 가온ᄃᆡ 졍의아비 ᄉᆡ 날이ᄂᆞᆫ 모양니라』 『 』: 초췌한 손님의 모습을 비유 **Link** 표현상 특징 ❷ 허수아비	(그 모습이) 밭 가운데에 새 쫓는 허수아비 모양이구나.
부러 죽지 아니ᄒᆡ도 병닙골슈(病入骨髓) ᄒᆞ여시니 일부러 / 병이 골수에까지 미침(병이 깊게 듦)	일부러 죽지 않아도 병이 골수까지 파고들었으니
이 병 져 병 쳔만병(千萬病)의 그린 상사(相思) 일병(一病)니라 첫번째	이 병 저 병 온갖 병 중에 그리워하는 상사병이 첫째니라.
쳔니타향(千里他鄕) 혈혈(孑孑)ᄒᆞᆫᄃᆡ ᄒᆞᆫ 숄 물을 뉘 ᄯᅥ쥬며 외롭다 한들	천 리 타향 외로이 서 있는데 (당신 위해) 물 한 잔 누가 떠주며
화타(華佗) 편작(扁鵲) 다시 산들 손님 병(病)은 ᄒᆞᆯ 일 업ᄂᆡ 화타와 편작. 고대 중국의 명의 **❯ 본사 3: 손님의 초췌한 모습에 안타까워함**	(죽은 이도 살린다는) 화타와 편작이 다시 살아 돌아와도 손님의 병을 고칠 수 없네.
호호탕탕(浩浩蕩蕩) ᄯᅳᆫ 혼ᄇᆡᆨ(魂魄)니 망ᄒᆡᄃᆡ(望海臺)ᄅᆞᆯ 지나갈 졔 끝이 없을 정도로 매우 넓음	(죽어서) 끝이 없는 곳에 뜬 영혼이 망해대를 지나갈 때
죽으니ᄂᆞᆫ 쾌(快)타 ᄒᆞᆫ들 산 부모ᄅᆞᆯ 어이ᄒᆞᆯ고 부모를 남겨두고 먼저 죽는 것은 불효임	죽은 이는 좋으나 살아 있는 부모는 어이할까?
상명지통(喪明之痛) 깁허시니 불효 아니 막ᄃᆡ(莫大)ᄒᆞᆫ가 눈이 멀 정도로 슬픔 - 아들을 잃은 슬픔을 빗댐	자식을 잃은 슬픔이 깊으니 그 불효가 아니 크겠는가?
동ᄉᆡᆼ ᄒᆞ나 어리다이 부모 봉양(父母奉養) 뉘가 ᄒᆞᆯ고 □: 설의적 표현 **Link** 표현상 특징 ❺	동생 하나 나이 어리니 부모를 봉양하는 것은 누가 할 것인가?
ᄉᆡᆼ젼불효(生前不孝) 뉘웃ᄎᆞ며 ᄉᆞ후불효(死後不孝) 마자 ᄒᆞᆯ가	살아서 불효를 뉘우치며 죽은 후 불효마저 할 것인가?
『규리홍안(閨裏紅顔) 져문 쳐자(妻子) 권들 아니 가련ᄒᆞᆫ가 규중의 예쁜 얼굴 - 아내를 가리킴	규방 안의 젊은 아내 그도 아니 불쌍한가?
평ᄉᆡᆼ 일신(平生一身) 됴코 굿기 손님ᄂᆡ게 달려시니	평생 자기 몸의 좋고 궂기 손님에게 달렸으니
하로 아참 니별ᄒᆞ고 젹젹공방(寂寂空房) 혼자 잇셔	하루아침에 이별하고 적막한 공방에 홀로 있어
지금 아직 사라기ᄂᆞᆫ ᄒᆡᆼ혀 다시 맛나 볼가』 『 』: 기다리는 아내를 생각하라고함	지금까지 살았는데, 행여 다시 만날까?
아참 가치 반겨 듯고 져역 등화(燈火) 위로ᄒᆞ여 아침 까치 / 저녁	아침 까치 반겨 듣고 저녁 등불을 위로 삼아
어린 아들 ᄡᅳ다듬어 눈물 흘녀 ᄒᆞᄂᆞᆫ 말니	어린 아들 쓰다듬으며 눈물 흘리며 하는 말이
『네 아바임 언졔 올고 오시거든 졀ᄒᆞ여라 『 』: 화자가 손님의 아내 입장에서 서술함	"네 아버지 언제 올까? 오시거든 절하여라."
ᄆᆡ친 근심 술든 간장(肝腸) 촌촌(村村)니 다 셕ᄂᆞᆫ다』 사르던, 태우던	맺힌 근심 태우던 애간장 마디마디 다 썩는다.
의복(衣服) 보션 지어 노코 의불의(宜不宜)ᄅᆞᆯ 보자 ᄒᆞ고 그 의복, 버선이 내 몸에 맞을지 안 맞을지	(손님네 입을) 의복과 버선을 지어 두고 알맞은가 알맞지 않은가를 살펴보고
삼시츌망(三時出望) ᄒᆞᄂᆞᆫ 눈이 ᄯᅮ러지게 되엿다가 하루에도 세 번씩 나가 기다리며 바라봄 / 손님의 죽음을 가정	하루에도 세 번씩 나가 기다리며 바라보는 눈이 뚫어지게 되었다가
명정숩션(銘旌翣扇) 압세우고 거문 관(棺)니 올나가면 죽은 사람의 관직과 성씨를 적은 기와 발인할 때 쓰는 운불삽	명정과 운불삽 앞세우고 검은 관이 올라가면
바라든 것 ᄭᅳᆫ어지니 일신(一身) 아조 마ᄎᆞ려니 일생을 마치려니	바라던 것 끊어지고 일생을 마치려니
오월비상(五月飛霜) 슬픈 우름 구소운간(九霄雲間) 사ᄆᆞᆺᄎᆞ니 한여름에 서리가 내릴 정도로 깊은 여인의 원한 / 높은 하늘의 구름 사이	깊은 원한의 슬픈 울음이 높은 하늘의 구름 사이에 사무치리라.
유명(幽明) 다른 혼ᄇᆡᆨ(魂魄)인들 쾌(快)한 마음 잇슬손가 저승과 이승	유명을 달리한 혼백(손님네)인들 즐거운 마음 있을 것인가?
그ᄣᅢ에야 뉘오친들 죽은 혼ᄇᆡᆨ 다시 살가 그때	그때 가서 후회한들 죽은 사람이 다시 살 것인가?

염나왕(閻羅王)긔 원졍(原情)ᄒᆞ고 인간 환싱(人間還生) 셜사ᄒᆞᆫ들
사정을 하소연함
부모 엇지 아라보며 홍안박명(紅顔薄明)ᄒᆞᆯ 일 업ᄂᆡ
예쁜 여자는 팔자가 사나움(미인박명)
쳔사만사(千事萬事) 혜아리니 사싱지간(死生之間) 갈히여셔
듁은 후의 편ᄒᆞ나니 살아 고싱 잠간 ᄒᆞ소
유배지에서 고생하더라도 살아 있어야 함을 강조
인간오복(人間五福) 슈위션(壽爲先)니 손임ᄂᆡᄂᆞᆫ 모로시나
인간의 오복 가운데 장수가 으뜸임

➤ 본사 4: 남겨진 가족들의 아픔을 생각해서라도 살아야 함

염라대왕께 하소연하고 인간 세상으로 설사 환생한들
부모 어찌 알아보며 아내의 박명한 팔자 어쩔 수 없네.
온갖 일 헤아리고 죽음과 삶을 가리어서
죽은 후에 편하다 말고 살아서 고생 잠깐 하소.
인간의 오복 가운데 장수가 으뜸임을 손님네는 모르시는가?

쳔고쳥비(天高聽卑) ᄒᆞ시ᄂᆞ니 익달나 너모 마소
하늘이 지극히 높지만 낮은 곳의 이야기를 들어줌
인기셩인(人皆聖人) 아니여니 진션진미(盡善盡美) [쉬울손가]
참되고 아름다움의 경지
이왕(已往)을 불간(不諫)이오 ᄂᆡ자(來者)ᄅᆞᆯ 가취(可追)로다
지난날은 간(諫)하여 돌이킬 수 없지만 미래는 내 뜻대로 할 수 있음
ᄂᆡ 인사(人事)ᄅᆞᆯ 닷근 후의 하ᄂᆞᆯ 명(命)을 기다리소
마땅히 해야 할 일
쳔고쳥비(天高聽卑) ᄒᆞ시ᄂᆞ니 인인곤익(人人困厄) [오리 ᄒᆞᆯ가]
사람마다 겪는 곤란과 재액
ᄃᆡ 긋히도 삼년(三年)이니 잠간 조곰 기다리소
까딱하다가는 떨어지고 마는 대나무 끝에서도 삼 년을 견딘다는 뜻으로, '어려운 일을 당해서도 참고 견딤'을 뜻하는 속담
어와 손임네야 다시 ᄂᆡ 말 드러보소

Link 표현상 특징 ❸

「져도 이도 다 바리고 망극쳔은(罔極天恩) ᄂᆡ졋ᄂᆞᆫ가
지극히 높은 임금의 은혜
은린옥쳑(銀鱗玉尺) 낫가다가 ᄀᆡ소(開素)ᄒᆞᆷ도 쳔은니오
모양이 좋고 큰 물고기 / 고기를 먹지 못하던 사람이 고기를 먹게 됨
벌목정정(伐木丁丁) ᄇᆡ여다가 온슉(溫宿)ᄒᆞᆷ도 쳔은니오
청풍북창(淸風北窓) 누엇실 제 ᄒᆞᆫ가ᄒᆞᆷ도 쳔은니오
만경창파(萬頃蒼波) 바ᄅᆞᆷ불 제 장관(壯觀)ᄒᆞᆷ도 쳔은니오
한 없이 넓고 넓은 바다 / 장관을 구경함
나아가도 쳔은니오 물너가도 쳔은이오」
「」: 유사한 통사 구조의 반복으로 임금의 은혜를 강조함 - 누추한 귀양 살이의 모습이라도 임금의 은덕임
손임 ᄒᆞᆫ번 쥭어지면 큰 죄가 둘리로세
몸을 버리면 / 불효(不孝)와 불충(不忠)
부모ᄅᆞᆯ ᄂᆡ져시니 불효도 되려이와
쳔은을 ᄂᆡ져시니 불츙이 아니신가

➤ 본사 5: 손님이 죽는 것은 불충(不忠)임

비록 하늘은 높지만 낮은 곳의 이야기를 들어주니 너무 애달아 마소.
모든 사람이 다 성인이 아니니 진선진미의 경지에 오르는 것이 쉬울 것인가?
지난날은 돌이킬 수 없으나 다가올 것은 자신의 뜻대로 좇을 수 있도다.
마땅히 해야 할 일을 다한 후에 하늘의 명을 기다리소.
하늘은 높지만 낮은 곳의 이야기도 다 들어주니 사람마다의 괴로움이 오래 갈까?
대 끝에서도 삼 년이라 했으니 잠깐 조금 기다리소.
어와 손님네야 다시 내 말 들어 보소.
저도 이도 다 버리고 지극히 높은 임금의 은혜 잊었는가?
모양 좋은 큰 물고기를 낚아다가 고기를 먹게 된 것도 임금의 은혜요,
나무를 베어다가 따뜻하게 자는 것도 임금의 은혜요,
시원한 바람이 부는 창가에 누었을 때 한가함도 임금의 은혜요,
한없이 넓은 바다에 바람 불 때 장관을 구경함도 임금의 은혜요,
나아가도 천은이오 물러가도 천은이오.
손님이 한 번 죽으면 큰 죄가 둘이로세.
부모를 잊었으니 불효도 되려니와
천은을 잊었으니 불충이 아니신가?

ᄒᆞᆫ 죄도 어렵거든 두 죄ᄅᆞᆯ 다 가지니
아모리 혼ᄇᆡᆨ(魂魄)인들 무어시 되려시오
「풀의 가 의지(依支)ᄒᆞ여 셥귀(葉鬼)가 되려시나
풀에 붙은 귀신. '섭'은 '풀'의 옛말
물의 가 의지ᄒᆞ여 슈귀(水鬼)가 되려시나
물귀신
흙의 가 의지ᄒᆞ여 토귀(土鬼)가 되려시나
땅귀신
남게 가 의지ᄒᆞ여 목귀(木鬼)가 되려시나
나무 / 나무귀신
여긔져긔 의지ᄒᆞ여 쓴귀(鬼)가 되려시나
떠돌아다니는 귀신
이길져길 실음업시 잡귀(雜鬼)가 되려시나
잡스러운 귀신

한 가지 죄도 (용서받기) 어렵거든 두 죄를 다 지었으니
아무리 혼백인들 무엇이 되려고 하시오?
풀에 가 의지하여 섭귀가 되시려나?
물에 가 의지하여 물귀신이 되시려나?
흙에 가 의지하여 땅귀신이 되시려나?
나무에 가 의지하여 나무귀신이 되시려나?
여기저기 의지하여 떠돌아다니는 귀신이 되시려나?
이 길 저 길 시름없이 잡스러운 귀신이 되시려나?

이렁져렁 비러먹어 걸귀(乞鬼)가 되려시나
식탐이 심한 귀신

아모것도 못먹어셔 아귀(餓鬼)가 되려시나
굶어 죽은 귀신

적막공산(寂寞空山) 구진비의 우는 귀신(鬼神) 되려시나』

『 』: 불효과 불충은 혼백마저 위로받을 수 없음을 강조함(열거법, 대구법, 반복법)

어와 손임네야 마음을 곳쳐먹어 **Link** 표현상 특징 ❷, ❹

듁잔 말 다시 말고 사라 홀 일 혜여 보소

손임 풀여 가오실 졔 셔울 구경 나도 가셰

> 본사 6 : 살아서 할 일을 생각함

(후략)

이렇게 저렇게 빌어먹어 식탐이 심한 귀신이 되시려나?
아무것도 못 먹어서 굶어 죽은 귀신이 되시려나?
적막한 빈산 궂은비에 우는 귀신이 되시려나?
아아 손님네야 마음을 고쳐먹어
죽는다는 말 다시 말고 살아서 할 일 생각해 보소.
손님 풀려 가실 때 서울 구경 나도 하세.
(후략)

출제자 톡! 화자를 이해하라!

1 **화자는 누구이고, 화자가 처한 상황은?**
유배 생활의 고충을 토로한 「만언가」 속 화자에게 위로의 말을 건네고 있음.

2 **화자의 정서 및 태도는?**
유배객(손님)에게 유배 생활이 고통스러워도 참으며 자신의 도리를 다하라고 위로함.

Link
출제자 톡! 표현상의 특징을 파악하라!

❶ '손님'이라는 청자를 설정하여 듣는 이를 위로함.
❷ 대구법과 비유법, 과장법을 활용하여 유배객에 대한 위로의 말을 효과적으로 전달함.
❸ 속담을 활용하여 귀양살이가 어려워도 참고 견디라고 조언하고 있음.
❹ 열거법을 활용하여 청자를 설득하고 있음.
❺ 설의적 표현을 사용하여 화자의 생각을 강조해 줌.

최우선 출제 포인트!

1 작품 속 화자와 청자의 관계

화자		청자
광부(狂夫)	→ 청자를 위로함.	손님네(「만언사」의 화자로 유배객임.)

자신이 지은 노래에 자신이 답가를 하고 있으므로 결국 같은 사람임.

2 자연 현상에 빗댄 위로의 말

하늘의도 변해 잇셔~한 셔온닝 도라가니 → 자연의 순환 현상에 빗대어 인생사도 늘 좋을 수만은 없다며 청자의 귀양살이에 대한 서러움을 위로함.

최우선 핵심 Check!

1 유배 중에 있는 친구를 위로하려 지은 노래이다. (○ / ×)

2 <서사>에서 '손님네'는 「만언사」의 화자를, '광부'는 「만언사답」의 화자를 가리킨다. (○ / ×)

3 <서사>를 통해 이 시는 '손임네'의 'ㅅㅁ ㅁㅅ'을 듣고, '손임네'를 위로하며 지은 노래임을 알 수 있다.

4 <본사 5>의 '손임 혼번 쥭어지면 큰 죄가 둘리료셰'에서 '두 가지 죄'는 ㅂㅁ에 대한 죄와, 임금에 대한 죄를 가리킨다.

정답 1. × 2. ○ 3. 셜운 말삼 4. 부모

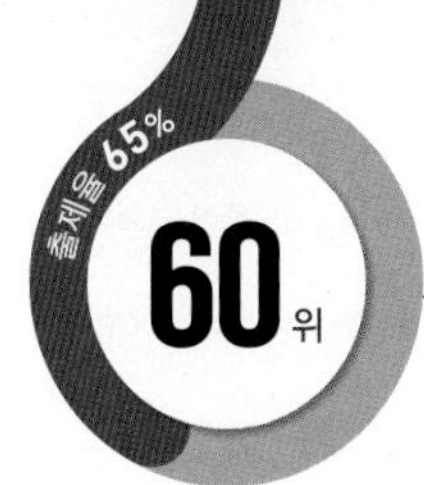

북쪽에 숨어(유배되어) 부르는 노래

북찬가(北竄歌) | 이광명

갈래 가사(유배 가사, 기행 가사) **성격** 회고적, 한탄적, 애상적 **주제** 유배지에서 어머니를 걱정하고 그리워하는 아들의 애틋한 마음 **시대** 조선 후기

유배의 억울함과 유배지에서 겪는 어려움을 표현하면서도, 홀로 계신 어머니에 대한 걱정과 그리움을 드러내고 있다.

「」: 유배지의 열악한 환경을 알 수 있음

「삭풍(朔風)은 들이치고 사산(四山)이 욱인 골에
해묵은 얼음이오 조츄(早秋)의 눈이 오네
백초(百草)가 션녕(先零)커든 만곡(萬穀)이 될 세 업네」
「귀 보리밥 못 이으며 입쌀이야 구경할가
소채(蔬菜)도 주리거니 어육(魚肉)을 생각할가
가죽옷 과하(過夏)하니 포피(布被)로 어한(禦寒) 엇지」
「마니사곡(摩尼沙谷) 별건곤(別乾坤)에 산진해착(山珍海錯) 어데 두고
화외 삼갑(化外三甲) 호난 악지(惡地) 백종만물(百種萬物) 그리난고」
「츄국 낙영(秋菊落英) 업슨 곳에 영균(靈均)인들 셕찬(夕餐)할가
고쥭 두견(苦竹杜鵑) 못 들으니 낙천(樂天) 이도 할 말 업네」
맷힌 시름 풀작시면 분내곤고(分內困苦) 헌사할가
토산(土山)의 박박쥬(薄薄酒)도 그마저도 매매(賣買) 업고
「기악(妓樂)은 하건마는 어내 경(景)에 금가(琴歌)할가
댱평산(長平山) 허쳔강(虛川江)에 유람(遊覽)에도 뜻이 업네」
「민풍(民風)도 후(厚)하다 하되 웃거라도 아니 온다
봇덥고 흙닌 방에 두문(杜門)하고 홀로 이셔」
승예(蠅蚋)난 폐창(蔽窓)하고 조갈(蚤蝎)은 만벽(滿壁)한대
앉은 곳의 해 지고 누운 자리 밤을 새워
잠든 밧긔 한숨이오 한숨 끝에 눈물일세

> 본사 1 : 유배지에서 겪는 어려움 토로

밤밤마다 꿈에 뵈니 꿈을 둘너 상시(常時)과저
학발자안(鶴髮慈顔) 못 보거든 안족서신(雁足書信) 잦아짐에
기다린들 기별 올가 오노라면 달이 넘네
못 본 제는 기다리나 보게 되면 시원할가
노친(老親) 소식 나 모를 제 내 소식 노친 알가
천산만수(天山萬水) 막힌 길에 일반 고사(一般苦思) 뉘 헤올고
「묻노라 밝은 달아 양지(兩地)에 비추는가
따르고저 뜨는 구름 남천(南天)으로 닫는구나」

[주석]

- 「」: 유배지의 열악한 환경을 알 수 있음
- 욱인: 우거진
- 사산(四山)이: 사방이 산으로 둘러싸임
- 해묵은 얼음이오 조츄의 눈이 오네: 유배지에서 보게 된 낯선 풍경 - 화자가 있는 곳이 추운 북쪽임을 알게 해 줌
- ◯: 유배지에서 구할 수 없는 것들 (귀 보리밥, 소채)
- 「」: 설의적 표현을 사용하여 유배지에서의 제대로 먹고 입지 못하는 열악한 환경을 강조함 **Link** 표현상 특징 ❹
- □: 설의적 표현 (구경할가, 생각할가, 엇지, 헌사할가, 금가할가, 알가)
- 별건곤(別乾坤): 상서로운 별천지를 비유
- 어한(禦寒): 추위를 견뎌 냄
- 「」: 과거와 현재의 자신의 처지를 대비하여 현재 생활의 어려움을 강조해 줌
- 삼갑은 삼수갑산(三水甲山)의 준말. 함경남도의 지명으로 험난하고 접근하기 어려운 곳을 비유하는 말로도 쓰임
- 영균(靈均): 굴원
- 셕찬(夕餐): 저녁 식사
- 낙천(樂天): 백거이
- 「」: 화자 자신의 삶이 고난을 겪었던 영균이나 낙천보다 더 열악함을 드러냄 - 자신의 상황이 더 힘들고 고통스러움을 강조
- 박박쥬(薄薄酒): 맛이 없는 술 - 화자가 시름을 풀려고 찾는 대상
- 기악(妓樂): 기생이 연주하는 음악
- 댱평산(長平山): 함경남도 갑산에 있는 산
- 「」: 유배 생활로 인해 즐거움을 누릴 경황이나 마음이 없음을 드러내 줌
- 마음에 맺힌 시름을 풀 길 없는 처참한 처지
- 「」: 유배지에서의 화자의 외로운 모습을 엿볼 수 있음
- 승예(蠅蚋): 파리와 모기
- 조갈(蚤蝎): 벼룩과 굼벵이
- 승예(蠅蚋)난 폐창(蔽窓)하고 조갈(蚤蝎)은 만벽(滿壁)한대: 화자가 머물고 있는 공간의 열악한 환경을 보여 줌
- 앉은 곳의 해 지고 ~ 한숨 끝에 눈물일세: 대구법 **Link** 표현상 특징 ❶
- 한숨, 눈물: 화자의 심리(걱정, 슬픔)를 드러냄
- 상시(常時)과저: 어머니에 대한 간절한 그리움
- 꿈: 현실과 대조적인 공간
- 꿈을 둘너 상시과저: 꿈을 가져다 현실로 삼고 싶구나
- 학발자안(鶴髮慈顔): 머리가 하얗게 센 자애로운 어머니 얼굴
- 안족서신(雁足書信): 기러기 발목에 매달아 보냄
- 달이 넘네: 어머니의 소식은 안 오고 날짜만 지남
- 노친(老親): 어머니
- 나: 화자
- 일반 고사(一般苦思): 괴롭거나 고통스러운 모든 생각
- 천산만수(天山萬水) 막힌 길: 화자가 처한 상황(상투적 표현) **Link** 표현상 특징 ❷
- △: 장애물 (달)
- 묻노라 밝은 달아 양지에 비추는가: 어머니의 소식조차 알 길 없는 답답함과 괴로움
- 양지(兩地): 두 곳. 화자가 있는 유배지와 어머니가 계신 곳
- 「」: 도치법 **Link** 표현상 특징 ❹
- 남천(南天): 남쪽 하늘(어머니가 계신 곳)
- ▒: 화자의 소망을 자연물에 의탁함 **Link** 표현상 특징 ❸
- 구름: 화자가 하소연하는 대상(매개) **Link** 표현상 특징 ❺

[현대어 풀이]

(북쪽에서 불어오는) 찬바람이 들이치고 사방이 산으로 둘러싸여 우거진 골짜기에
(아직 녹지 않은) 해 묵은 얼음이고, 이른 가을에 눈이 오네.
온갖 풀이 일찍 시들거든 많은 곡식이 잘 자랄 리가 없네.
귀보리밥으로도 (끼니를) 못 먹는데 쌀이야 구경할 수 있겠는가?
채소도 (못 먹어) 굶주리니 물고기와 고기를 생각할 수 있겠는가?
(전에는) 가죽옷으로 여름을 지냈으나 (이제는) 베옷으로 추위를 어찌 견뎌 낼 것인가?
상서로운 별천지의 좋은 음식을 어디에 두고
임금의 교화가 미치지 못하는 삼수갑산의 험난한 곳에서 온갖 곡식, 세상의 모든 물건을 그리워하는가?
시들어 떨어진 국화조차 없으니 영균(굴원)이 이곳에 온다고 한들 저녁도 먹을 수 있을까?
대나무와 두견조차 없으니 낙천(백거이)이도 할 말이 없네.
맺힌 시름을 풀자 하니 내 처지와 곤란함, 고통스러움이 얼마나 야단스러울 것인가?
시골의 맛 없는 술, 그마저도 사고팔 수 없고
기생이 연주하는 음악은 많건마는 어느 경황에 거문고에 맞춰 노래할 것인가?
장평산, 허천강을 유람할 마음도 없네.

백성들의 인심이 후하다 하나 (사람들이 귀양살이하는 내 집에는) 오지 아니한다.
나무껍질로 지붕 얹고 흙으로 이긴 방 안에서 틀어박혀 세상에 나가지 않고 홀로 있으니
파리와 모기는 창을 덮을 정도로 많고 벼룩과 굼벵이는 벽에 가득한데
앉은 곳에 해가 기울고 누운 자리에서 밤을 새워
잠자는 시간 외에는 한숨만 나오고, 한숨 끝에는 눈물만 떨어진다.

밤마다 꿈속에서 (어머니를) 보니 꿈을 둘러서 평상시처럼 하고 싶구나.
머리가 하얗게 센 자애로운 어머니의 얼굴을 못 보거든 편지 보내는 일만 잦아지는데
기다린다고 (어머니의) 소식 올까, (소식이) 오느라 한 달이 넘게 걸리는구나.
못 볼 때는 기다리고 있으니, 막상 보게 되면 (얼마나) 시원할까?
어머니 소식을 내가 모르는데, 내 소식을 어머니께서 아시겠는가?
산과 물로 막힌 길 때문에 생긴 괴롭고 고통스러운 모든 생각을 누가 헤아릴 것인가?
묻노라 밝은 달아, 두 곳을 모두 비추고 있느냐?
따르고 싶구나, 떠 있는 구름. 남쪽 하늘(어머니가 계신 곳)로 빨리 가는구나.

흐르는 내가 되어 집 앞에 두르고저
어머니가 계신 집
나는 듯 새가 되어 창가에 가 노닐고저 → 어머님께 닿고 싶은 간절한 그리움
어머니 방의 창문 앞
내 마음 혜아리려 하니 노친 정사(情思) 일러 무삼
어머니가 아들을 생각하는 마음 설의적 표현
여의(如意) 잃은 용(龍)이오 키 없는 배 아닌가 ◯: 유배로 인해 어머니를 만날 수 없는 화자 자신 처지 비유
배의 방향을 돌리는 기구
추풍(秋風)의 낙엽(落葉)같이 어드메 가 지박(止泊)할고
화자의 처지를 드러냄(직유법, 상투적 표현) 멈추어 정박할까
제택(第宅)도 파산하고 친속(親屬)은 분찬(分竄)하니
문중의 여러 집안 친척 뿔뿔이 흩어져 달아나거나 숨음
도로(道路)의 방황한들 할 곳이 전혀 업네
의탁할 곳 없는 자신의 외로운 처지
어느 때에 주무시며 무스 것을 잡숫는고
일점의리(一點衣履) 살피더니 『어느 자손 대신할고 『 』: 노모 봉양에 대한 화자의 책임감을 드러냄
한 벌뿐인 옷과 한 켤레뿐인 신발
나 아니면 뉘 뫼시며』 자모(慈母) 밧긔 날 뉘 괼고
나를 누가 사랑해 줄까
남의 업슨 모자 정리(母子情理) 슈유 상리(須臾相離) 못 하더니
어머니와 아들 간의 인정과 의리 잠시라도 서로 떨어져 있음
조물(造物)을 뮈이건가 이대도록 떼쳐 온고
움직이게 했는가(뮈다 - '움직이다'의 옛말)

› 본사 2: 유배지에서 어머니를 걱정하는 마음

(중략)

형제(兄弟)가 종선(終鮮)커든 자성(子姓)이나 니윗던가
없거나 적음 후손 이었던가
독신(獨身)이 무후(無後)하여 시측(侍側)에 의탁(依託) 업시
형제, 자매가 없음 뒷자손이 없음 웃어른을 곁에서 모심 더 없이 큼
무한(無限)한 애만 씌워 불효(不孝)도 막대(莫大)하다
어머니에 대한 죄스러움
자탄신세(自歎身世) 할 일 업서 차라리 잊자 하되
자신의 신세를 스스로 한탄함
한(恨)을 삼긴 솟은 정(情)이 끗끗마다 절로 나니
긴긴 낮 깊은 밤의 천리 상사(千里相思) 한결같아
주된 정서 - 어머니에 대한 깊은 그리움
하루도 열두 때오 한 달도 셜흔 날에
날 보내고 달 디내며 하마 거늬 반년(半年)일세
한 해가 조금 넘는 동안
일어구러 해포되면 사나 마나 무엇할고
이러구러(이럭저럭 시간이 흐르는 모양)
고락(苦樂)이 순환(循環)하니 어느 날에 돌아갈고
인생의 길흉화복은 항상 바뀜 - 새옹지마(塞翁之馬)
『천상 금계(天上金鷄) 울어 예면 웃음 웃고 이 말하리
꿩과의 화려한 새(황금색 꽁지를 지닌 색) 『 』: 유배지에서 풀려나기를 바라는 화자의 기대감이 드러남
아마도 우리 성군 효리하(孝理下)의 명춘(明春) 은경(恩慶) 미치쇼셔』
어질고 덕이 뛰어난 임금 효로써 나라를 다스림 내년 봄 은혜로운 복

› 결사: 유배에서 풀려나기를 바라는 마음

흐르는 시냇물이 되어 집 앞을 둘러 흐르고 싶구나.
날아가듯 새가 되어 (어머님 계신) 창 앞에 가서 노닐고 싶구나.
내 마음을 헤아려 보니 어머니의 마음을 말해 무엇하리?
(내 처지가) 여의주를 잃은 용이요, 키가 없는 배와 같지 아니한가?
가을바람에 떨어지는 잎같이 어디에 가서 머무를까?
문중의 집안들도 망해 버리고 친척은 흩어져 숨으니
길거리에서 서성거려 봐도 갈 곳이 전혀 없네.
(어머니는) 언제 주무시며 무엇을 잡수시는가?
한 벌의 옷과 한 켤레의 신발로 지내시더니 어느 자손이 나를 대신할까(나를 대신하여 어머니를 모실런가?)?
내가 아니면 누가 (어머니를) 모시며 어머니 외에 날 누가 사랑해 줄까?
다른 사람들에게 없는 어머니와 아들 간의 인정과 의리 때문에 잠시라도 서로 떨어져 있지 못했는데 (누가) 조물을 움직이게 했는가? (어머니와 나 사이를) 이토록 떨어뜨려 놓았는가?
(중략)

형제가 없거든 후손이나 이었던가?
형제 자매가 없고, 뒤를 이을 후손조차 없어 어머니를 곁에서 모시는 일을 맡길 사람이 없어
끝없는 애만 태우고 (어머니에게) 불효함도 더 없이 크다.
내 신세를 스스로 한탄함이 하릴없어 차라리 잊으려 하되
한스러움이 생겨나 솟은 감정이 끝끝내 저절로 생겨나니
기나긴 낮과 깊은 밤에 (어머니에 대한) 깊은 그리움이 한결같구나.
하루도 열두 때요, 한 달도 서른 날인데
매일을 보내고 매달 지내어 벌써 거의 반년이로세.
이럭저럭 시간이 흐르면서 한 해가 넘으면 사나 마나 무엇을 할까?
괴로움과 즐거움이 순환하니 어느 날에 (어머니께) 돌아갈 수 있을까?
하늘의 화려한 새가 울면서 가면 (봄이 되면) 웃음 웃으며 이 말을 하리.
아마도 우리 어진 임금이 효로써 나라를 다스려 내년 봄에 은혜로운 복을 미쳐 (내려) 주소서.

Link

출제자 톡! 화자를 이해하라!

1 **화자는 누구이고, 화자가 처한 상황은?**
유배지에서 어머니를 염려하고 그리워하고 있는 '나'

2 **화자의 정서 및 태도는?**
- 고된 환경의 유배지에서 겪는 어려움을 드러냄.
- 어머니에 대한 그리움과 걱정, 어머니를 봉양하지 못하는 안타까움 등을 드러냄.

출제자 톡! 표현상의 특징을 파악하라!

❶ 대구법을 사용하여 운율감을 형성함.
❷ 상투적 표현을 통해 화자가 처한 상황을 드러냄.
❸ 친숙한 자연물에 화자의 소망을 의탁함.
❹ 설의적 표현, 도치법, 비유법 등의 다양한 표현법을 사용함.
❺ 달에 인격을 부여하여 화자의 정서를 드러냄.

최우선 출제 포인트!

1 작품의 전체 구성

서사	• 불우한 성장 환경에 대한 회고 • 어머니를 모시고 속세와 단절된 삶을 살고자 하는 의지
본사	• 갑작스러운 유배 명령과 어머니와의 이별 • 어머니의 소식을 알 수 없는 안타까움과 걱정(수록 부분)
결사	유배지에서 풀려나 어머니에게 돌아가고 싶은 소망(수록 부분)

2 시어의 의미

자연물		어머니가 계신 곳		
구름	→	남천	➔	화자가 어머니께 닿고 싶은 간절한 그리움을 드러냄.
내		집 앞		
새		창가		

함께 볼 작품 유배지에서 가족을 그리워하는 작품: 안도환, 「만언사」

최우선 핵심 Check!

1 화자는 유배지에서 어머니를 그리워하고 있다. (○ / ×)

2 〈본사 1〉에서 유사한 소재인 ㅅㅇ, ㅈㄱ을 써서 화자의 열악한 상황을 보여 주고 있다.

3 〈본사 1〉에서 '한숨'과 '눈물'은 화자가 겪고 있는 심리적 고통을 형상화한 소재이다. (○ / ×)

4 〈본사 2〉에서 현실과 대조적인 공간인 '꿈'을 제시하여 화자의 간절한 마음을 부각하고 있다. (○ / ×)

5 〈본사 2〉에서 화자는 자연물인 ㄷ을 인격화하여 화자 자신의 심정을 하소연하고 있다.

6 〈본사 2〉에서 화자는 자연물인 '구름, 내(시내), 새'가 되기를 바라면서, 이를 통해 어머니께 닿고 싶은 간절한 그리움을 표현하고 있다. (○ / ×)

정답 1. ○ 2. 승예, 조갈 3. ○ 4. ○ 5. 달 6. ○

1등급! 〈보기〉!

유배 기행 가사 작품

조선 후기에는 유배를 원인으로 하여 지어진 가사들이 많이 나왔는데, 이러한 작품들은 유배되는 억울한 심정을 토로하는 것이 주된 목적이었지만 유배지로 오가는 동안의 견문이나 유배지에서의 생활 양상 등의 기행 가사적 성격을 띠고 있었다. 대표작으로는 송주석이 자신의 할아버지인 송시열이 덕원으로 유배되자 모시고 가면서 지은 「북관곡」, 영조의 등극을 반대한 김일경의 일당으로 몰려 중국에 사신으로 갔다가 귀국하면서 압록강에서 잡혀 추자도로 유배된 이진유의 「속사미인곡」, 이진유의 조카라는 이유로 함경도 갑산으로 유배된 이광명이 지은 「북찬가」 등이 있다. 이밖에도 정조 때 대전별감으로 있다가 죄를 짓고 추자도로 유배되어 귀양지에서 지은 안도환의 「만언사」, 철종 때 서인들의 논척을 받아 함경도 명천으로 유배되었다가 돌아와서 그때 오가며 듣고 본 일과 머물며 겪었던 일들을 노래한 김진형의 「북천가」도 대표적인 유배 기행 가사이다.

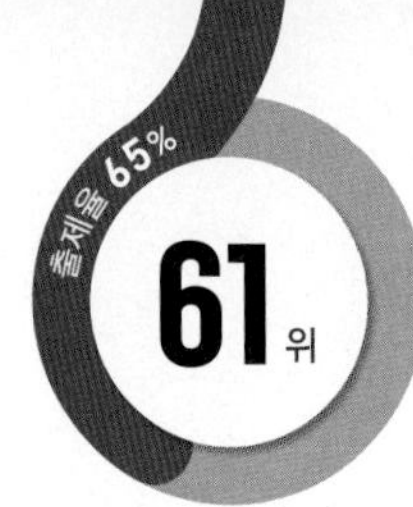

북쪽으로 유배가서 부르는 노래

북천가(北遷歌) | 김진형

갈래 가사(유배 가사, 장편 기행 가사) **성격** 회고적, 풍류적, 사실적, 낙관적 **주제** 유배지에서의 풍류와 가족에 대한 그리움 **시대** 조선 후기

귀양지인 함경도 명천에서의 유배 생활을 다룬 장편 유배 가사로, 유배 가게 된 내력, 유배지에 도착하기까지의 여정 및 유배지에서의 풍류와 가족에 대한 그리움 등을 노래하고 있다.

창망(悵惘)한 행색(行色)으로 동문(東門)에서 대죄(待罪)하니
근심과 걱정으로 경황이 없음
가향(家鄕)은 적막(寂寞)하고 명천(明川)은 이천리(二千里)라
화자의 유배지 - 함경도 명천
두루마기 흰띠 띠고 북천(北天)을 향해 서니
죄인의 복장 / 북쪽 하늘 - 임금이 있는 곳
사고무친(四顧無親) 고독단신(孤獨單身) 죽는 줄 그 뉘 알리 → 쓸쓸한 신세 한탄
의지할 만한 사람이 아무도 없음 / 도와주는 사람 없이 외로운 처지에 있는 몸 / 아무도 모를 것이다(설의적 표현)
『사람마다 당하게 되면 울음이 나련만은 **Link** 표현상 특징 ❹
임금의 은혜
국은(國恩)을 갚을지라 쾌(快)함도 쾌(快)할시고
화자가 군신의 도리를 중시함 / 유쾌함
인신(人臣)이 되어다가 소인(小人)을 잡아먹고
신하 / 간사한 신하를 비판하다가
엄지(嚴旨)를 봉승(奉承)하여 절새(絕塞)로 가는 사람
왕의 엄한 분부(유배 명령)를 받들어 / 아주 먼 변방 지역(함경도 명천)
천고(千古)의 몇몇이며 아조(我朝)에 그 뉘련고
오랜 세월 / 우리 조선 왕조
칼 짚고 일어서서 술 들고 춤을 추니』 『 』: 화자의 기상이 드러남

이천리(二千里) 적객(謫客)이라 장부(丈夫)도 다 울시고
먼 거리 / 유배객
좋은 듯이 말을 타고 명천(明川)이 어디메냐
화자의 유배지
더위는 홍로(紅爐) 같고 장마는 극악(極惡)한데
벌겋게 달아오른 화로
나장(羅將)이 뒤세우고 청노(廳奴)를 앞세우고
의금부의 하급 관리 / 의금부의 관노
익경원 내달려서 다락원(多樂院) 잠깐 쉬어
현재 도봉산 근처의 지명
축석령(祝石嶺) 넘어 가니 북궐(北闕)이 멀어간다
의정부시 천보산의 고개 / 임금이 계신 궁궐
> 본사 1: 유배지인 함경도 명천으로 가는 여정 **Link** 표현상 특징 ❶
(중략)

(근심과 걱정으로) 경황이 없는 행색으로 동문에서 처벌을 기다리니
고향은 적막하고 (유배지인) 함경도 명천은 이천 리나 되는 먼 길이다.
두루마기에 흰 띠를 두르고 (임금이 있는) 북쪽 하늘을 향하여 서니
주위에서 도와줄 사람이 하나도 없고 고독한 이 몸이 설령 죽는다 해도 그 누가 알겠는가?
사람마다 당하게 되면 울음이 나겠지만
(나는) 임금의 은혜를 갚을 것이라 (하는 생각에) 유쾌하기도 유쾌하다.
신하가 되었다가 간사한 신하를 비판하고
임금의 엄한 명령을 받들어 먼 변방 지대로 유배 가는 사람이
오랜 세월 동안 몇 명이 있었으며 우리 왕조의 그 누가 그러했는가?
칼 짚고 일어서서 술을 들고 춤을 추니
이천 리를 가는 유배객이라 장성한 남자도 다 운다.
좋은 듯이 말을 타고 (나의 유배지인) 명천이 어디에 있는가?
더위는 달아오른 화로 같고 장마는 매우 심한데
죄인을 호송하는 의금부 관리를 뒤에 세우고 관청의 노비를 앞에 세워서
익경원으로 내달아서 다락원에서 잠깐 쉬고
축석령을 넘어가니 임금이 계신 궁궐이 멀어져 간다.
(중략)

본관(本官)이 하는 말이 김 교리(金校理) 이번 정배(定配)
사또, 수령 / 화자(유배 전 홍문관 교리였음) / 귀양
죄(罪) 없이 오는 줄은 북관(北關) 수령(首領) 아는 배요
화자가 유배지에서 풍류를 즐길 수 있었던 까닭
만인(萬人)이 울었나니 조금도 슬퍼 말고 / 나와 함께 노사이다
화자의 억울함을 알고 슬퍼해 줌
삼현(三絃) 기생(妓生) 다 불러라 오늘부터 놀자꾸나
세 가지 현악기 - 거문고, 가야금, 향비파
호반의 규모 모르는가 활협(闊俠)이 장하구나
무인(武人) / 일을 처리하는 능력이 좋고 활동력이 강함
『그러나 내 일신(一身)이 귀적하난 사람이라
화자의 현 상황(유배 중)
화당빈객(花堂賓客) 꽃자리에 기악(妓樂)이 무엇이냐
대단한 대우를 받는 손님 / 기생과 풍류
극구히 퇴송(退送)하고 혼자 앉아 소일(消日)하니』 『 』: 귀양 온 자신의 처지를 망각하지 않는 화자의 모습
물리쳐 도로 보냄 / 시간(세월)을 보냄
경내(境內)의 선비들이 문풍(聞風)하고 청학(請學)하며
소문을 들음 / 배우기를 청함
하나오고 셋이 오며 육십명(六十名)이 되는구나
화자의 학문적 경지가 높음을 간접적으로 드러냄

그곳 수령이 하는 말이 "김 교리의 이번 유배는
죄 없이 (억울하게) 온다는 것을 함경도 모든 지방의 수령들이 다 아는 바입니다.
모든 사람들이 울었으니 조금도 슬퍼 말고 / 나와 함께 지내면서 노십시다.
음악에 능한 모든 기생들을 불러라. 오늘부터 놀자꾸나."
무인의 규모를 모르는가, 일을 처리하는 능력이 박력이 있구나.
'그러나 내 몸은 귀양 온 사람이라,
귀한 손님이나 앉는 꽃자리와 기생, 풍류가 어울리지 않는다.'
극구 사양하여 물리치고 혼자 앉아서 세월을 보내니
성안의 선비들이 소문을 듣고 배우기를 청하며
(나에게) 한 사람 오고 세 사람이 오더니 육십 명이 되었구나.

책 끼고 청학(請學)하며 글제 내여 고쳐지라
북관(北關)의 수령(首領) 관장(關長) 무병(武兵)만 보았다가
문관(文官)의 풍성(風聲)을 듣고 한사하고 달려드니
내 일을 생각(生角)하면 남 가르칠 공부 없어
아무리 사양하나 모면할 길 전혀 없어
일야(日夜)로 끼고 있어 세월(歲月)이 글이로다
『향사(鄕思)하면 풍월(風月) 짓고 심심하면 글 외우니
절새(絕塞)의 고종(孤蹤)이라 시주(詩酒)에 회포(懷抱) 부쳐
불출 문전(不出門前) 하오면서 편케 편케 날 보내니』
『춘풍(春風)에 놀란 꿈이 변산(邊山)에 서리 온다』
남천(南天)을 바라보니 기러기 처량(凄涼)하고
『북방(北方)을 굽어보니 오랑캐 지경(地境)이라
개가죽 상하복(上下服)은 상놈이 다 입었고
조밥 피밥 기장밥은 기민(饑民)의 조석(朝夕)이라』

글의 제목 / 변방을 지키는 장수 / 화자 / 들리는 소문 / 한사코 / 유배 중인 처지 / 화자의 겸손한 성격 / 자신의 학문에 대한 겸손한 태도 / 밤낮 / 글짓기로 세월을 보냄 / 고향 생각 / 음풍농월(吟風弄月) / 국경에 가까운 땅 / 도와주는 사람 없이 외로운 처지에 있는 몸 - 화자 자신 / 문 밖으로 나가지 아니함 / 『 』: 유배지에서의 생활이 드러남 / 변방의 산 / 계절감(가을)을 알려 줌 / 『 』: 봄에서 가을로 시간이 경과함 / 화자의 감정이 이입됨 / 『 』: 유배지로 간 북관의 생활상을 기록함 / 땅의 경계 / 굶주린 백성

> 본사 2: 유배지에서의 생활
Link 표현상 특징 ❶

책을 끼고 학문을 청하며 글을 쓰고 고쳐 주기를 바란다.
북관의 수령들이 변방을 지키는 무인 장수만 보다가
문인이 왔다는 소문을 듣고 한사코 달려드니
나의 일을 생각하면 남을 가르칠 만하지 못하여
아무리 사양해도 (청학을) 모면할 길이 전혀 없어
밤낮으로 (글을) 가르쳐 글공부로 세월을 보내는구나.
고향 생각이 나면 시를 짓고 심심하면 글을 외우니
변경 지대의 외로운 몸이지만 시와 술로 회포를 풀며
문 밖으로 나오지 않으면서 아주 편히 하루하루를 보내니
봄바람에 놀란 꿈이 변방의 산에 서리가 온다.
남쪽 하늘을 바라보니 기러기가 처량히 울고
북쪽을 굽어보니 오랑캐 땅의 경계로다.
개가죽으로 만든, 아래위 옷은 상놈들이 다 입었고
조밥과 피밥, 기장밥은 굶주린 백성들의 아침 저녁 끼니이다.

본관(本官)의 성덕(聖德)이요 주인(主人)의 정성(情性)을
실같은 내 목숨이 월반(月半)을 걸렸더니
천만의외(千萬意外) 가신(家信)오며 명록이 왔단 말가
놀랍고 반가워라 미친놈이 되었구나
『절새(絕塞)에 있던 사람 향산(鄕山)에 돌아온 듯』
나도 나도 이를망정 고향(故鄕)이 있다던가
서봉(書封)을 떼어 보니 정찰(情札)이 몇 장인고
폭폭이 친척(親戚)이요 면면이 가향(家鄕)이라
지면(紙面)의 자자획획(字字劃劃) 자질(子姪)의 눈물이요
옷 위의 그림 빛은 늙은 아내 눈물이라
『소동파(蘇東坡)의 초운인가 양대운우(陽臺雲雨) 불쌍하다』
그중(中)에 사람 죽어 돈몰(頓歿)이 되단 말가
명록이 데리고 앉아 누수(漏水)로 문답(問答)하니
집 떠난 지 오래거든 그 후일(後日)을 어이 알리
천산만수(千山萬水) 멀고 먼데 네 어찌 돌아가며
덤덤이 쌓인 회포(懷抱) 다 그릴 수 있겠느냐

사또, 수령 / 한 달의 반(15일) / 뜻밖의 / 집의 편지 / 하인의 이름 / 가족의 소식을 듣는 것에 대한 반가움의 표현 / 『 』: 고향에 대한 그리움과 반가움 표현(비유 - 직유) / 국경에 가까운 땅 / 고향 산 / 편지의 겉봉 / 정다운 편지 / 편지의 한 폭 한 폭 / 저마다 / 따로따로 집이 있는 고향 / 아들과 조카 / 소동파가 사랑했던 기생 / 『 』: 화자와 아내가 처한 상황을 중국 고사를 활용 / 소식의 성과 호를 함께 이르는 이름 / 초나라 양왕이 꿈속에서 선녀를 만났다는 전설을 인용한 것 - 남녀 간 사랑의 행위를 비유함 / 사라짐 / 눈물 - 화자의 슬픔(그리움)을 드러냄 / 집의 소식을 알지 못하는 아쉬움을 토로함(설의적 표현) / 화자와 고향 사이를 가로막는 장애물 / 돌아갈 수 없는 고향에 대한 그리움의 정서를 부각함(설의적 표현)

Link 표현상 특징 ❷
Link 표현상 특징 ❷, ❸
Link 표현상 특징 ❹

> 본사 3: 고향에서 온 편지에 대한 반가움

(중략)

수령의 덕과 주인의 정성으로
실 같은 내 목숨이 보름이나 지났더니
뜻밖에도 집에서 보낸 편지를 들고 하인 명록이가 왔단 말인가?
놀랍고도 반가워라, 마치 미친 사람처럼 반겼구나.
변방(유배지)에 있던 사람이 고향의 산에 돌아온 듯하구나.
나도 나도 이렇듯이 고향이 있었던가?
편지 겉봉을 떼어 보니 정다운 사연이 적힌 편지가 몇 장인가?
한 장 한 장이 모두 친척의 소식이고 한 면 한 면이 가족과 고향 소식으로 가득 차 있다.
편지의 한 자 한 획이 모두 아들과 조카의 눈물이고
옷 위에 아롱진 얼룩은 늙은 아내의 눈물이구나.
소동파의 애첩 초운인가, 남녀 간의 만남이 불쌍하다.
그중에 사람이 죽어 사라지게 된단 말인가?
명록이를 대하고 앉아 눈물을 흘리며 질문하고 답하니
집 떠난 지 오래되었는데 그 후를 어찌 알겠는가?
깊은 산과 물이 가로막아 멀고 먼데 네가 어찌 돌아가며
덤덤하게 쌓인 회포를 다 풀어 낼 수 있겠느냐?

(중략)

본관이 하는 말이 이곳의 칠보산은
사또, 수령 / 함경북도의 이름난 산
북관 중 명승지(名勝地)라 금강산과 같이 치니
함경북도의 이름난 산 / 물을 찾고 깊은 산을 찾아감
칠보산 한번 가서 방슈심산(訪水尋山) 어떠한고
본관이 화자에게 칠보산 유람을 권하는 말
『나도 역시 좋거니와 의리에 난처하다 『 』: 유배지에서 명승지를 구경하는 것에 대한 주위의 비난과 선비로서의 체면을 의식하는 화자의 태도가 드러남.
유배당한 선비의 도리에 어긋난다는 말
먼 곳으로 쫓긴 몸이 형승에 노는 일이
유배지 / 지세나 풍경이 뛰어남, 또는 뛰어난 지세나 풍경
분의에 미안하고 쳠령(瞻聆)의 괴이(怪異)하니』
자기의 분수에 알맞은 정당한 도리 / 보고 들음. 여기서는 자신에 대한 타인의 평가를 의미함
마음은 좋건마는 못 가기로 작정하니
칠보산 유람 권유를 거절함
주수(主首)의 하는 말이 그렇지 아니하다
칠보산 유람 거절 이유에 대한 반박의 말에 해당 - 유람을 권유하기 위한 이도가 담김
『악양루 황강경(黃岡景)은 왕등의 사적이오 『 』: 중국 고사의 인물들이 유배 중에도 유흥을 즐긴 사례를 제시 - 칠보산 유람의 명분을 드러내기 위한 의도
악양루와 황강의 아름다운 경치 / 북송 때의 문인인 왕우와 등자경을 가리킴
적벽강 재적(在謫) 놀음은 구소의 풍정이니』 **Link 표현상 특징 ❸**
구양수와 소동파 / 정서와 회포를 자아내는 풍치나 경치
김학사 칠보산의 무슨 험이 있으리오
칠보산 유람이 흉이 되지 않음을 강조 - 유람을 권유하는 말, 설의적 표현 **Link 표현상 특징 ❹**
그 말을 반겨 듣고 황연이 일어나서
나귀에 술을 싣고 칠보산 들어가니
구름 같은 천만 봉이 화도강산 광경이라
칠보산의 아름다운 경치에 감탄하는 모습

(중략)

> 본사 4-①: 칠보산 유람을 떠나게 된 계기

고을 사또가 하는 말이, 이곳 칠보산은
북관 중에서 명승지(경치가 좋기로 이름난 곳)이어서 금강산과 같다고 여기니
칠보산에 한 번 가서 구경함이 어떠한고?
나 역시 (칠보산 구경 가는 것이) 좋지마는 선비로서의 도리 때문에 난처하다.
먼 곳으로 쫓겨난 몸이 명승지에서 노는 일이
분수에 맞지 않고 주위 사람들의 눈치가 보이니
마음에는 가고 싶지만 가지 않기로 작정하니
거처하는 곳의 주인이 하는 말이 그렇지 아니하다.
악양루와 황강의 아름다운 경치는 왕우와 등자경이 만든 것이고,
적벽강의 귀양놀음은 구양수와 소동파가 자아내는 풍치이니
김 학사의 칠보산 유람이 무슨 허물이 있겠는가?
그 말을 반갑게 듣고 환히 깨달아 (퍼뜩) 일어나서
나귀에 술을 싣고 칠보산에 들어가니
구름 같은 많은 봉우리가 그림으로 그려 놓은 듯한 아름다운 강산이라.
(중략)

칠보산
이 몸이 이른 곳이 신선의 지경(地境)이라
칠보산을 탈속적 세계로 인식하는 모습 - 아름다운 경치를 부각시킴
전생의 연분으로 경구(經句)의 자취(自取)ᄒᆞ여
화자 자신을 죄를 짓고 내려온 신선으로 여김 - 풍류적 태도
바람의 부친 듯이 이 광경 보겠구나
연적봉 지난 후(後)의 선녀를 따라가니
함께 유람길에 오른 기생들을 비유한 표현 **Link 표현상 특징 ❷**
『연화봉 절바위는 청쳔(靑天)의 솟아 있고
배바위 서책봉(書冊峯)은 안전의 벌려 있고 『 』: 칠보산의 봉우리들을 나열함. 열거법
생황봉 보살봉은 신선의 굴혈이라』
칠보산 봉우리를 신선이 사는 곳으로 표현 - 아름다운 경치를 부각시킴
『매향은 술을 들고 만장운 한 곡조요
기생의 이름 ① / 가곡의 이름
군산월 앉은 거동(擧動) 아주 분명 꽃이로다
기생의 이름 ② / 군산월(기생)의 아름다운 모습을 비유한 표현 **Link 표현상 특징 ❷**
오동 복판 거문고의 금사로 줄을 매와
대쪽으로 타는 양이 거동도 곱거니와
거문고를 타는 데 쓰는 대나무로 만든 채
셤셤(纖纖)한 손길 끝에 오색이 영롱하다』 『 』: 칠보산에서 기생들과 더불어 풍류를 즐기는 화자의 모습이 드러남
군산월이 거문고를 타는 모습을 묘사
네 거동 보고 나니 군명(君命)이 엄(嚴)하여도 반할 번 하겠고나
군산월의 거문고 타는 모습에 반한 화자의 모습이 드러남
영웅절사(英雄節士) 없단 말은 사책(史冊)에 있나니라
화자가 군산월에 관심이 있음을 드러낸 말
내 마음 단단하나 네게야 큰말하랴
화자 자신과 사귀자고 말할 수 없음을 드러낸 말, 설의적 표현 **Link 표현상 특징 ❹**
본 것이 큰 병(病)이요 안 본 것이 약(藥)이런가
군산월에 대한 화자의 연정을 엿볼 수 있음

이 몸이 이른 곳이 신선들이 사는 땅이라.
전생의 인연으로 하늘에 죄를 지어
바람에 부친 듯이 이 광경을 보겠구나.
연적봉을 지나고 난 뒤 기생들을 따라가니
연화봉 절바위는 푸른 하늘에 솟아 있고
배바위의 서책봉은 눈앞에 펼쳐져 있고,
생황봉과 보살봉은 신선이 사는 동굴이라.
매향은 술을 들면서 만장운 한 곡조를 부르고
군산월이 앉은 모습이 아주 분명히 꽃과 같구나.
오동으로 만든 거문고의 한복판을 아름다운 실로 줄을 내어
대쪽으로 타는 모양이 모습도 곱거니와
섬섬옥수의 손길 끝에 오색이 영롱하다.
(거문고를 타는) 네 모습 보고 나니 임금의 명령 엄하여도 반 할 만하겠구나.
영웅이 절개가 없다는 말은 역사책에도 있느니라.
(너에 대한) 내 마음이 단단하지만 너에게 큰소리치겠느냐?
(너를) 본 것이 큰 병이요, 안 본 것이 약이었던가?

이천 리 절새(絕塞) 중의 단정이 몸 가지고
화자가 온 유배지를 가리키는 말
거적(居謫)을 잘한 것이 아주 모두 네 덕(德)이라
군산월을 보게 된 덕택에 유배지에 온 것이 잘한 일이라는 의미

▶ 본사 4-②: 칠보산에서 기생들과 풍류를 즐김

이천 리 유배지에서 단정하게 몸을 가지고
귀양살이를 잘한 것이 아주 모두 너의 덕이라.

양금을 파한 후의 절집의 내려오니
채로 줄을 쳐서 소리를 내는 현악기의 하나
산승(山僧)의 찻물 보소 정결하고 향기 있다
이튿날 돌아오니 호상대 놀던 일이
칠보산에서 기생들과 풍류를 즐기던 일
『전생인가 몽중인가 국은(國恩)인가 천은(天恩)인가
천애(天涯)에 이 행객이 이럴 줄을 알았던가』
까마득하게 멀리 떨어져 있는 곳 – 유배지를 가리킴
『 』: 칠보산에서 풍류를 즐긴 화자의 만족감을 엿볼 수 있음. 열거법, 설의적 표현 **Link** 표현상 특징 ❹
흥진하여 돌아와서 수노(首奴) 불러 분부하되
칠보산 유산시는 본관이 보내기로
칠보산 유람이 문제가 될 것에 대비하여 한 말
기생을 데려갔으나 돌아와 생각하니 호화한중(豪華閑中) 불안하다
유배 중 기생들과 풍류를 즐긴 것에 대한 화자의 불안감이 드러남
다시는 지휘하여 기생이 못 오리라
유배 중 즐긴 풍류에 대한 반성적인 모습이 드러남
『선비만 데리고서 시주(詩酒)의 기록하니
청산이 그림 되야 술잔의 떨어지고
녹수는 길이 되어 종이 위의 단청이라』
『 』: 화자가 반성한 뒤, 선비들과 함께 풍류를 즐기는 모습
군산월의 녹의홍상(綠衣紅裳) 깨었고나 꿈이로다
군산월에 대한 연정의 마음을 갖지 않겠다는 의미

▶ 본사 4-③: 칠보산을 내려와 느낀 감흥

(중략)

양금 연주를 마친 후에 절집으로 내려오니
산의 스님이 주는 찻물을 보니 정결하면서도 향기가 있다.
이튿날에 돌아와 생각해 보니, 호상대에서 놀던 일이
전생의 일인가 꿈속의 일인가? 나라의 은혜인가 하늘의 은혜인가?
유배지에서의 이 나그네의 (호강이) 이럴 줄을 알았던가?
흥이 다해 돌아와서 종을 불러 분부하되
칠보산 유람한 것은 고을 수령이 보낸 것으로
(칠보산 유람에) 기생을 데려갔지만, 돌아와서 생각해 보니 사치스럽고 화려하게 즐긴 것이 불안하다.
다시는 기생을 불러오도록 지시하여 기생이 오게 하도록 하지 않으리라.
선비만 데리고서 시를 쓰고 술을 마시며 기록하니
푸른 산이 그림이 되어 술잔에 떨어지고
푸른 물이 길이 되어 종이 위에 단청이 되었구나.
군산월의 고운 차림 깨고 나니 꿈이로구나.

(중략)

유정으로 들어가니 명천읍이 십 리로다
화자의 유배지
탄막(炭幕)에 들었더니 경방자(京房子) 달려드니
오막살이 / 경주인(京主人: 서울에서 머물러 지방 사무를 대행하던 관리)이 파견한 하인
『무슨 기별(奇別) 왔다든고 방환지명(放還之命) 내렸구나』
귀양이 풀려서 고향으로 돌아가라는 명령
『 』: 화자의 상황 변화 (유배 → 방면)
천은(天恩)이 망극하소 눈물이 방방(滂滂)하다
임금의 은혜 / 눈물 흐르는 것이 비 오듯 함
문적(文籍)을 손에 쥐고 남향(南向)하야 백배(百拜)하니
공문서 / 임금이 있는 곳(화자가 유배를 북쪽으로 갔기 때문)
동행(同行)의 거동 보소 치하(致賀)도 거룩하다
축하
식전(食前)에 말을 달려 주인(主人)의 집 찾아가니
밥 먹기 전
만실(滿室)이 경사(慶事)로다 광경(光景)이 그지없다
방 안에 모인 사람 전부 / 이루 다 말할 수 없다
죄명(罪名)이 없었으니 평인(平人)이 되었구나
유배에서 풀려나 사면됨
천은(天恩)을 덮어쓰고 양계(陽界)를 다시 보니
임금의 은혜 / 사람이 사는 세상, 이 세상
『삼천리(三千里) 고향 땅이 지척(咫尺)이 아니런가』
『 』: 고향에 빨리 도달하고 싶은 설렘과 기쁨 부각 / 매우 가깝다

▶ 본사 5: 유배에서 풀려나 방면된 기쁨

(중략)

유정으로 들어가니 (나의 유배지인) 명천이 십 리만 떨어져 있을 만큼 가깝다.
오막살이에 들었더니 경방자가 달려드니
무슨 소식이 왔다고 하는가, 귀양이 풀려서 고향에 돌아가라는 명령이 내렸구나.
임금의 은혜가 망극하다. 눈물이 비가 오듯 하는구나.
공문서를 손에 쥐고 임금이 계신 남쪽을 향하여 백 번 절을 하니
동행하는 사람의 거동을 보소. 축하해 주는 것도 거룩하다.
밥 먹기 전에 말을 달려 주인의 집을 찾아가니
방 안에 모인 사람들이 경사스러워한다. 그 광경이 이루 말할 수 없다.
죄인의 명목이 없어졌으니 평민이 되었구나.
임금의 은혜를 받은 채로 세상을 다시 보니
삼천 리 고향 땅이 가까운 거리가 아닐런가?

(중략)

새재를 넘어서니 영남(嶺南)이 여기로다
경상북도의 문경 새재 / 경상도

문경 새재를 넘어서니 경상도가 여기로구나.

오천서 밤 새우고 가산(家山)에 들어가니
고향의 산천
일권(一眷)이 무사(無事)하고 어린 것들 반갑구나
집안 식구들
「이끌고 방에 드니 애쓰던 늙은 아내
부끄러워하는구나 어엿블사 수둑 어미」 「」: 아내에 대한 화자의 미안함이 간접적으로 표출됨
불쌍하다 / 화자의 아내
군산월(君山月)이 네 왔느냐
유배지에서 만난 기생
박잔(盞)에 술을 부어 마시고 취한 후(後)에
박으로 만든 잔 / 봄날에 꾼 한바탕 꿈
「삼천리(三千里) 남북(南北) 풍상(風霜) 일장춘몽(一場春夢) 깨었구나」
남북으로 다니며 겪은 갖은 고생
▶ 본사 6: 고향에 돌아와 가족과 재회한 기쁨
「」: 귀향에서 겪은 고생이 덧없이 지나갔음을 드러냄

「어와 김학사(金學士)야 급제(及第) 늦다 한을 마라
화자, 자신을 객관화함
남자(男子)의 천고(千古) 사업(事業) 다하고 왔느니라
오래 남을 훌륭한 일
강호(江湖)에 편케 누워 태평(太平)에 놀게 되면
자신의 유배 생활이 강호 태평을 누릴 수 있는 기회였다고 위안함
무슨 한이 또 있으며 구할 일이 없느니라」 「」: 화자 스스로 자신을 위로함 - 남자로서 경험할 만한 강호 태평을 누렸기 때문에 아무런 한이 없음
「글 지어 기록(記錄)하니 부녀(婦女)들 보신 후(後)에
후생(後生)에 남자(男子) 되어 내 노릇 하게 하소」 「」: 창작의 목적이 제시됨 - 부녀자들에게 자신의 삶에 대한 당당함 표출
다음 생애 / 내 노릇을 해 보시오 = 나와 같은 삶을 살아 보시오
▶ 결사: 유배 생활에 대한 긍정적 인식 및 자기 위로

오천에서 밤을 새우고 고향 산천에 들어가니
집안 식구들이 아무 일 없고 어린 것들을 보니 반갑구나.
이끌고 방에 드니 고생하던 늙은 아내가
부끄러워하는구나. 불쌍하구나, 수둑 어미
(유배지에서 만난 기생인) 군산월이 왔느냐?
박으로 만든 잔에 술을 부어 마시고 취한 후에
삼천 리나 되는 남북으로 다니며 먼 길에서 겪은 고생이 봄날에 한바탕 꾼 꿈에서 깬 것처럼 끝났구나.
아아, 김 학사야, 과거 급제 늦다고 한탄하지 마라.
남자로서 오래 남을 훌륭한 일을 다하고 왔느니라.
자연에 편하게 누워 태평하게 놀게 되면
무슨 한이 또 있겠으며 더 구할 일이 없느니라.
글을 지어 기록하니 부녀자들이 보신 후에
다음 생애에 남자 되면 내 노릇을 해 보시오.

출제자 톡! 화자를 이해하라!

1 **화자는 누구이고, 화자가 처한 상황은?**
정치적 반대파에 몰려 유배 생활을 하게 된 '나'

2 **화자의 정서 및 태도는?**
현실에 대한 비판적 태도, 유배지에서의 쓸쓸함, 풍류 생활의 한가로움, 가족에 대한 그리움과 반가움 등이 드러남.

Link
출제자 톡! 표현상의 특징을 파악하라!

❶ 구체적인 여정에 따른 견문이 드러남.
❷ 비유적인 표현을 통해 화자의 정서를 효과적으로 드러냄.
❸ 중국의 고사와 한자 성어를 사용하여 화자의 정서를 드러냄.
❹ 설의적인 표현을 사용하여 화자의 생각을 강조함.

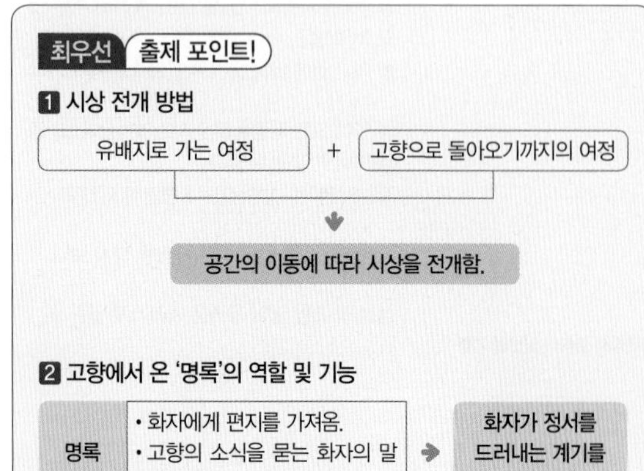

최우선 핵심 Check!

1 유배 가사이지만 공간의 이동에 따라 전개되는 기행 가사로서의 성격을 보여 주고 있다. (○ / ×)

2 〈본사 3〉에서 화자는 ㅁ ㄹ을 만난 후 고향에 두고 온 가족과 친척들에 대한 그리움과 걱정을 드러내고 있다.

3 〈본사 6〉에서 화자는 '술'을 통해 자신의 시름을 달래며 관리로서의 포부를 밝히고 있다. (○ / ×)

4 〈결사〉에서는 유배 생활에 대한 긍정적 인식을 드러내고 있다. (○ / ×)

정답 1. ○ 2. 명록 3. × 4. ○

님이 오마 ᄒᆞ거ᄂᆞᆯ | 작자 미상

갈래 사설시조 **성격** 연정가, 해학적, 과장적
주제 임에 대한 애타는 그리움 **시대** 조선 후기

임에 대한 간절한 그리움을 '삼대를 임으로 착각한 행동'으로 표현하고 있다.

님이 오마 ᄒᆞ거ᄂᆞᆯ 져녁밥을 일지어 먹고
(님이 오마 ᄒᆞ거ᄂᆞᆯ: 임이 '오겠다'는 소식을 전함 / 일: 일찍)

중문(中門) 나서 대문(大門) 나가 지방(地方) 우희 치ᄃᆞ라 안자 이수(以手)로 가액(加額)ᄒᆞ고 오ᄂᆞᆫ가 가ᄂᆞᆫ가 건넌 산(山) ᄇᆞ라보니 거머횟들 셔 잇거ᄂᆞᆯ 져야 님이로다『보션 버서 품에 품고 신 버서 손에 쥐고 곰븨님븨 님븨곰븨 쳔방지방 지방쳔방 즌 듸 ᄆᆞ른 듸 ᄀᆞᆯ희지 말고 워렁충창 건너가셔 정(情)엣말 ᄒᆞ려 ᄒᆞ고 겻눈을 흘긧 보니 상년(上年) 칠월(七月) 사흔날 ᄀᆞᆯ가 벅긴 주추리 삼대 ᄉᆞᆯ드리도 날 소겨다』

(이수: 손으로 / 지방: 문맥으로 볼 때 문지방으로 해석됨 / 이수로 가액ᄒᆞ고: 잘 보려고 이마에 손을 얹음 / 거머횟들: 검은 듯 흰 듯한 것 / 곰븨님븨 님븨곰븨: 엎치락뒤치락 급히 구는 모양 / 쳔방지방 지방쳔방: 허둥지둥하는 모양 / 워렁충창: 우당탕퉁탕 / 정엣말: 화자의 들뜬 마음을 나타내는 의태어 / 워렁충창 건너가셔: 임에 대한 반가움으로 뛰어가는 화자의 모습 / 정엣말 ᄒᆞ려 ᄒᆞ고: 사랑의 말을 주고받기 위하여 임을 확인함 / 상년: 작년 / ᄀᆞᆯ가 벅긴: 껍질을 벗긴 / 주추리 삼대: 밭머리에 모아 세워 둔 삼의 줄기 → 화자로 하여금 착각을 유발하는 소재 / 『 』: 해학성이 잘 드러남)

모쳐라 밤일싀만졍 힝혀 낫이런들 ᄂᆞᆷ 우일 번ᄒᆞ괘라
(모쳐라: 마침 / 우일: 웃길 / ☐: 영탄적 표현)

> 임께서 오신다기에 저녁밥을 일찍 지어 먹고,
>
> 중문을 지나 대문을 나가서 문지방 위에 올라앉아 이마에 손을 대고 (임이) 오는가 가는가 건너편 산을 바라보니, 검은빛과 흰빛이 뒤섞인 것이 서 있거늘, 저것이 바로 임이로구나. 버선은 벗어 품에 품고, 신은 벗어 손에 쥐고, 엎치락뒤치락 허둥거리며 진 곳 마른 곳을 가리지 않고 우당탕퉁탕 건너가서 사랑의 말을 하려고 곁눈으로 흘깃 보니, 작년 칠월 사흗날 껍질을 벗긴 삼대의 줄기가 알뜰히도 나를 속였구나.
>
> 마침 밤이었기에 망정이지 낮이었으면 남을 웃길 뻔하였구나.

최우선 출제 포인트!

1 작품에 나타난 해학성과 낙천성

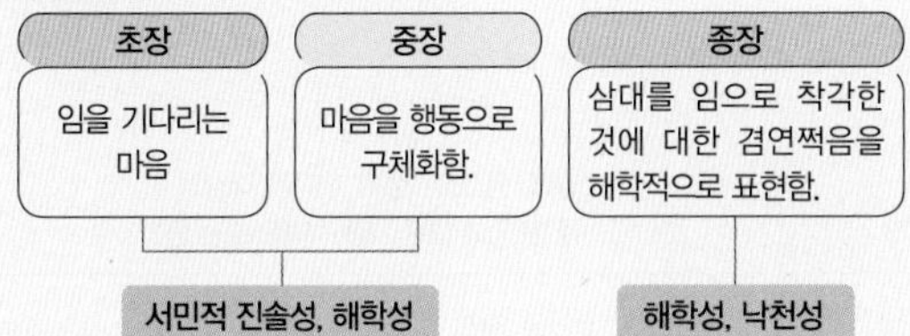

초장	중장	종장
임을 기다리는 마음	마음을 행동으로 구체화함.	삼대를 임으로 착각한 것에 대한 겸연쩍음을 해학적으로 표현함.
서민적 진솔성, 해학성 (초장·중장)		해학성, 낙천성

2 시어의 해학성

시어	의미	
곰븨님븨 님븨곰븨	엎치락뒤치락 급하게	임인 줄 알고, 뛰어가는 화자의 모습을 해학적으로 표현함.
쳔방지방 지방쳔방	허둥지둥거리며	
워렁충창	우당탕퉁탕	

함께 볼 작품 임에 대한 애타는 마음을 해학적으로 표현한 작품: 작자 미상, 「벽사창 밖이 어른어른커늘」

최우선 핵심 Check!

1 상대에게 말을 건네는 방식으로 시상을 전개하고 있다. (○ / ×)

2 영탄적 표현을 통해 시적 상황에 대한 화자의 정서를 부각하고 있다. (○ / ×)

3 화자는 자신의 소망을 이루고자 할 때는 대담성을 보이며, 소망이 좌절되었을 때는 낙천성을 보이고 있다. (○ / ×)

4 중장에서 화자가 주추리 삼대를 임인 줄 알고 착각하여 뛰어가는 모습을 통해, 임에 대한 화자의 간절한 그리움을 알 수 있다. (○ / ×)

5 중장에서는 '곰븨님븨 님븨곰븨, 쳔방지방 지방쳔방, 워렁충창' 등의 ㅇㅅㅅㅈㅇ를 이용하여 화자의 행동을 묘사하고 있다.

6 중장의 과장된 행동 묘사, 종장의 화자 자신에 대한 자조적 표현에서 ㅎㅎㅅ을 느낄 수 있다.

7 'ㅈㅊㄹ ㅅㄷ'를 임으로 착각하여 달려가는 화자의 우스꽝스러운 모습에서 해학성을 느낄 수 있다.

정답 1. × 2. ○ 3. ○ 4. ○ 5. 음성 상징어 6. 해학성 7. 주추리 삼대

1등급! 〈보기〉!

「님이 오마 ᄒᆞ거ᄂᆞᆯ」의 이해

조선 후기에 등장한 사설시조는 형식 면에서 평시조와 달리 중장이 제한 없이 길어졌다. 내용 면에서는 실생활 소재들을 활용하여 일상에서 일어나는 문제를 주로 다루었는데 솔직함, 해학성, 애정을 서슴없이 표현하려는 대담성 등을 그 특징으로 하며 비유, 상징 등 다양한 표현 기법을 활용하여 대상을 생동감 있게 그려 냈다. 이 작품에서는 '곰븨님븨', '쳔방지방' 같은 음성 상징어를 활용하여 화자의 행동을 생동감 있게 표현하고 있고, '주추리 삼대'를 임으로 착각하여 달려가는 화자의 우스꽝스러운 모습에서 해학성을 느낄 수 있다. 또한 임을 그리워하는 절실한 마음을 드러내기 위해 화자의 행동을 구체적으로 제시하다 보니 중장이 길어진 것으로 보인다. 한편 '진 데 마른 데 가리지' 않고 임에게 가서 '정(情)엣말'을 하려는 모습에서 애정을 표현하려는 화자의 대담성을 엿볼 수 있다.

동지ㅅ돌 기나긴 밤을 | 황진이

갈래 평시조 **성격** 애상적, 감상적
주제 임에 대한 사랑과 그리움 **시대** 조선 중기

일 년 중 가장 밤이 긴 동짓달에, 사랑하는 임을 그리워하느라 잠을 이루지 못하는 외로운 여인의 마음을 드러내고 있다.

『동지(冬至)ㅅ돌 기나긴 밤을 한허리를 버혀 내여
춘풍(春風) 니불 아레 [서리서리] 너헛다가
(따뜻한 이불 / 넣었다가)
어론 님 오신 날 밤이어든 [구뷔구뷔] 펴리라』
(사랑하는 임)

[ ]: 우리말의 묘미를 잘 살린 표현
『 』: 추상적 개념(시간)을 구체적 사물로 표현함

동짓달 긴긴 밤의 한가운데를 베어 내어,
봄바람처럼 따뜻한 이불 속에 서리서리 넣어 두었다가,
정든 임이 오신 밤이면 굽이굽이 펴리라.

최우선 출제 포인트!

1 추상적 개념의 구체화

현재		미래
동지ㅅ돌 기나긴 밤	→ 시간을 잘라 두었다가 임이 오면 폄. (감각적 형상화)	어론 님 오신 날 밤
임이 없이 외롭게 혼자 지냄.		사랑하는 임과 함께하는 행복함

이 작품의 화자는 홀로 있는 겨울밤의 막막한 시간을 잘라 내어 보관해 두었다가 그리워하던 임과 함께 지내게 될 밤에 이어 붙여 그 시간을 길게 만들고 싶다는 기발한 발상을 통해 자신의 그리움을 더욱 절실하게 부각하고 있다.

최우선 핵심 Check!

1 상황을 가정하여 화자의 소망을 나타내고 있다. (O / ×)

2 '서리서리', '구뷔구뷔' 등의 음성 상징어를 활용하여 시상을 전개하고 있다. (O / ×)

3 '동지ㅅ돌'과 '춘풍', '너헛다가'와 '펴리라'에서 의미상 대립이 이루어지고 있다. (O / ×)

4 '밤'이라는 [ㅊ][ㅅ][ㅈ]인 개념을 '자르고, 넣고, 펼 수 있는' [ㄱ][ㅊ][ㅈ]인 사물로 형상화하여 화자의 마음을 드러내고 있다.

정답 1. ○ 2. ○ 3. ○ 4. 추상적, 구체적

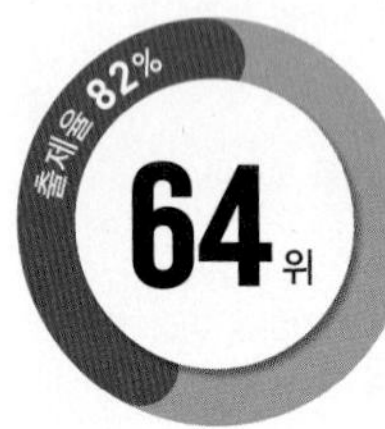

묏버들 갈히 것거 | 홍랑

갈래 평시조 **성격** 연정가, 애상적
주제 임에 대한 사랑 **시대** 조선 중기

화자의 분신(分身)이라고도 할 수 있는 대상을 통해 임에 대한 그리움과 순정을 짙게 표현하고 있다.

묏버들 갈히 것거 보내노라 님의손디
(화자의 분신, 화자의 마음을 전달해 주는 매개물 / 임에게)
자시는 창(窓)밧긔 심거 두고 보쇼셔
(주무시는 / 심어)
밤비예 새닙곳 나거든 날인가도 너기쇼셔
(섬세하고 여린 여성적 이미지 / 자신을 잊지 말아 달라는 소망을 표현함(당부))

산에 있는 버들가지 중 (아름다운 것을) 골라 꺾어 임에게 보내오니,
주무시는 방의 창문가에 심어 두고 보소서.
밤비에 새잎이라도 나거든 나를 보는 것처럼 여기소서.

최우선 출제 포인트!

1 '묏버들'의 역할

화자 → 묏버들 —보냄→ 임
- 화자의 분신(分身)
- 화자의 마음을 전달하는 매개물

묏버들 → 새닙
- 묏버들보다 더욱 섬세하고 여린 여성적 이미지
- 임이 자신을 잊지 않기를 바라는 간절함이 담김.
- 임과의 애정 관계가 지속되기를 바라는 마음이 담김.

최우선 핵심 Check!

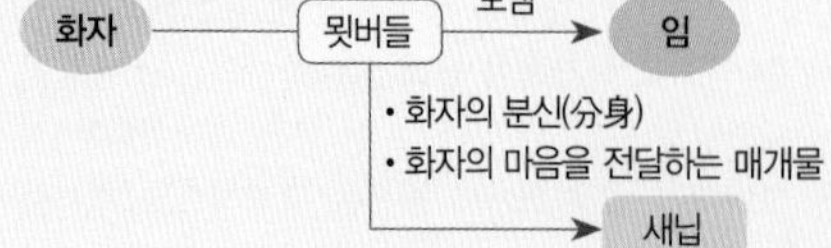

1 '묏버들'은 화자의 분신으로, 화자의 마음을 전달해 주는 매개물이다. (O / ×)

2 의태어와 의성어를 절묘하게 구사하여 화자의 심정을 구체적으로 표현하고 있다. (O / ×)

3 '[ㅅ][ㄴ]'은 묏버들보다 더욱 섬세하고 여린 이미지의 자연물로, 임이 자신을 잊지 않기를 바라는 화자의 간절함이 담겨져 있다.

정답 1. ○ 2. × 3. 새닙

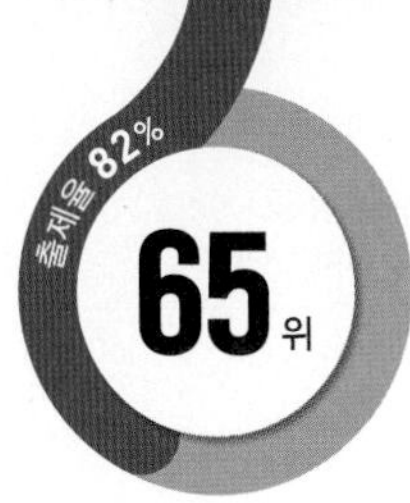

오백 년 도읍지를 | 길재

갈래 평시조 **성격** 회고적, 감상적
주제 고려 왕조 멸망의 한과 인생무상
시대 조선 초기

고려의 옛 도읍지를 돌아보면서 느끼는 감회를 노래한 '회고가(懷古歌)'의 대표적인 작품이다.

오백 년(五百年) 도읍지(都邑地)를 필마(匹馬)로 도라드니
고려의 옛 도읍지 / 한 필의 말. 벼슬을 하지 않고 홀로 지내는 외로운 신세를 비유함
『산천(山川)은 의구(依舊)ᄒᆞ되 인걸(人傑)은 간 ᄃᆡ 없다』
무한한 자연 / 변함이 없음 / 고려의 인재 / 『 』: 맥수지탄(麥秀之嘆), 대조법
어즈버 태평연월(太平烟月)이 ᄭᅮᆷ이런가 ᄒᆞ노라
감탄사 / 고려가 융성했던 시절 / 무상감
└ 시상을 집약하고 화자의 정서를 드러내는 기능을 함

오백 년을 이어온 (고려의) 도읍지를 한 필의 말을 타고 들어가니
산천의 모습은 예나 다름 없는데, 인걸은 간 데가 없다.
아아, 고려의 태평했던 시절이 한낱 꿈이었는가 하노라.

최우선 출제 포인트!

1 자연의 영원성과 인간의 유한성

산천은 의구ᄒᆞ되	대조 ↔	인걸은 간 ᄃᆡ 없다
자연의 영원성		인간의 유한성

이 작품은 시간이 흘러도 변함없는 자연과 달리, 고려의 옛 충신들이 사라지고 없는 인간사를 대조하여 망국의 한과 인생무상을 그리고 있다.

최우선 핵심 Check!

1 종장의 'ᄭᅮᆷ'은 인간 역사의 무상감을 집약한 시어이다. (O / ×)

2 조선 건국에 대한 부정적 관점이 구체적으로 표현되었다. (O / ×)

3 감탄사 'ㅇㅈㅂ'는 종장의 맨 앞에 위치하여 시상을 전환하는 한편, 독자가 화자의 정서에 집중하도록 하는 역할을 한다.

정답 1. ○ 2. × 3. 어즈버

백설이 ᄌᆞ자진 골에 | 이색

갈래 평시조 **성격** 우의적, 비유적
주제 기울어져 가는 고려에 대한 한탄과 우국충정
시대 고려

고려의 국운이 쇠퇴해 가는 것에 대한 안타까움과 우국지사(憂國之士)를 기다리는 마음을 노래하고 있다.

백설(白雪)이 ᄌᆞ자진 골에 구루미 머흐레라
흰 눈 → 고려 유신 / 조선의 신흥 세력, 이성계 세력
반가온 매화(梅花)는 어ᄂᆡ 곳에 픠엿ᄂᆞᆫ고
고려의 국운을 살려 낼 우국지사
석양(夕陽)에 홀로 셔 이셔 갈 곳 몰라 ᄒᆞ노라
고려의 기울어지는 국운 / 화자의 고뇌와 안타까움

백설이 녹은 골짜기에 구름이 험하구나.
(나를) 반겨 줄 매화는 어느 곳에 피어 있는가?
석양에 홀로 서서 갈 곳을 모르겠구나.

최우선 출제 포인트!

1 시어의 상징성

백설	고려의 유신
구룸(구름)	조선의 신흥 세력
매화	고려의 국운을 살려 낼 우국지사(憂國之士)
석양	기울어지고 있는 고려의 국운

기울어 가는 고려 왕조의 지식인의 고뇌가 잘 드러난 작품으로, 특히 자연물을 통해 현실의 상황을 우의적으로 표현함으로써 화자의 안타까운 심정을 효과적으로 드러내 주고 있다.

최우선 핵심 Check!

1 '백설'은 화자에게 시련을 주는 대상이다. (O / ×)

2 '구룸'은 위세를 떨치고 있는 부정적인 존재로 드러나 있다. (O / ×)

3 'ㅁㅎ'는 지조와 충성을 상징하는 자연물로, 기울어져 가는 고려를 살려 낼 충신을 의미한다.

정답 1. × 2. ○ 3. 매화

이화에 월백하고 | 이조년

갈래 평시조 **성격** 애상적, 감상적
주제 봄밤의 애상적 정감 **시대** 고려

봄날의 애틋한 정서를 노래한 것으로, 고려의 시조 중 서정성이 가장 뛰어난 작품이다.

: 백색의 이미지(시각적 이미지)

(달이 희게 비침 → 환상, 낭만 / 은하수 → 신비감)
이화(梨花)에 월백(月白)하고 은한(銀漢)이 삼경(三更)인 제
(하얀 배꽃 → 청초, 순결 / 은하수의 위치가 자정을 알리는 때에)
일지춘심(一枝春心)을 자규(子規) ㅣ야 알냐마는
(애상적 정서 / 소쩍새 → 고독의 이미지(청각적 이미지))
다정(多情)도 병(病)인 양하여 잠 못 들어 ᄒᆞ노라 → 봄밤에 잠 못 이루는 심정 표출
(화자의 정서가 두드러진 표현 → 고독, 애상감)

(초장·중장: 봄밤의 애상적 분위기)

하얀 배 꽃에 달빛이 비치고 은하수가 (그 위치로) 자정을 알릴 때
배꽃 가지에 서려 있는 봄날의 정서를 소쩍새가 알랴마는,
다정다감함은 병과도 같아서 잠을 이룰 수가 없구나.

최우선 출제 포인트!

1 감각적 이미지의 사용과 그 효과

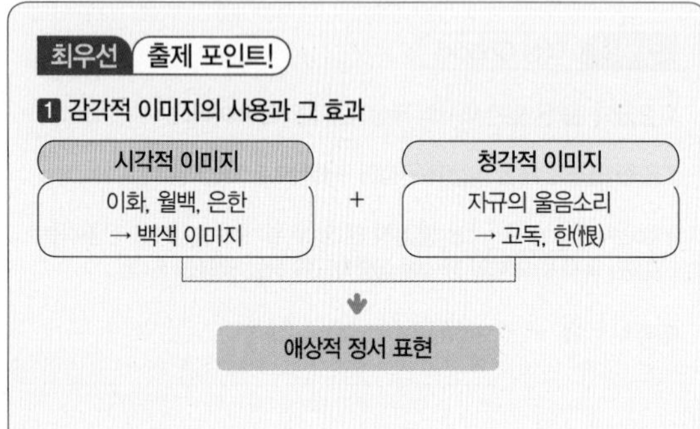

최우선 핵심 Check!

1 '배꽃', '달빛'과 같은 백색의 이미지를 통해 화자의 풍류를 즐기는 삶의 모습을 형상화하고 있다. (O / ×)

2 '이화', '월백', '은한이 삼경', '자규'를 통해 시간적 배경을 알 수 있다. (O / ×)

3 '자규'에서 연상되는 ㅊㄱ적 이미지는 화자의 고독감을 심화시키고 있다.

정답 1. × 2. ○ 3. 청각

백구ㅣ야 말 무러보쟈 | 김천택

갈래 평시조 **성격** 한정적, 풍류적, 자연 친화적
주제 자연과 하나가 되고 싶은 마음
시대 조선 후기

자연물인 백구와의 대화를 통해 자연에서 노닐고 싶은 화자의 소망을 노래하고 있다.

백구(白鷗) ㅣ야 말 무러보쟈 놀라지 마라스라
(갈매기야(돈호법) / 대화체 - 갈매기에게 말을 건네는 방식으로 전개)
명구승지(名區勝地)를 어듸어듸 ᄇᆞ렷ᄃᆞ니
(경치가 좋기로 이름난 곳)
날ᄃᆞ려 자세(仔細)히 닐러든 네와 게 가 놀리라
(자연에서 살고 싶은 마음을 드러냄. 의인법)

갈매기야, 말 물어보자, 놀라지 마려무나.
경치가 좋기로 이름난 곳이 어디 어디에 벌려 있더냐?
나에게 자세히 일러주면 너와 거기에 가서 놀리라.

최우선 출제 포인트!

1 대화를 통한 시상 전개

화자 —질문을 함.→ 백구 …… • 의인화된 대상 • 자연 친화적인 대상 • 화자를 자연으로 이끄는 대상

이 작품의 화자는 백구에게 말을 건네고 질문을 함으로써 자연에 동화되고 싶은 심정을 효과적으로 드러내고 있다.

함께 볼 작품 자연물과 대화를 통해 시상을 전개하는 작품: 작자 미상, 「청천에 떳는 기러기」

최우선 핵심 Check!

1 초장에서 화자는 의인화된 대상인 '백구'에게 말을 건네고 있다. (O / ×)

2 화자는 감정 이입을 통해 물아일체의 삶을 표현하고 있다. (O / ×)

3 종장에는 자연에 동화되고 싶은 화자의 심정이 드러나 있다. (O / ×)

정답 1. ○ 2. × 3. ○

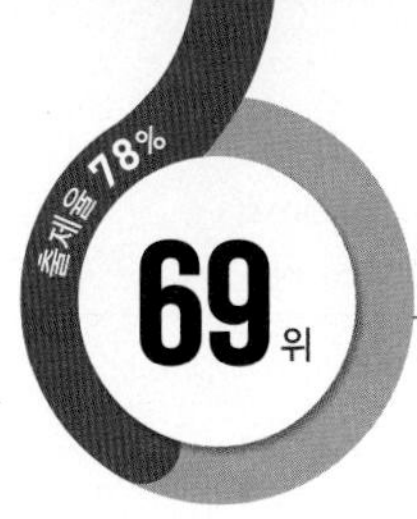

창 내고쟈 창을 내고쟈 | 작자 미상

갈래 사설시조 **성격** 해학적, 의지적
주제 답답한 심정에서 벗어나고 싶은 마음
시대 조선 후기

반복법과 열거법을 사용하여 삶의 애환과 고뇌를 기발하게 표현하고 있다.

→ a-a-b-a 구조(반복) - 운율감 형성

창(窓) 내고쟈 창(窓)을 내고쟈 이내 가슴에 창(窓) 내고쟈
(답답한 심정을 해소해 주는 통로)
『고모장지 셰살장지 들장지 열장지 암돌져귀 수돌져귀 빈목걸새』 (문고리에 꿰는 쇠)
(『 』: 장지문의 종류를 열거하여 화자의 답답한 심정 강조 / 문짝을 문설주에 달아 여닫는 데 쓰는 두 개의 쇠붙이)
크나큰 장도리로 뚝딱 바가 이내 가슴에 창(窓) 내고쟈
잇다감(이따금) 하(몹시) 답답홀 제면 여다져 볼가 ᄒᆞ노라
(가슴에 창을 내고 싶어 한 화자의 의도가 구체적으로 드러남)

창을 내고 싶구나, 창을 내고 싶구나, 이내 가슴에 창을 내고 싶구나.
고무래 들창, 세살장지, 들장지, 열장지, 암톨쩌귀, 수톨쩌귀, 배목걸쇠를 커다란 장도리로 뚝딱 박아 이 내 가슴에 창을 내고 싶구나.
(그리하여) 이따금 몹시 답답할 때면 (그 창문을) 여닫아 볼까 하노라.

최우선 출제 포인트!

1 시상의 흐름

가슴에 창문을 내고 싶음. → 온갖 종류의 창문을 내고 싶음. → 답답할 때 여닫아 보고 싶음.

- '창 내고자' → 반복을 통한 강조
- 온갖 종류의 창문 열거 → 해학성
- 가슴에 창을 냄. → 불가능한 상황의 설정

세상살이에서 오는 답답함을 해소하고자 하는 소망

최우선 핵심 Check!

1 화자는 세상살이에 대한 심정을 드러내고 있다. (O / ×)

2 괴로운 상황을 희화화함으로써 갈등 상황을 극복하려 하고 있다. (O / ×)

3 '창을 내겠다'는 표현을 반복하며 창의 종류를 나열함으로써, 화자의 ㄷㄷ한 심정을 강조하고 있다.

정답 1. ○ 2. ○ 3. 답답

어이 못 오던다 | 작자 미상

갈래 사설시조 **성격** 해학적, 과장적, 연쇄적
주제 오지 않은 임에 대한 그리움과 원망
시대 조선 후기

일상의 소재를 사용하여 임에 대한 그리움을 재치 있게 표현하고 있다.

어이 못 오던다(오던가) 무스(무슨) 일로 못 오던다

너 오는 길 우희(위에) 무쇠로 [성(城)]을 ᄡᅡ고(쌓고) 성(城)안헤(안에) [담] ᄡᅡ고 담 안헤란 [집]을 짓고 집 안헤란 [두지](뒤주. 쌀 같은 곡식을 담아 두는 세간) 노코(놓고) 두지 안헤 [궤(櫃)]를 노코 궤(櫃) 안헤 너를 결박(結縛)(움직이지 못하게 단단히 묶음) ᄒᆞ여 노코 [쌍(雙)비목](문을 잠그고 빗장으로 쓰는 'ㄱ'자 모양의 쇠) [외걸새](걸쇠를 거는 구멍 난 못)에 [용(龍) 거북 ᄌᆞ물쇠]로 수기수기(깊이깊이) 잠갓더냐 네 어이 그리 아니 오던다 (반어적인 물음 → 올 수 없는 상황이 아닌데도 오지 않는다는 것을 강조함)

(□: 임이 오지 못하게 하는 장애물)
(중장: 임이 오지 못하는 상황을 상상함 (연쇄법) - 의구심, 원망)

ᄒᆞᆫ ᄃᆞᆯ이 셜흔 날이여니(기나긴 날에 대한 강조) 날 보라 올 ᄒᆞᆯ리(하루가) 업스랴 → 그리움과 원망의 심정 표출

어이 못 오던가? 무슨 일로 못 오던가?
너 오는 길에 무쇠 성을 쌓고 성 안에 담 쌓고 담 안에 집을 짓고 집 안에 뒤주 놓고 뒤주 안에 궤를 놓고 그 안에 너를 결박하여 놓고 쌍배목 외 걸쇠, 용 거북 자물쇠로 꼭꼭 잠가 두었더냐? 네 어이 그리 아니 오던가?
한 달 서른 날에 날 보러 올 하루가 없으랴?

최우선 출제 포인트!

1 연쇄적 시상 전개

무쇠 성 > 담 > 집 > 뒤주 > 궤(櫃) > 너를 결박함. > 쌍배목 외걸쇠 > 용 거북 자물쇠

이 작품은 일상적인 제재를 연쇄적으로 열거하여 웃음을 유발하면서도 임을 기다리는 마음을 효과적으로 표현하고 있다.

최우선 핵심 Check!

1 화자는 가상적인 상황을 설정해서 자신의 답답한 마음을 표현하고 있다. (O / ×)

2 중장에서는 '성, 담, 집, 두지, 궤, ᄌᆞ물쇠' 등의 사물을 ㅇㅅ적으로 나열함으로써, 오지 않는 임에 대한 간절한 그리움을 드러내고 있다.

정답 1. ○ 2. 연쇄

나모도 바히 돌도 업슨 뫼헤

| 작자 미상

갈래 사설시조 **성격** 연정가, 과장적
주제 임과 이별한 절망적 슬픔 **시대** 조선 후기

임을 여읜 화자의 절박한 심정을 기발한 발상으로 생생하게 표현하고 있다.

나모도 바히 돌도 업슨 뫼헤 매게 쪼친 가토리 안과 → 매에 쫓긴 까투리
대천(大川) 바다 한가온대 일천 석(一千石) 시른 빅에 『노도 일코
닷도 일코 뇽총도 근코 돗대도 것고 치도 빠지고』 브람 부러 물결
치고 안개 뒤섯계 즈자진 날에 갈 길은 천리만리(千里萬里) 나믄듸
사면(四面)이 거머어득 져뭇 천지 적막(天地寂寞) 가치노을 쩟는듸
수적(水賊) 만난 도사공(都沙工)의 안과 → 위험에 처한 도사공의 모습 [설상가상(雪上加霜), 사면초가(四面楚歌)]
엇그제 님 여흰 내 안히야 엇다가 그을흐리오 → 임과 이별한 화자의 절망감

(주석: 마음 / 숨을 곳이 전혀 없는 절박한 상황 / 쫓긴 / 비교 대상 ① / 드넓은 바다 / 끊어지고 / 무거운 짐 / 잃고 / 돛대에 맨 굵은 줄, 돛줄 / 『 』: 파선으로 방향 조정이 불가능하여 매우 위험한 상태 / 바람, 파도, 안개로 더욱 위험해진 주변 상황 / 남았는데 / 시간적 배경 → 앞뒤 분간이 어려워질 무렵 / 사나운 파도 / 해적 / 비교 대상 ② / 비교하리오 / 그 무엇과도 비교할 수 없는 절박한 화자의 심정)

나무도 바윗돌도 전혀 없는 산에서 매에게 쫓긴 까투리의 마음과
넓은 바다 한가운데서 일천 석을 실은 배가 노도 잃고, 닻도 잃고, 돛대에 맨 줄도 끊어지고, 돛대도 꺾어지고, 키도 빠지고, 바람 불어 물결 치고, 안개는 뒤섞여 자욱한 날에, 갈 길은 천 리 만 리 남았는데, 사방은 검고 어둑하게 저물어 천지는 적막하고 사나운 파도가 치는데 해적을 만난 도사공(뱃사공의 우두머리)의 마음과,

엇그제 임과 이별한 나의 마음이야 어디다가 비교할 수 있으리오.

최우선 출제 포인트!

1 점층적 전개

매에 쫓긴 까투리의 마음 → 위험에 처한 도사공의 마음 → 임과 헤어진 화자의 마음 : 점층적 전개 → 화자의 절망적인 상황 강조

2 표현상의 특징

과장법	일어나기 힘들 것 같은 상황을 과장하여 제시함.
열거법	파선 직전의 배의 상태, 위험한 주변 상황, 해적과의 만남 등 다양한 상황을 나열함.
점층법	설상가상(雪上加霜)의 극한적 상황을 점층적으로 전개함.
비교법	절망적 상황에 놓인 대상과 화자의 마음을 비교하여 화자의 절망감을 강조함.

최우선 핵심 Check!

1 의인화를 통해 주제를 우의적으로 강조하고 있다. (O / ×)

2 점층적 의미 전개를 통해 대상의 상황을 심화시키고 있다. (O / ×)

3 대상과의 비교를 통해 화자의 절망감을 효과적으로 드러내고 있다. (O / ×)

4 화자는 초장의 '가토리', 중장의 '도사공'보다 자신이 더 참담한 상황에 놓여 있다 여기고 있다. (O / ×)

5 중장에서는 다양한 상황을 나열하여 점점 악화되는 상태를 표현하고 있는데, 이는 한자 성어 ㅅㅅㄱㅅ(雪上加霜)으로 표현할 수 있다.

정답 1. × 2. ○ 3. ○ 4. ○ 5. 설상가상

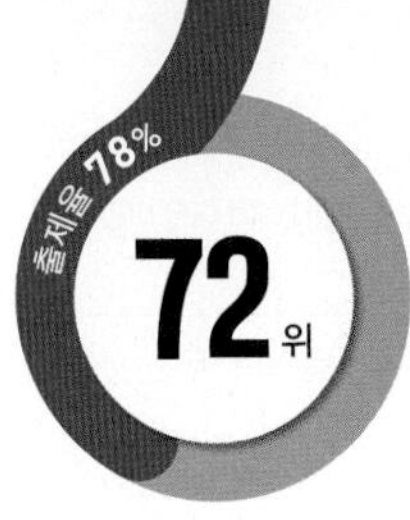

한숨아 세한숨아 | 작자 미상

갈래 사설시조 **성격** 수심가, 해학적
주제 그칠 줄 모르는 시름으로 인한 괴로움
시대 조선 후기

세상살이의 어려움과 서민들의 애환을 생활 속의 소재를 통해 드러내고 있다.

한숨아 세한숨아 네 어ᄂᆡ 틈으로 드러온다
『고모장ᄌᆞ 세살장ᄌᆞ 가로다지 여다지에 암돌젹귀 수돌젹귀 ᄇᆡ목걸쇠 뚝닥 박고 용거북 ᄌᆞ물쇠로 수기수기 ᄎᆞ엿ᄂᆞᆫᄃᆡ』『병풍(屛風)이라 덜걱 저븐 족자(簇子) ㅣ 라 ᄃᆡᆨᄃᆡᆨ골 므다 네 어ᄂᆡ 틈으로 드러온다』
어인지 너 온 날 밤이면 ᄌᆞᆷ 못 드러 ᄒᆞ노라

- 한숨아 세한숨아: 한숨을 의인화함
- 고모장ᄌᆞ ~ 여다지: 반복법 / 옛날 가옥의 여러 형태의 문들
- 암돌젹귀 수돌젹귀: 문짝을 문설주에 달아 여닫을 때 쓰는 쇠붙이. 암짝은 문설주, 수짝은 문짝에 박음
- ᄇᆡ목걸쇠: 문고리에 꿰는 쇠
- 수기수기: 깊이깊이
- 『 』: 한숨이 못 들어오게 막은 모습(열거법)
- ᄃᆡᆨᄃᆡᆨ골: 데굴데굴
- 『 』: 쉼 없이 솟아나는 한숨을 시각적으로 제시함 - 해학적
- ᄌᆞᆷ 못 드러 ᄒᆞ노라: 근심 때문에 잠 못 드는 화자 - 전전반측(輾轉反側)

한숨아 가느다란 한숨아, 네 어느 틈으로 들어오느냐?
고모장지(고미다락의 장지문), 세살장지(문살이 가는 장지문), 가로닫이, 여닫이, 암톨쩌귀, 수톨쩌귀, 배목걸쇠 뚝딱 박고, 용과 거북 장식의 자물쇠로 깊이깊이 채웠는데, 병풍처럼 덜컥 접고 족자처럼 데굴데굴 마느냐? 네 어느 틈으로 들어오느냐?
어찌된 일인지 너 오는 날 밤이면 잠 못 들어 하노라.

최우선 출제 포인트!

1 화자와 청자의 설정

화자	세상살이의 어려움으로 시름이 많은 사람
청자	의인화된 한숨

이 작품은 의인화된 한숨을 청자로 설정하여 시상을 전개하고 있는데, 막으려 해도 찾아오는 한숨에 대한 기발한 표현이라 할 수 있다.

최우선 핵심 Check!

1 화자는 의인화된 '한숨'을 청자로 설정하여, 화자의 그칠 줄 모르는 시름을 드러내고 있다. (○ / ×)

2 종장에 나타난 화자의 모습은 한자 성어 ㅈㅈㅂㅊ(輾轉反側)으로 표현할 수 있다.

정답 1. ○ 2. 전전반측

두터비 ᄑᆞ리를 물고 | 작자 미상

갈래 사설시조 **성격** 비유적, 풍자적, 해학적
주제 탐관오리의 횡포와 허장성세 풍자
시대 조선 후기

대상을 의인화하여 백성들에 대한 양반 계층의 횡포와 그들의 이중적이고 위선적인 모습을 풍자하고 있다.

두터비 ᄑᆞ리를 물고 두험 우희 치ᄃᆞ라 안자
것넌 산(山) ᄇᆞ라보니 백송골(白松鶻)이 ᄯᅥ 잇거ᄂᆞᆯ 가슴이 금즉ᄒᆞ여 풀덕 뛰여 내ᄃᆞᆺ다가 두험 아래 쟈빠지거고
『모쳐라 ᄂᆞᆯ낸 낼싀만졍 에헐질 번 ᄒᆞ괘라』

- (음영): 양반 계층
- ᄑᆞ리: 백성
- 두터비: 탐관오리. 부패한 양반 계층
- 두험: 냄새 나는 곳 - 부정으로 축재한 더러운 재물
- 백송골: 송골매. 상부의 중앙 관리 또는 외세
- 금즉ᄒᆞ여: 섬뜩하여
- 에헐질: 어혈. 타박상 등으로 피부에 피가 맺힌 것
- 『 』: 초장, 중장과는 달리 '두꺼비'가 화자가 됨 → 두꺼비의 자화자찬(自畵自讚), 허장성세(虛張聲勢)

두꺼비가 파리 한 마리를 물고 두엄 위에 뛰어올라 앉아서,
건너편 산을 바라보니 흰 송골매가 떠 있어서 가슴이 섬뜩하여 펄쩍 뛰어 내닫다가 두엄 아래로 나자빠졌구나.
다행스럽게도 몸이 날랜 나였기에 망정이지 (하마터면) 피멍이 들 뻔하였구나.

최우선 출제 포인트!

1 의인화를 이용한 풍자

ᄑᆞ리		두터비		백송골
힘없는 백성	← 횡포	백성을 괴롭히는 양반 계층, 탐관오리	→ 비굴함	중앙 고위 관리 또는 외세

함께 볼 작품 관리들의 수탈을 비판한 작품: 이제현, 「사리화」

최우선 핵심 Check!

1 종장에서는 '두터비'가 화자가 되어 자신을 합리화하고 있다. (○ / ×)

2 '두터비'는 부패한 양반 계층, '백송골'은 중앙 고위 관리 또는 외세를 상징한다. (○ / ×)

3 '두터비, 백송골, ㅍㄹ'를 소재로 당대 현실을 익살스럽게 풍자하고 있다.

정답 1. ○ 2. ○ 3. ᄑᆞ리

일신이 ᄉᆞ쟈 ᄒᆞᆫ이 | 이정보

갈래 사설시조 **성격** 풍자적, 해학적, 우의적
주제 세상살이의 어려움과 탐관오리에 대한 비판
시대 조선 후기

사람을 괴롭히는 곤충들을 장황하게 열거함으로써 세상살이의 어려움과 서민들의 애환을 드러낸 작품이다. 무는 것들을 세심하게 관찰하고 이를 나열하여 탐관오리에 대한 비판을 우의적으로 드러내고 있다.

일신(一身)이 ᄉᆞ쟈 ᄒᆞᆫ이 물ㄱ것 계워 못 술니로다
(물ㄱ것: 물것(사람을 물어 피를 빨아 먹는 곤충) - 탐관오리들을 비유함 / 계워 못: 이기지 못하여)

『비파(琵琶) 것튼 빈아(蠙蛾) 삿기 사령(使令) 것튼 등에 어이 갈쏘귀 ᄉᆞᆷ위약이 센 박쿼 누룬 바쿼 핏겨 것튼 가랑니며 보리알 것튼 수통니며 듀린 니 갓 ᄭᅡᆫ 니 잔 벼룩 왜(倭)벼룩 뛰는 놈 긔는 놈에 다리 기다헌 모긔 부리 ᄲᅣ족ᄒᆞᆫ 모긔 ᄉᆞᆯ딘 모긔 여윈 모긔 그림아 ᄲᅣ록이 심(甚)ᄒᆞᆫ 당(唐)비루에 더 어려웨라』
(빈아 삿기: 빈대 새끼 / 갈쏘귀: 각다귀, 모기와 비슷하나 모기보다 큼 / ᄉᆞᆷ위약이: 사마귀 / 센 박쿼: 하얀 바퀴벌레 / 등에: 파리보다 조금 큰 벌레로 사람의 피를 빨아 먹음 / 가랑니: 새끼 이 / 수통니: 살찐 이 / 듀린 니: 굶주린 이 / 갓 ᄭᅡᆫ 니: 갓 알에서 나온 이 / 그림아: 그리마, 절지동물 / ᄲᅣ록이: 뾰록이, 벌레의 일종 / 당비루: 피부병의 일종)
(『 』: 화자를 괴롭히는 세력들을 곤충에 빗대어 열거함)

그즁에 츰아 못 견딜 쏜 오뉴월(五六月) 복다림에 쉬ᄑᆞ리가 ᄒᆞ노라
(복다림: 복이 들어 몹시 더운 철 / 쉬ᄑᆞ리: 가장 지독한 탐관오리)

> 이 한 몸이 살아가고자 하니 무는 것이 많아 견디지 못하겠구나.
> 비파같이 넓적한 빈대 새끼, 사령 같은 등에, 각다귀, 사마귀, 하얀 바퀴벌레, 누런 바퀴벌레, 피의 껍질 같은 새끼 이, 보리알 같은 살찐 이며 굶주린 이, 갓 알에서 나온 이, 작은 벼룩, 왜 벼룩, 뛰는 놈에 기는 놈에 다리 기다란 모기, 부리 뾰족한 모기, 살찐 모기, 야윈 모기, 그리마, 뾰록이가 심한 당비루보다 더 고약하구나.
> 그중에 도저히 견딜 수 없는 것은 오뉴월 복더위의 쉬파리인가 하노라.

최우선 출제 포인트!

1 우의적 표현

물ㄱ것	→	화자
빈대, 등에, 각다귀, 사마귀, 바퀴벌레, 이, 벼룩, 모기, 그리마, 뾰록이, 쉬파리	물어 댐.	견디기가 어려움.

백성을 착취하는 부패한 탐관오리를 우의적으로 표현함.

2 작품에 나타난 풍자성과 해학성

구분	내용
풍자성	백성들을 착취하는 무리가 많아 견딜 수 없는 현실을 비판함.
해학성	착취 세력을 곤충으로 비유하여 장황하게 나열함으로써 익살스럽게 표현함.

최우선 핵심 Check!

1 자연물에 감정을 이입하여 화자의 심리를 나타내고 있다. (○ / ×)

2 화자는 '물ㄱ것' 중에서 '쉬ᄑᆞ리'를 가장 못 견뎌한다. (○ / ×)

3 중장에서는 '해충'의 외양적 특성을 포착한 세밀한 관찰이 나타난다. (○ / ×)

4 중장에서는 유사한 대상을 ㄴㅇ하여 운율을 형성하고 있다.

5 화자는 '물ㄱ것'이라는 비유적 표현을 통해 ㅌㄱㅇㄹ에 대한 비판 의식을 드러내고 있다.

정답 1. × 2. ○ 3. ○ 4. 나열 5. 탐관오리

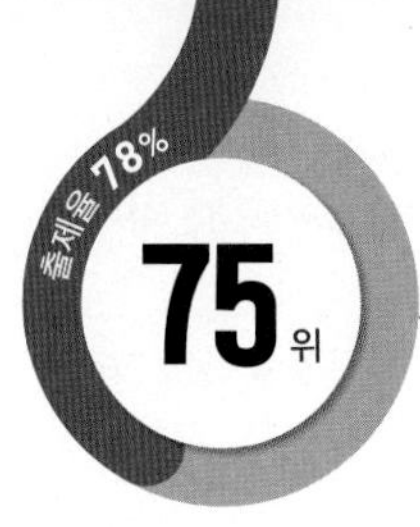

개를 여라믄이나 기르되 | 작자 미상

갈래 사설시조 **성격** 해학적
주제 임을 기다리는 애절한 마음 **시대** 조선 후기

'개'를 소재로 하여 임이 오기를 기다리는 심정을 진솔하게 드러낸 작품으로 해학적 표현이 돋보이고 있다.

개를 여라믄이나 기르되 요 개ᄀᆞ치 얄믜오랴
「뮈온 님 오며는 ᄭᅩ리를 홰홰치며 치뛰락 ᄂᆞ리뛰락 반겨서 내ᄃᆞᆺ고 고온 님 오며는 뒷발을 버동버동 므르락 나으락 캉캉 즈져셔 도라가게 ᄒᆞᆫ다」 「」: 얄미운 개의 행동 - 해학적 묘사
쉰밥이 그릇그릇 난들 너 머길 줄이 이시랴

(요 개: 화자의 갈등을 유발하는 대상 / 홰홰: 가볍게 자꾸 휘두르거나 휘젓는 모양 / 너 머길 줄이 이시랴: 너에게 밥을 주지 않겠다(설의적 표현))

개를 열 마리 넘게 기르지만 이 개처럼 얄미우랴?
미운 임이 오면 꼬리를 홰홰 치면서 뛰어 올랐다 내리 뛰었다 하면서 반겨 맞이하고, 사랑하는 임이 오면 뒷발을 버둥거리면서 물러섰다가 나아갔다가 캉캉 짖어 돌아가게 한다.

쉰밥이 아무리 많이 남은들 너 먹일 줄 있으랴?

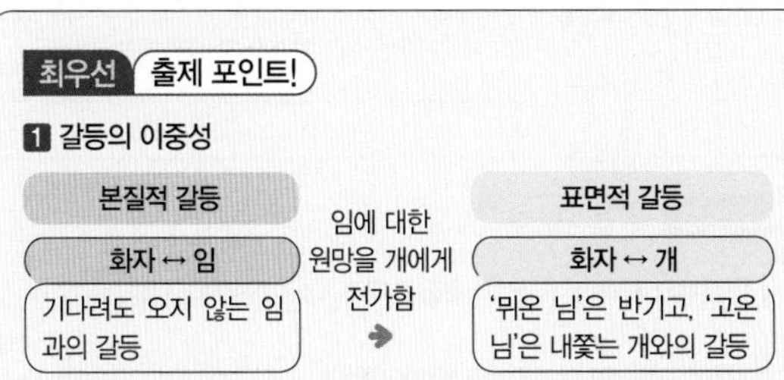

최우선 출제 포인트!

1 갈등의 이중성

본질적 갈등		표면적 갈등
화자 ↔ 임	임에 대한 원망을 개에게 전가함 ➜	화자 ↔ 개
기다려도 오지 않는 임과의 갈등		'뮈온 님'은 반기고, '고온 님'은 내쫓는 개와의 갈등

최우선 핵심 Check!

1 '요 개'의 얄미운 행동을 묘사하여 웃음을 유발하고 있다. (O / ×)

2 ㅇㅅㅇ와 ㅇㅌㅇ 등 음성 상징어를 사용하여 '개'의 행동을 실감 나게 표현하고 있다.

정답 1. ○ 2. 의성어, 의태어

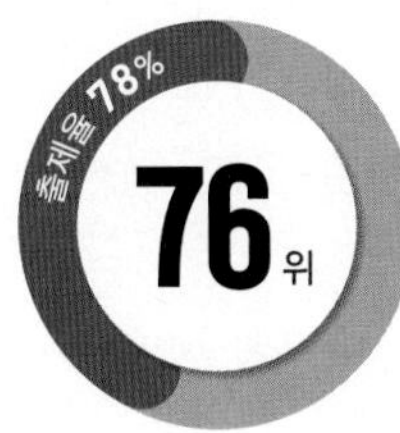

댁들에 동난지이 사오 | 작자 미상

갈래 사설시조 **성격** 해학적, 풍자적
주제 게젓 장수의 현학적인 태도 풍자
시대 조선 후기

현학적인 태도를 보이는 게젓 장수의 태도를 풍자하고 있다.

댁들에 동난지이 사오 저 장사야 네 황화 그 무엇이라 웨는다 사자
「외골내육(外骨內肉) 양목(兩目)이 상천(上天) 전행후행(前行後行) 소(小)아리 팔족(八足) 대(大)아리 이족(二足) 청장(淸醬) 아스슥 하는 동난지이 사오」 「」: 게젓 장수의 현학적 태도
장사야 하 거북이 웨지 말고 게젓이라 하렴은

(동난지이: 동난젓 = 게젓 / 황화: 잡화, 팔 물건 / 댁들에 동난지이 사오: 게젓 장수가 사람들에게 하는 말 / 저 장사야 ~ 사자: 사람들이 게젓 장수에게 하는 말 / 전행후행: 게가 앞으로 갔다 뒤로 갔다 함 / 소아리: 작은 다리 / 대아리: 큰 집게 다리 / 아스슥: 게를 씹을 때 나는 소리(음성 상징어), 아삭 / 장사야 ~ 하렴은: 사람들이 게젓 장수를 비아냥거리는 말)

사람들이여, 동난젓 사오. 저 장수야, 네 물건 그 무엇이라 외치느냐, 사자.
밖은 단단하고 안은 물렁하며 두 눈은 위로 솟아 하늘을 향하고 앞뒤로 가는 작은 발 여덟 개, 큰 발 두 개, 푸른 장이 아스슥 하는 동난젓 사오.

장수야, 너무 거북하게 말하지 말고 게젓이라 하려무나.

최우선 출제 포인트!

1 대화를 통한 시상 전개 방식

게젓 장수 → 사람들: 어려운 한자어를 써 가며 게젓을 팖.
사람들 → 게젓 장수: 게젓 장수의 현학적인 태도를 비아냥거림.
➜ 권위 의식에 사로잡혀 현학적 표현을 일삼는 양반 계층의 태도 풍자

최우선 핵심 Check!

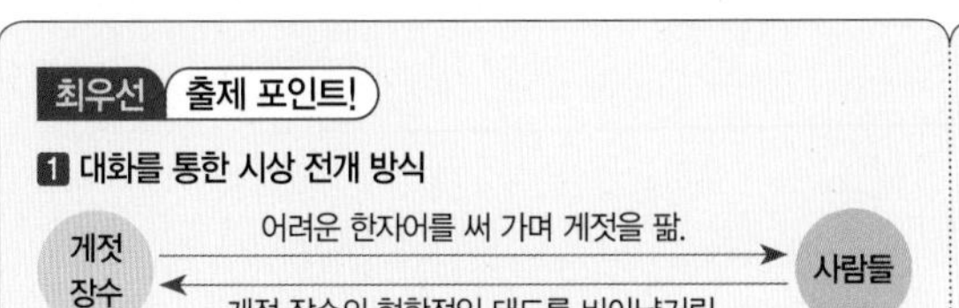

1 게젓 장수와 사람들의 대화를 통해 시상이 전개되고 있다. (O / ×)

2 게젓 장수의 지식을 과시하는 모습을 통해 어려운 표현을 일삼는 양반 계층의 현학적 태도를 ㅍㅈ하고 있다.

정답 1. ○ 2. 풍자

논밭 갈아 기음 매고 | 작자 미상

갈래 사설시조 **성격** 전원적, 사실적
주제 농촌의 하루 일과와 그 속에서 느끼는 여유
시대 조선 후기

자연을 삶의 일부로 여기고 자연과 조화를 이루고자 한 농민의 삶을 노래하며, 그 속에서 나타난 여유와 흥겨움을 그리고 있다.

『논밭 갈아 기음 매고 뵈잠방이 다임 쳐 신들메고
(『 』: 농민의 바쁜 일과 / 뵈잠방이: 베로 만든 남자용 홑바지 / 다임: 대님 / 신들메고: 신을 발에 잡아 매고)

낫 갈아 허리에 차고 도끼 벼려 두러 메고 무림(茂林) 산중(山中) 들어가서 삭다리 마른 섶을 뷔거니 버히거니 지게에 질머 지팡이 바쳐 놓고』 새암을 찾아가서 점심(點心) 도슭 부시고 『곰방대를 톡톡 떨어 닢담배 퓌여 물고 코노래 조오다가』
(벼려: 갈아 / 무림 산중: 숲이 울창한 산속 / 삭다리: 삭정이. 산 나무에 붙은 죽은 가지 / 뷔거니 버히거니: 베거니 자르거니 / 새암: 샘 / 도슭: 도시락 / 조오다가: 졸다가 / 『 』: 농사일을 한 뒤 느끼는 여유로운 모습)

석양(夕陽)이 재 넘어갈 제 어깨를 추이르며 긴 소래 저른 소래 하며 어이 갈고 하더라
(긴 소래 저른 소래: 긴 소리 짧은 소리)

> 논밭 갈아 김 매고 베잠방이 대님 쳐 신을 벗겨지지 않게 하고,
> 낫을 갈아 허리에 차고 도끼를 갈아 둘러메고 울창한 산속에 들어가서 삭정이 마른 섶을 베기도 하고 자르기도 하여 지게에 짊어 지팡이 받쳐 놓고, 샘을 찾아가서 점심 도시락 다 비우고 곰방대를 톡톡 털어 잎담배 피워 물고 콧노래 부르면서 졸다가,
> 석양이 고개를 넘어갈 때 어깨를 추스르며, 긴 소리 짧은 소리 하며 어이 갈까 하는구나.

최우선 출제 포인트!

1 시간의 흐름에 따른 구성

시간의 흐름		
↓	아침	논밭 갈아 김을 매고, 낫과 도끼를 갈아 산속에서 삭정이를 베고 지게에 올려 둠.
	점심	점식을 먹고 담배를 피며 콧노래를 부르다가 잠시 졺.
	저녁	노래를 하며 지게를 메고 산에서 내려옴.

이 작품은 순우리말과 일상적으로 쓰는 언어를 사용하여 농사일을 하는 하루 동안의 과정을 사실적으로 나타내고 있다. 즉 조선 전기 일반적인 평시조에서는 보기 힘들었던 농민의 삶과 정서가 잘 드러난 작품이라 할 수 있다.

함께 볼 작품 농촌과 농민의 삶을 사실적으로 그린 작품: 위백규, 「농가구장」

최우선 핵심 Check!

1 아침부터 저녁까지 시간의 흐름에 따라 시상이 전개되고 있다. (○ / ×)

2 시각적, 청각적 이미지가 나타나고 있다. (○ / ×)

3 화자는 자연과 물아일체의 경지를 추구하고 있다. (○ / ×)

4 '논밭'과 나무를 베는 '산속'은 농민이 일을 하는 [ㄴ][ㄷ]의 현장이다.

5 초장과 중장에서는 농부의 하루 일과를 사실적으로 드러내고 있다. (○ / ×)

6 중장의 '닢담배 퓌여 물고 코노래 조오다가'는 힘든 생활 속에서도 [ㅇ][ㅇ]를 잃지 않는 농민의 모습을 표현한 것이다.

정답 1. ○ 2. ○ 3. × 4. 노동 5. ○ 6. 여유

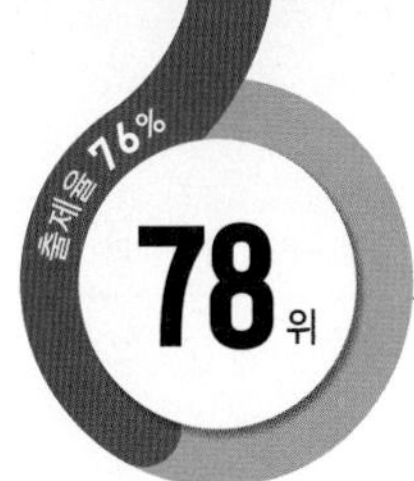

싀어마님 며느라기 낫바 | 작자 미상

갈래 사설시조 **성격** 비유적, 해학적
주제 시집살이의 고충(苦衷)과 한
시대 조선 후기

봉건 사회 대가족 제도 아래에서 시집살이하는 며느리의 원망과 한탄을 진솔하게 표현하고 있다.

싀어마님 며느라기 낫바(나쁘다고, 싫다고) 벽 바흘(부엌 바닥) 구로지 마오(명령문. 상대방의 태도 변화 촉구)

빗에 바든 며ᄂᆞ린가 갑세 쳐 온(물건 값에 쳐 온) 며ᄂᆞ린가 『밤나모 서근(썩은) 등걸(줄기를 잘라낸 나무의 밑동)에 휘초리 나니ᄀᆞᆺ치 알살픠신(매서운) 싀아바님 볏 뵌 쇳동(볕 쬔 쇠똥)ᄀᆞᆺ치 되죵고신(말라빠진) 싀어마님 삼 년(三年) 겨론(엮은) 망태에 새 송곳 부리ᄀᆞᆺ치 샢족ᄒᆞ신 싀누으님』(『 』: 시집 식구들을 희화화하여 구체적으로 열거함. 비판적 태도(열거법, 직유법)) 당피(좋은 곡식) 가론 밧틔 돌피(나쁜 곡식) 나니ᄀᆞᆺ치 싀노란 욋곳(오이꽃) ᄀᆞᆺ튼 피ᄯᅩᆼ 누는 아들(남편) ᄒᆞ나 두고

건 밧틔 멋곳(메꽃) ᄀᆞᆺ튼 며ᄂᆞ리를(기름진 밭의 메꽃. 건강하고 아름다운 모습) 어듸를 낫바 ᄒᆞ시는고(설의적 표현. 상대방의 태도 변화 촉구)

> 시어머님, 며느리가 밉다고 부엌 바닥을 구르지 마오.
> 빚으로 대신 받은 며느리인가? 물건 값 대신에 데려온 며느리인가? 밤나무 썩은 등걸에 회초리가 난 것 같이 매서운 시아버님, 햇볕에 쬔 쇠똥같이 말라빠지신 시어머님, 삼 년이나 걸려서 짠 망태기에 새 송곳 부리같이 뾰족하신 시누이님, 좋은 곡식을 심은 밭에 질 떨어지는 곡식이 나는 것같이 샛노란 오이꽃 같은 피똥이나 누는 아들 하나 두고,
>
> 기름진 밭의 메꽃 같은 며느리를 어디를 밉다 하시는고?

최우선 출제 포인트!

1 대상의 비유와 대조

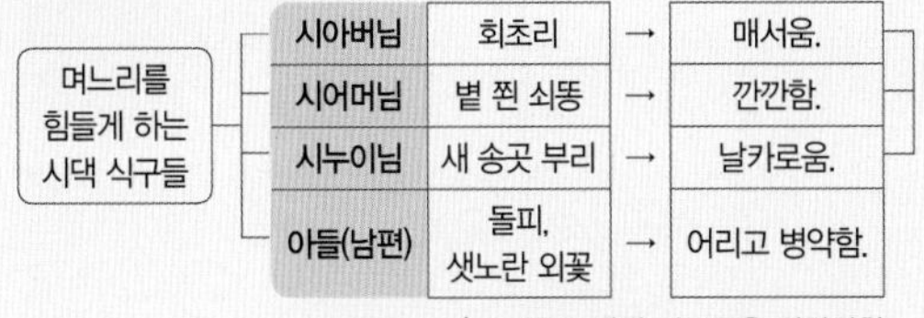

이 작품은 며느리를 억압하는 시댁 식구들을 농촌의 실생활과 밀접한 구체적인 사물에 비유하여 웃음을 유발하고 있다. 시댁 식구들은 부정적 사물에, 며느리를 긍정적 사물에 비유하여 서로를 대비함으로써 보다 효과적으로 대상을 희화화하고 있다.

최우선 핵심 Check!

1 화자는 지나치게 강한 성격을 지닌 남편 때문에 고달픈 상황에 처해 있다. (O / ×)

2 '알살픠신', '되죵고신', '샢족ᄒᆞ신' 등 부정적 어감을 담은 어휘들을 사용하여 시댁 식구들에 대한 비판적 인식을 드러내고 있다. (O / ×)

3 '어듸를 낫바 ᄒᆞ시는고'는 설의적 표현으로, 자신을 미워하지 말라는 화자의 의도가 담겨 있다. (O / ×)

4 'ㅁㄱ'은 화자인 며느리를 비유한 자연물로, 긍정적인 대상으로 제시되어 있다.

5 농촌에서 흔히 볼 수 있는 사물을 이용한 비유적 표현으로, 시댁 식구들의 특징과 성격을 ㅎㅎㅎ하고 있다.

정답 1. × 2. ○ 3. ○ 4. 멋곳 5. 희화화

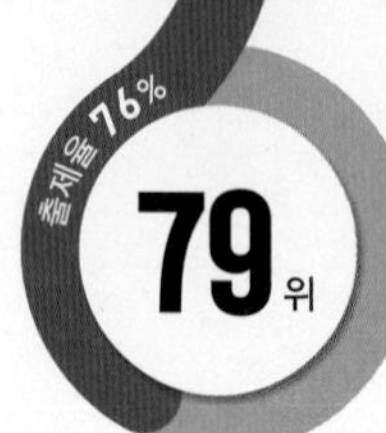

눈 마ᄌᆞ 휘여진 ᄃᆡ를 | 원천석

갈래 평시조 **성격** 절의가, 예찬적, 회고적
주제 고려 왕조에 대한 굳건한 지조 **시대** 고려

눈 속에서도 푸르름을 유지하는 대나무에 의탁하여 고려 왕조에 대한 지조를 드러내고 있다.

눈 마ᄌᆞ 휘여진 ᄃᆡ를 뉘라셔 굽다턴고 (눈: 시련, 이성계 세력 / ᄃᆡ: 지조와 절개 / 굽다턴고: '변절'의 의미) ─ 설의적 표현
구블 절(節)이면 눈 속에 프를소냐 (프를소냐: 절개를 굽히지 않겠다는 의지)
아마도 세한고절(歲寒孤節)은 너ᄲᅮᆫ인가 ᄒᆞ노라 (세한고절: 한겨울 추위도 이겨 내는 높은 절개 / 너: 대나무(의인법))

눈 맞아 휘어진 대나무를 누가 굽었다 하더냐?
굽힐 절개라면 눈 속에서 푸르겠느냐?
아마도 한겨울 추위를 이기는 절개를 지닌 것은 너(대나무)뿐인가 하노라.

최우선 출제 포인트!

1 시어의 상징성

눈	새 왕조에 협력할 것을 강요하는 무리들
굽다	새 왕조 협력의 강요로 인한 고통과 고충
ᄃᆡ(대나무)	절개 있는 충신
세한고절(歲寒孤節)	• 한겨울 추위도 이겨 내는 높은 절개 • 대나무와 충신

최우선 핵심 Check!

1 대상에 대한 시련을 형상화한 뒤 대상의 긍정적 속성을 언급하였다. (O / ×)

2 '눈을 맞아 굽'은 대나무의 모습은 강압에 못 이겨 절개가 꺾여졌음을 의미한다. (O / ×)

3 화자는 눈 속에서도 푸르른 'ㄷㄴㅁ'를 절개의 상징으로 보고 있다.

정답 1. ○ 2. × 3. 대나무

이 몸이 주거 가셔 | 성삼문

갈래 평시조 **성격** 절의가, 의지적, 상징적
주제 굳은 절의와 지조 **시대** 조선 전기

가상적 상황을 전제하여 굳은 절개를 노래한 절의가(絕義歌)이다.

이 몸이 주거 가셔 무어시 될쏘 ᄒᆞ니
봉래산(蓬萊山) 제일봉(第一峰)에 낙락장송(落落長松) 되야 이셔 (낙락장송: 화자의 굳은 절개 상징)
백설(白雪)이 만건곤(滿乾坤)홀 제 독야청청(獨也靑靑) ᄒᆞ리라 (백설: 고난과 시련 → 세조의 집권 / 만건곤: 하늘과 땅에 가득 참 / 독야청청: 굳은 절의와 지조)

이 몸이 죽은 뒤에 무엇이 될까 생각해 보니
봉래산 제일 높은 봉우리에 우뚝 솟은 소나무가 되어서
흰 눈이 온 세상을 뒤덮을 때 홀로라도 푸른 빛을 발하리라.

최우선 출제 포인트!

1 시어의 상징성

수양 대군의 득세	대조	굳은 절개
백설이 만건곤	↔	낙락장송(落落長松) 독야청청(獨也靑靑)

이 작품의 작가는 사육신 중 한 사람으로, 세조의 왕위 찬탈로 세상이 혼란스러워도 자신은 끝까지 지조와 절개를 지키겠다는 의지를 드러내고 있다.

최우선 핵심 Check!

1 '백설'은 현재 위세를 떨치고 있으며 부정적 존재로 그려지고 있다. (O / ×)

2 '이 몸이 주거 가셔', '낙락장송 되야 이셔' 등의 상황을 ㄱㅈ한 뒤 '독야청청 ᄒᆞ리라'라는 굳은 다짐을 드러내고 있다.

정답 1. ○ 2. 가정

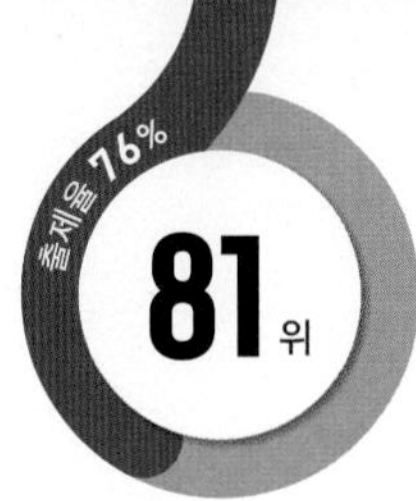

굼벙이 매암이 되야 | 작자 미상

갈래 평시조 **성격** 우의적, 교훈적, 경세적
주제 벼슬길의 험난함에 대한 경계
시대 조선 후기

매미와 거미줄의 관계에 빗대어 높은 자리에 오를수록 항상 조심하고 신중해야 함을 우의적으로 표현하고 있다.

굼벙이 매암이 되야 ᄂᆞ래 도쳐 ᄂᆞ라 올라
(굼벙이: 미천한 신분 / 매암이: 매미 / 남게: 나무 / ᄂᆞ래 도쳐 ᄂᆞ라 올라: 벼슬자리에 올라, 출세하여)
노프나 노픈 남게 소릐ᄂᆞᆫ 죠커니와
(노프나 노픈 남게 소릐ᄂᆞᆫ: 높은 자리에서 권세를 누리는 모습 / ᄒᆞ여라: 명령형 어미를 사용 - 충고)
그 우희 거믜줄 이시니 그를 조심ᄒᆞ여라
(거믜줄: 벼슬살이에서 겪는 온갖 험한 일(모함) - 환해풍파(宦海風波))

> 굼벵이가 매미가 되어 날개가 돋아 날아 올라
> 높고 높은 나무에서 우는 소리는 좋지만
> 그 위에 거미줄이 있으니 그것을 조심하여라.

최우선 출제 포인트!

1 시어 및 시구의 의미

시어, 시구	의미
굼벵이	미천한 신분
(날개 돋쳐 날아오른) 매미	벼슬자리에 오른 인물, 출세한 인물 → 높은 신분
높은 나무에서의 소리	높은 자리에서 권세를 누리는 모습
거미줄	벼슬살이에서 겪는 온갖 험한 일, 환해풍파

최우선 핵심 Check!

1 '매미'가 조심해야 할 대상은 '거미줄'이다. (O / ×)

2 화자는 우의적 표현을 사용하여 탐관오리의 횡포를 비판하고 있다. (O / ×)

3 'ㄱㅁㅈ'은 모함 등과 같이 벼슬살이에서 겪게 되는 온갖 풍파를 의미한다.

정답 1. ○ 2. × 3. 거믜줄

흥망이 유수ᄒᆞ니 | 원천석

갈래 평시조 **성격** 회고적, 애상적
주제 고려 왕조의 회고와 무상감 **시대** 조선 전기

고려의 유신(儒臣)이었던 작가가 옛 고려의 도읍지를 돌아보면서 지난날을 회고하고 세월의 무상함을 노래하고 있다.

흥망(興亡)이 유수(有數)ᄒᆞ니 『만월대(滿月臺)도 추초(秋草)ㅣ로다』
(유수ᄒᆞ니: 운수가 정해져 있으니 / 만월대: 고려 왕조의 궁터 / 추초: 가을의 풀 - 쇠락한 고려 왕조의 비유 / 『 』: 황폐해진 궁궐 터(시각적))
오백 년(五百年) 왕업(王業)이 목적(牧笛)에 부쳐시니
(오백 년 왕업: 고려 왕조의 융성과 쇠망의 역사 / 목적: 목동의 피리 소리(청각적) - 세월의 무상함 / 부쳐시니: 깃들어 있으니 / 1·2행: 병치)
『석양(夕陽)에 지나는 객(客)이 눈물계워 ᄒᆞ노라』
(석양: 저무는 해, 고려 왕조의 몰락, 하강적 이미지 / 객: 화자 자신 → 주관적인 심회를 객관화함 / 『 』: 망국의 슬픔)

> 흥함과 망함이 모두 운수가 정해져 있으니 고려의 궁터인 만월대도 풀숲으로 덮였도다.
> 오백 년을 이어 오던 고려의 왕업이 목동의 피리 소리로만 남았으니,
> 저녁때 지나는 길손이 눈물겨워 하는구나.

최우선 출제 포인트!

1 비유적 표현

추초(秋草)	쇠락한 고려 왕조
목적(牧笛)	세월의 무상함
석양(夕陽)	고려 왕조의 무상함
객(客)	화자 자신

최우선 핵심 Check!

1 '만월대'는 '오백 년 왕업'을 표상하는 구체적 장소이다. (O / ×)

2 종장의 '눈물'에는 몰락한 고려 왕조에 대한 화자의 슬픔이 담겨 있다. (O / ×)

3 '추초'의 ㅅㄱ적 이미지와 '목적'의 ㅊㄱ적 이미지는 쓸쓸한 분위기를 부각하고 있다.

정답 1. ○ 2. ○ 3. 시각, 청각

쫓겨난 늙은이의 노래(시조)

방옹시여(放翁詩餘) | 신흠

작가 신흠의 호

갈래 연작 시조 **성격** 탈속적, 자연 친화적, 달관적
주제 속세를 벗어난 전원생활의 정취
시대 조선 중기

계축옥사로 벼슬에서 밀려난 작가가 자연에 묻혀 살면서 전원생활의 정취와 연군의 정을 노래하고 있다.

: 각 연의 핵심어

〈제1수〉

산촌(山村)에 『눈이 오니 돌길이 묻혔어라』
시비(柴扉)를 여지 마라 날 찾을 이 뉘 있으리
밤중만 일편명월(一片明月)이 그의 벗인가 하노라

- 눈: 화자를 속세와 단절시키는 역할을 함
- 『 』: 정치적 갈등 때문에 관직을 잃고 현실 정치에서 배제된 작가의 상황
- 산촌: 속세와 단절된 은거의 공간
- 돌길: 세상과 연결되는 통로, 영탄적 표현
- 세상으로부터 단절된 화자의 상황, 설의적 표현 **Link 표현상 특징 ❹**
- 일편명월: 화자가 추구하는 삶을 완성해 주는 대상, 자연(대유법)
- 벗인가: 의인화
- ▶ 자연 속에서 은거하며 사는 삶

〈제1수〉
산골 마을에 눈이 오니 돌길이 (눈에) 묻혔구나.
사립문을 열지 마라. 날 찾아올 사람 누가 있겠느냐?
한밤중에 (나타나는) 한 조각 밝은 달만이 내 벗인가 하노라.

〈제3수〉

초목(草木)이 다 매몰(埋沒)한 제 송죽(松竹)만 푸르렀다
풍상(風霜) 섞어 친 제 네 무슨 일 혼자 푸른가
두어라 내 성(性)이어니 물어 무엇 하리

- 자연물을 대조하여 예찬적 태도를 드러냄 **Link 표현상 특징 ❶**
- 초목: 푸르름을 잃고 쉽게 변하는 대상
- 송죽: 푸르름이 변하지 않는 대상 - 지조, 절개의 대상, 예찬의 대상
- 풍상: 고난, 시련
- 네: '송죽'을 의인화하여 표현
- 두어라: 감탄사
- 성: 푸르름을 잃지 않는 본성
- 물어 무엇 하리: 설의적 표현 **Link 표현상 특징 ❹**
- ▶ 푸르름을 잃지 않는 송죽에 대한 예찬

〈제3수〉
초목이 다 시들어 변했는데, 소나무와 대나무만 푸르르구나.
바람과 서리가 섞여서 칠 때, 너(송죽)는 무슨 일로 혼자 푸르르냐?
두어라. 내 본성이니 물어서 무엇 하겠느냐?

〈제6수〉

어젯밤 눈 온 후(後)에 달이 좇아 비추었다
눈 후(後) 달빛이 맑음이 그지없다
엇더타 천말부운(天末浮雲)은 오락가락하느뇨

- 눈: 계절적 배경이 겨울임을 드러냄 - 달빛의 맑음을 부각함
- 달빛이 맑음이 그지없다: 달빛에 대한 예찬 - 시각적 이미지
- 천말부운: 하늘 끝에 떠다니는 구름 - 달빛을 막는 부정적인 대상
- ▶ 달빛의 맑음에 대한 경탄

〈제6수〉
어젯밤 눈이 온 뒤에 달이 따라 비추었다.
눈이 온 뒤 달빛의 맑음이 그지없다.
어찌하여 하늘 끝자락에 이리저리 떠다니는 구름은 오락가락하느냐?

〈제8수〉

서까래 기나 짧으나 기둥이 기우나 트나
『수간모옥(數間茅屋)을 작은 줄 웃지 마라』
어즈버 만산나월(滿山蘿月)이 다 내 것인가 하노라

- 화자가 거처하는 집이 엉성함을 드러내 줌
- 『 』: 전원생활에 대한 만족감을 엿볼 수 있음 - 안분지족
- 수간모옥: 방이 몇 칸 되지 않는 작은 초가, 소박한 삶을 엿볼 수 있음
- 어즈버: 감탄사
- 만산나월: 산의 가득 자란 덩굴 풀에 비친 달, 자연 속에서 화자가 누리는 대상
- 다 내 것인가 하노라: 전원생활에 대한 자부심, 자족감
- ▶ 전원생활에 대한 자부심

〈제8수〉
서까래가 길든지 짧든지 기둥이 기울든지 뒤틀리는지
몇 칸 안 되는 초가가 작다고 비웃지 마라.
아아, 산 가득 풀 덩굴에 비친 달빛이 다 내 것인가 하노라.

〈제14수〉

시비(是非) 없은 후(後)이라 영욕(榮辱)이 다 불관(不關)타
금서(琴書)를 다 흩은 후(後)에 이 몸이 한가하다
백구야 기사(機事)를 잊음은 너와 낸가 하노라

- 시비: 속세에서의 다툼을 의미, 정쟁
- 시비 없은 후이라: 속세를 등진 상황을 드러냄
- 영욕이 다 불관타: 세속적 욕망에 초연한 화자의 모습
- 금서: 거문고와 서책 - 풍류를 드러내 주는 소재
- 이 몸이 한가하다: 자연에서의 유유자적한 삶의 모습
- 백구: 화자가 동질감을 느끼는 대상 - 의인화된 객관적 상관물 **Link 표현상 특징 ❷**
- ▶ 세속을 떠나 자연 속에서 욕심 없이 사는 삶

〈제14수〉
옳고 그름이 없어진 뒤라 영예와 치욕이 상관없다.
거문고와 책을 다 흩어 버린 후에 이 몸이 한가하다.
백구야 욕심을 잊음은 너와 나뿐인가 하노라.

〈제17수〉

한식(寒食) 비 온 밤의 봄빛이 다 퍼졌다
무정(無情)한 화류(花柳)도 때를 알아 피었거든
엇더타 우리의 님은 가고 아니 오는고

- 선경: 비 내린 후의 자연의 정경, 꽃과 버들이 때를 잊지 않고 피어난 정경
- 화류: 임에 대한 그리움을 유발하는 계기가 됨
- 오지 않는 임과 대비되는 자연물
- → 후정: 가고 오지 않는 '임'에 대한 한탄
- 님: 그리움의 대상, '임금'을 의미하기도 함
- 자연과 인간사를 대비하여 임에 대한 그리움과 서운함의 정서를 드러냄 **Link 표현상 특징 ❸**
- ▶ 봄날에 느끼는 임에 대한 그리움

〈제17수〉
한식날 비 온 밤에 봄의 경치와 분위기가 다 퍼졌다.
무정한 꽃과 버들도 때를 알고 피어났는데
어찌하여 우리의 임은 가서 오지 않는가.

〈제19수〉

창(窓)밖의 워석버석 님이신가 일어나 보니
음성 상징어 - 의성어
혜란(蕙蘭) 혜경(蹊徑)에 낙엽(落葉)은 무슨 일인고
난초가 자라난 지름길 / 화자로 하여금 임이라 착각하게 만든 자연
어즈버 유한(有恨)한 간장(肝腸)이 다 끊길까 하노라
임에 대한 애타는 그리움 - 화자의 내면적 고통이 드러남
> 임을 애타게 그리워하는 마음

〈제19수〉

창 밖에서 부스럭부스럭 하여 임이신가 하고 일어나서 보니
난초 핀 좁은 길에 낙엽은 무슨 일인가?
아아, 유한한 간장이 다 끊어질 것 같구나.

〈제26수〉

「꽃 지고 속잎 나니 시절도 변(變)하였다
자연의 섭리에 대한 경이로움을 깨닫게 해 주는 자연물
풀 속에 푸른 벌레 나비 되야 날아다닌다」 「」: 변화하는 자연의 모습
뉘라서 조화(造化)를 잡아 천변만화(千變萬化)하는고
자연의 이치, 섭리 / 끝없이 변화하는 자연의 섭리를 드러내 줌
> 자연의 섭리에 대한 경탄

〈제26수〉

꽃이 지고 속잎이 나니 계절도 변하였구나.
풀 속에 푸른 벌레 나비 되어서 날아다닌다.
누가 조화를 부려 끝없이 변화하게 하는가?

〈제29수〉

「노래 삼긴 사람 시름도 하도 할샤
만든 / 시름을 풀기 위한 수단 / 많기도 많구나
일러 다 못 일러 불러나 풀었던가」 「」: 전제 - 시름이 많은 사람이 노래로써 시름을 풀었다
말을 하여
진실(眞實)로 풀릴 것이면 나도 불러 보리라 > 노래를 통해 시름을 풀고자 하는 마음
결론: 나의 시름도 노래로써 풀어 보겠다. 문학의 정서 순화 기능을 엿볼 수 있음

〈제29수〉

노래를 (처음으로) 만든 사람 시름이 많기도 많았구나.
(말로) 일러도 다 못 일러 (노래를) 불러서 풀었던가?
진실로 풀릴 것이면 나도 불러 보리라.

출제자 톡! 화자를 이해하라!

1 **화자는 누구이고, 화자가 처한 상황은?**
자연에 파묻혀 살고 있는 사람

2 **화자의 정서 및 태도는?**
- 자연 속에서 사는 삶에 대한 만족감과 자긍심이 드러남.
- 자연에 대한 예찬적인 태도를 보임.
- 그리운 임이 부재하는 상황에 대한 안타까움과 그리움을 보임.

Link

출제자 톡! 표현상의 특징을 파악하라!

❶ 자연물을 대조하여 대상에 대한 예찬적 태도를 드러냄.
❷ 의인화된 객관적 상관물을 통해 욕심 없이 사는 삶의 태도를 드러냄.
❸ 자연과 인간사를 대비하여 화자의 정서를 표출함.
❹ 설의적 표현을 통해 화자의 생각을 부각함.

최우선 출제 포인트!

1 화자의 정서를 드러내는 표현

의인화	밤중만 일편명월이 그의 벗인가 하노라	달을 의인화하여 자연 친화의 대상으로 삼음.
설의적 표현	• 날 찾을 이 뉘 있으리 • 물어 무엇 하리	• 화자의 고립된 상황을 강조함. • 송죽의 푸르름을 예찬함.
객관적 상관물	백구야 기사를 잊음은 너와 낸가 하노라	'백구'는 욕심 없이 살아가는 화자가 동질감을 느끼는 존재임.

2 공간에 대한 화자의 인식

자연	⟷ 대립	속세
• 안빈낙도와 안분지족을 느끼는 공간 • 예찬의 대상인 변하지 않는 자연을 감상할 수 있는 공간 • 경탄의 대상인 자연의 섭리를 느끼는 공간		• 시비와 영욕이 있는 부정적 공간 • 그리운 임이 부재하는 공간

최우선 핵심 Check!

1 〈제3수〉의 '송죽'과 대조되는 속성을 가진 자연물은 'ㅊㅁ'이다.

2 〈제8수〉의 '수간모옥'은 화자가 사는 공간으로, 안분지족하는 화자의 모습을 엿볼 수 있게 해 준다. (O / ×)

3 〈제14수〉의 'ㅂㄱ'는 욕심을 잊고 산다는 점에서 화자가 동질감을 느끼는 객관적 상관물에 해당한다.

4 〈제17수〉에서 화자는 때를 알고 피는 '꽃', '버들'을 인간사와 대비하여 인생무상을 드러내고 있다. (O / ×)

5 〈제26수〉의 '속잎'과 '나비'는 화자로 하여금 자연의 섭리에 경탄하게 만들어 주는 자연물이라 할 수 있다. (O / ×)

정답 1. 초목 2. ○ 3. 백구 4. × 5. ○

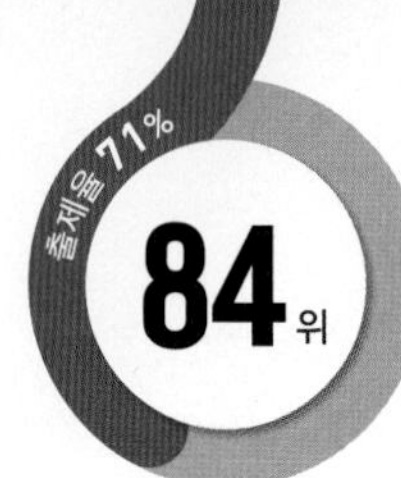

이화우 흣뿌릴 제 | 계랑

갈래 평시조 성격 감상적, 애상적
주제 임에 대한 그리움 시대 조선 중기

임과 헤어진 뒤의 시간적 거리감과 임과 화자 사이의 공간적 거리감을 조화롭게 형상화한 작품으로, 임에 대한 그리움을 애상적으로 표현하고 있다.

□: 계절적 이미지, 하강의 이미지

시간의 흐름

이화우(梨花雨) 흣뿌릴 제 울며 잡고 이별(離別)한 님 (봄)
추풍낙엽(秋風落葉)에 저도 날 싱각는가 (가을)
천 리(千里)에 외로운 쑴만 오락가락 ᄒᆞ노매

천 리(千里): 임과의 거리감(공간적·정서적 거리감) / 외로운 쑴: 임을 향한 마음

배꽃 비가 흩날릴 때 울면서 (소매를) 잡고 이별한 임,
가을바람에 낙엽 지는 이때에 임도 나를 생각하고 있을까?
천 리나 되는 머나먼 길에 외로운 꿈만 오락가락 하는구나.

최우선 출제 포인트!

1 시간적 거리감과 공간적 거리감의 구체화

이화우(梨花雨), 추풍낙엽(秋風落葉)	봄과 가을의 시간적 거리감 → 임과 헤어진 뒤의 시간적 거리감
천 리(千里)	임과 화자 사이에 놓여 있는 공간적 · 정서적 거리감

함께 볼 작품 기녀 화자가 임을 그리워하는 작품: 홍장, 「한송정 둘 붉은 밤의」

최우선 핵심 Check!

1 시간의 흐름을 바탕으로 대상에 대한 화자의 심정을 표출하고 있다. (O / ×)

2 봄에 이별한 임을 가을에 그리워하면서 느끼는 ㅅㄱ적 거리감과, 현재 멀리 떨어져 있는 임에게서 느끼는 ㄱㄱ적 거리감이 조화를 이루고 있다.

정답 1. ○ 2. 시간, 공간

어져 내 일이여 | 황진이

갈래 평시조 성격 감상적, 애상적, 여성적
주제 이별의 회한과 임에 대한 그리움
시대 조선 중기

우리말의 절묘한 구사를 통해 화자가 겪는 자존심과 연정 사이의 오묘한 심리적 갈등을 드러내고 있다.

어져 내 일이여 그릴 줄을 모로드냐 → 이별의 회한
이시라 ᄒᆞ더면 가랴마는 제 구틔야
보내고 그리는 정(情)은 나도 몰라 ᄒᆞ노라

어져: 감탄사 - 정서의 깊이를 더해 줌 / 내 일: 내가 한 일 / 그릴: 그리워할 / 모로드냐: 모르더냐 / 이시라 ᄒᆞ더면: 있으라고 했더라면(주체: 나) / 가랴마는: 주체: 임 / 제 구틔야: 중의적 표현 / 보내고 그리는 정(情): 자존심과 연정 사이의 갈등

아아, 내가 한 일이여. 이렇게도 그리워할 줄을 몰랐더냐?
있으라 했더라면 (임이) 떠나시려 했겠느냐마는 제 구태여
보내 놓고는 (이제 와서) 그리워하는 마음은 나도 모르겠구나.

최우선 출제 포인트!

1 '제 구틔야'의 중의성

'이시라 ᄒᆞ더면 가랴마는 제 구틔야'	도치 – '임'이 주체가 되어 '나'를 떠난 '임'의 행동을 강조함.
'가랴마는 제 구틔야 / 보내고'	행간 걸침 – 화자('나')가 주체가 되어 임을 보낸 '나'의 행동을 강조함.

중장의 '제 구틔야'는 앞뒤 구절에 모두 연결될 수 있는 말로, '임이 구태여' 혹은 '내가 구태여'로 해석되어 화자의 안타까움을 효과적으로 드러내 준다. 즉 겉으로는 강한 척하지만 속으로는 외롭고 연약한 화자의 오묘한 정서를 기발하게 표현한 것이다.

최우선 핵심 Check!

1 화자는 자신의 처신을 후회하고 있다. (O / ×)

2 '제 구틔야'는 '내가 구태여'로 해석될 수도 있고, '임이 구태여'로 해석될 수도 있다. (O / ×)

3 중장의 '제 구틔야'는 앞뒤 구절에 모두 연결될 수 있는데, 앞 구절에 연결되면 ㄷㅊ, 뒷구절에 연결되면 행간 걸침이 된다.

정답 1. ○ 2. ○ 3. 도치

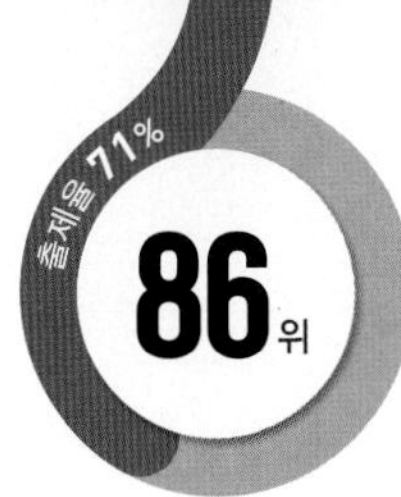

부귀를 탐치 말고 | 임제

갈래 평시조 **성격** 의지적
주제 부귀를 멀리하고 빈천을 거스르지 않는 삶
시대 조선 중기

부귀와 빈천은 돌고 도는 것이므로 부귀를 탐하게 되면 목숨을 잃을 수 있다는 인식을 바탕으로 빈천을 사양하지 않겠다는 의지를 드러내고 있다.

『부귀(富貴)를 탐(貪)치 말고 빈천(貧賤)을 사양(辭讓) 마라』
부귀빈천(富貴貧賤)이 절로 절로 도ᄂᆞ이
부귀(富貴)는 위기(危機)라 탐(貪)하다가 신명(身命)을 못ᄂᆞ이라

(대조: 부귀 ↔ 빈천 / 부귀: 세속적 가치 / 빈천: '부귀'와 대조되는 것 / 『 』: 대구적 표현 / 마라: 명령형 어미를 통해 화자의 의지 강조 / 부귀빈천이 절로 절로 도ᄂᆞ이: '부귀'할 때가 있으면 '빈천'할 때가 있다는 의미 / 부귀는 위기라: '부귀'에 대한 부정적 인식이 드러남 / 신명을 못ᄂᆞ이라: 목숨을 부지하기 어렵다는 뜻. '부귀'를 탐하지 말아야 하는 이유)

부귀를 욕심 내지 말고 빈천을 양보하지 말라.
부귀와 빈천이 저절로 돌고 도는 것이니
부귀는 위험한 것이라서 (부귀를) 욕심 내다가는 목숨을 부지하기 어려울 것이니라.

최우선 출제 포인트!

1 '부귀'와 '빈천'

부귀		빈천
화자가 부정적으로 인식하는 세속적 가치	↔	화자가 기꺼이 수용하겠다는 가치

↓

'부귀'를 탐하면 목숨을 부지하기 어려우므로 '빈천'을 사양하지 말아야 함.

함께 볼 작품 군자로서 가난한 삶의 추구를 노래한 작품: 권호문, 「한거십팔곡」 중 제8수 – '출(出)하면 치군택민(致君澤民)'

최우선 핵심 Check!

1 초장에서는 ㅁ ㄹ 형 어미를 사용하여 화자의 생각을 강조하고 있다.

2 '빈천'과 대조되는 의미로 사용된 '부귀'에 대해 화자는 부정적으로 인식하고 있다. (O / ×)

3 화자는 부귀 대신에 빈천을 택한 안빈낙도의 삶에 대한 만족감을 드러내고 있다. (O / ×)

정답 1. 명령 2. ○ 3. ×

방 안에 혓는 촉불 | 이개

갈래 평시조 **성격** 절의가, 상징적
주제 임과 이별한 슬픔 **시대** 조선 전기

무생물인 촛불을 의인화하여 임과 이별한 슬픈 심정을 노래하고 있다.

방(房) 안에 혓는 촉(燭)불 눌과 이별(離別)ᄒᆞ엿관ᄃᆡ
것츠로 눈물 디고 속 타는 쥴 모로는고
뎌 촉(燭)불 날과 갓트여 속 타는 쥴 모로도다

(촉불: 감정 이입의 대상 / 눌과 이별ᄒᆞ엿관ᄃᆡ: 촛불을 의인화하여 표현 / 눈물 디고 속 타는: 촛농이 흐르고, 초의 심지가 타들어 가는 모습 비유 / 날과 갓트여: 속이 타들어 가는 촛불과 자신의 모습을 동일시함 / 속 타는 쥴 모로도다: 임과 이별한 상황에 대한 화자의 슬픔 부각, 영탄적 표현)

방 안에 켜 놓은 촛불은 누구와 이별을 하였기에
겉으로 눈물을 흘리면서 속이 타 들어가는 줄을 모르는가?
저 촛불도 나와 같아서 (슬피 눈물만 흘릴 뿐) 속이 타는 줄을 모르는구나.

최우선 출제 포인트!

1 감정 이입을 통한 정서 표현

화자		촉(燭)불
임과 이별하고 슬픔을 느낌.	→ 감정 이입	겉으로 촛농을 떨어뜨리면서 속이 타들어 가는 줄 모름.

이 작품은 수양 대군의 왕위 찬탈 이후, 단종과 이별하는 마음을 촛불에 감정 이입하여 표현한 시조이다. 겉으로는 눈물을 흘릴 뿐이지만 속은 타들어 가는 화자의 충정심이 드러나고 있다.

최우선 핵심 Check!

1 '촉불'을 의인화하여 주제를 형상화하고 있다. (O / ×)

2 영탄적 표현을 통해 화자의 정서를 부각하고 있다. (O / ×)

3 화자의 감정을 특정 대상인 'ㅊ ㅂ'에 이입하여 표현하고 있다.

정답 1. ○ 2. ○ 3. 촉불

꿈에 다니는 길이 | 이명한

갈래 평시조 **성격** 감상적, 애상적
주제 임에 대한 간절한 그리움
시대 조선 중기

꿈속에서 임을 찾아가는 가정적 상황을 통해 임에 대한 간절한 그리움을 노래하고 있다.

임을 만나기 위해 오가던 길
『꿈에 다니는 길이 자취가 남는다면』 『 』: 가정적 상황의 제시
임과 만나고 싶어 하는 화자의 소망이 투영된 공간
님의 집 창(窓) 밖에 석로(石路)라도 닳으리라
과장적, 영탄적 표현 - 임에 대한 화자의 그리움이 간절하고 매우 큼을 강조함
꿈길이 자취 없으니 그를 슬퍼하노라
영탄적 표현 - 간절한 그리움을 전할 수 없는 것에 대한 안타까움을 강조함

> 꿈에 (임에게) 다니는 길이 만약 자취가 남는다면,
> 임의 집 창 밖에 돌길이라도 닳았으리라.
> 꿈길이 (본래) 자취가 없으니 그것을 슬퍼하노라.

최우선 출제 포인트!

1 가정적 상황의 설정과 그 효과

가정적 상황		현실 상황
꿈에 다니는 길이 자취가 남으면 석로가 닳을 것임.	→	꿈길은 자취가 없음.
임에 대한 화자의 그리움이 매우 큼을 강조		자신의 그리움을 전할 수 없어서 안타까움.

↓

임에 대한 간절한 그리움과 사랑을 강조

최우선 핵심 Check!

1 'ㄲ'은 임과 만나고 싶어 하는 화자의 소망이 투영된 공간이다.

2 화자는 가정적 상황 제시를 통해 임에 대한 간절한 그리움을 드러내고 있다. (○ / ×)

3 과장적, 영탄적 표현을 사용하여 임에 대한 화자의 원망을 강조하여 드러내고 있다. (○ / ×)

정답 1. 꿈 2. ○ 3. ×

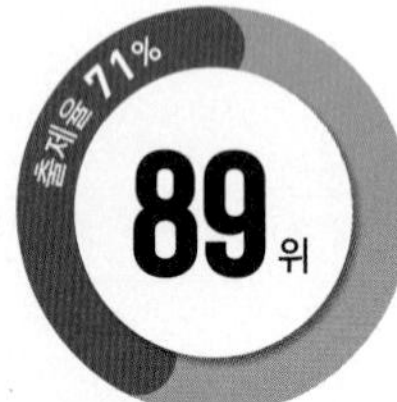

선인교 나린 물이 | 정도전

갈래 평시조 **성격** 감상적, 회고적
주제 고려 왕조의 흥망에 대한 무상함
시대 조선 전기

조선이 세워진 직후에 고려 왕조의 옛 자취를 돌이켜 생각하며 지은 시조로, 회고가의 성격이 강한 작품이다.

□: 융성했던 고려의 표상 / 개성 송악산 기슭에 있는 고을 이름
[선인교(仙人橋)] 나린 물이 [자하동(紫霞洞)]에 흘너드러
개성의 자하동에 있는 다리 이름
반천 년(半天年) 왕업(王業)이 물소릭쁜이로다
고려의 오백년 왕조 / 무상감의 상징, 청각적 이미지
『아희야 고국 흥망(故國興亡)을 물어 무슴ᄒᆞ리오』 → 설의적 표현
가상의 청자(영탄법) / 고려 왕조의 흥함과 망함 / 『 』: 고려 왕조의 멸망과 조선 왕조의 개국은 필연적이라는 태도가 드러남

> 선인교에서 내려온 물이 자하동에 흘러들어
> 반 천 년 (고려) 왕업이 물소리밖에 남지 않았구나.
> 아이야, (이미 망한 고려의) 고국 흥망을 물어봐야 무엇하겠는가?

최우선 출제 포인트!

1 고려 왕조 멸망에 대한 화자의 태도

초장	중장	종장
융성했던 고려 왕조를 회상함.	고려 왕업을 무상하게 하는 물소리를 들음.	무상감을 극복함.

고려 왕조의 멸망을 이미 지나간 일로 받아들이고, 새로운 조선 왕조의 긍정적 태도를 보임.

최우선 핵심 Check!

1 화자는 '물소리'를 통해 고려 왕업의 무상함을 느끼고 있다. (○ / ×)

2 이 시는 종장에 제시된 '아희'의 물음에 대한 답이라고 할 수 있다. (○ / ×)

3 종장의 ㅅ ㅇ적 표현을 통해 고려 왕조의 멸망을 받아들이는 화자의 태도를 짐작할 수 있다.

정답 1. ○ 2. × 3. 설의

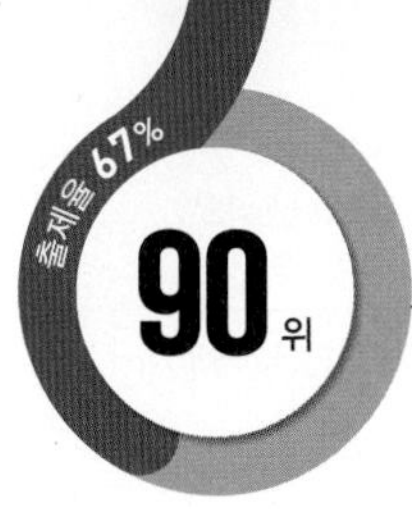

가마귀 빠호ᄂᆞᆫ 골에 | 작자 미상

갈래 평시조 **성격** 우의적, 교훈적
주제 나쁜 무리와 어울리는 것에 대한 경계
시대 고려

대상의 특성에 빗대어 나쁜 무리와 어울리는 것을 경계하는 내용의 작품이다.

가마귀 빠호ᄂᆞᆫ 골에 백로(白鷺) ㅣ야 가지 마라
셩낸 가마귀 흰빗출 새올셰라
청강(淸江)에 잇것 시슨 몸을 더리일가 ᄒᆞ노라

(대비: 가마귀 – 백로 / 가마귀: 나쁜 무리(부정적) / 골: 싸움터 / 백로: 군자(긍정적) / 흰빗: 백로의 긍정적 속성: 결백, 절개를 의미함 / 새올셰라: 시샘하니 / 청강에 잇것 시슨 몸: 결백하고 절개를 지키는 마음)

까마귀 싸우는 골에 백로야 가지마라.
성난 까마귀 흰빛을 시샘하니
청강에 깨끗이 씻은 몸을 더럽힐까 하노라.

최우선 출제 포인트!

1 대조적 이미지

까마귀		백로
• 나쁜 무리(부정적) • 간신배, 변절자	⟷ 흑백의 대비	• 착한 무리(긍정적) • 군자, 충신

최우선 핵심 Check!

1 '가마귀'와 '백로'에 대한 화자의 판단은 시각적 이미지에 근거한 것이다. (O / ×)

2 표면적 차이로 판단하지 말라는 ㄱ ㅎ의 내용이 뚜렷하게 나타나는 일종의 경계가이다.

정답 1. ○ 2. 교훈

가마귀 검다 ᄒᆞ고 | 이직

갈래 평시조 **성격** 풍자적, 비판적
주제 인간의 위선에 대한 경계
시대 조선 전기

조선의 개국 공신인 작가가 자신의 행위를 합리화하고, 고려 유신들을 겉과 속이 다른 소인배라고 비판하고 있다.

가마귀 검다 ᄒᆞ고 백로(白鷺) ㅣ야 웃지 마라
것치 거믄들 속조차 거믈소냐
아마도 것 희고 속 검을슨 너뿐인가 ᄒᆞ노라

(대조적: 가마귀 – 백로 / 가마귀: 조선의 개국 공신 / 백로: 고려 유신 / 둘째 줄: 까마귀는 불길하고, 백로는 고고하다는 일반적 통념을 반박함 - 자신의 행위 합리화, 설의적 표현 / 것 희고 속 검을슨: 표리부동(表裏不同) / 너: 백로 / ᄒᆞ노라: 영탄적 표현)

까마귀가 검다고 백로야 웃지 마라.
겉이 검은들 속까지 검겠느냐?
아마도 겉이 희고 속이 검은 것은 너뿐인가 하노라.

최우선 출제 포인트!

1 일반적인 통념을 깨는 표현

까마귀		백로
겉은 검지만 속은 흼.	색채 대비 ⟷ 대조	겉은 희지만 속은 검음.
겉은 검지만 양심은 올바른 존재		표리부동한 위선자, 소인배

일반적으로 '까마귀'는 '불운(不運)'을 상징하는 부정적인 존재로, '백로'는 '고고함, 고귀함' 등을 상징하는 존재로 여겨진다. 그러나 이 작품에서는 통념을 뒤집어 '백로'가 겉과 속이 다른 위선적 대상으로 표현되고 있는데, 이는 고려를 배신하고 조선의 개국을 도운 작가 자신의 행동을 합리화하려는 의도로 볼 수 있다.

최우선 핵심 Check!

1 화자는 '가마귀'와 자신을 동일시하고 있다. (O / ×)

2 화자는 시각적 이미지에 의거하여 대상에 대한 인식을 드러내고 있다. (O / ×)

3 종장의 '것 희고 속 검은' 백로의 모습은 ㅍ ㄹ ㅂ ㄷ(表裏不同)이라는 한자 성어로 표현할 수 있다.

정답 1. ○ 2. × 3. 표리부동

뉘라셔 가마귀를 | 박효관

갈래 평시조 **성격** 비판적, 교훈적
주제 효도를 하지 않는 세태에 대한 비판
시대 조선 후기

겉모습과 다른 까마귀의 효도하는 습성을 드러내면서 이러한 까마귀보다도 못한 사람들의 태도를 비판하고 있다.

긍정적 대상, '스룸'과 대비되는 대상
뉘라셔 가마귀를 검고 흉(凶)타 ᄒᆞ돗던고
● 까마귀의 겉모습에 대한 사람들의 통념 - 까마귀를 부정적으로 인식하는 모습
반포보은(反哺報恩)이 긔 아니 아름다온가
효도하는 습성을 지닌 까마귀에 대한 예찬, 설의적 표현
ᄉᆞ룸이 져 ᄉᆡ만 못ᄒᆞ물 못ᄂᆡ 슬허ᄒᆞ노라
까마귀보다 못한 사람들에 대한 비판 의식을 드러냄

• **반포보은**: 까마귀 새끼가 자라서 늙은 어미 까마귀에게 먹이를 물어다 주어 보답한다는 뜻으로, 자식이 자라서 어버이의 은혜에 보답함으로써 효를 행함을 이르는 말.

누가 까마귀를 검고 흉하다고 하였는가.

반포보은 그것이 아름답지 아니한가.

사람들이 저 새(까마귀)만도 못함을 못내 슬퍼하노라.

최우선 출제 포인트!

1 대비적 표현과 의도

까마귀	↔	사람들
부모에게 효도하는 습성이 있음.	↔	부모에게 효도를 하지 않음.

↓ 의도

효도하지 않는 인간 세태에 대한 비판

최우선 핵심 Check!

1 효도하는 습성을 지닌 'ㄱㅁㄱ'와 사람들을 대비하여 주제 의식을 드러내고 있다.

2 사람들은 '가마귀'에 대해 부정적으로 인식하는 경향이 있다. (O / ×)

3 화자는 '반포보은'하는 '가마귀'에 대해 예찬하는 태도를 보이고 있다. (O / ×)

정답 1. 가마귀 2. ○ 3. ○

가마귀 가마귀를 좃추 | 작자 미상

갈래 사설시조 **성격** 풍자적, 우의적
주제 부화뇌동에 대한 경계
시대 조선 후기

한 까마귀가 다른 까마귀를 따라갔다가 한데 뒤섞여 싸우는 모습을 통해, 부화뇌동하여 이익을 두고 싸우는 세태를 풍자하고 있다.

이권을 다투는 존재 - 간신배, 탐관오리 등을 상징함
가마귀 가마귀를 좃추 『들거고나 뒷동산(東山)에』 『 』: 도치법
까마귀 1 / 까마귀 2 / 부화뇌동 / 까마귀 1, 2를 포함한 까마귀들
느러진 고양남게 휘 드느니 가마귀로다
까마귀들이 모여든 장소 / 휘 날아드니, 이익이 있는 곳 / 음성 상징어를 통해 이리저리 몰려 다니는 벼슬아치들의 행태를 희화화함
싀는 날 뭇 가마귀 『혼듸 ᄂᆞ려 뒤덤벙 덤벙 두루 덥져겨 싸흐니』
까마귀 1, 2를 포함한 까마귀들 / 들뜬 행동으로 아무 데나 간섭을 하여 서두름 / 덥적여. 무슨 일이나 가리지 않고 참견하여
아모 그 가마귄 줄 몰니라
까마귀 1을 가리킴 / 『 』: 까마귀들이 부화뇌동하여 서로 엉켜 싸우는 모습을 풍자

한 까마귀가 다른 까마귀를 따라 뒷동산에 가는구나.
늘어진 고욤나무에 휘 날아드니 까마귀들이로다.
다음 날 많은 까마귀들이 한군데 내려 덤벙덤벙 서로 날뛰며 싸우니 누가 (어제 따라간) 그 까마귀인 줄 모르겠구나.

최우선 출제 포인트!

1 구조 및 주제 의식

(초장) 까마귀 1이 까마귀 2를 따라 뒷동산으로 감.
(중장) 까마귀 1, 2가 고욤나무의 까마귀들과 만남
(종장) 까마귀들이 부화뇌동하여 서로 엉켜 싸움 → 까마귀 1이 누군지 찾지 못함.

↓ 주제 의식

까마귀들을 통해 부화뇌동하는 인간 세태에 대한 비판 의식을 드러냄.

최우선 핵심 Check!

1 ㅇㅅ ㅅㅈㅇ를 사용하여 벼슬자리 때문에 서로 싸우는 탐관오리들의 모습을 희화화하고 있다.

2 화자는 '가마귀'들의 싸우는 모습을 통해 부화뇌동하는 인간 세태에 대한 비판 의식을 드러내고 있다. (O / ×)

3 화자는 부정적 대상인 '가마귀'를 통해 물욕 추구에 대한 경계심을 일깨우고 있다. (O / ×)

정답 1. 음성 상징어 2. ○ 3. ×

백사장 홍료변에 | 작자 미상

갈래 평시조 **성격** 비판적, 우의적, 경세적
주제 탐욕에 대한 비판
시대 조선 후기

계속해서 욕심을 부리는 백로의 모습을 통해 탐욕에 대한 비판과 경계를 드러내고 있다.

「」: 공간적 배경 / 머리를 숙였다 들었다 반복하는

「백사장(白沙場) 홍료변(紅蓼邊)」에 구버기는 백로(白鷺)들아

단풍이 들어 빨갛게 된 여뀌가 피어 있는 물가 / 청자, 욕심이 많은 대상 - 탐욕스러운 사람을 상징함

구복(口腹)을 못 몌워 뎌다지 굽니는다

백로가 먹이를 찾는 모습 - 백로의 탐욕에 대한 비판

일신(一身)이 한가(閑暇)홀션졍 술져 무슴 ᄒᆞ리오

욕심을 부리지 않아야 함을 강조 - 탐욕에 대한 경계, 설의적 표현

> 백사장 홍료변에서 몸을 숙였다 들었다 하는 백로들아
> 입과 배(배고픔)를 채우지 못하여 저렇게 몸을 굽혔다 폈다 하느냐.
> 몸이 한가한데 살은 쪄서 무엇하겠는가?

최우선 출제 포인트!

1 '백로들'의 의미 및 화자의 의도

백로들	한가하여 살찔 필요가 없는데, 먹이를 찾기 위해 몸을 굽혔다 폈다 함. → 탐욕스러운 대상
	↑ 관찰
화자의 의도	백로들을 통해 탐욕을 부리는 사람들을 비판하고, 탐욕을 경계함.

최우선 핵심 Check!

1 화자는 욕심을 부리는 '[ㅂ][ㄹ][ㄷ]'을 통해, 탐욕에 대한 비판과 경계라는 주제 의식을 드러내고 있다.

2 '백사장 홍료변'은 백로들을 관찰하기 위해 화자가 위치한 공간이라 할 수 있다. (O / ×)

3 '백로들'에게 욕심을 부리지 말 것을 설의적 표현을 사용하여 강조하고 있다. (O / ×)

정답 1. 백로들 2. × 3. ○

가마귀 눈비 마ᄌᆞ | 박팽년

갈래 평시조 **성격** 결의적, 의지적
주제 변하지 않은 지조와 절개 **시대** 조선 전기

단종의 복위를 꾀하다 발각된 작가가 지은 시조로, 단종에 대한 절의를 분명하게 드러내고 있다.

간신

가마귀 눈비 마ᄌᆞ 희는 듯 검노ᄆᆡ라

↕ 대조 / 혼란한 시대

야광 명월(夜光明月)이 밤인들 어두우랴

변함없는 충정, 지조, 절개 / 설의적 표현

님 향(向)ᄒᆞᆫ 일편단심(一片丹心)이야 고칠 줄이 이시랴

단종 / 단종에 대한 절의 / 임에 대한 절개 강조, 설의적 표현

> 까마귀 눈비 맞아 흰 듯하면서 검구나.
> 한밤중 빛나는 달이 밤이라고 어둡겠는가?
> 임 향한 일편단심이야 고칠 줄 있겠는가?

최우선 출제 포인트!

1 대조적 대상

까마귀	↔ 대조	야광 명월
간신, 단종의 폐위에 찬성한 자		충신, 단종에 대한 절의를 지키는 자

이 작품은 단종의 왕위를 찬탈한 세조가 신하를 보내 사육신의 한 사람인 작가를 회유하려고 하자, 그에 대한 답가로 지은 시조이다. 화자는 '가마귀'와 '야광 명월'의 속성을 대조하여 임금을 향한 지조와 절개를 강조하고 있다.

최우선 핵심 Check!

1 화자는 자연물인 '가마귀'에 자신의 감정을 이입하고 있다. (O / ×)

2 화자가 사육신의 한 사람이라고 할 때, 종장의 '님'은 화자가 절개를 지키려는 대상인 단종을 의미한다. (O / ×)

3 화자는 밤이라 해도 그 빛을 잃지 않는 '[ㅇ][ㄱ] [ㅁ][ㅇ]'을 통해, 자신의 지조 역시 변하지 않을 것임을 노래하고 있다.

정답 1. × 2. ○ 3. 야광 명월

천만 리 머나먼 길히 | 왕방연

갈래 평시조 **성격** 연군가, 애상적
주제 임금을 이별한 애절한 마음 **시대** 조선 전기

작가가 금부도사로서 단종을 영월로 압송했을 때 지은 것으로, 어린 임금을 먼 곳에 두고 오는 괴로운 심정을 읊고 있다.

천만 리(千萬里) 머나먼 길히 고은 님 여희웁고
(천만 리: 정서적 거리감, 슬픔의 정도 / 고은 님: 단종)
닉 ᄆᆞ옴 둘 듸 업서 냇ᄀᆞ의 안쟈시니
(슬픔, 안타까움 및 죄책감, 연군의 정)
져 믈도 닉 ᄋᆞᆫ ᄀᆞᆺᄒᆞ여 우러 밤길 녜놋다
(져 믈: 감정 이입의 대상 / ᄋᆞᆫ: 마음 / 우러 밤길: 의인법 / 녜놋다: 가는구나)

> 천만리 머나먼 곳(영월)에 고운 임(단종)을 이별하고 (돌아와),
> 내 마음을 둘 데가 없어 냇가에 앉았더니,
> (흘러가는) 저 냇물도 내 마음 같아서 울며 밤길을 흐르는구나.

최우선 출제 포인트!

1 감정 이입을 통한 정서 표현

'나'	→	물
울음소리	감정 이입	냇물 소리
임과의 이별로 인한 슬픔		울며 밤길을 흐름.

↓

어린 임금을 유배지에 두고 온 괴로운 심정 강조

최우선 핵심 Check!

1 화자는 '천만 리'라는 과장된 표현을 통해 임과 이별한 슬픔을 강조하고 있다. (O / ×)

2 시냇물 흐르는 소리, 화자의 울음 소리 같은 [ㅊ][ㄱ]적 이미지를 통해 정서를 형상화하고 있다.

3 종장에서 화자는 [ㅁ]에 자신의 감정을 이입하여 슬픔을 드러내고 있다.

정답 1. ○ 2. 청각 3. 물

남은 다 쟈는 밤에 | 송이

갈래 평시조 **성격** 연정가, 애상적
주제 임에 대한 그리움
시대 조선 중기

임에 대한 그리움으로 잠을 이루지 못하는 화자의 애절한 모습을 그리고 있다.

『남은 다 쟈는 밤에 닉 어이 홀로 ᄭᅵ야』 (『 』: 화자의 외로운 처지를 엿볼 수 있음 / 남은: 화자의 처지와 대비되는 대상 / 밤: 외로움의 시간)
옥장(玉帳) 깁픈 곳에 쟈는 님 싱각는고
(옥장: 임과 만날 수 있는 공간 / 싱각는고: 의문형 표현 - 화자의 그리움 강조)
천리(千里)예 외로운 ᄭᅮᆷ만 오락가락 ᄒᆞ노라
(천리: 임과의 공간적, 심리적 거리감 / 오락가락: 임과의 만남이 힘듦을 드러내 줌)

> 남은 다 자는 밤에 나는 어찌하여 홀로 깨어
> 옥장 깊은 곳에서 자는 임을 생각하는가?
> 천리에 외로운 꿈만 오락가락 하는구나.

최우선 출제 포인트!

1 화자의 처지, 정서 및 인식

화자의 처지	닉 어이 홀로 ᄭᅵ야	임과 이별한 외로운 처지
화자의 정서	(옥장에) 쟈는 님 싱각는고	임에 대한 그리움
화자의 인식	외로운 ᄭᅮᆷ만 오락가락 ᄒᆞ노라	임과 만나기 힘들다고 여김.

2 시어의 의미

밤	임과의 이별로 인해 외로움을 느끼는 시간
천리	임과의 공간적, 심리적 거리감을 느낌
ᄭᅮᆷ	임과 만날 수 있는 매개체

최우선 핵심 Check!

1 '[ㅊ][ㄹ]'는 화자와 임과의 공간적, 정서적 거리감을 드러내 주는 시어이다.

2 초장에서는 다른 대상과의 대비를 통해 화자의 외로움을 강조하고 있다. (O / ×)

3 중장에서는 의문형 표현을 사용하여 임에 대한 화자의 원망을 드러내 주고 있다. (O / ×)

정답 1. 천리 2. ○ 3. ×

평생에 일이 업서 | 낭원군

갈래 평시조 **성격** 자연 친화적
주제 자연을 벗 삼아 지내는 강호한정의 삶
시대 조선 후기

자신의 능력을 표출할 수 없었던 작가가 속세에서 벗어나 자연과 벗하는 모습을 노래하고 있다.

평생에 일이 업서 산수 간에 노니다가
강호에 님자되니 세상 일 다 니제라
엇더타 강산풍월이 긔 벗인가 ᄒᆞ노라

(벼슬을 하지 않은 화자의 처지 / 자연을 즐기는 삶 / 벼슬살이를 가리킴 / : 화자가 처한 공간인 자연을 의미. 대유법 / 화자 자신을 가리킴 - 풍월주인(風月主人) / 감탄사 - 체념의 정서 / 강산풍월을 강조함)

평생 벼슬길에 나아가지 않아서 자연에서 노닐다가
강호(자연)의 주인이 되어 세상일을 다 잊었노라.
아, 강산풍월(자연)이 내 벗인가 하노라.

최우선 출제 포인트!

1 화자의 처지와 태도

화자의 처지	→	화자의 태도
벼슬살이를 하지 못하고 자연과 더불어 지냄.	→	• 세상일(벼슬살이)을 잊음. • 강산풍월(자연)을 벗으로 여김. → 자연 친화적 태도

이 작품의 작가인 낭원군은 조선 시대의 왕실 작가로 학문에 조예가 깊고 시가에 능하였다. 작자는 이 작품을 통해 왕족의 정치 참여 금지로 자신의 능력을 펼칠 수 없는 정치적 한계에 대한 심정을 드러내고 있는데, 그러한 체념의 정서가 종장의 감탄사 '엇더타'에 집약되어 있다.

최우선 핵심 Check!

1 '산수, 강호, ㄱㅅㅍㅇ'은 자연을 대유적으로 표현한 것이다.

2 화자는 자신의 능력을 펼칠 수 없는 정치적 한계에 체념하고 있다. (○ / ×)

3 화자는 자연과 더불어 살기 위해 '세상 일'을 버리고 자연에 귀의하였다. (○ / ×)

정답 1. 강산풍월 2. ○ 3. ×

말 업슨 청산이오 | 성혼

갈래 평시조 **성격** 한정가, 풍류적, 전원적, 달관적
주제 자연을 벗 삼는 즐거운 삶 **시대** 조선 중기

세속의 물욕이나 명리를 초월하여 자연 속에서 살겠다는 달관의 경지를 노래하고 있다.

말 업슨 청산(靑山)이오 태(態) 업슨 유수(流水) ㅣ로다
갑 업슨 청풍(淸風)이오 님ᄌᆞ 업슨 명월(明月)이로다
이 즁(中)에 병(病) 업슨 이 몸이 분별(分別) 업시 늘그리라

(: 자연의 모습 / 말이 많고 가변적인 인간 세상과 다른 자연의 속성 / 대구법 / 가치를 따지고 소유의 여부를 따지는 인간 세상과 다른 자연의 속성 / 자연과 더불어 근심 없이 살아가겠다는 소망을 표현함 - 물아일체 / □: 세속적 삶)

말이 없는 청산이요, 꾸밈없이 흐르는 물이로다.
값을 치르지 않고도 누릴 수 있는 맑은 바람이요, 주인 없는 밝은 달이로다.
이 아름다운 자연에 묻혀, 병 없는 이 몸이 걱정 없이 늙으리라.

최우선 출제 포인트!

1 대립적 의미 구조

말, 태, 갑(값), 임자(주인)	↔	청산, 유수, 청풍, 명월
• 인위적 가치 • 유한함.	대립	• 자연적 가치 • 무한함.

이 작품의 화자는 자연이 지니고 있는 가치를 대구법을 사용하여 제시함으로써, 자연을 있는 그대로 보고 즐기는 데에 그치지 않고 자연에 내재된 의미를 추구하고 있다.

최우선 핵심 Check!

1 대구법을 사용하여 운율을 형성하고 의미를 강조하고 있다. (○ / ×)

2 '~ 업슨'이라는 문장 구조의 반복을 통해 자신에게 결핍된 것을 강조하고 있다. (○ / ×)

3 화자가 추구하는 삶의 경지를 ㅁㅇㅇㅊ(物我一體)라는 한자 성어로 표현할 수 있다.

정답 1. ○ 2. × 3. 물아일체

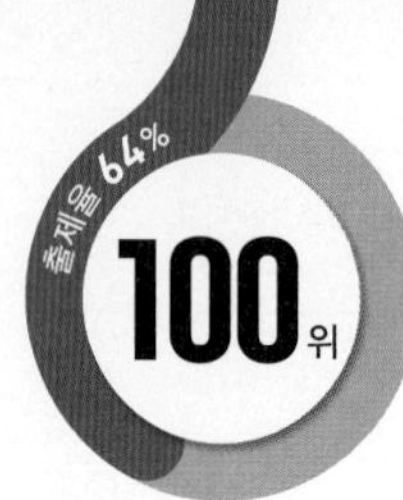

추강에 밤이 드니 | 월산 대군

갈래 평시조 **성격** 낭만적, 풍류적, 탈속적
주제 가을 달밤의 풍류와 정취 **시대** 조선 전기

감각적 이미지를 사용하여, 가을 달밤의 정취와 그곳에서 느낄 수 있는 무욕(無慾)의 경지를 독백의 방식으로 그리고 있다.

『추강(秋江)에 밤이 드니 물결이 ᄎᆞ노ᄆᆡ라
낙시 드리치니 고기 아니 무노ᄆᆡ라』
무심(無心)ᄒᆞᆫ ᄃᆞᆯ빗만 싯고 뷘 ᄇᆡ 저어 오노라

- 추강(秋江): 시간적 배경 / 계절적·공간적 배경, 탈속적 공간(시적 분위기 조성)
- ᄎᆞ노ᄆᆡ라: 촉각적 심상
- 초장·중장: 대구법
- 『 』: 유유자적한 삶
- 무심(無心)ᄒᆞᆫ: 욕심이 없는
- ᄃᆞᆯ빗만 싯고: 시각적 이미지
- 뷘 ᄇᆡ: 쓸쓸함, 욕심이 없는 무욕의 경지를 압축적으로 제시

가을 강에 밤이 오니 물결이 차갑구나.
낚시를 드리우니 고기가 물지 않는구나.
욕심 없는 달빛만 싣고 빈 배 저어 오노라.

최우선 출제 포인트!

1 무욕(無慾)의 경지

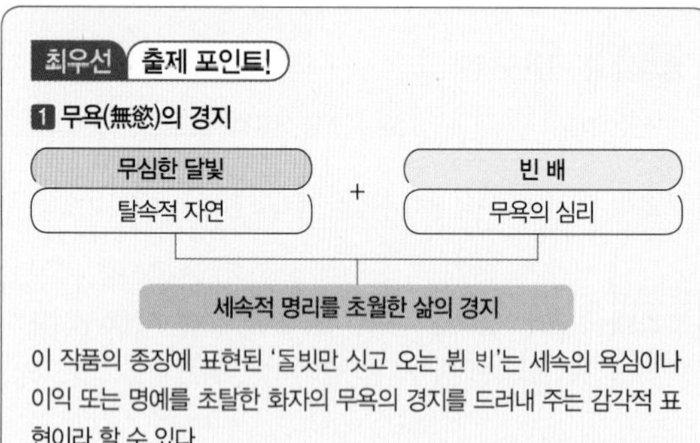

이 작품의 종장에 표현된 'ᄃᆞᆯ빗만 싯고 오는 뷘 ᄇᆡ'는 세속의 욕심이나 이익 또는 명예를 초탈한 화자의 무욕의 경지를 드러내 주는 감각적 표현이라 할 수 있다.

최우선 핵심 Check!

1 '추강(秋江)'은 시간적 배경을 알게 해 주는 시어로, 시적 분위기를 조성하고 있다. (O / ×)

2 중장의 '낙시 드리치니'에는 소망을 이루고자 하는 화자의 간절한 바람이 드러나 있다. (O / ×)

3 종장의 '[ㅂ] [ㅂ]'는 화자의 무욕(無慾)의 경지를 압축적으로 표현하고 있는 시구이다.

정답 1. ○ 2. × 3. 뷘 배

ᄆᆞ음이 어린 후 ㅣ 니 | 서경덕

갈래 평시조 **성격** 연정가, 감상적, 낭만적
주제 임을 기다리는 마음 **시대** 조선 중기

작가가 황진이를 생각하며 지은 작품으로, 임이 오기 어려운 상황에서 임을 기다리는 안타까운 심정을 노래하고 있다.

ᄆᆞ음이 어린 후(後) ㅣ 니 ᄒᆞᄂᆞᆫ 일이 다 어리다
만중운산(萬重雲山)에 어ᄂᆡ 님 오리마ᄂᆞᆫ
지ᄂᆞᆫ 닙 부ᄂᆞᆫ ᄇᆞ람에 ᄒᆡᆼ(幸)혀 귄가 ᄒᆞ노라

- ᄒᆞᄂᆞᆫ 일이: 종장의 내용
- 어리다: 어리석다
- 만중운산(萬重雲山): 겹겹이 구름이 덮인 산 – 임과의 만남을 방해하는 장애물
- 중장·종장: 화자가 초장처럼 생각한 근거
- 지ᄂᆞᆫ 닙 부ᄂᆞᆫ ᄇᆞ람: 임인 줄 착각을 유발하는 소재

마음이 어리석으니 하는 일이 다 어리석다.
만중운산에 어느 임이 오겠느냐마는
지는 잎, 부는 바람(소리)에 행여나 임인가 하노라.

최우선 출제 포인트!

1 연역적 시상 전개

초장	중장	종장
하는 일이 다 어리석음.	임이 올 수 없음을 알고 있음.	자연의 미세한 움직임에 임이 온 것으로 착각함.
일반적 진술	구체적 진술	

함께 볼 작품 이 작품을 차용하여 화답(和答)한 노래: 황진이, 「내 언제 무신ᄒᆞ야」

최우선 핵심 Check!

1 초장에 드러난 화자 자신에 대한 평가의 근거를 중장과 종장에서 제시하고 있다. (O / ×)

2 화자는 임과의 결별의 원인이 된 외부적 요인을 원망하고 있다. (O / ×)

3 '[ㅁ] [ㅈ] [ㅇ] [ㅅ](萬重雲山)'은 화자와 임 사이를 가로막는 장애물이라고 볼 수 있다.

정답 1. ○ 2. × 3. 만중운산

수양산 ᄇᆞ라보며 | 성삼문

갈래 평시조 **성격** 절의가, 결의적
주제 굳은 절의와 지조 **시대** 조선 전기

단종의 왕위를 찬탈한 수양 대군을 임금으로 섬길 수 없다는 의지를 표현하기 위해 지은 절의가이다.

『수양산(首陽山) ᄇᆞ라보며 이제(夷齊)를 한(恨)하노라
중의적 표현 - ① 백이와 숙제가 절의를 지킨 공간 ② 수양 대군
주려 주글진들 채미(採薇)도 ᄒᆞᄂᆞᆫ것가』 『』: 지조의 대명사로 알려진 백이와 숙제를 비판함으로써 그들보다 더 굳은 자신의 절의를 강조함
① 고사리를 캐어 먹음 ② '수양 대군이 내리는 녹봉'을 받음
비록애 푸새엣 거신들 긔 뉘 ᄯᅡ헤 낫ᄃᆞ니 → 굳은 절개의 다짐
하찮은 고사리인들 그 누구의 땅에 났는가: 고사리도 주나라의 땅에서 난 것임을 상기시켜 백이와 숙제의 절의가 부족함을 비판함

> 수양산을 바라보면서 백이와 숙제를 원망하며 한탄하노라.
> 차라리 굶주려 죽을망정 고사리를 캐어 먹었단 말인가?
> 비록 산에 자라는 풀이라 하더라도 그것이 누구의 땅에서 났단 말인가?

• **이제**: 백이와 숙제. 주나라 무왕이 은나라 주왕을 멸하자 신하가 천자를 토벌한다고 반대하며 주나라의 곡식을 먹기를 거부하고 수양산에 들어가 고사리를 캐어 먹다 죽었다.

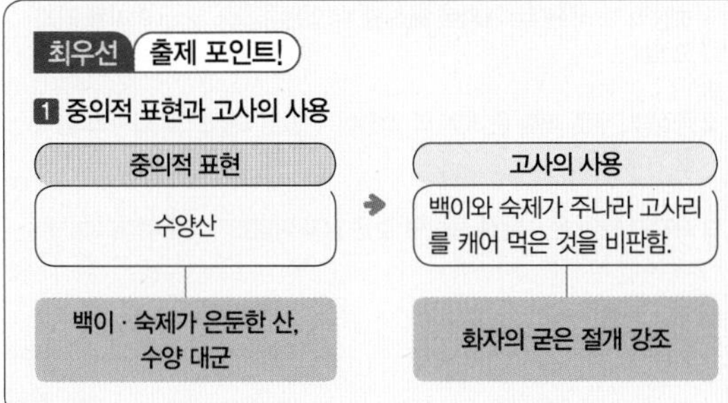

최우선 핵심 Check!

1 고사를 인용하여 시상을 전개하고 있다. (O / ×)

2 화자는 백이와 숙제의 절의를 본받고자 한다. (O / ×)

3 화자는 '[ㅅ][ㅇ][ㅅ]'에 중의적 의미를 부여하여, 수양 대군에게 협력하지 않겠다는 의지를 드러내고 있다.

정답 1. ○ 2. × 3. 수양산

곡구롱 우는 소리에 | 오경화

갈래 사설시조 **성격** 일상적, 전원적
주제 전원의 한가로움과 가족에게서 느끼는 정겨움
시대 조선 후기

식구들의 생활 모습을 담담하고 진솔하게 그려 내어, 전원에서의 한가로움과 가족에게서 느끼는 정겨움을 드러내고 있다.

꾀꼬리 울음소리를 한자로 음차하여 나타냄
곡구롱 우는 소리에 낮잠 깨어 일어 보니
청각적 이미지 - 평화로운 분위기 형성 / 화자의 한가로움을 드러내 줌
작은아들 글 읽고 며늘아기 베 짜는데 어린 손자는 꽃놀이한다
가족들의 일상을 나열하여 제시 - 한가로운 가족의 풍경
마초아 지어미 술 거르며 맛보라고 하더라
때마침 / 부부 간의 정을 엿볼 수 있음.

> 곡구롱(꾀꼬리) 우는 소리에 낮잠 깨어 일어나 보니
> 작은아들은 글 읽고 며늘아기는 베 짜는데 어린 손자는 꽃놀이 한다.
> 때마침 지어미가 술을 거르며 맛보라고 하더라.

최우선 출제 포인트!

1 구체적인 생활 모습의 나열

화자	낮잠을 잔 뒤 일어남.
작은아들	글을 읽음.
며느리	베를 짬.
어린 손자	꽃놀이를 함.
아내	술을 거르고 있음.

→ 전원에서의 가족의 일상을 보여 줌. – 평화롭고 한가로운 분위기

최우선 핵심 Check!

1 가족들의 평화로운 모습과 연관되어 화자의 한가로운 일상을 드러내는 역할을 하는 소재는 '[ㄴ][ㅈ]'이다.

2 청각적 이미지를 통해 평화로운 분위기를 형성하고 있다. (O / ×)

3 화자는 술을 거르라며 낮잠을 깨운 아내를 원망하고 있다. (O / ×)

정답 1. 낮잠 2. ○ 3. ×

봄이 왓다 ᄒᆞ되 | 신흠

갈래 평시조 **성격** 애상적
주제 이별의 슬픔 **시대** 조선 중기

자연과 인간의 대비를 통해 이별한 화자의 슬픔을 더욱 강조하고 있다.

화자의 애상감을 자극하는 계절적 배경
봄이 왓다 ᄒᆞ되 소식(消息)을 모로더냐
① 봄이 왔다는 소식 ② 임이 왔다는 소식
냇ᄀᆞ에 프른 버들 네 몬져 아도괴야
자연이 소식을 먼저 앎. 의인법
어즈버 인간 이별(人間離別)을 ᄯᅩ 엇지 ᄒᆞᄂᆞ다
감탄사 화자의 처지 - '소식'을 몰랐던 원인(이별의 슬픔으로 봄이 왔다는 것을 몰랐음. 또는 임과 이별하여 임의 소식을 몰랐음)
(초장~중장: 자연과 화자의 대비)

봄이 왔다 해도 (봄이 온 / 임이 온) 소식을 몰랐는데
냇가에 푸른 버들 너 먼저 (소식을) 아는구나.

아아, 인간의 이별이야 또 어찌하느냐?

최우선 출제 포인트!

1 자연과 인간의 대비

자연	↔	인간
• 봄이 온 소식을 먼저 앎. • 화자에게 무심한 대상	대비	• 봄이 왔다는 소식도, 임이 왔다는 소식도 모름. • 슬픔을 느낌.

이 작품의 '자연'은 봄이 온 것을 모르는 화자와 대비되는 대상으로, 임과의 이별 때문에 봄이 왔는지도 모르는 화자에게는 무심한 대상이기도 하다.

최우선 핵심 Check!

1 초장의 '소식'은 두 가지로 해석될 수 있는 ㅈㅇㅈ 의미를 가지고 있다.

2 중장의 '푸른 버들'은 화자의 감정이 이입된 대상으로 화자의 정서를 강조한다. (○ / ×)

3 화자가 봄이 온 이유를 몰랐던 것은 임과 이별했기 때문이다. (○ / ×)

정답 1. 중의적 2. × 3. ○

춘산에 눈 노기ᄂᆞᆫ 바ᄅᆞᆷ | 우탁

갈래 평시조 **성격** 비유적, 낙천적
주제 늙음을 한탄함. **시대** 고려

자신의 흰 머리를 다시 검게 하고 싶은 마음을 비유적으로 표현한 작품으로, 탄로가(嘆老歌)의 효시가 되는 노래이다.

봄바람 - 늙음을 극복하려는 화자의 의지 ▢: 추상적 이미지의 구체화
『춘산(春山)에 눈 노기ᄂᆞᆫ 바ᄅᆞᆷ 건듯 불고 간 ᄃᆡ 업다』
'청춘'을 뜻함 '백발'을 의미함 『 』: 눈 깜짝할 사이에 가 버린 세월
져근덧 비러다가 ᄆᆞ리 우희 불니고져
잠깐 동안, 잠시 머리 불게 하고 싶구나
귀 밋틔 ᄒᆡ 무근 셔리를 녹여 볼가 ᄒᆞ노라
'백발'을 의미함
(중장~종장: 젊어지고 싶은 의욕)

봄 동산에 쌓인 눈을 녹인 바람이 잠깐 불고 어디론가 간 곳이 없다.
(그 봄바람을) 잠시 빌려다가 머리 위로 불게 하고 싶구나.
귀 밑에 여러 해 묵은 서리(백발)를 (다시 검은 머리가 되게) 녹여 볼까 하노라.

최우선 출제 포인트!

1 추상적 이미지의 구체화

춘산	청춘
바ᄅᆞᆷ	늙음을 극복하려는 화자의 의지
눈, 셔리	백발, 늙음

이 작품은 참신한 비유를 통해 추상적 이미지를 구체화하여 늙음에 대한 한탄과 젊어지고 싶은 화자의 태도를 드러내고 있다.

최우선 핵심 Check!

1 화자는 늙음을 한탄하면서도, 다시 젊어지고 싶은 의욕을 드러내고 있다. (○ / ×)

2 '청춘'과 '늙음', '늙음을 극복하려는 의지'라는 ㅊㅅ적 의미를 자연 현상에 빗대어 ㄱㅊ적 이미지로 드러내고 있다.

정답 1. ○ 2. 추상, 구체

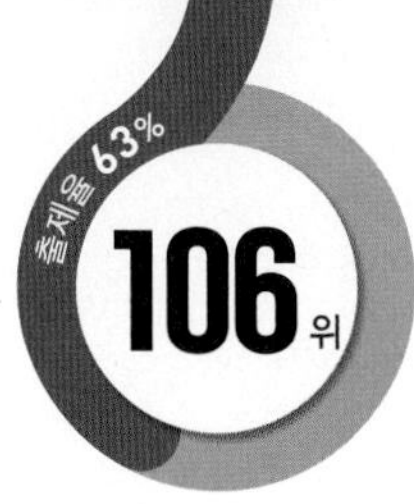

이런들 엇더ᄒᆞ며 | 이방원

갈래 평시조 **성격** 설득적, 비유적, 회유적
주제 충신에 대한 회유 **시대** 고려

역사적 전환기에 왕조 창업을 꿈꾸던 작가가 정몽주를 회유하기 위해 지은 작품으로, 일명 '하여가(何如歌)'라고 한다. 작가의 현실주의적 태도가 잘 드러나 있다.

이런들 엇더ᄒᆞ며 저런들 엇더ᄒᆞ료
만수산(萬壽山) 드렁츩이 얽어진들 엇더ᄒᆞ리
우리도 『이ᄀᆞ치 얼거져 백 년(百年)ᄭᆞ지 누리리라』

- 만수산(萬壽山): 고려의 일곱 왕릉이 있는 개성 소재의 산
- 드렁츩: 칡덩굴
- 엇더ᄒᆞ료: 어떠하리오('료'는 자탄이나 자문의 뜻)
- 얽어진들: 얽혀진들
- 1~2행: 상대방의 의중을 떠 보는 의문형 표현 - 화자의 현실주의적 태도를 엿볼 수 있음
- 우리: 이방원과 정몽주(고려 유신과 조선의 신하들)
- 이ᄀᆞ치: (서로 얽혀 사는) 드렁츩같이(직유법)
- 『 』: 조선 왕조의 창업에 함께하자는 의도가 담김

이런들(이렇게 산들) 어떠하며 저런들(저렇게 산들) 어떠하겠는가?
만수산의 칡덩굴이 (서로) 얽힌듯(얽힌 것처럼 살아간들) 어떠하겠는가?
우리도 이같이 얽혀 백 년까지(한평생을) 누리리라.

최우선 출제 포인트!

1 우회적 표현

직설적 표현	→ 비유	우회적 표현
시류(時流)에 편승하여 조선의 편에 서라		만수산 칡덩굴이 얽히듯 우리도 얽혀 한평생을 누리자

이 작품의 화자는 자신이 진정으로 하고자 하는 말을 비유를 통해 전달함으로써 매우 부드러운 어조로 상대방에게 자신의 편에 서라고 설득하고 있다.

최우선 핵심 Check!

1 화자는 명분보다 현실을 중시하는 인물이다. (O / ×)

2 화자는 직설적인 화법으로 상대를 설득하고 있다. (O / ×)

3 이방원이 고려의 충신 정몽주를 회유하기 위해 지었다고 전해지며 일명 ㅎㅇㄱ라고도 한다.

정답 1. ○ 2. × 3. 하여가

이 몸이 주거 주거 | 정몽주

갈래 평시조 **성격** 직설적, 의지적
주제 고려에 대한 변함없는 충절 **시대** 고려

일명 「단심가(丹心歌)」로 알려진 이 작품은 고려 왕조에 대한 변함없는 충정과 절개를 비장하게 노래하고 있다.

『이 몸이 주거 주거 일백 번(一白番) 고쳐 주거
백골(白骨)이 진토(塵土)되여 넉시라도 잇고 업고』
님 향(向)ᄒᆞᆫ 일편단심(一片丹心)이야 가실 줄이 이시랴

- 고쳐: 다시
- 진토(塵土): 먼지와 흙
- 『 』: 반복과 점층, 과장적 표현
- 백골(白骨): 죽은 사람의 몸이 썩고 남은 뼈
- 님: 고려 왕조
- 일편단심(一片丹心): 한 조각의 붉은 마음이라는 뜻으로, 진심에서 우러나오는 변치 아니하는 마음을 이르는 말(임금에 대한 충성심)
- 이시랴: 설의적 표현

이 몸이 죽고 죽어 일백 번이나 다시 죽어
백골이 먼지와 흙이 되어 넋이야 있건 없건
임금을 향한 충성심이야 변할 리가 있으랴?

최우선 출제 포인트!

1 표현 방식

- 이 몸이 죽고 죽음.
- 일백 번 고쳐 죽음.
- 백골이 진토가 됨.

→ 반복, 점층, 과장적 표현

임 향한 일편단심이 변할 리가 있으랴? → 설의적 표현

2 주제어

일편단심
- '한 조각의 붉은 마음'이라는 뜻으로, 진심에서 우러나오는 변치 아니하는 마음을 이름
- 임금에 대한 충성심

최우선 핵심 Check!

1 이방원의 「하여가」에 대한 정몽주의 화답가(和答加)로 알려져 있다. (O / ×)

2 설의적 표현과 점층 및 반복적 표현을 사용하여 화자의 의지를 효과적으로 드러내고 있다. (O / ×)

3 화자는 극단적 상황을 가정하여 임금에 대한 자신의 ㅊㅅㅅ을 강조하고 있다.

정답 1. ○ 2. ○ 3. 충성심

출제 최우선 작품

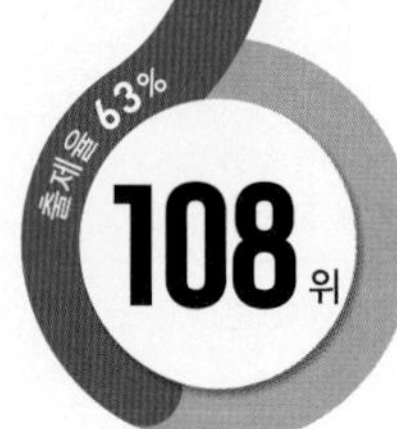

내 마음 버혀 내여 | 정철

갈래 평시조 **성격** 연군가
주제 임금에 대한 충정 **시대** 조선 중기

임과 헤어진 상황에서 자신의 마음을 달로 만들어 임 계신 곳을 비추고 싶다는 연군지정을 노래하고 있다.

내 마음 버혀 내여 뎌 달을 만들고져
(내 마음: 임(임금)을 향한 충성심 / 달: 화자의 마음이 투영된 소재 / 달을 만들고져: 추상적 개념의 구체화(마음 → 달))

구만 리 댱텬(長天)의 번듯이 걸려 이셔
(구만 리: 화자와 임 사이의 정서적 거리감)

고온 님 겨신 곳에 가 비최여나 보리라
(님: 임금 / 겨신 곳: 한양 / 비최여나 보리라: 자신의 마음을 보여 드리고 싶음. 또는 임금을 도와드리고 싶음 - 화자의 소망과 의지)

> 내 마음을 베어 내어 저 달을 만들고 싶구나.
> 구만 리 먼 하늘에 번듯이 걸려 있으면서
> 고운 임 계신 곳에 가서 비추어나 보리라.

최우선 출제 포인트!

1 추상적 개념의 구체화

내 마음		달
임을 그리워하는 마음으로, 임에게 전달하기 어려운 추상적 정서	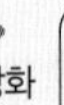 형상화	임이 눈으로 확인할 수 있는 구체적 대상

화자는 추상적인 개념인 '마음'을 구체적 사물인 '달'로 형상화하여 임에 대한 사랑을 표현하고 있다. 즉 자신의 정서를 감각적으로 구체화하고 있다고 할 수 있다.

최우선 핵심 Check!

1 화자는 자연물을 의인화하여 자신의 정서를 표현하고 있다. (○ / ×)

2 추상적 개념인 '[ㅁ][ㅇ]'을 구체적 사물인 '[ㄷ]'로 형상화하고 있다.

3 종장에서 화자는 자신의 마음을 시적 대상에게 보여 드리고 싶은 소망을 드러내고 있다. (○ / ×)

정답 1. × 2. 마음, 달 3. ○

서검을 못 일우고 | 김천택

갈래 평시조 **성격** 회고적, 자연 귀의적
주제 자연에 귀의하고자 하는 마음
시대 조선 후기

벼슬에 오르지 못한 자신의 처지를 한탄하고 자연에 귀의하고자 하는 마음을 노래하고 있다.

서검(書劍)을 못 일우고 쓸 씌 업쓴 몸이 되야
(□: 세속, 현실 ←대조→ ○: 자연 / 서검(書劍): 문무(文武)의 벼슬, 입신양명(대유법) / 쓸 씌 업쓴 몸: 평민의 신분인 화자의 처지)

『오십(五十) 춘광(春光)을 히옴 업씨 지닉연져』
(『 』: 자신의 처지에 대한 화자의 탄식(영탄적 표현) / 오십(五十) 춘광(春光): 오십 년 세월, 한평생 / 히옴: 해 온 일 / 지닉연져: 지냈구나)

『두어라 언의 곳 청산(靑山)이야 날 씰 쭐이 잇시랴』
(『 』: 자연 귀의를 결심함 / 청산(靑山): 자연(대유법) / 씰 쭐: 꺼려할 줄 / 잇시랴: 설의적 표현)

> 학문과 무예를 닦아 벼슬길에 나가지 못하고 쓸모없는 사람이 되어
> 오십 년 한평생을 한 일 없이 지냈구나.
> 두어라, 어느 곳의 청산이야 나를 꺼릴 줄이 있겠는가?

최우선 출제 포인트!

1 '과거 – 현재 – 미래'의 화자 모습

과거의 모습		현재의 처지		미래의 삶(소망)
서검(書劍)을 이루지 못함		쓸데없는 몸		청산(靑山)
입신양명 → 유교적인 출세관	→	벼슬하지 못하고 늙은 자신의 신세에 대한 탄식	→	자연에 귀의하는 삶

최우선 핵심 Check!

1 화자는 자신의 현재 처지에 대해 만족감을 드러내고 있다. (○ / ×)

2 '서검'을 이루는 것은 학문이나 무예를 통한 벼슬을 얻는 것, 즉 [ㅇ][ㅅ][ㅇ][ㅁ](立身揚名)을 의미한다.

3 '청산'은 화자가 지향하는 공간으로, 이를 통해 화자가 자연에 귀의하려 함을 알 수 있다. (○ / ×)

정답 1. × 2. 입신양명 3. ○

작가의 고향에 있는 바위에 올라 부른 노래

농암가(聾巖歌) | 이현보

갈래 평시조 **성격** 자연 귀의적, 한정적
주제 변함없는 자연에 대한 예찬 **시대** 조선 중기

작가가 귀향하여 고향의 산천을 바라보는 감회를 노래한 작품으로, 자연의 변함없는 모습을 그리고 있다.

농암(聾巖)에 올아 보니 노안(老眼)이 유명(猶明)ㅣ로다
인사(人事)이 변(變)혼돌 산천(山川)이뚠 가실가
암전(巖前)에 모수(某水) 모구(某丘)이 어제 본 돗 후예라

- 농암: 작자의 고향에 있는 바위 이름
- 노안: 늙어서 시력이 나빠진 눈
- 유명: 오히려 밝아짐 / (고향을 찾은 반가움에) 오히려 밝게 보임. 또는 세속적 욕망을 벗어나 자연의 아름다움을 감상할 수 있는 안목이 생김
- 인사: 인간사 - 쉽게 변함 ↔ 대조 ↔ 산천: 자연 - 불변함, 영원함
- 가실가: 설의적 표현
- 암전: 바위(농암) 앞
- 모수 모구: 아무개 물과 아무개 언덕
- 어제 본 돗 후예라: 어제 본 듯 변함없는 모습 그대로임 - 변함없는 자연에 대한 예찬적 태도가 드러남

> 농암에 올라서서 바라보니 늙은이의 (어두운) 눈이 (오히려) 밝게 보이는구나.
> 인간 세상의 일은 (쉽게) 변한다 한들 산천(자연)은 (쉽게) 변하겠는가?
> 바위(농암) 앞의 이름 모를 물과 언덕이 어제 본 듯하구나.

최우선 출제 포인트!

1 대상에 대한 대조적 태도

인사(人事)	↔ 대조	산천(山川), 물, 언덕
쉽게 변함, 유한성		불변함, 영원성

화자는 쉽게 변하는 인간사와 변하지 않는 산천을 대조적으로 제시하여 오랜 시간이 흘러도 변함이 없는 자연을 예찬하고 있다.

함께 볼 작품 작가가 귀향하여 자연을 예찬한 작품: 이황, 「도산십이곡」

최우선 핵심 Check!

1 화자는 부재하는 대상에 대한 그리움을 드러내고 있다. (○ / ×)

2 전반적으로 관직을 그만두고 고향으로 돌아가 자연을 벗삼아 여생을 살겠다는 귀거래(歸去來) 의식이 드러난다. (○ / ×)

3 초장에서 화자가 '노안이 유명ㅣ로다'라고 한 것은 고향으로 돌아온 화자의 ㅂㄱㅇ을 표현하면서, 동시에 화자에게 세속적 욕망을 벗어나 자연을 감상할 수 있는 ㅇㅁ이 생겼음을 의미하기도 한다.

정답 1. × 2. ○ 3. 반가움, 안목

태산이 놉다 하되 | 양사언

갈래 평시조 **성격** 비유적, 교훈적
주제 목표를 이루기 위한 노력의 중요성
시대 조선 전기

목표를 이루기 위한 노력을 산에 오르는 것에 비유한 교훈적인 작품이다.

태산이 놉다 하되 하늘 아래 뫼히로다
오르고 또 오르면 못 오를 리 업건마는
『사람이 제 아니 오르고 뫼만 놉다 하더라』

- 태산: 이상과 목표(추상적 관념)
- 하늘 아래 뫼히로다: 달성 가능함 / '이상과 목표'라는 추상적 관념을 구체적 대상인 '태산'에 비유
- 오르고 또 오르면: 목표를 이루기 위한 끊임없는 노력 강조
- 제 아니 오르고: 노력도 하지 않고
- 뫼만 놉다: 핑계, 변명 → 체념, 포기
- 『 』: 비판적 태도

> 태산이 높다고 하여도 하늘 아래에 있는 산이로다.
> 오르고 또 오르면 못 오를 리 없건만,
> 사람들이 오르지도 않고, 산만 높다고 하더라.

최우선 출제 포인트!

1 시어 및 시구의 의미

시어, 시구	의미
태산	이상과 목표
오르고 또 오르면	목표를 이루기 위한 끊임없는 노력
제 아니 오르고	노력도 하지 않고

↓

목표를 이루기 위한 노력의 중요성 강조

최우선 핵심 Check!

1 삶을 살아가는 올바른 자세에 대해 말하고 있다. (○ / ×)

2 태산과 하늘의 대조를 통해 화자의 생각을 효과적으로 드러내고 있다. (○ / ×)

3 ㅊㅅ적 관념인 이상과 목표를 구체적 대상인 'ㅌㅅ'에 비유하고 있다.

정답 1. ○ 2. × 3. 추상, 태산

흰 구름 프른 ᄂᆡ는 | 김천택

갈래 평시조 **성격** 한정적, 풍류적, 자연 친화적
주제 단풍 든 산의 아름다운 예찬
시대 조선 후기

산뜻한 자연 속 아름다운 단풍의 모습을 봄꽃과 비교하면서 자연의 아름다움을 예찬하고 있다.

흰 구름 프른 ᄂᆡ는 골골이 잠겼는듸
(흰 구름 프른 ᄂᆡ는: 흰색과 푸른색의 색채 대비)
『추풍(秋風)에 물든 단풍(丹楓) 봄곳도곤 더 죠해라』
(추풍(秋風): 가을 바람 / 봄곳도곤: 봄꽃보다 / 도곤: 비교격 조사)
『 』: 당나라 시인 두목의 「산행」과 유사한 구절 - 단풍의 아름다움 강조. 비교법
『천공(天公)이 날을 위ᄒᆞ야 뫼 빗츨 쑴여 ᄂᆡ도다』
(천공(天公): 하느님)
『 』: 가을 산의 경치에 대한 만족감

> 흰 구름 푸른 시냇가는 골골이 잠겼는데,
> 가을 바람에 물든 단풍 봄꽃보다 좋구나.
> 하늘이 나를 위해서 산빛을 꾸며 놓았구나.

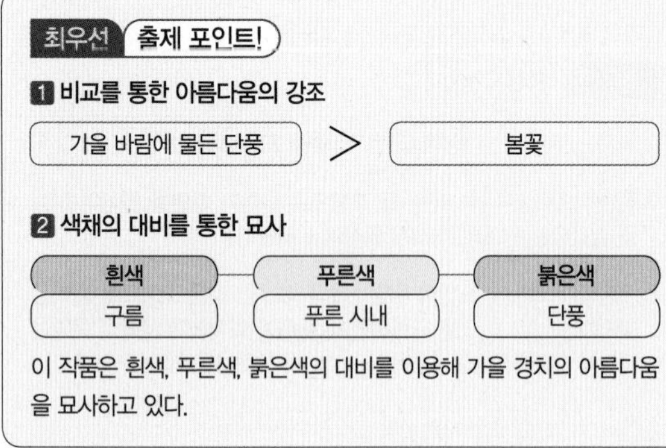

최우선 핵심 Check!

1 초장에는 색채 대비가 두드러지게 나타난다. (O / ×)

2 자연의 구체적 형상화를 통해 계절적 배경을 드러내고 있다. (O / ×)

3 화자는 '단풍'과 '봄꽃'의 ㅂㄱ를 통해 단풍의 아름다움을 강조하고 있다.

정답 1. ○ 2. ○ 3. 비교

청산은 내 뜻이오 | 황진이

갈래 평시조 **성격** 애상적, 감상적
주제 임을 향한 변함없는 사랑 **시대** 조선 중기

자신과 임을 자연물에 비유하여 임을 그리워하는 애절한 마음을 표현하고 있다.

청산(靑山)은 내 뜻이오 녹수(綠水)ᄂᆞᆫ 님의 정(情)이
(청산(靑山)과 녹수(綠水): 대조 / 청산(靑山): 화자 자신 - 변하지 않음 / 녹수(綠水): 임 → 흘러가 버림)
녹수(綠水) 흘너간들 청산(靑山)이야 변(變)ᄒᆞᆯ손가 → 화자 자신의 지조 강조
(변(變)ᄒᆞᆯ손가: 변하지 않는다(설의적 표현))
녹수(綠水)도 청산을 못 니져 우러 예어 가ᄂᆞᆫ고 → '녹수'의 의인화(이별 상황에 대한 화자의 애절함을 드러냄)
(녹수(綠水)도 청산을 못 니져: 임도 화자를 그리워해 주기를 바람(화자를 그리워해 주기를 상상함) / 예어 가ᄂᆞᆫ고: 흘러가는가)

> 청산은 (변함없는) 나의 마음이고, 녹수는 (쉽게 변하는) 임의 정이로다.
> 녹수가 흘러가더라도 청산이야 변하겠는가?
> 녹수도 청산을 잊지 못해 울면서 흘러가는가?

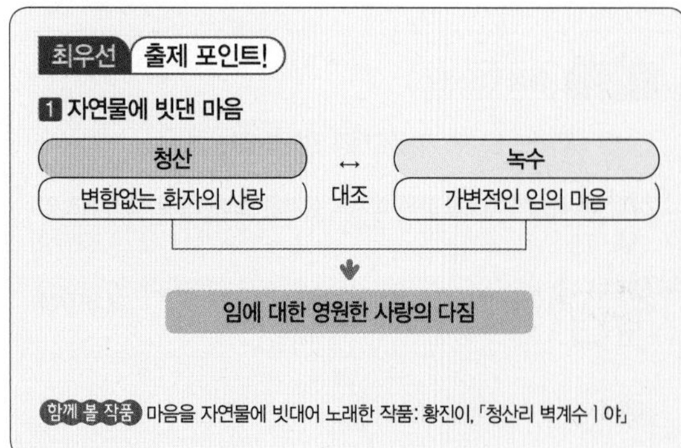

최우선 출제 포인트!
1 자연물에 빗댄 마음
청산
변함없는 화자의 사랑
↔ 대조
녹수
가변적인 임의 마음
임에 대한 영원한 사랑의 다짐
함께 볼 작품 마음을 자연물에 빗대어 노래한 작품: 황진이, 「청산리 벽계수ㅣ야」

최우선 핵심 Check!

1 화자는 시간의 흐름에 따라 자신의 모습이 변화됨을 안타까워하고 있다. (O / ×)

2 중장의 '변ᄒᆞᆯ손가'는 화자의 변함없는 사랑을 강조한 설의적 표현이다. (O / ×)

3 '녹수가 흘러간다'는 임과 화자의 이별의 상황을 드러낸 표현이다. (O / ×)

정답 1. × 2. ○ 3. ○

국화야 너는 어이 | 이정보

갈래 평시조 **성격** 예찬적, 의지적
주제 국화(선비)의 높은 지조와 절개 예찬
시대 조선 후기

선비가 지켜야 할 강직한 지조와 절개를 사군자(四君子)의 하나인 '국화'의 미덕을 통해 노래하고 있다.

국화(菊花)야 너는 어이 삼월 동풍(三月東風) 다 보니고
(국화: 지조, 절개의 상징 / 삼월 동풍: 따뜻한 시절, 평온한 시절)
낙목한천(落木寒天)에 네 홀노 퓌엿는다
(낙목한천: 나뭇잎이 떨어지는 때의 추운 날씨, 험하고 어려운 상황)
아마도 오상고절(傲霜孤節)은 너뿐인가 ᄒᆞ노라
(오상고절: 서릿발이 심한 속에서도 굴하지 않고 외로이 지키는 절개, 국화의 지조와 절개를 비유함)

국화야, 너는 어찌해서 따뜻한 봄철 다 지나가고
나뭇잎이 떨어지는 추운 날에 너 혼자 피었느냐?
아마도 서릿발을 이겨 내는 외로운 절개는 너뿐인가 하노라.

최우선 출제 포인트!

1 '국화'의 미덕

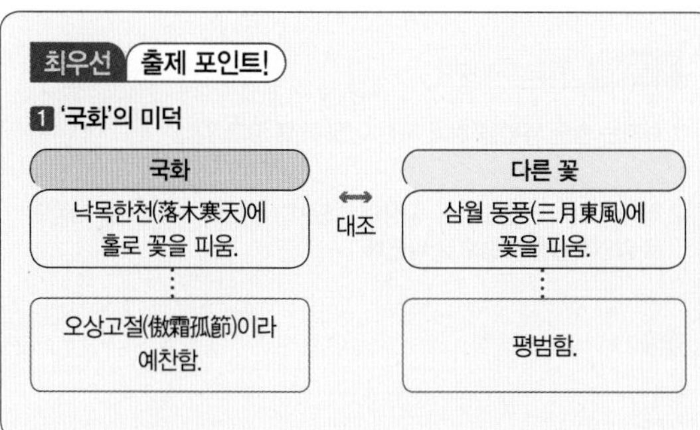

최우선 핵심 Check!

1 계절과 관련된 시적 상황이 주제 의식과 긴밀하게 연관되어 있다. (○ / ×)

2 '국화'는 선비들이 자신을 비추어 보는 관념화된 대상이다. (○ / ×)

3 '국화'는 낙엽이 떨어지는 추운 가을날 꽃을 피우는 생태적 특징 때문에 선비가 지켜야 할 ㅈㅈ와 절개의 상징으로 여겨졌다.

정답 1. ○ 2. ○ 3. 지조

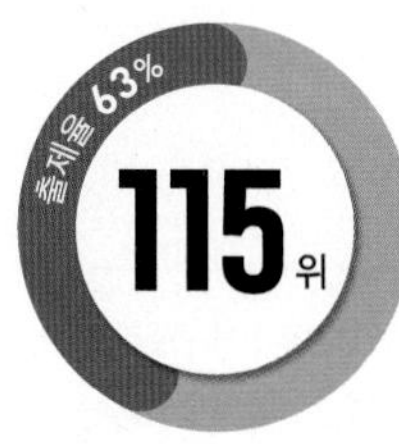

시내 흐르는 골에 | 신희문

갈래 평시조 **성격** 탈속적, 자연 친화적
주제 자연 속에서 사는 삶의 여유로움과 물아일체의 소망 **시대** 조선 후기

자연 속에서 자연과 조화를 이루면서 소박하고 유유자적하게 살고 싶은 마음을 드러내고 있다.

(음영: 자연을 의미함, 화자와 친화적인 대상)
시닉 흐르는 골에 바회 지혀 초당(草堂) 삼고
(자연 친화적이고 소박한 삶)
달 아릐 밧츨 갈고 구름 속에 누어시니 → 대구법
(자연 속에서 누리는 여유로움 - 유유자적한 삶)
건곤(乾坤)이 날ᄃᆞ려 닐으기를 함긔 늙ᄌᆞ ᄒᆞ더라 → 물아일체의 삶
(화자의 소망을 '건곤'의 말을 인용하는 방식으로 표현함 - 주객 전도된 표현)
(□: 주관적으로 변용된 자연(의인화))

시냇물 흐르는 골짜기에 바위를 의지하여 조그마한 초가집을 짓고
달 아래에서 밭을 갈고 구름 속에 누워 있으니
하늘과 땅이 나에게 함께 늙어 가자고 하더라.

최우선 출제 포인트!

1 종장의 표현 방식

건곤	→	화자
자연	함께 늙자고 말을 건넴.	자연 속에서 여유롭게 살아가고자 함.

- '건곤'을 의인화하여 마치 '건곤'이 화자에게 권유하는 것처럼 표현하는 주객전도의 방식
- 화자와 자연이 물아일체의 경지를 드러냄.

최우선 핵심 Check!

1 화자는 자연물과 동화를 이루면서 유유자적한 삶을 살고 있다. (○ / ×)

2 '달'은 부정적 대상인 '구름'과 대비되는 존재로, 화자가 긍정적으로 여기는 자연 친화적 대상이다. (○ / ×)

3 종장에서는 자연물인 '건곤'이 화자에게 말을 건네는 ㅈㄱㅈㄷ 방식을 사용하여 화자의 소망을 드러내 주고 있다.

정답 1. ○ 2. × 3. 주객전도

서방님 병 들여 두고 | 김수장

갈래 사설시조 **성격** 연정가, 해학적
주제 임에 대한 간절한 그리움 **시대** 조선 후기

화자가 사랑하는 대상인 '서방님'에 대한 애정을 해학적으로 드러내고 있다.

서방(書房)님 병(病)들여 두고 쓸 것 업셔
(남편이 병이 들어 가세가 기울)

종루(鐘樓) 져직 달릭 파라『빅 스고 감 스고 유자(榴子) 스고 석류(石榴) 삿다』아추추추 이저고 오화당(五花糖)을 니저 발여고즈
(달릭: 머리카락. 남편을 위한 화자의 희생이 잘 표현됨 / 『 』: 화채 재료를 삼 / 아추추추: 감탄사 / 오화당: 오색으로 물들인 사탕 / 니저 발여고즈: 잊어버렸구나)

수박(水朴)에 술 꼬즈 노코 한숨 계워 ᄒ노라
(술: 숟가락 / 한숨 계워 ᄒ노라: 오화당을 잊어버린 자신의 실수를 한탄함)

서방님이 병이 들어 두고 쓸 것이 없어(돈이 될 만한 것이 없어)
종루 시장에 다리(머리카락 타래)를 팔아, 배 사고, 감 사고, 유자 사고, 석류를 샀다. 아차아차 잊었구나, 오색 사탕을 잊어버렸구나.

수박에 숟가락 꽂아 놓고 한숨 겨워 하노라.

최우선 출제 포인트!

1 애정의 해학적 표현

병든 남편 → 병든 남편을 위한 희생과 사랑 → 오화당을 잊어버린 것에 대한 안타까움.

화자는 병든 남편을 위해 화채를 만들어 주려 머리카락을 팔아 화채 재료를 샀는데, 화채 재료 중 하나인 '오화당'이 빠진 것을 발견하고 망연자실한 모습을 보이고 있다.

최우선 핵심 Check!

1 화자는 병든 남편을 위해 자신의 '달릭'를 팔고 있다. (O / ×)

2 화자의 활기찼던 모습은 중장의 감탄사 'ㅇㅊㅊㅊ'를 기점으로 망연자실한 모습으로 바뀐다.

정답 1. ○ 2. 아추추추

귓또리 져 귓또리 | 작자 미상

갈래 사설시조 **성격** 연정가
주제 가을밤에 임을 그리워하는 여인의 마음
시대 조선 후기

귀뚜라미에 감정을 이입하여 사랑하는 임과 이별한 여인의 외로움을 드러내고 있다.

귓또리 져 귓또리 어엿부다 져 귓또리
(a-a-b-a 구조(반복) - 운율 형성 / 귓또리: 감정 이입의 대상 / 어엿부다: 불쌍하다)

『어인 귓또리 지는 둘 새는 밤의 긴 소릭 쟈른 소릭 절절(節節)이 슬픈 소릭 제 혼자 우러 녜어』『사창(紗窓) 여윈 잠을 슬쓰리도 깨오는고야』
(『 』: 귀뚜라미의 소리 열거 / 사창: 비단 창문 - 여인이 거처하는 방 / 여윈 잠: 살풋 든 잠 / 슬쓰리도: 알뜰하게도. 여기서는 얄밉게도(반어법) / 『 』: 귀뚜라미에 대한 원망을 반어적으로 표현함)

두어라 제 비록 미물(微物)이나 무인동방(無人洞房)에 내 뜻 알 이는 너뿐인가 하노라
(미물: 귀뚜라미 - 화자 자신의 외로운 처지를 알아주는 유일한 대상임 / 무인동방: 홀로 지내는 여인의 방 / 내 뜻 알 이는 너뿐인가 하노라: 귀뚜라미에게 동병상련(同病相憐)을 느낌)

귀뚜라미 저 귀뚜라미, 불쌍하다 저 귀뚜라미

어찌된 귀뚜라미가 지는 달, 새는 밤에 긴 소리 짧은 소리, 마디마디 슬픈 소리로 저 혼자 계속 울어, 사창 안의 얕은 잠을 알뜰하게도 깨우는구나.

두어라, 제가 비록 미물이지만 독수공방하고 있는 나의 뜻을 알아줄 이는 저 귀뚜라미뿐인가 하노라.

최우선 출제 포인트!

1 대상에 대한 화자의 태도

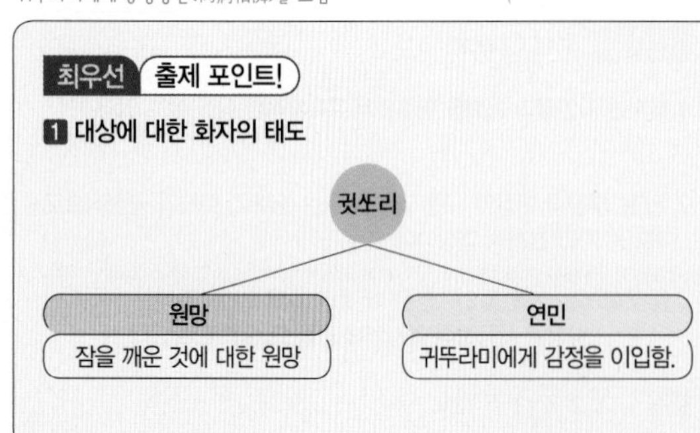

최우선 핵심 Check!

1 초장에서는 'a-a-b-a' 구조를 통해 운율을 형성하고 있다. (O / ×)

2 화자는 귀뚜라미에 감정을 이입하며 '동병상련(同病相憐)'을 느끼고 있다. (O / ×)

3 종장의 'ㅁㅇㄷㅂ(無人洞房)'은 화자의 외로움이 집약된 시어이다.

정답 1. × 2. ○ 3. 무인동방

가야산의 독서당에서 지은 시

제가야산독서당(題伽倻山讀書堂) | 최치원

갈래 한시(7언 절구) **성격** 의지적, 상징적
주제 세속과 멀어져 산중에 은둔하고 싶은 심경
시대 신라

자연의 물소리에 의탁하여 세상의 시비하는 소리를 멀리하고자 하는 은둔의 결의를 노래한 작품이다.

○: 압운 □: 물소리 ↔(대조) △: 세속의 소리 Link 표현상 특징 ❶, ❷

狂奔疊石吼重巒 (광 분 첩 석 후 중 만)
『첩첩한 돌 사이에 미친 듯이 내뿜어 겹겹 봉우리에 울리니』 (미친 듯이 내뿜어: 급격히 흐르는 물살을 표현 / 『 』: 주체 - 물소리) ▶ 기: 격렬히 흐르는 계곡물

人語難分咫尺間 (인 어 난 분 지 척 간)
사람 말소리야 지척에서도 분간하기 어렵네 (분간하기 어렵네: 물소리로 인한 결과) ▶ 승: 물소리 때문에 말소리가 들리지 않음

常恐是非聲到耳 (상 공 시 비 성 도 이)
항상 시비하는 소리 귀에 들릴까 두려워하기에 (시비하는 소리: 시비를 일삼는 속세의 말소리 / 들릴까 두려워하기에: 들릴까 두려워하기 때문에) ▶ 전: 속세에 대한 부정적 인식

故敎流水盡籠山 (고 교 류 수 진 롱 산)
일부러 흐르는 물로 하여금 온 산을 둘러싸게 했네 (흐르는 물: 세상과 단절시키는 매개물 / 물소리를 이용해 속세의 소리를 차단했다는 뜻 Link 표현상 특징 ❸) ▶ 결: 속세와 단절하고 싶은 마음

○(물): 주관적 변용 - 실제는 화자가 속세가 싫어 속세를 떠나 자연에 묻혀 살지만, '물'이 화자가 속세를 단절시키고 있다고 변용하여 제시함 Link 표현상 특징 ❸

출제자 팁! 화자를 이해하라!

1 **화자는 누구이고, 화자가 처한 상황은?**
정치적 논란으로 시끄러운 세상을 떠나 가야산에 은거하고 있는 사람

2 **화자의 정서 및 태도는?**
세상과 단절하고자 하는 의지를 드러내고 있음.

Link

출제자 팁! 표현상의 특징을 파악하라!

❶ 청각적 이미지를 주로 사용하여 시상을 전개함.

❷ 자연의 물소리와 세상의 소리를 대조하여 주제를 형상화함.

❸ '물'에게 상징적 의미를 부여하여 주제를 부각함.

최우선 출제 포인트!

1 대조적 시상 전개

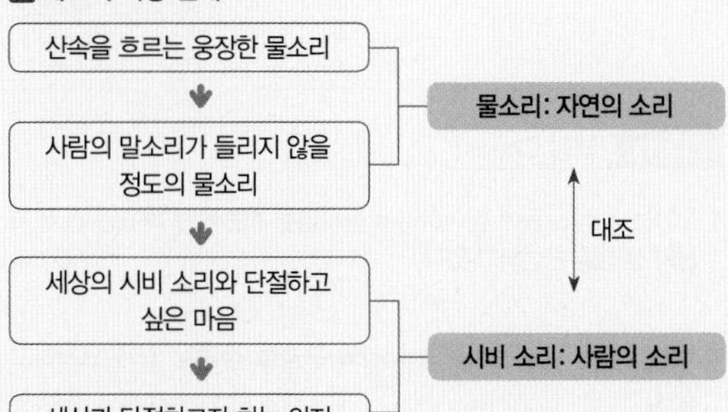

이 작품의 '물'은 '세속과의 단절'이라는 상징성이 부여된 소재이다. 즉 '물소리'와 '세속의 소리'를 대조적으로 표현함으로써 세속에서 멀어져 산중에 은둔하고 싶은 화자의 태도를 효과적으로 드러내고 있다.

함께 볼 작품 자연에서 생활하고 싶은 마음을 노래한 작품: 작자 미상, 「청산별곡」

최우선 핵심 Check!

1 화자가 위치하고 있는 산속은 화자가 지향하는 공간으로 제시되었다. (O / ×)

2 화자는 기회가 된다면 속세에 나가 입신양명을 하고 싶어 한다. (O / ×)

3 〈4구〉에는 스스로를 세상과 격리시키고자 하는 화자의 의지적 모습이 나타나 있다. (O / ×)

4 '[ㅁ]'은 세상과의 차단, 단절을 상징하는 시어이다.

5 자연 속의 물소리와 대조를 이루는 것은 '[ㅁ][ㅅ][ㄹ]'와 '시비하는 소리'이다.

정답 1. ○ 2. × 3. ○ 4. 물 5. 말소리

보리타작의 모습을 읊은 노래

보리타작[打麥行] | 정약용

갈래 한시[행(行)] **성격** 사실적, 묘사적, 반성적
주제 농민들의 건강한 노동을 보고 얻은 삶의 깨달음
시대 조선 후기

보리를 타작하는 농민들의 건강한 노동의 모습을 묘사하면서, 벼슬에 집착한 자신의 삶을 반성하는 작품이다.

□ : 농민들이 보리타작을 하는 상황과 어울리는 일상적인 소재 Link 표현상 특징 ❶

新芻濁酒如湩白 신추탁주여동백
새로 거른 막걸리 젖빛처럼 뿌옇고

大碗麥飯高一尺 대완맥반고일척
큰 사발에 보리밥 높기가 한 자로세 (약 30.3cm)

飯罷取耞登場立 반파취가등장립
밥 먹자 도리깨 잡고 마당에 나서니 (노동의 공간 / 휴식도 잊은 채 식사 후 곧바로 일하는 농민들의 부지런한 모습)

雙肩漆澤翻日赤 쌍견칠택번일적
검게 탄 두 어깨 햇볕 받아 번쩍이네 (건강한 노동의 삶을 살아가는 농민들의 모습. 시각적 이미지 Link 표현상 특징 ❷)

> 기: 노동하는 농민들의 건강한 삶의 모습

呼邪作聲擧趾齊 호사작성거지제
옹헤야 소리 내며 발맞추어 두드리니 (건강한 농민들의 모습 / 노동요를 부르며 흥겹게 도리깨질을 하는 역동적인 모습)

須臾麥穗都狼藉 수유맥수도낭자
삽시간에 보리 낟알 온 사방에 가득하네 (노동의 결과물)

雜歌互答聲轉高 잡가호답성전고
주고받는 노랫가락 점점 높아지는데 → 노동의 강도가 점점 강해짐 (노동요를 선창(先唱)과 후창(後唱)으로 나누어 부름. 청각적 이미지)

但見屋角紛飛麥 단견옥각분비맥
보이느니 지붕까지 날으는 보리 티끌

> 승: 보리타작하는 마당의 정경

觀其氣色樂莫樂 관기기색락막락
그 기색 살펴보니 즐겁기 짝이 없어 (주체: 농민들)

了不以心爲形役 요불이심위형역
마음이 몸의 노예 되지 않았네 (도연명의 「귀거래사」에서 '이미 스스로 몸에 사역하였으니'를 인용)

> 전: 정신과 육체가 합일된 노동의 기쁨

樂園樂郊不遠有 낙원락교불원유
낙원이 먼 곳에 있는 게 아닌데 (긍정적 현실 인식 → 현실에 대한 만족감) ○↔□: 대조적 소재 Link 표현상 특징 ❸

何苦去作風塵客 하고거작풍진객
『무엇 하러 고향 떠나 벼슬길에 헤매리오』 (세속적 욕망 / 설의적 표현을 사용하여 주제를 강조함) 『 』: 벼슬길의 덧없음과 노동의 즐거움을 드러냄

> 결: 관직에 몸담은 자신의 삶에 대한 반성

출제자 톡! 화자를 이해하라!

1 **화자는 누구이고, 화자가 처한 상황은?**
보리타작하는 농민을 보며 자신의 벼슬살이를 돌아보고 있는 사람

2 **화자의 정서 및 태도는?**
- 농민들의 건강한 삶에 대해 예찬적 태도를 보임.
- 벼슬에 연연한 자신의 삶에 대해 반성하고 있음.

Link

출제자 톡! 표현상의 특징을 파악하라!

❶ 농민들의 일상적 생활과 관련된 시어를 사용하여 그들의 삶을 사실적으로 묘사함.

❷ 감각적 이미지를 사용하여 노동 현장을 생동감 있게 묘사함.

❸ 대조적 소재를 사용하여 화자가 지향하는 바를 드러냄.

최우선 출제 포인트!

1 시상 전개

관찰	보리타작하는 농민들의 건강한 삶
↓	
깨달음	정신과 육체가 합일된 노동의 기쁨
↓	
반성	벼슬에 집착했던 자신의 삶
↓	
다짐	건강하고 즐거운 삶, 육체와 정신이 하나가 되는 삶

함께 볼 작품 농민들의 건강한 삶을 노래한 작품: 작자 미상, 「논매기 노래」

최우선 핵심 Check!

1 작가는 직접 노동에 참여하면서 농사일을 힘들게만 여겼던 과거 자신의 생각을 반성하고 있다. (○ / ×)

2 시각적 이미지를 활용하여 대상의 모습을 생동감 있게 묘사하고 있다. (○ / ×)

3 'ㄴㅇ'과 '벼슬길'이라는 대조적 소재를 사용하여 주제 의식을 드러내고 있다.

정답 1. × 2. ○ 3. 낙원

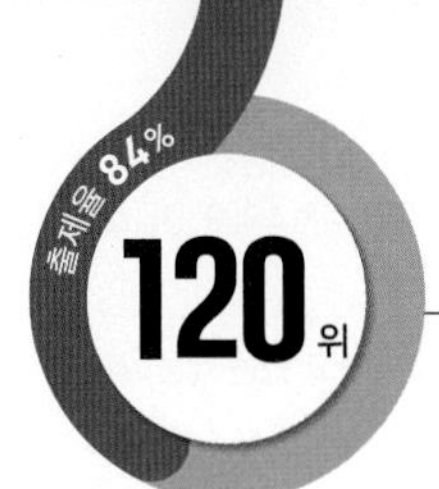

사랑을 떠나보내다

송인(送人) | 정지상

갈래 한시(7언 절구) **성격** 송별시, 서정적, 애상적
주제 이별의 슬픔 **시대** 고려

독창적인 시적 발상을 통해 애상적인 정서를 읊은 이별가(離別歌)의 백미인 작품이다.

雨歇長堤草色多
우 헐 장 제 초 색 다
비 갠 긴 둑엔 풀빛이 짙은데
(공간적 배경을 시각적으로 제시함 Link 표현상 특징 ❸)
> 기: 봄날 비 갠 강변의 풍경

送君南浦動悲歌
송 군 남 포 동 비 가
그대 보내는 남포엔 슬픈 노래 울리네
(시적 화자의 처지와 대조됨 / 대조, 감각적 이미지 Link 표현상 특징 ❷ / 시의 구체성 + 향토적 정서 → 이별의 공간 / 청각적 이미지)
> 승: 임을 보내는 이별의 풍경

大同江水何時盡
대 동 강 수 하 시 진
대동강 물이야 어느 때 마를 건가
(도치 Link 표현상 특징 ❷ / 이별의 정을 짙게 만듦 / 이별의 눈물로 마를 날이 없다. 설의적 표현)
> 전: 이별의 슬픔 심화

別淚年年添綠波
별 루 년 년 첨 록 파
해마다 이별 눈물 푸른 강물에 더하는 것을
(극대화된 이별의 정한(과장법) Link 표현상 특징 ❷)
> 결: 이별의 정한과 눈물

: '눈물'의 이미지와 결합하여 슬픔의 정서 고조

출제자 톡! 화자를 이해하라!

1 **화자는 누구이고, 화자가 처한 상황은?**
대동강에서 사랑하는 사람과 이별하고 있는 사람

2 **화자의 정서 및 태도는?**
싱그럽고 아름다운 자연의 모습과 대비하여 이별의 애상감을 이기지 못하고 슬픔의 정서를 드러내고 있음.

Link

출제자 톡! 표현상의 특징을 파악하라!

❶ 서경과 서정의 세계를 함께 보여 줌.
❷ 대조, 도치, 과장, 설의적 표현을 통해 이별의 한을 효과적으로 드러내고 있음.
❸ 시각적 이미지를 사용해 화자의 애상감을 강조함.

최우선 출제 포인트!

1 자연과 인간사의 대조와 도치

자연사	↔ 대조	인간사
강변의 짙은 풀빛		화자의 정서
강변의 경치		이별의 정경
감정 유발의 매개물		임과 이별해야 하는 슬픔

대동강 강둑과 강물의 푸른 색채는 아름다운 배경을 이루지만, 이 푸른 공간이 결국 이별의 장소라는 것을 아는 순간 자연의 아름다움은 인간의 슬픔과 대조를 이루어 슬픔의 정서를 부각한다.

자연사	도치	인간사
대동강 물		화자의 정서
이별의 한		이별의 정한
이별에 따른 한과 슬픔의 지속		이별의 눈물이 보태어져 마르지 않을 강물

화자는 3구(전구)와 4구(결구)에서 임과 이별한 사람들의 눈물이 끊임없이 강물에 더해져, 대동강 물이 마르지 않을 것이라 말한다. 과장과 도치를 사용하여 이별에서 오는 슬픔의 크기를 강물의 도도한 흐름으로 나타낸 이 발상은 이별시 가운데 최고라고 할 수 있다.

함께 볼 작품 '물(강물)'을 이별의 소재 및 공간으로 사용한 작품: 백수 광부의 아내, 「공무도하가」, 작자 미상, 「서경별곡」

최우선 핵심 Check!

1 'ㄷㄷㄱ'을 배경으로 인간의 이별과 자연의 푸르름을 대비하여 주제 의식을 드러내고 있다.

2 〈1, 2구〉에서는 시각적, 청각적 이미지를 활용하여 화자의 정서를 부각하고 있다. (O / ×)

3 〈2구〉에서는 이별의 슬픔에 빠진 화자의 정서가 나타나 있다. (O / ×)

4 〈3구〉의 '대동강'은 시상을 전환하는 매개체로 작용한다. (O / ×)

5 'ㄴㅍ'는 화자가 사랑하는 임과 이별한 공간이다.

6 화자는 이별의 애절한 슬픔이 느껴지는 ㅇㅅ적 어조로 노래하고 있다.

7 〈3, 4구〉에서는 ㄱㅈ과 ㄷㅊ의 표현 방법이 사용되어, 이별의 슬픔을 효과적으로 표현하고 있다.

8 현실을 극복하고자 하는 화자의 초극적 의지가 나타난다. (O / ×)

정답 1. 대동강 2. ○ 3. ○ 4. × 5. 남포 6. 애상 7. 과장, 도치 8. ×

산속에 사는 백성
산민(山民) | 김창협

갈래 한시(5언 배율) **성격** 현실 비판적, 사실적
주제 백성들의 힘겨운 삶과 탐욕스러운 관리들의 횡포 비판 **시대** 조선 후기

관리들의 폭정을 피해서 산속에서 사는 백성들의 고달픈 삶의 모습을 통해 권력자들의 횡포를 고발하고 있는 작품이다.

下馬問人居 (하마문인거)
말에서 내려 인가를 찾아가 보니
(화자의 신분이 양반임을 알 수 있음)

婦女出門看 (부녀출문간)
아낙네 문간에 나와 맞이하네

坐客茅屋下 (좌객모옥하)
띠집 처마 아래 손님을 앉게 하고
(띠나 이엉 따위로 지붕을 인 초라한 집)

爲客具飯餐 (위객구반찬)
나를 위해 밥과 반찬 내어오네

(아낙네의 행동 묘사 - 백성들의 인정 있는 모습 Link 표현상 특징 ❷)

> 1~4행: 산속 민가를 우연하게 방문함

丈夫亦何在 (장부역하재)
남편은 어디에 나가 있냐 하니

扶犁朝上山 (부리조상산)
『아침에 따비를 메고 산에 올라
(풀뿌리를 뽑거나 밭을 가는 데 쓰는 농기구)

山田苦難耕 (산전고난경)
산밭을 일구느라 고생을 하며

日晩猶未還 (일만유미환)
저물도록 돌아오지 못한다네

> 5~8행: 산속 백성의 고달픈 생활

四顧絶無隣 (사고절무린)
사방을 둘러봐도 이웃은 없고
(산속에서의 외로운 생활)

鷄犬依層巒 (계견의층만)
개와 닭도 산기슭에 의지해 사네
(이웃이 없이 사는 삶)

中林多猛虎 (중림다맹호)
숲 속에는 사나운 호랑이 많아
(산속에서의 두려운 생활)

采藿不盈盤 (채곽불영반)
나물도 마음대로 뜯지 못해 그릇을 채우지 못하네』

(『 』: 화자가 직접 듣고 본 내용 - 고통스러운 삶의 모습 형상화 Link 표현상 특징 ❶)
(산민이 힘겹게 살아가는 현실에 대한 비판적 인식과 산민 부부에 대한 연민)

> 9~12행: 산속 생활의 외로움과 두려움

哀此獨何好 (애차독하호)
슬프다 산속 외딴 살이 무엇이 좋아서
(감정의 직접적 표출)

崎嶇山谷間 (기구산곡간)
가파른 이 산중에 있는고
(↗ 관리들의 횡포를 피할 수 있지만 백성들에게는 고통스러운 공간)

(화자의 질문)

樂哉彼平土 (낙재피평토)
저쪽의 평지가 좋기야 하지만
(산속 생활의 고통보다 더 고통스러운 공간 Link 표현상 특징 ❸)

欲往畏縣官 (욕왕외현관)
원님이 무서워 갈 수가 없구나
(비판 대상 - 벼슬아치의 수탈이 호랑이보다 더 두렵다[가정맹어호(苛政猛於虎)])

(백성의 답)

> 13~16행: 폭정으로 인한 백성의 고달픈 삶

출제자 톡! 화자를 이해하라!

1 **화자는 누구이고, 화자가 처한 상황은?**
산속에 숨어 사는 백성을 만나 그들의 고된 생활을 보고 있는 사람

2 **화자의 정서 및 태도는?**
산민에 대한 연민과 관리들의 수탈에 대한 비판이 드러남.

Link

출제자 톡! 표현상의 특징을 파악하라!

❶ 견문(보고 들은 것)을 중심으로 비판적 현실 인식을 드러냄.

❷ 인물(아낙네)의 행동을 구체적으로 표현하여 현장감을 살림.

❸ 대비적 공간을 제시하여 현실의 고통을 강조함.

최우선 출제 포인트!

1 대비적 공간의 의미

산속	<	평지
• 이웃이 없어 외로움. • 사나운 호랑이가 많음.	괴로움의 정도	관리들의 폭정으로 산중의 생활보다 더 고달픔.

화자는 산속의 힘든 삶이 평지의 벼슬아치의 폭정보다는 낫다는 산민의 말을 통해 가렴주구(苛斂誅求)의 현실을 비판하고 있다.

최우선 핵심 Check!

1 '남편'과 '아낙네'는 산중의 '호랑이'보다 평지의 '원님'을 더 무서워한다. (O / ×)

2 ㄷ ㅎ 의 방식을 활용하여 인물들의 고통스러운 삶을 효과적으로 드러내 주고 있다.

정답 1. ○ 2. 대화

임에 대한 그리움을 고백함

자술(自述) | 이옥봉

갈래 한시(7언 절구) **성격** 고백적, 애상적
주제 임에 대한 간절한 그리움
시대 조선 중기

이별한 임을 사무치게 그리워하는 연모의 정과 꿈에서도 잊지 못하는 마음이 잘 드러나 있다.

近來安否問如何 (근 래 안 부 문 여 하)
근래의 안부는 어떠신지요. — 헤어진 임의 안부를 모르는 안타까움, 의문형 어미 Link 표현상 특징 ❶ — › 기: 임의 안부를 물음

月到紗窓妾恨多 (월 도 사 창 첩 한 다)
사창에 달 떠오면 하도 그리워. — 달: 시간적 배경 - 화자의 외로움을 심화시키는 매개물, 그리움을 심화하는 소재 / 사창: 여인이 기거하는 공간 - 화자가 여성임을 알게 해 줌 — › 승: 임에 대한 그리움 표출

若使夢魂行有跡 (약 사 몽 혼 행 유 적)
꿈속 (넋) 만약에 자취 있다면 Link 표현상 특징 ❷ — 꿈속: 임과 만날 수 있는 공간 / 만약에 자취 있다면: 가정적 상황 제시 / ◯: 화자의 분신 — › 전: 꿈속의 상황을 가정

門前石路半成沙 (문 전 석 로 반 성 사)
문 앞 돌길 모래로 변하였으리. Link 표현상 특징 ❸ — 과장적 표현 - 임에 대한 그리움이 간절함을 드러내 줌. — › 결: 임에 대한 간절한 그리움

출제자 톡! 화자를 이해하라!

1 **화자는 누구이고, 화자가 처한 상황은?**
임과 이별한 상황에 처해 있는 여성

2 **화자의 정서 및 태도는?**
헤어진 임에 대한 간절한 그리움을 표출하고 있음.

출제자 톡! 표현상의 특징을 파악하라!

❶ 임에게 말을 건네는 방식을 활용함.
❷ 꿈속 상황을 가정하여 시상을 전개함.
❸ 과장적 표현을 사용하여 화자의 정서를 부각함.

최우선 출제 포인트!

1 시상 전개 과정

기, 승	현실	• 화자가 임과 이별한 상황 • 달을 보며 임을 그리워하고 있음.
	↓ 시상 전환	
전, 결	꿈속	• 임을 만날 수 있는 공간(소망의 공간) • 임에 대한 자신의 행동을 드러냄. • 임에 대한 간절한 그리움을 강조함.

2 '꿈속'의 의미와 기능

꿈속	• 이별한 임과 재회할 수 있는 공간 • 임과 화자를 이어 주는 매개체의 기능. • 화자의 간절한 그리움을 부각시키는 기능

최우선 핵심 Check!

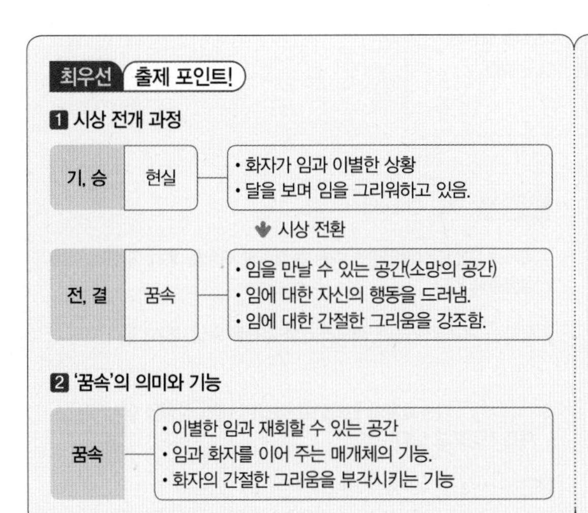

1 화자는 ㄱㅈ적 상황을 제시하여 임에 대한 간절한 그리움을 표출하고 있다.

2 화자는 여성으로, 오지 않는 임에 대한 원망의 심정을 드러내고 있다. (O / ×)

3 'ㄷ'은 화자의 정서를 심화시켜 주는 역할을 한다.

4 '꿈속'은 화자가 임을 만나는 공간으로, 화자의 간절한 그리움을 부각하는 기능을 한다. (O / ×)

정답 1. 가정 2. × 3. 달 4. ○

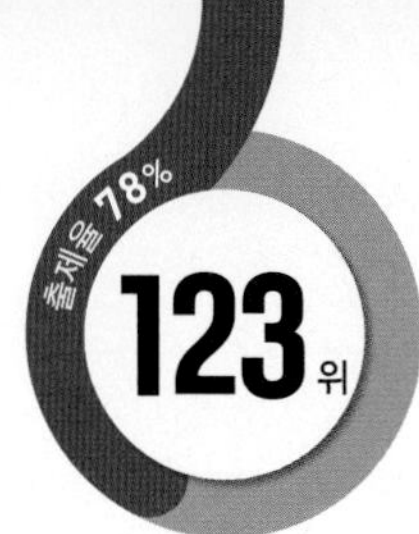

저물녘에 걸으며

만보(晩步) | 이황

갈래 한시(5언 배율) **성격** 사색적, 성찰적
주제 뜻을 이루지 못한 회한과 자기 성찰
시대 조선 중기

작가가 가을날 저녁 산책을 하며 자신의 인생을 돌아보고 있는 작품으로, 오랫동안 학문적 성취를 소원해 왔으나 결국 이루지 못했음을 탄식하고 있다.

苦忘亂抽書 (고망난추서) 잊기를 자주 하여 어지러이 뽑아 놓은 책들
나이가 많아 기억력이 감퇴함 / 화자가 보고 있던 책들
散漫還復整 (산만환부정) 흩어진 걸 다시 또 정리하자니
曜靈忽西頹 (요령홀서퇴) 해는 문득 서쪽으로 기울고
시간적 배경 - 해 질 녘
江光搖林影 (강광요림영) 강 위에 숲 그림자 흔들린다
> 흩어진 책을 정리하며 하루를 보냄
扶筇下中庭 (부공하중정) 막대 짚고 마당 가운데 내려서서
矯首望雲嶺 (교수망운령) 고개 들어 구름 낀 고개를 바라보니
漠漠炊烟生 (막막취연생) 아득히 밥 짓는 연기가 피어나고
민가의 모습
蕭蕭原野冷 (소소원야랭) 쓸쓸히 들판은 서늘하구나
자연의 모습
> 뜰에서 바라보는 저녁 풍경
田家近秋穫 (전가근추확) 농삿집 가을걷이 가까워지니
계절적 배경 - 가을
喜色動臼井 (희색동구정) 절구질 우물가에 기쁜 빛 돌아
농가 사람들은 수확에 대한 기대로 즐거워함 - 화자와 대비되는 모습 Link 표현상 특징 ❶
鴉還天機熟 (아환천기숙) 갈까마귀 돌아오니 절기가 무르익고
鷺立風標迥 (노입풍표형) 해오라기 서 있는 모습 우뚝하고 훤하다
화자와 대비되는 소재 - 고고하게 우뚝 서 있음 Link 표현상 특징 ❶
> 가을걷이를 기뻐하는 사람들과 들판의 해오라기

선경: 가을 저녁의 경관 Link 표현상 특징 ❷

我生獨何爲 (아생독하위) 내 인생은 홀로 무얼 하는 것인지 → 자신의 삶에 대한 성찰을 엿볼 수 있음 Link 표현상 특징 ❸
화자 - 오래도록 소원을 이루지 못함
宿願久相梗 (숙원구상경) 숙원이 오래도록 풀리질 않네
학문적 성취
無人語此懷 (무인어차회) 이 회포 털어놓을 사람 아무도 없어
학문적 성취를 이루지 못한 회한과 안타까움
搖琴彈夜靜 (요금탄야정) 『거문고만 둥둥 탄다, 고요한 밤에』 『 』: 도치법
화자의 내면 심리 암시 - 괴로움 / 화자의 내면 심리와 대조적임
> 소원을 이루지 못한 자신의 인생에 대한 회한

후정: 자신의 인생에 대한 회한

출제자 톡! 화자를 이해하라!

1 **화자는 누구이고, 화자가 처한 상황은?**
마당에서 자신이 삶에 대해 생각하는 인생의 황혼에 든 노인

2 **화자의 정서 및 태도는?**
학문적 성취를 이룩하지 못한 것에 대해 아쉬워하며 회한을 느끼고 있음.

Link

출제자 톡! 표현상의 특징을 파악하라!

❶ 수확을 앞둔 가을 풍경(사람들, 새들)과 화자의 모습을 대비함.
❷ 선경 후정의 시상 전개 방식을 활용함.
❸ 독백적 어조로 삶에 대해 성찰함.

최우선 출제 포인트!

1 화자의 모습과 대비되는 대상

화자('나')	↔	우물터에 모인 사람들, 해오라기
학문적 성취를 이루지 못함.		• 수확에 대한 기대로 기뻐함. • 우뚝 선 모습이 고고함.
미진함.		충만함.

함께 볼 작품 자연물과 대비하여 자신의 처지를 노래한 작품: 유리왕, 「황조가」

최우선 핵심 Check!

1 화자는 자신과 대비되는 주변 풍경과의 대비를 통해 자신의 삶을 성찰하고 있다. (O / ×)

2 화자는 고고한 모습의 '해오라기'와 자신을 동일시하고 있다. (O / ×)

3 'ㄱㅁㄱ'는 화자의 안타깝고 답답한 내면 심정을 암시하는 소재로 사용되고 있다.

정답 1. ○ 2. × 3. 거문고

말 못하고 헤어지다

무어별(無語別) | 임제

갈래 한시(5언 절구) **성격** 서정적, 애상적, 관찰적
주제 열다섯 부끄럼 많은 소녀의 이별의 정한
시대 조선 중기

남녀유별이 엄격하던 시대에 절실한 사랑을 마음속으로만 간직한 채 남모르게 눈물 흘리는 소녀의 심정을 절제된 언어로 섬세하게 표현하고 있다.

○: 압운

十五越溪女 (십 오 월 계 녀) 열다섯 어여쁜 아가씨
시적 대상 - 화자가 관찰하는 대상

羞人無語別 (수 인 무 어 별) 부끄러워 말없이 헤어지고는 ❯ 기 · 승: 소녀의 말없는 이별
소극적인 태도

歸來掩重門 (귀 래 엄 중 문) 「돌아와서 겹문을 닫고는 「 」: 슬픔의 소극적 표출 - 화자의 관찰자적 시각에서 표현 **Link** 표현상 특징 ❶
슬픔을 감추기 위해

泣向梨花月 (읍 향 이 화 월) 배꽃에 걸린 달 향해 눈물 흘리네」 ❯ 전 · 결: 남몰래 흘리는 이별의 눈물
시각적 이미지, 화자의 애상감을 심화시키는 대상 **Link** 표현상 특징 ❷
「 」: 울며 배꽃에 걸린 달을 향하고 있네

출제자 톡! **화자를 이해하라!**

1 **화자는 누구이고, 화자가 처한 상황은?**
임과 이별하고 눈물을 흘리고 있는 소녀를 관찰자적 입장에서 보고 있는 사람

2 **화자의 정서 및 태도는?**
배꽃 사이의 달을 보며 눈물을 흘리는 아가씨를 관찰하며 아가씨의 슬픈 정서를 애상적 분위기를 조성하며 표현하고 있음.

Link

출제자 톡! **표현상의 특징을 파악하라!**

❶ 관찰자적 시각에서 객관적으로 시적 상황을 전달함.

❷ 이별한 여인의 심정을 심화시키는 대상을 제시함.

최우선 출제 포인트!

1 시상 전개 방식

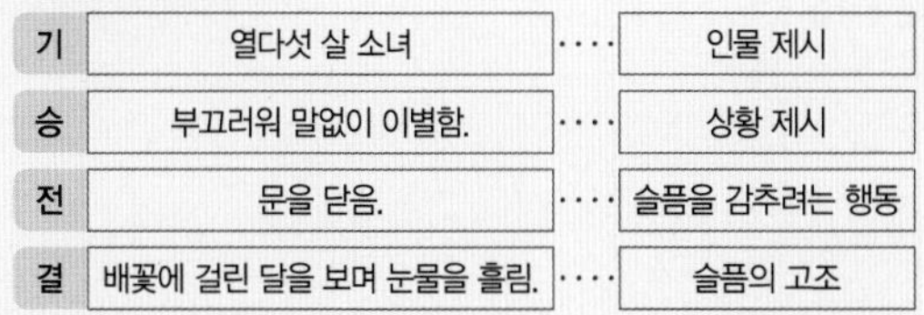

기	열다섯 살 소녀	····	인물 제시
승	부끄러워 말없이 이별함.	····	상황 제시
전	문을 닫음.	····	슬픔을 감추려는 행동
결	배꽃에 걸린 달을 보며 눈물을 흘림.	····	슬픔의 고조

2 정서를 심화시키는 소재

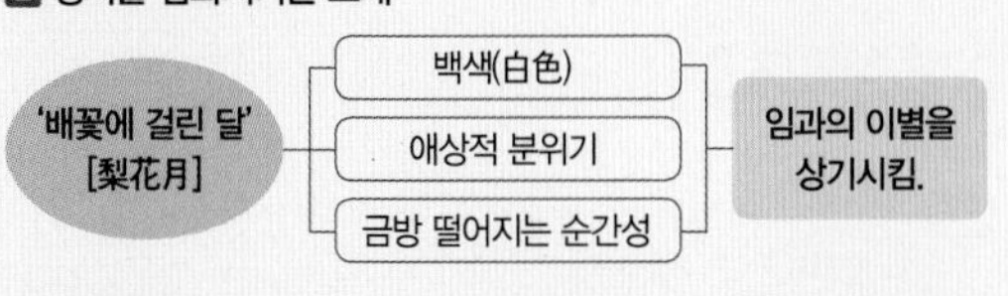

함께 볼 작품 임의 부재로 인한 규방 여인의 슬픔을 노래한 작품: 허난설헌, 「규원가」

최우선 핵심 Check!

1 시적 상황을 제시한 후, 관찰 대상의 정서를 드러내고 있다. (○ / ×)

2 '배꽃에 걸린 달'의 시각적 이미지를 활용하여 '열다섯 살 어여쁜 아가씨'가 느끼는 정서를 부각하고 있다. (○ / ×)

3 〈2구〉의 '부끄러워 말없이 헤어지고는'은 사랑하는 이와의 이별에 직면한 인물의 ㅅㄱ적 태도를 표현하고 있다.

4 'ㅂㄲ에 ㄱㄹ ㄷ'은 임과 헤어진 소녀의 슬픔을 더욱 심화시키고 있는 소재이다.

정답 1. ○ 2. ○ 3. 소극 4. 배꽃, 걸린 달

가마꾼의 탄식

견여탄(肩輿歎) | 정약용

갈래 한시(5언 고율) **성격** 사실적, 묘사적, 비판적
주제 백성들의 고통스러운 현실과 관리들의 횡포 고발 **시대** 조선 후기

가마를 메고 가는 가마꾼들의 고통을 가마를 타고 가는 이들의 즐거움과 대비하여 당대 관리들의 횡포와 모순된 현실을 비판하고 있다.

人知坐輿樂 인지좌여락　『사람들이 가마 타기 좋은 줄만 알고 『 』: 대조적 표현을 통해 가마 메는 가마꾼의 고통을 강조함 Link 표현상 특징 ❹
(사람들: 지배층을 가리킴)
不識肩輿苦 불식견여고　가마 메는 고통은 알지 못하네』 ➤ 가마 메는 고통을 알지 못하는 가마 타는 사람들
肩輿上峻阪 견여상준판　『가마 메고 높은 비탈을 오를 적엔 ▭: 유사한 통사 구조의 반복 - 운율 형성 Link 표현상 특징 ❶
(가마의 오르내림을 표현해 줌)
捷若躋山麌 첩약제산우　빠르기가 산 오르는 사슴과 같고 ◯: 가마꾼을 비유적으로 표현한 자연물 Link 표현상 특징 ❷
肩輿下懸崿 견여불현악　가마 메고 낭떠러지를 내려갈 적엔
沛如歸苙羖 패여귀립고　우리로 돌아가는 양처럼 쏜살같으며
肩輿超谽谺 견여초함하　가마 메고 깊은 구덩일 뛰어넘을 땐 『 』: 가마를 탄 입장에서 본 가마꾼의 모습을 열거함 - 가마꾼의 빠르고 가벼운 움직임을 드러냄. 대구법 - 운율 형성 Link 표현상 특징 ❶
松鼠行且舞 송서행차무　다람쥐가 달리며 춤추는 것 같다오』
側石微低肩 측석미저견　『바위 곁에선 살짝 어깨를 낮추고
窄徑敏交股 착경민교고　좁은 길에선 민첩하게 다리를 꼬기도』 『 』: 가마를 메고 가는 가마꾼의 모습
絕壁頫黝潭 절벽부유담　절벽에서 깊은 못을 내려다보면
駭魄散不聚 해백산불취　놀라서 넋이 달아날 지경이건만
(좁은 산길을 지날 때의 가마 타는 사람의 심리 - 무서움)
快走同履坦 쾌주동리탄　『평탄한 곳처럼 신속히 달리어라
耳竅生風雨 이규생풍우　귓구멍에 씽씽 바람이 이는 듯하니』 『 』: 능숙하게 좁은 산길을 달리는 가마꾼의 모습
(씽씽: 음성 상징어 - 생동감을 부각시킴)
所以游此山 소이유차산　이 때문에 이 산에 노닐 적엔
(이 산: 가마를 타고 가는 공간적 배경)
此樂必先數 차악필선수　이 낙을 반드시 먼저 꼽는다오 ➤ 가마의 역동적인 움직임과 가마를 타고 가는 이의 즐거움
(낙: 가마를 타고 가는 사람의 즐거움)
紆回得官帖 우회득관첩　멀리 돌아서 관첩을 얻어 오는데도
(관첩: 벼슬아치에게 주던 임명장)
役屬遵遺矩 역속준유구　역속들이 정해진 규칙을 따르는데
(역속: 역리와 역졸 / 정해진 규칙: 가마를 타야 한다는 규칙)
矧爾乘傳赴 신이승전부　더구나 너희야 역마 타고 부임하는
(너희: 가마꾼을 가리킴 - 핍박받는 백성들을 상징)
翰林疇敢侮 한림주감모　한림학사를 누가 감히 업신여기랴
(한림학사: 높은 벼슬 - 권력층 / 누가 감히 업신여기랴: 가마를 태워 줘야 함을 강조, 설의적 표현 Link 표현상 특징 ❸)
領吏操鞭扑 영이조편복　통솔하는 아전은 채찍과 매를 쥐고 ▭: 가마꾼을 억압하는 존재
首僧整編部 수승정편부　우두머리 중은 대오를 정돈하여
迎候不差限 영후불차한　『영접하는 덴 시한을 어기지 않고
肅恭行接武 숙공행접무　가는 데는 엄숙히 서로 뒤따라서』 『 』: 가마꾼을 힘들게 하는 상황
喘息雜湍瀑 천식잡단폭　『헐떡이는 숨소리는 여울 소리에 섞이고
汗漿徹襤褸 오장철남루　땀국은 헌 누더기에 흠뻑 젖누나 ─ 가마꾼의 가마 메는 힘겨움을 감각적(청각, 시각)으로 표현함
度虧旁者落 도휴방자락　움푹 팬 곳 건널 땐 옆 사람이 받쳐 주고
陟險前者傴 척험전자구　험한 곳 오를 땐 앞사람이 허리 굽히네 ─ 가마꾼이 서로 도우며 산을 오르는 모습 - 대구법 Link 표현상 특징 ❶

壓繩肩有瘢
압 승 견 유 반
새끼에 눌려 어깨엔 홈이 생기고

觸石趼未癒
촉 석 견 미 유
돌에 부딪쳐 멍든 발은 낫지를 않네』

가마꾼의 고통을 형상화함
『 』: 가마를 메고 가는 가마꾼들의 고통을 사실적이고 구체적으로 묘사함

自瘁以寧人
자 췌 이 영 인
스스로 고생하여 남을 편케 함이니
가마 타는 관리들 - 부정적 존재

職與驢馬伍
직 여 려 마 오
당나귀나 말과 다를 것이 없구나
가마꾼의 노동의 괴로움을 부각시켜 주는 소재 **Link** 표현상 특징 ❷

> 한림학사를 모시고 가는 가마꾼들의 고통

爾我本同胞
이 아 본 동 포
『너와 나는 본시 같은 민족으로서
가마를 메는 백성들을 가리킴

洪勻受乾父
홍 균 수 건 부
하늘의 조화를 똑같이 타고났건만』
가마를 메는 것을 가리킴
『 』: 만민 평등 사상 - 작가의 진보적인 가치관을 엿볼 수 있음

汝愚甘此卑
여 우 감 차 비
네 어리석어 이런 천역을 감수하니
가마 메는 백성들에 대한 연민이 담김

吾寧不愧憮
오 녕 불 괴 무
내가 어찌 부끄럽지 않으리오
가마를 메는 백성들에 대한 화자의 미안함을 드러냄. 설의적 표현

吾無德及汝
오 무 덕 급 녀
나는 너에게 덕 입힌 것 없는데

爾惠胡獨取
이 혜 호 독 취
어찌 너희 은혜만 받는단 말이냐
가마 메는 백성들에 대한 화자의 고마움과 미안함의 정서가 내재됨

兄長不憐弟
형 장 불 련 제
『형이 아우를 불쌍히 안 여기면
관리들 백성들

慈衷無乃怒
자 쇠 무 내 노
부모 마음에 노여워하지 않겠는가』
임금
『 』: 계층 관계를 가족 관계로 치환하여 백성들을 아껴야 함을 강조함. 설의적 표현 **Link** 표현상 특징 ❸

僧輩猶苛矣
승 배 유 가 의
중의 무리는 그래도 괜찮거니와
관리들의 행차 때 가마를 메는 의무를 지닌 백성들

哀彼嶺下戶
애 피 령 불 호
저 산 밑의 민호들이 애처롭구나
화자의 정서를 직접적으로 표출함

> 천역을 감수하는 가마꾼들과 산 밑 민호들의 애처로운 삶

巨槓雙馬轎
거 공 쌍 마 교
큰 지렛대 쌍마의 가마에다가

服驂傾村塢
복 참 경 촌 오
온 마을 사람들은 복마꾼 참마꾼으로 동원하네
가마꾼 역할을 해야 하는 백성들의 고달픈 처지를 드러냄

被驅如犬鷄
피 구 여 태 계
개와 닭처럼 마구 몰아대니
가마꾼으로 징발된 백성들을 비유한 표현 **Link** 표현상 특징 ❷

聲吼甚豺虎
성 후 심 시 호
으르는 소리 시호보다 고약하도다 → 가마꾼들을 모질게 통솔하는 관리들의 모습
승냥이와 호랑이 - 관리들의 횡포를 비유적으로 드러낸 소재 **Link** 표현상 특징 ❷

乘人古有戒
승 인 고 유 계
가마 타는 덴 옛 경계가 있는데도
가마를 탈 때 지켜야 할 도리를 말함

此道棄如土
차 도 기 여 토
이 도리를 분토처럼 버린지라
가마꾼들을 함부로 대하는 태도를 비유적으로 표현함

耘者棄其鋤
운 자 기 기 서
『김 매던 자는 호미를 놓아 버리고

飯者哺而吐
반 자 포 이 토
밥 먹던 자는 먹던 밥을 뱉고서』
『 』: 가마 메는 부역 때문에 끌려가는 백성들의 모습을 사실적으로 드러냄. 대구법 **Link** 표현상 특징 ❶

無辜遭嗔喝
무 고 조 진 갈
『아무 죄 없이 꾸짖음을 당하면서

萬死唯首俯
만 사 유 수 부
만 번 죽어도 머리만 조아리어』
『 』: 부당한 대우를 받는 가마꾼들의 억울함을 드러냄

顚頓旣踰艱
초 췌 기 유 간
가까스로 어려움을 넘기고 나면

噫吁始贖擄
희 우 시 속 로
어허, 그제야 노략질을 면하도다
백성들이 관리에게 붙잡혀 가마 메는 일을 당하는 모습을 비유적으로 표현한 말

片言無慰撫
편 언 무 위 무
『가마 탄 자 한마디 위로도 없이

浩然揚傘去
호 연 양 산 거
호연히 일산 드날리며 떠나가거든』
『 』: 가마꾼들의 노고를 생각하지 않는 관리들의 모습 - 관리들의 도덕적 무감각이 드러남

力盡返其畝
역 진 근 기 무
『힘이 다 빠진 채 밭으로 돌아와선

呻唫命如縷
심 금 명 여 루
실낱 같은 목숨 시름시름하누나』
화자의 안타까움을 엿볼 수 있음
『 』: 가마 메는 부역을 마친 후 다시 일상적인 노동을 해야 하는 백성들의 힘겨운 삶이 드러남

欲作肩輿圖
욕 작 견 여 도
『내 이 때문에 견여도를 그려 내어

歸而獻明主
귀 이 헌 명 주
돌아가 임금님께 바치려고 하노라』
화자의 의지적 태도가 드러남. 영탄적 표현
『 』: 부조리한 현실을 임금에게 알려 임금이 관리들의 횡포를 막아 주기를 바람

> 견여도를 그려 임금에게 고하고자 함

Link

출제자 팁! 화자를 이해하라!

1 **화자는 누구이고, 화자가 처한 상황은?**
가마를 메고 가는 가마꾼의 모습을 바라보는 사람

2 **화자의 정서 및 태도는?**
- 가마를 메는 백성들에 대한 연민과 안타까움을 드러냄.
- 가마를 타는 관리들에 대해 비판적인 인식을 드러냄.
- 백성들의 고통을 임금에게 알리고 싶은 의지를 보임.

출제자 팁! 표현상의 특징을 파악하라!

❶ 유사한 통사 구조를 반복하고, 대구법을 사용하여 운율을 형성함.
❷ 비유적인 시어를 사용하여 대상을 구체적으로 형상화함.
❸ 설의적 표현을 사용하여 화자의 정서와 생각을 강조함.
❹ 인물들의 모습을 대비적으로 제시하여 주제 의식을 효과적으로 드러냄.

최우선 출제 포인트!

1 화자의 정서 및 태도

화자	가마를 메는 가마꾼과 가마를 탄 관리들을 바라봄.

가마꾼(피지배층)		관리들(지배층)
• 가마를 메고 괴로워함. • 당나귀나 말처럼 가마를 메어야 함. • 개와 닭처럼 몰려서 부림을 당함. • 가마를 메고 와서 다시 농사일을 해야 해서 시름시름함.	↔ 대비	• 가마를 타고 즐거워함. • 채찍과 매를 들고 가마꾼을 재촉함(억압함). • 승냥이와 호랑이처럼 가마꾼을 모질게 통솔함. • 가마를 탈 때의 도리를 저버림. • 가마꾼들의 노고를 생각하지 않음.
↓ 안타까움, 연민, 미안함		↓ 비판적, 고발적

최우선 핵심 Check!

1 화자는 '□□□'를 임금에게 보내 임금이 관리들의 횡포를 막아 주기를 바라고 있다.

2 '당나귀, □'은 가마꾼의 노동의 괴로움을 드러내 주는 비유적 표현이다.

3 가마를 타는 자와 가마를 메는 자를 대조하여 주제 의식을 효과적으로 전달해 주고 있다. (O / ×)

4 '시호'는 관리들의 횡포를 부각시키기 위해 사용한 소재이다. (O / ×)

5 화자는 농사 일을 하다 가마꾼으로 징발된 백성들에 대한 안타까움의 정서를 드러내고 있다. (O / ×)

6 가마를 탄 관리들은 가마꾼들의 노고에 치하하며 가마를 타는 도리를 보여 주고 있다. (O / ×)

정답 1. 견여도 2. 말 3. ○ 4. ○ 5. ○ 6. ×

1등급! 〈보기〉!

「견여탄」의 이해

이 작품은 정약용의 개인문집 『여유당전서(與猶堂全書)』에 수록되어 전하는 전 60행으로 이루어진 장시(長詩)로, 정통 한시의 격식에서 벗어나 시의 소재와 표현에서 독자적인 특징을 이루고 있다.

이 작품은 관리들이 탄 가마를 메고 산으로 올라가는 영하호(嶺下戶) 주민들의 모습을 통해 백성들의 고달픈 삶을 객관적이고 사실적으로 묘사하고 있으며, 모순된 당대의 사회 제도를 풍자함으로써 당시의 현실에 대한 비판 의식을 드러내고 있다. 당대의 사회상을 시의 소재로 택해 신분 제도의 부당함을 부각시킨 점에서 실학자 정약용의 진보적인 의식을 엿볼 수 있으며, 형식적인 면에서도 우리말 노래의 특성을 살리고자 노력한 점이 돋보이는 작품으로 평가된다.

부벽루에 올라 쓴 시

부벽루(浮碧樓) | 이색

갈래 한시(7언 절구) **성격** 회고적, 애상적
주제 ① 인간 역사의 무상함에 대한 한탄 ② 지난 역사의 회고와 고려 국운의 회복 소망 **시대** 고려

융성했던 과거의 왕조를 회고하면서 권력과 인간사의 덧없음에 대한 깨달음을 담담하게 노래한 작품이다.

○: 압운

昨過永明寺 (작과영명사) 어제 영명사를 지나다가
(영명사: 고구려 광개토대왕 때 평양에 지은 절)

暫登浮碧樓 (잠등부벽루) 잠시 부벽루에 올랐네
(□: 인간사에 대한 무상감을 깨닫는 공간 / 부벽루: 시의 공간적 배경(평양 대동강변의 정자))
> 수: 부벽루에 오름

城空月一片 (성공월일편) 텅 빈 성엔 조각달 떠 있고
(텅 빈 성: 쇠약해진 현실을 환기, 텅 비어 있는 성터와 대비되는 자연 / ⬭: 자연의 영원성)

石老雲千秋 (석로운천추) 천 년 구름 아래 돌은 늙었네
(구름: 변하지 않는 자연의 모습 / 돌은 늙었네: 인간 역사의 무상함 **Link** 표현상 특징 ❶)
> 함: 폐허가 된 부벽루 주변의 쓸쓸한 풍경을 바라봄

시상 전환

麟馬去不返 (인마거불반) 기린마는 떠나간 뒤 돌아오지 않으니
(기린마: 고구려의 동명왕이 타고 하늘로 올라갔다고 전해지는 상상의 말 / ▒: 이제는 찾아볼 수 없는 고구려의 역사)

天孫何處遊 (천손하처유) 천손은 지금 어느 곳에 노니는가
(천손: 고구려의 동명왕)
> 경: 동명왕의 회상과 인생의 무상감 토로

長嘯倚風磴 (장소의풍등) 돌계단에 기대어 길게 휘파람 부노라니
(휘파람 부노라니: 화자의 쓸쓸한 심정이 나타남 **Link** 표현상 특징 ❷)

山靑江自流 (산청강자류) 산은 오늘도 푸르고 강은 절로 흐르네
(인간 역사의 무상함과 대비되는 자연의 변함없는 모습 **Link** 표현상 특징 ❸)
> 미: 변함없는 자연에 대한 감회

출제자 톡! 화자를 이해하라!

1 **화자는 누구이고, 화자가 처한 상황은?**
고구려의 유적지인 평양성을 지나 부벽루에 오른 사람

2 **화자의 정서 및 태도는?**
자연과 대비되는 인간 역사의 유한함에 대해 무상감을 느끼고 있음.

Link

출제자 톡! 표현상의 특징을 파악하라!

❶ 시간의 흐름을 시각적으로 표현함.

❷ 쓸쓸한 어조를 사용하여 인간 역사의 무상함을 표현함.

❸ 인간과 자연의 대비를 통해 주제를 드러냄.

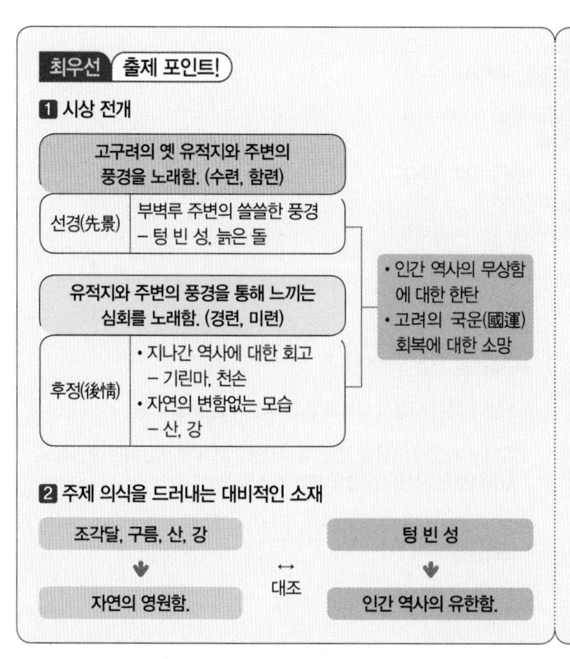

최우선 출제 포인트!

1 시상 전개

고구려의 옛 유적지와 주변의 풍경을 노래함. (수련, 함련)

선경(先景)	부벽루 주변의 쓸쓸한 풍경 – 텅 빈 성, 늙은 돌

유적지와 주변의 풍경을 통해 느끼는 심회를 노래함. (경련, 미련)

후정(後情)	• 지나간 역사에 대한 회고 – 기린마, 천손 • 자연의 변함없는 모습 – 산, 강

→ • 인간 역사의 무상함에 대한 한탄 • 고려의 국운(國運) 회복에 대한 소망

2 주제 의식을 드러내는 대비적인 소재

조각달, 구름, 산, 강	↔ 대조	텅 빈 성
↓		↓
자연의 영원함.		인간 역사의 유한함.

최우선 핵심 Check!

1 시간의 흐름을 시각적으로 표현하고 있다. (O / ×)

2 대조적 색채 이미지를 사용하여 시적 분위기를 드러내고 있다. (O / ×)

3 '텅 빈 성'은 화려했던 과거와 달리 쇠약해진 현실을 환기하는 대상이다. (O / ×)

4 고려 말 이색이 옛 고구려의 유적지인 평양성의 부벽루에 올라 원나라의 침입 이후 국력이 약해진 고려의 국운이 ㅎㅂ되기를 바라는 마음을 노래하고 있다.

5 '조각달, 구름, 산, 강' 등 무한한 자연과 대비되는 '텅 빈 성', 늙은 'ㄷ'을 통해 인간의 유한성을 보여 주고 있다.

정답 1. ○ 2. × 3. ○ 4. 회복 5. 돌

자유로운 형식 한시 제6편

고시(古詩) 6 | 정약용

갈래 한시(5언 고시) **성격** 우의적, 상징적, 성찰적
주제 벼슬살이의 어려움과 고향에 대한 그리움
시대 조선 후기

총 27수로 이루어진 '고시(古詩)' 중 제6수로, 벼슬길에서의 고난을 돌아보며 벼슬길에 나아가기 전 고향에서의 자유로웠던 삶을 그리워하는 화자의 모습이 나타나 있다.

撥剌池中魚 (발 랄 지 중 어)
『못 안에서 활기차게 뛰노는 고기 (고기: 화자 자신 비유) **Link** 표현상 특징 ❶
(못: 화자의 고향 비유) 『』: 못 안에서 자유롭게 노는 물고기의 모습 → 고향에서의 자유로운 삶

撥剌池中行 (발 랄 지 중 행)
발랄하게 못 속을 다니면서

游戲蓮葉間 (유 희 연 엽 간)
연잎 사이에서 놀기도 하고

呷唼常適情 (합 삽 상 적 정)
오물대고 쪼아 먹고 제멋대로 하였는데』
> 벼슬길에 오르기 전의 자유로운 삶

矯然思遠游 (교 연 사 원 유)
무단히 멀리 놀고 싶은 생각으로
(입신양명(立身揚名)에 대한 욕심)

隨流入滄瀛 (수 류 입 창 영)
흐름 따라 큰 바다로 들어갔다네
(조정에 출사(出仕)한 것을 가리킴)

望洋迷所向 (망 양 미 소 향)
양양한 바다 갈 곳을 잃고
(험난한 조정)

蕩潏魂屢驚 (탕 휼 혼 루 경)
거센 물결에 넋이 도망갔으며 (□: 당쟁으로 인한 시련, 고난)
> 정계에 진출한 후 겪은 시련

崎嶇避蛟鰐 (기 구 피 교 악)
가까스로 교룡 악어를 피했더니
(반대파의 공격으로부터 보호하기 위해 정조가 작가를 외직(外職)으로 보낸 일 암시)

至竟値長鯨 (지 경 치 장 경)
필경에는 큰 고래를 만나
(정조 사후(死後) 신유사옥에 연루되어 유배를 가게 된 일 암시)

> 신유사옥(辛酉邪獄): 조선 순조 원년(1801)인 신유년에 있었던 가톨릭교 박해 사건. 중국에서 세례를 받고 돌아와 선교하던 이승훈을 비롯하여 이가환, 정약종, 권철신, 홍교만 등의 남인(南人)에 속한 신자와 중국인 신부 주문모 등이 사형에 처해졌는데, 수렴청정을 하던 정순 왕후(貞純王后)를 배경으로 하는 벽파가 시파와 남인을 탄압하려는 술책에서 나왔음. = 신유박해

倏鯨吸而死 (숙 경 흡 이 사)
『고래가 들이켜면 빨려 들어가 죽었다가

忽鯨歕而生 (홀 경 분 이 생)
고래가 뿜어내면 다시 살아났다네』
> 정쟁에 희생을 당해 유배를 가게 됨
(『』: 고난을 겪다가 겨우 목숨을 부지함 - 벼슬길에서의 위태로운 삶)

耿耿思故池 (경 경 사 고 지)
(오매불망) 자나 깨나 옛 못이 그리워서
(옛 못: 화자가 분수를 지키며 자유롭게 살던 고향을 비유) **Link** 표현상 특징 ❷

圉圉憂心縈 (어 어 우 심 영)
시름시름 걱정만 하던 차에

神龍哀此魚 (신 용 애 차 어)
그 고기를 불쌍히 여긴 용왕이
(그 고기: 고향을 그리워하며 걱정하는 화자 비유 / 용왕: 임금)

雷雨會有聲 (뇌 우 회 유 성)
세찬 비를 소리 나게 내려 주었다네
(벼슬에서 물러날 수 있게 해 줌)
> 고향을 그리워하다 고향으로 가게 됨

출제자 톡! 화자를 이해하라!

1 **화자는 누구이고, 화자가 처한 상황은?**
정치적 고난을 겪다가 겨우 살아난 사람

2 **화자의 정서 및 태도는?**
벼슬길에서의 삶을 고단한 것으로 여기며, 자유롭게 살았던 고향에 대한 그리움을 드러냄.

Link

출제자 톡! 표현상의 특징을 파악하라!

❶ 다양한 비유적 표현을 통해 화자의 처지를 효과적으로 나타냄.

❷ 화자가 처한 두 가지 상황을 대조적으로 제시하여 화자의 소망을 강조함.

❸ 전체적으로 서사적 구성을 취하여 화자의 정서를 드러냄.

최우선 출제 포인트!

1 화자의 처지와 소망

벼슬하기 전 고향에서 평화롭게 살아감.	↔	벼슬길에 나아가 고난을 겪음.

대조적 상황 ↓

벼슬길에서 물러나 고향으로 돌아가기를 소망함.

최우선 핵심 Check!

1 자연에 대한 사실적 묘사를 통해 시상이 전개되고 있다. (○ / ×)

2 화자는 자신의 고향을 '연못'에, 자신을 '고기'에 비유하여 고향에서 자유로웠던 자신의 모습을 떠올리고 있다. (○ / ×)

3 '거센 물결', 'ㄱㄹ ㅇㅇ', 'ㅋ ㄱㄹ'는 화자가 겪은 시련을 나타낸다.

정답 1. × 2. ○ 3. 교룡 악어, 큰 고래

자유로운 형식의 한시 제7편

고시(古詩) 7 | 정약용

갈래 한시(5언 고시) **성격** 우의적, 상징적, 비판적
주제 지배층의 횡포와 백성들의 고통스러운 삶
시대 조선 후기

힘겹게 사는 백성들을 '부평초'에, 그들을 핍박하는 지배층을 부평초를 괴롭히는 자연물에 비유하여, 지배층의 횡포에 고통받는 백성들의 삶을 우의적으로 표현하고 있는 작품이다. 한편 작가 정약용의 삶과 관련지어 보면 정약용의 순탄하지 못한 삶을 표현한 것으로도 볼 수 있다.

百草皆有根 (백초개유근) 풀이면 다 뿌리가 있는데
浮萍獨無蔕 (부평독무체) 부평초만은 매달린 꼭지가 없이 — 일반적인 풀의 모습 ▶ 뿌리가 없는 부평초의 삶
부평초: 뿌리가 없어 정착하지 못함 - ① 핍박 받는 백성들 ② 유배지에 있는 화자 자신
汎汎水上行 (범범수상행) 「물 위에 둥둥 떠다니며
「」: 외부의 힘에 의해 좌지우지 되는 삶
常爲風所曳 (상위풍소예) 언제나 바람에 끌려다닌다네」 ▶ 바람에 여기저기 떠다니는 부평초의 모습
바람: 외부의 힘(시련) - ① 지배 계층의 횡포 ② 자신의 삶을 좌지우지하는 외부 세력(당파)
生意雖不泯 (생의수불민) 목숨은 비록 붙어 있지만
寄命良瑣細 (기명량쇄세) 더부살이 신세처럼 가냘프기만 해 — 화자가 바라보는 대상의 모습과 그것에서 비롯된 화자의 정서를 드러냄 ▶ 가냘프기만 한 부평초의 삶
더부살이 신세: 부평초의 처지(직유법) - ① 백성들의 삶의 고통 ② 조정에서의 정치적 세력이 약한 작가의 모습
蓮葉太凌藉 (연엽태릉적) [연잎]은 너무 괄시를 하고
[ ]: ① 부평초를 괄시하고 핍박하는 존재(탐관오리, 지배층) ② 화자의 삶에 시련을 주는 존재
荇帶亦交蔽 (행대역교폐) [행채]도 이리저리 가리기만 해 **Link** 표현상 특징 ❷ ▶ 연잎의 괄시와 행채의 괴롭힘
행채: 연못이나 늪에 나는 마름과의 한해살이 풀

선경 - 연못의 풀(부평초, 연잎, 행채)의 모습 **Link** 표현상 특징 ❶

同生一池中 (동생일지중) 「똑같이 한 못 안에 살면서 — 같은 공간을 공유함
何乃苦相戾 (하내고상려) 어쩌면 그리 서로 어그러지기만 할까」 ▶ 더불어 살아가지 못하는 현실에 대한 안타까움
「」: 서로 어우러지지 못하며 살아가는 현실에 대한 화자의 안타까움 **Link** 표현상 특징 ❸

후정 - 지배층이 백성을 괴롭히는 상황에 대한 화자의 안타까움

출제자 톡! 화자를 이해하라!

1 **화자는 누구이고, 화자가 처한 상황은?**
연못을 보며 백성들을 생각하고 있음. 또는 당파 싸움에 희생된 자신을 돌아보고 있음.

2 **화자의 정서 및 태도는?**
힘센 자들에게 핍박당하는 백성을 연민하고 안타까워함. 또는 벼슬살이의 어려움을 안타까워함.

Link

출제자 톡! 표현상의 특징을 파악하라!

❶ 선경 후정의 방식으로 시상을 전개함.
❷ 자연물에 상징적인 의미를 부여하여 주제 의식을 강조함.
❸ 연못의 모습을 통해 인간 세상의 모습을 간접적으로 보여 줌.

최우선 출제 포인트!

1 대립되는 의미로 사용된 소재

부평초	⟷ 대립적	연잎, 행채
핍박받는 백성, 화자 자신		백성을 핍박하는 지배층, 화자에게 시련을 주는 존재
연민의 대상		비판, 풍자의 대상

2 작품의 주제 의식

작품 내용과 시대 상황을 고려할 때	• 백성들의 고통스러운 삶에 대한 연민 • 백성을 괴롭히는 지배층에 대한 비판
당파 싸움에 희생된 작가의 삶을 고려할 때	• 당파 싸움의 희생양이 된 자신의 신세 한탄 • 자신을 괴롭히는 정치인들에 대한 비판

최우선 핵심 Check!

1 화자는 '부평초'에 대해 연민의 감정을 표현하고 있다. (O / ×)

2 화자는 '연잎'과 '행채'에 대해 부정적인 태도를 보이고 있다. (O / ×)

3 연못 생태계의 모습을 통해 당대 사회의 현실을 간접적으로 보여 주고 있다. (O / ×)

4 'ㅂㅍㅊ'가 핍박당하는 백성을 상징하는 것이라고 본다면, '연잎'이나 '행채'는 백성을 핍박하는 ㅌㄱㅇㄹ 등의 지배층을 상징한다고 볼 수 있다.

정답 1. ○ 2. ○ 3. ○ 4. 부평초, 탐관오리

출제 최우선 작품

자유로운 형식의 한시 제8편

고시(古詩) 8 | 정약용

갈래 한시(5언 고시) **성격** 우의적, 풍자적
주제 지배층의 횡포와 피지배층의 고통
시대 조선 후기

지배층의 횡포와 피지배층의 서러움을 '제비'와 '황새' 그리고 '뱀'에 빗대어 우화적으로 노래한 작품이다.

鷰子初來時 연자초래시	제비 한 마리 처음 날아와 (제비: 관리들에게 수탈당하는 백성)	
喃喃語不休 남남어불휴	지지배배 그 소리 그치지 않네	❯ 그치지 않는 제비의 울음소리
語意雖未明 어의수미명	말하는 뜻 분명히 알 수 없지만 (무언가를 하소연하고픈 모습)	하소연의 내용
似訴無家愁 사소무가수	집 없는 서러움을 호소하는 듯 (화자의 추측 - 삶의 터전을 잃은 백성들의 고통 Link 표현상 특징 ❶)	❯ 제비의 집 없는 서러움
楡槐老多穴 유괴노다혈	느릅나무 홰나무 묵어 구멍 많은데 (제비가 살 만한 곳 → 백성들의 삶의 터전)	화자의 질문
何不此淹留 하불차엄류	어찌하여 그곳에 깃들지 않니	❯ 제비에게 느릅나무와 홰나무에 살지 않는 이유를 물음
燕子復喃喃 연자부남남	제비 다시 지저귀며	
似與人語酬 사여인어수	사람에게 말하는 듯 (□: 제비의 삶을 위협하는 대상 → 지배 계층(백성을 수탈하는 관리))	❯ 사람에게 말하는 듯한 제비의 소리
楡穴鸛來啄 유혈관래탁	『느릅나무 구멍은 [황새]가 쪼고 (백성들의 보금자리)	제비의 답변, 의인화 Link 표현상 특징 ❷
槐穴蛇來搜 괴혈사래수	홰나무 구멍은 [뱀]이 와서 뒤진다오』	❯ 황새와 뱀의 횡포를 호소하는 제비의 답

『 』: 백성을 수탈하는 당시의 사회상 암시 → 가렴주구(苛斂誅求), 가정맹어호(苛政猛於虎) Link 표현상 특징 ❸

출제자 톡! 화자를 이해하라!

1 **화자는 누구이고, 화자가 처한 상황은?**
제비와 가상의 대화를 나누고 있는 사람

2 **화자의 정서 및 태도는?**
'제비'로 상징되는 백성들에 대한 연민과 '황새'와 '뱀'으로 상징되는 지배층에 대한 비판적인 태도를 보임.

Link

출제자 톡! 표현상의 특징을 파악하라!

❶ 관리들의 횡포로 떠돌아다니는 백성들에 대한 연민의 정을 드러냄.

❷ 제비를 의인화하여 대화 형식을 통해 시상을 전개함.

❸ 우의적인 수법으로 지배층의 횡포를 풍자함.

최우선 출제 포인트!

1 대비를 통해 드러나는 사회적 불평등

제비	↔	황새, 뱀
느릅나무와 홰나무: 삶의 터전	대립	느릅나무를 쪼고, 홰나무를 뒤짐
수탈을 당하는 백성		백성을 수탈하는 지배 계층

↓… 우화적 수법 사용

지배층의 횡포와 백성들의 고통스러운 삶 고발
→ 가렴주구(苛斂誅求)의 세태

함께 볼 작품 자연물을 통해 백성들의 힘겨운 삶을 노래한 작품: 이제현, 「사리화」

최우선 핵심 Check!

1 화자는 자신의 안타까운 감정을 자연물에 이입하여 표현하였다. (○ / ×)

2 당시의 부정적 현실을 우화적 기법을 통해 우회적으로 고발하고 있다. (○ / ×)

3 화자와 '제비'의 [ㄷ][ㅎ] 형식을 활용하여 현실에 대한 인식을 드러내고 있다.

4 '제비'는 관리들에게 수탈을 당하여 어려움을 겪고 있는 백성을, '[ㅎ][ㅅ]'와 '[ㅂ]'은 백성을 착취하고 수탈하는 지배 계층을 상징한다.

정답 1. × 2. ○ 3. 대화 4. 황새, 뱀

임에 대한 긴 그리움

장상사(長相思) | 성현

갈래 한시(악부) **성격** 비유적, 애상적
주제 임에 대한 그리움
시대 조선 전기

임과 이별한 화자의 처지를 사물에 빗대어, 임(임금)에 대한 간절한 그리움 때문에 애를 끓이는 화자의 안타까운 마음을 노래하고 있다.

長相思思不見 장 상 사 사 불 견	그립고 그리워도 볼 수가 없어 정서의 직접적 표출 - 임의 부재를 알 수 있음 / '마음'을 비유
心知紙鳶風中戰 심 여 지 연 풍 중 전	마음은 바람에 나부끼는 종이 연 같아라 □: 객관적 상관물 Link 표현상 특징 ❶ 임을 그리워하는 화자의 내면을 시각적으로 형상화함
有席可捲石可轉 유 석 가 권 석 가 전	『돗자리라면 말아 두고 돌이라면 굴러 낼 수 있으련만』 『 』: 대구법 응어리진 화자의 마음과 대비되는 대상
此心鬱結何時變 차 심 울 결 하 시 변	이 마음의 응어리 어느 때나 고칠까 ❯ 멀리 떨어진 임을 그리워함 임에 대한 그리움 / 의문형 표현 - 화자의 시름을 강조
所思遠在天之墜 소 사 원 재 천 지 추	『그리운 사람은 멀리 하늘 모퉁이에 있는데 임이 있는 공간 - 화자가 가고자 하는 공간
雲天綠樹晴悠悠 운 천 록 수 청 유 유	구름 뜬 하늘 아래 늘어진 푸른 버들』 『 』: 임과의 공간적 거리감이 드러남 화자가 있는 공간 / 수심에 잠겨 있는 화자를 비유한 말
悠悠不盡愁 유 유 불 진 수	아득한 시름은 끝이 없어라 임에 대한 그리움과 슬픔이 매우 큼을 강조함
獨坐彈箜篌 독 좌 탄 공 후	홀로 앉아 공후를 타니 시름을 잊으려는 화자의 행위
箜篌如訴復如泣 공 후 여 소 복 여 읍	공후는 하소연하는 듯 흐느끼는 듯 화자의 감정이 이입된 의인화된 대상 Link 표현상 특징 ❸
彈罷不覺羅衫濕 탄 파 불 각 나 삼 습	다 타도록 비단 적삼 젖는 줄도 몰랐네 임에 대한 그리움으로 인한 화자의 눈물 ❯ 공후를 연주하며 그리움을 달래려 함
願爲雙飛鳥 원 위 쌍 비 조	『원컨대 쌍쌍이 나는 새가 되어서
向君窓前立 향 군 창 전 입	임 향한 창 앞에 서 있고자 ▒: 임과 함께하고 싶어 하는 화자의 소망이 투영된 대상
願爲月明光 원 위 명 월 광	원컨대 밝은 달이 되어 『 』: 대구법 Link 표현상 특징 ❷
穿君留箔立 천 군 유 함 입	임의 창문 휘장 뚫어 비춰 들고자』 ❯ 임과 함께하고 싶은 마음 화자의 그리움과 외로움을 심화시키는 시간
悲歌無寐夜何長 비 가 무 매 야 하 장	슬픈 노래 잠 못 드는 밤 어찌 이리 긴고 전전반측(輾轉反側)
夢魂不渡遼山陽 혼 몽 불 도 요 산 양	꿈속에서도 요산 남쪽 건너지 못하였네 △: 임과 화자의 만남을 가로막는 장애물 임과 만나고 싶은 화자의 간절한 소망이 담긴 공간
長相思空斷腸 장 상 사 공 단 장	기나긴 그리움에 공연히 애만 끊노라 임을 만날 수 없는 처지에서 느끼는 슬픔 ❯ 임에 대한 절실한 그리움으로 인한 고통

출제자 톡! 화자를 이해하라!

1 화자는 누구이고, 화자가 처한 상황은?
임과 이별한 상황에 처해 있는 여성

2 화자의 정서 및 태도는?
이별한 임을 간절히 그리워하며 함께하고 싶은 마음을 드러냄.

Link

출제자 톡! 표현상의 특징을 파악하라!

❶ 객관적 상관물을 사용하여 화자의 정서를 효과적으로 드러냄.
❷ 대구법을 사용하여 임과 함께하고 싶은 심정을 강조함.
❸ 감정 이입을 통해 임과의 만남을 소망하는 화자의 간절함을 드러냄.

최우선 출제 포인트!

1 시어의 의미

시어	의미
종이 연, 푸른 버들	화자의 마음을 비유. 객관적 상관물
돗자리, 돌	화자의 풀 수 없는 응어리진 마음과 대비되는 대상
공후	화자가 시름을 달래려 하는 수단. 화자의 감정이 이입된 대상
하늘 끝, 하늘 아래	임과 화자가 있는 공간으로, 임과 화자와의 거리감을 드러내 줌.
새, 달	임과 함께하고 싶어 하는 화자의 소망이 투영된 대상
꿈속	임과 만나고 싶어 하는 화자의 간절한 소망이 담긴 공간

최우선 핵심 Check!

1 '종이 연', '[ㅍ][ㄹ] [ㅂ][ㄷ]'은 화자의 마음을 비유적으로 드러낸 객관적 상관물이다.

2 화자의 시름을 달래기 위한 소재인 '[ㄱ][ㅎ]'는 화자의 감정이 이입된 대상이다.

3 화자의 그리움과 외로움을 심화시켜 주는 시간적 배경은 '밤'이다. (O / ×)

4 화자는 꿈속에서라도 임을 만나고 싶어 하지만 장애물 때문에 임을 만나지 못하고 있다. (O / ×)

정답 1. 푸른 버들 2. 공후 3. ○ 4. ○

가난한 여인이 읊조리다

빈녀음(貧女吟) | 허난설헌

갈래 한시(5언 절구) **성격** 자조적, 애상적
주제 ① 가난으로 인한 고통스러운 삶 ② 불평등한 사회 현실 비판 **시대** 조선 중기

가난으로 인해 고달프고 외로운 화자 자신의 처지를 여성 특유의 섬세한 감각으로 표현하고 있다.

〈제1수〉

豈是乏容色 기시핍용색 『외모도 남에 비해 그리 빠지지 않고
工針復工織 공침부공직 바느질 솜씨 길쌈 솜씨도 좋건만』 『 』: 좋은 집에 시집갈 수 있는 조건
少少長寒門 소소장한문 가난한 집안에 태어나 자란 까닭에 (좋은 집에 시집을 갈 수 없는 이유 Link 표현상 특징 ❶)
良媒不相識 양매불상식 좋은 중매 자리 나를 몰라준다오 (자신을 알아주지 않는 현실에 대한 안타까움)

> 가난해서 좋은 집에 시집갈 수 없는 현실에 대한 한탄

〈제2수〉

不帶寒餓色 부대한아색 춥고 굶주려도 겉으로는 내색하지 않고 (가난을 겉으로 내색하지 않음)
盡日當窓織 진일당창직 하루 종일 창가에서 베만 짠다네 (고된 노동을 하고 있는 화자의 처지 Link 표현상 특징 ❷)
唯有父母憐 유유부모련 오직 내 부모님만 가엾다 여기실 뿐
四隣何會識 사린하회식 그 어떤 이웃이 이내 속을 알아주리오 (자신을 알아주지 않는 것에 대한 야속한 심정)

> 하루 종일 베만 짜야 하는 서러운 신세 한탄

〈제3수〉

夜久織未休 야구직미휴 밤이 깊어도 베를 짜는 손 멈추지 않고 (고된 노동이 밤늦게까지 이어짐을 드러냄 Link 표현상 특징 ❷)
戞戞鳴寒機 알알명한기 베틀 소리만 [삐걱삐걱] 처량하게 우네 (화자의 마음(처량함)을 베틀에 투영하여(우는 것) 표현함) [ ]: 음성 상징어. 화자의 처량하고 고달픈 상황을 드러냄
機中一匹練 기중일필련 베틀에 짜여 가는 이 한 필 비단 (화자의 처지와 대비되는 대상 Link 표현상 특징 ❸)
終作何誰衣 종작하수의 끝내는 어느 색시의 옷이 되려나 (열심히 일하여 다른 사람이 입을 옷을 만듦)

> 밤늦도록 다른 색시의 옷을 짜야 하는 처지 탄식

〈제4수〉

手把金剪刀 수파금전도 가위로 [싹둑싹둑] 옷감을 마르노라면 (비단으로 옷을 만드는 모습. 청각적 이미지)
夜寒十指直 야한십지직 추운 밤에 손끝이 곱아 오네 (겨울밤에 느끼는 바느질의 고통(촉각적 이미지) Link 표현상 특징 ❷)
爲人作嫁衣 위인작가의 시집가는 누군가를 위해 길옷을 만들고 있지만 (화자의 처지와 대비되는 대상 - 처지의 대비를 통해 화자의 서글픔을 심화시킴 Link 표현상 특징 ❸)
年年還獨宿 년년환독숙 이내 몸은 해마다 홀로 잔다오 (해마다: 똑같은 상황의 반복 / 홀로 잔다오: 독수공방하는 외로운 처지 한탄)

> 남의 옷을 짓는 처지에 대한 한탄

출제자 톡! 화자를 이해하라!

1 화자는 누구이고, 화자가 처한 상황은?
가난한 여인으로, 다른 사람의 옷을 짓고 있음.

2 화자의 정서 및 태도는?
자신의 처지를 한탄하고 자조함.

Link

출제자 톡! 표현상의 특징을 파악하라!

❶ 사회적 불평등을 간접적으로 드러냄.

❷ 가난으로 인한 고통스러운 삶을 사실적으로 묘사함.

❸ 다른 사람과 화자 자신의 상황을 대비하여 한스러운 처지를 강조함.

최우선 출제 포인트!

1 대비를 통해 드러나는 사회적 불평등

시집가는 여인		화자 자신
시집갈 길옷을 다른 사람에게 맡기고, 시집갈 준비를 함.	대비 ↔	얼굴도 예쁘고, 일도 잘하지만 가난한 처지로 겨울 밤 다른 사람의 길옷만 만들어 주고 홀로 지냄.

사회적 불평등

화자는 시집가는 여인과 자신의 처지를 대비함으로써 사회적 불평등을 간접적으로 드러내고 있다.

최우선 핵심 Check!

1 화자는 부모를 원망하며 자신의 처지를 한탄하고 있다. (O / ×)

2 섬세한 필치로 불우한 여인의 고달픈 삶을 사실적으로 그리고 있다. (O / ×)

3 화자의 상황은 〈제4수〉에서 화자가 길옷을 지어 주는 '시집가는 누군가'의 상황과 대비된다. (O / ×)

4 '삐걱삐걱', '싹둑싹둑' 등의 ㅇㅅㅅㅈㅇ는 화자의 처량하고 서글픈 상황을 효과적으로 드러내고 있다.

정답 1. × 2. ○ 3. ○ 4. 음성 상징어

1등급! 〈보기〉!

「빈녀음」의 이해

가난한 여인의 노래라는 의미를 지닌 작품으로, 외모와 바느질 솜씨가 손색이 없지만, 집안이 가난하여 밤낮으로 생계를 위해 베를 짜고 옷 만드는 일을 해야 하는 화자가 시집가는 다른 여인의 처지와의 대비를 통해 고달프고 외로운 자신의 처지를 사실적으로 그리고 있다.

제1수와 제2수에서 화자는 가난한 집안 사정으로 시집도 가지 못하고 하루 종일 베만 짜고 있다고 하고 있다. 또한 제1수와 제4수를 보면 가난해서 좋은 중매 자리가 들어오지 않기 때문에 시집도 가지 못하고 누군가를 위한 옷을 만들면서 해마다 홀로 자고 있다고 하고 있다.

제2수에서 하루 종일 베만 짜야 하는 자신의 마음을 그 어떤 이웃도 알아주지 않는데, 제3수의 베틀 소리가 처량하게 운다고 함으로써 화자 자신의 마음을 베틀에 투영하여 표현하고 있다.

제4수에서 화자 자신은 시집도 가지 못하면서 시집가는 누군가를 위해 길옷을 만드는 처지인데, 제3수의 어느 색시는 화자가 짜는 비단으로 만든 옷의 주인이 되므로, 처지의 대비를 통해 화자의 서글픔은 더욱 심화된다고 할 수 있다.

여뀌꽃 핀 언덕으로 날아간 백로

여뀌꽃과 백로 | 이규보

갈래 한시(5언 율시) **성격** 비판적, 경세적
주제 세상 사람들의 잘못된 인식에 대한 비판
시대 고려

여귀꽃과 백로를 소재로 하여 백로를 청렴을 가장한 탐욕스런 사대부로 그리면서, 백로의 본모습을 제대로 파악하지 못하는 세태를 비판하고 있다.

「 」: 백로를 관찰하는 화자의 모습 Link 표현상 특징 ❶

前灘富魚蝦 전 탄 부 어 하 — 「앞 여울에 물고기와 새우가 많아
(△: 백로가 먹으려 하는 대상, 탐욕의 대상)

有意劈波入 유 의 벽 파 입 — 물결 뚫고 들어갈 생각 있는데」 › 1, 2수: 물고기와 새우를 먹으려 하는 백로
(주체: 백로 - 청렴을 가장한 탐욕스런 사대부에 해당)

見人忽驚起 견 인 홀 경 기 — 사람을 보고 문득 놀라 일어나서는
(경계의 대상)

蓼岸還飛集 료 안 환 비 집 — 여뀌꽃 핀 언덕에 도로 날아가 앉았네 › 3, 4수: 사람들을 경계하며 피해 있는 백로
(사람을 경계하여 근처에 잠시 피해 있는 모습)

翹頸待人歸 교 경 대 인 귀 — 목을 빼고 사람이 돌아가길 기다리다
(사람이 돌아가기를 기다리는 모습. 학수고대(鶴首苦待))

細雨毛衣濕 세 우 모 의 습 — 가랑비에 깃털이 다 젖는구나 › 5, 6수: 사람이 돌아가길 기다리는 백로
(백로가 처한 좋지 않은 상황)

心猶在灘魚 심 유 재 탄 어 — 마음은 여울의 물고기에 가 있는데
(백로의 본래 의도 / 기회를 엿보아 이득을 취하려는 마음)

人道忘機立 인 도 망 기 입 — 사람들은 말하네, 기심(機心)을 잊고 서 있다고 › 7, 8수: 백로를 고고하다고 여기는 사람들
(욕심이 있는 백로에 대한 사람들의 잘못된 판단. 도치법 Link 표현상 특징 ❷, ❸)

출제자 특! 화자를 이해하라!

1 **화자는 누구이고, 화자가 처한 상황은?**
여뀌꽃 핀 언덕에 있는 백로를 바라보고 있는 사람

2 **화자의 정서 및 태도는?**
탐욕스러운 백로의 모습을 제대로 파악하지 못하는 사람들에 대해 비판적인 태도를 보이고 있음.

Link

출제자 특! 표현상의 특징을 파악하라!

❶ 자연물(백로)에 대한 관찰을 통해 주제 의식을 드러냄.

❷ 백로에 대한 기존 통념(백로–청렴한 대상)을 깨뜨리며 시상을 전개함.

❸ 도치법을 사용하여 사람들의 잘못된 인식을 강조함.

최우선 출제 포인트!

1 '백로'에 대한 화자의 시각

화자 → 관찰 → 백로
- 물고기와 새우를 먹으려 하는 탐욕스러운 존재
- 사람을 보고 여뀌꽃 핀 언덕에 피신해 사람이 가기를 기다림.

→ 평가 → 백로는 청렴을 가장한 탐욕스런 존재임

2 작품의 주제 의식

사람들	백로가 욕심을 잊고 고고하게 서 있다고 생각함.
↕	
화자	백로의 탐욕적인 모습을 제대로 인식하지 못한다고 여김.

→ 사대부의 위선적인 탐욕 풍자

최우선 핵심 Check!

1 청렴의 이미지를 지닌 '(ㅂ)(ㄹ)'를 탐욕스러운 대상으로 그리고 있다.

2 '(ㅁ)(ㄱ)(ㄱ)'와 '새우'는 '백로'가 잡아먹으려 하는 탐욕의 대상에 해당한다.

3 '백로'가 '여뀌꽃 핀 언덕'에 피해 있는 것은 경계 대상인 사람이 지나가기를 바라기 때문이다. (○ / ×)

4 사람들은 '백로'의 본래 의도를 알면서도 '여뀌꽃 핀 언덕'에 서 있는 '백로'에 대해 긍정적으로 인식하고 있다. (○ / ×)

정답 1. 백로 2. 물고기 3. ○ 4. ×

목 쉬고 근심하여 얻은 꽃(곡식)

사리화(沙里花) | 이제현

갈래 한시(7언 절구) **성격** 풍자적, 비판적, 고발적
주제 탐관오리의 수탈과 횡포에 대한 고발
시대 고려

당시 유행하던 민요를 한시로 옮겨 놓은 것으로, 관(官)의 수탈 때문에 백성이 가난해지는 것을 참새가 곡식을 쪼아 먹는 데에 비유하여 풍자한 작품이다.

대조 ↔ **Link** 표현상 특징 ❷

黃雀何方來去飛
황 작 하 방 래 거 비
참새야 어디서 오가며 나느냐
(백성을 수탈하는 권력층 **Link** 표현상 특징 ❶)

一年農事不曾知
일 년 농 사 부 증 지
일 년 농사는 아랑곳하지 않고
(농민의 마음을 생각하지 않는 탐관오리 비판)

— 백성을 수탈하는 탐관오리를 묘사
> 기 · 승: 백성들에 대한 지배 계층의 횡포

鰥翁獨自耕耘了
환 옹 독 자 경 운 료
늙은 홀아비 홀로 갈고 맸는데
(권력층에게 수탈당하며 고통스러운 삶을 사는 농민들)

耗盡田中禾黍爲
모 진 전 중 화 서 위
밭의 벼며 기장을 다 없애다니
(힘 없는 농민을 상대로 가혹한 착취를 일삼는 관리들의 가혹함을 비판함 **Link** 표현상 특징 ❸)

— 수탈당하는 농민들의 원망
> 전 · 결: 백성들의 삶과 그에 대한 연민

출제자 톡! 화자를 이해하라!

1 **화자는 누구이고, 화자가 처한 상황은?**
농민의 곡식을 쪼아 먹는 참새의 모습을 보고 있는 사람

2 **화자의 정서 및 태도는?**
'참새'로 상징되는 지배 계층에 대해서는 비판적이고, '늙은 홀아비'로 상징되는 힘없고 순박한 농민들에게는 연민을 느끼고 있음.

Link
출제자 톡! 표현상의 특징을 파악하라!

❶ 탐관오리의 횡포를 참새에 비유함.
❷ 대조적인 소재를 사용하여 현실을 고발함.
❸ 탐관오리가 백성을 수탈하는 모습을 풍자함.

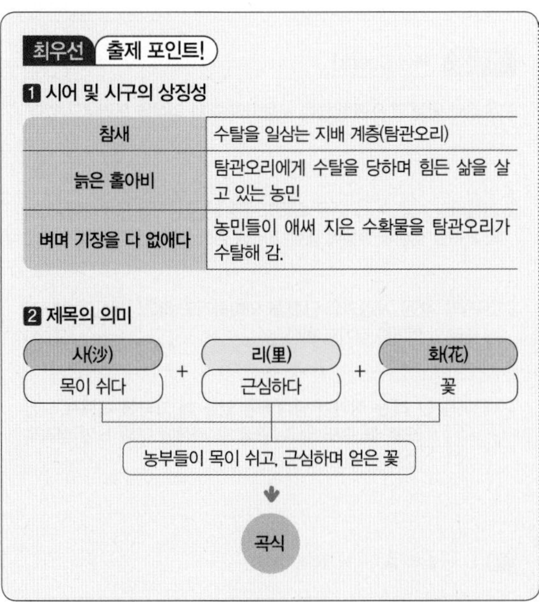

최우선 출제 포인트!

1 시어 및 시구의 상징성

참새	수탈을 일삼는 지배 계층(탐관오리)
늙은 홀아비	탐관오리에게 수탈을 당하며 힘든 삶을 살고 있는 농민
벼며 기장을 다 없애다	농민들이 애써 지은 수확물을 탐관오리가 수탈해 감.

2 제목의 의미

최우선 핵심 Check!

1 시어의 대비를 통해 주제 의식을 효과적으로 드러내고 있다. (O / ×)

2 화자 자신이 처한 비참한 현실을 자조적인 어조로 표현하고 있다. (O / ×)

3 '밭의 벼며 기장을 다 없애'는 모습은 관리들의 가혹한 착취를 드러낸 것이라 할 수 있다. (O / ×)

4 '늙은 홀아비'와 대비되는 'ㅊㅅ'는 탐관오리를 상징한다.

5 〈4구〉에 담긴 화자의 심리는 '참새'에 대한 ㅇㅁ이다.

정답 1. ○ 2. × 3. ○ 4. 참새 5. 원망

가을밤 비 내리는 중에

추야우중(秋夜雨中) | 최치원

갈래 한시(5언 절구) **성격** 서정적, 애상적
주제 ① 뜻을 펼치지 못하는 지식인의 고뇌 ② 고국에 대한 그리움 **시대** 신라

자신을 알아주지 않는 세상에 대한 고독과 외로움을 표현하고 있는 작품이다.

○: 압운

: 화자의 정서를 심화시키는 소재, 객관적 상관물 Link 표현상 특징 ❶
□: 자연적 배경 Link 표현상 특징 ❷

秋風惟孤(吟)
추 풍 유 고 음
가을바람에 오직 괴로이 읊조리나니 › 기: 시로 괴로움을 달래고자 함(창작 동기)
세상에 자신을 알아주는 이가 없어서 - 세상을 등지고 살아가는 화자의 처지를 엿볼 수 있음

世路少知(音)
세 로 소 지 음
세상에는 나를 알아주는 이 드물구나 › 승: 소외감 또는 객수(고뇌 이유)
자신이 처해 있는 현실에 대한 비애감

窓外三更雨
창 외 삼 경 우
창밖엔 비가 밤 깊도록 내리는데 › 전: 고독한 심회(고뇌의 심화)
세상과의 단절을 의미하는 동시에 세상에 대한 미련 함축

燈前萬里(心)
등 전 만 리 심
등불 앞엔 내 마음 만 리 먼 곳을 내닫네 › 결: 번뇌와 소외감 또는 향수(갈등)
세상일에 대한 화자의 미련을 암시
① 화자와 세상과의 심리적 거리
② 화자와 고국과의 물리적 거리

출제자 톡! 화자를 이해하라!

1 **화자는 누구이고, 화자가 처한 상황은?**
자신의 능력을 알아주지 않는 세상에 살고 있음.

2 **화자의 정서 및 태도는?**
외롭고 고독하며 번민에 차 있음.

Link

출제자 톡! 표현상의 특징을 파악하라!

❶ 객관적 상관물을 통해 화자의 정서를 부각시키고 있음.

❷ 자연적 배경이 전체적으로 쓸쓸한 분위기를 조성함.

최우선 출제 포인트!

1 소재의 의미와 기능

시어	의미	기능
가을바람, 비	쓸쓸하고 적막한 분위기 조성	소외감, 고독감 심화
창(窓)	세상과의 단절 + 세상과 통하는 통로(세상에 대한 미련)	세상으로 나아가지 못하는 아쉬움과 세상에 대한 미련 내포
(깊은) 밤	화자의 고뇌를 심화시켜 주는 배경	고독 심화

2 '내 마음 만 리'의 의미

내 마음 만 리
• 화자와 세상과의 심리적 거리감
• 화자와 고국과의 물리적 거리감
→ 먼 곳을 내달음 → 세상일에 대한 화자의 미련 암시

함께 볼 작품 고국을 그리워하는 심정을 노래한 작품: 양태사, 「야청도의성」

최우선 핵심 Check!

1 '유추와 역설'의 표현 방법을 사용하여 주제 의식을 드러내고 있다. (O / ×)

2 '가을바람', '밤', '(ㅂ)' 등은 외롭고 우울한 분위기를 조성하여, 화자의 고독한 심정과 현실에 대한 고뇌를 심화시키고 있다.

3 〈3구〉의 '창'은 '세상과의 단절'을 의미하기도 하고, '세상과 이어지는 통로'의 의미를 갖기도 한다. (O / ×)

4 '내 마음 만 리'는 작가가 당나라에 있을 때 고국에 대해서 느낀 ㄱㄹㅇ으로 볼 수도 있고, 귀국 후 세상에 대해 느낀 심리적 ㄱㄹㄱ으로 볼 수도 있다.

정답 1. × 2. 비 3. ○ 4. 그리움, 거리감

출제율 63% 135위

수나라 장수 우중문에게 보내는 시

여수장우중문시 (與隋將于仲文詩) | 을지문덕

갈래 한시(5언 고시) **성격** 풍자적, 반어적
주제 적장에 대한 조롱과 도발
시대 고구려

고구려의 을지문덕이 수나라와의 전쟁 시 적장 우중문에게 지어 보낸 작품으로, 고구려인의 진취적인 기상을 엿볼 수 있다.

'신책'과 '묘산', '천문'과 '지리'가 대구를 이룸

神策究天文
신 책 구 천 문
신기한 책략은 하늘의 이치에 통달했고
그 정도의 계책은 이미 알고 있음(시적 화자의 자신감)

妙算窮地理
묘 산 궁 지 리
오묘한 계략은 땅의 이치를 꿰뚫었네
그 정도의 계책은 이미 간파하고 있음

• 대구법
• 반어법: 상대를 거짓으로 높임 Link 표현상 특징 ❶

> 기: 적장의 뛰어난 책략 감탄
> 승: 적장의 기묘한 계획 칭찬

戰勝功旣高
전 승 공 기 고
『싸움에 이기어 공이 이미 높으니
더는 이길 수 없다는 뜻. 적장에 대한 은근한 조롱 Link 표현상 특징 ❷

> 전: 적장의 공을 칭찬

知足願云止
지 족 원 운 지
만족함을 알고 그만두기를 바라노라』 → 주제문
퇴각할 것을 요구 → '知足不辱知止不殆(지족불욕 지지불태: 만족함을 알면 욕되지 않고, 그칠 줄 알면 위태롭지 않다 - 노자, 도덕경)

『 』: 적을 조롱하려는 의도가 드러남
억양법 Link 표현상 특징 ❷, ❸

> 결: 적의 회군 권고

출제자 톡! 화자를 이해하라!

1 **화자는 누구이고, 화자가 처한 상황은?**
적과의 싸움에 임하고 있는 장수

2 **화자의 정서 및 태도는?**
자신감을 바탕으로 상대를 야유하고, 조롱하고 있음.

Link

출제자 톡! 표현상의 특징을 파악하라!

❶ 거짓으로 상대의 뛰어남을 높이는 반어법이 사용됨.
❷ 직접적인 힐난이나 핀잔보다 은근한 조롱을 하고 있음.
❸ 상대를 칭찬한 후 조롱하는 억양법이 사용됨.

개념 Tip
• **반어법**: 겉으로 표현한 뜻과 속뜻을 다르게 표현하는 기법
• **억양법**: 우선 누르고 후에 추켜 준다든지 혹은 우선 추켜세운 다음 누르는 표현 기법

최우선 출제 포인트!

1 작품의 창작 목적

수(隋)나라의 침입 → 적을 이기기 위한 계책 마련 → 거짓 패배로 적의 자만심 유발 및 체력 소모 → 조롱이 담긴 권고로 적을 도발

고구려 영양왕 때 고구려를 침략한 수나라가 을지문덕의 유인 작전에 말려 살수를 건너자 을지문덕은 적장 우중문에게 이 시를 보낸다. 이 작품을 적장 우중문에게 보낼 당시 을지문덕은 이미 적군이 배고픔 등으로 도저히 평양성을 함락할 수 없고, 결국 퇴각할 수밖에 없는 상황임을 정확하게 파악하고 있었다. 따라서 이 작품은 적장의 심리를 더욱 약화시켜 후퇴를 유도한 다음, 퇴각하는 적들을 후미에서 공격하고자 한 목적으로 지어진 시이다.

2 반전의 시상 전개

기, 승		전, 결
적장의 책략과 계획을 칭찬함.	→ 반전	적의 공을 칭찬하고, 물러날 것을 요구함.
야유와 조롱을 내포한 반어적 칭찬		경고와 위협으로 적을 도발함.

최우선 핵심 Check!

1 전쟁이라는 구체적 상황을 바탕으로 하고 있다. (O / ×)

2 하늘과 땅의 '이치'를 언급하여 순리에 따라 행동할 것을 권유하고 있다. (O / ×)

3 〈결구〉에는 화자의 의도가 직접적으로 드러나 있다. (O / ×)

4 상대방을 처음에는 올렸다가 뒤에서 내리는 억양법을 써서 주제를 효과적으로 드러내고 있다. (O / ×)

5 반어적 표현을 써서 표면적으로는 적장을 ㅊㅊ하는 것 같지만, 이면적으로는 적장을 ㅈㄹ하는 방식을 취하고 있다.

정답 1. ○ 2. × 3. ○ 4. ○ 5. 칭찬, 조롱

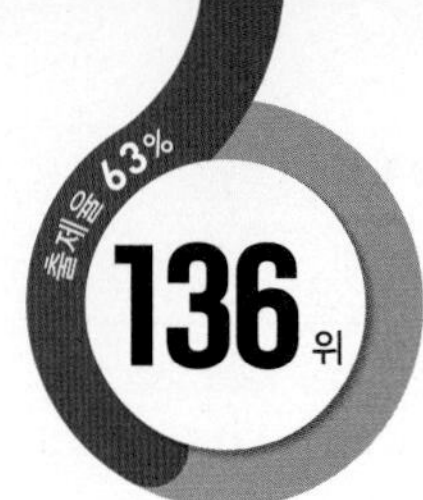

접시꽃

촉규화(蜀葵花) | 최치원

갈래 한시(5언 율시) **성격** 애상적, 탄식적, 체념적
주제 자신의 능력을 알아주지 않는 세상에 대한 한(恨)
시대 신라

통일 신라의 학자 최치원이 당나라 유학 시절 쓴 작품으로, 자신의 학문적 경지가 완숙한 수준에 이르렀으나 태생적 한계로 인해 포부를 펼칠 수 없는 한스러움을 접시꽃에 의탁하여 노래하고 있다.

척박하고 외로운 장소(화자의 처지 암시)

寂寞荒田側 (적 막 황 전 측) 거친 밭 언덕 쓸쓸한 곳에

작가는 자연물인 '촉규화'에 자신을 비유하여 그 처지와 심정을 드러냄 **Link 표현상 특징 ❶**

繁花壓柔枝 (번 화 압 유 지) [탐스러운 꽃송이] 가지 눌렀네 > 수: 척박한 곳에 피어난 촉규화

[ ]: 화자의 완숙한 학문적 경지(화자의 자부심 반영)

香輕梅雨歇 (향 경 매 우 헐) 매화 비 그쳐 [향기] 날리고

影帶麥風欹 (영 대 맥 풍 의) 보리 바람에 그림자 흔들리네 > 함: 향기를 흩날리며 바람에 흔들거리는 촉규화

선경: 촉규화의 모습 **Link 표현상 특징 ❷**

車馬誰見賞 (거 마 수 견 상) 수레 탄 사람 누가 보아 주리

임금 또는 고관대작 / 화자가 능력을 펼치도록 알아주는 이가 없음. 설의적 표현 **Link 표현상 특징 ❸**

蜂蝶徒相窺 (봉 접 도 상 규) 벌 나비만 부질없이 찾아드네 > 경: 자신을 알아주지 않는 세상

하찮은 사람들만 화자 주변을 기웃거림

自愧生地賤 (자 참 생 지 천) 『천한 땅에 태어난 것 스스로 부끄러워』

신분적 한계(육두품) 또는 신라인(이국인) / 『 』: 자신의 처지에 대한 자조 의식

堪恨人棄遺 (감 한 인 기 유) 사람들에게 버림 받아도 참고 견디네 > 미: 버림받은 자신의 처지에 대한 탄식

현실 상황에 대한 체념, 한탄

후정: 촉규화(화자)의 마음

– 김진영·안영훈 해독

출제자 톡! 화자를 이해하라!

1 **화자는 누구이고, 화자가 처한 상황은?**
뛰어난 능력을 지녔으나 인정을 받지 못하고 있음.

2 **화자의 정서 및 태도는?**
학문적 경지에 자부심을 가지고 있으면서도 태생적 한계에 부딪쳐 능력을 펼칠 수 없음을 한탄하며 체념하고 있음.

Link

출제자 톡! 표현상의 특징을 파악하라!

❶ 화자는 자신의 분신인 '촉규화'를 통해 처지와 정서를 드러냄.

❷ 전반부에서는 촉규화의 모습을 보여 주고 후반부에서는 촉규화의 마음을 읊는 선경 후정의 구조를 보임.

❸ 설의적 표현으로 화자의 처지를 강조해 줌.

최우선 출제 포인트!

1 시상 전개 방식

선경(1~4연)		후정(5~8연)
촉규화의 모습	↔ 대칭 구조	촉규화의 마음(= 화자의 마음)
척박한 환경에서 피어났으나 탐스러운 꽃송이와 향기를 가짐.		자신의 능력을 몰라주는 현실에 자조, 한탄함.

2 화자의 처지와 태도

구절	화자의 처지 및 태도
거친 밭 언덕 쓸쓸한 곳	척박하고 외로운 환경에 처함.
탐스러운 꽃송이, 향기	원숙한 학문적 경지에 이름.
누가 보아 줄까	역량을 인정해 주는 이가 없음.
부끄러워, 참고 견디네	자신의 처지에 대한 자조, 한탄

최우선 핵심 Check!

1 화자의 지난날에 대한 후회의 정서가 나타난다. (O / ×)

2 화자는 자연물인 '촉규화'를 통해 자신의 처지를 드러내고 있다. (O / ×)

3 대상의 외양을 전반부에 제시하고, 그로 인한 심정을 후반부에 제시하는 선경 후정의 방식이 사용되고 있다. (O / ×)

4 '탐스러운 꽃송이'와 '[ㅎ][ㄱ]'는 화자의 원숙한 학문적 경지를 상징한다.

5 7행에서 화자는 자신의 타고난 [ㅅ][ㅂ]에 대하여 자조적인 의식을 드러내고 있다.

정답 1. × 2. ○ 3. ○ 4. 향기 5. 신분

출제율 60% 137위

눈 속에 벗을 찾아 갔다 허탕을 침

설중방우인불우 (雪中訪友人不遇) | 이규보

갈래 한시(5언 절구) **성격** 서정적, 감각적
주제 벗을 만나지 못한 아쉬움과 그리움
시대 고려 시대

눈 내리는 날 친구를 만나러 갔으나 만나지 못한 상황에 대한 아쉬움을 토로하고 있다.

雪色白於紙 (설 색 백 어 지)
『눈빛이 종이보다 더욱 희길래』 『 』: 종이와 비교하여 하얀 눈빛을 강조함 Link 표현상 특징 ❶ > 기: 하얗게 쌓인 눈을 보고 종이를 떠올림

擧鞭書姓字 (거 편 서 성 자)
채찍 들어 내 이름을 그 위에 썼지. (채찍: 화자가 먼 곳에서 말을 타고 친구를 만나러 왔음을 짐작하게 해 줌 / 이름을 그 위에 썼지: 벗을 만나지 못한 아쉬움을 달래는 행위) > 승: 눈밭에 자신의 이름 씀

莫敎風掃地 (막 교 풍 소 지)
『바람아 불어서 땅 쓸지 마라.』 『 』: 화자의 그리움이 전달되지 못할까 하는 걱정 때문에, 명령형 어조 Link 표현상 특징 ❸ (바람: 의인화된 청자 Link 표현상 특징 ❷) > 전: 바람에게 땅을 쓸지 마라고 함

好待主人至 (호 대 주 인 지)
『주인이 올 때까지 기다려 주렴.』 『 』: 벗에게 화자의 마음이 전해지기를 바람 - 그리움 (주인: 화자가 만나고 싶어 하는 대상) > 결: 주인이 자신이 왔다 갔음을 알기를 바람

출제자 톡! 화자를 이해하라!

1 **화자는 누구이고, 화자가 처한 상황은?**
먼 곳에서 친구를 만나러 온 '나'

2 **화자의 정서 및 태도는?**
친구를 만나지 못한 아쉬움에 눈밭에 자신의 이름을 쓰며 친구에 대한 그리운 마음을 드러냄.

Link

출제자 톡! 표현상의 특징을 파악하라!

❶ 색채어를 활용하여 시적 배경을 형상화함.
❷ 자연물을 의인화하여 청자로 설정함.
❸ 명령형 어조를 사용하여 화자의 생각을 분명히 드러냄.

최우선 출제 포인트!

1 화자의 상황과 정서

먼 곳에서 말을 타고 왔지만 친구를 만나지 못함.
- 눈 위에 자신의 이름을 씀. → 아쉬움
- 바람에게 주인이 올 때까지 기다리라고 당부함. → 그리움

최우선 핵심 Check!

1 화자는 친구를 만나기 위해 먼 곳에서 말을 타고 왔다. (O / ×)

2 '바람'은 화자와 친구와의 만남을 직접적으로 가로막는 장애물에 해당한다. (O / ×)

3 화자는 눈 위에 쓴 자신의 이름을 '바람'이 쓸고 갈 것을 걱정하고 있다. (O / ×)

정답 1. ○ 2. × 3. ○

1등급! 〈보기〉!

「설중방우인불우」의 이해
이 작품은 고려의 유명한 문인 이규보가 지은 오언 절구의 한시로, 벗을 만나지 못한 아쉬움과 벗에 대한 그리움을 드러내고 있다. 화자는 어느 겨울 친구의 집을 방문하지만 친구를 만나지 못하자, 하얗게 쌓인 눈을 보고 종이를 떠올리고는 하얀 눈 위에 자신의 이름을 남겨 자신이 방문했음을 알리려 한다. 화자는 바람이 불면 이름이 지워질 수도 있다는 것을 알면서도 굳이 눈 위에 이름을 남기고 있는데, 이러한 모습은 친구를 만나지 못한 화자의 아쉬움과 그리움을 효과적으로 보여 준다고 할 수 있다.

서경(지금의 평양)의 노래

서경별곡(西京別曲) | 작자 미상

갈래 고려 가요 **성격** 이별가, 남녀상열지사
주제 이별의 정한(情恨) **시대** 고려

사랑과 믿음을 중요시하는 적극적인 여성 화자의 목소리로 이별의 정한을 노래한 작품이다.

음률을 맞추기 위한 여음 Link 표현상 특징 ❶

「셔경(西京)이 아즐가 셔경(西京)이 셔울히마르는
지금의 평양. 시적 화자의 삶의 터전 → 화자와 임이 함께 있던 공간
「 」: 동일 어휘의 반복으로 운율을 형성함(2, 3연도 동일)
　위 두어렁셩 두어렁셩 다링디리
여음구. 북소리의 의성어 → 내용과 관계 없이 작품 전체에 경쾌한 리듬감을 형성함 Link 표현상 특징 ❷
닷곤 듸 아즐가 닷곤 듸 쇼셩경 고외마른
서경 / 사랑합니다마는
　위 두어렁셩 두어렁셩 다링디리

여히므론 아즐가 여히므론 질삼뵈 ㅂ리시고
여의기보다는 / 길쌈하던 베 → 여인의 생업 상실
　위 두어렁셩 두어렁셩 다링디리
괴시란듸 아즐가 괴시란듸 우러곰 좃니노이다
임이 / 임을
　위 두어렁셩 두어렁셩 다링디리」

임을 따르겠다는 화자의 적극적인 태도

> 이별을 아쉬워하는 연모의 정

서경(평양)이 서울이지만
위 두어렁셩 두어렁셩 다링디리
새로 닦은 곳인 소성경을 사랑합니다만
위 두어렁셩 두어렁셩 다링디리
(임과) 이별하기보다는 차라리 길쌈 베를 버리고라도
위 두어렁셩 두어렁셩 다링디리
(임이) 사랑해 주신다면 (임을) 울면서 따르겠습니다.
위 두어렁셩 두어렁셩 다링디리

「구스리 아즐가 구스리 바회예 디신들
구슬(사랑)이 / 바위(시련, 장애물)에
　위 두어렁셩 두어렁셩 다링디리
끈(믿음)이야
긴힛뚠 아즐가 긴힛뚠 그츠리잇가 나는
끊어지지 않는 끈처럼 임에 대한 자신의 마음도 변하지 않음을 강조. 설의적 표현
　위 두어렁셩 두어렁셩 다링디리
즈믄 힐를 아즐가 즈믄 힐를 외오곰 녀신둘
천 년 / 홀로, 외로이 / 살아간들
　위 두어렁셩 두어렁셩 다링디리
신(信)잇둔 아즐가 신(信)잇둔 그츠리잇가 나는」
「 」: 대구와 반복을 통한 의미 강조 Link 표현상 특징 ❸
　위 두어렁셩 두어렁셩 다링디리

「정석가」의 6연과 유사함 → 당시 이와 같은 구절이 유행했으리라 추측 가능함. 또는 오랜 전승 과정에서 작품에 첨삭이 되었을 가능성이 있음.(적층적 성격)

> 임에 대한 끊임없는 사랑과 믿음에 대한 맹세

구슬이 바위 위에 떨어진들
위 두어렁셩 두어렁셩 다링디리
끈이야 끊어지겠습니까?
위 두어렁셩 두어렁셩 다링디리
(임과 헤어져) 천 년을 홀로 살아간들
위 두어렁셩 두어렁셩 다링디리
(임에 대한) 믿음이야 끊어지겠습니까?
위 두어렁셩 두어렁셩 다링디리

대동강(大同江) 아즐가 대동강(大同江) 너븐디 몰라셔
시적 화자와 임을 갈라 놓는 이별의 공간 / 강이 크고 넓어서 돌아올 기약이 없음
　위 두어렁셩 두어렁셩 다링디리
빅 내여 아즐가 빅 내여 노훈다 샤공아
이별을 매개함. 원망의 대상
　위 두어렁셩 두어렁셩 다링디리
네 아내 / 음란한 마음이 난지
네 가시 아즐가 네 가시 럼난디 몰라셔
사공의 아내가 음란하다고 모함 → 사공이 배의 운항을 중단하고 집으로 돌아가게 하려는 의도
　위 두어렁셩 두어렁셩 다링디리
얹었느냐, 태웠느냐
널 빅예 아즐가 널 빅예 연즌다 샤공아
임이 대동강을 건너갈 수 있도록 배를 띄워 놓은 사공에 대한 원망
　위 두어렁셩 두어렁셩 다링디리

대동강이 넓은 줄을 몰라서
위 두어렁셩 두어렁셩 다링디리
배를 내어 놓았느냐? 사공아.
위 두어렁셩 두어렁셩 다링디리
네 아내가 음란한 줄을 몰라서
위 두어렁셩 두어렁셩 다링디리
다니는 배에 몸을 실었느냐? 사공아.
위 두어렁셩 두어렁셩 다링디리

대동강(大同江) 아즐가 대동강(大同江) 건넌편 고즐여
꽃 - 다른 여인. 즉 임이 새로이 좋아하는 여인을 비유함
위 두어렁셩 두어렁셩 다링디리
빅 타들면 아즐가 빅 타들면 것고리이다 나는
임이 배를 타고 대동강 건너편으로 건너가면 그 여인과 사랑을 맺을 것이라는 의미임
위 두어렁셩 두어렁셩 다링디리

› 떠나는 임에 대한 불신과 원망

(나의 임은) 대동강 건너편 꽃을
위 두어렁셩 두어렁셩 다링디리
배를 타고 가기만 하면 꺾을 것입니다.
위 두어렁셩 두어렁셩 다링디리

출제자 통! 화자를 이해하라!

1 화자는 누구이고, 화자가 처한 상황은?
- 1, 3연: 자신을 떠나는 임을 붙잡고 있음.
- 2연: 임에 대한 사랑을 맹세하고 있음.

2 화자의 정서 및 태도는?
- 1, 3연: 사랑을 쟁취하려는 적극적인 태도와 원망을 드러냄.
- 2연: 사랑에 대한 절대적 믿음을 보임.

Link

출제자 통! 표현상의 특징을 파악하라!

❶ 음률을 맞추기 위한 여흥구를 사용함.
❷ 경쾌한 리듬감을 더해 주는 후렴구를 사용함.
❸ 대구와 반복을 통해 의미를 강조하고 운율을 형성함.
❹ 각 연마다 이질적인 내용을 담고 있어 적층 문학의 성격을 보임.

개념 Tip
적층적: 특정 작가에 의해 창작된 것이 아닌, 대중의 입을 통해 구전되면서 내용이 덧붙여진 것(다양한 작가의 공동작)임. 따라서 내용의 흐름이 매끄럽지 않은 경우가 많음.

출제 최우선 작품

최우선 출제 포인트!

1 이질적 시상 전개

서경(西京) 노래	구슬 노래	대동강 노래
소중한 것을 버리고서라도 임을 따르겠다는 의지	임에 대한 신뢰와 사랑은 영원할 것이라는 맹세	임이 강을 건너가도록 한 뱃사공에 대한 원망과 임에 대한 질투
극복 가능한 상황	임에 대한 변함없는 마음	극복 불가능한 상황

이 작품의 각 연은 시상 전개에 있어서 매끄럽게 연결되지 못하고 있으며, 어조 역시 상당이 이질적이다. 1연은 이별을 적극적으로 거부하는 목소리, 2연은 영원한 사랑을 다짐하는 목소리, 3연은 임의 행동을 경계하는 목소리로 이루어져 있다. 이는 이 작품이 구전되는 과정에서 후대 사람들에 의해 첨삭, 중복되었을 가능성을 시사해 주는 것이라 할 수 있다.

함께 볼 작품 이별의 정한을 노래한 작품: 정지상, 「송인」, 작자 미상, 「가시리」

최우선 핵심 Check!

1 3·3·2조의 3음보 율격과 여음구인 'ㅇㅈㄱ'의 반복으로 운율을 형성하고 있다.

2 〈1연〉에서는 자신의 삶의 터전인 '서경'을 버리고서라도 임을 따르고 싶다는 화자의 의지가 나타나 있다. (O / ×)

3 〈2연〉에서는 불가능한 상황을 가정하여 임에 대한 변치 않는 사랑을 비유적으로 나타내고 있다. (O / ×)

4 〈3연〉에서 '대동강 건넌편 곶'은 자신을 버리고 떠난 임을 비유하고 있다. (O / ×)

5 〈3연〉에서는 자신을 버리고 떠난 임에 대한 원망을 'ㅅㄱ'에 대한 원망으로 드러내고 있다.

정답 1. 아즐가 2. ○ 3. ○ 4. × 5. 사공

1등급! 〈보기〉!

「서경별곡」의 이해

이 작품의 제2연에서 여음구를 제외한 부분은 당시 유행하던 민요의 모티프를 수용한 것으로, 「정석가」에도 동일한 모티프가 나타난다. 고려 시대의 문인 이제현도 당시에 유행하던 민요를 다음과 같이 한시로 옮긴 적이 있다.

비록 구슬이 바위에 떨어져도	縱然巖石落珠璣	[B]
끈은 진실로 끊어질 때 없으리	縷縷固應無斷時	
낭군과 천 년을 이별한다고 해도	與郎千載相離別	
한 점 붉은 마음이야 어찌 바뀌리오?	一點丹心何改移	

제2연에서와 [B]에서 '구슬'은 변할 수 있는 것을, '긴'이나 '끈'은 변하지 않는 것을 비유하는 소재로 활용하였다고 볼 수 있다. 제2연에서 '신'을 통해 [B]에서는 '붉은 마음'을 통해 변하지 않는 마음을 소중한 가치로 여기는 화자의 태도를 드러내고 있다. 또한 제2연과 [B]에 모두 '구슬과 끈'의 관계를 통해 화자의 마음을 드러내는 모티프가 사용되었고, 두 부분은 각각 고려 가요와 한시의 형식으로 구현된 작품이므로, 동일한 모티프가 서로 다른 형식의 작품으로 수용되었다는 것을 알 수 있다. 한편 제2연에는 '위 두어렁셩 두어렁셩 다링디리'라는 여음구가 사용된 반면, [B]에는 특별한 여음구가 사용되지 않은 것에는 차이가 있다.

청산에서 부르는 노래

청산별곡(靑山別曲) | 작자 미상

갈래 고려 가요 **성격** 현실 도피적, 애상적
주제 ① 삶의 고뇌와 비애 ② 실연의 애상(哀傷) ③ 삶의 터전을 잃은 유랑민의 슬픔 **시대** 고려

청산과 바다를 이상향으로 설정하여 삶의 비애와 애환을 노래한 작품으로, 문학성과 음악성이 돋보인다.

a a b a a-a-b-a 구조 Link 표현상 특징 ❸
살어리 살어리랏다 쳥산(靑山)애 살어리랏다
이상향, 현실 도피처, 현실과 대조되는 개념으로서의 자연 ↔ '믈 아래' Link 표현상 특징 ❶
멀위랑 ᄃᆞ래랑 먹고 쳥산(靑山)애 살어리랏다
청산에서의 양식, 자연 그대로의 산물 → 소박한 음식
얄리얄리 얄랑셩 얄라리 얄라
후렴구 → 경쾌한 음악적 효과 Link 표현상 특징 ❷

▶ 청산에 대한 동경

살겠노라 살겠노라. 청산에서 살겠노라.
머루랑 다래랑 먹고 청산에서 살겠노라.
얄리얄리 얄라셩 얄라리 얄라

우러라 우러라 새여 자고 니러 우러라 새여
감정적 동일시의 대상 - 감정 이입
널라와 시름 한 나도 자고 니러 우니로라
화자가 더 시름이 많다고 하여 화자가 느끼는 삶의 비애가 더 큼을 부각함
얄리얄리 얄라셩 얄라리 얄라

▶ 삶의 고독과 비애

우는구나 우는구나 새여. 자고 일어나 우는구나 새여.
너보다 근심이 많은 나도 자고 일어나 울며 지내노라.
얄리얄리 얄라셩 얄라리 얄라

① 화자를 유랑민으로 보는 경우 - 갈던 사래(밭)
② 화자를 실연한 사람으로 보는 경우 - 나를 떠난 임
③ 화자를 지식인으로 보는 경우 - 날아가던 새=벗
『가던 새 가던 새 본다 믈 아래 가던 새 본다』 『 』: 어구의 반복 - 의미를 강조하고 운율을 형성함 Link 표현상 특징 ❸
'청산'과 대비되는 공간인 속세
잉 무든 장글란 가지고 믈 아래 가던 새 본다
① 이끼 묻은 쟁기 ② 이끼 은장도 ③ 날이 무딘 병기 └속세에 대한 미련
얄리얄리 얄라셩 얄라리 얄라

▶ 속세에 대한 미련과 번민

가던 새 가던 새 보았느냐? 물 아래로 날아가던 새 보았느냐?
이끼 묻은 연장을 가지고 물 아래로 날아가던 새 보았느냐?
얄리얄리 얄라셩 얄라리 얄라

이링공 뎌링공 ᄒᆞ야 나즈란 디내와손뎌
'이리고 뎌리고'에 음악적 효과를 주기 위해 'ㅇ'을 첨가 Link 표현상 특징 ❷
오리도 가리도 업슨 『바므란 ᄯᅩ 엇디 호리라』 『 』: 의문형 종결 방식이 사용된 의문문으로, 화자의 처지 강조
올 사람도 갈 사람도 시적 화자의 고독감이 극대화되는 시간적 배경
얄리얄리 얄라셩 얄라리 얄라

▶ 절망적인 고독과 비탄

이럭저럭하여 낮은 지내 왔으나
올 사람도 갈 사람도 없는 밤은 또 어찌하리오?
얄리얄리 얄라셩 얄라리 얄라

『어듸라 더디던 돌코 누리라 마치던 돌코』 『 』: 의문문, 돌을 맞은 화자의 암담한 처지 강조
피할 수 없는 불행한 운명, 시적 화자의 비애감을 야기하는 매개체
믜리도 괴리도 업시 마자셔 우니노라
혼자서 극복해야 하는 고통 → 운명에 대한 체념
얄리얄리 얄라셩 얄라리 얄라

▶ 생에 대한 운명적 체념

어디에 던지던 돌인가? 누구를 맞히려던 돌인가?
미워할 사람도 사랑할 사람도 없이 (돌에) 맞아서 울고 있노라.
얄리얄리 얄라셩 얄라리 얄라

살어리 살어리랏다 바ᄅᆞ래 살어리랏다
'바다'는 '청산'과 함께 현실과 대조되는 공간, 도피처 Link 표현상 특징 ❶
ᄂᆞᄆᆞ자기 구조개랑 먹고 바ᄅᆞ래 살어리랏다
도피처(바다)에서의 양식 → 소박한 음식
얄리얄리 얄라셩 얄라리 얄라

▶ 바다에 대한 동경과 귀의

살겠노라 살겠노라. 바다에서 살겠노라.
해초랑 굴이랑 조개를 먹고 바다에서 살겠노라.
얄리얄리 얄라셩 얄라리 얄라

가다가 가다가 드로라 에정지 가다가 드로라
① 속세 ② 속세와 단절된 공간

사ᄉᆞ미 짒대예 올아셔 ᄒᆡ금(奚琴)을 혀거를 드로라
기적이 일어나기를 소망하는 마음. 절박한 심정

얄리얄리 얄라셩 얄라리 얄라

> 기적을 바라는 절박한 심정

가다가 가다가 듣노라. 외딴 부엌을 지나다가 듣노라.
사슴이 장대에 올라가서 해금 켜는 것을 (사슴으로 분장한 광대가 산대잡희의 놀이를 하는 것을) 듣노라.
얄리얄리 얄라셩 얄라리 얄라

가다니 ᄇᆡ브른 도긔 설진 강수를 비조라
삶의 고뇌를 잠시 잊게 하는 일시적 해소책

『조롱곳 누로기 ᄆᆡ와 잡ᄉᆞ와니 내 엇디ᄒᆞ리잇고』
현실적 삶의 괴로움을 술을 통해 달래려는 인생고(人生苦)의 우수적 표현

『 』: 누룩 냄새가 화자를 붙잡는 상황 → 주체와 객체의 역할이 전도된 주객 전도 표현 Link 표현상 특징 ❹

얄리얄리 얄라셩 얄라리 얄라

> 술을 통한 고뇌의 일시적 해소

가더니 (배가) 불룩한 독에 독한 술을 빚는구나.

조롱박꽃 같은 누룩이 매워 (나를) 붙잡으니, 나인들 어찌하리오
얄리얄리 얄라셩 얄라리 얄라.

출제자 톡! 화자를 이해하라!

1 **화자는 누구이고, 화자가 처한 상황은?**
삶의 터전을 잃어버린 유랑민, 속세를 벗어나 은둔해 있는 지식인, 실연의 아픔을 지닌 사람

2 **화자의 정서 및 태도는?**
시름과 근심에 젖은 애상적인 태도로 현실 도피를 하고 있음.

Link

출제자 톡! 표현상의 특징을 파악하라!

❶ 고도의 비유와 상징을 통해 주제를 강조함.
❷ 'ㄹ' 음과 'ㅇ' 음의 조화를 통해 음악성을 드러냄.
❸ 'a－a－b－a' 구조와 어구의 반복을 통해 의미를 강조하고 운율을 형성함.
❹ 주체와 객체의 역할이 전도된 주객 전도의 표현이 사용됨.

최우선 출제 포인트!

1 대칭적 구조

청산의 노래			바다의 노래	
1연	청산(안식처)		6연	바다(안식처)
	멀위랑 ᄃᆞ래			ᄂᆞᄆᆞ자기 구조개
2연	새(감정 이입의 대상)	⟷ 대칭	5연	돌(운명적 비애)
	자고 니러 우니로라			마자셔 우니노라
3연	새＝사래＝밭 (속세에 대한 미련)		7연	사슴 (기적의 매개물)
	가던 새 본다			가다가 드로라
4연	밤(절망적 고독)		8연	술(고뇌 해소)
	엇디 호리라			엇디 ᄒᆞ리잇고

「청산별곡」에서 5연과 6연의 위치가 바뀌면 '청산의 노래'와 '바다의 노래'로 대칭되는 구조가 된다. '청산의 노래' 부분에서는 시적 화자의 애상적 슬픔과 고독을 주로 노래하였고, '바다의 노래' 부분에서는 운명적 슬픔을 술로 달랠 수밖에 없음을 노래하고 있다.

최우선 핵심 Check!

1 'ㄹ'과 'ㅇ' 음, 'a－a－b－a' 구조의 문장을 반복적으로 사용하여 리듬감을 주고 있다. (O / ×)

2 화자는 유랑민, 지식인, 실연한 사람 등으로 다양하게 해석될 수 있다. (O / ×)

3 화자가 지향하는 이상향인 '청산'과 대비되는 공간은 '[ㅁ][ㅇ][ㄹ]'이다.

4 [ㅎ][ㄹ][ㄱ]는 아무런 의미가 없는 구절로, 노래의 흥을 돋우고 리듬감을 형성하며 명랑하고 쾌활한 느낌을 주어 삶의 비애가 담긴 시의 중심 내용과 대조된다.

5 화자를 [ㅇ][ㄹ][ㅁ]으로 볼 때 2연의 '새'는 하늘을 날아다니는 새로, 미래에 대한 희망을 품지 못하고 떠돌아야만 했던 심정이 투영된 대상이라고 볼 수 있다.

정답 1. ○ 2. ○ 3. 뭍 아래 4. 후렴구 5. 유랑민

1등급! 〈보기〉!

화자와 이에 따른 주제 해석의 다양성

화자	주제
실연한 사람으로 보는 견해	사랑하는 사람과 헤어지거나 사별한 상황에서 그 슬픔을 노래
유랑민이라는 견해	몽골의 침략이나 지배층의 착취 등 삶의 고난을 겪을 수밖에 없는 유랑민의 고통과 비애를 노래
지식인 또는 은자(隱者)라는 견해	외세의 침략이나 권력의 횡포 등으로 속세를 떠나 숨어 사는 은자의 인생을 노래

징(정, 鄭)과 돌(석, 石)에 대한 노래

정석가(鄭石歌) | 작자 미상

갈래 고려 가요 **성격** 서정적, 민요적
주제 ① 임에 대한 영원한 사랑 ② 태평성대(太平聖代)의 기원 **시대** 고려

불가능한 상황을 설정하여 임과 이별하지 않겠다는 화자의 의지를 노래하고 있다.

① 악기의 이름으로, 의인화하여 표현 ② 연모하는 인물의 이름

『딩아 돌하 당금(當今)에 계샹이다
딩아 돌하 당금(當今)에 계샹이다
션왕셩디(先王聖代)예 노니ᄋᆞ와지이다』

(지금, 이 시대 / 선왕(先王)이 다스리던 거룩한 태평성대 / 태평성대에 악기를 울리며 마음껏 놀고 싶음)

『 』: 노래 전체의 내용과 깊은 연관 없이 의식(儀式)을 시작하는 기능을 함 **Link** 표현상 특징 ❷

> 서사: 태평성대에 대한 찬양

징이여 돌이여 지금에 계십니다.
징이여 돌이여 지금에 계십니다.
이 좋은 태평성대에 노닐고 싶습니다.

『삭삭기 셰몰애 별헤 나는
삭삭기 셰몰애 별헤 나는
구은 밤 닷 되를 심고이다
그 바미 우미 도다 삭 나거시아
그 바미 우미 도다 삭 나거시아
유덕(有德)ᄒᆞ신 님믈 여ᄒᆡᄋᆞ와지이다』

(가는 모래 / 악률을 맞추기 위한 무의미한 조흥구 / 바삭바삭(의성어) / 벼랑에 / 씨앗으로서의 기능을 상실한 상태 / 구운 밤이 / 움(싹)이 돋아 / 싹이 나야만 / 새로운 생명 탄생 / 임금, 사랑하는 임 / 이별하고 싶습니다 → 반어적 표현(이별하고 싶지 않다는 뜻) **Link** 표현상 특징 ❶, ❹)

『 』: 시구를 반복하여 리듬감을 형성하고 있음(1, 3, 4, 5, 6연 동일)
불가능한 상황의 설정 ① - 임과 헤어지기 싫음을 강조
Link 표현상 특징 ❸

바삭바삭한 가는 모래 벼랑에
바삭바삭한 가는 모래 벼랑에
구운 밤 닷 되를 심습니다.
그 밤이 움이 돋아 싹이 나야만
그 밤이 움이 돋아 싹이 나야만
유덕하신 임을 이별하고 싶습니다.

옥(玉)으로 련(蓮)ㅅ고즐 사교이다
옥(玉)으로 련(蓮)ㅅ고즐 사교이다
바회 우희 접듀(接柱)ᄒᆞ요이다
그 고지 삼동(三同)이 퓌거시아
그 고지 삼동(三同)이 퓌거시아
유덕(有德)ᄒᆞ신 님 여ᄒᆡᄋᆞ와지이다

(연꽃을 / 새깁니다 / 바위 / 접을 붙입니다 / 옥으로 만든 연꽃이 / 세 묶음 / 피어야만)

불가능한 상황의 설정 ②

옥으로 연꽃을 새깁니다.
옥으로 연꽃을 새깁니다.
(그 꽃을) 바위 위에 접을 붙입니다.
그 꽃이 세 묶음이 피어야만
그 꽃이 세 묶음이 피어야만
유덕하신 임을 이별하고 싶습니다.

므쇠로 텰릭을 ᄆᆞᆯ아 나는
므쇠로 텰릭을 ᄆᆞᆯ아 나는
텰ᄉᆞ(鐵絲)로 주롬 바고이다
그 오시 다 헐어시아
그 오시 다 헐어시아
유덕(有德)ᄒᆞ신 님 여ᄒᆡᄋᆞ와지이다

(철릭, 무관이 입던 제복 / 무쇠 / 군복을 재단하여 / 철사, 쇠로 만든 가는 줄 / 주름을 박습니다 / 무쇠 옷이)

불가능한 상황의 설정 ③

무쇠로 철릭(무관의 제복)을 재단하여
무쇠로 철릭을 재단하여
철사로 주름을 박습니다.
그 옷이 다 헐어야만
그 옷이 다 헐어야만
유덕하신 임을 이별하고 싶습니다.

원문	주석	현대어 풀이
므쇠로 한 쇼를 디여다가		무쇠로 큰 소(황소)를 만들어서
므쇠로 한 쇼를 디여다가 (무쇠 / 큰 소(황소) / 지어다가)		무쇠로 큰 소를 만들어서
텰슈산(鐵樹山)애 노호이다	불가능한 상황의 설정 ④	쇠로 된 나무가 있는 산에 놓습니다.
그 쇠 텰초(鐵草)를 머거아 (철로 된 나무가 있는 산 / 놓습니다)		그 소가 쇠로 된 풀을 먹어야만
그 쇠 텰초(鐵草)를 머거아 (무쇠 소가 / 철로 된 풀 / 먹어야만)		그 소가 쇠로 된 풀을 먹어야만
유덕(有德)ᄒᆞ신 님 여희ᄋᆞ와지이다	➤본사: 임에 대한 영원한 사랑	유덕하신 임을 이별하고 싶습니다.
구스리 바회예 디신ᄃᆞᆯ (장애물)		구슬이 바위에 떨어진들
구스리 바회예 디신ᄃᆞᆯ (구슬(원관념: 사랑) / 떨어진들)		구슬이 바위에 떨어진들
긴힛ᄃᆞᆫ 그츠리잇가	「서경별곡」의 2연과 일치 → 당시 유행했던 표현이거나 구비 전승되는 과정에서 차용되었을 가능성이 있음	끈이야 끊어지겠습니까?
즈믄 ᄒᆡ를 외오곰 녀신ᄃᆞᆯ (끈(원관념: 믿음) / 끊어지겠습니까?)		천 년을 외로이 살아간들
즈믄 ᄒᆡ를 외오곰 녀신ᄃᆞᆯ (천 년 - 끝없이 오랜 세월 / 외로이 살아간들)		천 년을 외로이 살아간들
신(信)잇ᄃᆞᆫ 그츠리잇가 (임과 나 사이의 변하지 않는 믿음)	➤결사: 임에 대한 영원한 사랑과 믿음을 맹세함	(임에 대한) 믿음이야 끊어지겠습니까?

출제자 톡! 화자를 이해하라!

1 **화자는 누구이고, 화자가 처한 상황은?**
임과의 영원한 사랑을 추구하며, 불가능한 상황을 설정하여 그 상황이 실현되면 임과 이별하겠다고 말하고 있음.

2 **화자의 정서 및 태도는?**
임과 이별하지 않겠다는 의지와 임을 향한 믿음은 변하지 않을 것이라는 의지를 드러냄.

Link

출제자 톡! 표현상의 특징을 파악하라!

❶ 시구 반복 및 후렴구를 사용하여 의미를 강조하고 운율을 형성함.

❷ 노래 전체의 내용과 깊은 연관이 없는 서사 부분이 삽입됨.

❸ 불가능한 상황을 설정하여 화자의 정서를 강조함.

❹ 반어적 표현을 사용하여 화자의 태도를 강조해 줌.

최우선 출제 포인트!

1 불가능한 상황의 설정과 표현의 효과

이별의 전제 조건

불가능한 상황의 가정	표현의 효과
구운 밤이 싹이 나면	가정(불가능한 상황)이 이루어져야만 임과 이별하겠다. → 절대로 임과 이별하지 않겠다는 의지이자 소망의 표현(반어적)
옥 연꽃이 삼동이 피면	
무쇠 옷이 헐면	
무쇠 소가 철수산에서 쇠풀을 먹으면	

2 '송축가(頌祝歌)'의 기능

임 = '임금'	태평성대를 기원하는 신하나 백성이 임금에게 바치는 '송축가'
임 = '연인'	사랑하는 사람과의 영원한 사랑을 꿈꾸는 '연정가'

최우선 핵심 Check!

1 경치를 묘사한 다음 정서를 드러내는 전개 방식을 사용하고 있다. (O / ×)

2 〈1연〉은 노래 전체의 내용과 깊은 연관이 없는 부분으로 의식을 시작하는 기능을 하고, ㅌㅍㅅㄷ에 대한 기원을 나타낸다.

3 〈2~5연〉은 불가능한 상황을 가정하여 역설적으로 표현함으로써 임과 영원히 함께하고 싶은 소망을 드러내고 있다. (O / ×)

4 바위에 떨어져도 끊어지지 않는 'ㄱ'은 화자의 사랑과 믿음을 의미한다.

5 반복적으로 나타나는 '님(을) 여희ᄋᆞ와지이다'는 실제로는 임과 헤어지기 싫은 화자의 의지를 표현하므로 ㅂㅇㅈ 표현으로 볼 수 있다.

정답 1. × 2. 태평성대 3. ○ 4. 긴 5. 반어적

가시렵니까?

가시리 | 작자 미상

갈래 고려 가요 **성격** 서정적, 애상적
주제 이별의 정한(情恨) **시대** 고려

사랑하는 사람을 떠나보내는 화자의 심정을 진솔하게 드러낸 작품이다. 우리 문학의 전통적 정서인 이별의 정한(情恨)이 잘 드러나 있다.

이별의 사실을 거듭 확인 / 특별한 의미가 없이 율을 맞추기 위한 여음 **Link 표현상 특징 ❶**

가시리 가시리잇고 나는
가시리잇고. 음수율을 맞추기 위해 '-잇고'를 생략함
ᄇᆞ리고 가시리잇고 나는
주체=임
위 증즐가 대평셩ᄃᆡ(大平盛代)
후렴구(별 다른 뜻이 없는 여음구, 흥을 돋우기 위한 조흥구) **Link 표현상 특징 ❶**

뜻밖의 이별에 대한 놀라움과 슬픔 **Link 표현상 특징 ❷** → 이별의 사실 거듭 확인 + 임에게 떠나지 말라는 애원

> 떠나는 임에 대한 애원

가시겠습니까? 가시겠습니까?
(나를) 버리고 가시겠습니까?
위 증즐가 대평성대

『날러는 엇디 살라 ᄒᆞ고
ᄇᆞ리고 가시리잇고 나는』 『 』: 1연보다 고조된 원망적 애소(哀訴) **Link 표현상 특징 ❷**
1연의 2행의 반복을 통한 슬픔과 이별의 정한 강조 **Link 표현상 특징 ❶**
위 증즐가 대평셩ᄃᆡ(大平盛代)

> 임에 대한 원망의 고조

나더러는 어찌 살라 하고
(나를) 버리고 가시렵니까?
위 증즐가 대평성대

잡ᄉᆞ와 두어리마ᄂᆞᄂᆞᆫ
아니올까 두렵습니다
선ᄒᆞ면 아니 올셰라
이별을 받아들임
위 증즐가 대평셩ᄃᆡ(大平盛代)

> 감정의 절제와 체념

붙잡아 둘 일이지마는
(임께서) 서운하면 아니 오실까 두렵습니다.
위 증즐가 대평성대

① 주체=임: 이별을 서러워하는 임
② 주체=화자: 나를 서럽게 하는 임
셜온 님 보내ᄋᆞᆸ노니 나ᄂᆞᆫ
가시ᄂᆞᆫ ᄃᆞᆺ 도셔 오쇼셔 나ᄂᆞᆫ
소망을 직접적으로 표출함 → 간절한 기다림의 정서
위 증즐가 대평셩ᄃᆡ(大平盛代)

> 임이 돌아오기를 바라는 소망

서러운 임을 보내 드리오니
가시자마자(가시는 것처럼) 돌아서서 오소서
위 증즐가 대평성대

노랫말에 남녀의 소박한 사랑과 이별의 내용과 어울리지 않게 송축(頌祝)의 후렴이 붙은 것은 이 노래가 궁중의 속악으로 채택되어 국왕 앞에서 불리면서 첨가된 것으로 추측됨

출제자 톡! 화자를 이해하라!

1 **화자는 누구이고 화자가 처한 상황은?**
임과 이별의 상황에 놓인 사람

2 **화자의 정서와 태도는?**
임에 대해 원망하다 체념하고, 임이 돌아오길 소망함. 임을 잡고 싶어도 잡지 못하는 소극적인 태도를 보임.

Link

출제자 톡! 표현상의 특징을 파악하라!

❶ 여음과 후렴구의 사용, 시구의 반복을 통해 리듬감을 형성함.

❷ 화자의 정서 변화에 따라 시상이 전개됨.

최우선 출제 포인트!

1 화자의 정서 및 태도 변화

임과의 이별과 애원	뜻밖의 이별에 대한 놀라움과 원망에 찬 하소연
애원의 고조	하소연과 슬픔의 고조
절제와 체념	이별을 받아들일 수밖에 없는 안타까움.
소망과 기원	임과의 재회에 대한 소망과 기다림.

이 작품은 '애원(현실 인식) → 고조(탄식) → 절제(전환) → 기다림(양보)'의 방식으로 시상이 전개되고 있다.

최우선 핵심 Check!

1 화자는 임과의 이별에 대한 슬픔과 원망의 정서를 드러내고 있다. (O / ×)

2 시구의 반복을 통해 이별에 대한 화자의 정서를 강조하고 있다. (O / ×)

3 화자는 임과의 이별을 받아들이는 ㅊㄴ의 정서를 보이다가, 다시 만날 날을 기다리는 소망의 정서로의 변화를 보이고 있다.

정답 1. ○ 2. ○ 3. 체념

북소리 '둥둥'을 한자로 음차함

동동(動動) | 작자 미상

갈래 고려 가요 **성격** 연가적, 민요적, 이상적
주제 임 또는 임금에 대한 송축과 연모의 정
시대 고려

현전하는 가장 오래된 월령체 노래로서, 이별한 임에 대한 그리움을 열두 달의 풍속과 함께 표현하고 있다.

『덕(德)으란 곰비예 받줍고 / 복(福)으란 림비예 받줍고
(곰비예: 뒷잔에, 신령님께 / 림비예: 앞잔에, 임에게)
덕(德)이여 복(福)이라 호늘 / 나수라 오소이다』 (나수라: 드리려)
『 』: '동동'이 궁중 음악으로 편입되면서 첨가된 내용으로 볼 수 있음
아으 동동(動動)다리 → 운율 형성, 작품 전체의 통일성 부여 Link 표현상 특징 ❶
후렴구. '동동'은 북소리를 본뜬 의성어
> 임의 덕과 복을 빎(서사) – 송도(頌禱)

덕은 뒤에(뒷잔에, 신령님께) 바치옵고 / 복은 앞에(앞잔에, 임에게) 바치오니
덕이며 복이라 하는 것을 / 바치러 오십시오.
아으 동동다리

(음영): 화자의 외로움을 고조시키는 객관적 상관물

정월(正月)ㅅ 나릿 므른 / 아으 어져 녹져 호논딕
('나'의 처지와 대조적임 / ① 자기의 마음을 임에 의해 녹게 하고 싶음 ② 마음을 녹여 줄 사람도 없이 홀로 살아감)
누릿 가온딕 나곤 / 몸하 호올로 녈셔
세상 사람들과 즐겁게 지내지 못하고 혼자 외롭게 살아가는 화자의 고독한 처지
아으 동동(動動)다리
> 홀로 살아가는 외로움 – 고독(孤獨)

정월의 냇물은 / 아아, 얼었다가 녹으려 하는데
세상에 태어난 / 이 몸은 홀로 살아가는구나.
아으 동동다리

□: 각 달에 따라 시상을 전개함 – 각 달에 따른 세시 풍속도 제시 Link 표현상 특징 ❷

이월(二月)ㅅ 보로매 / 아으 노피 현 등(燈)ㅅ블 다호라
(보로매: 보름에 / 현: 켠 / 임의 얼굴을 떠올리게 한 계기 ① → 임의 고매한 인품 비유)
만인(萬人) 비취실 즈ᅀᅵ샷다 Link 표현상 특징 ❸
임이 훌륭한 인격의 소유자임을 알 수 있음
아으 동동(動動)다리
> 빼어난 임의 인품 – 송축(頌祝)

2월 보름(연등일)에 / 아아, 높이 켠 등불 같구나.
온 백성(만인)을 비추실 모습이로구나.
아으 동동다리

타인이 부러워하는 아름다움과 관련된 긍정적 가치를 지닌 대상
삼월(三月) 나며 개(開)혼 / 아으 만춘(滿春) 돌욋고지여
임의 얼굴을 떠올리게 한 계기 ② → 임의 아름다운 모습 비유 Link 표현상 특징 ❸
└ᄆᆡ 브롤 즈슬 디녀 나샷다
임이 출중한 용모의 소유자임을 알 수 있음
아으 동동(動動)다리
> 아름다운 임의 모습 – 송축(頌祝)

3월 지나면서 핀 / 아아, 늦봄의 진달래꽃이여
남이 부러워할 모습을 지니셨구나.
아으 동동다리

사월(四月) 아니 니저 / 아으 오실셔 곳고리 새여
대조 – 꾀꼬리는 잊지 않고 찾아왔으나 임은 돌아오지 않음
므슴다 녹사(錄事)니믄 / 녯 나롤 닛고신뎌 Link 표현상 특징 ❹
(녹사: 고려의 벼슬 – 임의 신분이 나타남 / 옛날의 (정다웠던) 나를 잊고 계시는구나)
아으 동동(動動)다리
> 무심한 임에 대한 원망 – 애련(哀戀)

4월을 아니 잊고 / 아아, 오셨구나 꾀꼬리새여.
어찌하여 녹사(錄事)님은 / 옛날의 나를 잊으셨는가?
아으 동동다리

오월(五月) 오일(五日)애 / 아으 수릿날 아춤 약(藥)은
(오일: 단오 / 수릿날: 단옷날)
즈믄 휠 장존(長存)호샬 / 약(藥)이라 받줍노이다
(즈믄 휠: 천 년 / 장존호샬: 혼자 오래 사실 / 약: 임에 대한 정성)
아으 동동(動動)다리
> 임의 장수(長壽) 기원 – 기원(祈願)

5월 5일(단오일)에 / 아아, 단옷날 아침에 먹는 약은
천 년을 사실 / 약이기에 바치옵나이다.
아으 동동다리

벼랑에 버린
유월(六月)ㅅ 보로매 / 아으 별해 브룐 빗 다호라
(보로매: 유두일에 / 임에게 버림받은 화자의 가련한 처지 비유 ① Link 표현상 특징 ❸)
도라보실 니믈 / 젹곰 좃니노이다
버림받은 신세를 참고 견디는 모습
아으 동동(動動)다리
> 임에게 버림받은 신세 한탄 – 애련(哀戀)

6월 보름(유두일)에 / 아아, 벼랑에 버려진 빗 같구나.
돌아보실 임을 / 잠시나마 따르겠나이다.
아으 동동다리

칠월(七月)ㅅ 보로매 / 아으 백종(百種) 배(排)ᄒᆞ야 두고
백중일 · 온갖 음식(제물) - 임에 대한 화자의 정성
니믈 ᄒᆞᆫᄃᆡ 녀가져 / 願(원)을 비ᅀᆞᆸ노이다
임과 함께 살아가고자 → 화자의 궁극적 소망 · 비옵나이다 → 임을 영원히 따르고 싶어하는 염원
아으 동동(動動)다리
> 임과 함께 살고 싶은 소망 – 연모(戀慕)

7월 보름(백중일)에 / 아아, 온갖 종류의 음식을 차려 두고
임과 함께 살고자 하는 / 소원을 비옵나이다.
아으 동동다리

팔월(八月)ㅅ 보로ᄆᆞᆫ / 아으 가배(嘉俳) 나리마ᄅᆞᆫ
한가위 → 1년 중 가장 즐거운 명절
니믈 뫼셔 녀곤 / 오ᄂᆞᆯ낤 가배(嘉俳)샷다
임이 없는 한가위의 쓸쓸함을 표현함
아으 동동(動動)다리
> 임이 없는 한가위의 쓸쓸함과 그리움 – 연모(戀慕)

8월 보름(한가위)은 / 아아, 한가위이지마는
임을 모시고 지내야만 / 오늘이 뜻있는 한가위이도다.
아으 동동다리

구월(九月) 구일(九日)애 / 아으 약(藥)이라 먹논
중양절
황화(黃花)고지 안해 드니 / 새셔 가만ᄒᆞ애라
황화전(국화전)의 재료인 국화꽃 · 임이 안 계신 초가의 적막함
아으 동동(動動)다리
> 임이 없는 고독과 한 – 적요(寂寥)

9월 9일(중양절)에 / 아아, 약으로 먹는
국화꽃이 집 안에 피니 / 초가집 안이 고요하구나.
아으 동동다리

보리수 또는 고로쇠
시월(十月)애 / 아으 져미연 ᄇᆞᄅᆞᆺ 다호라
임에게 버림받은 화자의 가련한 처지 비유 ② **Link** 표현상 특징 ❸
것거 ᄇᆞ리신 후(後)에 / 디니실 ᄒᆞᆫ 부니 업스샷다
임에게 버림 받은 상황을 드러냄
아으 동동(動動)다리
> 임에게 버림받은 서글픔 – 애련(哀戀)

10월에 / 아아, 베어 버린 보리수나무 같구나.
꺾어 버리신 후에 / (나무를) 지니실 한 분이 없으시도다.
아으 동동다리

십일월(十一月)ㅅ 봉당 자리예 / 아으 한삼(汗衫) 두퍼 누워
윗옷 소매 끝에 흰 헝겊으로 길게 덧대는 소매 또는 속적삼
슬ᄒᆞᆯ ᄉᆞ라온뎌 / 고우닐 스싀옴 녈셔
홀로 살아가는 자신의 처지에 대한 비탄
아으 動動(동동)다리
> 임 없이 홀로 살아가는 서글픔과 상사의 괴로움 – 비련(悲戀)

11월 봉당 자리에 / 아아, 한삼을 덮고 누워
슬프구나 / 고운 임을 (여의고) 제각기 살아가는구나.
아으 동동다리

소반 · 젓가락 · 같구나
십이월(十二月)ㅅ 분디남ᄀᆞ로 갓곤 / 아으 나ᄉᆞᆯ 반(盤)잇 져 다호라
화자를 상징. 임에게 버림받은 화자의 가련한 처지 비유 ③
니믜 알ᄑᆡ 드러 얼이노니 / 소니 가재다 므ᄅᆞᅀᆞᆸ노이다 **Link** 표현상 특징 ❸
생각지도 않은 다른 사람에게 시집가게 된 기구한 운명을 한탄함
아으 동동(動動)다리
> 임과 맺어질 수 없는 운명에 대한 한탄 – 애련(哀戀)

12월 분디나무로 깎은 / 아아, (임에게) 차려 드릴 소반 위의 젓가락 같구나.
임의 앞에 들어 놓았더니 / 손님이 가져다가 입에 물었나이다.
아으 동동다리

출제자 톡! 화자를 이해하라!

1 **화자는 누구이고, 화자가 처한 상황은?**
임과 이별한 여인으로, 임이 없이 일 년을 보내고 있음.

2 **화자의 정서 및 태도는?**
헤어진 임을 예찬하고 그리워하면서도 자기 비애에 빠짐.

Link

출제자 톡! 표현상의 특징을 파악하라!

❶ 후렴구를 사용하여 작품 전체에 통일성을 부여하면서 운율을 형성함.
❷ 월령체 형식에 따라 화자의 정서를 드러내며 시상을 전개함.
❸ 비유적 표현을 사용하여 임과 화자의 모습을 효과적으로 드러내 줌.
❹ 대조적 시어를 활용하여 화자의 처지를 강조함.

최우선 출제 포인트!

1 내용 구조

시간적 배경 혹은 대상 제시
↓
(아으) 제시된 대상에 대한 한(恨)
↓
찬탄의 대상과 대비된 자신의 심경 고백
↓
후렴구 (아으) 동동(動動) 다리

2 화자와 '임'을 비유한 소재

	비유한 소재와 의미	대조되는 소재
화자	〈6월령〉 벼랑에 버린 빗 〈10월령〉 잘게 썬 보리수나무 〈12월령〉 소반 위의 젓가락	〈정월령〉 냇물
	의미: 임에게 버림받은 처지	화자와 달리 녹아 흐름
임	〈2월령〉 등불 〈3월령〉 진달래꽃	〈4월령〉 꾀꼬리
	의미: 임의 아름다운 모습	'나'를 잊지 않고 찾아옴

최우선 핵심 Check!

1 이별한 임에 대한 그리움과 연모의 정을 드러내고 있다. (O / ×)

2 'ㄱㄱㄹㅅ'는 오지 않는 임과 대비되는 자연물이다.

3 〈정월령〉에서는 남녀 간의 이별로 인한 외로움이 드러나 있다. (O / ×)

4 〈오월령〉의 '약'과 〈칠월령〉의 '백종'에는 임에 대한 화자의 마음이 담겨져 있다. (O / ×)

5 〈시월령〉의 '져미연 ᄇᆞᄅᆞᆺ'은 임에 대한 화자의 원망의 정서가 담겨져 있는 소재이다. (O / ×)

정답 1. ○ 2. 곳고리 새 3. ○ 4. ○ 5. ×

1등급! 〈보기〉!

월령체가(月令體歌)

월령(月令)이란 한 달의 할 일을 열거한 표를 뜻하는데, 거기에는 주로 농사일과 의식(儀式), 세시 풍속 등이 담긴다. 이를 노래로 엮은 시가를 '월령체가(月令體歌)', 또는 '달거리요'라고도 한다. 월령체가는 작품에 따라 12개 혹은 13개로 분절되며 각 연은 흔히 그 달의 자연, 기후, 명절놀이, 민속 행사를 반영한다. 대부분 서정적으로 노래하고 다양하고 풍부한 생활 감정을 자유분방하게 표현하는 것이 그 특징이다. 이러한 월령체가의 형식은 화자가 읊고 있는 내용을 더욱 절실하게 전달해 주고, 인생에서의 문제가 자연의 변화에 비유되어 화자의 정서를 효과적으로 전달해 준다.
월령체가의 대표적인 작품으로는 「농가월령가(農家月令歌)」, 「동동(動動)」, 「사친가(思親歌)」, 「관등가(觀燈歌)」 등이 있다.

「동동」에 나오는 세시 풍속

2월	연등제	정월 보름에 등을 불을 켜고 복을 비는 풍습이 고려 현종 때 2월 보름으로 바뀜.
5월	단오	여자들은 창포물로 머리를 감고, 쑥떡 등을 먹으며 그네뛰기 등 민속놀이를 즐김.
6월	유두	동쪽으로 흐르는 물에 머리를 감고 새로 나온 과일, 국수 등으로 제사를 지냈으며 유두면(국수의 일종) 등을 먹음.
7월	백중	남녀가 모여 음식을 갖추어 놓고 노래하며 춤추며 놂. 승려들은 사찰에서 재를 올림.
8월	한가위	가을에 거둔 곡식으로 음식을 장만하여 조상에게 차례를 지냄.
9월	중양절	서울의 선비들은 교외로 나가서 풍국(楓菊) 놀이를 하며, 황국(黃菊)을 술잔에 띄워 마시며 시를 읊거나 그림을 그림.

정서의 호 '과정(瓜亭)'을 후세 사람들이 제목으로 붙임

정과정(鄭瓜亭) | 정서

갈래 향가계 고려 가요 **성격** 애상적
주제 임금을 향한 변함없는 충정 **시대** 고려

국문으로 전하는 고려 가요 중 유일하게 작가가 알려진 작품으로, 자신의 결백함을 밝히고 선처를 청하기 위해 지은 노래이다.

내님믈 그리ᄋᆞ와 우니다니 (임 = 고려 의종 / 울며 지내니)
산(山) 졉동새 난 이슷ᄒᆞ요이다 (감정 이입의 대상 - 한(恨)의 상징 Link 표현상 특징 ❶)
아니시며 거츠르신ᄃᆞᆯ 아으 (거짓인 줄을)
잔월효성(殘月曉星)이 아ᄅᆞ시리이다 (새벽녘의 달과 별 - 결백을 알고 있는 초월적 존재)
> 기: 자신의 고독한 처지와 결백 호소

넉시라도 님은 ᄒᆞᆫᄃᆡ 녀져라 아으 (힘께 싶고 싶구나)
『벼기더시니 뉘러시니잇가』 (우기던 이가 - 나를 모함하던 이) 『』: 자신을 모함한 사람들에 대한 원망
과(過)도 허믈도 천만(千萬) 업소이다

「만전춘별사」 3연과 유사함: 고려 가요는 민요를 기반으로 하고 있으며, 정서가 당시 사람들 사이에 구전되던 민요의 노랫말을 첨가한 것으로 추정할 수 있음 Link 표현상 특징 ❷

ᄆᆞᆯ힛마리신뎌 (뭇 사람들의 참소입니다)
ᄉᆞᆯ읏븐뎌 아으 (슬프도다)
> 서: 결백의 해명

니미 나ᄅᆞᆯ ᄒᆞ마 니ᄌᆞ시니잇가 (벌써 / 자신을 찾지 않는 임을 원망)
『[아소] 님하 도람 드르샤 괴오쇼셔』 (도로, 다시) 『』: 임의 사랑을 회복하고 싶어 하는 심정, 임을 향한 애원(간절한 소망)
> 결: 임에 대한 애원

[ ]: 감탄사, 금기의 뜻 → 향가의 흔적(10구체 향가의 감탄사) Link 표현상 특징 ❸

(현대어 풀이)
내가 임을 그리워하여 울며 지내니
산의 두견새와 나는 비슷합니다.
(제가 역모에 가담했다는 말이) 옳지 않으며 거짓인 줄을
지는 달과 새벽 별이 알고 있습니다.
넋이라도 임을 한데 모시고 싶습니다. 아으.
(나를) 헐뜯은 이가 누구입니까?
(나는) 허물도 잘못도 전혀 없습니다.
뭇사람들의 참소하는 말입니다.
슬프도다. 아으.
임께서 벌써 나를 잊으셨습니까?
아아, 임이시여 그러지 마시고 돌이켜 들으시어 (다시) 사랑해 주소서.

출제자 톡! 화자를 이해하라!

1 **화자는 누구이고, 화자가 처한 상황은?**
모함을 받아 귀양을 가 있는 사람

2 **화자의 정서 및 태도는?**
모함을 받은 데 대한 억울하고 원통한 심정과 불러 주지 않는 임금에 대한 원망, 임을 다시 모시고 싶은 충정을 드러냄.

Link
출제자 톡! 표현상의 특징을 파악하라!

❶ 자연물에 감정을 이입하여 화자의 정서를 표출함.
❷ 「만전춘별사」와 비슷한 구절이 삽입되어 있음.
❸ 형식 면에서 고려 가요의 전통과 향가의 전통을 모두 잇고 있음.

최우선 출제 포인트!

1 자연물을 통한 화자의 정서 표출

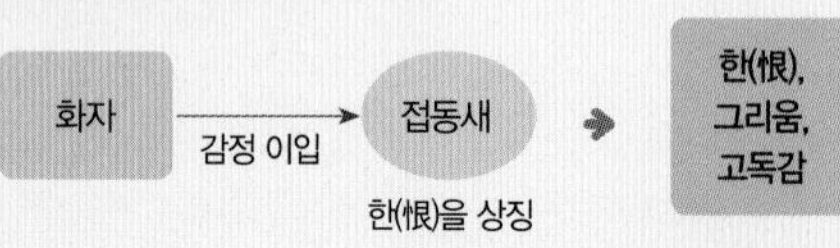

함께 볼 작품 자신의 결백함을 호소한 작품: 작자 미상, 「개야미 불개야미」, 작자 미상, 「대천 바다 한가온데」

최우선 핵심 Check!

1 한(恨)의 표상인 '접동새'에 화자의 감정을 이입하고 있다. (O / ×)

2 '잔월효성'은 화자의 결백을 입증할 수 있는 초월적 존재이다. (O / ×)

3 10구체의 3단 구성, 감탄사 '아소' 등을 볼 때 이 시는 [ㅎ][ㄱ]에서 고려 가요로 넘어가는 과도기에 놓여 있는 작품이라 할 수 있다.

정답 1. ○ 2. ○ 3. 향가

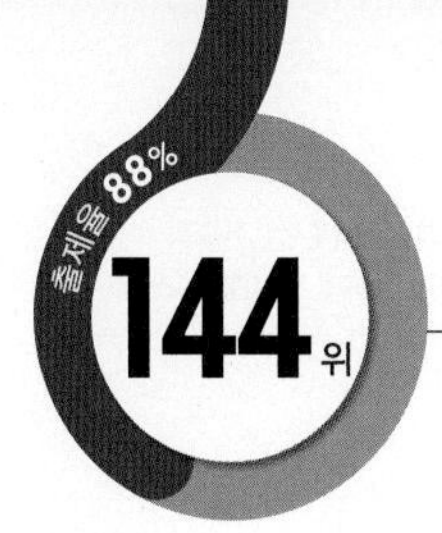

죽은 누이의 제사를 지내며 부르는 노래

제망매가(祭亡妹歌) | 월명사

갈래 향가(10구체) **성격** 애상적, 종교적, 추모적
주제 죽은 누이의 명복을 빎. **시대** 신라

월명사가 죽은 누이의 명복을 빌며 부른 추모의 노래로, 죽음에 대한 슬픔을 종교적으로 승화시키고 있는 작품이다.

원문	김완진 해독	현대어 풀이
生死路隱 생사로은	생사(生死) 길흔 (삶과 죽음의 길)	삶과 죽음의 길은
此矣有阿米次肸伊遣 차의유아미차힐이견	이에 이샤매 머뭇그리고 (이승. 이 세상)	이(이승)에 있음에 머뭇거리고,
吾隱去內如辭叱都 오은거내여사질도	나는 가누다 말ㅅ도 (망매(亡妹) - 죽은 누이)	"나는 간다"는 말도
毛如云遣去內尼叱古 모여운견거내니질고	몯다 니르고 가누닛고 ▶기: 죽음의 허무함과 혈육의 정 (누이의 죽음에 대한 비탄)	못다 이르고 갔는가(죽었는가)?
於內秋察早隱風未 어내추찰조은풍미	어느 ᄀᆞ술 이른 ᄇᆞᄅᆞ매 (가을 / 누이의 요절(夭折) 암시 Link 표현상 특징 ❶)	어느 가을 이른 바람에
此矣彼矣浮良落尸葉如 차의피의부량락시엽여	이에 뎌에 ᄠᅥ러딜 닙곤 (여기저기에 / 죽은 누이 Link 표현상 특징 ❶)	여기저기 떨어지는 나뭇잎처럼,
一等隱枝良出古 일등은지량출고	ᄒᆞᄃᆞᆫ 가지라 나고 (한 부모 Link 표현상 특징 ❶)	같은 나뭇가지(한 부모)에 나고서도
去奴隱處毛冬乎丁 거노은처모동호정	가논 곧 모ᄃᆞ론뎌 ▶서: 혈육의 죽음에서 느끼는 인생의 무상감 (인생무상에 대한 비애 → 삶과 죽음 사이의 아득한 거리감)	(네가) 가는 곳을 모르겠구나.
阿也彌陀刹良逢乎吾 아야미타찰량봉호오	아야 미타찰(彌陀刹)아 맛보올 나 (낙구의 첫머리 / 극락세계 / 화자)	아아, 극락에서 (너를) 만나 볼 나는
道修良待是古如 도수량대시고여	도(道) 닷가 기드리고다 ▶결: 인간적 고뇌의 종교적 승화 (죽음에 직면한 슬픔을 극복하고 새로운 만남을 기약함 Link 표현상 특징 ❸) (감탄사, 시상 전환, 10구체 향가의 특징 Link 표현상 특징 ❷)	불도(佛道)를 닦으며 기다리겠다.

– 김완진 해독

배경 설화 승려인 월명사가 죽은 누이를 위하여 재(齋)를 올리며 「제망매가」를 지어 불렀더니, 갑자기 바람이 일어나 재식(齋式)에 사용된 지전(紙錢)이 서쪽[西方淨土]으로 날아갔다 한다.

출제자 톡! 화자를 이해하라!

1 **화자는 누구이고, 화자가 처한 상황은?**
누이의 죽음을 추모하고 있는 사람

2 **화자의 정서 및 태도는?**
누이의 죽음으로 인한 삶의 무상감을 종교적 승화를 통해 극복하고자 함.

Link

출제자 톡! 표현상의 특징을 파악하라!

❶ 정제되고 세련된 비유적 표현을 사용하고 있음.
❷ 감탄사를 활용하여 시상 전환을 드러냄.
❸ 혈육의 죽음으로 인한 슬픔을 종교적 믿음으로 승화시킴.

최우선 출제 포인트!

1 시상 전개의 완결성

기	비극적 상황 제시	누이의 죽음
서	혈육의 정 구체화	• 이른 바람: 누이의 요절 • 떨어질 잎: 죽은 누이 • 한 가지: 같은 부모
결	슬픔의 종교적 승화	불교적 믿음을 통해 재회 다짐

이 작품이 문학성이 뛰어난 서정 시가로 불리는 까닭은 정제된 형식 속에서 삶과 죽음이라는 추상적인 대상을 자연의 섭리에 비유하여 형상화하고 있기 때문이다.

함께 볼 작품 사별로 인한 추모의 정을 노래한 작품: 득오, 「모죽지랑가」

최우선 핵심 Check!

1 '뜨러딜 닙'은 하강적 이미지를 활용하여 누이의 ㅈㅇ을 드러내고 있다.

2 ㅂㅁ를 'ᄒᆞᄃᆞᆫ 가지'에, 누이의 요절을 'ㅇㄹ ㅂㄹ'에 비유하고 있다.

3 낙구의 감탄사 '아야'는 '슬픔 → 슬픔의 극복'으로 시상을 전환하는 역할을 한다. (O / ×)

4 'ㅁㅌㅊ'은 '극락세계'라는 뜻으로, 인간적 슬픔을 종교적 힘으로 극복하려는 화자의 태도를 엿볼 수 있게 한다.

정답 1. 죽음 2. 부모, 이른 ᄇᆞᄅᆞᆷ 3. ○ 4. 미타찰

처용의 노래

처용가(處容歌) | 처용

갈래 향가(8구체) **성격** 무가(巫歌), 주술적
주제 아내를 범한 역신을 쫓아냄. **시대** 신라

처용이 자신의 아내를 침범한 역신(疫神)을 쫓기 위해 지어 부른 주술적 작품이다.

원문	해독	현대어 풀이
東京明期月良 동 경 명 기 월 량	동경(東京) ᄇᆞᆯ기 ᄃᆞ래 공간적 배경 - 서울(신라의 수도 경주)	동경(서울) 밝은 달밤에
夜入伊遊行如可 야 입 이 유 행 여 가	밤 드리 노니다가 시간적 배경 - 밤 늦도록	밤늦도록 놀고 지내다가
入良沙寢矣見昆 입 량 사 침 의 견 곤	드러ᅀᅡ 자리 보곤	들어와 잠자리를 보니
脚烏伊四是良羅 각 오 이 사 시 량 라	가로리 네히러라 다리 / 역신이 아내를 침범함 Link 표현상 특징 ❶ / 역신의 침범 … 외적 상황	다리가 넷이로구나.
二肹隱吾下於叱古 이 힐 은 오 하 어 질 고	두ᄫᅳ른 내해엇고 사람이 두 명이라는 의미. 대유법 / 내 것 - 아내의 다리	둘은 내 것이지만(내 아내이지만)
二肹隱誰支下焉古 이 힐 은 수 지 하 언 고	두ᄫᅳ른 누기핸고 누구의 것 - 역신의 다리	둘은 누구의 것인고?
本矣吾下是如馬於隱 본 의 오 하 시 여 마 어 은	본ᄃᆡ 내해다마ᄅᆞᄂᆞᆫ 내 것이었다마는	본디 내 것이다마는(내 아내이지만)
奪叱良乙何如爲理古 탈 질 량 을 하 여 위 리 고	아ᅀᅡᄂᆞᆯ 엇디ᄒᆞ릿고 빼앗긴 것을 어찌하리오. → 빼앗긴 상황에 대한 체념 또는 아내를 범한 상대방에 대한 관용적 태도로 해석 Link 표현상 특징 ❷ / 처용의 관용 … 내적 태도	빼앗긴 것을 어찌하리오.

– 김완진 해독

배경 설화 신라 제49대 헌강왕 때, 대왕이 개운포(현재의 울산)에 놀러 나갔는데 갑자기 짙은 구름과 안개가 끼어 사방을 분간하기 어려웠다. 괴이하게 여겨 물으니, 옆에 있던 일관(日官)이 "이는 동해 용왕의 조화이므로 마땅히 용왕을 위하여 좋은 일을 하여 그 마음을 풀어 주셔야 합니다."라고 하였다. 이에 왕이 용왕을 위하여 근처에 절을 세우도록 명하자, 곧 안개가 걷히고 구름이 개었으므로 그곳을 개운포라고 이름 지었다. 동해 용왕이 기뻐하여 아들 일곱을 데리고 나타나 왕에게 사례하고는 아들을 하나 보내어 정사(政事)를 보좌하게 하였는데, 이름을 '처용'이라 하였다. 왕은 아내를 삼게 하고 급간 벼슬을 주어 머물게 하였다. 어느 날 밤 처용이 밖에 나갔다가 밤늦게 돌아와 보니 아내에게 역신이 침범해 있었다. 처용은 그 광경을 보고 노래를 부르고 춤을 추며 물러났다. 그러자 역신이 감복하여 "내가 공의 아내를 흠모하여 지금 잘못을 범하였는데, 오히려 노하지 않으시니 감격하여 아름답게 여기는 바입니다. 이후로는 맹세코 공의 그림만 보아도 그 집에는 들어가지 않겠습니다."라고 하였다.

출제자 톡! 화자를 이해하라!

1 **화자는 누구이고, 화자가 처한 상황은?**
역신이 아내를 침범한 것을 본 사람

2 **화자의 정서 및 태도는?**
아내와 역신이 동침한 상황을 체념하고, 아내를 범한 역신을 관용적인 태도로 용서함.

Link

출제자 톡! 표현상의 특징을 파악하라!

❶ 대유법을 사용하여 상황을 압축적으로 표현함.

❷ 영탄적 표현을 통해 화자의 체념과 관용적 태도를 드러냄.

최우선 출제 포인트!

1 '처용'의 관용적 태도

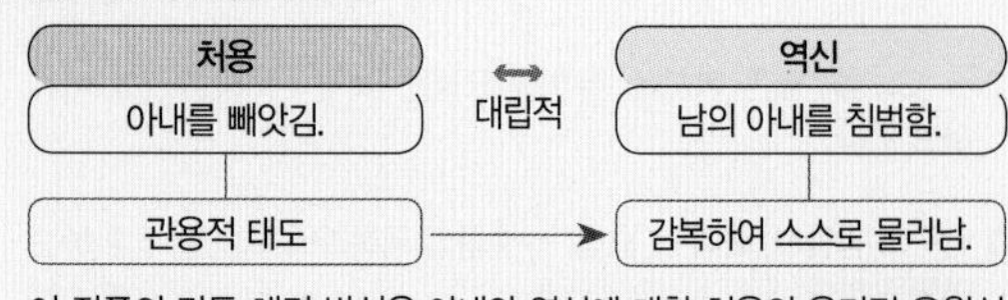

이 작품의 갈등 해결 방식은 아내와 역신에 대한 처용의 윤리적 우월성을 바탕으로 하는 처용의 관용으로 이루어진다. 즉 배경 설화에서 드러나는 역신이 처용에게 감복한 까닭은 처용의 윤리적 우월성에 감화받았기 때문이라고 해석할 수 있다.

함께 볼 작품 처용 설화를 소재로 한 작품: 고려 가요 「처용가」

최우선 핵심 Check!

1 구체적인 공간적 배경과 시간적 배경이 드러나 있다. (O / ×)

2 스스로 묻고 답하는 방식으로 시상이 전개되고 있다. (O / ×)

3 배경 설화를 볼 때, 이 노래와 춤을 통해 역신을 물리쳤다는 점에서 이 작품은 ㅈㅅ적인 성격을 지니고 있다.

정답 1. ○ 2. × 3. 주술

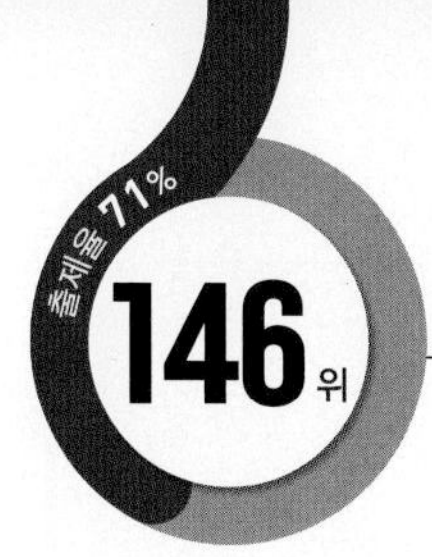

기파랑을 찬양한 노래

찬기파랑가(讚耆婆郞歌) | 충담사

갈래 향가(10구체) **성격** 예찬적, 상징적, 추모적
주제 기파랑의 고매한 인품 찬양 **시대** 신라

기파랑의 고매한 인품과 기개를 자연물에 비겨 찬양한 노래로서, 높은 서정성과 숭고미를 자아내고 있다.

咽嗚爾處米
열오이처미
露曉邪隱月羅理
노효사은월라리
白雲音逐于浮去隱安支下
백운음축간부거은안지하
沙是八陵隱汀理也中
사시팔릉은정리야중
耆郞矣皃史是史藪邪
기랑의모사시사수사
逸烏川理叱磧惡希
일오천리질적오희
郞也持以支如賜烏隱
낭야지이지여사오은
心未際叱肹逐內良齊
심미제질힐축내량제
阿耶栢史叱枝次高支好
아야백사질지차고지호
雪是毛冬乃乎尸花判也
설시모동내호시화판야

늦겨곰 ᄇᆞ라매
이슬 ᄇᆞᆯ갼 ᄃᆞ라리 (○: 기파랑의 고매한 인품)
(달이. 광명과 염원의 대상 **Link** 표현상 특징 ❶, ❷)
흰 구름 조초 ᄠᅥ간 언저레

몰이 가른 믈서리여히
(물. 맑고 깨끗한 인품)
기랑(耆郞)ᄋᆡ 즈ᅀᅵ올시 수프리야.
(수풀을 기파랑의 모습으로 착각함) **› 기: 기파랑의 고결한 모습**
일오(逸烏)나릿 ᄌᆡᄫᅧ긔
(조약돌(자갈). 원만하고 강직한 성품)
낭(郞)이여 디니더시온

ᄆᆞᅀᆞᄆᆡ ᄀᆞᄉᆞᆯ 좇ᄂᆞ라져.
(기파랑의 뜻을 따르겠다는 마음) **› 서: 기파랑의 인품을 찬양**
아야 자싯가지 노포 (▒: 낙구의 감탄사)
(잣가지. 고결한 절개 **Link** 표현상 특징 ❶, ❷)
누니 모ᄃᆞᆯ 두폴 곳가리여
(눈 - 시련) **› 결: 기파랑의 높은 절개 예찬**
(잣가지(푸른색) ↔ 눈 (흰색) **Link** 표현상 특징 ❸)

– 김완진 해독

흐느끼며 바라보매
이슬 밝힌 달이
흰 구름 따라 떠 간 언저리에
모래 가른 물가에
기랑(耆郞)의 모습과 같은 수풀이여
일오(逸烏) 내 자갈벌에서
낭(郞)이 지니시던
마음의 끝을 좇고 있노라.
아아, 잣나무 가지가 높아
눈이라도 덮지 못할 고깔(화랑의 우두머리)이여.

개념 Tip
낙구의 감탄사: 10구체 향가에서는 대개 9행(낙구)의 첫머리에 '아야', '아으' 등의 감탄사를 넣어 시상을 집약한다. 이러한 향가의 감탄사를 시조 종장 첫 부분에 주로 등장하는 영탄구의 시작으로 보아 향가를 시조 형식의 기원으로 보는 근거가 되기도 한다.

열치매
나토얀 ᄃᆞ리 (○: 기파랑의 고매한 인품)
(달. 광명(光明) 또는 숭앙(崇仰)의 대상 비유)
흰 구름 조초 ᄠᅥ가는 안디하
(아닌가?) **› 문사(화자): 달에게 물음**

새파른 나리여히
(내(시내). 깨끗한 인품)
기랑(耆郞)ᄋᆡ 즈ᅀᅵ 이슈라
(모습)
일로 나리ㅅ ᄌᆡᄫᅧᆨ히
(이로부터) (조약돌. 원만하고 강직한 인품)
낭(郞)ᄋᆡ 디니다샤온

ᄆᆞᅀᆞᄆᆡ ᄀᆞᇫ홀 좇누아져
› 답사(달): 기파랑의 인품을 찬양
아으 잣ㅅ가지 노파
(잣가지. 고결한 인품) (화랑의 우두머리)
서리 몯누올 화반(花判)이여
(시련, 역경, 세속적 유혹) **› 결사(화자): 기파랑의 높은 절개 예찬**
(아으: 10구체 향기의 특징. 낙구 첫머리의 감탄사)

– 양주동 해독

(구름 장막을) 열어 젖히며
나타난 달이
흰 구름 따라 (서쪽으로) 가는 것 아니냐?
새파란 냇물에
기랑의 모습이 있구나.
이로부터 냇가 조약돌에
낭이 지니시던
마음의 끝을 따르련다.
아아, 잣나무 가지가 높아
서리를 모를 화랑의 우두머리여.

출제자 톡! 화자를 이해하라!

1 **화자는 누구이고, 화자가 처한 상황은?**
죽은 기파랑을 추모하고 있는 사람

2 **화자의 정서 및 태도는?**
죽은 기파랑을 그리워하며, 그의 외양과 인품을 예찬함.

Link
출제자 톡! 표현상의 특징을 파악하라!

❶ 고도의 비유와 상징을 사용하여 대상을 세련되게 예찬하고 시상을 구체화함.
❷ 대상의 특성을 자연물을 통해 드러냄.
❸ 선명한 색채 대비를 통해 주제를 형상화함.

최우선 출제 포인트!

1 시어의 상징적 의미

시어	상징적 의미	
달	높이 우러러보는 광명의 존재	기파랑에 대한 존경심
냇물	기파랑의 맑고 깨끗한 인품	
자갈, 조약돌	원만하고 강직한 인품	
잣나무 가지	역경에 굴하지 않는 기파랑의 고결한 절개와 고매한 인품	
눈, 서리	시련, 역경, 불의	

이 작품은 기파랑이 화랑으로 지녔던 고고한 인격을 직접 언급하지 않고, 자연물에 비겨 찬양하고 있다. 이러한 상징성과 함축성은 이 작품의 가치를 더욱 높이는 근거가 된다.

함께 볼 작품 화랑을 예찬하고 추모한 작품: 득오, 「모죽지랑가」

최우선 핵심 Check!

1 찬양적 어조로 주술성이 나타나는 종교적 노래이다. (O / ×)

2 가장 진화된 형태의 10구체 향가로 서정성이 돋보인다. (O / ×)

3 화자는 예찬의 대상인 기파랑을 찬양하는 데 고도의 비유와 상징을 써서 효과를 높이고 있다. (O / ×)

4 '흰 구름', '새파른' 등 시각적 이미지의 시어를 사용하고 있다. (O / ×)

5 화자는 기파랑의 인물됨을 직접 드러내지 않고 자연물을 통해 드러냈는데, 이 중 [ㅈ][ㄱ][ㅈ]는 역경에 굴하지 않는 고귀함을 상징한다.

6 화자는 기파랑의 인품을 예찬하면서 그의 고매한 정신을 따르겠다고 다짐하고 있다. (O / ×)

정답 1. × 2. ○ 3. ○ 4. ○ 5. 잣가지 6. ○

1등급! 〈보기〉!

해독상 의미 차이

향가는 한자의 음과 뜻을 빌려 국어의 어순에 따라 표기한 차자 문학인데, 오늘날의 우리가 신라 시대의 언어 실태를 정확히 알 수 없기 때문에 학자에 따라 향가에 대한 해독이 다르다.

	김완진	양주동
시적 어조	화자 한 사람의 독백	화자와 달의 문답
시적 상황	달(기파랑)은 화자가 상상을 통해 접근할 수 있는 대상으로 직접 볼 수 없는 존재임.	달이 흰 구름을 좇아 현재 움직이고 있으므로 화자는 직접 볼 수 있음.
'돌'에 대한 해석	시적 화자가 있는 '자갈벌'로 의미화함.	원만하고 강직한 기파랑의 인품을 상징하는 '조약돌'로 의미화함.
분위기	애상적, 안타까움.	진취적, 미래 지향적

죽지랑을 추모하는 노래

모죽지랑가(慕竹旨郎歌) | 득오

갈래 향가 (8구체) **성격** 서정적, 예찬적, 추모적
주제 죽지랑의 인품에 대한 예찬과 그의 죽음에 대한 추모 **시대** 신라

신라 효소왕 때 죽지랑의 낭도(郎徒)인 득오가 죽지랑의 죽음을 애도하며, 그의 인품에 대한 사모와 추모의 정을 노래한 작품이다.

去隱春皆理米
거 은 춘 개 리 미
毛冬居叱沙哭屋尸以憂音
모 동 거 질 사 곡 옥 시 이 우 음
阿冬音乃叱好支賜烏隱
아 동 음 내 질 호 지 사 오 은
皃史年數就音墮支行齊
모 사 년 수 취 음 타 지 행 제
目煙廻於尸七史伊衣
목 연 회 어 시 칠 사 이 의
逢烏支惡知作乎下是
봉 오 지 오 지 작 호 하 시
郎也慕理尸心未行乎尸道尸
낭 야 모 리 시 심 미 행 호 시 도 시
蓬次叱巷中宿尸夜音有叱下是
봉 차 질 항 중 숙 시 야 음 유 질 하 시

(감정의 고조 — Link 표현상 특징 ❸)

간 봄 그리매
(지나간 봄 = 죽지랑과 함께한 때)
모든 것ᄉᆞ 우리 시름 ❯ 이별로 인한 그리움과 슬픔
(죽지랑과 이별한 슬픔)
아름 나토샤온
(아름다움을 나타내신)
즈ᅀᅵ 살쯈 디니져 ❯ 죽지랑의 모습에 대한 회상
(모습 / 주름살, 늙음을 암시 / 지니려 하는구나)
눈 돌칠 ᄉᆞ이예
(눈 돌릴, 눈 깜짝할)
맛보ᄋᆞᆸ디 지ᅀᅩ리 ❯ 재회에 대한 소망
(지으리, 되오리)
낭(郎)이여 그릴 ᄆᆞᅀᆞᄆᆡ 녀올 길
('낭'을 다시 만나려는 화자의 소망을 형상화함 Link 표현상 특징 ❷)
다봊 ᄆᆞᅀᆞᆯ히 잘 밤 이시리 ❯ 재회에 대한 확신
(다북쑥 우거진 마을, 저 세상, 험하고 삭막한 이승)

– 양주동 해독

지나간 봄을 그리워하니
모든 것이 울게 하는 시름
아름다움을 나타내신
모습이 주름살 지는구나.
눈 돌릴 사이라도
만나 보기 이루리
낭이여 그리는 마음에 가는 길
다북쑥 (우거진) 마을에서 잘 밤이 있으리.

배경 설화 신라 제32대 효소왕 때에 화랑 죽지랑이 죽자, 그의 낭도 가운데 '득오'라는 급간이 죽은 죽지랑을 추모하여 지은 작품이다.

출제자 톡! 화자를 이해하라!

1 **화자는 누구이고, 화자가 처한 상황은?**
죽은 죽지랑의 낭도로, 죽지랑의 인품을 떠올리고 있음.

2 **화자의 정서 및 태도는?**
죽은 죽지랑을 그리워하고 예찬하며 추모함.

Link
출제자 톡! 표현상의 특징을 파악하라!

❶ '과거 – 현재 – 미래'의 시간의 흐름에 따른 구성을 취함.
❷ 시적 대상과 다시 만나고 싶은 화자의 소망을 형상화함.
❸ 시상이 전개되면서 화자의 감정이 점점 고조됨.

최우선 출제 포인트!

1 시간적 순서에 따른 시상 전개

구분	내용
기(1, 2구)	죽지랑과 함께했던 과거에 대한 그리움.
승(3, 4구)	생전의 죽지랑을 떠올림.
전(5, 6구)	죽지랑과 다시 만나기를 바람.
결(7, 8구)	죽지랑을 만나지 못한 한탄과 재회에 대한 소망

시간적 순서에 따라 시상을 전개함으로써 죽지랑을 향한 감정과 추모의 정을 극대화하고 있다.

함께 볼 작품 화랑에 대한 사모의 정을 노래한 작품: 충담사, 「찬기파랑가」

최우선 핵심 Check!

1 시상이 전개됨에 따라 대상에 대한 화자의 감정이 점점 고조되고 있다. (○ / ×)

2. 화자는 죽지랑의 쇠락한 모습에 죄책감을 느끼고 있다. (○ / ×)

3 죽지랑을 그리워하며 다시 만나고자 하는 화자의 소망은 'ᄆᆞᅀᆞᄆᆡ 녀올 길'로 형상화되어 있다. (○ / ×)

정답 1. ○ 2. × 3. ○

꽃을 바친다는 노래

헌화가(獻花歌) | 견우 노인

갈래 향가(4구체) **성격** 민요적, 서정적
주제 사회적 신분의 차이를 넘어선 연정
시대 신라

소를 몰고 가던 어느 노인이 수로 부인에게 벼랑에 핀 꽃을 꺾어 바치면서 불렀다는 노래이다.

紫布岩乎邊希
자 포 암 호 변 희
執音乎手母牛放敎遣
집 음 호 수 모 우 방 교 견
吾肹不喩慚肹伊賜等
오 힐 불 유 참 힐 이 사 등
花肹折叱可獻乎理音如
화 힐 절 질 가 헌 호 리 음 여

지뵈 바회 ᄀᆞᅀᅢ (지뵈: 자줏빛 Link 표현상 특징 ❶ / 바회 ᄀᆞᅀᅢ: 시적 공간(사람들이 접근하기 힘든 곳))
『자ᄇᆞ몬손 암쇼 노ᄒᆡ시고』 (자ᄇᆞ몬손: 잡은 / 노ᄒᆡ시고: 놓게 하시고 - 주체: 수로 부인) 『 』: 노인이 물질적 재산을 포기할 만큼 수로 부인에게 매료됨
나ᄅᆞᆯ 안디 븟그리샤ᄃᆞᆫ (나ᄅᆞᆯ: 화자 / 븟그리샤ᄃᆞᆫ: 부끄러워 하신다면(가정법) Link 표현상 특징 ❷)
고ᄌᆞᆯ 것거 바도림다 → 주체: 나(노인) (고ᄌᆞᆯ: 수로 부인에 대한 연모의 정을 상징 Link 표현상 특징 ❸ / 바도림다: 바치오리다)

– 김완진 해독

자줏빛 바위 가에
잡고 있는 암소 놓게 하시고,
나를 아니 부끄러워하시면
꽃을 꺾어 바치오리다.

배경 설화 신라 성덕왕 때, 순정 공이 강릉 태수가 되어 부임해 가는 도중 바닷가에서 점심을 먹게 되었다. 그 곁에는 깎아지른 듯한 벼랑이 있었는데 그 위에 철쭉꽃이 많이 피어 있었다. 공의 부인인 수로가 꽃을 보고서 옆에 있는 사람들에게, "누가 저 꽃을 꺾어 나에게 가져다 주겠는가?" 하니 여러 사람이 못하겠다고 하였다. 그때 한 노인이 암소를 끌고 지나가다가 부인의 이 말을 듣고 꽃을 꺾어 노래를 지어 꽃과 함께 바쳤다.

출제자 톡! 화자를 이해하라!

1 **화자는 누구이고, 화자가 처한 상황은?**
암소를 모는 노인으로, 수로 부인에게 절벽 위의 꽃을 꺾어 바치려 함.

2 **화자의 정서 및 태도는?**
수로 부인에 대한 연모의 정과 동경의 마음을 지니고 있음.

Link
출제자 톡! 표현상의 특징을 파악하라!

❶ 색채 이미지를 사용하고 있음.
❷ 가정법을 사용하여 화자의 마음을 표현함.
❸ 연모의 정을 담은 소재를 활용하여 화자의 심리를 드러냄.

최우선 출제 포인트!

1 연모의 정을 표현하는 방법

- 붉은색의 시각적 이미지
- 절벽(위험한 곳)에 피어 있음.
- 연모의 정을 상징

→ 꽃을 꺾어 수로 부인에게 바치고자 함.

이 작품은 아름다움의 상징적 인물인 수로 부인을 향한 연모의 정을 '철쭉꽃'이라는 시각적 이미지를 사용해 표현하고 있다. 대부분의 향가가 종교적 색채를 띠고 있는 것을 볼 때, 여성의 아름다움과 그를 향한 연모의 마음을 표현한 것은 매우 특이하다고 볼 수 있다.

최우선 핵심 Check!

1 다른 향가 작품들과는 달리 종교적 색채가 드러나지 않는다. (○ / ×)

2 자줏빛 바위에 핀 꽃은 수로 부인에 대한 노인의 강렬한 연모의 마음을 암시한다. (○ / ×)

3 화자는 아직 벼랑의 꽃을 꺾지 않은 상태로, 수로 부인이 원한다면 꽃을 꺾어 바치겠다는 ㄱㅈㅂ을 사용하고 있다.

4 화자의 갈망을 직접적으로 표출하여 주제를 부각시키고 있다. (○ / ×)

정답 1. ○ 2. ○ 3. 가정법 4. ○

백성을 평안하게 하려는 노래

안민가(安民歌) | 충담사

갈래 향가(10구체) **성격** 유교적, 교훈적
주제 나라를 다스리는 왕도(王道) **시대** 신라

사회적 혼란이 극심했던 신라 경덕왕 때 지어진 노래이다. 대부분의 향가와는 다르게 유교적 교훈을 노래한 작품으로, 치국의 이념을 주제로 하고 있다.

원문	해독	현대어 풀이
君隱父也 군 은 부 야	군(君)은 어비여 (군, 신, 민을 가족 관계에 비유(은유법) Link 표현상 특징 ❶)	임금은 아버지요,
臣隱愛賜尸母史也 신 은 애 사 시 모 사 야	신(臣)은 ᄃᆞᄉᆞ샬(사랑하실) 어ᅀᅵ여	신하는 사랑하실 어머니요,
民焉狂尸恨阿孩古爲賜尸知 민 언 광 시 한 아 해 고 위 사 시 지	민(民)ᄋᆞᆫ 얼ᄒᆞᆫ 아ᄒᆡ고 ᄒᆞ샬디(하신다면(가정법))	백성은 어린아이라고 한다면,
民是愛尸知古如 민 시 애 시 지 고 여	민(民)이 ᄃᆞᄉᆞᆯ(사랑) 알고다 Link 표현상 특징 ❷ ❯ 기: 가족 관계에 빗댄 군, 신, 민의 관계	백성이 사랑을 알 것입니다.
窟理叱大肹生以支所音物生 굴 리 질 대 힐 생 이 지 소 음 물 생	구믈ㅅ다히 살손 물생(物生) (꾸물거리며 사는 백성 → 현실에 순응하는 백성)	꾸물거리며 사는 백성들
此肹喰惡支治良羅 차 힐 식 악 지 치 량 라	이흘(백성을) 머기 다ᄉᆞ라	이들을 먹여 다스려
此地肹捨遣只於冬是去於丁爲尸知 차 지 힐 사 견 지 어 동 시 거 어 정 위 시 지	이 ᄯᅡᄒᆞᆯ ᄇᆞ리곡 어듸 갈뎌 ᄒᆞᆯ디 (백성의 말: 현실에 만족함 / 한다면(가정법))	이 땅을 버리고 어디로 갈 것인가 한다면
國惡支持以支知古如 국 악 지 지 이 지 지 고 여	나라악 디니디 알고다 ❯ 서: 백성을 다스리는 방법	나라가 다스려짐을 알 것입니다.
後句君如臣多支民隱如爲內尸等焉 후 구 군 여 신 다 지 민 은 여 위 내 시 등 언	아으(낙구의 첫머리) 『군(君)다이(-답게) 신(臣)다이 민(民)다이 ᄒᆞᄂᆞᆯ든(한다면 - 가정법)』 (『 』: 각자 본분에 충실한 자세. 반복법 Link 표현상 특징 ❷)	아아, 임금답게 신하답게 백성답게 한다면
國惡太平恨音叱如 국 악 태 평 한 음 질 여	나라악 태평(太平)(궁극적 지향점)ᄒᆞ니잇다 ❯ 결: 태평한 나라 건설의 조건 – 군, 신, 민의 본분에 충실	나라가 태평할 것입니다.

– 양주동 해독

배경 설화 신라 경덕왕 24년 3월 3일에 왕이 귀정문 문루에 올라 신하들에게 "누가 나가서 영복한 스님을 얻어 오겠느냐?"라고 하였다. 마침 한 스님이 점잖고 깨끗하게 차리고 천천히 지나가니 그가 충담이었다. 왕은 충담에게 "나를 위해 백성을 편안히 살도록 다스리는 노래(안민(安民)의 노래)를 지으라."라고 하였고, 충담이 곧바로 지어 바쳤다.

출제자 톡! 창작 의도를 이해하라!

1 이 작품의 창작 의도는?
임금과 신하가 해야 할 일을 교훈적, 유교적으로 제시하여 치국의 이념을 밝히려는 의도에서 지어짐.

Link
출제자 톡! 표현상의 특징을 파악하라!

❶ 국가적 관계를 가족 관계에 빗대어 표현함.
❷ 가정법과 반복법을 사용하여 주제를 강조함.

최우선 출제 포인트!

1 비유적 관계를 통한 설득

국가		가족
군(君)	=	아버지
신(臣)	=	어머니
민(民)	=	어린아이

사랑으로 다스림 – 민심 중시
↓
백성이 이 땅에 만족하게 되면 나라가 태평해짐.

최우선 핵심 Check!

1 군주와 신하, 백성이 각자의 본분을 다하면 나라가 태평할 것이라는 인식을 드러내고 있다. (O / ×)

2 왕명에 의해 지어진 것으로 예술성보다는 목적성과 교훈성이 강하다. (O / ×)

3 나라를 다스리는 군주의 올바른 태도를 일깨워 주는 내용으로, '임금, 신하, 백성'의 관계를 'ㅇㅂㅈ, ㅇㅁㄴ, 어린아이'라는 가족 관계에 비유하였다.

정답 1. ○ 2. ○ 3. 아버지, 어머니

강원도 정선 지역의 아리랑

정선 아리랑 | 작자 미상

갈래 민요 **성격** 서정적, 해학적, 적층적
주제 강원도 정선 사람들의 삶의 애환

가난 속에서도 낙천적으로 살아온 강원도 정선 사람들의 정서가 고스란히 담겨 있는 노래로, 우리나라 3대 아리랑 중 하나이다.

눈이 올라나 비가 올라나 억수장마 질라나
(억수장마: 여러 날 동안 억수로 내리는 장마)
만수산 검은 구름이 막 모여든다
(만수산: 송악산의 다른 이름) (: 지명의 직접 인용 - 지역적 특수성과 향토성이 드러남 Link 표현상 특징 ❶)
아리랑 아리랑 아라리요 / 아리랑 고개 고개로 나를 넘겨 주게 → 후렴구
(나: 화자)
> 노래의 시작을 알림

정선의 구명은 무릉도원이 아니냐
(구명: 옛 이름) (무릉도원: 정선은 예로부터 경치가 아름다워 '무릉도원'이라 불림)
무릉도원은 어데 가고서 산만 충충하네
(충충하네: 빛깔이 산뜻하지 못하고 칙칙하네 Link 표현상 특징 ❸)
아리랑 아리랑 아라리요 / 아리랑 고개 고개로 나를 넘겨 주게
> 산으로 둘러싸인 공간에서 느끼는 고립감

명사십리가 아니라면은 해당화는 왜 피며
(명사십리: 함경남도 원산시에 있는 모래사장. 모래가 곱고 부드러운 해수욕장과 해당화로 유명함 Link 표현상 특징 ❶)
모춘삼월이 아니라면은 두견새는 왜 우나
(모춘삼월: 늦봄, 음력 3월) (두견새: 화자의 정서를 심화시키는 자연물 Link 표현상 특징 ❷)
아리랑 아리랑 아라리요 / 아리랑 고개 고개로 나를 넘겨 주게
> 늦은 봄의 풍경을 보며 느끼는 애상감

아우라지 뱃사공아 배 좀 건너 주게
(아우라지, 싸릿골: 정선에 있는 지역명 Link 표현상 특징 ❶)
싸릿골 올동박이 다 떨어진다
(올동박: 제철보다 일찍 꽃이 피는 동백)
아리랑 아리랑 아라리요 / 아리랑 고개 고개로 나를 넘겨 주게
> 강을 건너지 못하는 안타까움

떨어진 동박은 낙엽에나 쌓이지
(외롭지 않은 자연물의 모습)
잠시 잠깐 임 그리워서 나는 못 살겠네
(임과 함께하지 못하는 화자의 처지 Link 표현상 특징 ❸)
(대조(동박 ↔ '나'))
아리랑 아리랑 아라리요 / 아리랑 고개 고개로 나를 넘겨 주게
> 임에 대한 간절한 그리움

출제자 톡! 화자를 이해하라!

1 **화자가 처한 상황과 화자의 정서 및 태도는?**
임과 이별한 상황에서 임을 만날 수 없는 상황에 대한 안타까움과 자신의 서글픈 처지에 대한 한탄을 드러냄.

Link
출제자 톡! 표현상의 특징을 파악하라!

❶ 구체적 지명과 비유적 표현을 사용함.
❷ 자연물을 통해 화자의 정서를 심화시킴.
❸ 체념과 한탄의 어조로 서민의 한을 형상화함.

최우선 출제 포인트!

1 병렬 구성

1절	노래의 시작	• 각연이 독립적임. • 후렴구 반복 • 열린 구조
2절	산으로 둘러싸인 공간에서의 고립감	
3절	늦봄의 풍경과 한의 정서	
4절	강을 건너지 못하는 안타까움	
5절	임에 대한 간절한 그리움	

함께 볼 작품 우리나라 3대 아리랑 중 나머지 두 작품: 작자 미상, 「진도 아리랑」, 「밀양 아리랑」

최우선 핵심 Check!

1 '정선, 아우라지, 싸릿골' 등의 지명을 통해 지역의 향토성을 느낄 수 있다. (O / ×)

2 늦봄의 '두견새' 울음은 애상적 분위기를 조성한다. (O / ×)

3 화자는 화자와의 이별이 뱃사공 때문이라 생각하며 원망감을 드러내고 있다. (O / ×)

정답 1. ○ 2. ○ 3. ×

잠을 쫓기 위해 부른 노래

잠 노래 | 작자 미상

갈래 민요(노동요) **성격** 해학적, 서민적
주제 밤 새워 바느질하는 삶의 고달픔

옛날 부녀자들이 쏟아지는 잠을 참고 밤새 바느질을 하며 부른 노래로, 당시 여인들의 고달픈 삶을 해학적으로 그리고 있다.

잠아 잠아 짙은 잠아 이내 눈에 쌓인 잠아 (잠을 의인화하여 청자로 설정함 Link 표현상 특징 ❶)
염치 불구 이내 잠아 검치 두덕(욕심 언덕 → 잠의 욕심이 언덕처럼 쌓였음을 의미) 이내 잠아
어제 간밤 오던 잠이 오늘 아침 다시 오네 ▶ 염치없이 오는 잠
『잠아 잠아 무삼(무슨) 잠고(잠이냐?) 가라 가라 멀리 가라』 『 』: 잠을 떨쳐 버리려 하는 화자의 모습
세상 사람 무수한데 구태(하필이면) 너는 간 데 없어(갈 데 없어)
원치 않는 이내 눈에 이렇듯이(이렇듯이) 자심(滋甚)하뇨(점점 더 심해지느냐?)
주야에 한가하여 월명 동창(달이 밝은 동쪽의 창) 혼자 앉아
삼사경(한밤중(밤 11시~새벽 3시)) 깊은 밤을 허도(虛度)이(헛되이) 보내면서
잠 못 들어 한하는데 그런 사람 있건마는 (한가하게 지내며 잠을 못자는 사람과 졸음을 참으며 일해야 하는 자신의 처지를 대조함 Link 표현상 특징 ❷)
무상불청(無常不請)(청하지 않은) 원망 소래(소리) 온(올 때) 때마다 듣난고니(듣는 것이냐?) ▶ 바쁜 자신을 찾아오는 잠에 대한 원망
『석반(夕飯)(저녁밥)을 거두치고(다 먹고) 황혼이 대듯마듯(되자마자)
낮에 못 한 남은 일을 밤에 할랴 마음먹고』 『 』: 늦은 밤까지 일해야 하는 화자의 처지
언하당(言下當)((그런 생각을) 하자마자 바로) 황혼이라 섬섬옥수(纖纖玉手)(가냘프고 고운 여자의 손) 바삐 들어
등잔 앞에 고개 숙여 실 한 바람(한 발 정도의 실) 불어 내어(풀어 내어서)
드문드문 질긋 바늘 두엇 뜸(두어 땀) 뜨듯마듯
난데없는 이내 잠이 소리 없이 달려드네 ▶ 저녁밥을 먹고 바느질을 시작하자마자 오는 잠
눈썹 속에 숨었는가 눈알로(눈 아래로) 솟아 온가
이 눈 저 눈 왕래하며 무삼 요수(요상한 수작) 피우든고
맑고 맑은 이내 눈이 절로절로 희미하다 (잠이 오는 상황을 해학적으로 묘사함 Link 표현상 특징 ❸) ▶ 맑았던 내 눈이 잠으로 인해 희미해짐

출제자 톡! 화자를 이해하라!

1 **화자는 누구이고, 화자가 처한 상황은?**
평민 신분의 여인으로, 밤을 새워 바느질을 하고 있음.

2 **화자의 정서 및 태도는?**
잠이 오는 것을 원망하고 있음.

Link
출제자 톡! 표현상의 특징을 파악하라!

❶ 잠을 의인화하여 청자로 설정함.
❷ 화자와 대조적 처지의 사람을 제시하여 화자의 처지를 강조함.
❸ 해학적이고 익살스러운 표현으로 잠이 오는 상황을 드러냄.

최우선 출제 포인트!

1 표현상의 특징과 효과

잠 —의인화→ 잠이 오는 상황을 해학적으로 표현함.

↓

효과: 부녀자로서 겪는 삶의 애환을 효과적으로 드러내 줌.

함께 볼 작품 일하는 여성의 고달픔을 노래한 작품: 허난설헌, 「빈녀음」

최우선 핵심 Check!

1 시간적 배경을 통해 시적 상황을 구체화하고 있다. (O / ×)

2 부정적인 현재 상황에 대해 탄식하는 태도를 드러내고 있다. (O / ×)

3 화자의 처지와 유사한 대상을 제시하여 화자의 처지를 강조하고 있다. (O / ×)

4 잠이 오는 상황을 해학적으로 표현하고 있다. (O / ×)

정답 1. ○ 2. ○ 3. × 4. ○

나무꾼들이 나무를 하면서 부르는 노래

초부가(樵夫歌) | 작자 미상

갈래 민요 **성격** 탄식적, 비관적, 자조적, 비판적
주제 아무리 일해도 나아지지 않는 나무꾼의 고달픈 삶에 대한 한탄과 체념

아무리 열심히 일해도 좀처럼 나아지지 않는 나무꾼의 고달픈 신세에 대한 한탄이 잘 드러나 있다.

나무 하러 가자 / 이히후후 에헤
(나무를 할 때 내뱉는 한숨소리. 의성어)
남 날 적에 나도 나고 / 나 날 적에 남도 나고
(태어날 때는 모두 같이 세상에 남. 대구법 **Link** 표현상 특징 ❷)
세상 인간 같지 않아 / 이놈 팔자 무슨 일로
(신분의 귀천에 따라 운명이 달라지는 세상)
지게 목발 못 면하고 / 『어떤 사람 팔자 좋아
(화자의 신분이 드러남 - 나무꾼 / 높은 신분으로 태어난 사람)
고대광실 높은 집에 / 사모에 풍경 달고
(관복을 입을 때에 쓰던 모지 / 사모에 다는 장식)
만석록을 누리건만』/ 『이놈 팔자 어이하여
(아주 많은 녹봉 / 『 』: 화자와 대조적인 상황. 불평등한 현실 **Link** 표현상 특징 ❶)
항상 지게는 못 면하고 / 남의 집도 못 면하고』 (『 』: 화자의 처지. 남의 집 머슴살이로 고통스럽게 살아감)

죽자 하니 청춘이요 / 사자 하니 고생이라
(자신의 처지에 대한 한탄)

> 1~16행: 지게 일을 면하지 못하는 자신의 신세 한탄

세상사 살아진들 / 『치마 짜른 계집 있나 (『 』: 아내와 자식, 재산이 없는 신세. 화자의 신세 한탄 나열 **Link** 표현상 특징 ❷)
(아내)
다박머리 자식 있나 / 광 넓은 논이 있나
(재산)
사래 긴 밭이 있나』/ 버선짝도 짝이 있고 (: 화자의 처지와 대조되는 소재 열거 → 화자의 서글픈 처지 부각(객관적 상관물) **Link** 표현상 특징 ❷, ❸)

토시짝도 짝이 있고 / 털먹신도 짝이 있는데
('키'의 방언. 곡식 따위를 까불러 쭉정이나 티끌을 골라내는 도구)
쳉이 같은 내 팔자야 / 자탄한들 무엇하리
(비유적 표현 - 자신의 신세 한탄 **Link** 표현상 특징 ❷)
한탄한들 무엇하나 / 청천에 저 기러아
(의인화된 대상. 시적 청자로 설정 **Link** 표현상 특징 ❷)
너도 또한 임을 잃고 / 임 찾아서 가는 건가
(기러기의 상황에 대한 화자의 추측)
더런 놈의 팔자로다 / 이놈의 팔자를
(자신의 처지에 대한 부정적 인식)
언제나 면할꼬 / 오늘도 이 짐을 안 지고 가면

어떤 놈이 밥 한술 줄 놈이 있나 / 자 가자 이히후후

> 17~36행: 아무것도 가진 것 없는 처량한 자신의 신세 한탄

출제자 톡! 화자를 이해하라!

1 **화자는 누구이고, 화자가 처한 상황은?**
나무꾼으로, 아무리 힘들게 일해도 달라지는 게 없는 고달픈 삶을 살고 있음.

2 **화자의 정서 및 태도는?**
자신의 처지에 대한 한탄, 부정적 현실에 대한 비판

Link
출제자 톡! 표현상의 특징을 파악하라!

❶ 화자와 대조되는 상황을 제시하여 화자의 처지와 심리를 부각함.
❷ 대구, 열거, 비유, 의인화 등 다양한 표현 방법을 사용하여 효과적으로 표현함.
❸ 객관적 상관물을 통해 화자의 처지를 부각하고 있음.

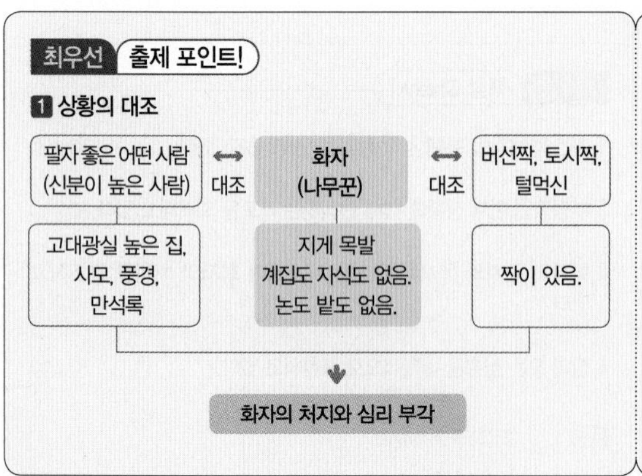

최우선 핵심 Check!

1 상황의 대조를 통해 주제 의식을 강조하고 있다. (O / ×)

2 현실에 대한 비판에서 나아가 부조리한 현실을 극복하려는 화자의 의지가 나타난다. (O / ×)

3 '지게 목발 못 면하고'라는 구절에서 화자의 신분이 '나무꾼'임을 알 수 있다. (O / ×)

4 한숨 소리를 나타내는 ㅇㅅㅇ를 통해 힘든 노동을 하는 화자의 심정을 표현하는 한편 시의 음악적 요소도 살리고 있다.

정답 1. ○ 2. × 3. ○ 4. 의성어

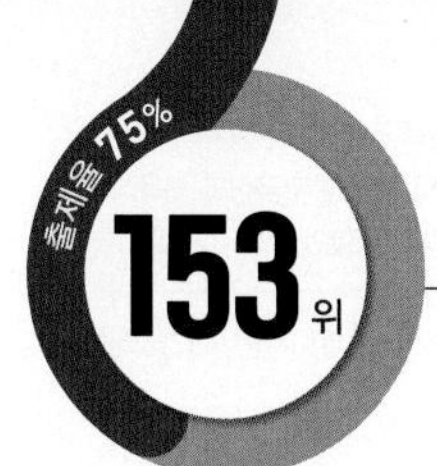

용이 날아서 하늘을 다스리게 된 일을 노래함

용비어천가(龍飛御天歌) | 정인지 외

갈래 악장 **성격** 찬양적, 송축적
주제 조선 건국의 정당성과 사적 찬양 및 후왕에 대한 권계 **시대** 조선 전기

훈민정음으로 쓰인 최초의 작품으로, 조선 건국을 찬양하고 후대 왕에게 왕권 수호를 권계하는 송축가이다.

〈제1장〉

해동(海東) 육룡(六龍)이 ᄂᆞᄅᆞ샤 일마다 천복(天福)이시니
고성(古聖)이 동부(同符)ᄒᆞ시니

(해동: 우리나라 / 육룡: 우리나라 육조(六祖) / 천복: 하늘이 내린 복 / 일마다: '조선 건국'에 관련되는 일 / 고성: 중국의 옛 성군 / 동부ᄒᆞ시니: 일치하시니, 부합하시니)

(음영: 비유적 표현을 통해 칭송의 자세를 보여 줌)

› 조선 건국의 정당성

〈제2장〉

『불휘 기픈 남ᄀᆞᆫ ᄇᆞᄅᆞ매 아니 뮐ᄊᆡ 곶 됴코 여름 하ᄂᆞ니
ᄉᆡ미 기픈 므른 ᄀᆞᄆᆞ래 아니 그츨ᄊᆡ 내히 이러 바ᄅᆞ래 가ᄂᆞ니』

(불휘: 뿌리 / 남: 나무 / ᄇᆞᄅᆞᆷ: 바람에 / 여름: 열매 / 불휘 기픈 남ᄀᆞᆫ: 기초가 튼튼한 나라 / □: 내우외환의 극복 / 곶 됴코 여름 하ᄂᆞ니: 문화와 문물의 번영 / ᄉᆡ미 기픈 므른: 유서가 깊은 나라 / ᄀᆞᄆᆞ래: 가뭄에 / 내히 이러 바ᄅᆞ래 가ᄂᆞ니: 무궁한 발전)

『 』: 2절 4구의 대구 형식 **Link 표현상 특징 ❶, ❸**

Link 표현상 특징 ❷

› 조선의 무궁한 발전 염원

〈제125장〉

『천세(千世) 우희 미리 정(定)ᄒᆞ샨 한수(漢水) 북(北)에』『누인개국(累仁開國)ᄒᆞ샤』 복년(卜年)이 ᄀᆞᇫ업스시니 성신(聖神)이 니ᅀᆞ샤도 경천근민(敬天勤民)ᄒᆞ샤ᅀᅡ 더욱 구드시리이다
님금하 아ᄅᆞ쇼셔 낙수(洛水)예 산행(山行) 가 이셔 하나빌 미드니잇가

(『 』: 한양 천도의 정당성과 천명성 / 정ᄒᆞ샨: 주체: 하늘 / 한수 북: 한양(漢陽) / 『 』: 주체: 육조 / 복년이 ᄀᆞᇫ업스시니: 왕조의 운수가 끝이 없으니 / 성신이 니ᅀᆞ샤도: 위대한 후대의 왕으로, 나라를 굳게 할 발판 / 경천근민: 하늘을 공경하고 백성을 위하여 부지런히 일함 / 구드시리이다: (국운이, 왕권이) / 님금하: 후대의 왕 / 낙수예 산행 가 이셔: 타산지석(他山之石)으로 삼을 만한 고사. 설의적 표현 **Link 표현상 특징 ❸** / 하나빌: 할아버지를(조상) / (하나라 태강왕이))

› 후대 왕의 자세

〈제1장〉
우리나라의 여섯 성군이 나시어 하시는 일마다 하늘의 복을 받으시니.
중국 옛 성왕들이 하신 일들과 들어맞으시니.

〈제2장〉
뿌리가 깊은 나무는 바람에 흔들리지 아니하므로, 꽃이 좋고 열매가 많이 열리니.
샘이 깊은 물은 가뭄에 그치지 아니하므로, 내가 이루어져 바다에 가나니.

〈제125장〉
천 년 전에 미리 정하신 한강 북쪽 땅에, (육조께서) 여러 대를 걸쳐 어진 덕을 쌓아 나라를 여시어, 점지해 받은 운수가 끝이 없으시니, 성군의 자손이 대를 이으셔도 하늘을 공경하고 백성을 다스리는 데에 부지런히 힘쓰셔야 (왕권이) 더욱 굳건할 것입니다.
임금이시여, 아소서. 낙수에 사냥하러 가 있으면서 조상만 믿으시겠습니까?

- **낙수(洛水)예～가 이셔**: 하나라 우왕의 손자인 태강왕이 정사에 게으르고 사냥에 절도가 없어서 낙수의 남쪽까지 가서 백일이 지나도 돌아오지 않으므로 궁(窮)이라는 곳의 제후인 예(羿)가 태강왕을 하북에서 막아 돌아오지 못하게 하여 폐위시킨 고사.

출제자 톡! 창작 의도를 이해하라!

1 **이 작품의 창작 의도는?**
조선 건국의 정당성을 도모하여 민생을 안정시키고, 후대 왕에게 권계하기 위함. 나아가 당시 창제된 훈민정음을 시험해 보고, 훈민정음을 국가의 글자로서 권위를 부여하려는 의도도 있었음.

Link

출제자 톡! 표현상의 특징을 파악하라!

❶ 주로 2절 4구의 대구 형식을 취함.
❷ 〈2장〉은 고도의 비유적 표현이 고유어로만 쓰였다는 점에서 가장 문학성이 뛰어나며, 〈125장〉은 앞장들의 구성 방식과 다르게 하면서 후세 왕에 대한 경계를 드러냄.
❸ 대구법, 설의법 등 다양한 표현 방법을 사용함.

최우선 출제 포인트!

1 전체 구조

서사(제1, 2장)	본사(제3~109장)	결사(제110~125장)
조선 왕조 창업의 당위성, 조선 왕조의 무궁한 발전 송축	태조의 선조, 태조, 태종의 사적 찬양	후왕에 대한 권계

이 작품은 왕조 서사시로서뿐만 아니라 건국 신화적 의미도 내포하고 있어 중요한 가치를 가진다.

최우선 핵심 Check!

1 〈제1장〉에서는 조선 건국이 '천복'이라 하여 조선 건국의 정당성을 드러내고 있다. (○ / ×)

2 〈제2장〉은 순우리말로 지었으며 세련된 비유가 나타나 문학성을 높이 인정받고 있다. (○ / ×)

3 〈제125장〉은 좋지 않은 군왕의 사례를 보여 주는 중국 고사를 인용하여, 후대 왕들이 ㅌㅅㅈㅅ(他山之石)으로 삼을 수 있도록 권계하고 있다.

정답 1. ○ 2. ○ 3. 타산지석

한림(한림원의 선비)들이 부르는 노래

한림별곡(翰林別曲) | 한림 제유

갈래 경기체가 **성격** 귀족적, 향락적, 풍류적, 과시적
주제 ① 신진 사대부들의 학문적 자긍심과 의욕적 기개 칭찬 ② 귀족들의 향락적 생활과 풍류 **시대** 고려

한림원은 고려 때에 임금의 명령을 받아 문서 작성을 하던 관청이다. 고려 고종 때 한림원의 선비들이 지은 이 노래는 그들의 문학적 경지와 자긍심 그리고 향락적인 생활상을 보여 주고 있다.

〈제1장〉 당시의 뛰어난 문인들을 나열함으로써 자신들의 유식함을 과시함

『 』: 3·3·4의 3음보 율격 - 리듬감 형성 Link 표현상 특징 ❶ 한문체의 하나

Link 표현상 특징 ❶ 문인들의 명문장 나열. 열거법

『원슌문(元淳文) 인노시(仁老詩) 공노ᄉᆞ륙(公老四六)

이공로의 사륙문(四六文)

니졍언(李正言) 딘한림(陳翰林) 쌍운주필(雙韻走筆)』

정언 벼슬을 한 이규보 / 쌍운으로 운자를 내어 시를 빨리 짓는 일

튱긔ᄃᆡᄎᆡᆨ(冲基對策) 광균경의(光鈞經義) 량경시부(良鏡詩賦)

유충기의 대책문(높은 사람의 글에 답하는 글) / 여러 주석서를 참조하여 경전의 뜻을 밝히는 일 / 김양경의 시부

위 시댱(試場)ㅅ 경(景) 긔 엇더ᄒᆞ니잇고 → 설의적 표현, 반복법

과거 시험을 보는 장소 / ▒: 자신의 능력에 대한 자부심을 강조하는 구절 Link 표현상 특징 ❷

엽(葉) 금ᄒᆞᆨᄉᆞ(琴學士)의 옥슌문ᄉᆡᆼ(玉笋門生) 금ᄒᆞᆨᄉᆞ(琴學士)의 옥슌문ᄉᆡᆼ(玉笋門生)

금의가 배출한 제자들 - 새로운 문벌의 형성

위 날조차 몃부니잇고 → 설의적 표현

나까지 참으로 많다 → 당시 신진사류들의 자만, 과시

> 문인들의 명문장과 금의의 문하생에 대한 찬양

〈제1장〉

유원순의 문장, 이인로의 시, 이공로의 사륙변려문,
이규보와 진한림의 쌍운을 맞추어 거침없이 써 내려간 글,
유충기의 대책문, 민광균의 경서 뜻풀이, 김양경의 시와 부,
아아, 과거 시험장의 광경, 그것이 어떠합니까?(정말 대단하지 않습니까?)
금의가 배출한 죽순(竹筍)처럼 죽 늘어선 제자들, 금의가 배출한 죽순(竹筍)처럼 죽 늘어선 제자들
아아, 나까지 몇 분이나 됩니까?(참으로 많습니다.)

〈제2장〉 한림 제유가 중요시하는 경서와 문집 등을 나열함으로써 독서에의 긍지와 학문에의 자부심을 과시함

당한셔(唐漢書) 장로ᄌᆞ(莊老子) 한류문집(韓柳文集)

니두집(李杜集) 난ᄃᆡ집(蘭臺集) ᄇᆡᆨ락텬집(白樂天集)

모시샹셔(毛詩尙書) 쥬역츈추(周易春秋) 주ᄃᆡ례긔(周戴禮記)

명저, 명서의 나열

위 주(註)조쳐 내 외읈 경(景) 긔 엇더ᄒᆞ니잇고 → 학식의 과시

주석까지

엽(葉) 대평광긔(大平廣記) ᄉᆞᄇᆡᆨ여 권(四百餘卷) 대평광긔(大平廣記) ᄉᆞᄇᆡᆨ여 권(四百餘卷)

지적 관심사와 자긍심

위 력남(歷覽)ㅅ 경(景) 긔 엇더ᄒᆞ니잇고

두루 읽어 보는 광경

> 명저의 나열과 독서에의 자긍심

〈제2장〉

당서와 한서, 장자와 노자, 한유와 유종원의 문집,
이백과 두보의 시집, 난대영사들의 시문집, 백낙천의 문집,
시경과 서경, 주역과 춘추, 대대례와 소대례,

아아, 이러한 책들을 주석까지 포함하여 줄곧 외는 모습, 그것이 어떠합니까?
태평광기 사백여 권, 태평광기 사백여 권을

아아, 두루 읽는 모습, 그것이 어떠합니까?

〈제8장〉 붉은 그네를 나무에 매달고 남녀가 손을 맞잡고 그네를 타는 것을 묘사함으로써 향락적이고 퇴폐적인 모습을 드러내고 있음

호두나무

당당당(唐唐唐) 당츄ᄌᆞ(唐楸子) 조협(皂莢)남긔

음수율을 맞추기 위해 넣은 음 / 쥐엄나무에

홍(紅)실로 홍(紅)글위 ᄆᆡ요이다

그네(향락·유희의 수단)

혀고시라 밀오시라 뎡소년(鄭少年)하

호격 조사

위 내 가논 ᄃᆡ 놈 갈셰라 ▭: ① 그네 뛰는 모습 ② 내가 가는 데 남이 갈까 두려워함(경계) → 중의법

엽(葉) 샥옥셤셤(削玉纖纖) 쌍슈(雙手)ㅅ 길헤 샥옥셤셤(削玉纖纖) 쌍슈(雙手)ㅅ 길헤

여성의 곱고 부드러운 손 / 두 손 길에

위 휴슈동유(携手同遊)ㅅ 경(景) 긔 엇더ᄒᆞ니잇고

손을 맞잡고 함께 노는 광경(흥겨움의 극치)

> 그네뛰기의 즐거운 광경과 귀족 풍류 생활에 대한 찬양

〈제8장〉

당당당 당추자(호두나무), 조협(쥐엄)나무

붉은 실로 붉은 그네를 맵니다.

당기시라 미시라, 정소년이여.

아아, 내가 가는 곳에 남이 갈까 두렵구나.

옥을 깎은 것같이 부드러운 양 손길에, 옥을 깎은 것같이 부드러운 양 손길에,

아아, 손을 마주잡고 같이 노는 정경, 그것이 어떠합니까?(참으로 아름답지 않습니까?)

Link

출제자 톡! 화자를 이해하라!

1 **화자는 누구이고, 화자가 처한 상황은?**
한림원의 학사들로, 학식과 재주를 과시하고 향락적인 풍류를 즐기고 있음.

2 **화자의 정서 및 태도는?**
학문적인 자부심, 의욕적 기개, 풍류적 생활 등을 과시함.

출제자 톡! 표현상의 특징을 파악하라!

❶ 3 · 3 · 4의 3음보 율격으로 리듬감을 형성하고, 나열과 집약의 방식으로 시상을 전개함.

❷ '경(景) 긔 엇더ᄒᆞ니잇고'를 반복 사용하여 화자의 자부심을 드러냄.

❸ 생경하고 어려운 한자어를 많이 사용하여 자신의 능력을 자랑함.

최우선 출제 포인트!

1 경기체가의 시상 전개 방식

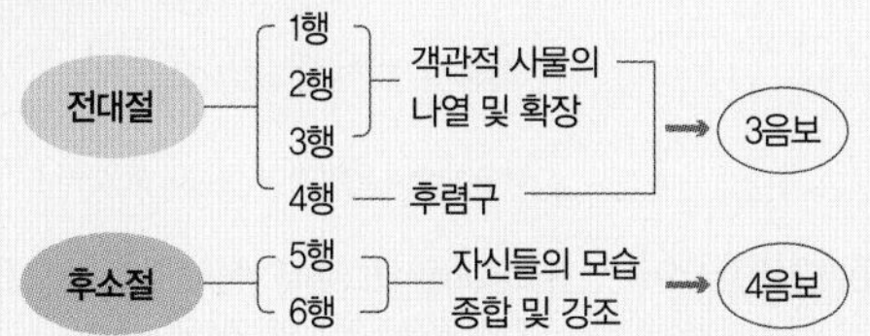

'경기체가'는 객관적 사실이나 사물을 나열하는 부분과 여기에서 비롯된 감정을 표현하는 부분이 결합된 형식을 취하고 있다. 즉, 전대절에서는 외부 세계에 존재하는 구체적 사물을 장황하게 나열한 다음, 후소절에서 '위'라는 여음을 전환점으로 하여 감탄의 생각을 종결짓는 형식으로 되어 있다('위'로 시작하는 감정의 집약은 전대절 속에서도 한 번 일어난다). 이러한 경기체가의 형식적 구속력은 고려 말 신진 사대부들의 이상과 자긍을 드러내는 효과적인 미학으로 설명되기도 한다.

최우선 핵심 Check!

1 인물이나 사물을 운율에 맞게 나열하는 방식으로 시상을 전개하고 있다. (○ / ×)

2 고도의 상징과 비유적 표현을 통해 문학성을 높이고 있다. (○ / ×)

3 매 연마다 반복적인 후렴구를 통해 자부심과 흥취를 나타내고 있다. (○ / ×)

4 〈제1장〉과 〈제2장〉을 통해 ㅈㄷㅈ에서는 사물들을 나열하고, ㅎㅅㅈ에서는 이 사물들의 의미를 집약하여 제시하고 있다.

5 〈제1장〉과 〈제2장〉의 내용이 문사들의 수양, ㅎㅁ과 연관되는 데 비해, 〈제8장〉의 내용은 그들의 풍류, ㅎㄹ과 연관된다.

정답 1. ○ 2. × 3. ○ 4. 전대절, 후소절 5. 학문, 향락

1등급! 〈보기〉!

전체 작품의 소재와 중심 내용

이 작품은 총 8장으로 구성되어 있으며, 각 장의 소재는 고려 시대에 뛰어난 능력을 보인 문인들의 한문학 양식들, 문인들이 읽었던 책들, 붓, 술, 악기들, 그네 뛰는 광경 등이다.

장	소재	중심 내용	세계관
1장	문인(文人), 시부(詩賦)	문장가 · 시인 등의 명문장 찬양	학문에 대한 문사들의 기개와 그들의 의식 세계 예찬
2장	서적(書籍)	지식 수련과 학식에 대한 자긍심	
3장	명필(名筆)	유행 서체와 필기구 등 명필 찬양	
4장	명주(名酒)	상류 계층의 주흥(酒興) 예찬	극단적인 향락의 생활상과 풍류 과시
5장	화훼(花卉)	화원(花園)의 경지 예찬	
6장	음악(音樂)	흥겨운 주악(奏樂)의 흥취 예찬	
7장	누각(樓閣)	후원(後園)의 경치 감상	
8장	추천(鞦韆)	그네뛰기의 흥겨운 광경과 풍류 생활 예찬	

산을 놀러 다니며 부르는 노래

유산가(遊山歌) | 작자 미상

갈래 잡가 **성격** 풍류적, 감각적, 묘사적
주제 봄날의 아름다운 경치를 완상함.
시대 조선 후기

화창한 봄날의 아름다운 경치를 완상하면서 풍류를 즐기는 모습을 생동감 있게 노래하고 있다.

「」: 고전 시가에서 자주 사용되는 상투적인 한문투 - 잡가가 하층 문학이면서 상층 문학을 모방·지향했음을 나타내는 증거임

「화란 춘성(花爛春城)하고 만화방창(萬化方暢)이라.」 (만화방창: 온갖 사물이 화창하게 피어남)
「때 좋다 벗님네야 산천경개(山川景槪)를 구경을 가세.」 (때 좋다: 계절적 배경이 '봄'임을 드러냄 / 산천경개: 산천(자연의 경치))
「」: 아름다운 경치를 보러 갈 것을 권유
> 서사: 산천 경개 구경을 권유

> 봄 성(城)에 꽃이 만발하고 만물이 화창하게 피어난다.
> 때가 좋구나, 벗들아, 산천의 경치를 구경 가자.

죽장망혜(竹杖芒鞋) 단표자(單瓢子)로 천리 강산을 들어를 가니, (죽장망혜: 대지팡이와 짚신 / 단표자: 한 개의 표주박 / 간편한 차림새)
「만산 홍록(滿山紅綠)들은 일년 일도(一年一度) 다시 피어 (만산 홍록: 산에 가득한 붉은색과 녹색)
춘색(春色)을 자랑노라 색색이 붉었는데,」 (춘색: 봄빛, 봄기운) 「」: 꽃이 활짝 피어난 봄의 경치 부각
창송취죽(蒼松翠竹)은 창창울울(蒼蒼鬱鬱)한데, (창송취죽: 푸른 소나무와 푸른 대나무)
기화요초(琪花瑤草) 난만 중(爛漫中)에 꽃 속에 잠든 나비 자취 (기화요초: 옥같이 고운 풀에 구슬같이 아름다운 꽃 / 난만 중: 활짝 피어 있는 속에)
없이 날아난다.

봄날의 경치 표현 시각적 이미지 **Link** 표현상 특징 ❶

「유상 앵비(柳上鶯飛)는 편편금(片片金)이요, 화간접무(花間蝶舞)는 분분설(紛紛雪)이라.」 (유상 앵비: 버드나무 위에서 나는 꾀꼬리 / 화간접무: 꽃 사이로 춤추는 나비 / 분분설: 흩날리는 눈 / 앵비–편편금: 색채의 유사성 / 접무–분분설: 모양의 유사성) 「」: 대구법, 은유법 **Link** 표현상 특징 ❷, ❹
삼춘가절(三春佳節)이 좋을씨고.
도화 만발 점점홍(桃花滿發點點紅)이로구나. (복숭아꽃이 만발하여 점점이 붉어 있음 - 무릉도원을 연상하게 해 주는 구절)
어주 축수 애삼춘(漁舟逐水愛三春)이어든 무릉도원(武陵桃源)이 (어주 축수 애삼춘: 왕유의 「도원행」에서 인용한 구절 - 고깃배를 타고 물길을 따라가며 봄을 즐김 / 무릉도원: 도연명의 「도화원기」에 나오는 이상향 - 자연 경관에 대한 예찬적 태도)
예 아니냐.
양류 세지 사사록(楊柳細枝絲絲綠)하니 황산 곡리 당춘절(黃山谷裏當春節)에 (양류 세지 사사록: 버드나무의 가는 가지가 실처럼 늘어져 푸름 / 황산 곡리 당춘절: 황산의 골짜기에서 봄을 맞이함)
연명 오류(淵明五柳)가 예 아니냐. (아름다운 경치를 드러냄. 도연명이 은거 후 마당에 버드나무 다섯 그루를 심고 스스로를 오류 선생이라고 한 고사 인용)
> 본사 1: 봄의 화려한 경치 묘사

> 대나무 지팡이 짚고 짚신 신고, 표주박 하나 든 간편한 차림으로 천 리 강산에 들어가니,
> 온 산에 가득한 붉은 꽃과 푸른 잎은 일 년에 한 번씩 다시 피어
> 봄빛을 자랑하느라고 색색이 붉어 있는데,
> 푸른 소나무와 푸른 대나무는 울창하고,
> 아름다운 꽃과 풀이 화려하게 피어 있는 가운데 꽃 속에서 자던 나비는 자취도 없이 날아가 버린다.
> 버드나무 위에 나는 꾀꼬리는 마치 금조각 같고, 꽃 사이에서 춤추는 나비는 어지러이 날리는 눈같다.
> 아름다운 봄 석 달이 참으로 좋구나.
> 복숭아꽃이 만발하여 점점이 붉었구나.
> 고깃배를 타고 물을 거슬러 올라가며 봄을 즐기니, 무릉도원이 여기가 아니냐?
> 버드나무 가는 가지는 실처럼 늘어져 푸르고, 골짜기에 봄을 만난 격이요,
> 도연명이 다섯 그루 버드나무를 심었다는 곳이 여기가 아니냐?

제비는 물을 차고 기러기 무리 져서 (봄이 되어 제비가 돌아오고, 기러기는 돌아가려 함)
「거지중천(居之中天)에 높이 떠서 두 나래 훨씬 펴고 (거지중천: 허공)
펄펄펄 백운 간(白雲間)에 높이 떠서 (펄펄펄: 의태어 사용 **Link** 표현상 특징 ❷)
천 리 강산 머나먼 길을 어이 갈꼬 슬피 운다.」 「」: 작품 전체의 정서에서 벗어난 구절 - 상투적 표현 (슬피 운다: 화자의 정조를 표현한 것이 아니라 새가 우는 사실 자체를 기록한 것임)
「원산(遠山)은 첩첩(疊疊) 태산(泰山)은 주춤하여 (주춤하여: 우뚝 서 있으며) 「」: 원경에서 근경으로 일정한 방향을 잡아 경치를 나열함
기암(奇巖)은 층층(層層) 장송(長松)은 낙락(落落)」
에이구부러져 광풍(狂風)에 흥을 겨워 우줄우줄 춤을 춘다 (에이구부러져: 조금 휘어져 굽어 / 우줄우줄: 움직이는 모양)
층암 절벽상(層巖絶壁上)의 폭포수(瀑布水)는 콸콸, 수정렴(水晶簾) 드리운 듯, (콸콸: 청각적 심상, 의성어 / 수정렴: 수정으로 만든 발 → 원관념: 폭포) **Link** 표현상 특징 ❶, ❷

> 제비는 물을 차고, 기러기는 무리를 지어
> 허공에 높이 떠 두 날개를 활짝 펴고,
> 펄펄펄 흰 구름 사이에 높이 떠서
> 천 리 먼 길을 어찌 갈까 하며 슬피 운다.
> 먼 산은 겹겹이 있고, 큰 산은 우뚝 솟았으며,
> 기이한 바위는 층층이 쌓였고, 큰 소나무는 가지가 축축 늘어지고
> 조금 휘어져서 미친 듯 사나운 바람에 흥을 못 이겨 우줄우줄 춤을 춘다.
> 층층의 바위 절벽 위에 폭포수는 콸콸 쏟아지는데, 마치 수정발을 드리운 듯,

이 골 물이 주루루룩, 저 골 물이 쏼쏼, 열에 열 골 물이 한데 합수(合水)하여
여러 물길이 하나로 합쳐짐

천방져 지방져 「소쿠라지고 펑퍼져, 넌출지고 방울져,」 「」: 순우리말의 아름다움을 드러낸 표현
천방지방 / 솟구쳐 오르고 펀펀하게 흘러 / 길게 이어졌다가 다시 깨지고

저 건너 병풍석(屛風石)으로 으르렁 콸콸 흐르는 물결이 은옥(銀玉)같이 흩어지니,
비유법

소부 허유(巢父許由) 문답하던 기산 영수(箕山潁水)가 예 아니냐.
요순 시대 때의 은자 / 소부 허유가 은거했던 곳

> 본사 2: 봄의 장엄한 경치 완상

□: 두견새와 소쩍새를 한문으로 표기할 수 없어서 소리나는 대로 한문으로 표기함 **Link** 표현상 특징 ❸

「주곡제금(奏穀啼禽)은 천고절(千古節)이요,
주걱새(두견새)

적다정조(積多鼎鳥)는 일년풍(一年豐)이라.」 「」: 봄에 소쩍새가 많이 울면 풍년이 든다는 표현. 대구법 **Link** 표현상 특징 ❷
소쩍새 / 일 년의 풍년을 미리 알림

일출 낙조(日出落照)가 눈앞에 벌여나 경개 무궁(景槪無窮) 좋을씨고
한없이 펼쳐져 아름다운 경치

> 결사: 자연의 무궁한 아름다움에 대한 예찬

이 골짜기 물이 주루루룩, 저 골짜기 물이 쏼쏼 흘러내리고, 여러 곳의 물이 한데 합쳐져서

천방지방으로 솟아오르고 퍼져 나가고 길게 이어졌다가 방울이 되어 또는 물방울을 이루기도 하고, / 저 건너 병풍처럼 둘러친 석벽으로 으르렁 콸콸 소리를 내며 흐르는 물결이 은옥같이 흩어지니,

소부가 허유를 보고 서로 문답하던 기산과 영수가 여기가 아니냐?

주걱새 울음소리는 영원히 변치 않는 절개를 알리고,
소쩍새 울음소리는 한 해의 풍년 들 징조를 알리는구나.
아침에 뜬 해가 낙조가 되어 눈앞에 벌어지니, 경치가 한없이 좋구나.

• **소부 허유**: 고대 요임금이 허유에게 왕위를 물려주려 했으나 허유는 이를 거절한 뒤 더러운 말을 들었다며 영수에서 귀를 씻고 있었다. 이때 물을 먹이려고 소를 끌고 온 소부가 그 연유를 물어 사정을 듣고는 더러운 귀를 씻은 더러운 물을 소에게 먹일 수 없다며 상류로 거슬러 올라갔다는 고사를 인용한 것임.

출제자 Tip! 화자를 이해하라!

1 **화자는 누구이고, 화자가 처한 상황은?**
봄을 맞이한 자연 속에서 봄을 즐기고 있는 사람

2 **화자의 정서 및 태도는?**
봄 경치를 예찬하고, 봄 경치를 흥겹게 즐기고 있음.

Link

출제자 Tip! 표현상의 특징을 파악하라!

❶ 시각적, 청각적 이미지를 사용하여 감각적으로 표현함.

❷ 대구법, 열거법 등 다양한 표현 방법을 사용하고, 의태어와 의성어를 사용하여 생동감을 부여함.

❸ 우리말 표현과 한자가 혼용되어 있음.

❹ 비유적 표현을 통해 대상에 대한 긍정적 인식을 드러냄.

최우선 출제 포인트!

1 작품의 구조

봄 경치 구경 권유	봄 경치 완상	자연의 아름다움 예찬
화란 춘성 만화방창 산천경개 구경	만산 홍록, 유상 앵비 창송취죽, 화간접무 기화요초, 도화 만발 / 제비, 기러기 / 첩첩산중 기암괴석 폭포수 낙락장송 • 봄의 화려한 경치 묘사 → 동양화적 화폭 • 봄의 장엄한 경치 완상 → 웅장한 풍경화	일출 낙조, 경개 무궁

↓

봄 경치의 완상과 예찬: 자연 친화적, 자연 예찬적인 태도

함께 볼 작품 자연에 몰입하여 그 아름다움을 예찬한 작품: 정극인, 「상춘곡」, 정철, 「관동별곡」

최우선 핵심 Check!

1 화자는 유흥을 즐기듯 아름다운 봄 산을 즐겨 구경하면서 그 장관을 예찬하고 있다. (O / ×)

2 의성어와 의태어를 활용하여 자연 풍경을 생동감 있게 표현하고 있다. (O / ×)

3 가창을 염두에 두고 청중에게 대답을 유도하는 구절들이 나타나고 있다. (O / ×)

4 중국 ㄱ ㅅ나 상투적 한자 어구가 빈번하게 나타나는 것을 통해, 상위 계층의 문학적 취향을 모방한 잡가의 특징을 알 수 있다.

정답 1. ○ 2. ○ 3. × 4. 고사

1등급! 〈보기〉!

「유산가」의 이해

「유산가」와 같이 평민 계층의 전문 가객들이 부른 잡가에 나타나는 자연은 주로 아름다운 풍광의 재현을 통해 청중들이 대리 체험하도록 하는 것과 관련이 있다. 그래서 잡가의 자연은 감각적 흥을 극대화한 이상적인 유흥(遊興)의 공간으로 형상화되고 있다. 본사 1에서 '무릉도원이 예 아니냐'는 화자가 자연을 이상향의 이미지와 연결시켜 이상적인 유흥의 공간으로 제시한 것으로 볼 수 있고, 결사에서 '경개 무궁 좋을씨고'는 화자가 아름다운 풍광을 통해 감각적 흥을 느끼는 상황으로 볼 수 있다.

춘향이 옥중에서 신세를 한탄하는 노래

형장가(刑杖歌) | 작자 미상

갈래 잡가 **성격** 극적, 애상적, 서사적
주제 갖은 고초 속에서도 변함없는 춘향의 절개와 지조 **시대** 조선 후기

신관사또의 수청을 거부하여 태형을 당하고, 옥에 갇힌 춘향이 자신의 신세를 한탄하며 이몽룡에 대한 변함없는 마음을 노래하고 있다.

「형장(刑杖) 태장(笞杖) 삼(三)모진 도리매로」
하날 치고 짐작할까 둘을 치고 그만둘까
삼십도(三十度)에 맹장(猛杖)하니 일촌간장(一寸肝臟) 다 녹는다
걸렸구나 걸렸구나 일등 춘향(一等春香)이 걸렸구나
사또 분부 지엄하니 인정일랑 두지 마라

(주석: 형장 - 태형과 장형. 태형은 매로 볼기를 치는 형벌. 장형은 곤장으로 볼기를 치는 형벌 / 태장 - 태형에 쓰는 몽둥이 / 삼모진 도리매 - 세모진 곤장 - 죄인의 볼기를 치던 도구 / 도리매 - 곤장 / 「」: 형벌 도구를 나열하여 상황의 살벌함을 강조함 / 매를 맞는 춘향에 대한 화자의 연민과 안타까움이 담김. 대구법 / 삼십도 - 삼십 대 / 맹장 - 형벌로 볼기를 몹시 때림 / 일촌간장 - 한 토막의 간과 창자 - 애달프거나 애가 타는 마음을 드러낸 말 / 'a-a-b-a'의 구조 - 반복을 통해 안타까움을 강조함 Link 표현상 특징 ❶ / 사또이 명에 따라 춘향을 제대로 벌하라는 이미)

> 1~5행: 갖은 고초를 당하고 있는 춘향에 대한 안타까움

「국곡 투식(國穀偸食)하였느냐 엄형 중치(嚴刑重治)는 무삼 일고
살인 도모(殺人圖謀)하였느냐 항쇄족쇄(項鎖足鎖)는 무삼 일고
관전 발악(官前發惡)하였느냐 옥골 최심(玉骨摧甚)은 무삼 일고」

(주석: 국곡 투식 - 나라 곡식을 도둑질하여 먹음 / 엄형 중치 - 엄하게 벌주고 중하게 다스림 / 항쇄족쇄 - 목에는 큰칼(목에 씌우던 형벌 도구)을 씌우고 발에는 족쇄(발목에 채우던 형벌 도구)를 채움 / 관전 발악 - 심문을 받는 사람이 관원에게 반항하는 일 / 옥골 최심 - 옥 같이 고운 뼈를 부서뜨릴 정도로 심하게 함 / 「」: 억울한 자신(춘향)의 상황을 강조하고 가혹한 형벌에 대한 비판 의식을 드러냄. 대구. 의문형 표현 Link 표현상 특징 ❶)

> 6~8행: 춘향의 신세 한탄

불쌍하고 가련하다 춘향 어미가 불쌍하다
먹을 것을 옆에다 끼고 옥 모퉁이로 돌아들며
「몹쓸 년의 춘향이야 허락 한마디 하려무나」
「아이구 어머니 그 말씀 마오 허락이란 말이 웬 말이오
옥중에서 죽을망정 허락하기는 나는 싫소」

(주석: 유사한 어휘를 반복하여 춘향 어미에 대한 안타까움을 드러냄 / 「」: 춘향 어미의 말 / 허락 - 수청 들라는 사또의 요구를 들어주는 것 / 「」: 춘향의 말 Link 표현상 특징 ❹ / 지조와 절개를 지키려는 춘향의 의지적 태도)

> 9~13행: 춘향 어미의 회유와 절개를 지키려는 춘향

새벽 서리 찬바람에 울고 가는 기러기야
한양성내 가거들랑 도련님께 전하여 주렴
「날 죽이오 날 죽이오 신관 사또야 날 죽이오
날 살리오 날 살리오 한양 낭군님 날 살리오」
옥 같은 정갱이에 유혈이 낭자하니 속절없이 나 죽겠네
옥 같은 얼굴에 진주 같은 눈물이 방울 방울 방울 떨어진다
「석벽 강상(石壁江上) 찬바람은 살 쏘듯이 드리불고
벽룩 빈대 바구미는 예도 물고 제도 뜯네」
석벽(石壁)에 섰는 매화 나를 보고 반기는 듯
도화 유수(桃花流水) 묘연(渺然)히 뚝 떨어져 굽이 굽이 굽이 솟아난다

(주석: 새벽 서리 찬바람 - 춘향의 비극적 상황을 강조함 ① Link 표현상 특징 ❺ / 기러기 - 춘향의 마음을 전달해 주는 매개체 / 도련님 - 이몽룡을 가리킴 / 「」: 도련님에게 전할 말의 내용 - 위기감을 고조시키면서 춘향의 간절한 바람을 드러냄. 대구, 대조, 반복(a-a-b-a 구조) Link 표현상 특징 ❶ / 유혈이 낭자하니 - 춘향의 비참한 상황을 드러냄 - 비유적 표현 / 옥 같은 정갱이에 ~ 옥 같은 얼굴에 - 대구 / 진주 같은 눈물 - 비유적 표현 / 방울 방울 방울 - 반복을 통해 서러움의 정서를 강조함 / 석벽 강상 찬바람 - 춘향의 비극적 상황을 강조함 ② Link 표현상 특징 ❺ / 벽룩 빈대 바구미 - 춘향의 고통을 더해 주는 존재로 상황의 가혹함을 강조함 / 「」: 감옥 안의 상황 제시 - 처량하고 고통받는 춘향의 처지를 드러내 줌 / 매화 - 위태로운 상황에서 절개를 지키는 춘향 자신을 상징하는 자연물 - 객관적 상관물 Link 표현상 특징 ❷ / 도화 유수 묘연히 - 이백의 「산중문답」에서 따온 구절 - 적층 문학의 성격을 알 수 있게 해 줌 Link 표현상 특징 ❸)

> 14~23행: 신세를 한탄하며 이몽룡을 그리워함

몽둥이, 회초리, 세모진 곤장으로
(매) 하나를 치고 헤아려 줄까? (매) 둘을 치고 그만둘까?
삼십 대를 매우 치니 일촌간장이 다 녹는구나.
걸렸구나. 걸렸구나. 일등 춘향이 걸렸구나.
사또 분부가 매우 엄하니 인정을 두지 마라.

나라의 곡식을 훔쳐 먹었느냐? 엄하게 벌주고 중하게 다스리는 것은 무슨 일인가?
살인을 도모하였느냐? 목에는 칼을 씌우고 발에 족쇄를 채우는 것은 무슨 일인가?
관원 앞에서 발악이라도 하였느냐? 뼈를 심하게 부서뜨림은 무슨 일인가?

불쌍하고 가련하다. 춘향 어미가 불쌍하다.
(춘향을 위해) 먹을 것을 옆에다 끼고 옥 모퉁이로 돌아들며
몹쓸 년의 춘향아! (수청 들라는 요구에) 허락 한마디를 해 주거라.
아이구! 어머니. 그 말씀 하지 마오. 허락이란 말이 웬 말이오.
옥중에서 죽을지언정 (수청 들기를) 허락하기는 나는 싫소.

새벽 서리 찬바람에 울면서 가는 기러기야.
한양성 안에 가거든 도련님께 (내 소식을) 전하여 주려무나.
날 죽이오. 날 죽이오. 신관 사또가 날 죽이오.
날 살리오. 날 살리오. 한양의 낭군님께서 날 살리오.
옥 같은 정강이에 (매를 맞아) 피를 많이 흘리니 속절없이 나 죽겠네.
옥 같은 (이 내) 얼굴에 진주 같은 눈물이 방울방울 떨어진다.
석벽 강 위의 찬바람은 살을 쏘듯이 몹시 세차게 불고,
벼룩, 빈대, 바구미들은 여기저기를 물어 뜯네.
석벽에 서 있는 매화가 나를 보고 반기는 듯
복사꽃이 흐르는 물에 아득히 뚝 떨어져서 굽이굽이 솟아난다.

Link

출제자 Tip! 화자를 이해하라!

1 **화자는 누구인가?**
형리, 춘향, 춘향 모 등 화자를 여러 사람으로 설정함.

2 **춘향의 정서와 태도는?**
- 자신의 신세를 한탄함.
- 도련님에 대한 지조와 절개를 지키려는 의지적 태도를 보임.

출제자 Tip! 표현상의 특징을 파악하라!

❶ 대구법, 'a-a-b-a' 구조를 사용하여 운율을 형성하며 의미를 강조함.
❷ 객관적 상관물을 통해 인물의 태도를 효과적으로 드러내 줌.
❸ 한자어 사용 및 한시 구 인용 등 양반층을 고려한 표현이 사용됨.
❹ 춘향과 춘향 모의 대화 형식을 통해 생동감을 부여함.
❺ 감각적 표현을 써서 인물의 상황을 강조함.

출제 최우선 작품

최우선 출제 포인트!

1 작품의 구조

춘향이 매를 맞는 상황		춘향이 옥중에 갇힌 상황
• 매를 맞는 춘향에 대한 화자의 연민과 안타까움 • 가혹한 형벌을 당하는 춘향의 신세 한탄	→ 시간의 흐름	• 춘향 어미의 회유와 이를 거부하는 춘향의 모습 • 참혹한 처지에 대한 한탄과 절개를 지키려는 춘향의 다짐

2 비극적 상황을 강조하는 표현

대구, 대조	날 죽이오 날 죽이오 신관 사또야 날 죽이오 날 살리오 날 살리오 한양 낭군님 날 살리오
비유	• 옥 같은 정갱이에 유혈이 낭자 • 옥 같은 얼굴에 진주 같은 눈물이 방울방울방울
감각적 표현	새벽 서리 찬바람, 석벽 강상 찬바람

3 시어의 역할

울고 가는 기러기	춘향의 마음을 전달해 주는 매개체
석벽에 섰는 매화	위태로운 상황에서 절개를 지키는 춘향 자신을 의미하는 객관적 상관물

최우선 핵심 Check!

1 화자는 신관사또의 수청을 거부하여 매를 맞고 옥에 갇힌 '춘향'으로만 설정하였다. (O / ×)

2 대구법과 'a-a-b-a'의 구조를 통해 운율을 형성하고 있다. (O / ×)

3 화자는 춘향 어미에 대한 안타까움을 직접적으로 드러내고 있다. (O / ×)

4 이몽룡에 대한 춘향의 마음을 전달해 주는 매개체에 해당하는 자연물은 ㄱㄹㄱ이다.

5 '석벽에 섰는 매화'는 가혹한 처지에 있으면서도 절개를 지키려는 춘향의 모습을 상징적으로 드러내고 있다. (O / ×)

6 비유적, 감각적 표현을 통해서 춘향의 비극적 상황을 강조하고 있다. (O / ×)

정답 1. × 2. ○ 3. ○ 4. 기러기 5. ○ 6. ○

1등급! 〈보기〉!

「형장가」의 이해

이 작품은 경기 12잡가 중 하나로, 춘향이 매를 맞고 옥에 갇혀 신세를 한탄하며 우는 자탄가(自嘆歌)에 해당한다. 이 작품은 신관사또의 수청을 거부하여 옥에 갇힌 춘향의 말이 중심을 이루고 있는데, 춘향은 자신에게는 잘못이 없다며 굽힘없는 수절을 드러내고 있다. 춘향이의 비극적인 상황과 정서가 중점적으로 드러나고 있지만 춘향을 매질하는 대목과 그 광경을 보고 춘향을 안타깝게 여기는 내용도 드러나 있다.

'임아 그 물을 건너니 마오'라는 노래

공무도하가(公無渡河歌)

| 백수 광부의 아내

갈래 고대 가요(서정 가요)
성격 체념적, 애상적, 서정적
주제 임과 사별한 슬픔 **시대** 상고 시대

'임을 잃은 슬픔'의 원류를 이루는 현전하는 최고(最古)의 서정 가요로, 물에 빠져 죽은 남편에 대한 애도와 비통함이 담겨 있다.

① 화자와 임을 분리시키는 경계
② 화자가 임이 건너는 것을 만류함
③ 임이 물을 건너는 일은 화자와 임이 이별하여 서로 함께하지 못하게 되는 원인이 됨 Link 표현상 특징 ❶

『公無渡河 공무도하 — 임아, 물을 건너지 마오 (백수 광부 / 충만한 사랑) — 임의 떠남 > 물을 건너려는 임을 만류함
公竟渡河 공경도하 — 임은 기어이 물을 건너시네 (임의 부재, 이별) > 물을 건너는 임(이별)
墮河而死 타하이사 — 물에 빠져 돌아가시니 (죽음) — 임의 죽음 > 물에 빠져 임이 세상을 떠남
當奈公何 당내공하』 — 이제 임을 어이할꼬 > 임의 죽음에 대한 한탄

한탄의 어조 → 전통적인 표현 방식 Link 표현상 특징 ❷

『 』: 4언 4구체 한역 시가

배경 설화 고조선의 뱃사공 곽리자고(霍里子高)가 아침 일찍 일어나 배를 손질하고 있었다. 그때 머리가 허옇게 센 미치광이 남자[백수 광부(白首狂夫)] 한 사람이 머리를 풀어 헤친 채, 술병을 쥐고는 어지러이 흐르는 강물을 건너고 있었다. 그의 아내가 그 뒤를 따라가며 말렸지만, 채 붙잡지 못해 그 미치광이는 끝내 물에 빠져 죽고 말았다. 이에 그의 아내는 공후(箜篌)를 뜯으면서 '공무도하(公無渡河)'의 노래를 지었는데, 그 소리가 아주 슬펐다. 노래가 끝나자 그의 아내는 스스로 물에 몸을 던져 죽었다. 이러한 광경을 처음부터 목격한 곽리자고는 집으로 돌아와 자기 아내 여옥(麗玉)에게 이야기하면서 그 노래를 들려주었다. 여옥은 슬퍼하며 공후를 뜯으면서 그 노래를 불렀는데, 듣는 사람들 중에 눈물을 흘리지 않는 사람은 하나도 없었다. 여옥은 이 노래를 이웃에 사는 여용(麗容)에게 가르쳐 주고, 노래 곡조를 「공후인(箜篌引)」이라 이름 지었다.

출제자 톡! 화자를 이해하라!

1 **화자는 누구이고, 화자가 처한 상황은?**
백수 광부의 아내로, 술에 취해 물을 건너려고 하는 남편을 만류하고 있음.

2 **화자의 정서 및 태도는?**
물을 건너려고 하는 남편의 행동에 슬퍼하며 한탄하고 있음.

Link

출제자 톡! 표현상의 특징을 파악하라!

❶ '물'의 상징적 의미를 중심으로 시상을 전개함.

❷ 화려한 수식 없이 화자의 절박한 심정을 직접적으로 표출함.

❸ 집단 가요에서 개인적 서정시로 넘어가는 과도기적 작품임.

최우선 출제 포인트!

1 '물'의 의미와 이미지 변화 과정

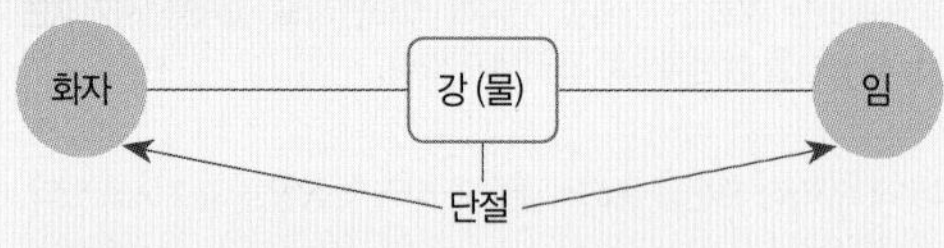

이 작품에서 가장 중심을 이루고 있는 소재는 '물'이다. 이 물이 임과 화자를 단절시키고, 임의 죽음이라는 이미지를 형성하기 때문이다. 이러한 '물'의 이미지는 시상 전개에 따라 다음과 같이 변한다.

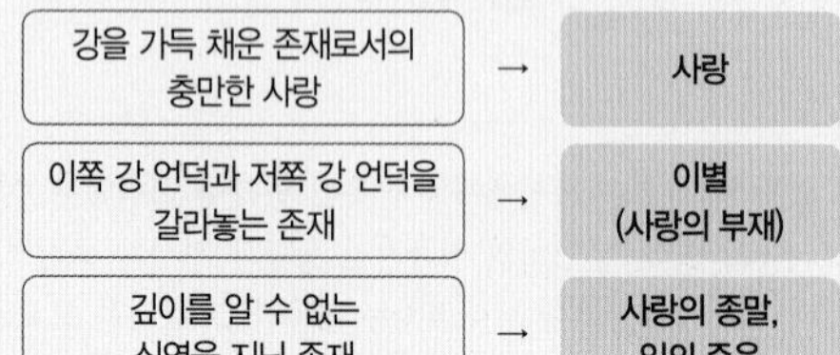

최우선 핵심 Check!

1 집단 가요에서 개인적 서정시로 넘어가는 과도기적 작품이다. (O / ×)

2 화자와 '임'의 대화를 통해 시상이 전개되고 있다. (O / ×)

3 화자의 주된 정서는 슬픔과 애통함이다. (O / ×)

4 화자에게 '물'의 상징적 의미는 '임에 대한 사랑 → 임과의 단절 → 임의 죽음' 등으로 변환된다. (O / ×)

5 화자와 '임'의 이별의 원인은 임의 ㅈㅇ이다.

6 4행에서는 한탄적 어조를 통해, 임과의 이별이 확정된 것에 대한 애통함을 표현하고 있다. (O / ×)

정답 1. ○ 2. × 3. ○ 4. ○ 5. 죽음 6. ○

정읍에서 부른 노래

정읍사(井邑詞) | 어느 행상인의 아내

갈래 고대 가요 **성격** 서정적, 기원적
주제 행상 나간 남편의 안전을 기원함. **시대** 백제

오늘날까지 국문으로 기록되어 가사가 전해지는 유일한 백제 가요로, 행상 나간 남편을 기다리는 아내의 순박한 마음을 '달'에 의탁해서 표현하고 있다.

: 대조적 시어를 통해 남편의 안전을 기원함 Link 표현상 특징 ❶

前腔 전강
둘하 노피곰 도드샤 (천지신명, 광명(光明)의 상징 ↔ 즌 딕)
어긔야 머리곰(강세 접미사) 비취오시라
어긔야 어강됴리
小葉 소엽
아으 다롱디리

: 악률에 맞추어 부른 뜻이 없는 여음구, 조흥구. 여음을 제외하면 3장 6구의 형식과 유사하여 시조 형식의 기원으로 보기도 함 Link 표현상 특징 ❸

> 기: 달에게 남편의 안녕을 기원함

後腔 후강
전(全) 져재(시장) 녀러신고요(가 계신가요)
(남편의 신분을 알 수 있음 → 남편의 신분 = 행상(行商))
어긔야 즌 딕롤(위험한 곳) 드딕욜셰라
(-ㄹ셰라: ~할까 두렵다 → 의구형으로 남편을 걱정하는 마음 표현)
어긔야 어강됴리

Link 표현상 특징 ❷ > 서: 남편의 안녕을 염려함

過篇 과편
어느이다 노코시라
(남편의 무사 귀환을 바라는 간절한 마음)
金善調 금선조
어긔야 내 가논 딕 졈그롤셰라
('달'의 밝은 이미지와 대조, 화자의 걱정과 불안감을 어둠의 이미지로 형상화)
(① 내 남편의 귀갓길 ② 나(아내)의 마중길 ③ 나와 남편의 인생길)
어긔야 어강됴리
小葉 소엽
아으 다롱디리

> 결: 남편의 무사 귀가를 기원함

달님이시여 높이높이 돋으시어
아! 멀리멀리 비추어 주소서.
어긔야 어강됴리
아으 다롱디리
(전주) 시장에 가 계시는지요.
아! 위험한 곳을 디딜까 두렵습니다.
어긔야 어강됴리
어느 곳에나 (짐을) 놓으십시오.
나(나의 남편) 가는 곳에 (날이) 저물까 두렵습니다.
어긔야 어강됴리
아으 다롱디리

배경 설화 정읍은 전주의 속현(屬縣)으로 이 고을의 한 남자가 행상을 떠나 오래도록 돌아오지 않자, 그의 아내가 산 위 바위에 올라가 남편이 간 곳을 바라보면서 부른 노래로 알려져 있다. 남편을 기다리던 언덕에 돌(망부석)이 남아 있다고 한다.

- **'전(全) 져재'에 대한 해석**: 국문학자들 사이에서는 '후강전(後腔全)'이라는 주장과 '후강 전(全) 져재'로 보아야 한다는 주장이 서로 엇갈리고 있지만, 음악면에서는 후강의 용례는 있으나 후강전의 용례는 전혀 없으므로 '후강 전 져재'가 옳다고 본다.
  – 출처: 『한국민족문화대백과사전』
  → '후강 전(全) 져재'로 볼 경우 '전(全) 져재'를 '전주(全州) 져재'로 풀이하는 것이다. 그러니까 남편을 기다리는 여인이 전주(全州) 져재를 연상하며 바라보았다는 해석이다.
  – 출처: 정읍시 문화관광

출제자 톡! 화자를 이해하라!

1 **화자는 누구이고, 화자가 처한 상황은?**
행상을 나가 돌아오지 않는 남편을 애타게 기다리고 있는 아내

2 **화자의 정서 및 태도는?**
남편의 무사 귀환을 바라는 간절함이 나타남.

Link

출제자 톡! 표현상의 특징을 파악하라!

❶ 대조적 시어를 통해 남편의 무사를 비는 아내의 간절한 심정을 드러냄.
❷ 우회적인 표현을 통해 남편의 안녕을 염려함.
❸ 여음구를 제외하면 시조의 형태를 지니고 있음.

최우선 출제 포인트!

1 시상 전개 방식

간절한 발원: 남편의 무사 안녕 기원 → 가정의 의문: 남편에게 나쁜 일이 생겼을까 염려함. → 간절한 애원: 남편의 무사 귀가를 바라는 간절한 마음

행상 나간 남편의 무사함 기원

최우선 핵심 Check!

1 여음구를 사용하여 운율감을 주고 있다. (O / ×)

2 '달'에게 멀리까지 환하게 비추어 줄 것을 먼저 기원하고, 남편에 대한 걱정을 말하고 있다.

3 'ㅈ ㄷ'는 '달'과 대비적 속성을 지닌 것으로, 남편이 겪을 수 있는 부정적 상황을 의미한다.

정답 1. ○ 2. ○ 3. 즌 딕

꾀꼬리를 노래함

황조가(黃鳥歌) | 유리왕

갈래 고대 가요 **성격** 서정적, 애상적
주제 사랑하는 임을 잃은 슬픔과 외로움
시대 고구려

사랑하는 임을 잃은 외로움을 객관적 상관물을 사용해 표현하고 있는 현전하는 최고(最古)의 개인적 서정시이다.

객관적 상관물 - 화자의 외롭고 슬픈 심정을 부각시킴(화자 자신의 처지 환기) **Link 표현상 특징 ❶**

翩翩黃鳥 편 편 황 조 — 훨훨 나는 꾀꼬리 > 하늘을 가볍게 날고 있는 꾀꼬리
雌雄相依 자 웅 상 의 — 암수 서로 정답구나. > 암수가 함께 있는 꾀꼬리
(선경(先景) **Link 표현상 특징 ❷**)

念我之獨 염 아 지 독 — 『외롭구나 이내 몸은 (화자(대조), 정서를 직접적으로 표현) > 홀로 남은 화자
誰其與歸 수 기 여 귀 — 누구와 함께 돌아갈꼬』 (함께 돌아갈 사람이 없음(설의적 표현) **Link 표현상 특징 ❸**) > 화자의 고독과 슬픔
(후정(後情))

『 』: 개인적 서정시로서의 시가 문학으로 분화, 변모되었음을 드러내는 구조

배경 설화 고구려의 제2대 왕인 유리왕은 왕비인 송 씨가 세상을 떠나자, 화희(禾姬)와 치희(稚姬)를 계비로 맞아들였다. 두 여인은 왕의 총애를 두고 서로 다투어 사이가 좋지 않았다. 그러던 어느 날 왕이 사냥을 나가 자리를 비운 사이 두 여인이 크게 다투게 되었고, 치희가 제 집으로 돌아가 버렸다. 왕이 이 말을 듣고 치희를 쫓아갔으나 치희는 돌아오지 않았다. 왕은 홀로 돌아오는 길에 나무 밑에서 쉬다가 꾀꼬리 한 쌍을 보고 느낀 바가 있어 이 작품을 지었다고 한다.

출제자 톡! 화자를 이해하라!

1 **화자는 누구이고, 화자가 처한 상황은?**
사랑하는 사람을 잃고, 암수가 함께 있는 꾀꼬리를 보고 있는 사람

2 **화자의 정서 및 태도는?**
외롭고 애상적인 태도를 보임.

Link

출제자 톡! 표현상의 특징을 파악하라!

❶ 객관적 상관물을 사용하여 이와 대비되는 화자의 감정을 강조함.

❷ 선경 후정의 표현 방식을 사용함.

❸ 설의적 표현을 사용하여 화자의 처지를 강조해 줌.

최우선 출제 포인트!

1 시상 전개 방식 – 선경 후정

선경(先景)	↔	후정(後情)
꾀꼬리(자연물): 정다움.	대조	화자: 외로움
세계: 조화로움.		자아: 결핍됨.

2 '꾀꼬리'의 역할

객관적 상관물	➔	꾀꼬리
• 화자의 주관적인 감정을 직접 드러내지 않고 객관적인 대상들을 동원하여 화자의 심리를 표현할 때 사용되는 소재 • 화자의 심리를 강조하거나 전이하여 드러내 주는 역할을 함.		화자와는 다르게 암수가 정답게 날고 있음.

↓ 화자의 외로운 마음을 효과적으로 강조

최우선 핵심 Check!

1 화자는 대상에 대한 그리움을 표현하고 있다. (O / ×)

2 자연물을 빌려 화자의 처지를 강조하고 있다. (O / ×)

3 임과 이별하는 슬픔을 직접적으로 드러내고 있다. (O / ×)

4 설의적 표현을 사용하여 자신의 외로운 처지를 강조하고 있다. (O / ×)

5 '꾀꼬리'는 화자의 심리와 상반되는 심리를 드러내어 화자의 외로움을 강조하는 ㄱㄱㅈㅅㄱㅁ이다.

6 화자의 내면의 심리를 묘사한 후 외부의 대상을 묘사하고 있다. (O / ×)

정답 1. ○ 2. ○ 3. ○ 4. ○ 5. 객관적 상관물 6. ×

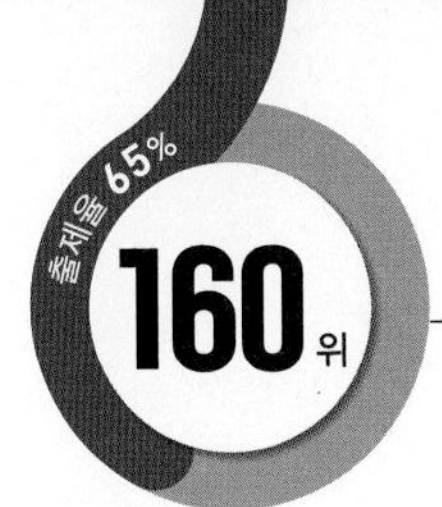

구지봉에서 부른 노래

구지가(龜旨歌) | 작자 미상

갈래 고대 가요 **성격** 주술적, 집단적
주제 새로운 생명(성스러운 임금)의 강림 기원
시대 상고 시대

가락국 군중들이 임금을 맞이하기 위하여 불렀던 집단적인 의식요이자 노동요로서, 원시 가요의 성격을 드러내고 있다.

신령스러운 존재. 소망을 들어주는 주술의 대상이자 매개체

龜何龜何 (구 하 구 하) 거북아 거북아
首其現也 (수 기 현 야) 머리를 내밀어라 ─ 요구
노래의 근본 목적: 요구 사항
\+
若不現也 (약 불 현 야) 내밀지 않으면
燔灼而喫也 (번 작 이 끽 야) 구워서 먹으리 ─ 위협

소망 의지의 점층적 강조 (주술적)

초자연적 존재에 대한 일반적인 찬미나 순종이 아닌 고압적인 자세의 주술적 위협 **Link 표현상 특징 ❶**

배경 설화 옛날 구지봉이라는 산에서 무엇을 부르는 수상한 소리가 났다. "하늘이 나에게 명하시기를 이곳에 와서 나라를 새롭게 하여 임금이 되라 하였으니 너희들은 산봉우리 흙을 파면서, '거북아 거북아 목을 내어라. 만약 내놓지 않으면 구워서 먹으리' 하고 노래를 하고 춤을 추어라. 그러면 곧 대왕을 맞이하여 기뻐 뛰놀게 될 것이다." 하였다. 이에 구간(九干: 일종의 추장)들이 그 말을 따라 다 같이 빌면서 가무(歌舞)를 하였다. 10여 일 후에 하늘에서 내려온 황금 알 여섯이 사람으로 변하였는데, 그중 한 사람을 처음으로 나타났다고 하여 이름을 수로(首露)라 하고, 그가 세운 나라를 대가락(大駕洛) 또는 가야국(伽倻國)이라고 불렀다.

출제자 톡! 화자를 이해하라!

1 **화자는 누구이고, 화자가 처한 상황은?**
수로왕을 맞이하기 위해 흙을 파서 모으고 노래를 부르고 있음.

2 **화자의 정서 및 태도는?**
신성한 임금의 탄생을 기원함.

Link

출제자 톡! 표현상의 특징을 파악하라!

❶ 직설적이고 명령적인 어조를 통해 소망을 이루고자 하고 있음.

❷ 흙을 파면서 노래를 했다는 점에서는 노동요의 성격을, 다같이 노래를 부르고 춤을 췄다는 점에서는 집단 무요의 성격을 띠고 있음.

최우선 출제 포인트!

1 작품의 구조

구	내용
1구	호명
2구	명령
3구	가정
4구	위협

➜ 주술적 목적 (수로왕의 출현) 달성

이 작품에서 명령과 위협의 표현 방식을 사용한 것은 주술성을 드러내기 위한 것으로, 배경 설화를 통해 이 작품이 주술성이 있는 집단 가무라는 것을 짐작해 볼 수 있다.

2 '거북'과 '머리'의 의미

구분	의미
거북	신령스러운 존재이자 인간의 집단적 요구에 복종하는 존재
머리	① 생명: 생명의 근원 또는 생명의 탄생을 의미함. 즉 새로운 임금의 탄생을 상징 ② 우두머리: '머리'는 최고와 으뜸을 상징하므로 우두머리, 지도자, 임금을 상징

최우선 핵심 Check!

1 직설적인 어조를 통해 소망을 드러내고 있다. (○ / ×)

2 화자는 대상에게 요구와 위협을 동시에 하고 있다. (○ / ×)

3 '거북'은 화자의 감정이 이입된 자연물이다. (○ / ×)

4 사람들이 함께 춤추며 불렀던 ㅈㄷㅁㅇ이자, 함께 노동을 하며 불렀던 노동요이며, 신령한 존재에게 소원을 빌며 불렀던 주술가이다.

5 배경 설화를 통해 볼 때 '머리'는 ㅇㄷㅁㄹ, 즉 지도자 또는 생명을 상징한다고 볼 수 있다.

정답 1. ○ 2. ○ 3. × 4. 집단 무요 5. 우두머리

이 정도는 공부해 두어야
모든 시험에 대응할 수 있는

고전 시가 192작품

연시조 15편/가사 25편/시조 83편/한시 50편/고려 가요 3편/
민요 9편/잡가 3편/경기체가·악장·향가 4편

출제 우선 순위 **출제율 64~40%** **161**위 ~ **352**위

제2부

출제 우선 작품

자연에서의 삶을 읊은 아홉 수의 노래

강호구가(江湖九歌) | 나위소

갈래 연시조(전 9수) **성격** 풍류적, 자연 친화적
주제 자연에서 살아가는 삶에 대한 만족감
시대 조선 중기

작가가 인생 말년에 고향 향리로 있으면서 '수운정'이라는 정자를 짓고, 그곳에서 느끼는 물아일체의 정서와 자연 친화적 정서를 노래한 강호한정가(江湖閑情歌)이다.

〈제3수〉

안개와 노을 - 자연, 대유법 Link 표현상 특징 ❹ / 4음보의 율격을 통해 리듬감 형성

연하(煙霞)의/깁픠 든 병(病)/약(藥)이/효험(效驗) 업서 → 자연에 대한 화자의 애정이 드러남

연하고질(煙霞痼疾), 천석고황(泉石膏肓)

『강호(江湖)에/바리연디/십년(十年)/밧기/되어세라』 『』: 속세와 거리를 두고 살아가는 화자의 모습을 엿볼 수 있음

자연을 의미함 / 버려진 지

그러나 이제 다 못 죽음도 긔 성은(聖恩)인가 ᄒᆞ노라

늙었지만 자연을 즐기며 살아가는 것이 임금의 은혜라는 말 - 임금의 은혜에 감사하는 태도, 영탄적 표현 Link 표현상 특징 ❶

> 자연을 즐기며 살아가는 것에 감사해함

〈제5수〉

ᄃᆞᆯ ᄇᆞᆰ고 ᄇᆞ람 자니 믈결이 비단 일다

시간적 배경: 밤 / 자그마한 배 / '믈결'을 비유한 표현 Link 표현상 특징 ❹

단정(短艇)을 빗기 노하 오락가락 ᄒᆞ난 흥(興)을

자연 속에서 한가롭게 풍류를 즐기는 모습

백구(白鷗)야 하 즐겨 말고려 세상(世上) 알가 ᄒᆞ노라

의인화된 친화적 대상 Link 표현상 특징 ❸ / 세상 사람들에게 자연 속 풍류를 알리고 싶지 않음을 강조, 영탄적 표현 Link 표현상 특징 ❶

> 자연에서 풍류를 즐기는 삶

〈제9수〉

식록(食祿)을 긋친 후(後)로 어조(漁釣)을 생애(生涯)ᄒᆞ니

벼슬살이를 의미함 / 화자가 어부로서 생활하고 있음을 알 수 있음

혬 업슨 아희들은 괴롭다 ᄒᆞ건마는 Link 표현상 특징 ❷

고기 잡고 낚시질하는 생활을 괴롭게 여기는 생각 없는 아이들 - 낚시질을 하며 즐거움을 느끼는 화자와 대조되는 대상

두어라 강호한적(江湖閑適)이 내 분(分)인가 ᄒᆞ노라

감탄사 / 자연에서의 자신의 삶에 만족하는 모습 - 안분지족(安分知足), 영탄적 표현 Link 표현상 특징 ❶

> 한가롭게 사는 삶에 대한 만족감

〈제3수〉

자연의 깊이 든 병(자연을 사랑하여 생긴 병)에 (걸려) 약을 써 봐도 효과가 없어
자연에 버려진(생활한) 지 십 년이 넘게 되었구나.
그러나 이제 죽지 못하고 (자연을 즐기며 살아가는) 그것도 임금님의 은혜인가 하노라.

〈제5수〉

달이 밝고 바람이 잦아지니 물결이 비단처럼 일어나는구나.
조각배를 비스듬히 (띄워) 놓아 오며가며 하는 즐거움을
갈매기야, 너무 즐기지 말라. 세상 사람들이 (자연을 즐기는 이의 즐거움을) 알까 하노라.

〈제9수〉

벼슬살이를 그만둔 후로 낚시하며 생계를 이어가니
생각 없는 아이들은 괴롭다고 하겠지마는
(그냥 이렇게 살게) 두어라. 자연에서 한가롭게 사는 삶이 내 분수인가 하노라.

출제자 톡! 화자를 이해하라!

1 **화자는 누구이고, 화자가 처한 상황은?**
자연 속에서 풍류를 즐기며 한가하게 살아가는 사람

2 **화자의 정서 및 태도는?**
- 자연 속에서 살아가는 즐거움이 임금의 은혜라고 여기며 감사해함.
- 자연 속에서 한가롭게 사는 것을 자신의 분수라 여기며 만족해함.

Link

출제자 톡! 표현상의 특징을 파악하라!

❶ 영탄적 표현을 사용하여 화자의 태도를 강조함.
❷ 화자와 다른 대상과 비교하는 방식으로 의미를 강조함.
❸ 의인화된 청자를 호명하는 방식을 통해 화자의 흥취를 드러냄.
❹ 비유적 표현을 써서 화자의 주관적 인식을 드러냄.

최우선 출제 포인트!

1 표현상 특징 및 효과

영탄적 표현		효과
긔 성은(聖恩)인가 ᄒᆞ노라	➔	자연에서의 즐거운 삶이 임금의 은혜임을 강조함.
세상(世上) 알가 ᄒᆞ노라	➔	세상 사람들에게 자연 속에서의 즐거운 삶을 알리고 싶지 않은 모습을 강조함.
내 분(分)인가 ᄒᆞ노라	➔	자연에서 살아가는 자신의 삶에 대한 만족감을 강조함.

함께 볼 작품 자연에 묻혀 살면서도 임금의 은혜를 떠올리며 감사하는 태도가 드러난 작품: 송순, 「면앙정가」

최우선 핵심 Check!

1 〈제5수〉에서 'ㅂㄷ'은 물결이 잔잔하고 아름답게 움직이는 모습을 비유적으로 표현한 것이다.

2 〈제5수〉에서 화자는 세상 사람들에게 자연 속에서의 즐거움을 알리려는 '백구'에 대해 부정적 태도를 보이고 있다. (O / ×)

3 〈제9수〉에서 '혬 업슨 ㅇㅎㄷ'은 어부로서의 삶에 만족하는 화자 자신과 대조되고 있다.

4 〈제9수〉에서 화자는 강호에서 한가롭게 살아가는 자신의 삶이 분수에 맞다고 생각한다. (O / ×)

정답 1. 비단 2. × 3. 아희들 4. ○

162위

자연에서 임금을 그리워하는 노래

강호연군가(江湖戀君歌) | 장경세

갈래 연시조(전 12수) **성격** 우국적, 예찬적, 풍류적
주제 우국지정 및 학문과 성현에 대한 흠모, 자연에서의 삶의 만족감 **시대** 조선 중기

전체 12수로 된 연시조로, 전6곡에서는 임금을 그리워하고 나라를 근심하는 내용이, 후6곡에서는 학문과 성현에 대한 흠모와 자연에서의 풍류가 드러나 있다.

〈제1수〉

맑은 하늘 둘 볽거늘 일장금(一張琴)을 빗기 안고
(거문고를 타는 계기가 된 배경 / 거문고)
난간(欄干)에 기대 안자 옛 양춘곡(陽春曲)을 트온마리
(곡 이름. 화자의 시름이 묻어난 소재)
엇더타 님 향흔 시름이 곡조(曲調)마다 나느니 → 임에 대한 화자의 그리움이 드러남
(임(임금)을 잊지 못하는 화자의 시름 / 곡조에 화자의 시름이 담겨 있다는 의미)
> 임을 향한 시름

〈제1수〉 맑은 하늘에 달이 밝거늘 거문고를 비스듬히 안고
난간에 기대어 앉아 옛날의 양춘곡을 연주하니
어찌하여 임을 향한 시름이 곡조마다 나타나느니.

〈제3수〉

시절이 하 수상하니 무옴을 둘 듸 업다
(어지러운 나라 현실 - 부정적 상황 / 나라에 대한 걱정 때문에 - 우국지정)
『교목(喬木)도 녜 굿고 신하도 그득하되』 『 』: 대구법
(국가의 중신들을 의미)
의론(議論)이 여긔 저긔 하니 그롤 몰라 ᄒ노라 > 어지러운 나라 현실에 대한 걱정
(당쟁이 지속되는 부정적 상황을 드러냄)

〈제3수〉 시절이 하도 심상치 않으니 (내) 마음을 둘 데가 없구나.
국가의 중신들도 예전처럼 있고, 신하들도 다 갖추어져 있음에도
서로의 의견이(당쟁이) 여기저기 끊이질 않으니 그것을 모르겠구나.

〈제6수〉

『송옥(宋玉)이 ᄀ을홀 만나 므스 이리 슬프던고』 『 』: 중국 고사의 사용. 송옥의 슬픔과 자신의 슬픔을 비교함 **Link** 표현상 특징 ❶
(중국 전국 시대 초나라 사람. 굴원의 제자)
차가운 서리 흰 이슬은 하늘희 긔운이라
(계절이 하늘의 뜻에 따라 변함을 의미) □: 계절감을 나타낸 어휘
이 내의 남은 져 근심은 봄 ᄀ을이 업서라』 > 나라에 대한 지속적인 근심
(나라에 대한 걱정 - 우국지정) 『 』: 계절을 드러내는 어휘를 사용하여 화자의 근심이 지속됨을 드러냄 **Link** 표현상 특징 ❷

〈제6수〉 송옥이 가을을 만나 무슨 일이 슬프던가.
차가운 서리와 흰 이슬은 하늘의 기운이라.
이 나의 남은 저 근심은 봄과 가을이 따로 없구나.

〈제9수〉

『공맹(孔孟)의 적통(嫡統)이 ᄂ려 주자(朱子)께 다다르니』 『 』: 주희가 성리학의 적통성을 이었음을 드러냄
(정식으로 대를 이은 계통 / 주희)
자세한 학문(學文)은 궁리(窮理) 정심(正心) 나란히 일웠네
(적통을 이은 주자의 학문에 대한 칭송)
엇더타 강서(江西) 의론(議論)은 그를 지리(支離)타 ᄒ던고 → 주자학이 훌륭한 학문임을 강조
(주희와 육구연이 강서에서 논쟁함. 주자학을 비판한 강서학파를 의미)
> 주자학에 대한 칭송

〈제9수〉 공자와 맹자의 학풍이 내려와 주희에게 다다르니
정밀한 학문은 궁리(깊이 연구함.)와 정심(마음을 올바르게 함.)을 함께 이루었네.
어찌하여, (주자학을 비판한) 강서학파의 논리는 주자학을 지루하다고 했던가.

〈제11수〉

장부(丈夫)의 몸이 되어 기한(飢寒) 두려울까
(자연 속에 은거한 화자를 가리킴 / 기한이 두렵지 않음을 강조 - 안빈낙도의 태도, 설의적 표현)
일산(一山) 풍월(風月)애 즐거옴이 ᄀ이 업다
(화자가 즐기는 풍류의 대상, 자연 / 자연과 더불어 사는 즐거움 - 화자의 만족감이 드러남)
내 마다 부운(浮雲) 부귀(富貴)를 따를 줄 이시랴 > 자연 속에서 만족하며 사는 삶
(싫다 / 화자가 거리를 두는 대상 / 따르지 않겠다) → 자연 속에서 만족하며 살겠다는 의미 - 안분지족, 설의적 표현 **Link** 표현상 특징 ❸

〈제11수〉 대장부의 몸이 되어 굶주림과 추위를 두려워할 것인가?
산과 바람, 달(과 어울려 사는 것)의 즐거움이 끝이 없구나.
나는 싫다. 덧없는 부귀를 따를 줄이 있겠는가?

〈제12수〉

득군행도(得君行道)는 군자(君子)의 뜻이로듸
벼슬길에 나아가는 것을 의미함

때를 못 만나며는 고반(考槃)을 즐겨ᄒᆞ니
벼슬에 나아가지 못한다는 의미 / 벼슬에 나가지 않고 자연에 묻혀 풍류를 즐김

넉넉ᄒᆞᆫ 솔바람에 달 보기야 나ᄲᅮᆫ인가 ᄒᆞ노라 > 자연 속에서 풍류를 즐기며 사는 삶
풍류의 대상 / 자연 속 흥취를 즐기는 화자의 만족감이 담김. 영탄적 표현 Link 표현상 특징 ❹

〈제12수〉

훌륭한 임금을 얻어 도를 행하는 것이 군자의 뜻이지만
때를 만나지 못하면 벼슬에 나가지 않고 자연에 묻혀 풍류를 즐기려 하네.
넉넉한 솔바람을 (맞으며) 달 보기를 (하는 것은) 나뿐인가 하노라.

출제자 톡! 화자를 이해하라!

1 **화자는 누구이고, 화자가 처한 상황은?**
자연 속에서 살아가면서 임금과 나라, 학문, 자신의 삶에 대해 생각하는 사람

2 **화자의 정서 및 태도는?**
- 임(임금)을 향한 시름과 어지러운 나라 현실에 대해 걱정하고 있음.
- 성리학의 적통을 이은 주자학을 칭송하는 태도를 보임.
- 자연 속에서 풍류를 즐기며 사는 것에 만족해함.

Link

출제자 톡! 표현상의 특징을 파악하라!

❶ 중국 고사 속 인물과 화자의 정서를 비교하여 드러냄.
❷ 계절을 드러내는 어휘를 사용하여 화자의 정서를 표현함.
❸ 설의적 표현을 사용하여 화자의 삶의 태도를 강조함.
❹ 영탄적 표현을 사용하여 화자의 정서를 강조함.

최우선 출제 포인트!

1 화자의 정서와 태도

화자의 정서	1수	임을 향한 시름	연군지정, 우국지정
	3수	어지러운 나라 현실에 대한 걱정	
	6수	나라에 대한 지속적인 근심	
화자의 태도	9수	주희의 학문에 대한 칭송	예찬적 태도
	11수	자연 속에서 만족하며 사는 삶	안분지족의 태도
	12수	자연 속에서 풍류를 즐기며 사는 삶	

함께 볼 작품 창작의 모티프가 된 작품: 이황, 「도산십이곡」

최우선 핵심 Check!

1 〈제1수〉에서 임에 대한 화자의 시름이 담겨 있는 소재는 ㅇㅊㄱ 이다.

2 〈제6수〉에서 화자는 고사 속 인물의 정서를 통해 자신의 정서를 드러내고 있다. (O / ×)

3 〈제9수〉에서 화자는 공자와 맹자의 적통을 이은 주자학에 대해 비판적인 태도를 보이고 있다. (O / ×)

4 〈제11수〉에서 화자는 부귀를 멀리하면서 자연에서 만족하며 살겠다는 생각을 드러내고 있다. (O / ×)

정답 1. 양춘곡 2. ○ 3. × 4. ○

1등급! 〈보기〉!

「강호연군가」의 이해

이황의 「도산십이곡(陶山十二曲)」을 모방한 이 작품은 〈전6곡(前六曲)〉과 〈후6곡(後六曲)〉으로 구성되어 있다. 작가는 사람들이 이 시조를 읊조림으로써 우국충정을 불러일으키도록 하고자 하였다. 이 작품에서 강호에 은거하며 풍류를 즐기는 화자는 자연 속에서 성현의 학문을 칭송하는 태도를 드러내기도 하며, 때로 임금을 잊지 못하고 나라를 걱정하는 모습을 보이기도 한다. 이는 당쟁으로 인해 혼란한 정국 속에서, 권력에서 소외되어 가던 작가의 고뇌와 관련된 것으로 볼 수 있다.

고산(화자가 은거한 공간)에서 부른 노래

고산별곡(孤山別曲) | 장복겸

갈래 연시조(전 10수) **성격** 자연 친화적
주제 세속적 시름을 잊고 자연을 벗하며 사는 삶
시대 조선 후기

번거로운 세상일을 멀리하고 자연을 벗 삼아 살고 싶은 화자의 마음이 드러나 있다.

〈제1수〉

『청산(靑山)은 에워 들고 녹수(綠水)는 도라가고
(세속과 거리가 있는 공간적 배경 - 화자가 현재 있는 공간)

석양(夕陽)이 거들 째예 신월(新月)이 소사난다』 『 』: 대구법
(시간적 배경 - 석양이 지는 시간 / 초승달. 분위기를 돋우는 소재)

안전(眼前)의 일존주(一尊酒) 가지고 시름 프자 하노라 → 영탄적 표현 Link 표현상 특징 ❶
(한 통의 술. 세속적 시름 해소 수단 / 세상이 자신을 알아주지 않아 생긴 것)

> 술로 시름을 달래고자 하는 마음

〈제3수〉

강산(江山)의 눈이 닉고 세로(世路)의 낫치 서니 → 대구법, 대조법 Link 표현상 특징 ❷
(자연. 대유법 / 속세를 가리킴 / 속세와의 정서적 거리감을 드러냄)

어듸 뉘 문(門)의 이 허리 굽닐손고
(세도가, 권력가를 의미 / 벼슬자리를 위해 권력가에게 아부하지 않겠다는 의지를 드러냄. 설의적 표현)

일존주 삼척금(三尺琴) 가지고 백년소일(百年消日)호리라
(화자의 풍류적 삶을 나타내는 소재 / 자연에서 한가로움을 추구하고자 함 - 의지적 태도. 영탄적 표현 Link 표현상 특징 ❶)

> 세속을 멀리하고 자연과 더불어 살고자 하는 마음

〈제4수〉

닉 말도 놈이 마소 놈의 말도 닉 아닌닉
(남의 간섭 없이 홀로 평안하게 살고자 하는 마음)

고산(孤山) 불고정(不孤亭)의 조하 늙는 몸이로쇠
('시비'하는 세상과 일정한 거리를 둔 곳 - 화자가 추구하는 공간)

어듸셔 망녕의 손이 검다 셰다 하나니
(세속에 찌든 사람 - 부정적 대상 / 옳다 그르다 - 세속적 사람들의 화자의 삶에 대한 평가)

> 세속의 시비를 멀리하고자 하는 마음

〈제9수〉

칠현(七絃)이 냉냉(泠泠)하니 녜 소릭는 잇다마는

『종기(鍾期)을 못 맛나니 이 곡조(曲調) 게 뉘 알이』 『 』: 고사를 인용하여 자신을 알아주는 사람이 없는 것에 대한 안타까움을 드러냄 Link 표현상 특징 ❶, ❸
(중국 춘추 시대 인물로 자신의 친구인 백아의 거문고 실력이 뛰어남을 알아봄 / 설의적 표현)

벽공(碧空)의 일륜명월(一輪明月)이 닉 버진가 하노라
(화자가 긍정적으로 여기는 대상 - 자연을 가리킴 / 자연에서 살고자 하는 마음이 담김 - 자연 친화적 태도)

> 자연과 벗하면서 살고자 하는 마음

〈제1수〉
푸른 산은 빙 둘러 싸 있고 푸른 물은 돌아서 흐르니
석양이 질 때에 초승달이 솟아난다.
눈앞에 한 통의 술을 가지고 시름을 풀려고 하노라.

〈제3수〉
강산은 눈에 익숙하고 세상의 길은 낯설으니
어디의 누구네 집 문 앞에서 이 허리를 굽히겠는가?
한 통의 술과 석 자 길이의 거문고로 한평생을 소일하며 살리라.

〈제4수〉
내 말에 대해 남들도 하지 마오. 남의 말에 대해 나도 말하지 않을 것이네.
고산의 불고정이 좋아 늙어 가는 몸이라네.
어디서 망령된 손님이 와서 검다 희다고 (판단)하는가.

〈제9수〉
거문고 소리 맑으니 옛날 소리가 있지마는
종기를 못 만나니 이 (아름다운) 곡조를 누가 알아주겠는가?
푸른 하늘의 둥글고 밝은 달만이 내 벗인가 하노라.

출제자 톡! 화자를 이해하라!

1 **화자는 누구이고, 화자가 처한 상황은?**
자연과 더불어 한가하게 살아가고 있는 사람

2 **화자의 정서 및 태도는?**
- 벼슬살이에 나아가지 못한 시름을 풀어 버리려 함.
- 자연과 더불어 살아가려는 자연 친화적 태도를 보임.

Link

출제자 톡! 표현상의 특징을 파악하라!

❶ 영탄적, 설의적 표현을 사용하여 화자의 태도와 정서를 강조함.
❷ 대구법과 대조법을 사용하여 속세와의 거리감을 드러냄.
❸ 고사를 인용하여 화자 자신의 처지를 우회적으로 표현함.

최우선 출제 포인트!

1 화자가 처한 상황과 지향점

세상이 자신을 알아주지 않음.-시름의 원인 → 벼슬살이를 하지 못하게 됨.
↓
- 자연에서 한가로움을 추구함. • 자연을 벗으로 둠.
→ 세속과 거리를 두고 자연에서 살고자 함.

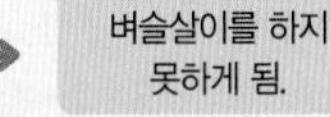

이 작품은 장수군 산서면 신창리에 있는 불고정(不孤亭)을 배경으로 한다. '고산'은 작가가 살던 집 앞의 동쪽 산 이름으로, 작가는 이곳에 불고정을 짓고, 과거 공부보다는 자연을 사랑하며 유유자적한 삶을 살았다고 한다.

최우선 핵심 Check!

1 〈제1수〉에서 ㅇㅈㅈ는 화자가 지닌 세속적 시름을 해소하는 수단에 해당된다.

2 〈제3수〉에서 화자는 세상에 나가 벼슬살이를 하기 위해 권력가의 집에 드나들기도 하였다. (O / ×)

3 〈제9수〉에서 화자는 '종기'와 같이 자신을 알아주는 사람이 없음을 안타까워하고 있다. (O / ×)

정답 1. 일존주 2. × 3. ○

164위

산에 사는 백성(山民)이 부르는 여섯 가지의 노래

산민육가(山民六歌) | 이홍유

갈래 연시조(전 6수) **성격** 자연 친화적
주제 자연 속에서 한가롭게 살고 싶은 마음
시대 조선 중기

세속적 부귀영화를 추구하지 않고 자연 속에서 유유자적하는 삶에 대한 만족감을 노래하고 있다.

〈제1수〉 △: 부정적 대상으로서의 속세 ↔ ○: 화자가 지향하는 공간인 자연 **Link** 표현상 특징 ❶

『이 몸이 한가하여 산수간(山水間)에 절로 늙어』 『』: 자연에서 한가롭게 살고 있는 화자의 모습
(산수간 – 자연(대유법) - 화자가 있는 공간)
공명부귀(功名富貴)를 뜻 밖에 잊었으니
(공명부귀 – 세속적 가치 - 부정적 대상 / 뜻 밖에 잊었으니 – 세속적 가치를 멀리 하는 모습)
차중(此中)에 청유(淸幽)한 흥미(興味)를 혼자 좋아 하노라
(청유한 흥미 – 자연 속에서 지내는 즐거움 / 혼자 좋아 하노라 – 자연에서의 삶에 대한 만족감, 영탄적 표현 **Link** 표현상 특징 ❷)

> 자연 속에서 즐기는 한가로운 삶

〈제2수〉

조그만 이 내 몸이 천지간(天地間)에 혼자 있어
(조그만 이 내 몸 – 자연 속에서 살아가는 화자 자신을 겸손하게 표현한 말 / 천지간 – 자연, 대유법)
청풍명월(淸風明月)을 벗 삼아 누었으니 → 자연 친화적 태도, 의인법 **Link** 표현상 특징 ❸
(청풍명월 – 자연(대유법))
세상(世上)의 시시비비(是是非非)를 나는 몰라 하노라
(세상의 시시비비 – 속세에서 일어나는 일들에 대한 옳고 그름 - 속세의 일 / 나는 몰라 하노라 – 속세에 대한 거리감을 강조, 영탄적 표현 **Link** 표현상 특징 ❷)

> 속세와 거리를 두는 삶

〈제4수〉

늙고 병든 몸을 세상이 버리실새
(늙고 병든 몸 – 현재의 화자의 처지 / 세상이 버리실새 – 화자의 자신의 능력을 알아주지 않는 것에 대한 안타까움이 내재됨)
조그만 초당(草堂)을 시내 위에 일워 두고
(조그만 초당 – 소박한 삶을 드러냄)
목전(目前)에 보이는 송죽(松竹)아 내 벗인가 하노라
(목전 – 눈앞 / 송죽아 내 벗인가 하노라 – '송죽'을 의인화하여 친밀감을 드러냄 - 자연 친화적, 돈호법, 의인법, 영탄적 표현 **Link** 표현상 특징 ❷, ❸)

> 자연에 묻혀 자연을 벗하며 사는 삶

〈제5수〉

산림(山林)에 들어온 지 오래니 세상사(世上事)를 모르노라
(산림에 들어온 지 오래니 – 자연에서의 삶이 오래되었음)
십장 홍진(十丈紅塵)이 얼마나 가렸는고 → 속세와 거리를 둔 화자의 삶
(십장 홍진 – 혼잡한 속세를 가리킴)
물외(物外)에 뛰어든 몸이 보은(報恩)이 어려워라
(물외에 뛰어든 몸 – 자연에서 살아가는 화자를 가리킴 / 보은이 어려워라 – 자연에서의 삶이 임금의 은혜라는 인식이 담김 - 유교적 가치관)

> 초야에 묻혀 임금의 은혜에 보답하지 못하는 것에 대한 안타까움

〈제1수〉
이 몸이 한가하여 산과 물 사이(자연 속)에 절로 늙어
공명과 부귀를 (내) 뜻의 밖에 두고 잊었으니
이 중에 아담하고 깨끗한 감흥을 혼자 좋아하노라.

〈제2수〉
조그만 이 내 몸이 하늘과 땅 사이(자연 속)에 혼자 있어서
푸른 바람과 밝은 달을 벗을 삼아 (자연에) 누워 있으니
세상일의 옳고 그름을 가리는 다툼을 나는 몰라 하노라.

〈제4수〉
늙고 병든 몸을 세상이 버리므로
조그만 초당을 시내 위에 만들어 두고
눈앞에 보이는 송죽아! (너희들이) 내 벗인가 하노라.

〈제5수〉
산림(자연)에 들어온 지 오래니 세상일을 모르노라.
십장 홍진이 얼마나 가려 있는가.
자연에 뛰어든 몸이어서 (임금에 대한) 은혜를 갚는 것이 어렵구나.

출제자 톡! 화자를 이해하라!

1 **화자는 누구이고, 화자가 처한 상황은?**
자연을 벗 삼아 자연에서 살아가는 사람

2 **화자의 정서 및 태도는?**
- 자연에 친밀감을 느끼면서 자연과 더불어 살아가려는 자연 친화적 태도를 보임.
- 자연에 사는 것도 임금의 은혜라며 유교적 가치관을 드러냄.

Link
출제자 톡! 표현상의 특징을 파악하라!

❶ 대비적인 시어를 사용하여 화자가 지향하는 삶을 드러냄.
❷ 영탄적 표현을 사용하여 화자의 정서나 태도를 강조함.
❸ 의인법을 사용하여 대상과의 친밀감을 드러냄.

최우선 출제 포인트!

1 속세와 자연에 대한 화자의 태도

속세	↔	자연
• 공명부귀(功名富貴)를 뜻 밖에 잊었으니 • 세상(世上)의 시시비비(是是非非)를 나는 몰라 하노라 • 십장 홍진(十丈紅塵)이 얼마나 가렸는고	↔	• 청유(淸幽)한 흥미(興味)를 혼자 좋아 하노라 • 청풍명월(淸風明月)을 벗 삼아 누웠으니 • 송죽(松竹)아 내 벗인가 하노라
↓		↓
속세에 대해 거리감을 둠.		자연 친화적 태도

최우선 핵심 Check!

1 〈제1수〉에서 화자는 세속적 가치를 의미하는 ㄱㅁㅂㄱ를 멀리하려는 태도를 보이고 있다.

2 화자는 '청풍명월', '십장 홍진'을 긍정적으로 인식하고 있다. (O / ×)

3 화자는 자연에서 사는 것도 임금의 은혜라고 여기는 유교적 가치관을 지니고 있다. (O / ×)

정답 1. 공명부귀 2. × 3. ○

165위

사계절을 노래함

사시가(四時歌) | 황희

갈래 연시조(전 4수) **성격** 일상적, 풍류적
주제 사계절 자연의 모습과 그 속에서 살아가는 삶과 풍류 **시대** 조선 전기

봄, 여름, 가을, 겨울로의 계절의 변화에 따른 자연의 모습과 그 속에서의 삶과 풍류를 드러내고 있다.

〈제1수〉 계절적 배경을 직접적으로 드러냄

강호(江湖)에 봄이 드니 이 몸이 일이 하다
자연 - 공간적 배경(대유법) / 많다

나는 그물 깁고 아희는 밧츨 가니
농사일에 바쁜 일상을 드러냄 - 자연을 노동의 삶이 드러나는 현장으로 그려 냄

뒷 뫼헤 움이 튼 약초를 언지 캐려 ᄒᆞᄂᆞ니 → 의문형 종결
화자가 해야 할 일이 많음을 보여 줌

> 봄날의 분주한 일상

〈제2수〉

『삿갓에 도롱이 닙고 세우중(細雨中)에 호미 메고
대구법 / 『 』: 비가 오는 중에도 결실을 맺기 위해 노동하는 모습
계절적 배경이 여름임을 알게 해 줌

산전(山田)을 흣매다가』 녹음(綠陰)에 누어시니
노동한 후의 한가한 모습

목동이 우양(牛羊)을 모라다가 잠든 나를 깨우는구나 → 감탄형 종결
여름 날의 고즈넉한 풍경을 드러냄

> 여름날의 노동과 한가한 삶

□: 영탄적 표현 Link 표현상 특징 ❸

〈제3수〉

『대초볼 불근 골에 밤은 어이 뜻드르며 : 가을 농촌의 풍요로움을 드러내 주는 소재
대추의 볼, 의인법 Link 표현상 특징 ❶

벼 벤 그루터기에 게는 어이 누리는고』 『 』: 풍요로운 가을의 모습, 대구법 Link 표현상 특징 ❷
계절적 배경이 가을임을 알게 해 줌 / 기어다니는가

『술 닉쟈 체쟝ᄉᆞ 도라가니 아니 먹고 어이리』
후각적 이미지, 풍류
『 』: 모든 조건이 딱 맞아 떨어져 화자의 풍류를 도움. 금상첨화(錦上添花), 설의적 표현(의문형 종결) Link 표현상 특징 ❸

> 가을 날 농촌의 풍요로움과 흥겨움

〈제4수〉

뫼혀는 새가 긋고 들히는 갈 이 없다
적막한 겨울 풍경을 드러냄

외로온 ᄇᆡ에 삿갓 쓴 져 늙은이
낚시에 몰입하고 있는 인물, 화자의 관점에서 현재 상황을 즐기고 있는 대상

낙ᄃᆡ에 재미가 깁도다 눈 깁픈 줄 아는가 → 의문형 종결
눈이 많이 쌓인 줄 모르는 이유 / 계절적 배경이 겨울임을 알게 해 줌 Link 표현상 특징 ❸

> 겨울 날의 고요한 정취

〈제1수〉
강호에 봄이 돌아오니 이 몸이 (해야 할) 일이 많다.
나는 그물을 깁고 아이는 밭을 가니
뒷산의 움이 튼 약초는 언제 캐려 하느니?

〈제2수〉
삿갓에 도롱이 입고 가는 비에 호미 메고
산 밭의 이곳저곳의 김을 매다가 녹음에 누웠으니(잠이 들었으니)
목동이 소와 양을 몰아다가 잠든 나를 깨우는구나.

〈제3수〉
대추알 붉어진 골짜기에 밤은 어찌 떨어지며
벼 벤 그루터기에 게는 어찌 나와 기어다니는가?
술이 익자 마자 체 장수가 (체를 팔고) 돌아가니 (술을) 아니 먹고 어찌하겠는가?

〈제4수〉
산에는 새가 그쳐 있고(날지 않고) 들에는 오가는 사람이 없다.
외로운 배에 삿갓 쓴 저 늙은이
낚싯대에 재미가 깊구나. (저 늙은이) 눈이 깊게 쌓인 줄을 아느냐?

출제자 톡! 화자를 이해하라!

1 **화자는 누구이고, 화자가 처한 상황은?**
사계절이 변화하는 농촌에서 살아가고 있는 사람

2 **화자의 정서 및 태도는?**
노동한 뒤의 한가로움과 가을날 느끼는 흥겨움.

Link

출제자 톡! 표현상의 특징을 파악하라!

❶ 의인법을 사용하여 대상의 모습을 생생하게 드러냄.
❷ 대구법을 사용하여 풍요로운 가을의 모습을 보여 줌.
❸ 설의적, 영탄적 표현을 사용하여 화자의 정서를 강조함.

최우선 출제 포인트!

1 시상 전개 방식 – 계절의 흐름에 따른 전개

봄	농사일에 분주한 화자의 모습(봄)
여름	결실을 위해 노동을 하는 중에도 한가한 모습(녹음)
가을	결실을 맺은 가을 농촌의 풍요로운 모습과 이러한 풍요로움을 즐기는 화자의 흥겨움(벼 벤 그루터기)
겨울	적막한 겨울 풍경과 눈이 쌓인 줄 모르고 낚시에 몰입한 늙은이의 모습(눈)

최우선 핵심 Check!

1 '봄 – 여름 – 가을 – 겨울'이라는 ㄱ ㅈ 의 흐름에 따라 시상을 전개하고 있다.

2 〈제3수〉에서 '대초', '밤', '벼', '게'는 가을날의 풍요로움을 드러내는 소재이다. (O / ×)

3 〈제4수〉에서 화자는 낚시를 하는 '늙은이'를 바라보면서 인생의 고독감을 느끼고 있다. (O / ×)

정답 1. 계절 2. ○ 3. ×

월곡(의병장 우배선의 호)에게 답하는 노래

월곡답가(月谷答歌) | 정훈

갈래 연시조(전 10수) **성격** 예찬적, 추모적
주제 월곡에 대한 그리움과 흠모의 정
시대 조선 중기

백성들을 생각하며 당대 현실에 맞서 싸우는 충의지사(忠義志士: 충성스럽고 절의가 곧은 선비)로 살았던 의병장 '월곡'에 대한 그리움과 흠모의 정을 노래하고 있다.

〈제1수〉

녯 사룸 이젯 사룸 이목구비(耳目口鼻) ᄀᆞᆺ것마ᄂᆞᆫ
(옛날 사람과 현재의 사람 / 생김새가 같다는 의미)

나 혼자 엇디 ᄒᆞ야 녯 사룸을 그리ᄂᆞᆫ고 → 스스로 물음(자문)
(본받을 만한 사람. 사리사욕 없는 성현을 가리킴)

이제도 녯 사룸 겨시니 긔 내 벗인가 ᄒᆞ노라 > 옛 사람의 풍모를 갖춘 '월곡'
(현재 / '월곡'을 가리킴 / '월곡'에 대한 친밀감 강조. 영탄적 표현 Link 표현상 특징 ❶)

: 월곡을 의미하는 어휘

〈제1수〉 옛날 사람 오늘날 사람 (모두) 이목구비가 같지마는
나 혼자 어찌하여 옛날 사람을 그리는가.
현재도 옛날 사람 계시니 그 사람이 내 벗인가 하노라.

〈제4수〉

『청송(靑松)으로 울흘 삼고 백운(白雲)으로 장(帳) 두로고
(울타리 / 장막 / 대구법. 색채 대비 Link 표현상 특징 ❷)
(자연 - 절개를 상징. 대유법 / 자연 - 현실에 초탈한 삶을 상징. 대유법)

초옥삼간(草屋三間)이 숨어 겨신 져 내 벗님』
(『 』: 자연물을 통해 자연에 묻혀 사리사욕 없이 살아가는 월곡의 삶을 드러냄 Link 표현상 특징 ❸)
(소박한 삶을 드러냄)

흉중(胸中)에 사념(邪念)이 업스니 그를 ᄉᆞ랑ᄒᆞ노라 Link 표현상 특징 ❶
(맑고 깨끗한 '월곡'의 삶의 태도 / '월곡'에 대한 화자의 예찬적 태도 강조. 영탄적 표현)
> 자연에서 사념 없이 살아가는 '월곡'에 대한 사랑

〈제4수〉 푸른 솔로 울타리를 삼고 흰 구름으로 장막을 두르고
초가삼간에 숨어 살고 있는 저 내 벗님
(월곡이) 마음에 그릇된 생각이 없으니 (내가) 그를 사랑하노라.

〈제5수〉

벗님 사ᄂᆞᆫ 땅을 ᄉᆡᆼ각고 ᄇᆞ라보니
('월곡'을 가리킴 / '월곡'에 대한 화자의 그리움을 엿볼 수 있음)

용추동(龍湫洞) 밧씨오 구룸ᄃᆞ리 우희로다
(현재 '월곡'이 있는 공간 - '월곡'이 죽었음을 의미)

『밤마다 외로운 ᄭᅮᆷ만 호자 ᄃᆞᆫ녀 오노라』 > '월곡'을 만나고 싶은 간절한 마음
('월곡'을 만날 수 있는 통로 / 『 』: '월곡'을 만나고 싶은 화자의 간절함이 드러남. 영탄적 표현 Link 표현상 특징 ❶)

〈제5수〉 벗님이 사는 땅을 생각하고 바라보니
용추동의 밖이요, 구름다리 위로구나.
밤마다 외로운 꿈만 (월곡을 만나기 위해) 혼자 다녀오노라.

〈제7수〉

: '월곡'을 찾아갈 수 없게 하는 장애물

『ᄆᆡ는 첩첩(疊疊)ᄒᆞ고 구룸은 자자시니』 『 』: 대구법 Link 표현상 특징 ❷

고인(故人)의 집 땅이 ᄇᆞ라도 볼셩업다
(산과 구름이 가려 '월곡'이 있는 곳을 볼 수 없다는 의미)

ᄆᆞ음만 길 알아 두고 오락가락 ᄒᆞ노라 > 고인이 된 '월곡'을 볼 수 없는 안타까움
('월곡'을 볼 수 없어 마음만 향해 있다는 의미 / '월곡'을 볼 수 없는 것에 대한 안타까움. 영탄적 표현 Link 표현상 특징 ❶)

〈제7수〉 산은 첩첩하고 구름은 잦아 있으니
고인이 있는 땅을 보려 해도 볼 수 없다.
마음만 길 알아 두고 오락가락 하노라.

〈제9수〉

상산(商山)의 영지(靈芝) 캐러 구태여 넷이 가리런가
('월곡'과 함께하고 싶은 공간 - 어지러운 현실에서 벗어난 공간 / 설의적 표현)

(대조) 좃츠 리 업슨듸 우리 둘이 가사이다
('월곡'과 함께 상산에 가고 싶은 의지 - '월곡'의 삶을 따르려는 화자의 태도를 엿볼 수 있음. 청유형)

세상(世上)의 어즈러온 일들 듯도 보도 마사이다
(세속 Link 표현상 특징 ❺ / 세속에서 벗어나고 싶은 화자의 의지가 드러남. 청유형 Link 표현상 특징 ❹)
> '월곡'과 함께 상산에 가고 싶은 마음

〈제9수〉 상산에 버섯을 캐러 굳이 넷이 가려 하는가?
(상산에 버섯을 캐러 가는 것을) 따라올 이 없으니 우리 둘이 가십시다.
세상에 어지러운 일들은 듣지도 보지도 마십시오.

〈제10수〉

방장산(方丈山) 기슭에서 신선(神仙)님네 만나신가
지리산을 가리킴 / '월곡'이 죽어 신선들과 더불어 산다고 여김
엇부시 보와든 내 말솜 전하소서
자신도 '월곡'처럼 신선과 더불어 살겠다는 말 / 설의적 표현
산중(山中)에 ᄐ시는 청학(靑鶴)을 나도 ᄐ다 엇더ᄒ리
죽어서도 '월곡'을 따르고자 하는 태도가 드러남

> 죽어서도 '월곡'의 삶을 따르고자 하는 마음

〈제10수〉

방장산 기슭에서 신선을 만나고 계신가.

얼핏 보시거든 내 말씀을 전하여 주소서.

산속에서 타시는 청학을 내가 타도 어떠하겠는가?

출제자 톡! 화자를 이해하라!

1 **화자는 누구이고, 화자가 처한 상황은?**
고인이 된 '월곡'을 떠올리고 있는 사람

2 **화자의 정서 및 태도는?**
- '월곡'을 만나고 싶은 간절한 마음과 그를 볼 수 없어 안타까워함.
- '월곡'의 삶에 대한 예찬적 태도와 그의 삶을 따르고 싶은 의지적 태도를 보임.

Link

출제자 톡! 표현상의 특징을 파악하라!

❶ 영탄적 표현을 사용하여 화자의 정서와 태도를 강조함.
❷ 대구법을 사용하여 시적 의미를 강조함.
❸ 자연물을 활용하여 시적 대상의 삶의 태도를 드러냄.
❹ 청유형 표현을 사용하여 화자의 생각을 강조함.
❺ 공간의 대비를 통해 화자의 의지를 드러내고 있음.

최우선 출제 포인트!

1 '월곡'에 대한 화자의 정서 및 태도

시구	정서 및 태도
녯 사롬 겨시니 긔 내 벗인가 ᄒ노라	친밀감
사념(邪念)이 업스니 그롤 ᄉ랑ᄒ노라	예찬적 태도
밤마다 외로운 숨만 호자 ᄃ녀 오노라	그리움. 보고 싶은 간절함.
ᄆ음만 길 알아 두고 오락가락 ᄒ노라	안타까움

2 '월곡'의 인물됨

청송으로 울을 삼고	→	지조와 절개를 지니고 있음.
백운으로 장 두로고	→	현실에 초탈한 삶을 살고 있음.
흉중에 사념이 업스니	→	사리사욕 없는 맑고 깨끗한 삶을 살고 있음.

최우선 핵심 Check!

1 〈제4수〉에서 '초옥삼간'은 '월곡'이 사는 공간으로, '월곡'의 삶이 순탄치 않았음을 상징적으로 보여 준다. (O / ×)

2 〈제5수〉에서 화자는 꿈을 통해서라도 '월곡'을 만나고 싶은 간절한 마음을 드러내 주고 있다. (O / ×)

3 〈제7수〉에서 '뫼'와 '□□'은 화자가 '월곡'을 찾아갈 수 없게 하는 장애물의 역할을 한다.

4 〈제9수〉에서 '상산'은 화자가 '월곡'과 함께하고 싶은 공간으로, 어지러운 세상에서 벗어난 공간을 의미한다. (O / ×)

5 〈제10수〉에서 화자는 '월곡'이 죽어서 신선들과 함께 살고 있다고 생각한다. (O / ×)

정답 1. × 2. ○ 3. 구름 4. ○ 5. ○

1등급! 〈보기〉!

「월곡답가」의 이해

이 작품에서 작가는 임진왜란 때 의병장이었던 '월곡 우배선'을 벗으로 설정하고 있다. 월곡은 자신들의 안위를 위해 백성을 외면한 지배층과는 달리 왜적에 맞서 백성들을 보살폈고, 전란 후에는 벼슬에 연연하지 않고 초야에 은둔했던 삶을 살았다. 작가는 벗을 사귀는 데 중요한 덕목인 '우도(友道)'를 통해 월곡을 추모하며 충의를 중시했던 월곡의 내면에 동조하려는 의식을 보이고 있다.

한편 이러한 '우도'는 신의와 공경, 충효 등의 유교적 이념이나 풍류와 은거 등의 친자연적 삶의 모습과 같이 작가가 추구하는 가치를 드러내는 방식으로 활용되었다.

분천(작가의 고향)에서 유교적 덕목의 실천을 강론한 노래

분천강호가(汾川講好歌) | 이숙량

갈래 연시조(전 6수) **성격** 교훈적, 유교적, 계도적
주제 유교적 덕목의 권면 **시대** 조선 중기

부모에 대한 효, 형제간의 우애, 친척 간의 화합과 같은 유교적 덕목을 구체적으로 실천해야 함을 노래하고 있다.

〈제1수〉

부모(父母) 구존(俱存)하시고 형제(兄弟) 무고(無故)함을
남들이 / 가족 구성원 모두 무사한 상태
남대되 이르되 우리 집과 같다더니
가엾은 / 화자의 가족 구성원 모두 무사했던 과거 상황을 드러냄
어여쁜 이내 한 몸은 어디 갔다가 모르뇨 → 영탄적 표현 Link 표현상 특징 ❶, ❷
가족 구성원이 모두 무사히 지내는 것의 소중함을 몰랐던 것에 대한 자책감 ▶ 가족 구성원이 무사히 지내던 과거를 그리워함

〈제1수〉

부모님이 살아 계시고 형제가 아무런 탈이 없음을
남들이 이르기를, 우리 집이 (이와) 같다고 하더니
가엾은 이내 한 몸은 어디를 갔다가 (그것을) 모르느냐.

〈제2수〉

『부모님 계신 제는 부모인 줄을 모르더니
효도를 다하지 못함을 드러냄
부모님 여읜 후에 부모인 줄 아노라』 『 』: 대구법, 대조법 Link 표현상 특징 ❹
부모님의 사랑을 절실히 느꼈다는 의미, 영탄적 표현 Link 표현상 특징 ❷
『이제야 이 마음 가지고 어디다가 베푸료』 『 』: 효를 할 수 없는 상황에 대한 화자의 한탄 - 풍수지탄(風樹之嘆), 설의적 표현 Link 표현상 특징 ❺
부모님이 돌아가신 뒤 깨닫게 된 효도의 중요성에 대한 인식 및 효도하고자 하는 마음
▶ 부모님이 돌아가신 후의 한탄

〈제2수〉

부모님이 살아 계실 때는 부모인 줄을 모르더니
부모님이 돌아가신 후에야 (비로소) 부모인 줄을 아노라.
이제야 이 마음을 가지고 어디에 베풀겠느냐?

〈제3수〉

지난 일 애닯아 마오 오는 날 힘써스라
효도를 다하지 못한 것 / 앞으로 부모님께 효도를 다하라는 말, 명령형 어조 Link 표현상 특징 ❸
나도 힘 아니 써 이리곰 애닯노라
부모님의 죽음으로 인해 회한을 느끼는 화자 자신의 경험 언급 - 설득의 근거
내일란 바라지 말고 오늘날을 아껴스라 ▶ 부모님 생전에 효를 실천할 것을 강조함
효의 실천을 미루지 말고 행할 것을 역설함 - 효의 실천 강조, 명령형 어조 Link 표현상 특징 ❸

〈제3수〉

지나간 일을 애달파 하지 마오. (앞으로) 오는 날에 힘을 쓰라.
나도 힘을 쓰지 아니하여 이처럼 애달파 하노라.
내일은 바라지 말고 오늘날을 아끼거라.

〈제4수〉

형제 열이라도 처음엔 한 몸이라
같은 부모의 정기를 받고 태어남을 강조한 말
하나가 열인 줄을 뉘 아니 알리마는
욕심 때문에 한 몸인 줄 깨닫지 못하는 것에 대한 안타까움
어디서 욕심에 걸려 한 몸인 줄을 모르느뇨 ▶ 형제간 우애의 중요성을 강조함
형제가 서로의 소중함을 깨닫지 못하게 하는 것 - 경계의 대상 / 영탄적 표현 Link 표현상 특징 ❷

〈제4수〉

형제가 열 명이 있더라도 처음에는 한몸이라.
하나가 열인 줄을 누가 알리 있겠느냐만
어디서 욕심에 걸려 한몸인 줄을 모르고 있구나.

〈제5수〉

젊던 이 늙어 가고 늙은이 져서 가네
세월의 흐름에 따라 구성원이 줄어드는 상황을 드러냄
우리 종족(宗族)이 또 몇이 있는고 → 친척들이 얼마 남지 않은 상황을 걱정함 - 친척 간 화합이 필요한 이유에 해당
성(姓)과 본(本)이 같은 사람, 같은 핏줄을 이어받은 사람
『이제나 잡 마음 없이 한잔 술을 나눠 먹세』 『 』: 친척 간 화합의 필요성 강조
친척 간 화합을 저해하는 그릇된 마음 / 친척 간 화합의 모습 ▶ 친척 간의 화합을 강조함

〈제5수〉

젊던 사람은 늙어 가고 늙은이는 죽어 사라지네.
우리 종족이 또 몇이나 남았는가.
이제야 다른 마음이 없이 (모여서) 한 잔 술을 나눠 먹세.

〈제6수〉

『공명은 재천(在天)하고 부귀는 유명(有命)하니』 『 』: 대구법 **Link** 표현상 특징 ❹

공명부귀를 힘으로 할 수 없는 이유에 해당

『공명부귀는 힘으로 못 하려니와』 『 』: 공명부귀에 욕심 내지 말라는 의도가 담김

자신의 힘으로 될 수 없는 것 — 대조 **Link** 표현상 특징 ❹

내 타난 [효제충신]이야 어느 힘을 빌리오 → 설의적 표현 **Link** 표현상 특징 ❺

자신의 힘으로 가능함을 드러낸 말 - 효제충신 실천의 중요성 강조 ❯ **효제충신 실천의 중요성 강조**

〈제6수〉

공명은 하늘에 있고, 부귀는 운명에 있으니

공명부귀는 (나의) 힘으로는 하지 못할 것이지만

내가 지니고 있는 효제충신이야 어느 힘을 빌리겠는가?

- **효제충신(孝悌忠信)**: 어버이에 대한 효도, 형제끼리의 우애, 임금에 대한 충성과 벗 사이의 믿음을 통틀어 이르는 말.

출제자 톡! 화자를 이해하라!

1 **화자는 누구이고, 화자가 처한 상황은?**
부모님을 여읜 뒤 후손들에게 경계의 말을 하고 있는 사람

2 **화자의 정서 및 태도는?**
- 가족이 무사히 지내던 과거를 그리워함.
- 부모님이 돌아가신 뒤 효를 다하지 못한 것을 한탄함.
- 효제충신의 실천을 당부함.

Link

출제자 톡! 표현상의 특징을 파악하라!

❶ 화자 자신의 경험과 깨달음을 통해 시상을 전개함.

❷ 영탄적 표현을 사용하여 화자의 정서를 강조함.

❸ 명령형 어조를 사용하여 실천적 행동을 촉구함.

❹ 대구법, 대조법을 사용하여 시적 의미를 강조함.

❺ 설의적 표현을 사용하여 화자의 생각을 강조함.

최우선 출제 포인트!

1 시상 전개 방식

가족 관계	제1수	가족 구성원이 무사히 지내던 과거를 그리워함.
	제2수	부모님이 돌아가심을 한탄함.
	제3수	효의 실천을 강조함.
	제4수	형제간 우애의 중요성을 강조함.
+		
친척 관계	제5수	친척 간 화합을 강조함.
↓		
종합	제6수	효제충신의 실천을 강조함.

2 화자의 태도

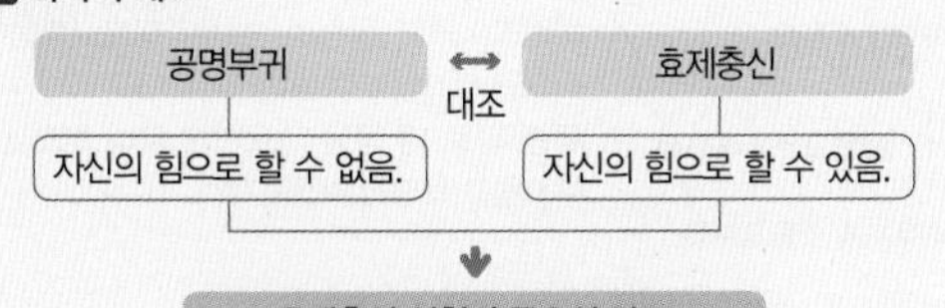

효제충신 실천의 중요성 강조

최우선 핵심 Check!

1 〈제1수〉에서는 가족 구성원 모두가 무사히 지내는 것의 소중함을 몰랐던 것에 대한 회한이 드러나 있다. (○ / ×)

2 〈제2수〉에서는 대구법, 대조법, 영탄적 표현, 설의적 표현 등 다양한 표현법을 써서 화자의 의지를 강조하고 있다. (○ / ×)

3 〈제3수〉에서는 ㅁ ㄹ형 어조를 사용하여 효의 실천을 강조하고 있다.

4 〈제4수〉의 'ㅇ ㅅ'은 형제가 서로 소중함을 깨닫지 못하게 만드는 것으로 경계의 대상이다.

5 〈제5수〉에서 화자는 세월의 흐름에 따라 '종족'의 존속이 어렵게 된 상황을 걱정하면서 과거로의 회귀 의지를 드러내고 있다. (○ / ×)

6 〈제6수〉에서 화자는 '효제충신'이 자신의 힘으로 가능한 것임을 언급하면서, '효제충신' 실천의 중요성을 강조하고 있다. (○ / ×)

정답 1. ○ 2. ○ 3. 명령 4. 욕심 5. × 6. ○

1등급! 〈보기〉!

『분천강호가』의 의미 및 창작 동기

이 작품의 제목인 '분천강호가' 중 '분천'은 작가 매암 이숙량의 고향인 경상도 안동부 예안현 분천리(현 경상북도 안동시 도산면 분천리)를 말하고, '강호(講好)'는 경전을 강론하고 우호를 다진다는 의미이다. 이 작품은 농암 이현보의 아들인 이숙량이 가문의 자제들을 가르치고 집안의 범절을 세우기 위해 쓴 책인 『분천강호록』에 수록된 연시조이다. 이숙량은 『분천강호록』에서 작품 창작 동기를 밝히고 있는데, 효부모, 우형제, 화친척과 같은 유교적 덕목을 반복하여 습득함으로써 행동으로 실천하게 하는 것이라 한다.

자손들에게 훈계하는 노래

훈계자손가(訓戒子孫歌) | 김상용

갈래 연시조(전 9수) **성격** 교훈적, 유교적, 계도적
주제 바람직한 삶을 위한 가르침
시대 조선 중기

작가의 유교적 가치관에 기반한 총 9장의 연시조로, 자손들에게 읊게 하여 도덕과 교훈의 기틀로 삼게 하려는 창작 목적을 지니고 있다.

〈제1장〉

Link 표현상 특징 ❶

이바 아희들아 내 말 드러 ᄇᆡ화ᄉᆞ라 　□ : 명령형 어조 Link 표현상 특징 ❷

훈계의 대상, 청자, 돈호법 　후손들에 대한 가르침 - 교훈의 목적을 알 수 있음

어버이 효도(孝道)ᄒᆞ고 어룬을 공경(恭敬)ᄒᆞ야

유교적 가치를 실천할 것을 당부하는 말

일생(一生)의 효제(孝悌)를 닷가 어딘 일홈 어더라

부모에 대한 효도와 형제의 우애 　명예 - 효제를 닦아 얻을 수 있는 것

> 부모님께 효도하고 어른을 공경할 것을 당부함

〈제1장〉

여봐라, 아이들아! 내 말을 들어 배우거라.
부모님께 효도하고 어른을 공경하여
일생에 효제를 닦아 어진 이름을 얻어라.

〈제3장〉

'바른 길'을 의미

사ᄅᆞᆷ이 되여 이셔 옹ᄒᆞᆫ 길로 ᄃᆞᆫ녀ᄉᆞ라

올바른 삶을 살 것을 당부함

언충신 행독경(言忠信行篤敬)을 염려(念慮)의 닛디 마라

말과 행동을 조심하여 신중하게 할 것을 당부

내 몸이 용티곳 아니면 동내(洞內)옌들 ᄃᆞᆫ니랴

착하지, 바르지 　바람직한 말과 행동의 중요성 강조, 설의적 표현 Link 표현상 특징 ❸

> 바람직한 말과 행동을 할 것을 당부함

〈제3장〉

사람이 되어 바른 길로 다니거라.
말은 신중히 하고 행동은 공손하게 한다는 생각을 잊지 마라.
내 몸이 바르지 않으면 동내에서인들 다닐 수 있겠는가?

〈제4장〉

▒ : 경계해야 할 대상

말을 삼가ᄒᆞ야 노(怒)호온 제 더 ᄎᆞᆷ아라

경계해야 할 대상 ① 　화가 날 때 말을 하면 실수할 수 있으므로 참을 것을 당부, 명령형 어조 Link 표현상 특징 ❷

ᄒᆞᆫ 번을 실언(失言)ᄒᆞ면 일생(一生)의 뉘웃브뇨

가정적 표현을 통해 말을 삼가야 하는 이유를 제시함 Link 표현상 특징 ❹

이 중(中)의 조심ᄒᆞᆯ 거시 말ᄉᆞᆷ인가 ᄒᆞ노라

말조심할 것을 강조함, 영탄적 표현 Link 표현상 특징 ❹

> 말을 조심할 것을 당부함

〈제4장〉

말을 삼가고, (특히) 화가 날 때 더 참아라.
한 번 실언을 하면 평생 뉘우치게 되느니라.
이 중의 조심할 것은 말씀인가 하노라.

〈제5장〉

경계해야 할 대상 ②

ᄂᆞᆷ과 빠홈 마라 빠홈이 해(害) 만ᄒᆞ뇨

관청의 송사나 시비 　싸움에 대한 부정적 인식

『크면 관송(官訟)이오 젹으면 수욕(羞辱)이라』 　『 』: 대구법 Link 표현상 특징 ❹

싸움으로 인해 비롯될 수 있는 문제 상황 부각

무ᄉᆞ 일 내 몸을 그ᄅᆞᆺ ᄃᆞᆫ녀 부모 수욕(父母羞辱) 먹이리 　Link 표현상 특징 ❸

남과 싸움하는 것을 가리킴 　남과 싸우는 것이 부모를 부끄럽고 욕되게 하는 것임을 강조, 설의적 표현

> 남과 싸우지 말 것을 당부함

〈제5장〉

남과 싸움을 하지 마라. 싸움은 해가 많도다.
(싸움이) 크면 관청의 송사가 되고, (싸움이) 작으면 부끄럽고 욕됨이라.
무슨 일로 내 몸을 그르치게 다녀 부모님을 부끄럽고 욕되게 하겠는가?

〈제6장〉

그른 일 몰나 ᄒᆞ고 뉘우처 다시 마라

경계해야 할 대상 ③ 　그른 일을 다시 하지 말 것을 당부

알고도 또 ᄒᆞ면 내죵내 그ᄅᆞ리라

그른 일을 알면서도 다시 하는 행동

진실(眞實)로 허믈곳 고티면 어딘 사ᄅᆞᆷ 되리라

반성과 성찰의 자세를 가질 것을 당부함, 영탄적 표현 Link 표현상 특징 ❹

> 그른 일은 뉘우쳐 다시 하지 말 것을 당부함

〈제6장〉

그른 일을 몰라 하고 (그른 일을 하게 되면) 뉘우쳐서 다시 하지 마라.
알고도 (그른 일을) 또 하면 끝내 잘못되리라.
진실로 허물을 고치면 어진 사람이 되리라.

〈제7장〉

「빈천(貧賤)을 슬허 말고 부귀(富貴)를 불워 마라」 「」: 대구법, 대조법 Link 표현상 특징 ❹

경계의 대상 / 세속적인 욕망과 가치를 추구하지 말 것을 당부

「인작(人爵)곳 닷그면 천작(天爵)이 오ᄂᆞ니라」 「」: 사람으로서 할 일을 다하면 하늘의 복을 받을 수 있다는 의미, 영탄적 표현 Link 표현상 특징 ❹

사람이 주는 벼슬 / 현실에서 추구해야 하는 가치

만사(萬事)를 하ᄂᆞᆯ만 밋고 어딘 일만 ᄒᆞ여라

하늘이 주는 벼슬 / 어진 일을 행하기를 당부

> 어진 일을 행할 것을 당부함

〈제7장〉

가난과 천함을 싫어하지 말고 부귀를 부러워 마라.
인간의 벼슬을 닦게 되면 하늘의 벼슬이 오느니라.
모든 일을 하늘만 믿고 어진 일만 하여라.

〈제9장〉

「일 니러 세수(洗手)ᄒᆞ고 부모(父母)긔 문안(問安)ᄒᆞ고
좌우(左右)의 뫼와 이셔 공경(恭敬)ᄒᆞ야 셤기오딕」 「」: 부모님께 효도하는 구체적인 방법 제시(열거)
여가(餘暇)의 글 빅화 닑어 못 미촐 ᄃᆞᆺ ᄒᆞ여라

틈틈이 / 글공부를 통해 효를 실천할 것을 당부함

> 부모를 공경하고 학업에 정진할 것을 당부함

〈제9장〉

일찍 깨어 세수하고 부모님께 문안 인사하고
좌우에 (부모님을) 모셔서 공경하며 섬기되
틈틈이 글을 배워 읽어서 못 미칠 듯하게 하여라.

출제자 톡! 화자를 이해하라!

1 **화자는 누구이고, 화자가 처한 상황은?**
아이들에게 훈계하고 있는 사람

2 **화자의 정서 및 태도는?**
- 아이들(자손들)에게 가르치려는 태도를 보이고 있음.
- 유교적 가치관을 바탕으로 해야 할 일과 하지 말아야 할 일을 당부함.

Link

출제자 톡! 표현상의 특징을 파악하라!

❶ 특정 청자를 설정하여 말을 건네는 어투로 시상을 전개함.
❷ 명령형 어조를 사용하여 특정 행동을 강조함.
❸ 설의적 표현을 사용하여 화자의 생각을 강조함.
❹ 대구법, 대조법, 가정적 표현, 영탄적 표현 등을 사용하여 의미를 효과적으로 전달함.

최우선 출제 포인트!

1 시상 전개 방식

창작 동기	후손들에 대한 가르침	

↓

가르침의 내용	제1장	부모님께 효도하고 어른을 공경해야 함.
	제3장	바른 말과 행동을 해야 함.
	제4장	말을 삼가고 조심해야 함.
	제5장	남과 싸움하지 말아야 함.
	제6장	그른 일은 뉘우쳐서 다시 하지 않아야 함.
	제7장	어진 일을 행해야 함.
	제9장	부모를 공경하고 학업에 정진할 것을 당부함.

↓

유교적 가치관을 바탕으로 올바른 삶을 살 것을 당부

함께 볼 작품 유교적 윤리의 실천을 강조한 작품: 정철, 「훈민가」

최우선 핵심 Check!

1 '말', '싸홈', '그른 일' 등은 화자가 ㄱ ㄱ 해야 할 대상이다.

2 화자는 '~라'의 ㅁ ㄹ 형 어미를 사용하여, 특정 행동을 하거나 하지 말 것을 강조하고 있다.

3 〈제3장〉에서 화자는 의문형 문장을 사용하여 바람직한 말과 행동의 중요성을 강조하고 있다. (O / ×)

4 〈제4장〉에서 화자는 가정적 표현을 활용하여 말을 삼가야 하는 이유를 드러내고 있다. (O / ×)

5 〈제5장〉에서 화자는 잘못된 행동에서 비롯될 수 있는 문제 상황을 제시하고 있다. (O / ×)

6 〈제7장〉에서 화자는 '빈천'을 경계하고 '부귀'를 이루기 위해 노력해야 함을 강조하고 있다. (O / ×)

정답 1. 경계 2. 명령 3. ○ 4. ○ 5. ○ 6. ×

169위

조홍시를 보고 부른 노래

조홍시가(早紅枾歌) | 박인로

갈래 연시조(전 4수) **성격** 교훈적, 유교적
주제 부모님에 대한 지극한 효심
시대 조선 중기

홍시를 보고 돌아가신 어버이를 그리워하며, 부모님이 늙지 않고 오래 사시기를 바라는 마음을 노래하고 있다.

〈제1수〉

반중(盤中) 조홍(早紅)감이 고와도 보이ᄂᆞ다
유자(柚子) 아니라도 품엄즉 ᄒᆞ다마ᄂᆞᆫ
『품어 가 반기리 업슬ᄉᆡ 글로 셜워ᄒᆞᄂᆞ이다』

(반중: 쟁반 / 조홍감: 홍시 - 돌아가신 부모님을 떠올리게 하는 매개체 / 유자 ~ 품엄즉: 육적의 회귤 고사를 인용 Link 표현상 특징 ❶ / 반기리 업슬ᄉᆡ: 죽음으로 인한 부재(不在) / 셜워ᄒᆞᄂᆞ이다: 안타까움의 정서 - 직접적 노출)
중국 오나라의 육적이 원술의 집에 갔다가 귤을 대접받고 어머니를 드리기 위해 귤 세 개를 품고 나왔다는 고사. 부모에 대한 지극한 효성을 의미함.
『 』: 부모님이 돌아가셔서 감을 드릴 수 없는 것에 대한 안타까움. 풍수지탄(風樹之嘆)

> 홍시를 보고 돌아가신 부모님을 떠올림

〈제1수〉
소반 위에 놓인 붉은 감이 곱게도 보이는구나.
비록 유자가 아니라도 품어 갈 만하지만,
품어 가도 반가워해 주실 부모님이 안 계시니 그것 때문에 서러워하노라.

〈제2수〉

왕상의 리어(鯉魚) 잡고 맹종의 죽적(竹筍) 꺽거
검던 멀리 희도록 노래자(老萊子)의 오ᄉᆞᆯ 입고
일생(一生)에 양지성효(養志誠孝)를 증자ᄀᆞᆺ치 ᄒᆞ리이다

(리어: 잉어 / 왕상: 겨울에 얼음을 깨고 잉어를 잡아다 어머니께 대접함 / 맹종: 겨울에 죽순을 구해다가 어머니께 대접함 / 노래자: 어머니를 기쁘게 해드리려고 나이 일흔에 어린아이 옷을 입음 / 증자: 춘추 시대 공자의 유명한 제자로 효자로도 이름남 / 양지성효: 뜻을 길러 효성을 다하는 것)
▭: 이름난 효자들 Link 표현상 특징 ❶

> 부모님께 효도하고자 하는 마음

〈제2수〉
왕상의 잉어 잡고 맹종의 죽순 꺾어,
검었던 머리가 희도록 노래자의 옷을 입고,
일생에 정성껏 효도함을 증자같이 하겠노라.

〈제3수〉

『 』: 불가능한 상황을 설정함(과장법) Link 표현상 특징 ❷

『만균(萬鈞)을 늘려내야 길게길게 노흘 ᄭᅩ아
구만리(九萬里) 장천(長天)에 가ᄂᆞᆫ ᄒᆡ를 자바 ᄆᆡ야』
북당(北堂)의 학발쌍친(鶴髮雙親)을 더듸 늘게 ᄒᆞ리이다

(만균: 큰 쇳덩어리 - 균(鈞): 30근 / 북당: 안방 / 학발쌍친: 학의 깃털처럼 흰머리를 한 늙으신 부모님 / 늘게: 늙게)

> 부모님이 더디 늙으시길 바람

〈제3수〉
만균의 쇠를 늘여 내서 길게 길게 끈을 꼬아,
구만리 장천에 떨어지는 해를 잡아 매어,
북당에 거처하시는 흰 머리의 부모님을 더디 늙게 하리라.

〈제4수〉 → 전체적인 주제와 상관없는 수 Link 표현상 특징 ❸

군황(群凰) 모다신듸 외가마기 드러오니
백옥 사흰 곳에 돌 한아 갓다마는
두어라 봉황도 비조(飛鳥)와 유(類)시니 뫼셔논들 엇더하리

(군황: 무리의 봉황 = 현인군자 / 외가마기: 까마귀 = 화자 자신 / 백옥: = 군황(현인군자) / 돌: = 외가마기(화자 자신) / 두어라: 감탄사 / 비조: 날아다니는 새)
◯: 화자 자신

> 훌륭한 벗들과 교류하는 즐거움과 자긍심

〈제4수〉
여러 봉황이 모여 있는데 까마귀 한 마리가 들어오니,
백옥이 쌓인 곳에 돌 하나가 있는 것 같다마는,
아아, 봉황도 새 중 하나일 뿐이니 모셔 놓은들 어떠하리.

출제자 톡! 화자를 이해하라!

1 **화자는 누구이고, 화자가 처한 상황은?**
돌아가신 부모님을 생각하고 있는 사람(제1수~제3수)

2 **화자의 정서 및 태도는?**
- 부모님을 그리워하고, 효도하고자 하는 마음
- 훌륭한 벗들과 교류하는 자긍심이 나타남.

Link

출제자 톡! 표현상의 특징을 파악하라!

❶ 고사를 인용하여 주제를 강조함.
❷ 불가능한 상황을 설정하여 화자의 의지를 강조함.
❸ 전체적인 주제와 상관없는 연이 삽입되어 있음.

최우선 출제 포인트!

1 고사(故事)의 인용 (제1수)

초장	중장	종장
소반 위의 홍시를 보고 돌아가신 부모님을 생각함.	'육적 회귤'의 고사를 떠올림(부모님께 홍시를 드리고 싶음).	부모님께서 이미 돌아가셔서 홍시를 가지고 가도 드릴 수 없음을 한탄함(풍수지탄).

주제: 효심(孝心)

이 작품은 모두 4수로 이루어져 있으나, 〈제1수〉가 가장 유명하다. 작가는 한음 이덕형으로부터 홍시를 대접받은 적이 있는데 이 홍시를 보며 '육적 회귤(陸績懷橘)' 고사를 떠올린다. 육적이 품어 갔다는 귤(유자)은 아니지만 홍시를 부모님께 드리고 싶었던 것이다. 하지만 홍시를 가져가도 반길 부모님이 없다는 사실을 새삼 느끼며 돌아가신 부모님에 대한 그리움을 토로하고 있다.

2 비유법의 사용 (제4수)

이 작품의 〈제4수〉는 전체적인 주제와 상관없는 수로, 비유적 표현을 통해 훌륭한 벗과 교류하는 자긍심을 표현하고 있다.

현인군자	화자 자신
군황(群凰)	외가마기
백옥	돌

최우선 핵심 Check!

1 〈제1수〉~〈제4수〉는 모두 같은 주제를 담고 있다. (O / ×)

2 〈제1수〉에는 '감'에 의한 붉은 색의 이미지, 〈제2수〉와 〈제3수〉에는 '백발'에 의한 흰색의 이미지가 나타난다. (O / ×)

3 〈제1수〉에서 화자는 사물을 보며 그리운 대상을 떠올리고 있다. (O / ×)

4 〈제1수〉에는 'ㅍㅅㅈㅌ(風樹之嘆)'의 정서가 나타나고 있다.

5 〈제2수〉에서 '왕상, 맹종, 증자'는 이름난 효자들로, 화자는 그 마음을 본받고자 한다. (O / ×)

6 〈제3수〉에서 '가는 히를 자바 믹야'는 ㅂㄱㄴ한 상황을 가정하여 부모님이 더디 늙으시길 바라는 마음을 표현하고 있다.

7 〈제4수〉에서 '외가마기, 돌'은 화자 자신을 의미한다. (O / ×)

정답 1. × 2. ○ 3. ○ 4. 풍수지탄 5. ○ 6. 불가능 7. ○

1등급! 〈보기〉!

'육적 회귤(陸績懷橘)'의 고사

중국 삼국 시대 오(吳)나라에 육적(陸績)이라는 사람이 여섯 살 때, 원술(袁術)에게 귤(유자)을 얻어먹은 적이 있었다. 육적은 이 중 세 개를 몰래 품속에 넣었는데, 하직할 때 그 귤이 굴러떨어져 발각되었다. 원술이 귤을 숨긴 까닭을 물으니, 육적은 집에 계신 어머니께 드리려 하였다고 대답했다. 그래서 원술과 주변 사람들이 육적의 효심에 감탄하였다고 전한다. 이 일을 '회귤 고사(懷橘故事)' 또는 '육적 회귤(陸績懷橘)'이라고 하는데, 부모에 대한 지극한 효성을 말할 때 흔히 인용되곤 한다.

170위

매화를 노래함

매화사(梅花詞) | 안민영

갈래 연시조(전 8수) **성격** 예찬적
주제 매화에 대한 예찬 **시대** 조선 후기

추운 겨울 눈 속에서도 꽃을 피우는 매화를 통해 지조 높은 선비의 모습을 상징적으로 표현하고 있다.

〈제1수〉

매영(梅影)이 부드친 창(窓)에 옥인금차(玉人金釵) 비겨신져
(매화 그림자 / 미인의 금비녀)
이삼(二三) 백두옹(白頭翁)은 거문고와 노릭로다
(흰머리의 노인)
이윽고 잔(盞) 드러 권(勸)하랼제 달이 쏘한 오르더라

> 매화와 함께하는 풍류

〈제2수〉

(음영: 매화(의인법) Link 표현상 특징 ❶, ❷)

어리고 성긘 매화(梅花) 너를 밋지 아녓더니
(영탄법 Link 표현상 특징 ❸)
눈 기약(期約) 능(能)히 직혀 두세 송이 퓌엿고나
(눈이 오면 꽃을 피우겠다는 약속 / 음영: 매화의 속성)
촉(燭) 줍고 갓가이 스랑헐 졔 암향(暗香) 좃추 부동(浮動)터라
(공감각적 이미지 - 후각의 시각화)

> 매화의 강인한 의지와 그윽한 향기

〈제3수〉

(매화를 더욱 돋보이게 하는 존재)
빙자옥질(氷姿玉質)이여 눈 속에 네로구나
(얼음같이 맑고 깨끗한 살결과 옥같이 아름다운 성질)
가만이 향기(香氣) 노아 황혼월(黃昏月)을 기약(期約)ᄒᆞ니
(황혼에 뜨는 달)
아마도 아치고절(雅致高節)은 너쁜인가 ᄒᆞ노라
(우아한 풍치와 높은 절개 - 매화의 지조)

> 매화의 아름다움과 지조

〈제4수〉

『눈으로 기약(期約)터니 네 과연(果然) 퓌엿고나』
(『 』: 제2수의 내용 반복 / 매화의 신의(信義)를 알 수 있음)
황혼(黃昏)에 달이 오니 그림자도 셩긔거다
(매화를 즐기는 데 흥취를 더해 주는 소재)
청향(淸香)이 잔(盞)에 뗘스니 취(醉)코 놀녀 허노라
(화자의 풍류 의식)

> 매화와 더불어 즐기는 풍류

〈제5수〉

황혼(黃昏)의 돋는 달이 너와 긔약 두엇더냐
(약속)
합리(閤裡)의 즈든 쏫치 향긔 노아 맛는고야
(집안 / 잠든)
닉 엇지 매월(梅月)이 벗 되는 줄 몰낫던고 ᄒᆞ더라
(매화가 달에 비치면 더욱 아름다워지는 것을 몰랐던 것에 대한 안타까움)

> 달과 조응하는 매화의 아름다움

〈제6수〉

(△: 매화를 지게 하는 시련)

ᄇᆞ람이 눈을 모라 산창(山窓)에 부딋치니
(산장의 창문)
찬 기운 식여 드러 즈는 매화(梅花)를 침노(侵擄)허니
(설의적 표현)
『아무리 얼우려 허인들 봄뜻이야 아슬소냐』
(『 』: 매화의 강인함 예찬 Link 표현상 특징 ❸ / 얼게 하려 / 봄을 알리려는 의지(지조와 절개))

> 매화의 강인한 의지 ①

〈제1수〉

매화 그림자가 부딪친 창에 미인의 금비녀가 비꼈구나.
두세 명의 노인은 거문고를 타며 노래를 하고 있구나.
이윽고 술잔을 들어 권하려 할 때 달이 또한 떠오르더라.

〈제2수〉

연약하고 엉성한 매화이기에 어찌 꽃을 피울까 하고 믿지 않았더니
눈 올 때 피우겠다는 약속을 능히 지켜서 두세 송이 꽃을 피웠구나.
촛불을 켜 들고 가까이 완상(玩賞)할 때 그윽한 향기조차 떠도는구나.

〈제3수〉

얼음같이 깨끗한 살결과 옥같이 아름다운 자질이여, 눈 속에 핀 매화 너로구나.
가만히 향기를 풍기어 달이 떠오르는 저녁을 기약하니
아마도 우아한 풍치와 높은 절개를 지닌 것은 너뿐인가 하노라.

〈제4수〉

눈 올 때쯤 피겠다고 약속하더니 네가 과연 피었구나.
황혼에 달이 뜨니 그림자도 성기구나.

(매화의) 맑은 향기가 술잔에 떴으니 취하면서 놀려 하노라.

〈제5수〉

황혼에 뜨는 달이 너와 (만날) 약속을 미리 해 두었더냐?
집안에서 잠든 꽃이 향기를 풍기며 맞이하는구나.
내가 어찌 매화와 달이 벗이 되는 줄을 몰랐던가 하노라.

〈제6수〉

바람이 눈을 몰아 산장의 창문에 부딪치니

찬 기운이 새어 들어와 잠자는 매화를 괴롭히는구나.
아무리 얼리려고 한들 봄뜻이야 빼앗을쏘냐?

〈제7수〉

져 건너 나부산(羅浮山) 눈 속에 검어 웃뚝 울통불통 광ᄃᆡ 등걸아
중국 광둥성에 있는 명산. 여기서는 매화나무 고목이 서 있는 건너편 산으로 풀이됨 / 고목의 등걸

네 무숨 힘으로 가지(柯枝) 돗쳐 곳조ᄎᆞ 져리 피엿ᄂᆞᆫ다
설의적 표현

아모리 석은 ᄇᆡ 반(半)만 남아슬망정 봄뜻슬 어이ᄒᆞ리오
썩은 나무줄기가 반밖에 남아 있지 않음(육체적으로 노쇠한 모습) / 봄을 알리려는 의지(= 매화)

> 매화의 강인한 의지 ②

〈제7수〉

저 건너 나부산 눈 속에 검고 울퉁불퉁한 광대 등걸아,
너는 무슨 힘으로 가지가 돋쳐서 꽃조차 저렇게 피었느냐?
아무리 썩은 배(나무줄기)가 반만 남았을망정 봄기운을 어찌하겠느냐?

〈제8수〉

동각(東閣)에 숨은 곳치 척촉(躑躅)인가 두견화인가
동쪽에 있는 다락(따뜻하고 안전한 곳) / 척촉꽃 / 진달래꽃 / 매화와 대조됨 / 척촉, 두견화 ↔ 매화

건곤(乾坤)이 눈이여늘 졔 엇지 감히 퓌리
온세상 / 철쭉꽃과 진달래꽃 / 설의적 표현 Link 표현상 특징 ❸

알괘라 백설양춘(白雪陽春)은 매화밧게 뉘 이시리
영탄적 표현 / 흰눈이 날리는 이른 봄

> 매화의 높은 절개

〈제8수〉

동쪽 다락에 숨어 있는 꽃이 철쭉인가 진달래인가?
온 세상이 눈이거늘 제가 어찌 감히 필 것인가?

알겠구나, 눈 속에서도 봄인 양 하는 것은 매화밖에 누가 있겠느냐?

출제자 톡! 화자를 이해하라!

1 화자는 누구이고, 화자가 처한 상황은?
청밖에 피어 있는 매화를 보고 있는 사람

2 화자의 정서 및 태도는?
겨울 추위에 굴하지 않고 어김없이 피는 매화의 지조 있는 모습을 예찬함

Link

출제자 톡! 표현상의 특징을 파악하라!

❶ 매화를 의인화하여 지조 높은 선비의 모습을 상징적으로 드러냄.

❷ 매화에게 말을 건네는 방식으로 대상의 가치를 드러냄.

❸ 영탄적 표현과 설의적 표현을 통해 주제를 강조함.

최우선 출제 포인트!

1 화자가 예찬하는 매화의 속성

2수	암향(暗香)	고결함, 그윽함.
3수	빙자옥질(氷姿玉質)	맑고 깨끗한 자태
	아치고절(雅致高節)	우아한 풍치와 높은 절개
5수	매월(梅月)	조화로운 아름다움
6수	봄뜻	봄을 알리려는 의지
7수		
8수	백설양춘(白雪陽春)	지조와 절개

2 '매화'와 '선비'의 연관성

• 고결함
• 지조와 절개
• 선구자 정신
--- 의인화 --- 매화 → • 선비 정신 • 화자와의 대등한 인격체

함께 볼 작품 매화를 절개와 충성을 다짐하는 소재로 노래한 작품: 정철, 「사미인곡」

최우선 핵심 Check!

1 화자는 추운 겨울에 꽃을 피우는 '매화'를 예찬하고 있다. (O / ×)

2 화자는 '매화'를 ㅇㅇㅎ하여 지조 높은 선비의 모습을 투영시키고 있다.

3 다른 꽃들보다 일찍 피는 매화의 속성을 이 작품에서는 봄이 올 것을 미리 알리는 '봄뜻'으로 표현하고 있다. (O / ×)

4 〈제3수〉에서 매화를 표현하는 말은 'ㅂㅈㅇㅈ'과 '아치고절'이다.

5 〈제6수〉에서 'ᄇᆞ룸'과 '찬 기운'은 매화를 지게 하는 시련을 의미한다. (O / ×)

6 〈제6수〉에서는 ㅅㅇ적 표현을 써서, 시련에도 꺾이지 않는 매화의 강인한 의지를 강조하고 있다.

정답 1. ○ 2. 의인화 3. ○ 4. 빙자옥질 5. ○ 6. 설의

171위

사람의 다섯 가지 도리(오륜)에 대한 노래

오륜가(五倫歌) | 박인로

갈래 연시조(전 25수) **성격** 교훈적, 계몽적, 유교적
주제 오륜에 대한 가르침 **시대** 조선 중기

오륜에 관한 연시조로, 계몽조로 내용을 직접적으로 전달하여 서정성보다 교훈성이 강하게 드러나고 있다.

〈부자유친(父子有親) 4수〉

세상(世上) 사룸들아 부모(父母) 은덕(恩德) 아ᄂᆞ산다
부모(父母)곳 아니면 이 몸이 있을쏘냐
생사장제(生死葬祭)에 예(禮)로써 종시(終始)갓게 섬겨서라

(세상 사룸들아: 시적 청자 / 부모 은덕: 부모가 자식에게 베푸는 은혜와 보살핌 / 아ᄂᆞ산다: 아느냐 / 있을쏘냐: 설의적 표현 — Link 표현상 특징 ❶ / 생사장제: 살아 계시나 돌아가시나 장례나 제사 때 / 종시갓게: 한결같이 / 섬겨서라: 명령형 어미 → 직설적 전달 Link 표현상 특징 ❷)

> 효도를 권장함

〈형우제공(兄友弟恭) 4수〉

동기로 세 몸 되어 한 몸갈이 지내다가
두 아운 어디 가서 돌아올 줄 모르는고
『날마다 석양 문외에 한숨겨워 하노라』

(동기로 세 몸 되어: 한 부모에게서 세 형제로 태어나(직유) / 모르는고: 설의적 표현 / 어디 가서: 전쟁을 겪으면서 헤어짐 / 『 』: 장면 제시를 통해 서정적 분위기를 조성함 Link 표현상 특징 ❸)

> 헤어진 아우들에 대한 그리움

〈부자유친(父子有親) 4수〉

세상 사람들아 부모의 은혜와 덕을 아느냐?

부모가 아니면 이 몸이 있겠느냐?

살아 계실 때나 돌아가실 때나 장례나 제사를 지낼 때에 예로써 한결같이 섬겨라.

〈형우제공(兄友弟恭) 4수〉

동기로 태어난 세 형제가 한 몸같이 지내다가,

두 아우는 어디 가서 돌아올 줄 모르는가?

날마다 석양 문밖에서 한숨겨워 하노라.

출제자 톡! 화자와 창작 의도를 이해하라!

1 **화자는 누구이고, 작품의 창작 의도는?**
임진왜란 이후 유교적 윤리가 쇠락하자 이를 염려하는 사람으로, 삼강오륜의 교훈을 강조하고자 창작함.

Link

출제자 톡! 표현상의 특징을 파악하라!

❶ 설의적 표현으로 주제를 강조함.
❷ 명령형 어미를 사용하여 직설적으로 교훈을 전달함.
❸ 장면을 제시하여 서정적인 분위기를 조성함.

최우선 출제 포인트!

1 부자유친 4수 – 훈계조의 어조 및 직설적 강조

초장	아ᄂᆞ산다	설의적 표현	효도
중장	있을쏘냐	설의적 표현	
종장	섬겨서라	명령형 어미	

2 형우제공 4수 – 서정성, 애상감의 강조

중장	모르는고	설의적 표현	우애
종장	석양 문외에 한숨겨워	장면의 제시	

함께 볼 작품 사람이 지켜야 할 다섯 가지의 도리, 즉 '오륜(五倫)'에 대해 노래한 작품: 주세붕, 「오륜가」, 김상용, 「오륜가」

최우선 핵심 Check!

1 〈부자유친 4수〉에서는 ㅅㅅ ㅅㄹㄷ을 시적 청자로 설정하여 효도를 실행해야 하는 것을 직설적으로 이야기하고 있다.

2 〈부자유친 4수〉에서는 훈계조의 어조로 교훈을 전달하고 있다. (O, ×)

3 〈형우제공 4수〉에서는 비유법을 사용하여 헤어진 형제에 대한 애절한 그리움을 드러내고 있다. (O, ×)

4 〈형우제공 4수〉에서는 공간의 이동에 따라 시상이 전개되고 있다. (O, ×)

정답 1. 세상 사람들 2. ○ 3. ○ 4. ×

늙음을 한탄하는 노래

탄로가(嘆老歌) | 신계영

갈래 연시조(전 3수) **성격** 한탄적, 애상적, 체념적
주제 늙음에 대한 탄식 **시대** 조선 후기

세월의 흐름 속에 늙고 병든 자신의 모습을 보며 어린 시절 늙은이를 비웃던 자신이 이제 아이들의 비웃음을 받아야 할 처지가 되었음을 한탄하고 있다.

〈제1수〉

□: 과거의 화자 △: 현재의 화자 ○: 현재의 아이들(타자)

아이 적 늙은이 보고 백발을 비웃더니 → 과거의 경험
그동안에 아이들이 나 웃을 줄 어이 알리 → 현재의 처지
아이야 웃지 마라 나도 웃던 아이로다 → 무상감

(주변의 늙은이 - 과거의 타자 / 아이 적: 화자의 어린 시절 / Link 표현상 특징 ❸ 설의적 표현 / ↕ 대비 Link 표현상 특징 ❶ / 그동안에: 시간의 흐름(경과) / 나: 늙어 버린 현재의 화자 - 비웃음의 대상이 됨)

› 늙음에 대한 성찰과 늙음을 비웃는 세태에 대한 충고

〈제1수〉

(내가) 아이였을 때 늙은이를 보고 백발이 난 것을 비웃었는데
그 사이에 (시간이 흘러) 아이들이 나를 보고 비웃을 줄 어찌 알았겠는가?
아이야, 비웃지 마라. 나도 (예전에는) 늙은이를 비웃던 아이였느니라.

〈제2수〉

사람이 늙은 후에 거울이 원수로다 → 화풀이
마음이 젊었더니 옛 얼굴만 여겼더니 → 화자의 바람, 기대
센 머리 씽건 양자 보니 다 죽어야 하이야 → 현재의 처지

(거울: 늙은 자신의 모습을 숨김없이 비춰 주는 소재, 현재의 처지를 인식하게 하는 매개체 Link 표현상 특징 ❷ / 옛 얼굴: 젊은 시절 화자의 얼굴 / ↕ 괴리 / 센 머리: 흰머리(백발) / 씽건 양자: 찡그린 얼굴, 늙고 추한 모습)

› 외양의 늙음에 대한 인식과 탄식

〈제2수〉

사람이 늙은 후에는 거울이 원수로구나.
마음이 젊어서 얼굴도 예전 그대로일 것이라 여겼는데
하얗게 센 머리에 늙고 추한 모습을 보니 죽을 날이 멀지 않았구나.

〈제3수〉

늙고 병이 드니 백발을 어이하리
소년행락이 어제론 듯하다마는
어디가 이 얼굴 가지고 옛 내로다 하리오 → 젊음의 상실, 무상감

(늙고 병이 드니 백발을: 화자의 현재 처지 / 어이하리: 체념적 한탄 / 설의적 표현 Link 표현상 특징 ❸ / 소년행락: 어린 시절 즐겁게 지내던 일 / 옛 내: 과거 젊은 시절 화자 / 이 얼굴: 현재의 화자의 모습, 늙고 병든 백발의 모습)

› 지나간 젊음에 대한 아쉬움과 늙음에 대한 탄식

〈제3수〉

늙고 병이 드니 백발을 어찌하겠는가?
젊은 시절 즐겁게 지내던 일이 어제인 듯하다마는
어디 가서 이 얼굴을 가지고 예전의 나라고 하겠는가?

출제자 톡! 화자를 이해하라!

1 **화자는 누구이고, 화자가 처한 상황은?**
마음과는 다르게 늙고 병들어 있는 사람

2 **화자의 정서 및 태도는?**
늙어 버린 자신의 처지에 대한 서글픔과 한탄을 드러냄.

Link

출제자 톡! 표현상의 특징을 파악하라!

❶ 과거의 경험과 현재의 처지(상황)를 대비하여 세월의 무상함을 표현함.
❷ 상징적 소재의 의미를 바탕으로 화자의 상황과 소망 간의 괴리를 드러냄.
❸ 설의적 표현을 통해 화자의 정서를 부각함.

최우선 출제 포인트!

1 시상의 전개

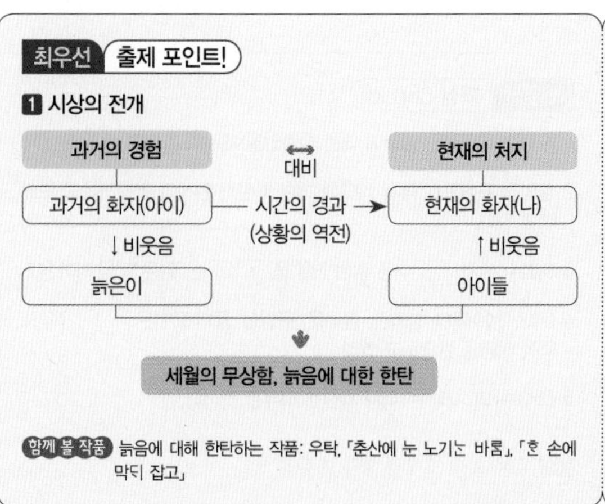

함께 볼 작품 늙음에 대해 한탄하는 작품: 우탁, 「춘산에 눈 노기는 바름」, 「훈 손에 막뒤 잡고」

최우선 핵심 Check!

1 이 작품에 나타난 화자의 정서와 거리가 먼 것은?
① 늙음에 대한 한탄
② 세월의 흐름에 대한 무상감
③ 지나간 젊음에 대한 아쉬움
④ 자신을 놀리는 아이들에 대한 원망

2 화자는 늙은이를 비웃던 어린 시절의 자신에게 말을 건네고 있다. (O / ×)

3 ㄱ ㅇ은 화자의 화풀이 대상으로, 자신의 현재 처지를 인식하게 하는 매개체 역할을 한다.

정답 1. ④ 2. × 3. 거울

173위

스스로를 경계해야 함을 노래

자경가(自警歌) | 박인로

갈래 연시조(전 3수) **성격** 경세적, 교훈적
주제 덕을 쌓지 않고 정도를 걷지 않는 세태와 스스로에 대한 경계 **시대** 조선 중기

덕을 닦을 줄 모르고 정도를 가지 않는 세태를 비판하며, 세상 사람들에게 유교적 수양을 권하고 있다.

〈제1수〉

명경(明鏡)에 틔 씨거든 갑 주고 닷글 줄
아희 어룬 업시 다 밋쳐 알건마는
갑업시 닷글 명덕(明德)을 닷글 줄을 모르ᄂᆞ다

(명경: 맑은 거울 / 틔: 먼지 / 갑: 값(돈) / 명덕: 맑은 덕(마음의 거울))

값을 치르고 명경을 닦는 상황과 값없이 닦을 수 있음에도 명덕을 닦지 않는 상황을 대비함 Link 표현상 특징 ❶

▶ 명덕을 닦을 줄 모르는 세태 비판

〈제2수〉

성의관(誠意關) 도라드러 팔덕문(八德門) ᄇᆞ라보니
크나큰 ᄒᆞᆫ길이 넙고도 곳다마
『엇지타 진일(盡日) 행인(行人)이 오도가도 아닌 게오』

(성의관: 뜻을 정성스럽게 하는 관문 / 팔덕문: 인(仁), 의(義), 예(禮), 지(智), 효(孝), 제(悌), 충(忠), 신(信)의 8가지 덕을 갖춘 문, 화자가 지향하는 유교적, 도덕적 이상향 / ᄒᆞᆫ길: 넓은 길(자기 수양을 위해 걸어가야 할 올바른 길) - 정도(正道) / 엇지타: 어찌하여 / 진일: 온종일 / 게오: 설의적 표현)

『 』: 설의적 표현을 통해 부정적 세태를 드러냄 Link 표현상 특징 ❷

▶ 바른 길을 가지 않는 세태 비판

〈제3수〉

구인산(九仞山) 긴 솔 베혀 제세주(濟世舟)를 무어 내야
길 닐근 행인을 다 건내려 ᄒᆞ엿더니
사공도 무상(無狀)ᄒᆞ야 모강두(暮江頭)에 ᄇᆞ렷ᄂᆞ다

(구인산: 대덕(大德)으로 비유되는 아홉 길의 높은 산 / 제세주: 세상을 구제하는 배 / 길 닐근 행인: 덕을 실천하지 못하는 사람 / 사공: 화자 자신 / 무상ᄒᆞ야: 변변치 못하여 / 모강두: 저무는 강가)

Link 표현상 특징 ❸

▶ 세상을 구하지 못하는 자신에 대한 탄식

〈제1수〉

맑은 거울에 먼지가 끼거든 값을 주고 닦을 줄을
아이 어른 없이 다 알고 있건마는
값없이 닦을 수 있는 맑은 덕을 닦을 줄을 모르도다.

〈제2수〉

성의관을 돌아들어 팔덕문을 바라보니
크나큰 한길이 넓고도 곧다마는
어찌하여 하루 종일 행인이 한 사람도 오지도 가지도 않는 것인가?

〈제3수〉

구인산에 있는 긴 소나무를 베어 세상을 구제하는 배를 만들어 내어
길 잃은 행인을 다 건네주려 하였더니
사공도 변변치 못하여 저무는 강가에 (배를) 버렸구나.

출제자 팁! 화자를 이해하라!

1 **화자는 누구이고, 화자가 처한 상황은?**
덕이 없는 혼탁한 시대를 살고 있는 사람

2 **화자의 정서 및 태도는?**
부정적 세태를 비판하고, 타인을 계도하기 위해 노력하였으나, 자신의 능력이 미치지 못함을 한탄함.

Link

출제자 팁! 표현상의 특징을 파악하라!

❶ 대비적인 상황을 제시하여 현실의 부정적인 모습을 드러냄.
❷ 설의적 표현을 통해 부정적 세태에 대한 안타까움을 드러냄.
❸ 비유적 표현으로 올바른 삶의 태도를 형상화함.

최우선 출제 포인트!

1 시어의 상징적 의미

시어	상징적 의미
명경	맑은 거울(일반적인 거울)
명덕	맑은 덕(마음의 거울)
성의관	화자가 지향하는 유교적, 도덕적 이상
팔덕문	
크나큰 ᄒᆞᆫ길	자기 수양의 올바른 길
구인산	큰 덕
제세주	자기 수양의 방법

➔ 유교적, 도덕적 이념의 반영

최우선 핵심 Check!

1 화자는 대립적인 상황에 대한 절충안을 제시하고 있다. (O / ×)
2 설의적 표현으로 당시 세태에 대한 비판적 인식과 안타까움을 드러내고 있다. (O / ×)
3 〈제1수〉에서 ㅁㄱ은 '맑은 거울'을, ㅁㄷ은 '맑은 덕'을 의미한다.
4 〈제2, 3수〉에서 '성의관, 팔덕문, 구인산' 등의 표현은 ㅇㄱ적, 도덕적 이념을 반영하고 있다.
5 〈제3수〉의 '사공'은 화자 자신을 비유한 것이다. (O / ×)

정답 1. × 2. ○ 3. 명경, 명덕 4. 유교 5. ○

경연(經筵)의 자리에서 부르는 노래

초연곡(初筵曲) | 윤선도

갈래 연시조(전 2수) **성격** 우의적, 기원적
주제 임금의 만수무강 기원, 나라를 다스리는 도리
시대 조선 중기

임금이 학문을 닦기 위하여 학식과 덕망이 높은 신하를 불러 정사 및 왕도에 관하여 강론하게 하던 경연에서 임금께 잘못을 고치도록 하기 위해 지은 작품으로, 바른 정치를 위해 지향해야 할 바를 우의적으로 노래하고 있다.

〈제1수〉 □: 나라의 정사

집은 어이하여 되엿ᄂᆞᆫ다(만들어짐) 대장(大匠)의 공이로다
나무는 어이하여 고든다(곧은가) 고조즐을(대목수. 나라를 일으킨 임금과 신하를 비유) 조찬노라
이 집의 이 뜯을 알면 만수무강(萬壽無疆)ᄒᆞ리라

(목공이나 석공이 곧게 줄을 치는 데 쓰는 줄. 성현의 가르침)
(집이 제대로 지어진 까닭. 충신의 공로와 성현의 도)

대구법, 문답법, 비유법 Link 표현상 특징 ❶, ❷
▶ 집의 뜻을 알면 만수무강할 것임

유사한 문장 구조 반복 Link 표현상 특징 ❸

〈제2수〉 ○: 임금의 정사

술은 어이하야 됴ᄒᆞ니(좋은가) 누룩(누룩 - 훌륭한 신하의 충간(忠諫) 혹은 보필) 섯글 타시러라
국은 어이하야 됴ᄒᆞ니(좋은가) 염매(鹽梅)(소금 - 훌륭한 신하의 충간(忠諫) 혹은 보필) 탈 타시러라
이 음식 이 뜯을 알면 만수무강(萬壽無疆)ᄒᆞ리라

(술과 국이 먹기 좋은 까닭. 훌륭한 신하의 보필을 잘 받아야 함)

대구법, 문답법, 비유법 Link 표현상 특징 ❶, ❷
▶ 음식의 뜻을 알면 만수무강할 것임

〈제1수〉
집은 어떻게 만들어졌는가? 대목수의 공덕이로다.
나무는 어떻게 곧게 펴졌는가? 먹줄을 따라 그리 되었노라.
이 집의 이 뜻을 알면 만수무강하오리다.

〈제2수〉
술이 어찌하여 맛이 좋은가? 누룩을 섞은 탓이로구나.
국은 어찌하여 맛이 좋은가? 소금을 탄 탓이로구나.
이 음식의 이 뜻을 알면 만수무강하오리다.

출제자 톡! 화자를 이해하라!

1 **화자는 누구이고, 화자가 처한 상황은?**
임금에게 간언을 하는 상황임.

2 **화자의 정서 및 태도는?**
임금에게 충심 어린 간언을 하면서 임금의 만수무강을 기원하고 있음.

Link
출제자 톡! 표현상의 특징을 파악하라!

❶ 비유법을 활용하여 당대의 현실 정치가 지향해야 할 바를 드러냄.
❷ 대구법과 문답법을 활용하여 주제를 효과적으로 전달함.
❸ 유사한 문장 구조를 반복하여 형식적 통일성을 유지함.

최우선 출제 포인트!

1 우의적 표현

제1수	집	나라의 바른 정치
	나무	임금의 바른 정치
	대장	훌륭한 임금과 신하
	고조즐	성현의 도
제2수	술, 국	임금의 정사
	누룩, 염매	훌륭한 신하의 충간 및 보필

↓

나라를 다스리는 바른 도리

함께 볼 작품 나라를 다스리는 도리를 신하가 노래한 작품: 이원익, 「고공답주인가」

최우선 핵심 Check!

1 유사한 문장 구조의 반복을 통해 리듬감을 형성하고 있다. (O / ×)

2 각 수의 초장과 중장의 내용이 대조를 이루며 시상이 전개되고 있다. (O / ×)

3 묻고 답하는 방식을 활용해 화자의 생각을 효과적으로 드러내고 있다. (O / ×)

4 〈제2수〉의 '누룩'과 '염매'가 공통적으로 의미하는 바는 훌륭한 ㅅㅎ의 보필이다.

5 '집, 나무, ㅅ, ㄱ'의 비유적 표현을 사용하여 주제 의식을 효과적으로 전달하고 있다.

정답 1. ○ 2. × 3. ○ 4. 신하 5. 술, 국

'혼자 스스로 놀고 오겠다'는 다짐을 담은 노래

독자왕유희유오영(獨自往遊戲有五詠) | 권섭

갈래 연시조(전 5수) **성격** 사실적, 극적, 풍류적
주제 남산 유람에 대한 대화와 혼자서라도 유람을 하겠다는 다짐 **시대** 조선 후기

작가가 벗들과 함께 남산에 놀러 가기로 하였으나 벗들이 여러 핑계를 대며 약속을 어기자 혼자라도 가겠다는 다짐을 노래하고 있다.

〈제1수〉 → 화자의 말 Link 표현상 특징 ❶

벗님네 남산에 가세 좋은 기약 잊지 마오
(대화체 / 남산에 가기로 한 약속)
『익은 술 점점 쉬고 지진 화전 상해 가네』
(날씨가 점점 더워짐 → 지금 놀러 가야 함)
『 』: 대구, 유사한 통사 구조의 반복 Link 표현상 특징 ❹
자네가 아니 간다면 내 혼자인들 어떠리
(내: 화자)
> 벗들에게 남산 유람을 권유함

〈제2수〉 → 벗의 대답

어허 이 미친 사람아 날마다 흥동(興動)일까 → 설의적 표현
(영탄적 표현 / 작가 / 흥에 겨워 다닐까)
어제 곡성 보고 또 어디를 가자는 말인고
(전라남도의 지역명 Link 표현상 특징 ❷)
우리는 중시(重試) 급제하고 좋은 일 하여 보려네
(고려·조선 시대에, 당하관 이하의 문무관에게 10년마다 한 번씩 보게 하던 과거 시험)
> 벗이 과거 공부를 핑계로 거절함

▒: 유람을 거절하는 이유

〈제3수〉 → 화자의 말

저 사람 믿을 형세 없다 우리끼리 놀아 보자
(〈제2수〉의 화자 / 미투리 / 작가 + 다른 벗 / 권유)
복건(幞巾) 망혜(芒鞋)로 실컷 다니다가
(도복(道服)에 갖추어서 머리에 쓰던 건(巾))
돌아와 승유편(勝遊篇) 지어 후세 유전(後世流轉) 하리라
(유람기)
□: 의지 표현
> 다른 벗에게 함께하기를 권유함

〈제4수〉 → 다른 벗의 대답

우리도 갈 힘 없다 숨차고 오금 아파
(무릎의 구부러지는 오목한 안쪽 부분)
창 닫고 더운 방에 마음껏 펴져 있어
(아늑한 장소)
배 위에 아기들을 치켜 올리며 사랑해 보려 하노라
(일상적 현실에 안주)
일상어를 주로 사용하여 인물의 생활상을 보여 줌 Link 표현상 특징 ❸
> 벗이 편히 쉬고 싶다며 거절함

〈제5수〉 → 화자의 말

벗이야 있고 없고 남들이 웃거나 말거나
양신 미경(良辰美景)을 남이 말한다고 해서 아니 보랴
(좋은 시절과 아름다운 풍경)
평생의 이 좋은 회포를 실컷 펼치고 오리라
(혼자서라도 남산 유람을 하겠다는 다짐(풍류적))
> 혼자라도 유람할 것을 다짐함

〈제1수〉
친구들아 남산에 가세. (남산에 가기로 한) 좋은 약속 잊지 마오.
익은 술 점점 쉬고 지진 꽃전 상해 가네.
자네가 아니 간다면 나 혼자 간들 어떠리.

〈제2수〉
어허 이 미친 사람아. 날마다 흥에 겨워 다닐까?
어제 곡성 다녀와서 또 어디를 가자는 말인가?
우리는 중시 급제하여 좋은 일 하여 보려네.

〈제3수〉
저 사람 믿을 형세 없다. 우리끼리 놀아 보자.
복건 쓰고 망혜 신고 실컷 다니다가
돌아와 유람기 지어 후세에 전하리라.

〈제4수〉
우리도 갈 힘 없다. 숨차고 오금이 아파서
창 닫고 더운 방에 마음껏 퍼져 있어
배 위에 아이들을 치켜 올리며 사랑해 보려 하노라.

〈제5수〉
벗이야 같이 가거나 말거나 남들이 웃거나 말거나
좋은 시절과 아름다운 풍경을 남이 말린다고 해서 아니 보겠느냐?
평생의 이 좋은 기분을 실컷 펼치고 오리라.

출제자 톡! 화자를 이해하라!

1 **화자는 누구이고, 화자가 처한 상황은?**
- 제1, 3, 5수: 작가 자신으로, 벗들에게 남산 유람을 권유하다 거절당하자 혼자라도 유람할 것을 다짐함.
- 제2, 4수: 작가의 벗들로, 과거 공부와 편히 쉬고 싶은 마음을 이유로 남산 유람을 거절하고 있음.

Link

출제자 톡! 표현상의 특징을 파악하라!

❶ 각 수마다 다른 화자가 등장하여 인물들의 대화 형식으로 전개됨.

❷ 실제 지명을 사용하여 화자의 경험을 구체적으로 나타냄.

❸ 일상적인 시어를 사용하여 인물의 생활상을 실감나게 표현함.

❹ 대구법과 유사한 통사 구조의 반복으로 운율을 형성함.

최우선 출제 포인트!

1 서로 다른 화자를 통한 내용 전개

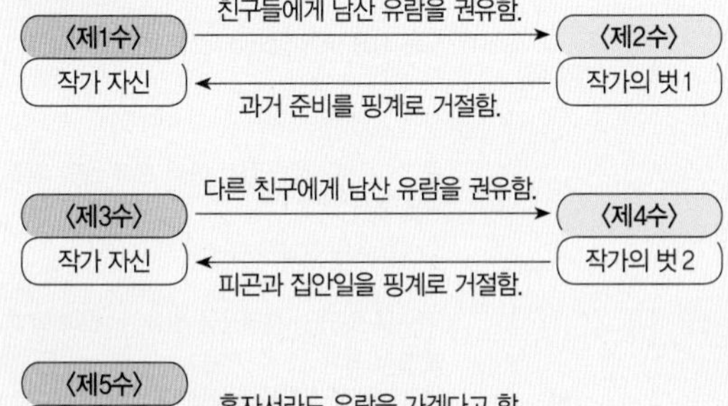

최우선 핵심 Check!

1 각 수마다 다른 화자가 등장하여 대화를 하는 구조로 시상을 전개하고 있다. (○ / ×)

2 〈제1, 3, 5수〉의 화자는 동일한 사람으로 풍류적 태도가 잘 드러난다. (○ / ×)

3 〈제2, 4수〉에는 화자의 제안에 친구들의 거절 이유가 나타나 있다. (○ / ×)

4 〈제2수〉에서는 실제 지명을 언급하며 화자의 경험을 구체적으로 나타내고 있다. (○ / ×)

5 화자는 결국 남산으로 유람 가는 것을 포기하였다. (○ / ×)

정답 1. ○ 2. ○ 3. ○ 4. ○ 5. ×

1등급! 〈보기〉!

권섭의 문학

권섭(權燮, 1671~1759)은 조선 후기의 시인으로, 유복한 명문 세도가에서 태어나 어린 시절부터 문학적 재능을 인정받았다. 그는 관직보다 문학을 택하여 일생을 탐승(探勝) 여행과 문필 활동으로 보냈는데, 전국의 명승지를 유람하며 경험한 바를 방대한 시와 산문으로 남겼다. 이러한 이유로 그의 유고 중에는 각종 '유행록(游行錄)'이 많다. 3천여 편이 넘는 한시문 외에 「영삼별곡(寧三別曲)」 등의 가사 10수를 비롯하여, 「매화(梅花)」 등 모두 75수의 시조가 전한다. 그의 시가 작품은 방대한 양과 함께 근대 여명기를 내다보는 시점에서 주제와 소재, 시어, 기법 등 여러 새로운 면을 보여 주어 국문학사적 가치가 높은 것으로 평가된다.

176위

가난을 즐기는 노래

낙빈가(樂貧歌) | 작자 미상

갈래 가사(은일 가사, 양반 가사) **성격** 예찬적, 자연 친화적, 비유적 **주제** 자연을 벗하며 자신의 처지와 분수에 만족하는 삶 **시대** 조선 전기

관직에서 물러난 작가가 자연에서 지내면서 안빈낙도의 생활 신념을 노래하고 있다.

「이 몸이 쓸데없어 성상(聖上)이 버리시니」 「」: 화자의 겸손의 표현
(이 몸이 쓸데없어: 자신을 겸손하게 표현함 / 성상: 임금)

부귀(富貴)를 하직(下直)하고 빈천(貧賤)을 낙을 삼아 (빈천: 가난)

일간모옥(一間茅屋)을 산수간(山水間)에 지어 두고 (일간모옥: 한 칸의 초가집)

삼순구식(三旬九食)을 먹으나 못 먹으나 (삼순구식: 삼십 일 동안 아홉 끼니만 먹음)

십년일관(十年一冠)을 쓰거나 못 쓰거나 (십년일관: 십 년 동안 한 갓만 씀)

□: 지독히 가난함 / 매우 가난함(반복)

분별(分別)이 없으니 시름인들 있을 쏘냐 (분별: 세상 물정에 대한 생각이나 판단 / 있을 쏘냐: 설의적 표현)

만사(萬事)를 잊었으니 일신(一身)이 한가하다 (만사: 속세의 모든 일)

> 서사: 자연에 은거하게 된 계기와 소감

장송 정하(長松亭下)에 혼자 앉아 파람하니 (장송 정하: 큰 소나무가 있는 정자 아래 / 파람: '휘파람'의 옛말)

호리건곤(壺裏乾坤)에 석양(夕陽)이 거의로다 (호리건곤: 호리병 속의 세상 – 늘 술에 취해 있음)

일흥(逸興)을 못 이기어 달빛을 높이 걸고 (일흥: 속세에서 벗어난 흥취)

원근 산천(遠近山川)을 일망(一望)에 다 드리니 (원근 산천: 멀고 가까운 산과 시내 / 일망: 한눈에 바라봄)

「지세(地勢)도 좋거니와 풍경(風景)이 그지없다

하목(霞鶩)은 제비(齊飛)하고 수천(水天)이 일색(一色)인 제 (하목: 노을 속을 나는 새들 / 제비: 나란히 날아감)

남북촌(南北村) 두세 집이 모연(暮煙)에 잠겼어라 (모연: 저녁 무렵의 연기)

삼산(三山)이 어드메요 무릉(武陵)이 여기로다 (삼산: 삼신산. 신선이 산다는 세 개의 전설적인 산)

무심(無心)한 구름은 취수(翠岫)에 걸려 있고 (무심한: 욕심 없는 / 취수: 숲이 우거져 푸른 빛이 도는 산봉우리)

유의(有意)한 갈매기는 백사(白沙)에 버려 있다」 「」: 정자에서 바라본 풍경 – 자연의 감각적 묘사 **Link** 표현상 특징 ❺

아침에 캐온 취를 점심에 다 먹으니

일없이 노닐면서 석조(夕釣)를 말녀하야 (석조: 저녁 낚시)

갈건(葛巾)을 기우려 쓰고 마의(麻衣)를 님의차고 (갈건: 칡으로 짠 베로 만든 두건 / 마의: 베옷 / 님의차고: 여며 입고)

낙대를 둘러매고 조대(釣臺)로 내려가니 (조대: 낚시터)

흐르는 것이 물결이요 뛰노는 것이 고기로다

은린옥척(銀鱗玉尺)을 버들 움에 꿰어 들고 (은린옥척: 비늘이 은빛인 크고 좋은 물고기)

낙조강호(落照江湖)로 적막히 돌아오며 (낙조강호: 해가 아름답게 지는 강과 호수)

산가촌적(山家村笛)을 어부사(漁父詞)로 화답하니 (산가촌적: 산속 집의 호젓한 피리 소리 / 어부사: 노래 이름)

서호매학(西湖梅鶴)은 겨루지 못하여도 (서호매학: 송나라 임포(林逋)는 벼슬하지 않고 서호에서 매화를 아내 삼고, 학을 자식 삼아 삶.)

● 속세를 떠나 자연을 벗 삼으며 유유자적하게 사는 것을 비유한 말

증점영귀(曾點詠歸)야 이에서 더할 쏘냐 → 설의적 표현
(증점영귀: 공자의 제자인 증점을 일컫는 말로, 자연 속에서 즐겁게 사는 삶을 의미함) **Link** 표현상 특징 ❶

> 본사 1: 정자에서 바라본 풍경과 낚시하는 즐거움

이 몸이 쓸데없어 임금께서 버리시니
부귀를 버리고 가난함을 즐거움으로 삼아
한 칸의 초가집을 자연 속에 지어 두고
삼십 일 동안 아홉 끼니를 먹으나 못 먹으나
십 년 동안에 하나의 갓만으로 쓰거나 못 쓰거나
세상 물정에 대한 생각이 없으니 걱정인들 있겠느냐?
모든 일을 다 잊었으니 내 한 몸이 한가하다.

큰 소나무가 있는 정자 아래 혼자 앉아 휘파람을 부니
호리병 속의 세상에 석양이 거의 진다.
(세속을 벗어난) 흥겨움을 참을 수 없어 달빛을 높이 걸고
멀고 가까운 산천을 한눈에 다 바라보니
땅의 지세도 좋거니와 풍경이 이루 다 말할 수 없다.
노을 속 새들은 나란히 날아가고 물과 하늘빛이 같은 색인 때에
남북촌 두세 집이 저녁 연기에 잠겼구나.
신선이 산다는 삼신산이 어디인가, 무릉도원이 여기로구나.
욕심 없는 구름은 푸른 산봉우리에 걸려 있고
뜻있는 갈매기는 흰 모래사장에 벌여 있다.
아침에 캐 온 취나물을 점심에 다 먹으니
한가하게 노닐면서 저녁 낚시를 하려
갈포로 만든 두건을 비스듬히 쓰고 베옷을 여며 입고
낚싯대를 둘러매고 낚시터로 내려가니
흐르는 것이 물결이요 뛰노는 것이 고기로다.
은빛 비늘의 크고 좋은 물고기를 버들가지 움에 꿰어 들고
해가 지는 자연으로 적막히 돌아오며
산속 집에서 들리는 호젓한 피리 소리에 「어부사」로 화답하니
서호에서 (매화를 아내 삼아, 학을 자식 삼아 살았다는) 임포와 비교하지는 못하여도
자연 속에서 즐겁게 사는 삶이야 이(화자의 삶)에서 더하겠느냐?

기산영천(箕山潁川)에 소허(巢許)의 몸이 되어
중국 하남성에 있는 산 이름과 물 이름 / 요임금 시절 부귀공명을 멀리 하며 살았던 인물들
천사(千駟)를 냉소(冷笑)하니 만종(萬鍾)이 초개(草芥)로다
천 개의 수레 - 호화롭고 부유한 생활을 비유한 말 / 많은 녹봉 / 지푸라기 - 하찮은 사물
내 살림살이 담박(淡泊)하니 어느 벗이 찾아오리
욕심 없고 깨끗함 / 설의적 표현
와준(瓦樽)에 익은 탁주(濁酒)를 가득 부어
진흙으로 빚어 만든 술동이
청풍(淸風)에 반취(半醉)하고 북창하(北窓下)에 누워 있으니
무회씨(無懷氏)적 백성(百姓)인가 갈천씨(葛天氏)적 사람인가
중국 전설상의 왕으로 무위자연을 이념으로 삼았다 함
인간(人間) 풍우 중(風雨中)에 어지러운 기별을 아는 듯 모르는 듯
속세의 힘겨운 상황을 가리킴
누우면 잠이요 깬 후엔 일어나 앉아
한나라 때 상산에 은거하던 네 노인이 난리를 피하여 은거하며 지은 노래
황정경(黃庭經)을 손에 쥐고 자지곡(紫芝曲) 노래하니
도가의 경서. 신선이 이 경서의 한 글자만 잘못 읽어도 죄를 받아 세상에 내쳐진다는 말이 있음
사호(四皓)가 다섯이오 삼은(三隱)이 넷이로다 ◯: 자기 자신을 넣어서 말함
한나라 초기의 네 은사(隱士)들 / 우리나라의 세 은사들 - 길재, 정몽주, 이색(고려 때 절개를 지킨 세 선비)
「도도(滔滔)한 흥미(興味)를 다툴 이 누가 있으랴
자연을 즐기는 이는 화자 자신뿐이라는 의미임
낙락운종(落落雲鍾)을 좇을 이 누가 있으랴」 「 」: 혼자서 자연을 즐김
흩어지는 구름 사이로 울려 퍼지는 종소리(아름다운 자연)
「역대(歷代)를 살펴 옛사람을 헤아려 보니
황하로 흐르는 강 이름
주시여상(周時呂尙)은 위수(渭水)에 고기 낚고 「 」: 화자가 여상과 제갈공명처럼 욕심없이 살고 있음
주나라 때 여상. 우리나라에서는 강태공으로 알려짐
한대제갈(漢代諸葛)은 남양(南陽)에 밭을 가니
한나라 때 제갈량. 남양에서 밭을 갈다가 유비의 삼고초려로 출사하여 공을 세움
이 아니 그 땅이며 내 아니 그렇던가
설의적 표현으로 자신의 삶에 대한 자부심을 드러냄 **Link 표현상 특징 ❸**
사람이 고금(古今)인들 뜻이야 다를 손가」 **> 본사 2: 자연 속에서 욕심 없이 사는 삶**
옛날과 지금 / 자연에서 은거하는 마음

중국의 고사와 인물을 활용하여 자연 속에 사는 자신의 삶을 드러냄 **Link 표현상 특징 ❷**

부귀(富貴)를 다 잊었으니 영욕(榮辱)을 모를로다
명예와 치욕
호초(狐貂)를 못 입거니 폐포(敝布)를 부끄러워하랴
여우 가죽 옷 - 호화로운 옷 / 다 떨어진 갈포옷(가난한 삶)
황비(皇扉)의 벗님네야 이 내 시비(柴扉) 비웃지 마라
고귀한 사람이 사는 집의 문 / 초가의 사립문(가난한 삶)
청운(靑雲)은 저들이 즐겨도 백운(白雲)은 내 좋애라
푸른 구름 - 높은 지위와 벼슬살이를 의미 / 흰 구름 - 자연에서의 욕심 없는 삶을 의미
죽장망혜(竹杖芒鞋)를 본 대로 짚고 신고
대나무 지팡이와 짚신(소박한 행장)
천산만수간(千山萬水間)에 실컷 오며 가며
수많은 산과 물(자연) 사이
있으면 죽이요 없으면 굶을망정
값없는 강산풍월(江山風月)과 함께 늙자 하노라
자연(대유법)
> 결사: 자연을 즐기며 살고자 하는 의지

▢: 속세적 가치 ↕ 대조 ▢: 자연적 가치 **Link 표현상 특징 ❹**

속세를 떠나 (내가) 기산 영천에서 살았던 소부와 허유의 몸이 되어
부귀공명을 비웃으니 높은 지위가 쓸모없네.

내 살림살이가 욕심 없고 깨끗하니 어느 벗이 찾아오겠는가?
진흙으로 빚은 술동이에 익은 막걸리를 가득 부어
맑은 바람에 반쯤 취하고 북쪽 창 아래 누워 있으니
(내가) 무회씨 때 백성인가, 갈천씨 때 사람인가? (삶이 평화롭구나)
속세의 힘겨운 상황 중에 어지러운 소식을 아는 듯 모르는 듯
누우면 잠이요, 잠에서 깬 후에 일어나 앉아

「황정경」을 손에 쥐고 「자지곡」을 노래하니

사호가 다섯이오(중국 상산에서 은거했다던 네 노인과 내가 같고), 삼은이 넷이로구나.
걷잡을 수 없이 일어나는 흥을 다툴 사람이 누가 있으랴?
아름다운 자연을 좇을 이 누가 있으랴?(자연을 즐길 사람은 나밖에 없다.)
역사상 여러 시대를 살펴 옛사람들을 생각해 보니
강태공(주나라 여상)은 위수에서 고기를 낚았고

제갈량은 남양에서 밭을 갈았으니

(내가 있는) 이곳이 아니 그 땅(위수와 남양)이며, 내 아니 그렇던가?
사람이 옛날과 지금인들 뜻(자연에서 은거하는 마음)이야 다르겠는가?

부귀를 다 잊었으니 명예와 치욕을 모르도다.

호화로운 옷을 못 입으니 남루한 옷(가난한 삶)을 부끄러워하랴?
부유하게 사는 벗님들아, 이 내 가난한 삶을 비웃지 마라.
높은 지위와 벼슬은 저들(황비에 사는 사람들)이 즐겨도 자연 속에서의 욕심 없는 삶은 내가 좋아한다. / 대나무 지팡이와 짚신을 분수대로 짚고 신고
수많은 산과 물 사이에 실컷 오며 가며

있으면 죽이요, 없으면 굶을지언정

값을 매길 수 없을 정도로 가치가 높은 자연 속에서 함께 늙고자 하노라.

- **증점영귀**: 공자가 제자들에게 각자의 포부를 묻자 다들 정치적 소망을 말했는데, 그중에 증점만이 "저는 늦은 봄에 봄옷을 지어 입은 뒤 기수(沂水)에서 목욕하고 무우(舞雩)에서 바람 쐬고 시를 읊겠습니다."라고 대답했다는 데서 유래한 말. 자연 속에서 한가로이 사는 삶을 의미함.

출제자 톡! 화자를 이해하라!

1 **화자는 누구이고, 화자가 처한 상황은?**
벼슬을 버리고 향리(鄕里)로 돌아와 자연 속에서 한가로이 지내고 있는 사람

2 **화자의 정서 및 태도는?**
자연과 함께하는 삶에 만족하면서 자연을 즐김.

Link

출제자 톡! 표현상의 특징을 파악하라!

❶ 속세를 떠난 자연에서의 삶의 의미를 설의적 표현을 통해 드러냄.
❷ 중국의 고사와 인물을 활용하여 화자의 정서 및 태도를 드러냄.
❸ 설의적 표현을 통해 화자 자신의 삶에 대한 자부심을 드러냄.
❹ 자연의 가치와 속세의 가치를 대조하여 주제를 강조함.
❺ 자연을 감각적으로 묘사함.

최우선 출제 포인트!

1 중국 고사의 활용과 역할

서호매학, 기산영천에 소허, 주시여상, 한대제갈 등 → 자연 속에서 안빈낙도하고자 하는 화자의 정서 및 태도를 드러냄.

2 시어의 의미

호초(狐貂) 황비(皇扉) 청운(靑雲)	↔ 대조	폐포(敝布) 시비(柴扉) 백운(白雲)
높은 지위와 벼슬살이		자연 속 욕심 없는 삶
↓		↓
화자가 거부하는 삶		화자가 추구하는 삶

최우선 핵심 Check!

1 〈서사〉에는 자신의 능력을 몰라주는 임금에 대한 원망이 드러나 있다. (O / ×)

2 〈서사〉의 '시름인들 있을 쏘냐', 〈본사〉의 '이에서 더할 쏘냐', '어느 벗이 찾아오리' 등에서 ㅅㅇ적 표현들이 사용되었다.

3 〈본사 1〉에서 자연을 감각적으로 묘사하여 화자의 정서를 나타내고 있다. (O / ×)

4 〈본사〉에서는 중국 고사와 인물들을 거론하며, 자신의 뜻을 알아주지 않는 속세를 떠나 ㅈㅇ에서 살고자 하는 화자의 태도를 드러내고 있다.

5 〈결사〉의 '폐포', '시비', '백운'은 화자가 추구하는 삶과 관련된 시어이다. (O / ×)

정답 1. × 2. 설의 3. ○ 4. 자연 5. ○

1등급! 〈보기〉!

「낙빈가」의 이해

이 작품에는 자신의 뜻을 알아주지 않는 정치 현실을 떠나 자연으로 돌아가 살아가려는 귀거래 의식이 드러나 있다. 화자는 속세와 대비되는 자연에서 세속적 가치에 구애받지 않는 소박한 생활을 영위하며 이에 대한 만족감으로 드러내고 있다. 이는 다음과 같이 작품의 구절에서 확인할 수 있다.

〈서사〉의 '이 몸이 쓸데없어 성상이 버리시니/부귀를 하직하고'에서는 정치 현실을 떠난 화자의 상황을 짐작할 수 있으며, '산수간'에서 '만사를 잊'은 채 '한가'하게 지내는 모습에서 세속적 가치에 구애받지 않는 화자의 모습이 잘 나타나 있다.

〈본사 1〉에서 화자는 자연에 있으면서 자신이 있는 '여기'를 이상향을 의미하는 '무릉'이라고 칭하고 있는데, 이와 같은 모습에서 자연으로 돌아온 화자의 만족감을 짐작할 수 있다. 그리고 이어서 '아침에 캐온 취'를 먹으며 '일없이 노닐'고 있는 모습에서 소박한 삶을 살아가는 화자의 모습을 확인할 수 있다.

〈본사 2〉에서는 '소허(巢許)의 몸'이 되어 '천사(千駟)를 냉소(冷笑)'하는 것에서 자신의 뜻을 알아주지 않는 속세를 떠나 자연에서 살고자 하는 화자의 태도가 잘 드러난다.

이와 같이 화자는 속세와 대비되는 자연에서 세속적 가치에 구애받지 않는 소박한 생활을 영위하며 이에 대한 만족감을 드러내고 있다.

관등놀이에서 부르는 노래

관등가(觀燈歌) | 작자 미상

갈래 가사(규방 가사, 월령체가) **성격** 서정적
주제 임에 대한 간절한 그리움과 외로움
시대 조선 후기

정월에서 섣달까지의 세시풍속을 철따라 노래하면서 임에 대한 그리움과 외로운 심정을 드러내고 있다.

정월(正月) 상원일(上元日)에
정월 대보름(음력 1월 15일)
달과 노는 소년(少年)들은 답교(踏橋)ᄒᆞ고 노니ᄂᆞᆫ듸
화자의 처지와 대조됨 / 다리를 밟는 풍속
우리 임은 어듸 가고 답교(踏橋)ᄒᆞᆯ 쥴 모로ᄂᆞᆫ고
: 후렴구 - 화자의 외로움과 임에 대한 그리움을 강조함 Link 표현상 특징 ❶
> 정월: 상원일에 답교하며 노는 소년들과 임의 부재

정월 대보름날에
달과 노는 소년들은 다리밟기를 하고 노니는데
우리 임은 어디 가고 다리밟기를 할 줄 모르는가?

이월(二月)이라 청명일(淸明日)에
24절기의 하나(양력 4월 5일경). 농사 일을 시작하는 시기
나무마다 춘기(春氣)들고 잔듸 잔듸 쇽입 나니 만물(萬物)이 화락(和樂)ᄒᆞᆫ듸
자연의 모습을 통해 봄의 계절감을 드러냄 Link 표현상 특징 ❷ / 즐겁고 화평함
우리 임은 어듸 가고 춘기(春氣)든 쥴 모로ᄂᆞᆫ고
봄기운
> 이월: 청명일에 화락한 만물과 임의 부재

이월 청명일에
나무마다 봄기운이 들고 잔디 속잎 나니 만물이 즐거운데
우리 임은 어디 가고 봄기운 깃든 줄 모르는가?

삼월(三月) 삼일(三日)날에
삼짇날 - 강남 갔던 제비가 돌아온다는 날
『강남(江南)셔 나온 졔비 왓노라 현신(現身)ᄒᆞ고
『 』: 대구법 / 나타나고 / 대구
소상강(瀟湘江) 기러기ᄂᆞᆫ 가노라 하직(下直)ᄒᆞᆫ다
이화 도화(梨花桃花) 만발(滿發)ᄒᆞ고 행화 방초(杏花芳草) 흣날닌다』
배꽃과 복숭아꽃 / 꽃놀이 / 살구꽃과 향기로운 풀 Link 표현상 특징 ❷
우리 임은 어듸 가고 화유(花遊)ᄒᆞᆯ 쥴 모로ᄂᆞᆫ고
> 삼월: 삼짇날에 제비는 오고 꽃들은 만발한 모습과 임의 부재

삼월 삼짇날에
강남에서 온 제비 왔노라 나타나고
소상강 기러기는 가노라 하직한다.
배꽃과 복숭아꽃 만발하고 살구꽃과 향기로운 풀이 흩날린다.
우리 임은 어디 가고 꽃놀이할 줄 모르는가?

사월 초파일(석가 탄신일)
사월(四月)이라 초파일(初八日)에
높은 곳에 오르니
관등(觀燈)ᄒᆞ려 임고대(臨高臺)ᄒᆞ니
석가 탄신일을 맞이하여 벌이던 등놀이의 총칭 / 기울어졌는데
원근 고저(遠近高低)에 석양(夕陽)은 빗겨ᄂᆞᆫ듸
멀고 가깝고 높고 낮은 곳 / 시간적 배경
『어룡등(魚龍燈) 봉학등(鳳鶴燈)과 두루미 남성(南星)이며
남생이 등 - 자라 모양의 등
종경등(鐘磬燈) 선등(仙燈) 북등(燈)이며 수박등 마늘등과
난새와 봉황
연(蓮)쏫 속에 선동(仙童)이며 난봉(鸞鳳) 우희 천녀(天女)ㅣ로다
신선의 시중을 든다는 아이 / 하늘을 날아다니며 사람과 왕래한다는 성인 여자
빅등 집등 산듸등과 영등(影燈) 알등 병등(甁燈) 벽장등(壁欌燈)
가마등 난간등(欄干燈)과 사자(獅子)탄 쳬괄이며
망석중(꼭두각시) - 나무로 만든 인형의 하나. 팔다리에 줄을 매어 그 줄을 움직여 춤을 추게 함
호랑이 탄 오랑키라 발노 툭 차 구을등(燈)에
일월등(日月燈) 붉아 잇고 칠성등(七星燈) 버러ᄂᆞᆫ듸』
『 』: 가지각색의 등이 밝혀진 모습을 나열함. 흥청대는 현실 Link 표현상 특징 ❸
동령(東嶺)에 월상(月上)ᄒᆞ고 곳곳이 불을 현다
동쪽 고개에 달이 뜨고 / 켠다
우리 임은 어듸 가고 관등(觀燈)ᄒᆞᆯ 쥴 모로ᄂᆞᆫ고
> 사월: 초파일에 관등놀이하는 모습과 임의 부재

사월 초파일에
관등하러 높은 곳에 오르니
멀고 가깝고 높고 낮은 곳에 석양은 기울어졌는데
어룡등, 봉학등과 두루미, 남생이등이며
종경등, 선등, 북등이며 수박등, 마늘등과
연꽃 속에 신선의 시중을 드는 아이이며 난봉 위에 천녀로다.
배등, 집등, 산대등과 영등, 알등, 병등, 벽장등
가마등, 난간등과 사자 탄 꼭두각시이며
호랑이 탄 오랑캐라 발로 툭 차 굴러가는 등에
일월등 밝아 있고 칠성등 벌였는데
동쪽 고개에 달이 뜨고 곳곳이 불을 켠다.
우리 임은 어디 가고 관등할 줄 모르는가?

오월(五月)이라 단오일(端午日)에
수릿날(음력 5월 5일)
남의 집 소년들은 놉고 놉게 그늬 미고 흔 번 굴너 압히 놉고
두 번 굴너 뒤히 놉아 추천(鞦韆)ᄒᆞ며 노니ᄂᆞᆫ듸
그네뛰기 - 단오에 하는 대표적인 민속 놀이
우리 임은 어듸 가고 추천(鞦韆)홀 쥴 모로ᄂᆞᆫ고
> 오월: 단오일에 추천하고 노는 소년들과 임의 부재

오월이라 단오일에

남의 집 소년들은 높고 높게 그네 매고 한 번 굴러 앞이 높고
두 번 굴러 뒤가 높아 그네 뛰며 노니는데

우리 임은 어디 가고 그네 뛸 줄 모르는가?

유월(六月)이라 유두일에
음력 6월 15일
산악(山岳)에 불이 나고 암석(巖石)이 끄러날 제
끓어날
청풍(淸風) 괴수(槐樹)하(下)에
홰나무 아래
피서(避暑)하랴 누엇스니
더위를 피하려고
우리 임은 노정 송풍(露頂松風)만 아시는고
길마루에 서 있는 소나무에서 이는 바람
> 유월: 유두일에 피서하는 모습과 임의 부재

유월이라 유두일에

산악에 불이 나고 암석이 끓어오를 제

맑은 바람 홰나무 아래

더위를 피하려 누웠으니

우리 임은 길마루에 서 있는 소나무에서 일어나는 바람만 아시는가?

출제자 톡! 화자를 이해하라!

1 **화자는 누구이고, 화자가 처한 상황은?**
임을 그리워하는 여인으로, 세시 풍속을 즐기는 소년들을 바라봄.

2 **화자의 정서 및 태도는?**
외로움, 임에 대한 그리움, 소년들에 대한 부러움 등이 드러남.

Link

출제자 톡! 표현상의 특징을 파악하라!

❶ 후렴구를 활용하여 운율을 형성함.
❷ 자연의 모습을 통해 봄의 계절감을 드러냄.
❸ 사월 초파일에 화자가 바라보는 다양한 등의 모습을 나열함.

최우선 출제 포인트!

1 후렴구의 기능

우리 임은 어듸 가고 ~ 홀 쥴 모로ᄂᆞᆫ고(아시ᄂᆞᆫ고)	→	• 운율감 형성 • 형식적 통일감 부여 • 화자의 외로움과 임에 대한 그리움 강조

2 화자의 처지와 대조되는 대상들

화자	↔ 화자의 쓸쓸함을 강조	달과 노ᄂᆞᆫ 소년들, 만물, 강남셔 나온 제비 ~ 행화 방초 흣날닌다

함께 볼 작품 월령체 형식: 작자 미상, 「동동」, 정학유, 「농가월령가」

최우선 핵심 Check!

1 ㅇㄹㅊ 가사로 각 달의 풍속과 계절감이 잘 표현되어 있다.

2 각 달의 풍속이 분주하게 이어지는 것과 대비되어, 임이 부재함을 강조함으로써 임에 대한 간절한 ㄱㄹㅇ을 표현하고 있다.

3 각 달의 노래 끝에 리듬감과 통일성을 주는 후렴구가 반복되고 있다. (O / ×)

4 〈서사〉에서 '달과 노ᄂᆞᆫ 소년들'은 화자의 처지를 대변해 주는 대상들이다. (O / ×)

정답 1. 월령체 2. 그리움 3. ○ 4. ×

단양 팔경을 예찬하는 노래

단산별곡(丹山別曲) | 신광수

갈래 가사(기행 가사)
성격 예찬적, 감상적, 비유적, 도교적
주제 단양 산수의 절경과 풍치 **시대** 조선 후기

단양 팔경 절경과 풍치를 노래하고 있는 장편 기행 가사로, 단양의 아름다운 자연 경관을 예찬하고 있다.

출제 우선 작품

취안(醉眼) 잠간 드러 석문을 바라보니
『놀랍다 져 산봉우리는 어이ᄒᆞ여 쑬녓ᄂᆞᆫ고』
『용문산 ᄯᅳ린 도ᄭᅵ 수문(水門)을 내엿ᄂᆞᆫ가
거대한 신령의 큰 손바닥 산창(山窓)을 밀쳣ᄂᆞᆫ가』
만고(萬古)의 동개(洞開)ᄒᆞ여 다들 줄 몰낫도다
신선이 농사짓던 열두 배미 요초(瑤草)를 심었던가
선인(仙人)은 어듸 가고 풀만 나마시니
『우리 백성 농사를 권하여 수역(壽域)의 올니고져』

- 취안: 취한 눈
- 석문: 공간의 이동(여정) Link 표현상 특징 ❶
- 놀랍다: 화자가 바라보는 명승지 – 충청북도 단양군에 있는 단양 팔경의 하나
- 『 』: 영탄적 표현을 사용하여 석문을 바라본 화자의 놀라움을 표현함. 도치법 Link 표현상 특징 ❷, ❹
- 석문을 바라본 화자의 정서적 반응
- 쑬녓ᄂᆞᆫ고, 내엿ᄂᆞᆫ가, 밀쳣ᄂᆞᆫ가: 의문형 어미
- 수문: '석문'의 비유적 표현 ① – 수문: 물의 흐름을 막거나 유량을 조절하기 위하여 설치한 문
- 산창: '석문'의 비유적 표현 ②
- 거대한 신령: 신이함을 부여해 주는 시어
- 『 』: 석문의 빼어난 경관에 대한 예찬적 태도가 담김. 영탄적 표현 Link 표현상 특징 ❷, ❸
- 요초: 아름다운 풀
- 심었던가: 영탄
- 배미: 구분된 논을 세는 단위
- 나마시니: 영탄, 예찬, 도교적
- 『 』: 화자는 농사짓기를 권하여 백성들의 삶이 나아지기를 바라는 애민 정신이 나타남
- 수역: 다른 곳에 비하여 오래 사는 사람이 많은 지역이란 뜻으로, 풍요롭게 사는 즐거운 삶을 비유적으로 이름 Link 표현상 특징 ❸

> 석문을 바라보며 느끼는 감흥

(술에) 취한 눈을 잠깐 들어 석문을 바라보니
놀랍다! 저 산봉우리는 어찌하여 뚫렸는가?
용문산 때린 도끼가 수문(水門)을 내었는가?
거대한 신령의 큰 손바닥이 산의 창문을 밀쳤는가?
아주 오랜 세월 동안 활짝 열려 있어 (석문을) 닫을 줄을 모르는구나.
신선이 농사를 짓던 열두 배미 땅에다가 아름다운 풀을 심었던가?
신선은 어디 가고 풀만 남았으니
우리 백성에게 농사를 권하여 수역(壽域)에 올리고 싶구나.

만강풍랑(滿江風浪) 치는 곳의 은주암 기묘ᄒᆞ샤
『작은 고깃배로 드러가면 처사 종적(處士蹤迹) 긔뉘 알니』
팔판동(八判洞) 기픈 곳을 무릉이라 ᄒᆞ건마는
인거(人居)ᄂᆞᆫ 어디인지 백운(白雲)만 줌겻셔라

- 기묘ᄒᆞ샤: 은주암의 기묘한 경관에 대한 감탄. 영탄적 표현 Link 표현상 특징 ❷
- 처사: 은일지사 – 화자 자신을 가리킴
- 알니: 설의적 표현
- 『 』: 은주암을 속세와 단절된 곳으로 인식함
- 무릉: 속세와 단절된 이상향으로 여기는 공간

> 은주암을 바라보며 느끼는 감흥

강바람 물결 치는 곳에 은주암이 기묘하구나.
작은 고깃배로 들어가면 처사의 종적을 그 누가 알겠는가?
팔판동 깊은 곳을 무릉이라 하지마는
사람들 사는 곳이 어디인지 (모를 정도로) 흰 구름만 잠겨 있구나.

하진(下津)의 배를 나려 단암서원(丹巖書院) 첨배(瞻拜)ᄒᆞ니
지금까지 ᄭᅵ친 덕이 산수간의 흘너 잇다
석주탄(石柱灘) 밧비 건너 강선대(降仙臺) 올나 셔니
양액(兩腋) 청풍(淸風)이 가볍게 들리는 듯
가련ᄒᆞ샤 두향혼(杜香魂)은 무쳣ᄂᆞ니 여긔로다
승지(勝地)의 이름 남김은 아녀자의 원(願)이런가

- 첨배: 선조 혹은 선현의 묘소나 사당에 우러러 절함
- 나려: 여정이 드러남
- 단암서원: 우탁과 이황의 학문과 덕행을 추모하기 위한 서원
- 지금까지 ᄭᅵ친 덕이 산수간의 흘너 잇다: 우탁과 이황, 즉 선현에 대한 예찬. 추상적인 덕을 구체적인 이미지로 형상화함 Link 표현상 특징 ❺
- 양액 청풍이 가볍게 들리는 듯: 강선대에 올라서서 느끼는 흥겨움을 표현
- 두향혼: 이황이 가까이 지내던 기생의 이름

> 단암서원, 강선대에서 느끼는 감흥

하진에서 배를 내려 단암서원에서 (우탁과 이황에게) 우러러 절하니
지금까지 (우탁과 이황의) 끼친 덕이 산수 간에 흘러 있다.
석주탄을 바삐 건너서 강선대에 올라가 서서 (보니)
양쪽 겨드랑이의 맑은 바람이 (몸을) 가볍게 들리는 듯
가련하다. 두향혼이 묻힌 곳이 여기로구나.
명승지에 이름을 남기는 것이 아녀자의 바람이었는가?

석양(夕陽)의 흘러가며 귀담(龜潭)으로 나려가니
『창벽(蒼壁)은 하늘올 찌르고 녹수(綠水)ᄂᆞᆫ 땅에 가득ᄒᆞᆫ대
전후(前後) 봉우리들 면면(面面)이 마ᄌᆞ나니』
『살살이 펴인 붓치/첩첩(疊疊)이 도ᄂᆞᆫ 병풍(屛風)
제불(諸佛)이 함께 ᄒᆞᆫ 듯/여러 산이 니ᄂᆞᆫ 듯』
이리 저리 뵈ᄂᆞᆫ 거동(擧動) 황홀(恍惚)도 ᄒᆞ져이고
돌노 시긴 져 거북은 명구(名區)를 직히ᄂᆞᆫ가

- 귀담: 단양 팔경 중 하나인 구담봉을 가리킴
- 『 』: 귀담의 풍경 묘사
- 살살이 펴인 붓치/첩첩이 도ᄂᆞᆫ 병풍: 구담봉을 비유적으로 표현한 말 – 구담봉의 아름다운 경치 예찬
- 『 』: 대구법, 비유법 Link 표현상 특징 ❸
- 제불: 옥황상제가 산다
- 거동: '귀담'의 아름다운 경치에 대한 감탄
- 거북: 귀담을 가리킴
- 명구를 직히ᄂᆞᆫ가: 귀담이 아름다운 단양 팔경의 명승지를 지키고 있다는 의미. 의인법 Link 표현상 특징 ❻

> 귀담의 경치 묘사와 느끼는 감흥

석양에 (배를 타고) 흘러가며 귀담으로 내려가니
푸른 절벽은 하늘을 찌르고 푸른 물은 땅에 가득하니
앞뒤의 봉우리들 여러 면이 마주 보이는구나
살살이 펼쳐진 부채(인 듯), 첩첩이 펼친 병풍(인 듯)
여러 부처님들이 함께 있는 듯, 여러 산이 이어진 듯
이리 저리 보이는 (구담봉의) 모습이 황홀도 하는구나.
돌로 새긴 저 거북은 명승지를 지키는가?

오로봉(五老峰) 진면목(眞面目)은 부용(芙蓉)이 소사는 듯
오로봉의 비유적 표현. 오로봉의 아름다움을 연꽃에 비유하여 드러냄 Link 표현상 특징 ❸
호천대(壺天臺) 올나 안자 전체를 대강 바라보고
창하정(倉霞亭) 잔을 드러 풍연(風煙)을 희롱(戱弄)타가
풍류를 즐기는 화자의 모습
홀연히 도라보니 이 몸이 등선(登仙)홀 듯
화자 자신을 가리킴
신선이 된 듯한 화자의 마음을 드러냄
› 창하정에 풍류를 즐김

오로봉의 진면목은 연꽃이 솟아 있는 듯
호천대에 올라 앉아 전체를 대강 바라보고
창하정에서 술잔을 들어 공중에 서린 흐릿한 기운을 희롱하다가
홀연히 돌아보니 이 몸이 하늘로 올라가 신선이 될 듯(하구나)

일흥(逸興)을 가득 시러 흔 구븨 흘러 도니
「마죠 오는 옥순봉(玉筍峰)이 쏘다시 신기(神奇)이 ᄒᆞ다
옥순봉의 아름다움에 대한 감탄
하늘 기둥은 우뚝 솟아 북극을 괴왓는 듯
화표(華表)는 우뚝 서시 백학이 넘노는 듯
망주석과 같이 묘 앞에 세우는 문
벽옥낭간(碧玉琅玕)이 낫낫치 버러시니
옥과 진주 같은 아름다운 돌을 이르는 말
이 떨기 열매 열면 봉황이 먹으리라」
불가능한 상황 설정 - 옥순봉의 신이함을 부각함
단구동문(丹邱洞門) 새긴 글ᄌᆞ 선현(先賢)의 필적이라
옥순봉에 새겨진 퇴계 이황의 글씨
이황을 가리킴
신선의 땅을 중히 여겨 경계(境界)를 정ᄒᆞ신가
단구동문에 글자를 새긴 이유에 대한 화자의 추측
□: 옥순봉을 비유한 표현
「 」: 비유법, 대구법을 사용하여 옥순봉의 신이한 아름다움을 드러내 줌 Link 표현상 특징 ❸
› 옥순봉을 바라보며 느끼는 감흥

편안한 흥을 (배에) 가득 실어 한 구비 흘러서 도니
마주 오는 옥순봉이 또다시 신기하구나.
하늘 기둥은 우뚝 솟아 북극을 받치고 있는 듯
화표가 우뚝 서서 (화표에) 백학이 날아든 듯
벽옥낭간이 (열매인 듯) 낱낱이 벌려 있으니
이 떨기 열매가 열면 봉황이 (와서) 먹으리라.
단구동문에 새긴 글자는 선현의 필적이라.
신선의 땅을 중히 여겨 경계를 정하셨는가?

출제자 톡! 화자를 이해하라!

1 **화자는 누구이고, 화자가 처한 상황은?**
공간의 이동에 따라 단양 팔경의 경치를 즐기고 있는 사람

2 **화자의 정서 및 태도는?**
- 아름다운 자연 경치에 대해 감탄과 예찬의 태도를 드러냄.
- 자연 경치를 바라보며 풍류를 즐기는 모습을 드러냄.

Link
출제자 톡! 표현상의 특징을 파악하라!

❶ 공간의 이동에 따라 시상을 전개함.
❷ 영탄적 표현, 의문형 어미를 사용하여 화자의 정서와 태도를 강조함.
❸ 대구법과 비유적 표현을 사용하여 자연 경관의 아름다움을 구체적으로 드러냄.
❹ 도치법을 사용하여 화자의 정서를 강조함.
❺ 추상적인 이미지를 구체적인 이미지로 형상화함.
❻ 자연물을 의인화하여 화자의 정서를 강조함.

최우선 출제 포인트!

1 시상 전개 방식

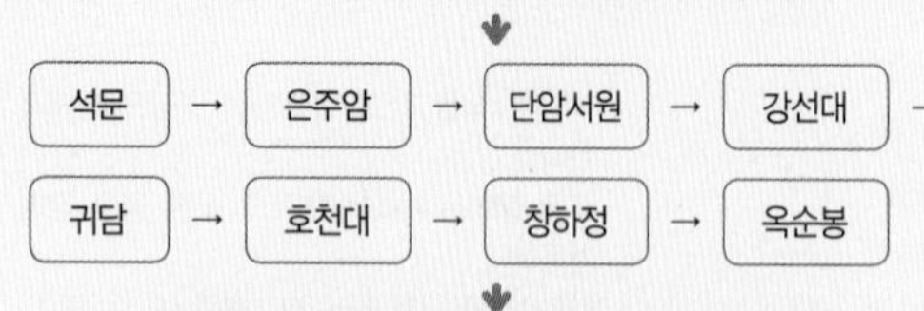

2 비유적 표현

귀담	붓치, 병풍, 제불이 함께함.	→ 자연 경치의 아름다움을 부각
옥순봉	하늘 기둥, 화표, 벽옥낭간	

최우선 핵심 Check!

1 화자는 ㄱㄱ의 이동에 따라 아름다운 자연 경관에 대한 예찬적 태도를 드러내고 있다.

2 화자는 석문의 모습을 바라보면서, 석문을 초월적 존재가 만들었다고 여기며 신기해하고 있다. (○ / ×)

3 화자는 은주암을 속세와 단절된 곳으로 인식하면서, 자신의 종적을 다른 사람이 알 것을 우려하고 있다. (○ / ×)

4 화자는 창하정에서 술을 마시면서 자신이 신선이 된 듯한 마음을 드러내고 있다. (○ / ×)

5 '하늘 기둥, 화표, 벽옥낭간'은 ㅇㅅㅂ의 아름다움을 드러내기 위한 비유적 표현이다.

정답 1. 공간 2. ○ 3. × 4. ○ 5. 옥순봉

179위

목동에게 묻고 목동이 답하는 노래

목동문답가(牧童問答歌) | 임유후

갈래 가사 **성격** 대비적, 예찬적
주제 입신양명과 자연 귀의 두 삶의 조화
시대 조선 중기

문가(問歌)와 답가(答歌)의 형식을 사용한 가사로, 입신양명과 자연 귀의 두 삶을 대비적으로 제시하여 두 삶을 조화시켜야 한다는 의도를 드러내고 있다.

녹양방초(綠楊芳草) 안의 소 먹이난 아해들아
인간 생활이 영화롭고 즐거움 / 대화의 상대 - 청자로 설정된 대상
인간영락(人間榮樂)을 아난다 모라난다 → 청자에 대한 질문
'인생 백년'을 비유적으로 표현함 Link 표현상 특징 ❸
인생 백년이 풀끗에 이슬이라
인생의 허무함을 드러냄
삼만 육천일을 다사라도 초초(草草)커든
인생 백년과 상통하는 말 / 오래 살아도 하고 싶은 것을 다하지 못한다는 의미
수단(修短)이 명(命)이어니 사생(死生)을 결(缺)할소냐
죽고 사는 문제로부터 벗어날 수 없다는 한계 인식을 드러냄 - 운명론적 사고방식, 설의적 표현 Link 표현상 특징 ❷
생애는 유한(有限)하되 사일(死日)은 무궁(無窮)하다
인간영락을 추구해야 하는 이유에 해당, 대구법, 대조법 Link 표현상 특징 ❸
『역려건곤(逆旅乾坤)의 부유(蜉蝣)가티 나왓다가
덧없고 허무한 세상 / 하루살이, 인간의 일생이 짧음을 비유한 표현 Link 표현상 특징 ❸
공명(功名)도 못 일우고 초목(草木)가티 썩어디면
아무것도 이루지 못하고 죽음에 이름을 비유하는 말 Link 표현상 특징 ❸ — 마음에 북받칠까, 설의적 표현
공산백골(空山白骨)이 긔 아니 늣거오냐』 『 』: 공명을 이루어야 함을 강조함
공명을 추구하지 못한 삶의 결과 강조 Link 표현상 특징 ❷
(중략)

『하늘이 사람 낼 제 나라이 사람 쓸 제
귀천(貴賤)을 가리더냐』 『 』: 인간으로 태어난 이상 누구든지 공명을 누릴 수 있다는 의도를 담고 있음
귀천을 가리지 않음을 강조, 설의적 표현
『하늘이 삼긴 몸을 닦아 내면 사군자(士君子)요 『 』: 제 몸을 갈고 닦아서 공명을 이루어야 한다는 의도가 담김, 대구법, 대조법 Link 표현상 특징 ❸
기포를 달게 여겨 던져두면 우하(愚下)로다』
할수기포(割鬚棄袍)의 준말, 수염을 자르고 도포를 버린다는 뜻으로, 정신없이 황망히 도망가는 경우를 이름
『내 재조 가지고 한 몸만 용차(用借)하니
재주
회보미방(懷寶迷邦)을 세상이 뉘 알더냐』 『 』: 재주가 있으면 세상을 위해 쓰라는 의미 - 세상에서 공명을 추구해야 함 Link 표현상 특징 ❷
설의적 표현
자세히 들어스라 손꼽아 이르리라
청자에게 자신의 생각을 강조함
『이윤은 솥에 지고 부열은 달고 들고 『 』: 천한 몸이었지만 제 몸을 닦아 공명을 이룬 고사 속 인물들 Link 표현상 특징 ❷
영척 백리해는 소치다가 명현(明顯)하니
가난하고 천하기야 이 사람만 하랴마는
인생 궁달(窮達)이 귀천(貴賤)이 아랑곳가』 『 』: 중국 고사 속 인물들을 열거하여 공명을 이루어야 함을 강조 Link 표현상 특징 ❷
빈궁과 영달을 아울러 이르는 말 / 설의적 표현
불식(不識) 부지(不知)하여 세사를 모르는다
『입신양명(立身揚名)을 헴 밧긔 더뎌두고 『 』: 입신양명을 버리고 자연에 귀의하여 소를 모는 목동의 삶의 방식에 대한 질책, 대조법 Link 표현상 특징 ❷, ❸
연교(煙郊) 초야(草野)의 소치기만 하나산다』
시골 들판 / 설의적 표현 ▶ 문가(問歌): 공명을 추구해야 함을 강조함

목동(牧童)이 대답하되
물음에 대한 목동의 말 - 문답 형식으로 시상이 전개됨을 알 수 있음 Link 표현상 특징 ❶
어와 긔 뉘신고 우은 말삼 듯건디고
질문을 던진 사람에 대한 반감 의식이 내재됨

푸른 버드나무와 향기로운 풀 속에서 소를 먹이는 아이들아
인간 생활의 영화로움과 즐거움을 아느냐, 모르느냐?
인생 백 년이 풀 끝에 (맺힌) 이슬이구나.

삼만 육천 일(백 년)을 다 살아도 다 갖추지 못하여 초라하거든
짧은 인생을 따르는 것이 운명이니 죽고 사는 것을 빠뜨릴 수 있겠느냐?
(인간의) 삶은 한계가 있지만 죽음의 날은 끝이 없다.
덧없고 허무한 세상에 하루살이 같이 나왔다가

공명을 이루지 못하고 초목처럼 썩어지면

텅 빈 산에 해골이 되는 것이, 그것이 마음에 북받치지 않겠느냐?
(중략)

하늘에서 사람을 내고 나라에서 사람을 쓸 때

귀함과 천함을 가리겠느냐?

하늘이 만들어 준 몸을 (스스로 갈고) 닦으면 사군자가 되는 것이오.
기포를 달게 여겨서 (제 몸을) 던져 두면 어리석게 되는 것이리라.
내가 지닌 재주 가지고 (이) 한 몸만 위해 쓰니

어지러운 세상 구할 보물됨을 간직함을 세상이 누가 알겠느냐?
자세히 듣거라. 손꼽아 이르겠노라.

이윤은 솥을 지고 부열은 달구지를 끌고

영척과 백리해는 소를 몰다가 뚜렷이 나타났으니(공명을 이루었으니)
가난하고 천한 것이 이 사람들만 할 것이지만

인생의 빈궁과 영달에 있어 귀하고 천함을 아랑곳하겠는가(가리겠는가?)?
생각 없고 알지 못하여 세상일을 모르는 것인가?
입신양명을 생각 밖에 던져두고서

시골 들판에서 소치기만 하고 있느냐.

목동이 대답하되

어와 그 누구신가? 우스운 말씀 듣겠구려.

『 』: 질문을 던진 인물에 대한 목동의 추측

『형용이 고고(枯槁)하니 초대부(楚大夫) 삼려(三閭)신가
굴원. 초나라 충신이었으나 참소로 쫓겨나 비극적인 죽음을 맞이한 시인
잔혼(殘魂)이 영락(零落)하니 유학사(柳學士) 자후(子厚)신가』
유종원. 당나라 개혁에 실패하고 지방 벼슬을 전전한 철학자
일모(日暮) 수죽(修竹)의 혼자 어득 셔 겨오셔
내 근심 더뎌 두고 남의 분별(分別) 하시는고
상대방의 간섭에 대한 반문
(중략)

외양이 야위어서 파리하니 초나라 대부 굴원인가?
혼백이 보잘것없이 보이니 유학사 유종원인가?
저문 녘에 긴 대나무에 의지하고 혼자 우뚝 서 계시면서
자기 근심을 버려 두고 남의 걱정 하시는고?
(중략)

요임금 때 소부와 허유가 공명을 피해 은거했다는 산
기산(箕山)의 귀 씻기와 상류(上流)의 소 먹이기
소부와 허유의 고사 인용 - 부귀공명을 꺼려 하는 태도를 드러냄 Link 표현상 특징 ❷
즐겁고 즐거오믈 너해난 모라리라
자신의 삶을 과시하면서 상대방을 은근히 조롱하고 있음
내 노래 한 곡조랄 불너든 드러보소

『장안(長安)을 도라보니 풍진(風塵)이 아득하다
세상에서 일어나는 어지러운 일을 가리키는 말
부귀(富貴)는 부운(浮雲)이오 공명(功名)은 와각(蝸殼)이라』→ 대구법
덧없는 세상일을 비유적으로 이르는 말 Link 표현상 특징 ❸ 알맹이가 비어 있는 달팽이 껍질
『 』: 상대방 주장에 반박하는 내용이 담긴 노래 - 부귀공명이 덧없는 것임을 드러낸 노래
이 퉁소 한 곡조의 행화촌(杏花村)을 차자리라
살구꽃 핀 마을로, 주막이 있는 마을을 가리킴. 안빈낙도의 이상향
> 답가(答歌): 자연 속에서 묻혀 사는 삶의 만족감

기산에서 귀를 씻는 것과 상류에 (올라가) 소에게 물을 먹이기
즐겁고 즐거움을 너희들은 모르리라.
내가 노래 한 곡조를 부를 테니 들어 보시오.
장안을 돌아보니 티끌이 가득하다.
부귀는 뜬 구름이요 공명은 달팽이 껍질이라.
이 퉁소 한 곡조에 주막이 있는 마을을 찾아 가리라.

출제자 톡! 화자를 이해하라!

1 **화자는 누구인가?**
질문을 던지는 이와 질문에 대해 대답을 하고 있는 목동

2 **화자의 정서 및 태도는?**
- 질문을 던지는 이는 자신의 몸을 닦아 공명을 추구해야 함을 강조함.
- 대답을 하고 있는 목동은 자신의 현재 삶에 만족하면서 부귀와 공명을 덧없는 것으로 여기고 있음.

Link
출제자 톡! 표현상의 특징을 파악하라!

❶ '물음 – 대답'의 형식으로 시상을 전개함.
❷ 설의적 표현, 고사 인용을 통해 화자 자신의 생각을 강조함.
❸ 비유법, 대구법, 대조법, 영탄적 표현을 사용하여 의미를 효과적으로 전달함.

최우선 출제 포인트!

1 대조되는 삶의 방식

공명을 추구하는 이		자연 귀의를 추구하는 이(목동)
목동에게 물음.		물음에 답을 함.
• 인생은 허무하고 짧으니 공명을 이루어야 함을 강조함. • 재주가 있으면 공명을 추구하는 모습을 지녀야 함. → 중국 고사 속 인물들을 들어 강조 • 자연에 귀의하여 소를 치는 목동을 질책함.	대조 ⟷	• 공명을 추구해야 한다는 말을 우습다고 여기고, 자신의 삶에 간섭하는 상대방에게 반문함. • 부귀공명을 멀리하고 자연과 더불어 사는 삶이 즐거움을 과시함. • 부귀와 공명은 허무한 것이므로 추구할 필요가 없음.

↓

입신양명과 자연 귀의 두 삶의 조화라는 주제 의식을 드러냄.

최우선 핵심 Check!

1 〈문가(問歌)〉의 화자는 ㅁㄷ을 청자로 설정하여 공명을 추구해야 한다는 자신의 생각을 드러내고 있다.

2 〈문가(問歌)〉의 화자는 '인간영락'을 추구해야 하는 이유로, 인간의 삶은 유한하고 죽는 날은 무궁함을 들고 있다. (○ / ×)

3 〈문가(問歌)〉의 화자는 고사 속 인물들을 제시하여 공명 추구의 헛됨에 대해 강조하고 있다. (○ / ×)

4 〈답가(答歌)〉의 화자는 부귀를 'ㅂㅇ'에, 공명을 '와각'에 비유하여 부귀공명이 덧없음을 드러내고 있다.

5 〈답가(答歌)〉의 화자는 부귀공명을 멀리 하고 자연에서 사는 삶에 대한 만족감을 드러내고 있다. (○ / ×)

정답 1. 목동 2. ○ 3. × 4. 부운 5. ○

복선화음(착하게 살면 복을 받고 악하게 살면 화를 당함)을 기록한 글

복선화음록(福善禍淫錄) | 작자 미상

갈래 가사(내방 가사, 계녀 가사) **성격** 사실적, 교훈적, 대비적 **주제** 부녀자의 올바른 삶에 대한 권고 **시대** 조선 후기

화자 자신의 삶과 괴똥어미의 삶을 대비적으로 제시하여 딸에게 올바른 부녀자의 삶에 대해 권고하고 있다.

일곱 되 사온 쌀 꾸어 온 쌀 두 되 갑고
『부족타 ᄒᆞ지 않는 말이 뜻을 순하게 ᄒᆞ오미라
(다섯 되만 남았지만 부족하다고 여기지 않음 - 욕심을 부리지 않는 화자의 모습)
깨진 그릇 좋단 말은 시가를 존중ᄒᆞ미라
(시가를 존중하는 화자의 모습 - 화자가 여성임을 알 수 있음)
날고 기는 개 달긴덜 어른 압헤 감히 치며
(어른을 공경해야 함을 강조)
부인의 목소리를 문 밧게 감히 내며』 (『 』: 시가에서의 부녀자의 덕목을 엿볼 수 있음)
(목소리를 크게 내지 않는 화자의 모습)
해가 져서 황혼되니 무탈과경 다행이요
(하루가 무사히 지나간 것에 대한 화자의 안도감)
달기 우러 새벽 되면 오는 날을 엇지 할고
(하루를 힘들게 보내야 하는 상황에 대한 화자의 걱정이 담김)
전전긍긍 조심 마음 시각을 노흘손가 (□: 설의적 표현 **Link 표현상 특징 ❶**)
(조심스럽게 행동해야 하는 태도 강조)
행여 혹시 눈 밖에 날가 조심도 무궁ᄒᆞ다
(화자가 조심스럽게 행동하는 이유에 해당)
> 가난한 시가에서 조심스럽게 행동함

일곱 되의 쌀을 사와 쌀 두 되를 갚고
부족하다고 말하지 않는 것은 뜻을 순하게 하는 일이라.
깨진 그릇을 좋다고 하는 것은 시댁을 존중하는 일이라.
날고 기는 개, 닭이라 한들 어찌 어른 앞에서 감히 푸닥거리며
부녀자의 목소리를 문밖으로 감히 내겠으며
해가 져서 황혼이 되니 하루가 탈 없이 지나가는 것이 다행이요,
닭이 울어 새벽이 되면 다가오는 날을 어찌할까?
두려워 떨면서 조심하는 마음을 잠시라도 놓을 것인가?
행여 혹시 눈 밖에 날까 조심도 끝이 없다.

친정에 편지하여 서러운 ᄉᆞ설 불가ᄒᆞ다
(자신의 서러운 처지를 친정에 알리기 어려워하는 화자의 모습)
시원치 아닌 달란 말이 한 번 두 번 아니여던
(친정에 도와 달라는 말을 여러 번 했음을 알 수 있음)
번번이 염치 읍시 편지마다 ᄒᆞ잔 말가
(편지마다 도와 달라는 말을 할 수 없음을 강조)
빈궁(貧窮)이 내 팔ᄌᆞ니 뉘 탓슬 ᄒᆞ잔 말가
(가난의 탓을 자신의 운명으로 돌리는 말 - 운명론적 사고) (탓을 할 수 없음을 드러냄)
설매를 보내어서 이웃집에 꾸러가니
(계집종)
도라와서 우넌 말이『전에 꾼 쌀 아니 주고
염치 읍시 또 왔느냐 두 말 말고 바삐 가라』 (『 』: 대화를 간접 인용함)
한심ᄒᆞ다 이 내 몸이 금의옥식 길녀 ᄂᆞ서
(자신의 신세에 대한 한탄) (시집 오기 전에는 풍족하게 생활했음을 알 수 있음)
전곡(錢穀)을 모르다가 일조(一朝)에 이을 보니
이목구비 남 갓트되 엇지 이리 되얏넌고
(과거와 달라진 자신의 모습에 대한 한탄)
> 가난하게 사는 삶을 한탄함

친정에 편지해서 서러운 푸념을 하는 것은 불가하다.
시원하지 않은 (도와) 달라는 말이 한 번 두 번이 아니었는데
번번이 염치없이 어찌 또 그런 말을 할 수 있단 말인가?
가난이 내 팔자이니 누구 탓을 하잔 말인가?
설매를 보내어서 이웃집에 (곡식을) 꾸려고 하니
돌아와서 울며 하는 말이 "전에 꾼 쌀도 안 갚고
염치 없이 또 왔느냐. 두말 말고 돌아가라."
한심하다. 이 몸이 좋은 옷, 좋은 음식으로 길러지게 되더니
돈과 곡식을 (귀한 줄) 모르다가 하루아침에 이런 상황을 보니
이목구비도 남과 같이 보이니, 어찌 이리 되었는가!

수족이 건강ᄒᆞ니 내 힘써 벌게 되면
(가난에서 벗어나기 위해 스스로 실천하겠다는 화자의 모습이 드러남)
어느 뉘가 시비ᄒᆞ리 천한 욕을 면ᄒᆞ리라
(돈을 벌게 되었을 때 나타날 수 있는 결과) (재산을 늘리는 일)
분한 마음 다시 먹고 치산범절 힘쓰리라
(화자의 의지적 태도가 드러남)
김장ᄌᆞ 이부ᄌᆞ가 제 근본 부ᄌᆞ런가
(부자들이 태어날 때부터 부자가 아니었음을 강조)
밤낮으로 힘써 벌면 난들 아니 부ᄌᆞ될가
(자신도 부자가 될 수 있음을 강조)
> 가난에서 벗어나기 위해 돈을 벌기로 다짐함

몸이 건강하니 내가 힘을 써서 (돈을) 벌게 되면
어느 누가 시비하겠는가? 가난하다고 듣는 욕을 면할 것이리라.
분한 마음을 (삭이고 마음 굳게) 다시 먹고 재산을 불리는 데 힘쓸 것이리라.
김장자나 이부자도 저희가 본래부터 부자였던가?
밤낮으로 힘을 써서 (돈을) 벌면 나인들 부자가 되지 못할까?

『오색당ᄉᆞ 가는 실을 오리오리 ᄌᆞ아내니
(중국에서 들여온 명주실을 이르던 말)
유황제 곤베틀에 필필이 ᄌᆞ아내어

다섯 가지의 가는 색실을 올올이 지어내어
유황제 곤베틀로 여러 필을 만들어 내어

한림 주서 관복감이며 병ᄉᆞ 수ᄉᆞ 군복감이며

길쌈도 ᄒᆞ려니와 전답 으더 역농ᄒᆞ니 「 」: 재산을 늘리기 위해서 열심히 일하는 화자의 모습을 나열함

기반이 마련됨

때를 맞춰 힘써 ᄒᆞ니 가업이 초성이라 ❯ 열심히 일하여 가업의 기반을 마련함

화자가 열심히 일하여 얻은 성과

(중략)

산에 가 제ᄉᆞᄒᆞ기 절에 가 불공ᄒᆞ기 「 」: 괴똥어미의 모습. 대구법. 유사한 통사 구조의 반복 Link 표현상 특징 ❷

효도와 공경을 하지 않음

불효부제 제살ᄒᆞᆫ덜 귀신인덜 도와줄가 □: 설의적 표현 Link 표현상 특징 ❶

괴똥어미의 부정적 모습 / 제사와 불공을 드려도 귀신이 도와줄 리 없음을 강조

악병이며 중병이며 이질이며 구창이며

시아버지가 앓고 있는 병 나열

이질 앓던 시아버지 추상ᄒᆞᆫ덜 상관ᄒᆞ랴 「 」: 불효하는 괴똥어미의 부정적 모습

저의 심ᄉᆞ 그러ᄒᆞ니 서방인덜 온전할가 「 」: 괴똥어미의 잘못된 행실로 집안이 풍비박살 난 상황을 보여 줌

서방마저 죽었음을 드러냄

아들 죽고 우넌 말이 아기딸이 마저 죽어

설상가상(雪上加霜)

세간이 탕진ᄒᆞ니 노복인덜 잇슬손가

종들이 모두 떠났다는 의미

제ᄉᆞ음식 ᄎᆞ릴 적에 정성 읍시 ᄒᆞ엿스니

조상에 대한 정성이 부족한 괴똥어미의 모습

앙화(殃禍)가 엇지 읍실손가 셋째 아들 반신불수

지은 죄의 앙갚음으로 받는 재앙

문전옥답 큰 농장이 물난리에 내가 되고

안팎 기와 수백간이 불이 붓터 밧치 되고 ─ 괴똥어미가 가난하게 된 원인에 해당. 대구법. 유사한 통사 구조의 반복 Link 표현상 특징 ❷

태산갓치 쌓인 전곡 뉘 물건이 되단말가 ❯ 잘못된 행실로 재앙을 입은 괴똥어미의 일화

참혹ᄒᆞ다 괴똥어미 단독일신 뿐이로다

괴똥어미에 대한 화자의 정서를 직접적으로 드러냄

일간 움집 으더 드니 기한(飢寒)을 견딜손가 「 」: 괴똥어미의 초라하고 참혹한 처지를 구체적으로 제시함

배고픔과 추위를 견딜 수 없음을 강조. 설의적 표현 Link 표현상 특징 ❶

다 떠러진 베치마를 이웃집의 으더 입고

뒤축 읍넌 흔 집신을 짝을 모와 으더 신고

압집에 가 밥을 빌고 뒤집에 가 장을 빌고 「 」: 대구법. 유사한 통사 구조의 반복 Link 표현상 특징 ❷

배고픔을 면하기 위한 괴똥어미의 행위

초요기를 겨우 ᄒᆞ고 불 못때넌 찬 움집에

끼니를 먹기 전에 우선 시장기를 면하기 위하여 음식을 조금 먹음

헌 거적을 뒤여스고 밤을 겨우 새여ᄂᆞ셔

새벽 바람 찬바람에 이 집 가며 저 집 가며

다리 절고 곰배팔에 희희소리 요란ᄒᆞ다 ❯ 괴똥어미의 참혹한 생활 모습

꼬부라져 붙어 펴지 못하게 된 팔. 또는 팔뚝이 없는 팔

불효악행 ᄒᆞ던 죄로 앙화를 바더시니

인과응보(因果應報)

복선화음 ᄒᆞ넌 줄을 이를 보면 분명ᄒᆞ다 「 」: 화자의 삶과 괴똥어미의 삶을 대조하여 올바른 부녀자의 삶을 권고함. - 작품의 주제 의식. 명령형 어조 Link 표현상 특징 ❸, ❹

복선 – 화자의 삶 / 화음 – 괴똥어미의 삶

딸아딸아 요내딸아 시집ᄉᆞ리 조심ᄒᆞ라

구체적인 청자 설정 Link 표현상 특징 ❺

어미 행실 본을 바다 괴똥어미 경계ᄒᆞ라

❯ 괴똥어미의 일화를 통해 딸에게 경계할 것을 당부함

한림, 주서의 관복감이며 병서, 주서의 군복감이며
길쌈도 하면서 전답으로 열심히 농사도 지으니
때에 맞추어 힘을 써서 돈을 버니 가업의 기반이 마련되는구나.
(중략)

산에 가서 제사하기, 절에 가서 불공하기(를 아무리 한들)
효도와 공경을 하지 않는데 귀신인들 도와줄 것인가?
악병이며 중병이며 이질이며 구창이며
이질 앓던 시아버지가 초상 치를 지경이 되어도 상관하겠는가?
저(괴똥어미)의 마음 씀씀이가 저러하니 서방인들 온전하겠는가?
아들 죽고 울었는데 금새 어린 딸마저 마저 죽고
세간을 탕진하니 늙은 종인들 있겠는가?

제사 음식 차릴 적에 정성도 들이지 않고 하였으니
앙화가 어찌 없을 것인가? 셋째 아들 반신불수 (되었고)
집 앞에 있던 좋은 논밭과 큰 농장에 물난리가 나서 시내가 되고,
넓던 수백 간의 집에 불이 붙어 밭이 되고,
태산같이 쌓였던 곡식들 누구의 물건이 되었단 말인가?

참혹하다 괴똥어미 (주위에) 아무도 없고 홀로 남았구나.
한 칸 움집을 얻어 지내니 배고픔과 추위를 견딜 수 있을 것인가?
다 떨어진 삼베 치마를 이웃집에서 얻어 입고
뒤축도 없는 헌 짚신을 짝을 (여기저기서) 모아서 맞춰서 얻어 신고
앞집에 가서 밥을 빌리고 뒷집에 가서 장을 빌리고
허술하게 요기를 하고 불도 못 땐 찬 움집에서
헌 거적을 뒤집어쓰고 밤을 겨우 새우고 나서
새벽 바람 찬바람에 이 집에 가고 저 집에 가며
(입에 풀칠이라도 하려고) 다리 절고 곰배팔 춤을 추니 사람들이 웃는 소리가 요란하다.

불효에 악행을 하던 죄로 앙갚음의 벌을 받으니
착하게 살면 복을 받고 악하게 살면 재앙을 받는 것이 이를 보니 분명하다.
딸아 딸아 내 딸아 시집살이 조심해라.
어미 행실을 본을 받고 괴똥어미의 경우를 경계하라.

Link

출제자 톡! 화자를 이해하라!

1 **화자는 누구이고, 화자가 처한 상황은?**
가난한 집에 시집을 와서 집안을 일으킨 사람

2 **화자의 정서와 태도는?**
- 가난한 시집에서의 자신의 처지를 한탄함.
- 가난을 면하기 위해 돈을 벌려는 의지적인 태도를 보임.
- 괴똥어미의 일화를 통해 딸에게 경계할 것을 권고함.

출제자 톡! 표현상의 특징을 파악하라!

❶ 설의적 표현, 영탄적 표현을 주로 사용하여 화자나 인물의 태도를 강조함.
❷ 유사 어구 및 유사한 통사 구조의 반복을 통해 운율을 형성함.
❸ 화자의 삶과 특정 인물의 삶을 대비하여 시상을 전개함.
❹ 명령형 어미를 활용하여 주제 의식을 분명하게 전달함.
❺ 청자를 설정하여 교훈을 전달함.

출제 우선 작품

최우선 출제 포인트!

1 '나'와 괴똥어미의 삶

'나'		괴똥어미
• 가난한 시가에 시집을 와서 고생을 함. • 돈을 벌고자 마음 먹고 열심히 일해서 가업의 기반을 마련함.	대비 ↔	• 부잣집에 시집을 옴. • 행실을 바르게 하지 않아 재앙을 입어 비참한 삶을 살게 됨.
↓ 복선(福善)		↓ 화음(禍淫)

↓ 부녀자의 올바른 삶의 자세를 당부함.

최우선 핵심 Check!

1 화자인 '나'는 딸에게 시집에서의 행실을 조심할 것을 권고하기 위해 ㄱㄸㅇㅁ의 일화를 들려 주고 있다.

2 유사한 어구 및 통사 구조의 반복을 사용하여 운율을 형성하고 있다. (O / ×)

3 '복선화음'에서 '복선'은 '나'에 해당하고, '화음'은 괴똥어미에 해당한다. (O / ×)

4 '나'는 자신의 신세를 한탄하지만, 가업을 일으키기 위해 열심히 일을 하였다. (O / ×)

5 괴똥어미는 사치가 심하여 가산을 탕진하고 비참한 삶을 살게 되었다. (O / ×)

정답 1. 괴똥어미 2. ○ 3. ○ 4. ○ 5. ×

1등급! 〈보기〉!

'계녀 가사'의 이해

계녀 가사는 시집가서 해야 할 일을 딸에게 가르치기 위한 가사를 말하며, 규방 가사(閨房歌辭) 혹은 내방 가사(內房歌辭)의 한 갈래로 규방 가사의 주류를 이루고 있다. 계녀 가사의 작자는 일반적으로 사대부가(士大夫家) 부녀층이라고 할 수 있다. 그중에서도 시집가는 딸을 훈계하기 위한 목적으로 창작되는 것이므로, 대부분 그러한 딸을 둔 어머니가 작자가 된다.
계녀 가사를 받아들여 생활화하고 전수하는 층은 자연히 작품의 대상층에서 드러난다. 그 대상은 원칙적으로 신행길을 떠나 시집으로 향하려는 상황에 처한 새색시, 곧 작자층의 딸이 된다. 그러나 때로는 아직 혼인 전에 있는 딸에게 집안의 법도와 예절에 대한 예비 지식을 가르치기 위해 창작되기도 한다. 시집가서 잘살고 있더라도 시집살이를 더욱 잘하라는 격려의 뜻으로 시집에 있는 딸에게 보내는 경우와 시집 가서 불행히도 일찍 과부가 된 딸을 교훈하기 위한 것도 있다.
이러한 계녀 가사는 유교적 규범을 관념적으로 서술하는 데서 출발한다. 그리하여 차차 생활의 체험을 반영하면서 인접 장르인 민요나 소설 쪽으로 개방성을 보이면서 상당한 변모를 거치게 된다. 그러한 예로 「복선화음가」에 '괴똥어미'의 행실에 관한 소설적 모티프가 개입되어 있다든지, 또 문경과 영주 지방에서 채록된 「계녀가」가 민요와 가사의 중간적 성격을 보인다든지 하는 사실을 들 수 있다.

상사의 괴로움을 호소하는 노래

181위 상사별곡(相思別曲) | 이세보

갈래 가사(애정 가사) **성격** 애상적, 감상적, 회상적
주제 이별로 인한 괴로움과 임에 대한 그리움
시대 조선 후기

임과 이별한 상황에서 임을 기다리며 느끼는 상사의 괴로움과 그리움을 드러내고 있다.

봄 / 가을

황ᄆᆡ시절(黃梅時節) 떠난 이별 만학단풍(萬壑丹楓) 느졋스니

봄에서 가을로의 계절의 변화 - 임과의 이별 기간이 길었음을 드러냄

상ᄉᆞ일념(相思一念) 무한ᄉᆞ는 져도 나를 그리련이

임 그리워하는 마음 / 화자 자신이 임을 그리워하는 것처럼 임도 자신을 그리워해 주기를 바라는 마음이 담김

구든 언약 깁흔 정을 ᄂᆡᆫ들 어이 이졋슬가

임을 잊지 않았음을 강조함. 설의적 표현 **Link** 표현상 특징 ❶

인간의 일이 만코 조물(造物)이 시긔런지

화자가 생각하는 임과 재회하지 못하는 이유 - 외적 요인(인간의 일, 조물주의 시기) 때문임을 드러냄

삼ᄒᆞ삼추(三夏三秋) 지나가고 낙목한천(落木寒天) 또 되엿ᄂᆡ

시간의 흐름 - 임과의 이별이 지속되고 있음을 보여 줌

운산이 머럿쓰니 소식인들 쉬울손가

임과 화자 사이의 거리감 / 소식을 들을 수 없음 - 화자의 안타까움을 강조. 설의적 표현 **Link** 표현상 특징 ❶

ᄃᆡ인난 긴 한숨의 눈물은 몇때런고

기다리는 임이 오지 않는 것에 대한 화자의 아픔을 드러냄

『흉중의 불이 나니 구회간장 다타간다』 『 』: 화자의 안타까운 마음을 비유적으로 표현 **Link** 표현상 특징 ❸

임에 대한 그리움으로 화자의 애타는 상황을 드러냄

인간의 물로 못끄난 불이라 업것마는

ᄂᆡ 가삼 ᄐᆡ우는 불은 물노도 어이 못끄난고

임과 이별한 상황을 해결하기 어려움을 드러냄. 영탄적 표현 **Link** 표현상 특징 ❹

『ᄌᆞ네 사정 ᄂᆡ가 알고 ᄂᆡ 사정 ᄌᆞ네 알니』 『 』: 대구법 **Link** 표현상 특징 ❷

기러기 울음 소리

세우ᄉᆞ창(細雨紗窓) 저문 날과 소소상풍 송안성의

화자의 외로움을 심화시키는 배경

상ᄉᆞ몽(相思夢) 놀라 ᄭᆡ여 ᄆᆡᆨᄆᆡᆨ키 ᄉᆡᆼ각ᄒᆞ니

어떤 일에 대처할 방법이 잘 생각나지 않아 답답하게

『방춘화류(芳春花柳) 조흔 시절 강누ᄉᆞ찰 경긔돗ᄎᆞ

누각과 사찰의 경치를 따라

일부일 월부월의 운우지락(雲雨之樂) 협흡할제

남녀 간의 정을 나누는 즐거움으로 화목하게 지낼 때

청산녹수 증인두고 ᄎᆞ싱ᄇᆡᆨ년 서로 ᄆᆡᆼ세

자연 / 영원히 함께할 것을 맹세했다는 의미

『못보와도 병이 되고 더듸 와도 성화로세』 『 』: 대구법 **Link** 표현상 특징 ❷

오는 글발 가는 ᄉᆞ연 ᄌᆞᄌᆞ획획 다정턴이』 『 』: 임과 함께 보낸 행복했던 시절을 회상 - 과거를 그리워함

화자가 이별하기 전에 임과 글발을 통해 정을 나누었음을 알 수 있음

엇지타 한 별니가 역여조기(惄如調飢) 어려웨라

이별로 인한 화자의 정서

황매화 피던 시절에 (임이) 떠나 이별했는데, 골짜기에 단풍이 들어 (가을이) 깊었으니
임 그리워하는 마음이 끝이 없음은 임도 나를 그리워하는 것이려니
굳은 언약 깊은 정을 나인들 어찌 잊었을 것인가?
인간 세상에 일이 많고 조물주의 시기였는지

세 번의 여름과 세 번의 가을이 지나가고 나뭇잎이 다 떨어진 겨울이 또 되었네.
구름이 낀 산이 멀리 있으니 소식인들 쉬울 것인가?
오지 않는 사람을 기다리는 안타까움으로 긴 한숨의 눈물은 몇 번째인가?
마음속의 불이 나니 아홉 번 굽이친 간과 창자가 다 타들어 간다.
사람이 물로 끄지 못하는 불은 없지마는

내 가슴 태우는 불은 물로도 어찌 끄지 못하는가.
자네 사정 내가 알고 내 사정 자네가 아니

가는 비 내리는 세창의 저문 날과 쓸쓸한 바람 불고 서리 내릴 때의 기러기 울음소리에
임을 그리워하여 꾸는 꿈에 놀라 깨어 답답하게 생각하니
흐드러진 봄의 꽃과 버들(봄이 한창인 때) 이 좋은 시절(봄이 한창인 때)에 누각과 사찰의 경치를 따라
날마다 달마다 남녀 간의 정을 나누는 즐거움으로 화목하게 지낼 때에
푸른 산과 푸른 물을 증인 삼아 앞으로 백 년 동안 살자고 서로 맹세(하였더니)
못 보아도 병이 되고 늦게 와도 성화가 되었구나.
오는 글발 가는 사연의 글자마다 다정함이 있더니
어쩌다 한 이별로 인해 임을 그리는 정이 간절하여 마음이 힘들구나.

출제자 톡! 화자를 이해하라!

1 화자는 누구이고, 화자가 처한 상황은?
임과 이별한 상황에 처해 있는 사람

2 화자의 정서 및 태도는?
- 임에 대한 그리움과 임에 대한 상사로 인한 슬픔
- 임과 행복했던 시절을 그리워함.

Link

출제자 톡! 표현상의 특징을 파악하라!

❶ 설의적 표현을 사용하여 화자의 정서와 태도를 강조해 줌.
❷ 대구법을 사용하여 운율을 형성함.
❸ 비유적 표현을 통해 화자의 심정을 부각함.
❹ 영탄적 표현을 통해 화자의 심정을 강조함.

최우선 출제 포인트!

1 '불'과 '물'의 의미

(흉중의) 불	↔	물
임에 대한 화자의 간절한 그리움		화자의 마음속 불을 끌 수 없음.

↓

임과 이별한 상황을 해결하기 어려움을 드러냄.

최우선 핵심 Check!

1 시어 'ㅂ'은 임에 대한 화자의 그리움이 간절함을 드러낸 것으로, 화자의 애타는 상황을 보여 준다.

2 화자는 공간의 이동을 통해 임과 이별한 상황이 지속되고 있음을 제시하고 있다. (O / ×)

3 화자는 과거를 떠올리며 임과 행복했던 시절을 그리워하고 있다. (O / ×)

정답 1. 불 2. × 3. ○

182위

영월에서 삼척에 이르는 여정을 노래함

영삼별곡(寧三別曲) | 권섭

갈래 가사(기행 가사) **성격** 추보적, 예찬적
주제 자연 경관을 바라보며 느끼는 흥취
시대 조선 후기

영월을 출발하여 삼척에 이르는 동안 본 수려한 풍경에 대한 예찬과 이에 대한 흥취를 노래하고 있다.

원문	현대어 풀이
별이(別異)실 외딴 마을 해는 어이 쉬 넘거니 (□: 공간의 이동에 따른 시상 전개 Link 표현상 특징 ❶) (해가 져서 경치를 더 구경하지 못하는 아쉬움이 담겨 있음)	특별히 다른 마을, 외딴 마을의 해는 어찌하여 쉽게 넘어가 버리는가.
「봉당(封堂)에 자리 보아 더새고 가자꾸나」 (「」: 화자가 여행 중임을 짐작할 수 있음) (더새고: 밤을 지내고)	(해가 졌으니) 봉당에서 잠자리를 마련하여 밤을 지내고 가자꾸나.
밤중(中)만 사립 밖에 긴 바람 일어나며	밤중에 사립문 밖에서 강한 바람 일어나며
새끼 곰 큰 호랑(虎狼)이 목 갈아 우는 소리	새끼 곰과 큰 호랑이의 그르렁거리며 우는 소리
산골에 울려 있어 기염(氣焰)도 흉난할샤 (밤중에 울리는 짐승들의 울음소리가 불안감을 유발함) (기세가 어지럽구나)	(짐승들의 울음소리가) 산골짜기에 울렸으니 기세가 어지럽구나.
칼 빼어 곁에 놓고 이 밤을 겨우 새워 (짐승들의 위험에 대비하는 화자의 모습)	칼을 빼어 곁에 놓고 이 밤을 겨우 새워
「앞내에 빠진 옷을 쥡짜서 손에 쥐고	앞 시내에 빠진 옷을 쥐어 짜서 손에 쥐고
긴 별로(別路) 돌아 달려가 벌불에 쬐어 입고」 (「」: 여행 중 화자의 모습을 생생하게 표현함) (냇물에 젖은 옷을 말리는 모습)	다른 길로 돌아 달려가서 (옷을) 들판 불에 쬐어 (말려) 입고
「진(秦) 때의 숨은 백성 이제 와 보게 되면	진나라 때 (난리를 피해) 숨어 들어온 백성들이 이제 와서 보게 되면
도원이 여기보다 낫단 말 못하려니」 (「」: 중국 도연명의 「도화원기」와 관련된 내용 - 화자가 본 풍경을 무릉도원과 비교하여 표현하여 풍경의 아름다움을 강조. 예찬적 태도 Link 표현상 특징 ❷)	무릉도원이 여기보다 낫다는 말을 못하려니
천변(天邊)의 가려진 뫼 대관령 이었으니	하늘 가로 갈라진 산이 대관령에 이어 있으니
위태코 높은 고개 촉도난이 이렇던가 (촉도난: 촉나라로 가는 험한 길의 어려움)	위험하고 높은 고개 촉나라로 가는 길의 어려움이 이러하던가.
하늘에 돋은 별을 져기면 만질노다 (고갯길이 매우 험함을 드러냄) (대관령 고개가 매우 높음을 강조)	하늘에 돋아난 별을 잘하면 만질 듯하다.
「망망대양이 그 앞에 둘러 있어	넓고도 큰 바다가 그 앞에 둘러 있어
대지 산악을 일야의 흔드는 듯」 (「」: 바다의 장관에 대한 경탄, 과장적 표현을 통해 주관적 인식을 드러냄 Link 표현상 특징 ❸)	대지와 산악을 밤낮으로 흔드는 듯
밑 없는 큰 구렁에 한없이 쌓인 물이 ('바다'를 표현한 말)	밑이 없는 큰 구덩이에 끝없이 쌓인 물이
만고에 한결같이 영축이 있었던가 (영축: 가득 차는 것과 줄어드는 것) (설의적 표현 Link 표현상 특징 ❸)	만고에 한결같이 가득 차는 것과 줄지 않는 것이 있었던가?

출제자 톡! 화자를 이해하라!

1 **화자는 누구이고, 화자가 처한 상황은?**
여행하고 있는 사람

2 **화자의 정서 및 태도는?**
• 산짐승들 울음소리에 불안감을 드러냄.
• 아름다운 자연 경관에 예찬적 태도를 드러냄.

Link

출제자 톡! 표현상의 특징을 파악하라!

❶ 공간의 이동에 따라 시상을 전개함.
❷ 고사를 활용하여 자연 경관의 아름다움을 효과적으로 전달함.
❸ 설의적 표현, 과장법을 사용하여 자연 경관에 대한 화자의 심정을 드러냄.

최우선 출제 포인트!

1 시상 전개 방식

외딴 마을: 여행 중에 밤이 되어 쉬어 감. → 앞내: 여행 중 화자가 지나간 공간 → 고개(대관령): 바다의 경관에 감탄함.

↓

공간의 이동에 따른 시상 전개

최우선 핵심 Check!

1 '외딴 마을 – 앞내 – 고개'로의 ㄱㄱ의 이동에 따라 시상을 전개하고 있다.

2 화자는 무릉도원과 비교하여 자신이 본 아름다운 풍경을 강조하고 있다. (O / ×)

3 화자는 바다의 장관을 바라보면서 인생무상을 느끼고 있다. (O / ×)

정답 1. 공간 2. ○ 3. ×

183위

임진년(용띠 해, 1592)과 계사년(뱀띠 해, 1593)을 읊조림

용사음(龍蛇吟) | 최현

갈래 가사(전쟁 가사) **성격** 사실적, 비판적, 추모적
주제 관리들에 대한 비판 및 의병들의 헌신 추모
시대 조선 중기

임진왜란 당시 관리들의 무책임과 무사안일을 비판하고, 왜적의 침입에 맞서 싸운 의병들의 충성스러운 희생에 대한 추모의 정을 그리고 있다.

「니 됴흔 수령(守令)들 너흐ᄂᆞ니 백성(百姓)이요
(너흐ᄂᆞ니: 짓씹느니)

톱 됴흔 변장(邊將)들 허위ᄂᆞ니 군사(軍士)로다」
(백성들을 수탈하는 관리들의 가혹한 모습 / 「」: 백성들의 고통받는 모습. 대구법. 유사한 통사 구조 반복 / Link 표현상 특징 ❶, ❷)

「재화(財貨)로 성(城)을 ᄊᆞ니 만장(萬丈)을 뉘 너모며
(군사들을 속이는 관리들의 모습)

고혈(膏血)로 히지 ᄑᆞ니 천척(千尺)을 뉘 건너료」
(히지: 성 주위에 둘러 판 못 / 고혈: 사람의 기름과 피 - 관리들의 수탈을 드러내 주는 시어 / 「」: 백성들을 수탈하여 부를 쌓은 부패한 관리들의 모습. 대구법. 유사한 통사 구조 반복, 과장법 / Link 표현상 특징 ❶, ❷)

기라연(綺羅筵) 금수장(錦繡帳)의 추월춘풍(秋月春風) 수이 간다
(추월춘풍: 설의적 표현 / 호화로운 잔치 / 시간의 흐름을 드러냄)

「히도 길것마는 병촉유(秉燭遊) 긔 엇덜고」
(「」: 방탕한 생활을 하는 관리들의 모습 / 관리들이 하루종일 호화로운 잔치를 한다는 의미)

「주인(主人) 좀든 집의 문(門)은 어이 여럿ᄂᆞ뇨
(주인: 임금 / 집: 나라 / 문: 국경)

도적(盜賊)이 엿보거든 개는 어이 즛쟛는고」
(도적: 왜적 / 개: 관리들 / 「」: 왜적의 침입에 무방비한 상황에 대한 개탄. 비유적 표현)

대양(大洋)을 ᄇᆞ라보니 바다히 여위엿다
(왜적이 쉽게 침략할 수 있는 상황 - 무방비 상태임을 드러냄)

술이 ᄭᅵ더냐 병기(兵器)를 뉘 가다료
(방탕한 생활로 왜적의 침입에 대한 대비가 전혀 없음을 드러냄)

감사(監司)가 병사(兵使)가 목부사(牧府使) 만호(萬戶) 첨사(僉使)
(관직 이름 나열 - 위아래 관직을 막론하고 왜적 침입에 대비하지 않았음을 강조함. 열거법)

산림(山林)이 뷔화던가 수이곰 드러갈샤
(산림: 우리나라를 비유 / 나라를 지키는 관리가 없어 왜적이 쉽게 쳐들어 왔음을 드러냄)

「어릴샤 김수(金睟)야 뷘 성(城)을 뉘 딕희료

우울샤 신립(申砬)아 배수진(背水陣)은 므ᄉᆞ일고

양령(兩嶺)을 놉다 ᄒᆞ랴 한강(漢江)을 깁다 ᄒᆞ랴」
(「」: 왜적의 침입에 속수무책으로 당하는 관리들의 무능함 비판 / 대비가 전혀 없어 임금이 있는 한성이 쉽게 점령당한 상황을 드러냄)

「인모(人謀) 불장(不臧)ᄒᆞ니 하늘히라 엇디ᄒᆞ료
(→ 백성에 대한 관리들의 무책임한 모습 / 인모 불장: 관리로서의 도리를 하지 않음을 가리킴 / 하늘도 어쩔 수 없음을 강조. 설의적 표현 / Link 표현상 특징 ❶)

하나 한 백관(百官)도 수 치올 ᄲᅮᆫ이랏다
(관리는 많지만 왜적의 침입을 막을 관리는 없다는 의미)

일석(一夕)에 분찬(奔竄)ᄒᆞ니 이 시름 뉘 맛들고」
(분찬: 나라를 지키지 않고 도망치는 관리들의 모습 / 위험에 처한 나라에 대한 화자의 안타까움이 담김 / 「」: 지배층(관리)에 대한 비판 의식을 드러냄)

> 전쟁에 대비하지 못한 무능력한 관리들 비판

백성들을 수탈하고 전쟁에 대비하지 못하는 무능력한 관리들
↕ 대조
왜적의 침입에 맞서 싸우는 백성들

(Link 표현상 특징 ❸)

(중략)

질풍(疾風)이 아니 블면 경초(勁草)를 뉘 아더뇨
(질풍: 시련, 고난 / 경초: 억센 풀. 백성을 의미 / → 일본에 대한 의병들의 분노 짐작 / 나라가 위기에 처할 때마다 백성들이 의병에 참여하여 싸웠음을 비유적으로 드러낸 말. 설의적 표현)

「도홍(桃紅) 이백(李白)홀제 버들조쳐 프르더니
(꽃이 피는 봄. 태평스런 시절을 의미함)

일진(一陣) 서풍(西風)에 낙엽성(落葉聲) ᄲᅮᆫ이로다」
(「」: 자연물의 대비를 통해 평화롭던 과거와 왜적에 침략당한 현재를 보여 줌. / 낙엽성: 낙엽 소리)

김해(金垓) 정의번(鄭宜藩) 유종개(柳宗介) 장사진(張士珍)아
(임진왜란 때의 의병장 나열. 열거법)

죽ᄂᆞ니 만커니와 이 죽엄 한(恨)티 마라
(의병들에 대한 위로의 의도가 담김)

김해성이 믈허지니 진주성을 뉘 지킈료
(의병들이 진주성을 지켰다는 말. 설의적 표현 / Link 표현상 특징 ❶)

뇌남(雷南) 장사(壯士)들이 일석(一夕)에 어듸 간고
(뇌남: 우리나라 최남단 / 왜적과 싸우다 죽은 의병들에 대한 안타까움을 드러냄)

이(이빨) 좋은 수령들이 짓씹는 것이 백성이요,

톱 좋은 변방의 장수들이 속이느니 군사로다.

재물로 성을 쌓으니, 만 장을 누가 넘으며,

(백성들의) 고혈로 해자를 파니, 천 척을 누가 건너겠는가?
호화로운 잔치에 시간이 빨리 흘러 간나.

해도 길지마는 밤에 촛불을 밝혀 놓고 놀이를 즐김은 그 어떨까.
주인이 잠든 집에 문은 어이 열었느냐.

도적이 (집)을 엿보는데 개는 어이 짖지 않았는가?
대양을 바라보니 바다가 (매우) 얕아졌다.

술이 깨더냐? 병기를 누가 다룰까?

감사가, 병사가, 목부사, 만호, 첨사가.

산림이 비었던가 (왜적이 우리나라에) 쉽게도 들어간다.
어리석다 김수야, 빈 성을 누가 지키랴.

우습다 신립아, 배수진은 무슨 일이냐.

두 고개를 높다 하랴, 한강을 깊다 하랴.

사람으로서 할 수 있는 도리를 다하지 않으니 하늘이라 어찌하랴.
많고 많은 신하들도 수를 채울 뿐이구나.

하루저녁에 달아나 숨으니 이 근심을 누가 맡을 것인가?

(중략)

질풍이 불지 아니하면 억센 풀을 누가 알겠느냐?
복숭아꽃, 오얏꽃이 피고 버들조차 푸르더니,

한 바탕 서풍에 낙엽 소리뿐이로다.

김해, 정의번, 유종개, 장사진아.

(적과 싸우다가) 죽은 사람 많으니 너희의 죽음을 한탄하지 말라.
김해성이 무너지니 진주성을 누가 지키겠느냐?
최남단의 장사들이 하루 만에 어디로 갔는가.

「녹빈(綠蘋)을 안듀 삼고 청수(淸水)를 잔의 브어
충혼(忠魂) 의백(義魄)을 어듸 가 부르려는가」

(푸른 개구리밥 / 깨끗한 물 / 「」: 나라를 지키다가 죽은 의병들에 대한 추모의 정 / 충성스럽고 의로운 넋이라는 의미로, 충의의 정신을 비유적으로 이르는 말 - 의병들의 충성스러운 희생을 짐작하게 함)

「조종(祖宗) 구강(舊疆)애 도적(盜賊)이 님재 도여」

(「」: 일본이 조선을 침략한 상황 짐작 / 조상의 영토 / 왜적 / 임자 되어)

「뫼마다 죽기거니 골마다 더듬거니
원혈(冤血)이 흘러나려 평육(平陸)이 성강(成江)ᄒᆞ니
건곤(乾坤)도 빅자올샤 피(避)ᄒᆞᆯ ᄃᆡ 젼혀 업다」 Link 표현상 특징 ❹

(「」: 전쟁으로 인한 참혹한 우리나라의 실상, 과장적 표현 / 원통한 피 / 전쟁의 참혹함을 피할 곳이 없음 - 나라 전체가 싸움터가 되었음을 드러냄)

> 의병들에 대한 추모와 전란으로 인한 비참한 상황

푸른 개구리밥을 안주로 삼고 맑은 물을 잔에 부어,
충혼 의백(의병들)을 어디 가 부르려는가.
우리 조상의 영토가 (침략을 당해) 도적이 임자가 되었으니,
산마다 죽었거니 골마다 더듬었거니
원통한 피가 흘러내려 평지가 강을 이루니
천지에 꽉 찼구나, 피할 데 전혀 없다.

출제자 톡! 화자를 이해하라!

1 **화자는 누구이고, 화자가 처한 상황은?**
전쟁(임진왜란) 당시 관리들의 모습과 의병들의 모습을 떠올리고 있는 사람

2 **화자의 정서 및 태도는?**
- 백성을 착취하고 외적의 침입에 전혀 대비하지 않는 무능한 관리들을 비판함.
- 왜적의 침략에 맞서 싸운 의병들의 죽음에 대한 안타까움과 추모의 정을 드러냄.

Link

출제자 톡! 표현상의 특징을 파악하라!

❶ 대구법, 설의적 표현을 사용하여 관리들에 대한 비판 의식을 강조함.
❷ 유사한 통사 구조의 반복을 통해 운율을 형성함.
❸ 관리들과 백성들의 모습을 대조적으로 제시하여 주제 의식을 드러냄.
❹ 과장적 표현을 사용하여 인물의 행위에 대한 비판과 상황의 처참함을 강조함.

최우선 출제 포인트!

1 관리들과 백성들에 대한 화자의 태도

관리들		백성들(의병들)
• 백성들을 수탈함. • 탐욕스럽고 방탕한 생활을 함. • 관리라는 책임을 망각하고 왜적의 침입에 전혀 대비하지 못함. • 왜적의 침략에 무능함을 보임.	↔ 대조	• 관리들에게 수탈을 당하고 있음. • 왜적이 침입하자 목숨을 바쳐 나라를 지킴.
비판의 대상		예찬과 추모의 대상

함께 볼 작품 임진왜란의 전란을 소재로 한 작품: 박인로, 「선상탄」

최우선 핵심 Check!

1 관리들의 모습과 백성들의 모습을 ㄷㅈ하여 주제 의식을 드러내 주고 있다.

2 화자는 왜적의 침입에 전혀 대책을 세우지 않는 임금에 대한 원망의 태도를 주로 드러내고 있다. (O / ×)

3 화자는 백성을 수탈하면서 탐욕스럽고 방탕한 생활을 하는 관리들을 비판하고 있다. (O / ×)

4 화자는 자연의 대조된 모습을 통해 평화롭던 과거와 현재의 모습을 드러내 주고 있다. (O / ×)

5 화자는 전쟁으로 인한 비참한 우리나라의 실상을 과장적 표현을 써서 드러내고 있다. (O / ×)

정답 1. 대조 2. × 3. ○ 4. ○ 5. ○

1등급! 〈보기〉!

「용사음」의 이해

이 작품은 최현이 의병에 가담하여 활동했던 1594년에서 1597년 사이에 지은 가사로, 임진왜란을 배경으로 전쟁의 참상과 의병의 모습을 보여 주고 있다. 일본이 조선을 침략했을 때 백성들은 자신들을 외면한 지배층에 대해 분노하며 의병으로 참전하였다. 이 작품에서는 이러한 의병들의 충성스러운 희생이 부각이 되어 백성들의 강인함이 형상화되는 한편, 전란의 와중에 어지러운 현실을 바라보는 비분강개가 잘 나타나 있다. 박인로(朴仁老)의 여러 가사와 함께 임진왜란을 소재로 한 가사라는 데에 그 의의가 있다.

184위

봄날 초당에서 낮잠을 자다가 일어나 읊조린 노래

초당춘수곡(草堂春睡曲) | 남석하

갈래 가사(양반 가사, 은일 가사)
성격 풍류적, 애상적, 자연 친화적
주제 봄에 느끼는 자연의 흥취 **시대** 조선 후기

봄날에 낮잠을 자다가 일어난 화자가 입신양명을 이루지 못한 자신의 처지를 슬퍼하면서도, 봄날의 흥취를 한껏 즐기며 자연 속에서 살겠다는 자연 친화적 태도를 드러내고 있다.

초당 늦은 날에 깊이 든 잠 겨우 깨어 (초가집을 가리킴)
대창문을 바삐 열고 작은 뜰에 방황하니 (제목이 '초당춘수곡'인 이유를 알 수 있음)

시내 위의 버들잎은 봄바람을 먼저 얻어
위성 땅 아침 비에 원객(遠客)의 근심이라 (계절적 배경 - 봄 / 멀리서 온 나그네 - 화자 자신을 객관화시킴 / 왕유의 시 구절로, 벗과 이별하던 장소에 아침 비가 내리는 풍경을 말함 - 애상감을 줌)
「수풀 아래 뻐꾹새는 계절을 먼저 알아 (계절감을 드러내는 소재 - 봄)
태평세월 들일에는 농부를 재촉한다」 (할 일 없는 화자의 상황과 대비되는 존재 / 「 」: 뻐꾹새가 농부에게 일을 할 것을 재촉한다는 의미로, 주객이 전도된 표현. 의인화 **Link 표현상 특징 ❻**)
아아 내 일이야 잠을 깨어 생각하니 (영탄적 표현 **Link 표현상 특징 ❷**)
세상의 모든 일이 모두가 허랑(虛浪)하다 (현재 화자의 정서 - 허무함)
「공명(功名)이 때가 늦어 백발은 귀밑이요
산업(産業)에 꾀가 없어 초가집 몇 칸이라」 (「 」: 화자의 현재 처지 - 관직 없이 나이가 들고 가난함. 대구법 **Link 표현상 특징 ❶** / 화자의 가난한 처지를 엿볼 수 있음)

› 봄날에 느끼는 무상감과 자신의 처지에 대한 탄식

백화주 두세 잔에 산수에 정이 들어 (→ 시상의 전환 / 풍류를 즐기는 화자의 모습을 드러내는 소재 / 자연 / 자연에서 화자가 느끼는 정서)
홍도 벽도(紅桃碧桃) 난발(爛發)한데 지팡이 짚고 들어가니 (복숭아꽃 - 무릉도원(이상향)을 연상시킴 / 활짝 핌)
「산은 첩첩 기이하고 물은 청청 깨끗하다」 (「 」: 대구법, 유사한 통사 구조의 반복 **Link 표현상 특징 ❶** / 아름다운 자연의 모습을 드러냄)
「안개 걷어 구름 되니 남산 서산 백운(白雲)이요
구름 걷혀 안개 되니 계산 안개 봉이 높다
앉아 보고 서서 보니 별천지가 여기로다」 (「 」: 대구법 / 아름다운 자연에 대한 화자의 만족감을 담고 있음. 영탄적 표현 **Link 표현상 특징 ❷**)
「때 없는 두 귀밑을 돌시내에 다시 씻고 (화자 자신의 몸과 마음을 정갈하게 하는 모습. 허유와 소부의 고사와 관련됨 **Link 표현상 특징 ❼**)
탁영대(濯纓臺) 잠깐 쉬고 세심대(洗心臺)로 올라가니 ('끈을 씻는다'는 뜻으로 속세를 초월함을 의미 / 마음을 씻는다는 뜻으로 세속을 초월함 / ▭: 공간의 이동)
풍대(風臺)의 맑은 바람 심신이 시원하고
월사(月榭)의 밝은 달은 맑은 의미 일반이라」 (「 」: 공간의 이동을 통해 자연에서 풍류를 즐기는 화자의 모습이 드러남 **Link 표현상 특징 ❺** / 달을 보기 위한 누각 / 긍정적으로 인식하는 대상)
(중략)

› 산속의 봄날 풍경에서 느끼는 흥취

「달 아래서 술 마시니 주중적선(酒中謫仙) 내 아닌가 (당나라 때 시인 이백을 가리킴)
시내 위에 꽃 씻으니 시중성인(詩中聖人) 그 누군고」 (「 」: 자연에서 술을 마시며 즐기는 풍류가 드러남. 대구법, 영탄적 표현 **Link 표현상 특징 ❷, ❼** / 당나라 때 시인인 두보를 가리킴)
「오동(梧桐)의 밝은 달을 봉황(鳳凰)과 희롱(戲弄)하고
가을 강의 맑은 흥을 백구(白鷗)와 화답하니」 (「 」: 자연물과 더불어 자연의 흥취를 즐기는 화자의 모습이 드러남. 대구법, 의인법 **Link 표현상 특징 ❶, ❻**)
명사십리(明沙十里) 홍료주(紅蓼洲)에 어부 피리 더욱 좋다 (화자의 흥취를 북돋우는 소재)

초당의 늦은 날에 깊이 든 잠을 겨우 깨어 (일어나)
대창문을 바삐 열고 (나와) 작은 뜰에서 방황하니
시냇가의 버드나무 잎은 봄바람을 먼저 얻어

벗과 이별하는 장소에 비가 내리니 멀리서 온 손님(나)의 근심이라.
수풀 아래의 뻐꾹새는 봄이 온 것을 먼저 알아

평화로운 세상에 들일을 하라고 농부를 재촉한다.
아아 내가 할 일이 무엇인지 잠을 깨어 생각하니,
세상 모든 일이 모두 다 헛되구나.

공명을 (얻기에는) 나이가 들어 백발은 귀밑이요,
경제를 도모하는 재주가 없어 초가집 몇 칸이라.

백화주를 두세 잔 (먹으니) 산수에 정이 들어

복숭아꽃이 흐드러지게 한창 피어 있는 곳으로 지팡이 짚고 들어가니
산은 첩첩하여 기이하고 물은 맑디 맑아 깨끗하다.
안개가 걷어 구름이 되니 남산과 서산의 흰구름이요.
구름이 걷혀서 안개가 되니 맑은산의 안개 낀 봉우리가 높다.
앉아서 보고 서서 보니 별천지가 여기로구나.

때 묻지 않은 두 귀밑을 (흐르는) 시냇물에 다시 씻고
탁영대에서 잠깐 쉰 뒤 세심대로 올라가니

풍대의 맑은 바람에 몸과 마음이 시원하고

달 보는 누각에 서서 달을 보니 그것이 자연이 주는 참된 의미구나
(중략)

달 아래서 술을 마시니 술에 취한 신선이 내가 아닌가.
(흐르는) 시내에 꽃을 씻으니 시를 잘 쓰는 성인이 그 누구인가.
오동나무 위에 뜬 밝은 달을 봉황과 희롱하고

가을 강의 맑은 흥을 백구와 (서로) 주고받으니

곱고 부드러운 모래가 펼쳐진 바닷가의 여뀌에 어부의 피리소리가 더욱 좋다.

그 모르는 속세 사람 한때 번화(繁華) 원(願)치 마라
부귀공명은 일시적이므로 추구하지 말라는 의미, 명령형 어조
도도(滔滔)한 환해풍파(宦海風波) 성은(聖恩)이 깊었으되
벼슬살이에서 겪는 온갖 험한 일
한 몸이 떠돌며는 이 아니 분주할까
자연에서의 풍류를 즐기는 삶에 대한 만족감이 담겨 있음

> 자연에서 흥취를 즐기는 것에 대한 만족감

자연에서의 흥취를 모르는 속세 사람 한때의 번성하고 화려함을 원하지 마라.
거침없는 벼슬살이의 풍파에도 성은이 깊었으되
(이) 한 몸이 (자연의 경치를 즐기기 위해) 떠돌아다니는 일이 바쁘지 않겠는가?

『영욕(榮辱)에 몸이 늙어 상여 소리 한 곡조로
사람의 시체를 실어서 묘지까지 나르는 도구
단정(丹旌)을 앞세우고 북망으로 돌아갈 때
붉은 기. 죽은 사람의 품계·관직·성씨 등을 적은 깃발
공명부귀 부운(浮雲)이요 종정옥백(鐘鼎玉帛) 티끌이라』
부운, 티끌: 덧없음을 비유적으로 드러낸 시어

『 』: 사람이 죽으면 부귀공명이나 호화로운 잔치도 부질없음을 드러냄 - 자연을 즐기겠다는 이유에 해당

『천지무궁(天地無窮) 이 강산은 늙을 때가 없었거든
상전벽해(碧海桑田) 변한 후인들 다할 때가 있을쏘냐』
세상일의 변천이 심함을 비유적으로 이르는 말

△ ↔ □
인간사 자연

『 』: 사람이 좋는 것과 대비되는 변함 없는 자연을 강조함. 설의적 표현

Link 표현상 특징 ❸, ❹

이내 산천 좋은 경을 임의로 주장하여
추월춘풍(秋月春風) 벗을 삼아 평생 동안 누리리라
자연과 더불어 살아가겠다는 화자의 의지가 드러남 - 자연 친화적 태도
아이야 꽃산 놓아라 취해 놀까 하노라
시적 청자 자연에서 풍류를 즐기며 살겠다는 모습

> 자연과 더불어 풍류를 즐기며 살 것을 다짐함

영예와 치욕으로 몸이 늙어 상여 나갈 때 부르는 노래로
붉은 기를 앞세우고 북망산으로 돌아갈 때
공명과 부귀는 뜬 구름이요, 호화로운 잔치는 티끌이라.
하늘과 땅처럼 영구히 끝이 없는 이 강산은 늙는 경우가 없었거든
상전벽해가 된 후에도 (자연이) 다하는 때가 있겠는가?
이내 산천 좋은 경치를 (즐길 것임을) 임의로 주장하여
가을 달과 봄바람을 벗을 삼아 평생 동안 (자연 경치를) 누리리라.
아이야, 돌아가는 술잔마다 꽃으로 셈하겠노라. (술을 먹고) 취해서 놀아 볼까 하노라.

출제자 톡! 화자를 이해하라!

1 **화자는 누구이고, 화자가 처한 상황은?**
벼슬에 나아가지 못하고 자연 속에서 살아가고 있는 사람

2 **화자의 정서 및 태도는?**
- 자신의 삶에 대한 허무감과 자신의 처지에 대해 한탄함.
- 자연 속에서 아름다운 경치를 바라보며 흥취를 느끼고 있음.
- 자연과 더불어 흥취를 즐기며 살겠다는 의지를 드러냄.

Link

출제자 톡! 표현상의 특징을 파악하라!

❶ 대구법을 사용하여 화자 자신의 처지를 드러냄.
❷ 영탄적 표현을 사용하여 화자의 정서를 강조함.
❸ 설의적 표현을 사용하여 화자의 생각을 강조함.
❹ 인간사와 자연사의 대비를 통해 화자의 인식을 강조함.
❺ 공간의 이동에 따라 자연을 즐기는 화자의 모습이 드러남.
❻ 의인화, 주객이 전도된 표현을 써서 화자의 정서를 부각함.
❼ 중국의 지명과 인명을 활용하여 화자의 정서를 드러냄.

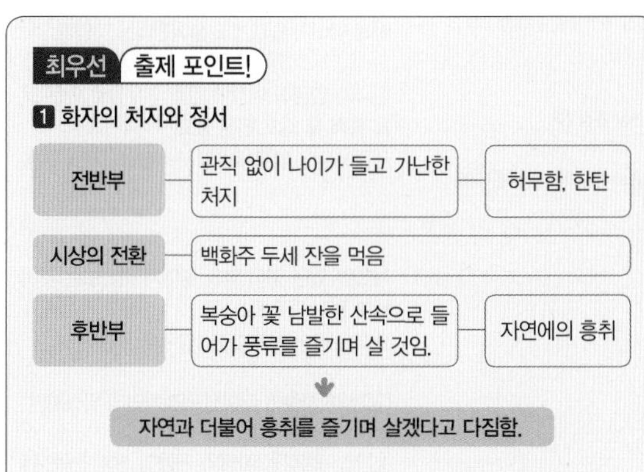

최우선 핵심 Check!

1 화자는 나이가 들고 가난한 처지인 자신의 신세를 한탄하고 있다. (○ / ×)

2 들일을 하는 농부는 화자의 처지에 공감을 드러내는 인물이다. (○ / ×)

3 화자는 봄날에 바라본 자연 경관에 대해 만족감을 드러내고 있다. (○ / ×)

4 화자는 자연사와 인간사를 대비하여 자연에서 흥취를 즐겨야 한다는 자신의 인식을 강조하고 있다. (○ / ×)

정답 1. ○ 2. × 3. ○ 4. ○

가을 바람이 불 때 느끼는 이별의 고통을 노래

추풍감별곡(秋風感別曲) | 작자 미상

갈래 가사(애정 가사) **성격** 애상적, 연정적
주제 임과 헤어진 슬픔과 임에 대한 그리움
시대 조선 후기

소설 「채봉감별곡」에 수록된 작품으로, 임과 이별한 상황에서 느끼는 화자의 슬픔과 임에 대한 간절한 그리움을 노래하고 있다.

어제 밤 부든 바람 금성(金聲)이 완연(宛然)하다
(쇳소리 - 쓸쓸한 소리)
고침단금(孤枕單衾) 깊이 든 밤 상사몽(相思夢) 훌쩍 깨여
(고침단금: 외로운 베개와 홑이불이라는 뜻으로, 젊은 여자가 홀로 쓸쓸히 자는 잠자리를 의미 / 쓸쓸한 분위기를 자아냄 / 상사몽)
죽창(竹窓)을 반만 열고 막막히 앉아보니
(임의 부재로 인한 화자가 슬픔을 달래기 위해 보이는 행동)
「창창한 만리장공 여름 구름이 흩어지고
천연한 이 강산에 찬 기운이 새로워라」
(계절의 변화를 알 수 있음)
(「」: 여름에서 가을로의 계절의 변화가 드러남. 시각적·촉각적 심상 **Link 표현상 특징 ❶**)
심사도 창연(悵然)한데 물색도 유감하다
「정원에 부는 바람 이한(離恨)을 알리는 듯
(계절의 변화에 대해 화자가 느끼는 정서 - 이별로 인한 정서)
추국(秋菊)에 맺힌 이슬 별루(別淚)를 머금은 듯」
(「」: 임을 떠나보낸 화자의 정서와 쓸쓸한 가을의 분위기가 조응됨. 대구법. 동일한 문장 구조 반복 **Link 표현상 특징 ❷**)
「실 같은 버들 남쪽 봄 꾀꼬리 이미 돌아가고
(봄이 지나갔음을 드러냄)
소월비파 동정호에 가을 잔나비 슬피운다」
(대상에 화자의 감정을 이입하여 표현. 의인법 **Link 표현상 특징 ❸**)
(「」: 화자의 정서가 투영된 '가을 잔나비'를 의인화하여 화자의 정서를 우회적으로 표현함)
「임 여희고 썩은 간장 하마터면 끈치리라
(화자의 처지)
삼춘(三春)에 즐기던 일 예련가 꿈이련가」
(임과 함께한 시간에 대한 회상 - 임에 대한 그리움을 부각시켜 줌)
(「」: 회상의 방식을 사용하여 임과 함께하던 과거와 달라진 현재 상황에서 느끼는 외로움의 정서를 부각함)

> 어젯밤에 불던 바람 가을바람 소리가 뚜렷하다.
>
> 홀로 쓸쓸히 잠이 든 깊은 밤에 임을 그리워하는 꿈에서 훌쩍 깨어
> 대나무 창을 반만 열고서 막막하게 앉아 (밖을) 보니
> 매우 푸른 끝없이 높은 하늘에 여름 구름이 흩어지고
> 꾸밈없는 이 강산에 차가운 기운이 새롭구나.
>
> 마음도 허전한데 자연 풍경도 서글프다.
>
> 정원에 부는 바람이 이별의 한을 알리는 듯
>
> 가을 국화에 맺힌 이슬은 이별의 눈물을 머금은 듯
> 실처럼 늘어진 버들과 남쪽의 봄 꾀꼬리는 이미 돌아가고
> 밝은 달빛 아래 비파소리 울리는 동정호에 가을 잔나비가 슬피 우는구나.
> 임과 이별하고 (애타는 마음에) 썩은 간장 하마터면 끊어지리라.
> 봄날에 (임과 함께) 즐기던 일이 옛 일인가, 꿈이런가.

세우사창(細雨紗窓) 요적(寥寂)한데 흡흡(洽洽)히 깊은 정과
(쓸쓸한 분위기를 자아냄 / 임과의 정이 매우 깊었음을 드러냄)
야월삼경(夜月三更) 사어시(私語時)에 백년 사자 굳은 언약
(임과 백년해로를 약속한 과거의 일을 가리킴)
「단봉(丹峰)이 높고 높고 패수(浿水)가 깊고 깊어
무너질 줄 몰랐으니 끊어질 줄 알았으랴」
(「」: 자연물을 활용하여 임과의 굳은 언약이 깨어졌음을 드러내 줌 - 임과 이별하였음을 드러냄. 대구법, 반복법, 설의적 표현)
양신(良辰)에 다마(多魔)함은 예로부터 있건마는 **Link 표현상 특징 ❷, ❹**
(임과 함께한 때 / 임과 이별한 것을 가리킴)
지이인하(地邇人遐)는 조물의 탓이로다
(임과의 이별을 외적 요인으로 돌리고 있음)
「흔연히 이는 추풍(秋風) 화총(花叢)을 요동하니
(임과 이별하게 만든 부정적 상황 - 시련, 고통)
웅봉자접(雄蜂雌蝶)이 애연히 흩단 말가」
(「」: 임과의 이별 상황을 자연물을 통해 형상화함)
(벌과 나비)
진장(秦藏)에 감춘 호구(狐裘) 도적할 길 바이 없고
(고사성어를 활용하여 임과 다시 만날 수 없음을 강조함 - 안타까움이 드러남 **Link 표현상 특징 ❺**)
금롱(金籠)에 잠긴 앵무 다시 희롱 어려워라
(화자와 이별한 임을 비유적으로 표현함)
➤ 한밤중에 깨어나 임과 이별한 상황에서 느끼는 쓸쓸한 심회

> 창밖에 가는 비 내려 적막하기 그지없는데, 넘치고 넘치는 깊은 정과
> 깊은 달밤에 둘이 속삭인 백 년을 같이 살자는 굳은 언약
> 모란봉이 높디 높고 대동강이 깊디 깊어서
>
> (모란봉이) 무너질 줄을 몰랐으니, (대동강의 물이) 끊어질 줄 알았겠는가?
> 좋은 때에 불행한 일이 있는 것은 예로부터 있어 왔지만,
> 거리는 가까운데 사람이 먼 것은 조물의 탓이로다.
> 홀연히 이는 가을바람이 꽃떨기를 흔들고 있으니
> 벌과 나비가 슬프게도 흩어진다는 것인가.
>
> 진나라 임금의 벽장에 감춘 여우털로 만든 옷을 훔쳐 올 길도 전혀 없고,
> 새장에 갇힌 앵무새는 다시 희롱하기 어려워라.

(신방을 뜻하는 것으로, '인연을 맺는 방'이라는 의미)
지척 동방 천 리되어 바라보기 묘연(杳然)하고
(임과의 정서적 거리감)
은하작교(銀河鵲橋) 끈쳤으니 건너갈 길 아득하다
(임과 만날 수 있는 통로)
인정이 끈쳤으면 차라리 잊히거나
(임과 나누었던 화자의 사랑)
아름다운 자태거동 이목(耳目)에 매여 있어
(화자가 임을 한시도 잊지 않았음을 엿볼 수 있음)

> 가까이 있던 임이 멀리 떨어져 바라보는 것이 넓고 멀어 아득하고
> 오작교 끊어졌으니 건너갈 길이 아득하다.
>
> (임과의) 사랑이 끊어졌으면 차라리 잊겠지만
>
> (임의) 아름다운 자태와 거동이 귀와 눈에 (매번) 어른거리니

못 보아 병이 되고 못 잊어 원수로다
임에 대한 화자의 간절한 그리움
천수만한(千愁萬恨) 가득한데 끝끝치 느끼워라
임과의 이별에서 오는 한 / 정서의 직접적 표출 - 서러움의 정서
하물며 이는 추풍(秋風) 별회(別懷)를 부쳐내니
임에 대한 화자의 정서를 심화시키는 자연물 Link 표현상 특징 ❻
눈앞에 온갖 것이 전혀 다 시름이라

바람 앞에 지는 잎과 풀 속에 우는 짐승
화자의 정서를 심화시키는 역할을 함 - 화자의 시름을 유발함
무심히 듣게 되면 관계할 바 없건마는

유유별한(悠悠別恨) 간절한데 소리소리 수성(愁聲)이라
이별의 상황에서는 모든 소리가 근심을 유발한다는 의미
아해야 술 부어라 행여나 회포 풀까
화자의 정서를 해소시켜 주는 소재

> 임과의 헤어짐으로 인한 슬픔과 시름

못 보아서 병이 되고 못 잊어서 (임이) 원수로구나.
이런저런 슬픔과 한이 가득하여 끝내 흐느끼는구나.
하물며 일어나는 가을 바람이 이별의 회한을 일으키니
눈앞에 온갖 것이 온통 다 시름이구나.

바람 앞에 지는 잎과 풀 속에 우는 짐승

아무 생각 없이 듣게 되면 (나와) 관계할 바 없건마는
이별의 한이 가득하여 (임에 대한 그리움이) 간절한데, 모든 소리가 근심을 유발하는구나.
아이야 술을 부어라. 행여나 회포를 풀어볼까 하노라.

출제자 톡! 화자를 이해하라!

1 **화자는 누구이고, 화자가 처한 상황은?**
임과 이별한 상황에 있는 사람

2 **화자의 정서 및 태도는?**
- 임과의 이별로 인한 쓸쓸함과 슬픔
- 임을 간절히 그리워함.
- 임과 다시 만날 수 없음을 안타까워함.
- 술을 통해 시름을 해소시키려 함.

Link
출제자 톡! 표현상의 특징을 파악하라!

❶ 감각적 이미지를 사용하여 계절 변화에서 느끼는 화자의 정서를 드러냄.
❷ 동일한 문장 구조의 반복 및 대구법을 사용하여 화자의 정서와 조응하는 시적 분위기를 드러냄.
❸ 대상에 감정을 이입하여 화자의 정서를 드러냄.
❹ 반복법, 설의적 표현을 사용하여 시적 의미를 강조함.
❺ 고사성어를 활용하여 화자의 정서를 부각함.
❻ 자연물을 활용하여 화자의 정서를 심화시킴.

출제 우선 작품

최우선 출제 포인트!

1 계절의 변화에 따른 화자의 정서

봄		가을
임과 굳은 언약을 하고 함께함.	➔	임과 이별하게 됨.
즐거움		쓸쓸함과 그리움

2 자연물을 통한 상황의 형상화

단봉이 높고 높고 패수가 깊고 깊음.	➔	임과의 언약이 매우 굳음을 강조함.
웅봉자접이 애연히 흩어지게 됨.		굳은 언약을 한 임과 이별하게 되었음.

최우선 핵심 Check!

1 임과 이별한 화자의 정서가 이입된 자연물로 'ㅈㄴㅂ'가 있다.

2 회상의 방식을 사용하여 과거와 달라진 현재 상황에서 느끼는 화자의 정서를 부각하고 있다. (O, ×)

3 화자는 임과 헤어지게 된 원인이 자신의 탓이라 하면서 자책하고 있다. (O, ×)

4 화자는 자연물을 활용하여 임과의 이별 상황을 형상화하여 보여 주고 있다. (O, ×)

5 '아해'는 화자의 처지와 대비되는 인물로, 화자의 정서를 심화시켜 주는 역할을 한다. (O, ×)

정답 1. 잔나비 2. ○ 3. × 4. ○ 5. ×

186위

광주 용진강 '사제'에서 부르는 노래

사제곡(莎堤曲) | 박인로

갈래 가사(은일 가사) **성격** 자연 친화적, 유교적, 연군적 **주제** 아름다운 풍경에 대한 감흥, 부모에 대한 효와 연군지정 **시대** 조선 중기

작가가 이덕형을 화자로 하여 휴양처인 '사제'의 아름다운 경치에 대한 감흥을 드러내면서도, 어버이를 받들고자 하는 심정 및 임금을 그리는 정을 그리고 있다.

거수(居水)에 이러커든 거산(居山)이라 우연(偶然)ᄒᆞ랴
산방(山房)의 추만(秋晩)커ᄂᆞᆯ 유회(幽懷)를 둘 ᄃᆡ 업서
운길산(雲吉山) 돌길히 막ᄃᆡ 집고 쉬여 올나
임의소요(任意逍遙)ᄒᆞ며 원학(猿鶴)을 벗을 삼아
교송(喬松)을 비기여 사우(四隅)로 도라 보니
천공(天工)이 공교(工巧)ᄒᆞ야 묏빗출 ᄭᅮ미ᄂᆞᆫ가
『흰구롬 말근 ᄂᆡᄂᆞᆫ 편편(片片)이 ᄡᅧ여 나라
노프락 나지락 봉봉곡곡(峯峯谷谷)이 면면(面面)에 버럿ᄭᅥ든
서리친 신남기 봄ᄭᅩᆺ도곤 불거시니
금수병풍(錦繡屛風)을 첩첩(疊疊)이 둘너ᄂᆞᆫ ᄃᆞᆺ』
천태만상(千態萬象)이 참람(僭濫)ᄒᆞ야 보이ᄂᆞ다
힘 세이 다토면 내 분에 올가마ᄂᆞᆫ
금(禁)ᄒᆞ리 업술ᄉᆡ 나도 두고 즐기노라

설의적 표현 Link 표현상 특징 ❶ / 자연에서 사는 삶의 만족감이 드러남 / 계절적 배경 - 가을 / 공간적 배경 - 화자가 자연 경관을 누리는 곳 / 원숭이와 학 / 마음대로 거닐며 바람을 쏘임 / 사방 / 자연 친화적 태도 / 화자가 자연 경관을 바라보는 모습 / 영탄적 표현 Link 표현상 특징 ❷ / 운길산에서 바라본 주변 경치('사제'의 경치)에 대한 감탄 / □: 음성 상징어(의태어) 사용 Link 표현상 특징 ❸ / 안개와 노을 / 다양한 봉우리의 모습 / 『 』: 운길산에서 바라본 주변 경치의 아름다움 묘사 / 단풍 든 가을산의 모습 - '봄꽃'과 대비하여 표현 Link 표현상 특징 ❹ / 아름다운 가을 산을 비유적으로 표현 Link 표현상 특징 ❹ / 제 분수를 넘어 방자스러움 / 운길산에서 바라본 아름다운 경치에 대한 감흥 / 영탄적 표현 Link 표현상 특징 ❷ / 자연에서 살아가는 만족감을 드러냄

› 사제의 아름다운 경치에 대한 감흥

물가에서의 생활이 이러하건대(즐거운데) 산에 사는 생활이 (즐거운 것이) 우연이겠는가?
산속의 거처하는 집에 늦가을이 찾아오니 마음속 깊이 품은 생각을 둘 데가 없어
운길산의 돌길을 지팡이를 짚고 쉬어 가며 올라

마음대로 거닐며 바람을 쏘이면서 원숭이와 학을 벗 삼아
높이 솟은 소나무에 기대어 사방을 돌아보니

조물주 솜씨가 교묘하여 산색(山色)을 꾸몄구나.
흰 구름과 맑은 안개와 노을을 조각조각 떼어 내어
높은 곳 낮은 곳 봉우리 골짜기마다 곳곳에 벌려 있거든
서리 내린 빨간 나무(단풍나무)가 봄꽃보다 (더욱) 붉었으니
비단에 수놓아 꾸민 병풍을 겹겹이 둘러친 듯

천 가지 모습과 만 가지 형상이 제 분수에 방자할 정도로 보이고 있구나.
힘 세기를 (남과) 다투면 내 차지까지 올 수 있겠느냐마는
(자연 경치를) 누리지 못하게 막는 이 없으니
나도 두고 즐길 수 있구나.

『ᄒᆞ물며 남산(南山) ᄂᆞ린 긋ᄒᆡ 오곡(五穀)을 가초 심거
먹고 못 남아도 긋지나 아니ᄒᆞ면
내 집의 내 밥이 그 맛시 엇더ᄒᆞ뇨
채산조수(採山釣水)ᄒᆞ니 수륙품(水陸品)도 잠ᄭᅡᆫ ᄀᆞᆺ다』
『감지봉양(甘旨奉養)을 족(足)다사 ᄒᆞᆯ가마ᄂᆞᆫ
오조함정(烏鳥含情)을 벱고야 말녀노라』
사정(私情)이 이러ᄒᆞ야 아직 물러나와신돌
망극(罔極)ᄒᆞᆫ 성은(聖恩)을 어ᄂᆡ 각(刻)애 이질넌고
•견마미성(犬馬微誠)은 백수(白首)에야 더옥 깁다
『시시(時時)로 머리 드러 북신(北辰)을 ᄇᆞ라보니
ᄂᆞᆷ 모ᄅᆞᄂᆞᆫ 눈물이 두 사ᄆᆡ예 다 졋ᄂᆞ다』

『 』: '사제'에서 영위하고 있는 현실적인 삶을 드러냄 / 밥맛이 좋을 것임을 강조. 설의적 표현 Link 표현상 특징 ❶ / 갖추다 / 맛나는 음식으로 부모님을 봉양함 / 『 』: 한자 성어를 이용하여 부모님께 효도하고자 하는 마음 강조. 의지적 태도 Link 표현상 특징 ❺ / 까마귀가 먹은 마음 - 부모님께 효도하는 마음. 반포지효(反哺之孝) / 임금의 은혜를 잊지 못함을 강조함. 설의적 표현 Link 표현상 특징 ❶ / 나이가 듦을 비유적으로 표현한 말 / '임금'을 비유적으로 표현한 말 / 『 』: 연군지정(戀君之情) / 임금 곁에 있지 못한 화자의 안타까움

› 부모님에 대한 효와 연군지정

더구나 남산이 뻗어 내린 끝자락에 오곡(五穀)을 (골고루) 갖추어 심고
먹고 남기지는 못해도 모자라지만 않으면

내 집의 내 밥의 그 맛이 어떠하겠는가?

산나물 캐고 물고기 낚아 땅이나 물에서 나는 음식을 잠시라도 갖추었다.
맛있는 음식으로 부모님을 봉양하는 것이 흡족할까 하다마는
까마귀가 늙은 어미 봉양하는 것처럼 (나도) 부모님을 뵙고야 말겠노라(부모님에게 효도하고 싶구나).
사정이 이리하여 아직 물러나 살고 있지만
망극한 임금의 은혜를 어느 때인들 잊겠는가?
임금을 섬기려는 작은 정성은 나이가 들수록 더욱 깊어진다.
가끔 머리 들어 임금 계신 북극성이 있는 쪽을 바라보니
남모르게 (흐르는) 눈물이 소매를 적시는구나.

• **견마미성**: 개와 말이 충성스레 사람을 섬기듯이 신하가 임금님을 섬기려는 작은 정성

Link

출제자 톡! 화자를 이해하라!

1 화자는 누구이고, 화자가 처한 상황은?
아름다운 경치가 있는 휴양지 '사제'에서 살고 있는 사람

2 화자의 정서 및 태도는?
• 아름다운 경치에 대한 감탄의 모습과 자연 친화적인 태도를 드러냄.
• 부모님을 받들고자 하는 심정과 연군지정을 드러냄.

출제자 톡! 표현상의 특징을 파악하라!

❶ 설의적 표현을 사용하여 화자의 태도를 강조함.
❷ 영탄적 표현을 사용하여 화자의 정서를 효과적으로 드러냄.
❸ 음성 상징어를 사용하여 대상을 생생하게 드러냄.
❹ 비유적 표현과 대비적 표현을 사용하여 아름다운 자연 경치를 드러냄.
❺ 한자 성어를 활용하여 부모에 대한 봉양과 효심을 표현함.

최우선 출제 포인트!

1 시상 전개 방식

'사제'의 아름다운 자연 경치를 드러냄.
↓
부모님께 효도하고자 하는 마음을 드러냄.
↓
성은(聖恩)을 생각하여 연군지정을 드러냄.

2 '사제'의 의미

사(莎) 화자가 지내는 공간 ➔
• 은거하면서 자연의 경관을 즐기는 공간
• 현실적인 생활을 영위하는 터전
• 부모님에 대한 효와 임금에 대한 충을 실천하는 공간

최우선 핵심 Check!

1 설의적 표현을 사용하여 화자의 태도를 강조하고 있다. (O / ×)

2 화자는 '사제'에 은거하여 자연을 즐기며 살아가는 삶에 만족하고 있다. (O / ×)

3 화자는 부모님께 효도하고자 하는 의지적인 모습을 보이고 있다. (O / ×)

4 'ㅂㅅ'은 임금을 비유적으로 표현한 시어이다. (O / ×)

5 화자는 임금 곁에 머물 수 없게 하는 자연물에 대한 원망의 정서를 드러내고 있다. (O / ×)

정답 1. ○ 2. ○ 3. ○ 4. 북신 5. ×

1등급! 〈보기〉!

「사제곡」의 이해

이 작품은 박인로가 이덕형을 화자로 하여 향촌인 '사제'에서 생활하는 이덕형의 모습을 그려 낸 가사이다. '사제'의 아름다운 경치와 사제에서 은거하며 살아가는 이덕형의 모습을 노래했다는 점에서 이덕형이 창작자라는 설도 있다.

이 작품의 내용은 이덕형이 성은에 감격하여 사력을 다하다가, 늙고 병이 들어 관직에서 물러나 광주(廣州) 용진강(龍津江) 동쪽에 있는 사제로 돌아왔으며, 고향에 돌아와 보니 옛날에 보던 제일강산이 임자 없이 버려져 있어 이제야 주인을 만난 듯함을 춘흥(春興)과 추흥(秋興)을 통해 읊은 것이다. 사제에서의 삶 속에서도 어버이에게 효를 다하고자 하는 마음과 임금을 그리는 정을 간절히 나타내고 있다. 박인로의 작품에서 '강호'는 향촌으로 돌아온 사족에게 은거의 공간인 동시에 현실적인 생활의 터전이자 성리학적 효와 충을 실천하는 공간으로서의 의미를 갖는다.

187위

아우를 생각하며 부른 노래

사제가(思弟歌) | 작자 미상

갈래 가사(내방 가사) **성격** 애상적, 기원적
주제 아우에 대한 그리움
시대 조선 후기

아우에게 가고 싶은 마음을 자연물의 속성을 빌려 노래하면서, 아우가 뛰어난 인재임을 예찬하고 있다.

「오뉴월 가문 때에 취우(驟雨) 같이 가서 볼가
구시월 찬바람에 낙엽같이 날아갈가
무자(武者) 판당의 화살같이 가서 볼가
첩첩심산 곧은 골의 바람같이 불어 갈가
삼월 동풍 연자(燕子)되어 옛집을 찾아갈가
연비려천(鳶飛戾天) 소리개같이 높이 떠서 너를 볼가
구만리 장천상에 대붕(大鵬) 같이 날아갈가」
천리마를 빗겨타고 가는 대로 가서 볼가
천산(天山)에 유숙(留宿)하고 중로(中路)에서 보고 올가
「내 몸이 달이 되면 네 창 앞에 비쳐 볼가
내 발이 구름 되면 네 집에 들러 볼가」
오매불망 네 생각이 하시하월(何時何月) 상봉할고.

소나기 / 땅의 물기가 바싹 마를 정도로 오랫동안 계속하여 비가 오지 않은 / ▒: 아우와의 만남을 소망하는 화자의 마음을 반영한 소재들 / 무인 / 당상(堂上)인 판서(判書)와 판윤(判尹)을 통틀어 이르는 말. 벼슬아치 / 「」: 아우를 만나고 싶은 소망의 간절함을 드러냄. 비유법, 유사한 통사 구조 사용, 의문형 어미 사용 **Link** 표현상 특징 ❶ / 아우와의 공간적 거리감을 드러냄 / 봄바람 / 제비 / 소리개가 날아서 하늘에 이름 / 하루에 구만 리를 난다는 상상 속의 매우 큰 새를 가리킴 / 하루에 천 리를 달릴 수 있을 정도로 좋은 말 / 오가는 길의 중간 - 화자와 아우가 있는 곳의 중간쯤을 가리킴 / ▒: 화자가 그리워하는 아우가 머무는 공간 / 「」: 아우를 만나고 싶은 소망의 간절함을 드러냄. 대구법, 비유법, 동일한 통사 구조 사용, 설의적 표현 / 어느 때 어느 달에 **Link** 표현상 특징 ❶, ❷ / 아우를 만나지 못하는 안타까움

> 아우가 있는 곳으로 가고 싶은 마음

한여름 가문 때의 소나기처럼 가서 (너를) 볼까?
가을철 찬바람에 (떨어지는) 낙엽처럼 (너에게) 날아갈까?
무인 벼슬아치의 화살처럼 가서 (너를) 볼까?
겹겹이 깊은 골짜기의 바람처럼 불어서 (너에게) 갈까?
봄바람을 타고 날던 제비가 되어 옛집을 찾아갈까?
하늘 높이 나는 소리개처럼 높이 떠서 너를 볼까?
구만리 높은 하늘을 나는 대붕처럼 (너에게) 날아서 갈까?
천리마에 비스듬히 올라타고 가는 대로 가서 (너를) 볼까?
천산에서 머물고 (너와 내가 있는 곳의) 중간쯤에서 보고 올까?
내 몸이 달이 되어 너의 창 앞에 비쳐 볼까?
내 발이 구름 되어 너의 집에 들러 볼까?
자나깨나 네 생각에 언제나 만나볼까?

내 나이 사십이오 네 나이 삼십이라.
무정할사 세월이여 백발되기 그리 멀가
나는 본대 병객인데 너는 무슨 병이 있노.
「삼신산 불로초(不老草)를 뉘 능히 얻을소냐.
적성의 일영주를 세상에 누가 알고」
이것하고 형제인가 허도광음(虛度光陰) 하겠구나.

화자와 아우에 대한 정보 - 나이를 밝힘 / 설의적 표현 **Link** 표현상 특징 ❷ / 세월의 무상함에 대한 한탄 / → 아우에게 말을 건네는 방식 활용 - 아우에 대한 친근감 강조 **Link** 표현상 특징 ❹ / 화자에 대한 정보 / 설의적 표현 / ◯: 화자가 얻고 싶은 대상 / 중국 전설에 나오는 봉래산, 방장산, 영주산을 통틀어 이르는 말 / 「」: 오래도록 살아서 아우와 함께 하고 싶은 마음을 드러냄 - 아우에 대한 사랑이 엿보임. 설의적 표현 **Link** 표현상 특징 ❷ / 「적성의전」에서 적성의가 구하려 했던 약 / 세월을 헛되이 보냄 / 아우를 가리킴 / 자매가 되어 만나지 못하고 세월만 흐르는 것에 대한 안타까움. 영탄적 표현 **Link** 표현상 특징 ❸

> 세월의 무상함과 아우를 만나지 못하는 안타까움

내 나이 사십이고 너의 나이는 삼십이라.
무정하구나 세월이여! 백발이 되기 그리 멀었는가?
나는 본래 병약한데 너는 무슨 병이 있느냐?
삼신산의 불로초를 누가 능히 얻을 수 있겠는가?
적성의가 구해 온 일영주를 세상에 누가 알 것인가?
이것(아우)하고 형제인가? 세월만 헛되이 보내겠구나.

이녀(二女) 두고 한탄 마라. 딸은 자식 아닐소냐.
사녀(四女) 둔 네 형(兄)은 우중(憂中)에도 낙사(樂事)로다.

설의적 표현 / 남성 중심의 사회상 - 남아 선호 사상 / 재미 붙일 만한 일 / 화자에 대한 정보 / 화자의 낙관적 태도를 엿볼 수 있음

> 두 딸을 둔 아우에 대한 위로

두 딸을 두고 한탄 마라. 딸은 자식이 아니더냐?
네 딸을 둔 네 형은 근심 속에서도 즐겁게 살고 있구나.

「기이할사 우리 아우 여자되기 아깝도다.
위장강이 갱생(更生)인가 백세(百歲)가 구비(具備)하고
소야란의 문견(聞見)인가 식견(識見)도 호태하다.」

사회적 제약으로 능력을 발휘하지 못하는 아우에 대한 안타까움 - 화자가 여성임을 알 수 있음 / 위나라 장공의 아내로, 미인이면서 부덕이 뛰어남 **Link** 표현상 특징 ❺ / 「」: 아우의 뛰어난 능력 예찬 / 진주 두도의 아내로, 글 짓는 솜씨가 뛰어남 / 영탄적 표현 **Link** 표현상 특징 ❸

> 아우의 뛰어난 재능 예찬

기이하구나. 우리 아우는 여자로 태어난 것이 아깝도다.
위장강이 다시 태어난 것인가. 백 가지를 재주를 갖추었고,
소야란의 지식을 갖추었는가. 학식이 크고 넓구나.

『동창(東窓)에 달이 뜨면 앉았는가 생각하고
서산(西山)에 달이 지면 누웠는가 생각하고』 『 』: 하루종일 아우를 생각함을 드러냄. - 아우에 대한 간절한 그리움. 대구법, 동일한 통사 구조 반복 Link 표현상 특징 ❶
망회(忘懷)나 하려 하고 옛책을 읽어 보니 (아우에 대한 그리움을 잊으려)
『조웅전(趙雄傳) 풍운전(風雲傳) 슬프고 장하도다.
장백전(張伯傳) 봉황전(鳳凰傳) 진언인가 허설인가
사씨전(謝氏傳) 숙향전(淑香傳) 굽이굽이 기담일세.』 『 』: 아우에 대한 그리움을 잊기 위한 화자의 독서 - 화자가 식견을 갖춘 인물임을 알 수 있음. 열거법
> 아우에 대한 그리움을 잊기 위해 독서를 함

동쪽 창에 달이 뜨면 (아우가) 앉아 있는가 생각하고
서쪽 산에 달이 지면 (아우가) 누워 있는가 생각하고
마음속에 떠오르는 생각을 잊으려고 옛 책을 읽어 보니
「조웅전」과 「풍운전」은 슬프지만 장하도다.
「장백전」과 「봉황전」은 사실인가, 허구인가?
「사씨남정기」와 「숙향전」은 굽이굽이 재미있는 이야기일세.

두 손을 마조 잡고 만단정회(萬端情懷) 하였더니 (온갖 정과 회포)
춘몽(春夢)이 헛것이라. 거연(遽然)히 깨졌구나. (화자가 아우를 만날 수 있는 공간 / 생각할 겨를 없이 급하게 / 설의적 표현 Link 표현상 특징 ❺)
다시 심회 불평하니 백이사지(伯夷斯之) 아닐런가. ('백이가 이러한 경우에 해당한다'라는 의미. 고사를 인용하여 마음이 불편함을 강조)
생각고 생각하니 무익(無益)할사 생각이야. (설의적 표현 Link 표현상 특징 ❷)
아모리 생각한들 내 마음 네가 볼가 (아우에 대한 그리움의 마음을 전할 수 없는 안타까움이 담김)
내 이리 생각할 제 넨들 아니 생각하랴. (아우도 화자를 그리워할 것이라는 의미. 설의적 표현)
> 꿈에서도 잊지 못하는 아우에 대한 그리움

두 손을 마주 잡고 마음속의 정과 회포를 풀었더니
봄꿈이 헛되구나. 생각할 겨를도 없이 (꿈에서) 깨어났구나.
다시 마음이 불편하니, 백이가 이런 경우가 아니겠는가?
생각하고 생각하니 이로움이 없는 생각이구나.
아무리 생각한들 내 마음을 네가 볼 것인가?
내 이리 생각할 제 넨들 아니 생각하겠는가?

출제자 톡! 화자를 이해하라!

1 **화자는 누구이고, 화자가 처한 상황은?**
규방에 있는 '나'로, 아우와 멀리 떨어져 살고 있음.

2 **화자의 정서 및 태도는?**
- 아우를 보고 싶은 소망을 드러내고 있음.
- 세월의 무상함과 아우를 보지 못하는 안타까움을 드러냄.
- 아우의 뛰어난 능력을 예찬함.
- 아우에 대한 간절한 그리움을 드러냄.

Link
출제자 톡! 표현상의 특징을 파악하라!

❶ 대구법, 비유법, 유사한(동일한) 통사 구조의 반복을 통해 의미를 강조함.
❷ 설의적 표현을 사용하여 화자의 정서와 태도를 강조함.
❸ 영탄적 표현을 사용하여 화자의 정서를 부각함.
❹ 말을 건네는 방식을 활용하여 대상에 대한 친밀감을 줌.
❺ 중국 인명과 고사를 인용하여 화자의 정서를 드러냄.

최우선 출제 포인트!

1 '화자'와 '아우'의 이해

화자		아우
• 40세인 여성 화자 • 네 딸을 두고 있음. • 학식을 갖추고 있음. • 본대 병객임.	자매	• 30세인 여성 • 두 딸을 두고 있음. • 능력이 뛰어나지만 사회적 제약으로 인해 능력을 펼치지 못함.

- 아우를 보고 싶은 소망이 간절함.
- 능력을 펼치지 못하는 아우가 안타까움.
- 아우에 대한 그리움이 간절함.

최우선 핵심 Check!

1 대구법, 비유법, 유사한(동일한) 통사 구조의 ㅂㅂ을 통해 아우를 보고 싶은 화자의 소망을 강조하고 있다.

2 '이녀 두고 한탄'하는 아우의 모습을 통해 남자 아이를 선호하는 조선 시대의 사회상을 엿볼 수 있다. (O / ×)

3 화자는 아우가 능력이 있음에도 능력을 펼치지 못하는 것에 안타까움을 드러내고 있다. (O / ×)

4 'ㅊㅁ'은 화자가 아우를 만날 수 있는 공간에 해당된다.

5 화자는 자신을 꿈에서 깨운 대상에 대한 원망의 태도를 보이고 있다. (O / ×)

정답 1. 반복 2. ○ 3. ○ 4. 춘몽 5. ×

188위

농사의 중요성과 즐거움을 노래함

농부가(農夫歌) | 작자 미상

갈래 가사 **성격** 권농가, 교훈적, 낭만적
주제 농사에 힘쓸 것을 권함 **시대** 조선 후기

농사를 천하의 근본으로 여기고 그 중요성을 강조하면서, 농촌 풍경과 농사짓는 일을 낭만적으로 그리고 있다.

「사해창생(四海蒼生) 농부(農夫)들아 일생신고(一生辛苦) 한(恨)치 마라」
(사해창생: 온 세상의 모든 사람 / 일생신고: 한평생의 쓴 고생 / 구체적인 청자 / 농사 짓는 고생을 한탄하지 말 것을 강조함. 명령형 어조 / 「 」: 농부들에게 말을 건네는 방식을 사용 Link 표현상 특징 ❶ / Link 표현상 특징 ❷)

온 세상의 농부들아 삶의 쓴 고생을 한탄하지 마라.

「사농공상(士農工商) 생긴 후(後)에 귀중(貴重)할손 농사(農事)로다」
(사농공상: 선비, 농부, 공장(장인), 상인의 네 계급 / 「 」: 농사의 중요성을 강조함)

사농공상이 생겨난 이래로 농사가 가장 중요하다.

만민지(萬民之) 행색(行色)이오 천하지(天下之) 대본(大本)이라
교민화식(敎民火食) 하온 후(後)에 농사(農事)밖에 또 있는가
「신농씨(神農氏)의 갈온 밭에 후직(后稷)이의 뿌린 종자(種子)
역산(歷山)에 갈온 밭은 순(舜)임금의 유풍(遺風)이라」
교민팔조(敎民八條) 펴실 적에 정전지법(井田之法) 지었으니
계연전파(繼延傳播) 수천 년(數千年)에 임림총총(林林叢叢) 백성(百姓)들아

(행색: 겉으로 드러나는 차림이나 태도 / 교민화식: 백성들이 불로 밥을 지어 먹게 가르침 / 후직: 순임금 때의 농관 / 있는가: 설의적 표현 / 신농씨: 중국 전설 속의 제왕. 농업, 의료, 악사, 주조, 상업의 신 / 역산: 중국 산둥성에 있는 산으로 순임금이 밭을 갈던 곳 / 유풍: 전해 오는 풍속 / 「 」: 고사를 활용하여 농사의 중요성을 강조함 Link 표현상 특징 ❸ / 교민팔조: 고조선의 8조 금법 / 정전지법: 토지 제도 / 계연전파: 이어 전하여 널리 퍼짐 / 임림총총: 많은 사람이 모여 있는 모양)

> 서사: 농사의 중요성

모든 백성이 하는 일이요, 천하의 근본이니라.
백성들에게 불로 밥을 지어 먹게 가르친 이후로 농사밖에 또 있는가?
신농씨가 갈던 밭에 후직이 뿌린 종자
역산에서 갈던 밭은 순임금 이후 전해 오는 풍속이니라.
고조선에서 법을 만들 때 토지 제도를 만들었으니
계속 전파되어 온 수천 년에 빽빽하게 모여 있는 백성들아.

작야(昨夜)에 부던 바람 척설(尺雪)이 다 녹았다
우리 농부(農夫) 재 내어라 춘분시절(春分時節) 이때로다
뒷동산(東山)에 살구꽃은 가지가지 봄빛이오
앞못에 창포(菖蒲)잎은 층층(層層)이 움 돋는다
곳곳이 포곡성(布穀聲)은 춘색(春色)을 재촉하니
장장하일(長長夏日) 긴긴 날에 해는 어이 수이 가노
앞 남산(南山)에 비 저온다 누역 사립(簑笠) 갖추어라
밤이 오면 잠간(暫間) 쉬고 잠을 깨면 일이로다
녹양방초(綠楊芳草) 저문 날에 석양풍(夕陽風)이 어득 불어
호미 메고 입장구에 이 또한 낙(樂)이로다

(작야: 어젯밤 / 척설: 쌓인 눈 / 재: 농기구 / 춘분시절 이때로다: 농사를 짓는 계절이 돌아옴 / 봄빛: 봄(계절적 배경) / 살구꽃은 가지가지 봄빛이오: 봄의 계절감을 드러냄 - 시각적 이미지 / ▒: 계절적 배경을 드러내 주는 시어 - 계절의 흐름에 따른 시상 전개 Link 표현상 특징 ❹ / 포곡성: 뻐꾸기 울음소리 - 봄의 계절감을 드러냄(청각적 이미지) / 장장하일: 기나긴 여름날(계절적 배경) / 긴긴 날: 잉여적 표현 / 수이: 쉽게(빨리) / 누역 사립: 도롱이와 삿갓 - 여름의 계절감을 드러냄 / 밤이 오면 ~ 일이로다: 농사일로 매우 바쁨 / 녹양방초: 푸른 버드나무와 향기로운 풀 / 입장구: 조그마한 장구 / 석양풍: 석양이 질 무렵에 부는 바람 / 낙: 농사를 짓는 일에 대한 즐거움)

> 본사: 농사의 즐거움

간밤에 불던 바람에 쌓인 눈이 다 녹았다.
우리 농부 농기구를 내어 놓아라. 농사지을 춘분이 지금이로다.
뒷동산에 살구꽃은 가지마다 봄빛이요,
앞 연못에 창포 잎은 층층이 싹 돋는다.
곳곳에서 들리는 뻐꾸기 울음소리는 봄빛을 재촉하니
기나긴 여름날 긴긴 날에 해는 어찌 빨리 지는가?
앞 남산에 비가 오는구나. 도롱이와 삿갓을 준비하라.
밤이 오면 잠깐 쉬고 잠을 깨면 일이로다.
녹양방초 저문 날에 석양풍이 아득히 불 때
호미 메고 조그만 장구에 이 또한 즐거움이로구나.

일락황혼(日落黃昏) 저문 날에 달을 띠고 걷는 걸음
동리(洞里)로 돌아오니 시문(柴門)에 개짖는다

(일락황혼: 해 지고 저녁 노을이 짐(시간적 배경) / 시문: 사립문)

해 지고 저녁노을이 졌을 때 달빛을 받으며 걷는 걸음
동네로 걸어 돌아오니 사립문에서 개가 짖는다.

빛 좋은 삽사리 허대 좋은 청삽사리
겉으로 드러난 체격, 허우대 / 검고 긴 털이 곱슬곱슬하게 난 개
대월하서귀(帶月荷鋤歸)에 너는 무삼 나를 미워
달빛을 맞으며 호미 메고 돌아감(시간적 배경)
꽝꽝 짖는 네 소리에 사람의 정신(精神)을 놀래는도다

> 결사: 농사일을 끝내고 돌아옴

빛깔 좋은 삽사리, 허우대 좋은 청삽사리는

달빛 아래 호미 메고 돌아가는데 너는 어찌 나를 미워하여
꽝꽝 짖는 네 소리에 사람의 정신이 깜짝 놀라게 하는구나.

출제자 톡! 화자를 이해하라!

1 **화자는 누구이고, 화자가 처한 상황은?**
직접 농사를 짓고 있는 농부인 '나'

2 **화자의 정서 및 태도는?**
- 농사일을 하는 즐거움을 드러내고 있음.
- 농사에 부지런히 힘쓸 것을 권장하고 있음.

Link

출제자 톡! 표현상의 특징을 파악하라!

❶ 청자에게 말을 건네는 방식을 활용하여 주제를 전달함.
❷ 명령형 어조를 활용하여 화자의 태도를 드러냄.
❸ 중국 고사를 인용하여 농사의 중요성을 강조함.
❹ 계절의 흐름에 따라 시상을 전개함.

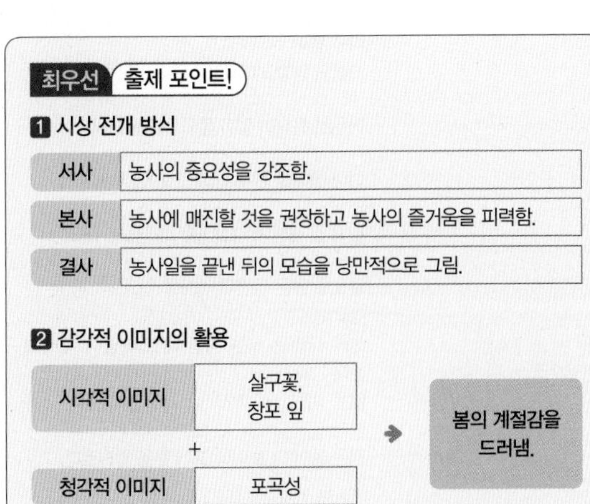

최우선 출제 포인트!

1 시상 전개 방식

서사	농사의 중요성을 강조함.
본사	농사에 매진할 것을 권장하고 농사의 즐거움을 피력함.
결사	농사일을 끝낸 뒤의 모습을 낭만적으로 그림.

2 감각적 이미지의 활용

시각적 이미지	살구꽃, 창포 잎	→	봄의 계절감을 드러냄.
+			
청각적 이미지	포곡성		

함께 볼 작품 농사의 중요성을 강조하는 작품: 정학유, 「농가월령가」

최우선 핵심 Check!

1 화자에 대한 설명으로 적절하지 않은 것은?
① 농사는 천하의 근본이라고 생각한다.
② 농사일에 부지런히 힘쓸 것을 권장한다.
③ 농부들에게 말을 건네는 듯한 어투를 사용한다.
④ 직접 농사를 짓지는 않은 채 농부들을 관찰하고 있다.

2 신농씨, 후직과 관련된 중국 [ㄱ][ㅅ]를 인용하여 농업의 중요성을 강조하고 있다.

3 〈본사〉에서 '[ㅍ][ㄱ][ㅅ]'은 청각적 이미지로 봄의 계절감을 드러내는 시어이다.

정답 1. ④ 2. 고사 3. 포곡성

출제 우선 작품

189위

경북 영천 노계의 아름다운 경치를 예찬한 노래

노계가(蘆溪歌) | 박인로

박인로의 호

갈래 가사(양반 가사) **성격** 예찬적, 감상적
주제 노계의 아름다운 경치에 대한 예찬과 자연에 몰입하여 살아가는 흥취 **시대** 조선 중기

작가의 은거지인 노계의 아름다운 경치에 대한 예찬과 노계의 자연에 몰입하는 심회를 읊은 노래로, 임진왜란을 직접 체험한 작가의 평화 염원 의지가 드러나 있다.

『비금주수(飛禽走獸)는 여섯 가축이 되었거늘
(날짐승과 길짐승 / 화자가 여섯 종류의 가축을 기르고 있음을 엿볼 수 있음)
달 아래 고기 낚고 구름 속에 밭을 갈아 → 대구법
(화자의 생활을 낭만적으로 표현함)
먹고 못 남아도 그칠 때는 없노라』 『 』: 전원에서 살아가는 화자의 소박한 삶의 모습. 안분지족
(농사를 계속해서 짓겠다는 태도가 드러남. 영탄적 어조 **Link** 표현상 특징 ❶)
무진(無盡)한 강산과 허다(許多)한 경작하지 않고 놀리는 땅은
자손에게 물려주거니와 『명월청풍(明月淸風)은
(자연. 대유법)
나눠 주기 어려우니』 재주 있든 없든 『 』: 자연을 아끼는 화자의 마음이 드러남 - 자연 친화적 태도
부모 뜻에 따라 효도하는 아들 하나 태백(太白), 연명(淵明)의 증서로
(이태백, 도연명. 자연 속에서 자연을 즐기며 산 대표적인 인물들임)
길이 물려주리라 나의 이 말이
(효도하는 아들 하나에게 자연을 물려주는 것)
우활(迂闊)한 듯하지만 자손 위한 계책은
(사리에 어둡고 세상 물정을 잘 모르는)
이것뿐인가 여기노라
(자연을 물려주는 것이라 여기노라. 영탄적 표현 **Link** 표현상 특징 ❶)

> 전원에서의 소박한 삶과 자손을 위한 계책

날짐승과 길짐승은 여섯 가축이 되었거늘
달 아래에서 고기를 낚고, 구름 속에서 밭을 갈아
먹고 남지는 못해도 (농사 짓는 것을) 그칠 때는 없노라.
끝없는 강산과 수많은 경작하지 않고 놀리는 땅은
자손에게 물려주려 하거니와, 밝은 달과 맑은 바람은
나누어 주기 어려우니 재주가 있든 없든 (간에)
부모 뜻을 따라 효도하는 아들 하나에게 이태백과 도연명의 증서로
길이 물려주리라. 나의 이 말이
세상 물정 잘 모르는 듯하지만 자손을 위한 계책은
이것뿐인가 하노라.

또 어리석은 이 몸은
(화자 자신을 낮춘 표현)
『인자(仁者)도 아니요 지자(智者)도 아니로되』 『 』: 대구법 **Link** 표현상 특징 ❷
('지자요수 인자요산(지혜로운 사람은 물을 좋아하고 어진 사람은 산을 좋아함)'과 관련 있음)
산수(山水)에 벽(癖)이 생겨 늙을수록 더하니
(자연을 사랑하는 병. 연하고질(煙霞痼疾), 천석고황(泉石膏肓)과 관련됨)
저 귀(貴)한 삼공(三公)과 이 강산을 바꿀쏘냐 △↔○
(높은 벼슬 / 공명과 자연을 바꿀 수 없음 - 자연을 사랑하는 마음을 강조함.)
어리석고 미친 이 말에 웃기도 하겠지만 설의적 표현 **Link** 표현상 특징 ❶
아무리 웃어도 나는 좋게 여기노라
(자연에서 사는 삶에 대한 만족감이 드러남 - 안분지족(安分知足))
하물며 명시(明時)에 버려진 몸이 할 일이 아주 없어
(평화로운 때)
세간(世間) 명리(名利)란 뜬구름 본 듯하고
(속세 / 명예와 이익을 멀리 하는 삶의 태도가 드러남)
아무런 욕심 없이 물외심(物外心)만 품고서
(명예와 이익에 집착하지 않는 화자의 태도를 드러냄)
이내 생애(生涯)를 산수 간(山水間)에 부쳐 두고
길고 긴 춘일(春日)에 낚싯대 비껴 쥐고
(화자가 자연 속에서 풍류를 즐기고 있음을 보여 주는 소재)
갈건(葛巾) 포의(布衣)로 조대(釣臺)에 건너오니
(두건과 베옷. 소박한 삶을 사는 화자의 모습 / 낚시터. 화자가 자연의 아름다움을 즐기고 있는 공간)
『산우(山雨)는 잠깐 개고 태양이 쬐는데 『 』: 자연 현상 - 자연 경치를 즐기는 풍류의 정취를 북돋아 줌
맑은 바람 더디 오니』 경면(鏡面)이 더욱 밝다
(맑고 고요한 수면)
검은 돌이 다 보이니 고기 수를 알리로다
(물이 매우 맑음)
고기도 낯이 익어 놀랄 줄 모르니
(자연물과 동화된 화자의 모습)
차마 어찌 낚겠는가
(낚으려는 마음이 없음. 설의적 표현 **Link** 표현상 특징 ❶)

> 세속을 멀리하고 자연에 묻혀 살아가려는 의지

또 어리석은 이 몸은
어진 자도 아니고 지혜로운 자도 아니로되,
산수(자연)를 즐기는 습관이 생겨 늙을수록(이 습관이) 더 하니
저 귀한 높은 벼슬과 이 강산을 바꾸겠는가.
(사람들이) 어리석고 미친 이 말에 웃기도 하겠지만
(사람들이) 아무리 웃어도 나는 (자연에서 사는 삶을) 좋게 여기노라.
하물며 평화로운 세상에 버려진 몸이 할 일이 아주 없어
세상의 명예와 이익이란 뜬구름 본 듯이 여기고
아무런 욕심이 없이 물외심만 품고서
이내 생애를 산수 간(자연 속)에 부쳐 두고
길고 긴 봄날에 낚싯대를 비스듬히 쥐고
갈포로 만든 두건과 베옷을 입고 낚시터로 건너오니
산에 내리는 비는 잠깐 개고 태양이 내리쬐는데
맑은 바람 더디게 오니 고요한 수면이 더욱 밝다.
검은 돌이 다 보이니 고기 수를 알리로다.
고기도 낯이 익어 (화자를 보고) 놀랄 줄을 모르니
차마 어찌 (고기를) 낚겠는가.

낚시 놓고 배회(徘徊)하며
『물결을 굽어보니 운영천광(雲影天光)은
구름 그림자와 하늘 빛
어리어 잠겼는데 어약우연(魚躍于淵)을 『 』: 물에 비친 자연 풍경을 묘사
못 속에서 고기가 뛰어놂.
구름 위에서 보는구나』 문득 놀라 괴이하여
영탄적 어조 Link 표현상 특징 ❶
아래를 두루 굽어 살피고 위를 우러러보니 상하천(上下天)이 완
물이 맑아 하늘이 물에 선명하게 비침. 위아래 모두 하늘처럼 보임
연(宛然)하다

한 줄기 동풍(東風)에 어찌하여 어적(漁笛)이
어부의 피리 소리. 화자의 흥취를 유발함
높이 불어오는가 강천(江天)이 적적한데
반갑게도 들리는구나 『임풍(臨風) 의장(倚杖)하여 『 』: 자연의 흥취를 즐기는 모습
'어적'에 대한 화자의 반응 지팡이를 짚고 바람을 맞음
좌우(左右)로 돌아보니』 대중(臺中) 청경(淸景)이
아마도 깨끗하구나
『물도 하늘 같고 하늘도 물 같으니
대구법 Link 표현상 특징 ❷
벽수(碧水) 장천(長天)은 한 빛이 되었거든
경계가 없어짐
물가에 백구(白鷗)는 오는 듯 가는 듯』 『 』: 구분과 경계가 사라진 자연에 일체감을 느끼는 심적 상태를 엿볼 수 있음
흰 갈매기. 자연과의 일체감을 보여 주는 객관적 상관물 Link 표현상 특징 ❸
그칠 줄을 모르네

> 낚시터 주변의 아름다운 정경에 대한 예찬

낚시를 그만두고 이리저리 돌아다니며
물결을 굽어보니 구름 그림자와 하늘 빛은
물속에 잠겼는데, 못 속에서 고기가 뛰어노는 것을
구름 위에서 보는구나. 문득 놀라 괴상하게 여기어
아래를 두루 굽어 살피고 위를 올려다보니 위와 아래에 하늘이 있는 것이 분명하다.

한 줄기 봄바람을 타고 어찌하여 어부의 피리 소리가
높이 불어오는가. 강 위의 하늘은 적적한데
반갑게도 들리는구나. 지팡이를 짚고 바람을 맞으며
좌우를 돌아보니 낚시터에서 바라보는 맑은 풍경이
아마도 깨끗하구나.
물도 하늘 같고 하늘도 물 같으니
푸른 빛이 나는 맑고 깊은 물과 멀고도 넓은 하늘은 한 빛이 되었거든
물가의 갈매기는 오는 듯 가는 듯
(오며 가는 것을) 그칠 줄을 모르네.

출제자 톡! 화자를 이해하라!

1 **화자는 누구이고, 화자가 처한 상황은?**
자연 속에서 농사를 지으면서 유유자적하게 살아가고 있는 '나'

2 **화자의 정서 및 태도는?**
- 자연을 아끼는 자연 친화적인 태도를 드러냄.
- 명예와 이익을 멀리하는 삶의 태도를 보이고 있음.
- 아름다운 자연 속에서 풍류를 즐기고 있음.

Link
출제자 톡! 표현상의 특징을 파악하라!

❶ 설의적 표현, 영탄적 어조를 사용하여 화자의 태도를 강조함.
❷ 대구법을 사용하여 화자의 인식을 강조하며 운율을 형성함.
❸ 객관적 상관물을 사용하여 자연에 일체된 화자의 상태를 효과적으로 보여 줌.

최우선 출제 포인트!

1 '조대'에 나타난 화자의 인식

조대		조대 주변의 풍경과 인식
화자가 낚시를 즐기는 곳	→	• 조대 주변의 풍경 – 구름 그림자와 하늘 빛이 물에 잠김. – 못 속에서 고기가 뛰어노는 것을 구름 위에서 봄(물에 비친 풍경). • 화자의 인식 – 물도 하늘 같고 하늘도 물 같음. → 푸른 빛이 나는 맑고 깊은 물과 멀고도 넓은 하늘은 한 빛이 됨.

구분과 경계가 사라진 자연에 일체감을 느낌.

최우선 핵심 Check!

1 설의적 표현을 사용하여 자연을 사랑하는 화자의 마음을 효과적으로 전달하고 있다. (O / ×)

2 화자는 자신이 죽은 뒤 자식들 모두에게 '청풍명월'을 나눠 주려 하고 있다. (O / ×)

3 '아무리 웃어도 나는 좋게 여기노라'에는 화자 자신의 삶에 대한 만족감이 담겨 있다. (O / ×)

4 명리를 'ㄸㄱㄹ'이라고 여기는 화자의 생각을 통해 속세를 멀리 하려는 화자의 태도를 엿볼 수 있다.

5 '조대'는 화자가 위치해 있는 공간으로, 화자는 '조대'에서 자연의 흥취를 느끼고 있다. (O / ×)

정답 1. ○ 2. × 3. ○ 4. 뜬구름 5. ○

190위

사리에 어둡고 세상 물정을 모르는 이가 부르는 노래

우활가(迂闊歌) | 정훈

갈래 가사(은일 가사) **성격** 자조적, 체념적, 유교적
주제 가난하고 우활한 자신에 대한 탄식
시대 조선 중기

평생을 유교적 가치관을 지니며 살았던 화자가 자신이 처한 상황을 직시하면서, 가난한 삶과 우활한 자신에 대해 탄식하고 있다.

엇지 삼긴 몸이 이대도록 우활(迂闊)훈고 → 자신의 우활함을 탄식함. 영탄적 표현
(우활: 사리에 어둡고 세상 물정을 잘 모르는가)
우활도 우활홀샤 그레도록 우활홀샤
('a-a-b-a' 반복 구조 - 자신의 우활함을 강조. 영탄적 표현 Link 표현상 특징 ❷, ❹, ❺)
이바 벗님네야 우활훈 말 들어 보소
(청자(벗님네)를 설정하여 말을 건네고 있음 Link 표현상 특징 ❸)
이내 져머신 제 우활호미 그지업서
이 몸 삼겨나미 금수(禽獸)에 다르므로
(금수: 짐승 / 그지: 끝이)
『애친경형(愛親敬兄)과 충군제장(忠君第長)을 분내사(分內事)만
혜엿더니』
('애친경형'과 '충군제장'을 한 이유에 해당 / 애친경형: 부모를 사랑하고 형을 공경함)
(『 』: 유교적 가치관을 드러냄 - 사대부인 임금에게 충성하고 어른을 모심. 화자가 추구하는 가치)

훈 일도 못 되며 세월이 느저지니
평생(平生) 우활은 날 뜰와 기러 간다
(사대부로서 현실에서 뜻을 실현하지 못한 화자의 모습 - 화자의 불우한 처지를 엿볼 수 있음 / 뜰와: 따라)
『아춤이 부족훈들 져녁을 근심후며
일간 모옥(一間茅屋)이 비 식는 줄 아돗던가
(일간 모옥: 한 칸의 초가집 / 설의적 표현 Link 표현상 특징 ❶)
현순백결(懸鶉百結)이 붓쓰러움 어이 알며』
(『 』: 화자가 궁핍하게 살고 있음 / ◯: 화자의 가난한 생활을 드러내 주는 소재 / 현순백결: 누덕누덕 기워 짧아진 옷)
어리고 미친 말이 놈 무일 줄 아돗던가 ❯ 자신의 우활함과 가난한 삶에 대한 토로
(무일: 미워할 / 설의적 표현 Link 표현상 특징 ❶)
(중략)

우활도 우활홀샤 그레도록 우활홀샤
('a-a-b-a' 반복 구조 - 자신의 우활함을 강조. 영탄적 표현 Link 표현상 특징 ❷, ❹, ❺)
아춤의 누잇고 나죄도 그러후니
(무기력한 삶을 살아가는 화자의 모습)
하늘 삼긴 우활을 내 혈마 어이후리
(자신의 우활함에 대한 운명론적 인식 - 체념적 태도. 설의적 표현 Link 표현상 특징 ❶)
그레도 애돏도다 고쳐 안자 싱각후니
(자신의 처지에 대한 화자의 한탄)
이 몸이 느저 나 애돌온 일 하고 만타

일백(一百) 번 다시 죽어 녯사람 되고라쟈
(사대부로서 수양의 길을 걸어옴. 사대부로서의 뜻을 실현하고 싶은 소망이 담김. 의지적 태도)
『희황천지(羲皇天地)예 잠간이나 노라보면
(희황: 복희씨. 고대 전설상의 임금 / ▭: 태평성대)
요순일월(堯舜日月)을 져그나 뙤올 써술』
(요순일월: 태평성대를 만들었던 요임금과 순임금 / 져그나: 조금이나마 / 뙤올 써술: 쬐올 것을 / 『 』: 태평성대에 대한 동경이 드러남)
순풍(淳風)이 이원(已遠)후니 투박(偷薄)이 다 되거다
(순박한 풍속이 사라진 현실에 대한 탄식이 드러남)
한만(汗漫)훈 정회(情懷)를 눌두려 니루려뇨
(순박한 풍속이 사라진 현실에 대한 화자의 정서 / 설의적 표현 Link 표현상 특징 ❶)
『태산(泰山)의 올라가 천지팔황(天地八荒)이나 다 브라보고제고
(천지팔황: 온 세상 / 두르 거러: 길을 따라)
추노(鄒魯)애 두르 거러 성현강업(聖賢講業)후던 자최나 보고제고』
(추노: 공자는 노나라 사람이고 맹자는 추나라 사람임 - 공자와 맹자를 의미함 / 『 』: 대구법 Link 표현상 특징 ❺)
주공(周公)은 어듸 가고 꿈의도 뵈쟌는고
(주공: 중국 주나라의 정치가)

어떻게 생긴 몸이기에 이토록 우활한가.

우활하기도 우활하구나. 그토록 우활하구나.

이보시오, 벗님네야. (나의) 우활한 말 들어 보소.

내가 젊었을 때 우활함이 끝이 없어서

이 몸이 생겨남이 심승(날짐승과 들짐승)과 다르므로
어버이를 사랑하고 형을 공경함과 임금에게 충성을 다하고 어른을 공경함을 나의 분수에 맞는 일로 생각하였더니

한 가지 일도 이루지 못하고 세월만 늦어져 가니
평생의 우활은 나를 따라서 길어만 간다.

아침 끼니가 부족한데 저녁 끼니를 근심하며

한 칸 밖에 안 되는 작은 초가집이 비 새는 줄 알았던가?
누덕누덕 기워 짧아진 옷을 입었다고 하여 부끄러움을 어찌 알며
어리석고 허황된 말이 남을 미워할 줄 알았던가?
(중략)

우활하기도 우활하구나. 그토록 우활하구나.

아침에 누워 있고 저녁에도 그러하니(누워 있으니)
하늘이 만든 우활을 내가 설마 어찌하겠는가?

그래도 애달프구나. 다시 앉아서 생각해 보니

이 몸이 (사람됨이) 늦어져서 애달픈 일이 많기도 많다.
일백 번 다시 죽어 옛 사람(성현)이 되고 싶구나.

복희씨가 다스리던 태평하게 사는 세상에 잠깐이나 놀아보면
요순 시대의 해와 달을 조금이나마 쬘 것을

순박한 풍속이 시간적으로 너무 멀어져서 투박한 풍속이 다 되었다.
착잡하고 어지러운(되는대로 내버려두고 등한한) 정회를 누구더러 말하겠느냐?
태산에 올라가서 온 세상이나 다 바라보고 싶고
추나라와 노나라를 두루 걸어서(공자와 맹자의 길을 따라) 성현이 강의하던 자취나 보고 싶고
주공은 어디 가고 꿈에도 보이지 않는 것인가.

매우 심한 나의 삶을
이심(已甚)ᄒᆞᆫ 이내 쇠(衰)를 슬허ᄒᆞ다 어이ᄒᆞ리
화자 자신의 삶에 대한 자조와 체념적인 태도가 드러남. 설의적 표현 Link 표현상 특징 ❶
만리(萬里)예 눈 ᄯᅳ고 태고(太古)애 ᄠᅳ즐 두니
현실적인 고뇌를 잊고자 하는 화자의 의도가 담김
우활ᄒᆞᆫ 심혼(心魂)이 가고 아니 오노왜라
일시적으로 화자의 고뇌가 해소되었음을 드러냄
인간(人間)의 호자 ᄭᅵ여 눌ᄃᆞ려 말을 ᄒᆞᆯ고
: 화자가 지니지 못한 등용의 수단
『축타(祝鮀)의 영언(佞言)을 이제 ᄇᆡ화 어이ᄒᆞ며
아첨하는 말을 잘해서 권력을 잡은 위나라의 대부
송조(宋朝)의 미색(美色)을 얼근 ᄂᆞᆺ치 잘 ᄒᆞᆯ런가
성리학적 수양만으로는 등용되지 못함
잘생긴 얼굴로 권력을 잡은 송나라의 공자 설의적 표현 Link 표현상 특징 ❶
우담산초실(右膽山草實)를 어듸 어더머그려노』 『 』: 등용의 기회를 얻지 못하는 자신에 대한 체념이 담김
우담산초의 열매
무이고 못 고이미 다 우활의 타시로다
자신의 신세에 대한 한탄

> 자신의 우활함에 대한 한탄과 체념

매우 심한 나의 삶을 슬퍼한다고 어찌하겠는가?
매우 먼 거리에 눈을 뜨고 오랜 옛날에 뜻을 두니
우활한 마음과 정신이 가고 오지 않는구나.

인간 세상에 혼자 깨어서(깨달아서) 누구에게 말을 할까
축타의 아첨하는 말을 이제 배워 어찌하며

송조의 아름다운 얼굴을 (나의) 얽은 낯이 잘 할 것인가?
우담산초의 열매를 어디에서 얻어먹겠느냐?

미워하고 사랑을 못 받음이 다 우활의 탓이로다.

이리 혜오 저리 혜오 다시 혜니
시어의 반복 – 이리저리 생각함
일생사업(一生事業)이 우활 아닌 일 업뇌와라
이 우활 거ᄂᆞ리고 백년(百年)을 어이ᄒᆞ리
앞으로의 삶에서 희망이나 낙관적 전망을 기대할 수 없다는 인식이 담김. 설의적 표현 Link 표현상 특징 ❶
아희아 잔 ᄀᆞ득 부어라 취(醉)ᄒᆞ여 내 우활 닛쟈
술로써 우활을 잊고자 하는 마음

> 술로써 자신의 우활함을 달램

이리 생각하고 저리 생각하고 다시 생각하니

일생에 한 일이 우활이 아닌 일이 없구나.

이 우활을 거느리고 평생을 어찌하겠는가?

아이야 잔 가득 부어라. (술을 먹고) 취하여 내 우활을 잊자.

출제자 톡! 화자를 이해하라!

1 **화자는 누구이고 처한 상황은?**
자신을 우활하다고 여기는 '나'로, 등용되지 못하고 가난하게 살아가고 있음.

2 **화자의 정서와 태도는?**
- 자신의 우활함과 순박한 풍속이 사라진 현실에 대해 탄식하고 있음.
- 사대부로서 뜻을 이루고 싶은 소망을 드러내고 있음.
- 화자 자신의 삶에 대해 자조와 체념적 태도를 보이고 있음.

Link

출제자 톡! 표현상의 특징을 파악하라!

❶ 설의적 표현을 활용하여 화자의 심리적 태도를 부각함.
❷ 특정 단어('우활')를 반복적으로 사용하여 주제 의식을 강조함.
❸ 청자에게 말을 건네는 방식을 활용하여 화자의 정서를 표현함.
❹ 'a–a–b–a'의 반복 구조를 통해 의미를 강조하고 운율을 형성함.
❺ 영탄적 표현, 대구법을 사용하여 의미를 강조함.

최우선 출제 포인트!

1 화자 자신에 대한 인식과 태도

화자의 처지
- 사대부로서 등용되지 못하여 뜻을 펼치지 못함.
- 가난하고 무기력한 삶을 살고 있음. → 불우한 처지

↓

화자 자신에 대한 인식		화자의 태도
자신을 '우활'하다고 생각함.	➔	화자 자신의 삶에 대해 한탄하면서 체념적인 태도를 보임.

2 '우활'의 반복

우활도 우활홀샤 그레도록 우활홀샤	➔	사리에 어둡고 세상 물정을 잘 모르는 화자 자신의 모습 강조

최우선 핵심 Check!

1 시간의 흐름에 따른 시상 전개를 통해 화자의 심리 변화를 보여 주고 있다. (O / ×)

2 화자는 'ㅂㄴㄴ'를 청자로 설정하여 자신의 우활함과 가난한 신세에 대한 한탄을 토로하고 있다.

3 설의적 표현을 통해 화자의 정서와 태도를 드러내고 있다. (O / ×)

4 '일간 모옥', '현순백결'은 화자가 가난한 삶을 살고 있음을 보여 주는 시어이다. (O / ×)

5 화자는 자신의 우활함을 한탄하면서 체념적인 태도를 보이고 있다. (O / ×)

정답 1. × 2. 벗님네 3. ○ 4. ○ 5. ○

북새(함경도) 지방의 출행(出行)을 읊은 노래

출새곡(出塞曲) | 조우인

갈래 가사(기행 가사) **성격** 묘사적, 주관적, 연군적
주제 변방으로의 부임 과정과 임지 생활에서 느낀 소회 **시대** 조선 중기

정철의 가사를 본보기로 하여 지어진 것으로 보이는 기행 가사로, 작가가 함경도의 경성 판관으로 부임하는 과정과 부임지에서의 생활과 소회 등을 드러내고 있다.

북방(北方) 이십여 주(二十餘州)예 경성(鏡城)이 문호(門戶) ㅣ러니
화자가 부임하는 곳 / 교류를 위한 통로
치병(治兵) 목민(牧民)을 날을 맛겨 보내시니
군대를 다스리는 일 / 백성을 돌보는 일 / 주체: 임금
망극(罔極)ᄒᆞᆫ 성은(聖恩)을 갑풀 일이 어려웨라
연군지정 / 임금의 은혜에 감사하는 태도 강조. 영탄적 표현 **Link** 표현상 특징 ❷
서생(書生) 사업(事業)은 한묵(翰墨)인가 너기더니
유학을 공부하는 사람. 화자를 가리킴 / 글을 읽거나 쓰는 것. 벼슬을 맡지 않은 화자의 처지를 드러냄
백수(白首) 임변(臨邊)이 진실노 의외(意外)로다
변방의 임무를 맡음
➤ 북방의 관리로 부임하게 됨

> 북방 이십여 주에 경성이 외부와 교류하기 위한 통로이러니
> 군대를 다스리고 백성을 돌보는 일을 나에게 맡겨 보내시니
> 끝없는 임금의 은혜를 갚을 길이 어렵구나.
>
> 선비가 하는 일은 글을 쓰고 읽는 것인가 여겼는데
> 나이가 들어 변방의 임무를 맡은 것이 참으로 뜻밖이구나.

Link 표현상 특징 ❷
▒ : 화자의 여정이 드러남 / 웃어른에게 인사를 드림 / 화자가 맡은 임무가 무엇인지 보여 주는 상징적 소재

인정전(仁政殿) 배사(拜辭)하고 칼흘 집고 도라셔니
창덕궁의 정전 - 부임지로 떠나기 전 화자가 임금을 만난 공간
만 리(萬里) 관하(關河)의 일신(一身)을 다 닛괘라
충성하려는 화자의 태도가 드러남. 영탄적 표현 **Link** 표현상 특징 ❷
흥인문(興仁門) ᄂᆡᄃᆞ라 녹양(綠陽)의 ᄆᆞᆯ을 ᄀᆞ니
은하수 / 의정부 근처의 지역 이름
은한(銀漢) 녯 길흘 다시 지나 간단 말아
강원도의 고을 이름
회양(淮陽) 녜 ᄉᆞ실 긔별만 드럿더니
화자가 과거에 들은 회양을 지나고 있음을 드러냄
금달(禁闥)을 외오 두고 적객(謫客)은 무ᄉᆞᆷ 죄고 → 설의적 표현 **Link** 표현상 특징 ❸
임금이 평소에 거처하는 궁전의 앞문 / 귀양살이하는 사람. 북방의 관리로 가는 화자 자신을 비유한 표현
『참암(巉岩) 철령(鐵嶺)을 험ᄐᆞᆫ 말 젼혀 마오
깎아지른 듯 높이 솟은 바위와 험한 고개
세도(世道)를 보거든 평지(平地)ㄴ가 너기노라』 『 』: 세상일과 험한 자연과 비교하여 세상일의 어려움을 드러냄
세상의 길 / 세상일이 어려움을 강조. 영탄적 표현 **Link** 표현상 특징 ❷
『눈물을 베쓷고 두어 거름 도라셔니

장안(長安)이 어듸오 옥경(玉京)이 ᄀᆞ리거다』 『 』: 임금이 있는 곳과 멀어지는 것에 대한 안타까움을 드러냄
나라의 수도 / 옥황상제가 산다고 하는 가상의 공간 - 임금이 계신 궁궐을 비유
『안변(安邊) 이북(迤北)은 져 즘씌 호지(胡地)러니 『 』: 역사적 인물들의 국토를 넓힌 업적 제시
함경도의 고을 이름 / 오랑캐가 사는 땅
신소(迅掃) 성전(腥膻)ᄒᆞ야 벽국(闢國) 천 리(千里)ᄒᆞ니
비린내와 노린내 나는 것들(오랑캐)을 빨리 쓸어내 / 국토를 넓힘
윤관(尹瓘) 김종서(金宗瑞)의 풍공(豐功) 위열(偉烈)을
큰 공훈과 위대한 업적
초목(草木)이 다 아ᄂᆞ다』『용흥강(龍興江) 건너 드러 『 』: 화자의 이동 과정을 표현. 대구법 **Link** 표현상 특징 ❹
→ 과장법 / 함경도에 있는 강
정평부(定平府) 잠깐 지나 만세교(萬歲橋) 압희 두고
평안도 정주 / 함경도 함흥의 성천강에 있던 다리
낙민루(樂民樓)희 올나 안ᄌᆞ』 옥저(沃沮) 산하(山河)를
함흥의 누각 / 함흥 근처에 위치한 고대 국가 이름
면면(面面)히 도라보니 천년(千年) 풍패(豐沛)예
한나라를 세운 한고조(유방)의 고향 - 여기서는 태조 이성계의 고향 함흥을 빗댐
울창(鬱蒼) 가기(佳氣)ᄂᆞᆫ 어제론덧 ᄒᆞ여셰라
상서롭고 맑은 기운
『함관령(咸關嶺) 져문 날의 ᄆᆞᆯ은 어이 병이 든고
함흥 동쪽의 고개 / 길이 매우 험난했음을 보여 줌
만면(滿面) 풍사(風沙)의 갈 길히 머러셰라』 『 』: 화자가 겪는 어려움을 통해 경로의 험난함을 드러냄
온 얼굴 / 바람에 날리는 모래

> 인정전에서 (임금에게) 인사하고 칼을 집고 돌아서서
> 멀리 국경의 요새에서 내 한몸을 다 잊겠노라.
>
> 동대문을 달려 나가서 녹양에서 말을 갈아타니
> 은하수 옛길을 다시 지나 간단 말인가.
>
> 회양 옛 사실을 소식으로만 들었더니
>
> 궁궐을 외롭게 두고 귀양살이 하는 사람은 무슨 죄인가?
> 험난한 고개가 있는 철령이 험하다는 말을 전혀 하지 마오.
> 세상의 길을 보면 평탄한 길인가 여기노라.
>
> 눈물을 쏟고 두어 걸음 돌아서니
>
> 장안이 어디인가. 임금 계신 궁궐이 가리었다.
>
> 안변 이북 저 즈음은 오랑캐가 사는 땅이러니
>
> 오랑캐를 빨리 쓸어 내어 국토를 넓힌 것이 천 리나 되니,
> 윤관과 김종서의 큰 공훈과 위대한 업적을
>
> 산천초목이 다 아는구나. 용흥강 건너 들어가
>
> 장평부를 잠깐 동안에 지나고 만세교 앞에 두고
>
> 낙민루에 올라 앉아서 옥저의 산과 강을
>
> 낱낱이 돌아보니 천년 풍패에
>
> 울창한 상서로운 기운은 어제인 듯하여라.
>
> 함관령 저문 날의 말은 어이 병이 들었는가.
>
> 온 얼굴에 모랫바람이니 갈 길이 멀구나.

홍원(洪原) 고현(古縣)의 천도(穿島)ᄅᆞᆯ ᄇᆞ라보고
함경도의 지역 이름 / 함경도 홍원군 앞바다에 있는 구멍이 뚫린 섬
대문령(大門嶺) 너머 드러 청해진(靑海鎭)에 드러오니
함경도의 고개 / 함경도 북청 도호부를 가리킴 - 화자의 목적지
『일도(一道) 후설(喉舌)이요 남북(南北) 요충(要衝)이라』 『 』: 청해진의 지형이 전략적으로 매우 중요함을 드러냄
목구멍과 혀. 중요한 길목
신신(信臣) 정졸(精卒)로 이병(利兵)을 베퍼시며
강궁(强弓) 경노(勁弩)로 요해(要害)ᄅᆞᆯ 디킈ᄂᆞᆫ ᄃᆞᆺ
강하고 튼튼한 활들 - 강한 군사력을 의미함 / 군사적 요충지
> 한양에서 경성까지의 이동 과정

(중략)

소화(韶華)도 그디업고 풍경(風景)이 무진(無盡)ᄒᆞ니
봄의 화려한 경치 - 계절감을 드러내 줌
일춘(一春) 행락(行樂)이 슬믜염즉 ᄒᆞ다마ᄂᆞᆫ
슬믜다: 싫고 밉다
『향관(鄕關)을 ᄇᆞ라보니 오령(五嶺)이 ᄀᆞ려 잇고
고향
이지(異地) 산천(山川)은 육진(六鎭)이 거의로다』 『 』: 고향과 자신이 있는 곳 사이의 거리를 주변 지형을 통해 시각적으로 보여 줌
조선 시대 때 지금의 함경북도 북변을 개척하여 설치한 여섯 개의 진
명시(明時) 적관(謫官)이 도처(到處)의 군은(君恩)이로ᄃᆡ
평화로운 때 / 죄를 짓고 좌천된 벼슬아치 - 변방에 부임한 화자 자신을 드러낸 말
원신(遠身) 금전(金殿)을 뉘 아니 슬혀ᄒᆞ며
다시 대궐로 들어감 / 기약함
중입(重入) 수문(修門)을 어이ᄒᆞ여 긔필ᄒᆞᆯ고
궁궐로 가지 못하는 상황에 대한 안타까움을 드러냄. 설의적 표현 **Link** 표현상 특징 ❸
평생(平生) 먹은 ᄠᅳ디 젼혀 업다 ᄒᆞᆯ가마ᄂᆞᆫ
운명
시운(時運)의 타시런가 명도(命途)의 ᄆᆡ엿ᄂᆞᆫ가 → 대구법
임금이 있는 궁궐에 있지 못하는 자신의 상황에 대한 이유 추리
진대(秦臺) 백수(白首)의 세월(歲月)이 쉬이 가니
초나라 굴원의 유배지를 가리킴 / 임금의 총애를 받으며 늙는 줄 모름
초택(楚澤) 청빈(靑蘋)은 원사(怨思)도 한졔이고
유배지에서도 변치 않는 충성심
이 잔 가ᄃᆞᆨ 부어 이 시름 닛쟈 ᄒᆞ니
술로 시름을 달래려는 모습
『동명(東溟)을 다 퍼내다 이내 시름 어이 ᄒᆞᆯ고』 『 』: 화자의 시름이 매우 깊음을 드러냄
동해
> 경성에서의 생활과 감회

『어부(漁夫)ㅣ 이 말 듯고 낙ᄃᆡ를 둘너메고
시름 많은 화자에게 조언을 해 주는 인물
빗젼 두드리고 노래를 부른 말이』 『 』: 화자와 어부의 대화 형식임을 드러냄 **Link** 표현상 특징 ❺
『세사(世事)를 니전디 오라니 몸조차 니전노라 『 』: 세상일을 잊고 자연과 벗 삼아 살아가는 어부의 태도가 나타남
백사(百事) 생애(生涯)ᄂᆞᆫ 일간죽(一竿竹)ᄲᅮᆫ이로다
백구(白鷗)ᄂᆞᆫ 나와 버디라 오명가명 ᄒᆞᄂᆞ다』
어부의 자연 친화적 태도
> 어부와의 대화

홍원, 고현의 천도를 바라보고
대문령을 넘어 들어가 청해진에 들어오니
일도의 중요한 길목이요 남북의 요충지라.
충성심이 강한 정예 병사에게 예리한 병기를 나누어 주었으니
강하고 튼튼한 활로 요충지를 지키는 듯(하구나.)

(중략)

봄의 화려한 경치도 끝이 없고 풍경이 다함이 없으니
봄날의 행락이 싫증난 듯 하지마는
고향을 바라보니 오령이 가려 있고,
낯선 곳의 산천은 육진이 거의 다이구나.
평화로운 세상에 좌천된 관리가 곳곳에 임금의 은혜이로되
멀리 있는 몸이 궁궐을 (바라보며) 누가 슬퍼하지 아니하며
다시 대궐로 돌아감을 어이하여 이루어지기를 기약할꼬?
평생에 먹은 뜻이 전혀 없다고 할까마는
시대의 운수 탓이런가, 운명과 재수에 매였는가.
임금의 총애를 받으며 늙는 줄 모르는 (사이에) 세월은 쉬이 가니
(유배지에서의) 변치 않는 충성심은 원망도 한때이고
(술을) 이 잔에 가득 부어 이 시름을 잊고자 하니
동해를 다 퍼낸들 이 시름을 어이 할 것인가?

어부가 나의 말을 듣고 낚싯대를 둘러 메고
뱃전을 두드리며 노래를 부른 말이
세상일을 잊은 지 오래니 몸조차 잊었노라.
세상의 모든 일의 생애는 대나무 지팡이뿐이로다.
갈매기는 나와 벗이라. 오며 가며 하는구나.

Link

출제자 톡! 화자를 이해하라!

1 **화자는 누구이고 처한 상황은?**
임금의 부름으로 북방 관리로 간 '나'가 부임지에서 소회를 드러내고 있음.

2 **화자의 정서와 태도는?**
- 북방 관리로 임명한 임금에 대한 감사의 태도를 보임.
- 임금이 있는 궁궐로 가지 못하는 자신의 처지를 안타까워함.
- 경성 부임지에서 얻은 시름을 풀고자 하지만 풀 수 없다고 인식함.

출제자 톡! 표현상의 특징을 파악하라!

❶ 공간의 이동에 따른 화자의 여정이 드러나 있음.
❷ 영탄적 표현을 사용하여 화자의 태도를 강조함.
❸ 설의적 표현을 사용하여 화자가 이동 중에 느낀 감회를 드러냄.
❹ 대구법을 사용하여 화자의 이동을 율동감 있게 그려 냄.
❺ 대화 형식을 사용하여 특정 인물의 삶의 방식을 드러냄.

최우선 출제 포인트!

1 시상 전개 방식 – 공간의 이동에 따른 전개

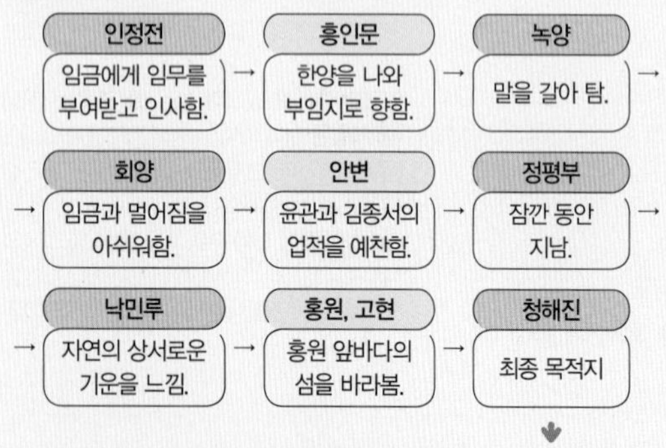

- 경성에서의 생활과 감회를 드러냄.
- 임금에 대한 감사와 충성, 고향에 대한 그리움, 임무로 인한 시름 등을 드러냄.

최우선 핵심 Check!

1 ㄱ ㄱ의 이동에 따라 화자의 여정을 드러내는 방식으로 시상을 전개하고 있다.

2 화자는 특정 장소와 관련된 인물의 업적을 예찬하고 있다. (○ / ×)

3 여행을 하는 과정에서 본 자연 경관을 공감각적 이미지를 통해 생생히 묘사하고 있다. (○ / ×)

4 화자는 술을 마시면서 시름을 달래려는 모습을 보이고 있다. (○ / ×)

5 시름을 하는 화자에게 자연을 벗 삼아 세상과 거리를 둔 삶의 태도를 일깨워 주는 인물은 ㅇ ㅂ이다.

정답 1. 공간 2. ○ 3. × 4. ○ 5. 어부

1등급! 〈보기〉!

「출새곡」의 이해

「출새곡」은 조선 후기에 조우인이 지은 기행 가사이다. 북새(함경도) 지방으로의 출행을 읊은 노래로, 작가가 56세 되던 해에 함경도 경성 판관으로 떠날 때 정철의 「관동별곡」과 같은 가사를 지어 오라는 친척의 권로로 지은 작품이다. 서울에서 부임지인 경성까지 가는 도중의 여정을 생생하게 묘하고 있으며, 지리, 풍물, 경성에서의 생활과 감회를 드러내고 있다. 이 때문에 이 작품은 「관동별곡」과 비교해 볼 때 매우 비슷한 면모를 가지고 있다고 볼 수 있다.

「출새곡」과 「관동별곡」의 유사점
- 1행부터 7행까지의 내용이 유사함.
- 앞부분에 벼슬을 하지 않고 있었던 화자의 처지가 드러남.
- 지방 관리로 임명받은 화자가 임금의 은혜에 감사하는 마음을 표현함.
- '칼'과 '옥절'이라는 소재를 통해 화자가 맡은 임무가 무엇인지 상징적으로 드러냄.

192위

월선헌 정자 주변의 16경관을 읊은 노래

월선헌십육경가 (月先軒十六景歌) | 신계영

갈래 가사(은일 가사) **성격** 묘사적, 자연 친화적, 예찬적 **주제** 자연을 즐기며 살아가는 전원생활의 즐거움 **시대** 조선 중기

벼슬살이에 시달리다가 시골로 돌아와 한가롭게 자연을 즐기며 살아가는 전원생활의 즐거움을 노래하고 있다.

출제 우선 작품

원문	현대어 풀이
호천(湖天) 봄빗치 두병(斗柄)(북두성) 좃차 도라오니	호수와 하늘의 봄빛이 북두성을 좇아서 돌아오니
(계절적 배경 : 봄 Link 표현상 특징 ❶) 『양파(陽坡)(볕이 든 언덕) ᄀᆞ는 플이 새엄이(새싹이) 프르럿고 (색채 이미지 - 봄의 생동감을 드러냄)	볕이 든 언덕의 가는 풀은 새싹이 푸르러 있고,
사정(沙汀) 약(弱)ᄒᆞᆫ 버들 녯 가지 누울 저긔	바닷가 모래사장의 약한 버드나무 옛 가지가 늘어져 있는 때에
강성(江城)(경상남도 산청군에 있는 지역 이름) 느즌 빗발 긴 들흐로 건너오니』 (『 』: 봄날의 풍경을 구체적으로 형상화함)	강성의 늦은 빗줄기가 긴 들로 지나오면서 내리니
청상(淸爽)ᄒᆞᆫ(맑고 시원한) 뎌 경개(景槩)(저 경치, 빗줄기가 내리는 모습) 시흥(詩興)도 돕거니와	맑고 시원한 저 경치가 시의 흥취를 돕거니와
약포산전(藥圃山田)(약초 심은 삼밭)을 ᄒᆞ매면 가리로다	약초 심은 산밭을 잠깐이면 맬 수 있겠구나.
이바 아희들아 쇼 죠히 머겨스라 → 농사일에 대한 권면	이봐 아이들아 소를 좋게 먹여라.
(청자에게 말을 건네는 방식 Link 표현상 특징 ❷) 여와씨(女媧氏) 하늘 깁던 늙은 돌히 나마 이셔 (중국 상고 시대 전설상 여제인 여와씨가 구멍 난 하늘을 기운 오색 돌 - 고사를 인용하여 '난봉'의 아름다움을 비유적으로 표현함)	여와씨가 하늘을 깁던 오래된 돌이 남아 있어
서창(西牕) 밧 지척(咫尺)의 난봉(亂峯)(높이나 모양이 고르지 아니하게 여기저기 솟은 산봉우리)이 되여시니 Link 표현상 특징 ❹	서쪽 창문 밖 가까운 곳의 난봉이 되었으니
싸커니 셔거니 기괴(奇怪)도 ᄒᆞᆫ뎌이고 (산봉우리의 모습에 대한 감탄, 영탄적 표현)	(산봉우리가) 쌓여 있는 것 같기도 하고, 서 있는 것 같기도 하여 기괴하기도 하구나.
장송(長松) ᄒᆞ텬 속의 퍼기마다 고지 픠니	긴 소나무가 흩어진 숲속에 포기마다 꽃이 피니
적성(赤城) 아젹비예 블근 안개('꽃'을 비유적으로 표현) 저젓ᄂᆞᆫ ᄃᆞᆺ	적성 아침에 내리는 비에 붉은 안개가 젖어 있는 듯
술 ᄎᆞ고 노ᄂᆞᆫ 사ᄅᆞᆷ(봄날의 아름다운 자연을 즐기려는 사람들을 가리킴) 뷘 날 업시 올라가니	술병을 차고 노는 사람들이 빈 날이 없이 (산에) 올라가니
『난만(爛漫)ᄒᆞᆫ(광채가 강하고 선명한) 춘광(春光)이 몃 가지나 샹톳던고』 (『 』: 봄이 되어 다양한 경관을 이룬 것에 대한 감탄, 설의적 표현 Link 표현상 특징 ❸)	광채가 강하고 선명한 봄빛이 몇 가지나 모양을 만들었는가.
금오산(金烏山) 십이봉(十二峯)이 대야(大野)의 둘너시니	금오산 열두 봉우리가 넓은 들판을 둘러 있으니
ᄂᆞᄂᆞᆫ ᄃᆞᆺ 머므ᄂᆞᆫ ᄃᆞᆺ 기상(氣像)도 기승(奇勝)ᄒᆞ다 → 산봉우리의 다양한 모습에 대한 감탄	날아가는 듯 머물러 있는 듯 기상이 기묘하고 뛰어나다.
다사(多事)ᄒᆞᆫ 청람(靑嵐)(푸른 아지랑이. 변화무쌍한 분위기를 만들어 푸른 산의 모습을 신비롭게 만들어 줌)이 취대(翠黛)(미인의 눈썹. 금오산 십이봉의 모습을 비유적으로 표현함)예 빗겨 이셔	일이 많은 푸른 아지랑이가 미인의 눈썹(산봉우리)에 빗겨 있어
모ᄃᆞ락 ᄒᆞ트락 태도(態度)도 할셔이고 (산기운의 다양한 모양새를 표현함)	모였다가 흩어졌다가 모양새가 많기도 많구나.
창연(蒼然)ᄒᆞᆫ 진면목(眞面目)이 뵈ᄂᆞᆺ ᄃᆞᆺ 숨ᄂᆞᆫ 양은 (산봉우리를 둘러싼 산기운의 움직임을 형상화함) Link 표현상 특징 ❹	빛깔이 몹시 푸른 (산의) 진면목이 보이는 듯 숨은 듯 하는 모습은
용면호수(龍眠好手)(중국 송나라 때 이름난 화가인 '이공린'의 뛰어난 그림 솜씨)로 수묵병(水墨屛)(산기운에 둘러싸인 금오산의 아름다운 경치를 비유)을 그려ᄂᆞᆫ ᄃᆞᆺ → 금오산 십이봉의 아름다움을 비유적으로 표현 > 봄의 아름다운 경관	뛰어난 그림 솜씨로 엷은 먹물 병풍을 그렸는 듯 (하구나.)
잔화(殘花)ᄂᆞᆫ ᄇᆞᆯ셔 디고 백일(白日)이 점점(漸漸) 기니 (봄에서 여름으로의 계절 변화가 드러남 Link 표현상 특징 ❶)	시든 꽃은 벌써 지고 낮은 점점 길어가니
장제(長堤) 눈엽(嫩葉)이 새 그ᄂᆞᆯ 어릴 저긔	기다란 둑의 어린 잎이 (자라서) 새 그늘을 드리울 때에
형비(荊扉)를 기피 닷고 낫ᄌᆞᆷ을 잠깐 드니 (여유롭고 한가한 화자의 모습)	가시나무로 만든 문짝을 깊이 닫고 낮잠을 잠깐 드니
교만(驕慢)ᄒᆞᆫ 굇고리(계절감을 드러내는 소재 - 화자의 휴식을 방해하는 존재) ᄭᆡ올 주리 무ᄉᆞ 일고	교만한 꾀고리가 (나의 잠을) 깨우는데, 무슨 일인가(무슨 일로 깨우는가.).
긔파 ᄀᆞᄂᆞᆫ 길희 초연이 기픈 고ᄃᆡ (농가에서 농사일, 특히 논매기를 끝낸 음력 7월쯤에 날을 받아 하루를 즐겨 노는 일)	깊어 가는 길에 초연이 깊은 곳에
목적(牧笛) 삼롱성(三弄聲)(목동의 피리 소리와 거문고 연주 소리, 화자의 흥취를 유발하는 소재)이 한흥(閑興)을 도와낸다 (여름 날의 흥취를 청각적 심상을 통해 드러냄)	목동의 피리소리와 거문고 연주하는 소리가 한가한 흥을 돕는다.
오서산(烏棲山) 두렷ᄒᆞᆫ 봉(峯) 반공(半空)(허공)의 다하시니	오서산의 뚜렷한 봉우리가 허공에 닿아 있으니

하늘과 땅의 기운

건곤원기(乾坤元氣)놀 네 혼자 타 잇고야

오서산 봉우리에 대한 예찬적 태도가 드러남. '오서산'을 '너'라고 의인화함

조모(朝暮)애 좀긴 안개 ㅂ라보니 기이(奇異)ᄒ다

몃 번 시우(時雨) 되야 세공(歲功)을 일웟ᄂ다

한 해의 농사나 수확

> 여름날의 아름다운 경관

하늘과 땅의 정기를 너 혼자 타고나 있구나.

아침저녁에 (오서산 봉우리에) 잠긴 안개를 바라보니 기이하다.

(안개가) 몇 번 적절한 시기를 맞추어 비가 되어서 한 해 농사나 수확을 일구었구나.

오동 닙히 디고 흰 이술 서리 되니

여름에서 가을로의 계절 변화가 드러남 Link 표현상 특징 ❶

서담(西潭) 깁픈 골애 추색(秋色)이 느저 잇다

천림(千林) 금엽(錦葉)이 이월화(二月花)롤 브놀소냐

가을 나무와 잎이 이월의 꽃보다 아름다움을 드러냄. 설의적 표현 Link 표현상 특징 ❸

동(東)녁 두던 밧긔 크나큰 너븐 들희

「만경(萬頃) 황운(黃雲)이 ᄒᆞᆫ빗치 되야 잇다 : 가을의 풍성함을 드러내는 소재

벼가 익은 모습을 비유적으로 표현한 말 / 고기잡이

중양(重陽)이 거의로다 내노리 ᄒ쟈스라

음력 9월 9일의 옛 명절 / 전원생활에서의 여유로운 모습을 드러냄

블근 긔 여믈고 눌은 돍기 술져시니

붉은 게 / 누런 닭

술이 니글션졍 버디야 업슬소냐」 「」: 풍요로운 가을의 농촌 모습

전원생활에서의 흥취가 드러남

전가(田家) 흥미(興味)는 날로 기퍼 가노매라

전원생활에 대한 화자의 만족감이 드러남

「살여흘 긴 몰래예 밤블이 볼가시니

게 잡는 아희둘이 그믈을 훗텨 잇고

호두포(狐頭浦) 엔 구븨예 아젹믈이 미러오니」 「」: 전원생활의 현장감을 드러내 줌

먼 굽이 / 밀물

돗든비 애내성(欸乃聲)이 고기 포는 댱ᄉ로다

어부가 배를 저으면서 부르는 노랫소리 / 생활

경(景)도 됴커니와 생리(生理)라 괴로오랴

여유롭고 넉넉한 전원생활에서의 만족감을 강조하여 표현. 설의적 표현

> 가을의 아름다운 경관 및 풍요로움

오동잎이 지고 흰 이슬이 서리가 되니

서쪽 연못 깊은 골짜기에 가을 색이 늦게까지 있다.

많은 나무와 단풍 든 잎이 이월에 피는 꽃을 부러워하겠느냐?

동쪽 언덕 밖의 크나큰 넓은 들에

넓은 들판에 벼가 누렇게 익은 모습이 한 빛이 되어 있다.

중양절이 거의 다 되었다. 고기잡이를 하자꾸나.

붉은 게는 여물었고 누런 닭은 살쪘으니

술이 익었는데 벗이야 없을소냐(없겠느냐)?

농촌에서 사는 재미가 날로 깊어 가는구나.

물살이 급하고 빠른 여울물의 긴 모래에 밤불이 밝으니

게 잡는 아이들이 그물을 던져서 치고 있고

호두포의 먼 굽이에 밀물이 밀려오니

돛단배의 어부의 노랫소리는 고기를 파는 장사로다.

경치도 좋거니와 전원에서의 생활이 괴롭겠느냐?

ᄀ올히 다 디나고 북풍(北風)이 노피 부니

가을에서 겨울로의 계절 변화가 드러남 Link 표현상 특징 ❶

긴 하놀 너븐 들희 모설(暮雪)이 ᄂ니더니

계절적 배경을 드러내 주는 소재

「이옥고 경락(境落)이 각별(各別)ᄒᆞᆫ 천지(天地) 되야

마을이 눈으로 하얗게 덮인 상황을 드러냄

원근(遠近) 봉만(峯巒)은 백옥(白玉)을 뭇거 잇고 △: '눈'의 아름다움을 비유적으로 표현함 Link 표현상 특징 ❹

야당(野堂) 강촌(江村)을 경요(瓊瑤)로 ᄭ며시니」 「」: 눈으로 덮인 아름다운 풍경 묘사

아름다운 구슬

조화(造化) 헌ᄉᄒᆞᆫ 줄 이제야 더 알과라

눈이 덮인 아름다운 풍경에 대한 감탄 - 자연을 우주의 원리가 구현된 아름다운 세계로 인식하고 있음

천기 늠렬(天氣凜烈)ᄒ야 빙설(冰雪)이 싸혀시니

추위가 살을 엘듯이 심하여 / 계절적 배경을 드러내 주는 소재 - 매화에게 시련을 주는 존재

교원(郊園) 초목(草木)이 다 최절(摧折)ᄒ얏거놀

'매화, 솔'과 대비되는 대상 / 마음이나 기운이 꺾임

창밧긔 심근 매화(梅花) 암향(暗香)을 머곰엇고

재 우희 셔 잇는 솔 프른 빗치 의구(依舊)ᄒ니

□: 지조와 절개를 지닌 존재 - 화자가 지향하는 가치를 담고 있음 Link 표현상 특징 ❺

본딕 삼긴 절(節)이 세한(歲寒)ᄒ다 변(變)ᄒᆯ소냐

화자가 지향하는 가치 / 매화와 솔의 절개를 예찬. 설의적 표현

가을이 다 지나고 북풍이 높이 부니

긴 하늘 넓은 들에 저녁눈이 내리더니

이윽고 마을이 각별한 천지가 되어

멀고 가까운 산봉우리는 백옥을 묶어 있고

시골집과 강촌을 아름다운 구슬로 꾸몄으니

자연의 이치가 야단스러운 줄 이제야 더 알겠구나.

하늘 기운이 살을 엘 듯이 심하여(추위가 매우 심하여) 빙설이 쌓였으니

야외 동산의 풀과 나무가 다 기운이 꺾였지만,

창밖에 심은 매화는 매화향을 머금어 있고

고개 위에 서 있는 소나무는 푸른 빛이 변함이 없으니

본디 생긴 절개가 심한 추위가 있다고 하여 변하겠느냐?

압뫼희 자던 안개 힛빗출 ᄀᆞ리오니

죽림(竹林)의 쁠린 서리 못 미처 노갓고야

대나무밭에 서리가 내린 모습을 형상화함

소노(小爐)를 나외 혀고 창(牕)을 닷고 안자 이셔

작은 향로. 화자로 하여금 속세의 잡념을 잊게 해 주는 사물

일주(一炷) 청향(淸香)의 세념(世念)이 그쳐시니

단표(簞瓢) 뷔다 ᄒᆞ야 흥(興)이야 업술소냐

전원생활에서의 소박한 삶에 대한 만족감과 즐거움을 강조. 설의적 표현 Link 표현상 특징 ❸

> 겨울의 아름다운 경관과 전원생활에 대한 만족감

앞산에 퍼져 있던 안개가 햇빛을 가리니

대나무숲에 뿌려진 서리가 미처 녹지 못하였구나.

작은 향로를 다시 켜고 창을 닫고 앉아 있어

한 심지 맑고 맑은 향에 속세에 대한 상념이 그쳤으니

도시락과 표주박 비었다 하여 흥이야 없겠느냐?

출제 우선 작품

출제자 톡! 화자를 이해하라!

1 화자는 누구이고 처한 상황은?
전원생활을 하는 '나'로, 계절에 따라 자연 경관을 바라보고 있음.

2 화자의 정서와 태도는?
- 아름다운 자연 경관에 대한 예찬적 태도를 드러냄.
- 전원생활에서 느끼는 흥취를 드러냄.
- 전원생활에 대한 만족감을 드러냄.

Link

출제자 톡! 표현상의 특징을 파악하라!

❶ 시간의 흐름에 따라 시상을 전개함.
❷ 청자에게 말을 건네는 방식을 활용함.
❸ 설의적 표현을 사용하여 화자의 정서와 태도를 강조함.
❹ 비유적 표현을 사용하여 대상의 아름다움을 드러냄.
❺ 상징적인 자연물을 이용하여 화자의 삶의 태도를 드러냄.

최우선 출제 포인트!

1 시상 전개 방식 – 시간의 흐름에 따른 전개

계절	내용
봄	• 봄날의 풍경 – 새엄, 버둘, 아젹비 • 아름다운 자연의 모습 – 난봉, 금오산 십이봉
여름	• 여름날의 한가로운 모습 – 낫좀 • 여름날의 흥취 – 목적, 삼롱성 • 아름다운 자연의 모습 – 오서산 두렷ᄒᆞᆫ 봉
가을	• 아름다운 자연의 모습 – 오동 닙, 추색 • 가을의 풍요로움 – 황운, 붉근 긔, 눌은 둙, 술
겨울	• 아름다운 자연의 모습 – 모설, 원근 봉만, 야당 강촌 • 자연물을 통한 지향하는 가치 – 매화, 솔

↓

자연 속에서 살아가는 만족감을 드러냄.

함께 볼 작품 사계절을 노래하면서 가을날을 풍요로움을 노래한 작품: 황희, 「사시가」

최우선 핵심 Check!

1 '봄 – 여름 – 가을 – 겨울'로의 ㅅㄱ의 흐름에 따라 시상을 전개하고 있다.

2 '매화, ㅅ'은 초목과 대비되는 자연물로, 화자가 지향하는 가치를 반영하고 있다.

3 '수묵병'은 산기운에 둘러싸인 금오산의 아름다운 경치를 비유적으로 표현한 것이다. (O / ×)

4 '꾓고리'는 꿈속에서 그리운 대상을 만나고 싶은 화자의 마음을 방해하고 있다. (O / ×)

5 '황운, 블근 긔, 눌은 둙'은 가을 날의 풍요로움을 드러내는 소재들이다. (O / ×)

6 화자는 농촌 생활에서의 힘겨움을 토로하면서도 주어진 삶에 만족하여 살겠다는 태도를 보이고 있다. (O / ×)

정답 1. 시간 2. 솔 3. ○ 4. × 5. ○ 6. ×

1등급! 〈보기〉!

「월선헌십육경가」의 이해

이 작품은 작가가 나이 79세로 벼슬길에서 물러나 고향으로 돌아온 그해(1655년) 10월에 예산(禮山) 오리지(梧里池)에서 지은 가사이다. 벼슬살이의 험한 일에 시달리다가 사퇴하고, 시골로 돌아와 한가롭게 자연을 즐기며 살아가는 전원생활의 즐거움을 노래한 은일 가사이다.
이 작품에서 화자는 사계절의 변화에 따른 자연 경치와 월선헌 주변의 자연 풍광, 농촌 생활의 모습을 담고, 끝부분에 전원생활의 흥취를 드러내고 있다. 즉 자연을 우주의 원리가 구현된 아름다운 세계로 인식하는 동시에 노동의 삶이 존재하는 구체적인 생활 공간으로 바라보는 것이다. 그래서 이 작품에는 자연과 조화를 이루며 한가한 삶을 즐기는 사대부의 여유뿐만 아니라 작가가 체험한 전원 생활과 흥취와 만족감이 잘 표현되어 있다.

193위

한양의 모습을 읊은 노래

한양가(漢陽歌) | 한산거사

갈래 가사(풍물 가사, 장편 가사) **성격** 사실적, 영탄적 **주제** 한양의 풍물에 대한 소개와 감탄
시대 조선 후기

조선의 도읍으로서의 한양의 지리, 풍속, 문물 등을 사실적으로 소개하고 있다.

: 장소(공간)의 이동 Link 표현상 특징 ❶

우리나라 소산들도 부끄럽지 않건마는 (소산: 생산되는 물건)
타국 물화(物貨) 어울리니 백각전(百各廛) 장할시고 (외국의 물품이 한양에서 소비되고 있음을 알 수 있음 / 백각전: 조선 시대 정부에서 관리하던 상점들 Link 표현상 특징 ❷ / 장할시고 → 굉장하구나)
칠패의 생선전에 각색 생선 다 있구나 (칠패: 조선 후기 서울에 있던 난전)
『민어 석어 석수어며 도미 준치 고등어며
낙지 소라 오적어며 조개 새우 전어로다』 ▶ 한양 시장의 '백각전과 생선전'의 풍경

△: 대상에 대한 평가가 직접적으로 드러남. 영탄적 표현 Link 표현상 특징 ❹
『 』: 생선전의 생선을 열거함(열거법) Link 표현상 특징 ❸

(중략)

Link 표현상 특징 ❷

도자전(刀子廛) 마로저재 금은보패 놓였구나 (도자전: 작은 칼과 패물을 파는 가게 / 저재: 시장)
『용잠(龍簪) 봉잠(鳳簪) 서복잠(瑞福簪)과 간화잠(簡花簪) 창포잠(菖蒲簪)과 (도자전에서 값비싼 물건도 팔았음을 알 수 있음)
앞뒤 비녀 민죽절과 개고리 앉힌 쪽비녀며』 (민죽절: 아무 장식이 없는 죽절비녀 / 『 』: 부녀자들이 머리에 꽂던 비녀의 종류 나열 Link 표현상 특징 ❸)
『은가락지 옥가락지 보기 좋은 밀화지환(蜜花指環) (밀화지환: 보석의 일종인 호박으로 만든 가락지)
금패 호박 가락지와 값 많은 순금지환』 (『 』: 반지의 종류 나열 Link 표현상 특징 ❸)
『노리개 볼작시면 대삼작과 소삼작과 (도자전에서 값비싼 패물도 팔았음을 알 수 있음 / 노리개의 크기에 따라 대삼작, 중삼작, 소삼작으로 나눔)
옥나비 금벌이며 산호가지 밀화불수』 (『 』: 노리개의 종류 나열 Link 표현상 특징 ❸ / 밀화불수: 밀화로 부처 손같이 만든 여자의 노리개)
옥장도 대모장도 빛 좋은 삼색실로 (대모장도: 자루와 칼집을 대모갑으로 꾸민 장도. 대모(바다거북과의 동물)의 등과 배를 싸고 있는 껍데기 / 옥장도: 자루와 칼집을 옥으로 만들거나 꾸민 작은 칼)
끈 술 푼 술 갖은 매듭 변화하기 측량없다』 (변화하기: 화려함) ▶ 한양 시장의 '도자전'의 풍경

광통교 아래 가게 각색 그림 걸렸구나 (Link 표현상 특징 ❷)
『보기 좋은 병풍차(屛風次)의 백자도 요지연과 (병풍차: 병풍을 꾸밀 그림이나 글씨. 또는 그것을 그린 종이나 깁 / 백자도: 동양화에서 여러 사내 아이들이 노는 모습을 그린 그림(백자동) / 요지연: 목왕이 요지에서 잔치를 벌이는 그림)
곽분양 행락도며 강남금릉 경직도며 (곽분양: 당나라의 명장으로 높은 공을 세우고 많은 복을 누린 사람으로 유명함)
한가한 소상팔경(瀟湘八景) 산수도 가이하다』 (소상팔경: 중국 소수와 상수 일대의 여덟 군데 빼어난 경치 / 『 』: 광통교 아래 가게의 그림을 나열함 Link 표현상 특징 ❸)
다락벽 계견사호 장지문 어약용문 (계견사호: 닭, 개, 사자, 호랑이(그림) / 어약용문: 잉어가 용문에 뛰어오르는 모습을 그린 그림 - 입신양명을 기원하는 그림)
해학반도 십장생과 벽장문차 매죽난국 (십장생: 불로장생을 기원하는 그림 / 벽장문차: 벽장문을 꾸미는 / 매죽난국: 매화, 대나무, 난초, 국화 그림)
횡축(橫軸)을 볼작시면 구운몽 성진이가 (횡축: 가로로 길게 꾸민 족자 / 성진: 김만중의 소설 「구운몽」의 주인공)
『팔선녀 희롱하여 투화성주(投花成珠) 하는 모양』 (투화성주: 꽃을 던져 구슬을 만듦 / 『 』: 「구운몽」의 인상적인 장면 - 소설의 인상적인 장면을 그림을 통해 감상했음을 알 수 있음)
주나라 강태공이 궁팔십 노옹으로 (궁팔십: 강태공이 관직에 오르기까지 80년을 가난하게 산 데서 '가난한 인생'을 일컫는 말)
사립을 숙여 쓰고 곧은 낚시 물에 넣고

우리나라에서 생산되는 물건들도 부끄럽지 않지마는
다른 나라의 상품들도 팔고 있으니, (다른 나라 상품들을 파는) 가게들이 굉장하구나.
칠패의 생선전에 온갖 생선이 다 있구나.
민어, 석어, 석수어, 도미, 준치, 고등어며,
낙지, 소라, 오징어, 조개, 새우, 전어로구나.
(중략)

도자전의 마루 시장에 금은보배 놓여 있구나.
용 모양 비녀, 봉황 모양 비녀, 서복을 새긴 비녀, 꽃 비녀, 창포 비녀와
앞뒤 비녀, 무늬 없는 대나무 비녀와 개구리를 장식한 쪽비녀며
은반지, 옥반지, 보기 좋은 호박 반지
금패가 박힌 호박 반지와 값비싼 순금 반지
노리개를 볼 것 같으면 대삼작과 소삼작,
옥나비와 금벌, 호박 가지에 부처 손을 새긴 노리개
옥으로 만든 작은 칼, 대모갑으로 꾸민 장도를 빛 좋은 삼색실로
끈 매듭, 풀어 놓은 매듭 갖은 매듭이 화려하기가 헤아릴 수 없다.

광통교 아래 가게에는 온갖 그림이 걸려 있구나.
보기 좋은 병풍 장식 그림으로 여러 사내아이들이 노는 모습을 그린 백자도, 목왕이 요지에서 잔치를 벌이는 그림과
곽분양의 즐거운 삶을 그린 그림과 강남 금릉에서 밭 갈고 베 짜는 일을 그린 그림이며
한가한 소상팔경을 그린 산수도가 기이하다.
다락 벽의 닭, 개, 사자, 호랑이를 그린 그림, 장지문의 어약용문 그림
바다와 학과 선계의 복숭아 그림, 십장생 그림, 벽장문을 꾸미는 그림으로 매난국죽,
가로로 길게 꾸민 족자를 보면 구운몽 성진이가
팔선녀 희롱하여 꽃을 던져 구슬을 만드는 모양,
주나라 강태공이 팔십이 된 노인으로
삿갓을 숙여 쓰고 곧은 낚싯대 물에 넣고

때 오기만 기다릴 제 주문왕(주나라 문왕) 착한 임금
어진 사람(인재(강태공)) 얻으려고 몸소 와서 보는 거동 (자신을 등용해 줄 임금을 기다린다는 의미)
한나라 상산사호(商山四皓)(중국 진나라 말기 상산에 숨어 살던 네 명의 은사(隱士)) 갈건야복 도인 모양
네 늙은이 바둑 둘 제 제세안민(濟世安民)(세상을 구제하고 백성을 편안하게 함) 경영이라』 (은둔자들의 유유자적한 은일의 삶을 표현한 그림)

> 한양 시장의 '광통교 아래 가게'의 풍경

(자신을 알아 주는) 때 오기만을 기다릴 때 주나라 문왕 착한 임금이
어진 사람을 찾으려고 몸소 와서 보는 모습(을 그린 그림)
한나라 상산사호 소박한 옷차림을 한 도인 모양(으로)
네 늙은이가 바둑 두는 그림은 세상을 다스리고 백성을 편안하게 하려는 계획을 뜻함이라.

출제자 톡! 화자를 이해하라!

1 **화자는 누구이고, 화자가 처한 상황은?**
한양 시장 모습을 관찰하고 있는 사람

2 **화자의 정서 및 태도는?**
- 대상에 대한 평가를 드러내면서 감탄의 정서를 드러냄.
- 그림을 자세히 바라보고 그림 속 인물들에 대한 생각을 드러냄.

Link

출제자 톡! 표현상의 특징을 파악하라!

❶ 장소(공간)의 이동에 따라 시상을 전개함.
❷ 한양의 가게들을 병렬적으로 제시함.
❸ 시장에서 파는 물건들을 나열함.
❹ 영탄적 표현을 사용하여 대상에 대한 감탄을 드러냄.

최우선 출제 포인트!

1 시상 전개 방식 – 장소의 이동에 따른 전개

백각전	→	생선전
우리나라 상품과 외국 상품이 모여 있음.	→	온갖 생선과 해산물이 있음.
도자전		**광통교 아래 가게**
• 금은보패가 판매됨. • 여인들의 장신구와 고급 패물이 있음.	→	• 온갖 그림이 걸려 있음. • 다양한 내용을 지닌 그림들이 있음.

↓

한양 시장에서 파는 물품들을 사실적으로 소개하고 있음.

최우선 핵심 Check!

1 '백각전 – ㅅㅅㅈ – 도자전 – 광통교 아래 가게'로 장소를 이동하며 시상을 전개하고 있다.

2 구체적으로 열거하는 방식을 활용하여 대상을 사실적으로 소개하고 있다. (O / ×)

3 화자가 시장에서 관찰한 것에 대한 자신의 생각을 직접 드러내지 않고 청자에게 판단을 맡기고 있다. (O / ×)

4 한양 시장에서는 다른 나라의 생산품도 구입할 수 있고, 값비싼 패물들도 소비되고 있다. (O / ×)

정답 1. 생선전 2. ○ 3. × 4. ○

194위

거창 땅의 관리의 횡포를 고발한 노래

거창가(居昌歌) | 작자 미상

갈래 가사(규방 가사) **성격** 현실적, 비판적, 기원적
주제 부조리한 현실에 대한 비판
시대 조선 후기

경상도 거창 백성들이 수령과 향리들로부터 수탈당하고 횡포를 겪는 모습을 사실적으로 그리면서, 부조리한 현실에 대한 비판 의식을 드러내고 있다.

거창의 모습 제시 - 삼가, 합천, 안의 지례에 둘러싸임

거창지경(居昌之境) 둘러보니 삼가 합천 안의 지례
조선 시대에, 토지세 징수의 기준이 되는 논밭의 면적에 매기던 단위인 결, 짐, 뭇을 통틀어 이르는 말
네 읍 중에 처하여서 매년 결복(結卜) 상정(詳定)할 제
백성들로부터 세금을 거둬들이는 일을 가리킴
『타읍은 열한두 냥 민간에 출질(出秩)하고
거창은 십육칠 냥 해마다 가증(加增)하네
『 』: 타읍에 비해 세금을 더 거두어들이는 거창의 상황 - 거창이 타읍보다 수령의 횡포가 심함을 드러냄. 대조법 Link 표현상 특징 ❷
타읍도 목상납(木上納)을 호조혜청(戶曹惠廳) 봉상하고
나라에 바치던 세금이나 물건을 무명이나 광목으로 납부하던 일
본 읍도 목상납을 호조혜청 봉상하니
타읍이나 거창 모두 조정에 세금을 바치는 것은 한 가지라는 의미
다 같은 왕민(王民)으로 왕세(王稅)를 같이하되
어찌타 우리 거창 사오 냥씩 가증하노』
타읍보다 세금을 더 내는 상황에 대한 비판 의식이 담김

› 타읍보다 세금을 더 내는 거창의 열악한 상황

더구나 원통할사 백사장의 결복이라
거창의 열악한 상황에 대한 화자의 정서가 직접적으로 표출됨 Link 표현상 특징 ❶
근래에 낙강성천(落江成川) 구산(丘山)같이 쌓였는데
홍수(자연재해)로 강물이 범람하여 논밭을 덮은 모래가 언덕과 산처럼 쌓였다는 의미. 비유적인 표현 Link 표현상 특징 ❸
절통타 우리 백성 재 한 짐 못 먹어라 → 조세 감면을 받지 못했다는 말
화자의 정서가 직접적으로 표출됨 Link 표현상 특징 ❶ / 논밭이 재해로 피해를 입었을 경우 받게 되는 조세 감면의 혜택
『재결(災結)에 회감(會減)함은 묘당(廟堂) 처분(處分) 있건마는
가뭄, 홍수, 태풍 따위의 자연 재해를 입은 논밭
묘당 회감 저 재결을 중간투식(中間偸食) 뉘 하는고』
『 』: 조정의 처분에 따르지 않고 중간에서 가로채는 관리들에 대한 비판 의식이 담김. 영탄적 표현 Link 표현상 특징 ❹

› 자연재해를 입은 거창의 상황과 이를 이용하는 관리들의 비리

악생보가 바치는 베나 무명으로 악생들에게 지급한 급료
가포(價布) 중 악생포(樂生布)는 제일 심한 가포라 → 백성들이 군포에 시달리고 있음을 엿볼 수 있음
조선 시대에, 역(役)에 나가지 않는 사람이 그 대신으로 군포에 준하여 바치던 베
삼사 년 내려오며 탐학(貪虐)이 더욱 심하다
거창 수령 이재가가 부임하면서 탐학이 심해졌음을 드러냄
『악생포 한 당번(當番)을 한 고을을 얽어매어 침탈하며
어떤 일을 책임지고 돌보는 차례가 됨
많으면 일이백 냥 적으면 칠팔십 냥
이슥한 밤중에 하는 일이라 보고 듣는 사람이 없음
모야무지(暮夜無知) 남모르게 책방(冊房)으로 들여가니
고을 원의 비서 일을 맡아보던 사람
이 가포 한 당번에 몇몇이 탕산(蕩産)한고』
『 』: 관리들의 수탈로 인해 파산하는 집이 많아진 거창의 상황 - 관리들의 수탈이 매우 심함을 보여 줌
그 남은 많은 가포 수륙군병(水陸軍兵) 던져두고
선무포 제번포며 인리포 노령포라
백성들을 수탈하기 위한 온갖 종류의 군포
명색(名色) 다른 저 가포를 백 가지로 침책(侵責)하니
가짜 이름과 거짓 기록을 가리키는 말 / 조선 시대에 물품을 거두어들일 때 트집을 잡아 술이나 돈을 청하던 일
김(金)담사리 박(朴)담사리 큰 애기며 작은 애기
존재하지 않는 사람들이나 어린아이들까지 세금을 책정함을 가리킴 - 수탈을 일삼는 현실을 드러냄
어서 가고 바삐 가자 향작청(鄕作廳)에 잡혔단다
세금을 제때 내지 못해 형벌 받을까 두려워하는 거창 백성들의 모습을 짐작할 수 있음
『앞마을에 짖는 개는 아전 보고 꼬리 치며
『 』: 횡포를 일삼는 아전에 대한 경계심을 드러낸 표현. 대구법 Link 표현상 특징 ❺
뒷집에 우는 아기 아전 왔다 우지 마라』

› 관리들의 탐학으로 고난을 겪는 거창 백성들

거창 땅 둘러보니 삼가, 합천, 안의, 지례

네 읍에 둘러싸여 매년 결복을 심사하고 결정할 때
타읍은 열한두 냥을 민간에서 내게 하지만

거창은 십육칠 냥을 해마다 더 보태네.

타읍도 목상납을 호조와 선혜청에 세금으로 바치고
본 읍도 목상납을 호조와 선혜청에 세금으로 바치니
다 같은 나라의 백성으로 나라에 바치는 세금을 같이하는데
어찌하여 우리 거창은 사오 냥씩 더 보태는가.

더구나 원통하구나. 백사장에도 결복하였구나.
최근에 강이 범람하여 논밭이 개천이 되어 버리고, 모래가 언덕과 산처럼 쌓여 있는데,
뼈에 사무치도록 원통하다. 우리 백성은 조세 감면의 혜택을 한 짐(토지 면적 단위)도 못 받았구나.
자연재해를 입은 논밭을 셈할 때는 조정의 처분이 있건마는
조정에서 피해를 입은 논밭을 셈할 때의 조세 감면을 중간에서 누가 도둑질을 하는가.

가포(군포에 준하여 바치던 베) 중 악생포는 제일 심한 가포라.
(고을 수령이) 삼사 년 내려와 있어서 탐욕과 욕심이 더욱 심해졌구나.
악생포 한 당번으로 한 고을을 얽어매어 침탈하며
많으면 일이백 냥, 적으면 칠팔십 냥

이슥한 밤에 하는 일이라 보고 듣는 사람이 없어 남모르게 책방으로 가져가니,
이 가포 한 차례에 몇몇 집이 가산을 탕진했는가.
그 남은 많은 가포를 수륙군병에게 던져두고

선무포, 제번포, 인리포, 노령포라.

명색 다른 저 가포를 백 가지로 트집을 잡아 거두어 가니
김담사리, 박담사리, 큰 애기며 작은 애기.

어서 가고 바삐 가자. (세금을 내지 못해) 향작청에 잡혔단다.
앞마을에서 짖는 개는 아전을 보고 꼬리치며

뒷집에 우는 아기, 아전 왔다고 울지 마라.

어린아이마저 군포 징수의 대상이 되는 현실에 대한 안타까움

일신양역 원통 중에 황구첨정(黃口簽丁) 가련하다 : 화자의 직접적 정서 Link 표현상 특징 ❶

요역(나라에서 장정에게 구실 대신 시키던 노동)과 군역(군대에서 복역하거나 부역하는 일)을 일컬음

「생민가포(生民價布) 던져두고 백골징포(白骨徵布) 무슨 일고

「 」: 죽은 사람에게도 군포를 받는 현실 고발 - 관리들의 수탈이 매우 심했음을 드러냄

황산고총(荒山古塚) 노방강시(路傍僵屍) 네 신세 불쌍하다

길가에서 얼어죽은 시체 / 죽은 자에 대한 연민의 심정 - 죽었어도 군포를 내야 하기 때문임

너 죽은 지 몇 해관대 가포 돈이 어인 일고

관문(關門) 앞에 저 송장은 죽음도 원통커든

죽은 송장 다시 파서 백골징포 더욱 설다

죽은 것도 억울한데 자신의 송장을 다시 파서 군포를 징수하는 것에 대한 서러움 - 화자가 송장의 입장에서 정서를 표출함

수령과 아전들이 백성들로부터 각종 명목으로 세금을 받아내어 포탈하던 일

가포탈할 제 원정(冤情)을 호령하여 쫓아내니

귀신의 원통함도 쫓아낼 정도로 세금 포탈이 얼마나 심했는지를 보여 줌

월락삼경(月落三更) 깊은 밤과 천음우습(天陰雨霫) 슬픈 밤에

원통타 우는 소리 동헌(東軒) 하늘 함께 운다」

거창의 현재 상황이 인간과 자연 모두 울분을 느낄 정도로 비극적임을 강조. 의인법 Link 표현상 특징 ❽

> 관리들의 가혹한 군포 수탈

자기 한 몸 요역과 군역으로 원통한 중에 어린아이에게 군포를 징수하는 것이 가련하다.
살아 있는 백성의 가포는 던져두고 죽은 사람에게 군포를 받는 것은 무슨 일인가?
황폐한 산 위의 오래된 무덤 속 길가에서 얼어 죽은 (시체인) 네 신세가 불쌍하다.
너 죽은 지 몇 해이지만 가포 돈이 어찌 된 일인가.
관문 앞의 저 송장은 죽음도 원통하거든

죽은 송장을 다시 파서 군포를 징수하니 더욱 서럽다.
수령과 아전들이 세금을 포탈할 때 원정을 호령하여 쫓아내니
달이 지는 삼경 깊은 밤과 흐리고 비 오는 슬픈 밤에
원통하다. 우는 소리에 관아 위의 하늘도 함께 운다.

「청산(靑山) 백수(白首) 우는 과부 그대 울음 처량하다

엄동설한 긴긴 밤에 독수공방 더욱 설다

「 」: 남편을 잃은 과부가 되어 겪는 서러움과 슬픔 - 여인의 서러운 심정에 초점을 맞춰 서술

남편을 잃은 데서 오는 외로움

남산(南山)에 농사지은 밭을 어느 장부 갈아 주며

시나 노래에 응답하여 대답함

동원(東園)에 익은 술을 뉘 데리고 화답(和答)할고

술을 먹거나 대화할 상대가 없음을 강조. 설의적 표현 Link 표현상 특징 ❻

어린 자식 아비 불러 어미 간장 녹여 낸다

어린 자식이 아버지를 찾는 모습 - 과부를 더욱 가슴아프게 하는 자식의 모습

엽엽히 우는 자식 배고파 설워하며」

과부가 겪는 생활고를 엿볼 수 있음

「가장(家長) 생각 설운 중에 죽은 가장 가포 난다

흉악하다 저 주인 놈 과부 손목 끌어내어

「 」: 백골징포로 인해 여인들이 겪는 수난을 드러냄

관리들의 횡포에 대해 노골적으로 비판 의식을 드러냄

가포 돈 던져두고 차사(差使)의 관습 먼저 찾아

여러 필로 연이어 / 고을 수령이 죄인을 잡으려고 내보내던 관아의 하인

필필이 짜는 베를 탈취하여 가단 말가」

생계를 위해 짜던 베를 빼앗기는 상황 - 수탈이 매우 가혹함을 드러냄

> 거창 과부의 서러움과 수난

(중략)

청상과부가 우는 모습을 보니, 그대의 울음이 처량하다.
눈 내리는 깊은 겨울의 심한 추위의 긴긴 밤에 독수공방이 더욱 서럽다.
남쪽에 있는 산에 농사지은 밭을 어느 장부가 갈아 주며,
동쪽 동산에 익은 술을 누구를 데리고 화답할까?
어린 자식은 아비를 불러 어미의 마음을 몹시 애타게 한다.
엽엽하게 우는 자식은 배가 고파서 서러워하며

가장 생각으로 서러운 중에 죽은 가장의 가포가 난다.
흉악하다. 저 주인 놈은 과부 손목을 끌어내어

가포 돈을 매겨 두고 (죄인을 잡으려 하는) 차사의 관습을 먼저 찾아
필필이 짜 놓은 베를 빼앗아 가지려고 간단 말인가.

(중략)

청천(靑天)의 외기러기 어디로 향하느냐

화자가 자신의 소망을 임금에게 전달해 줄 것이라 여기는 자연물

소상강을 바라느냐 동정호를 향하느냐

천자의 동산 이름으로, 여기서는 임금이 있는 궁궐을 말함

북해상에 높이 올라 상림원(上林園)을 향하거든

임금이 계신 궁궐을 지나가거든의 의미 - 소망의 대상이 임금임을 알 수 있음

구름 없는 하늘 종이에 세세민정(細細民情) 그려다가

관리들에게 수탈당하는 거창의 현실을 상세히 적는다는 의미

인정전 임금 앞에 나는 듯이 올려다가

우리 임금 보신 후에 별반(別般) 처분 내리소서

거창의 비참한 현실을 임금이 해결해 주기를 바람

더디도다 더디도다 암행어사 더디도다

: 탐관오리를 징벌할 수 있는 대상 - 화자의 간절한 소망을 이루어 줄 수 있는 대상

어서 빨리 거창의 비참한 상황이 해결되었으면 하는 바람이 담김. 'a-a-b-a'의 구조 Link 표현상 특징 ❼

푸른 하늘의 외기러기야, 어디로 향하느냐.

소상강을 바라보고 가느냐, 동정호를 향하느냐.
북해상에 높이 올라 (임금이 계신) 궁궐을 향하거든
구름 없는 하늘의 종이에 백성들의 사정과 형편을 세세히 그려다가
인정전에 계신 임금 앞에 나는 듯이 올려다가

우리 임금께서 보신 후에 특별한 처분을 내리소서.
더디도다 더디도다 암행어사 더디도다.

바라고 바라나니 금부도사(禁府都事) 내리나니
화자의 간절함이 드러남
자루 쌈에 잡아다가 길가에 버리소서
탐관오리들을 처벌하기 바라는 마음이 담김
「어와 백성들아 연후(然後)의 태평세계(太平世界)
만세만세 억만세로 여민동락(與民同樂)하오리라」

「 」: 탐관오리들을 처벌해야 백성들의 삶이 편안해질 것임을 드러낸 말 - 탐관오리들을 빨리 처벌해야 함을 강조함

> 탐관오리들을 처벌하기를 바람.

바라고 바라노니 금부도사 내려주어
(탐관오리들을) 큰 자루 쌈에 잡아다가 길가에 버리소서.
어와, 백성들아. 그런 뒤에 태평세계가 오리라.
만세만세 억만세로 임금과 백성이 함께 즐기리라.

출제자 톡! 화자를 이해하라!

1 **화자는 누구인가?**
관리들에게 수탈을 당하여 고통 받고 있는 거창 사람들을 바라보는 사람

2 **화자의 정서 및 태도는?**
- 관리들의 수탈에 대해 원통한 심정을 드러냄.
- 어린아이와 죽은 사람조차 세금을 내야 하는 현실에 안타까움과 서러움을 드러냄.
- 백성들을 수탈하는 부패한 관리들에 대해 비판적 태도를 보임.
- 임금이 탐관오리들을 처벌해 주기를 소망함.

Link

출제자 톡! 표현상의 특징을 파악하라!

❶ 화자의 정서가 직접적으로 표출됨.
❷ 대조법을 사용하여 거창의 상황을 효과적으로 드러냄.
❸ 비유적인 표현을 사용하여 특정 상황을 부각함.
❹ 영탄적 표현을 사용하여 화자의 비판 의식을 드러냄.
❺ 대구법을 사용하여 운율을 형성하고 의미를 강조함.
❻ 설의적 표현을 사용하여 대상의 처지를 효과적으로 보여 줌.
❼ 'a-a-b-a' 구조를 사용하여 화자의 간절한 바람을 강조함.
❽ 의인법을 써서 상황을 강조하고 있음

최우선 출제 포인트!

1 시적 상황

거창의 현실
- 타읍에 비해 세금을 많이 냄.
- 관리들이 재결을 중간에서 가로채서 착복함.
- 황구첨정, 백골징포로 인한 수탈이 심함.
- 여성들조차 백골징포로 인해 수난을 겪고 있음.

→

해결 방법
임금이 '암행어사'와 '금부도사'를 내려 보내어 탐관오리들을 처벌해야 함.
→ '여민동락'할 수 있는 방법임.

외기러기	화자가 자신의 소망을 임금에게 전달해 줄 것이라고 여기는 매개물

최우선 핵심 Check!

1 ㅇㄱㄹㄱ는 화자가 자신의 소망을 임금에게 전해 줄 것이라고 여기는 매개물에 해당한다.

2 화자는 관리들의 횡포로 인해 비참한 삶을 살고 있다. (O / ×)

3 거창의 현실이 비참함을 강조하기 위해 자연물을 활용하고 있다. (O / ×)

4 화자는 거창의 현실을 해결할 주체로 임금을 제시하고 있다. (O / ×)

5 화자는 백성들이 편안한 삶을 살기 위해서는 탐관오리가 척결되어야 한다고 생각한다. (O / ×)

정답 1. 외기러기 2. × 3. ○ 4. ○ 5. ○

1등급! 〈보기〉!

이 작품은 구한말 경상도 거창에서 행해진 학정과 아전들의 가렴주구, 그로 인한 백성들의 고난을 신랄하게 비판한 가사이다. 〈태평사〉를 인용한 서두에서는 조선 창업 이래 예악문물(禮樂文物)의 흥성과 태평성대를 노래한 다음, 거창읍에서 행해진 수취(收取) 제도의 모순과 아전들이 백성들을 수탈하는 횡포, 농민의 피폐상과 저항을 구체적으로 묘사하고 있다. 가사의 내용과 구절로 미루어 작가는 조선 말기에 거창에 살던 어느 양반집 부녀자로 추측된다. 여성들의 생활과 정서를 노래한 일반적인 규방 가사와 달리 현실의 부조리를 사실적으로 묘사했다는 점이 특징적이다.

탐관오리의 횡포를 비판한 노래

향산별곡(香山別曲) | 작자 미상

시조와 함께 고려 중기 이후에 형성된 시의 형태

갈래 가사(현실 비판 가사) **성격** 비판적, 현실 고발적 **주제** 부조리한 현실에 대한 비판 **시대** 조선 후기

백성의 어려운 삶을 걱정하며, 부패한 정치 상황과 조정 대신들의 당쟁, 과거제의 폐단을 비판하고 있다.

문무 양반 목민(牧民) 중의 학민(虐民)하는 원님네들 (학민: 백성을 가혹하게 다룸)
이내 말씀 배척 말고 마음 새겨들어 보소 (청자에 해당 - 말을 건네는 방식으로 시상이 전개됨 **Link** 표현상 특징 ❶ / 상대방을 설득하고자 하는 발화 의도를 알 수 있음)
「성(城)안에서 들을 제는 총명인자(聰明仁慈)하다더니
근무지에 도착해서 어이 저리 다르신고」 (「」: 도성과 근무지에서 다른 태도를 보이는 원님들의 모습 / 근무지: 지방의 향촌을 가리킴 / 의문형 어미를 사용하여 원님들의 태도가 다름을 부각함) ➤ 성(城)안과 달리 근무지에서 학민하는 원님들

「내려갈 제 돈 썼는가 들어갈 제 돈 썼는가 (뇌물이 횡행한 부패한 사회상을 엿볼 수 있음)
기생에 빠졌는가 간사한 아전과 함께인가
술에 삭았는가 고량진미에 막혔는가」 (「」: 원님들이 학민하는 이유를 추리함 - 원님들에 대한 고발 의식을 드러냄. 대구법 **Link** 표현상 특징 ❷)
「있던 총명 어디 가고 없던 어두움 내었으며
있던 인자 어디 가고 없던 포악 내었는고」 (「」: 원님들의 과거와 현재를 대조적으로 드러냄. 동일한 통사 구조 반복. 대구법, 대조법 **Link** 표현상 특징 ❷)
내 모를가 자네 일을 자네 일을 나는 아네 (원님들이 학민하는 상황을 알고 있음을 강조. 설의적 표현, 도치법 **Link** 표현상 특징 ❸) ➤ 원님들이 학민하는 이유에 대한 추측

「착한 본성 잃은 속에 자기 욕심 길러 내어
사단지목(四端之目) 다 모르고 욕심 있는 마음뿐이로다」 (「」: 화자가 알고 있는 원님들이 학민하는 가장 큰 이유 - 사람의 본성을 잃었기 때문임 / 사단지목: 원님들이 지양해야 하는 것)
「선사양전(善事兩銓) 그만하고 자목백성(字牧百姓)하여 보소」 (「」: 학민하는 원님들에 대한 충고 / 선사양전: 이조 전랑과 호조 전랑을 잘 섬김 / 자목백성: 화자가 바라는 원님의 자세) ➤ 올바른 목민의 자세 촉구

> 문관과 무관의 벼슬아치 중 백성을 가혹하게 다루는 원님네들
> 나의 말을 거부하지 말고 마음에 깊이 새겨들으소서.
> 도성 안에서 (소문으로) 듣기에는 총명하고 어질다 하더니만
> 근무지에 다다른 뒤에는 어찌 그리 다르신가?
>
> (근무지에) 내려갈 때와 (원님으로) 들어갈 때 돈을 (뇌물로) 썼는가?
> 기생에 빠졌는가? 간사한 아전의 손아귀에 들어갔는가?
> 술 때문에 정신을 못 차리는 것인가? 살진 고기와 맛있는 음식만 받아서 그러한 것인가?
> 예전의 총명함은 어디 가고 어리석음만 새롭게 나타나며
> 예전의 어짊과 자애는 어디 가고 포악함만 새롭게 나타나는가?
> (그대들이 왜 그런지) 내가 모를 것인가? 나는 그대들이 왜 그렇게 변했는지 알고 있다네.
>
> 하늘이 주신 착한 본성을 잃고 나서 자신만 생각하는 욕심을 길러 내어
> 사람의 본성에서 나오는 네 가지 마음씨는 다 잊어버리고 (이익에만) 욕심을 내는 마음뿐이로구나.
> 윗분들에게 잘 보이려 그만하고 백성 보살피는 일에 힘쓰도록 해 보소.

- **사단지목**: 사람의 본성에서 나오는 네 가지 마음. 측은지심, 수오지심, 사양지심, 시비지심을 이름.
- **자목백성**: 고을의 수령이 백성을 사랑으로 돌보아 다스림을 이르던 말.

출제자 톡! 화자를 이해하라!

1 **화자는 누구인가?**
학민을 일삼는 원님들에게 자신의 의견을 말하는 '나'

2 **화자의 정서 및 태도는?**
- 학민을 일삼는 원님들의 모습을 고발함.
- 학민을 일삼는 원님들의 태도가 변하기를 촉구함.

Link

출제자 톡! 표현상의 특징을 파악하라!

❶ 청자에게 말을 건네는 방식으로 시상을 전개함.

❷ 대구법, 대조법, 동일한 통사 구조의 반복을 통해 과거와 달라진 인물들의 모습을 강조함.

❸ 설의적 표현, 도치법을 사용하여 화자의 생각을 강조함.

최우선 출제 포인트!

1 '원님네들'에 대한 화자의 인식과 태도

원님네들		이유
성(城)안과 달리 향촌에서 백성들을 가혹하게 다룸.	→ 이유	• 관직을 사기 위해 뇌물을 씀. • 향락에 빠지고 간사한 아전들에게 놀아 남. • 인간의 착한 본성을 잃음.

↓

윗사람에게 아부를 그만하고 올바른 목민의 자세를 지닐 것을 촉구함.

최우선 핵심 Check!

1 화자가 바라는 '원님네들'의 태도를 드러내는 시어로 ㅈㅁㅂㅅ이 있다.

2 화자는 백성에게 가혹한 '원님네들'에 대한 비판 의식을 드러내고 있다. (○ / ×)

3 화자는 '원님네들'이 학민하는 이유를 윗사람의 명령 때문이라고 생각하고 있다. (○ / ×)

정답 1. 자목백성 2. ○ 3. ×

'뜻'을 즐기는 노래

낙지가(樂志歌) | 이이

갈래 가사(은일 가사) **성격** 성찰적, 자연 친화적
주제 자연 속에서 은거하며 누리는 삶의 즐거움
시대 조선 전기

자연에 대한 긍정적 인식과 속세에 대한 부정적 인식의 대비를 통해 자연 속에서 자신의 뜻대로 사는 즐거움을 노래하고 있다.

○: 자연, 화자가 긍정하는 가치
△: 속세, 화자가 부정하는 가치

여파(餘波)에 정을 품고 그 근원을 생각해 보니
(여파: 큰 물결이 지나간 뒤에 잔잔히 이는 물결)
연못의 잔물결은 맑고 깨끗이 흘러가고
오래된 우물에 그친 물은 담연(淡然)히 고여 있다
(담연: 맑고 깨끗함)
▶ 물의 근원에 대한 생각

> 잔잔히 이는 물결에 마음을 품고 그 근원을 생각해 보니
> 연못의 잔물결은 맑고 깨끗이 흘러가고
> 오래된 우물에 그친 물은 맑고 깨끗하게 고여 있다.

짧은 담에 의지하여 고해(苦海)를 바라보니
(고해: 고통의 바다 - '인간 세상'을 의미함)
욕낭(慾浪)이 하늘에 차서 넘치고
(욕낭: 욕심의 물결)
탐천(貪泉)이 세차게 일어난다
(탐천: 탐욕의 샘)
: 비유적 표현 **Link** 표현상 특징 ❶
▶ 인간 세상에 대한 부정적 인식

> 짧은 담벼락에 기대어 고통의 바다(속세)를 바라보니
> 욕심의 물결이 하늘에 차서 넘치고
> 탐욕의 샘이 세차게 일어난다.

흐르는 모양이 막힘이 없고 기운차니 나를 알 이 누구인가
평생(平生)을 다 살아도 백 년(百年)이 못 되는데
공명(功名)이 무엇이라고 일생(一生)에 골몰(汨沒)할까
(공명: 공을 세워서 자기의 이름을 널리 드러냄. 또는 그 이름 / 설의적 표현 **Link** 표현상 특징 ❷)
하관(下官)을 천력(踐歷)하고 부귀에 늙어서도
(하관: 지위가 낮은 벼슬아치 / 천력: 여러 가지 경험을 함 / 부귀: 재산이 많고 지위가 높음)
남가(南柯)의 한 꿈이라 황량(黃粱)이 덜 익었네
(남가일몽(南柯一夢) - 인생의 덧없음을 뜻함 / '황량몽'에서 온 것으로 인생의 덧없음을 뜻함 **Link** 표현상 특징 ❸)
▶ 부귀공명의 부질없음에 대한 깨달음

> 흐르는 모양이 막힘이 없고 기운차니 나를 알 사람이 누구인가?
> 평생을 다 살아도 백 년이 못 되는데
> 공명이 무엇이라고 평생을 골똘히 몰두할까?
> 낮은 벼슬아치를 두루 거치고 부와 지위를 이루며 늙었어도
> 한때의 짧은 꿈이라, 황량이 덜 익었네(황량이 채 익지 않을 만큼 짧은 시간이라는 의미).

『나는 내 뜻대로 평생(平生)을 다 즐겨서』
(『 』: 제목 '낙지가'의 의미가 드러난 구절 - 자신이 지닌 '뜻'을 평생토록 즐기며 살아가겠다는 자세가 드러남)
『천지(天地)에 우유(優游)하고 강산(江山)에 누우니
(우유: 하는 일 없이 한가롭고 편안하게 지냄(유유자적(悠悠自適)))
사시(四時)의 내 즐김이 어느 때 없을런가』
(설의적 표현)
(『 』: 화자의 '뜻'이 구체화된 부분. 자연 속에서 유유자적하는 삶을 살아가려는 의지가 드러남)
▶ 자연을 한가롭게 즐김

> 나는 내 뜻대로 평생을 다 즐겨서
> 천지에 한가롭게 노닐며 강산에 누우니
> 사계절 동안의 나의 즐김이 어느 때 없을런가?

누항(陋巷)에 안거(安居)하여 단표(簞瓢)의 시름없고
(누항: 누추한 거리나 집 - 겸손한 표현 / 단표: 단사표음(簞食瓢飮) - 소박한 음식)
세로(世路)에 발을 끊어 명성(名聲)이 감추어져
(세로: 속세 / 명성: 세상에 널리 퍼져 평판 높은 이름)
은거행의(隱居行義) 자허(自許)하고 요순지도(堯舜之道) 즐기니
(은거행의: 숨어 지내며 의로운 행동을 함 / 자허: 스스로 허락하고 / 요순지도: 요순 시대와 같은 태평한 시절)
내 몸은 속인(俗人)이나 내 마음 신선(神仙)이오
(속인: 속세 사람)
진계(塵界)가 지척(咫尺)이나 지척이 천 리(千里)로다
(진계: 속세 / 지척: 속세와의 공간적 거리감 / 속세를 멀리하려 함(역설법, 대구법) **Link** 표현상 특징 ❶)
제 뜻을 고상(高尙)하니 제 몸이 자중(自重)하고
(고상: 품위나 몸가짐이 속되지 아니하고 훌륭함 / 자중: 말이나 행동, 몸가짐 따위를 신중하게 함)
일체의 다툼이 없으니 시기(猜忌)할 이 누구인가
○: 화자의 마음을 표현한 자연물
『뜬 구름이 시비(是非) 없고 날아다니는 새가 한가(閑暇)하다』
(『 』: 자연물을 이용해 화자의 한가로운 마음을 드러냄 **Link** 표현상 특징 ❹)

> 누추한 집에 편안히 지내며 소박한 음식에 걱정이 없고
> 속세의 길에 발을 끊어 명성이 감추어져
> 숨어 지내며 의를 행하는 것을 할 만하다고 여기고 태평 시절을 즐기니
> 내 몸은 속세의 몸이나 내 마음은 신선이오.
> 속세가 가까우나 지척이 천 리로다.
> 제 뜻을 고상하게 하니 제 몸이 자기를 소중히 하고
> 일체의 다툼이 없으니 시기할 사람이 누구인가?
> 뜬 구름이 시비 없고 날아가는 새가 한가하다.

여년(餘年)이 얼마런고 이 아니 즐거운가
(남은 인생 / 설의적 표현)
제 뜻을 제 즐기고 제 마음 제 임의(任意)라
먹으나 못 먹으나 이것이 세상(世上)이며
입으나 못 입으나 이것이 지락(至樂)이다
(자연에 은거하여 사는 것 / 지극한 즐거움이다)

> 자연에서 사는 지극한 즐거움

남은 인생이 얼마인가, 이 아니 즐거운가?
제 뜻을 즐기고 제 마음은 제 마음이라.
먹으나 못 먹으나 이것이 세상이며
입으나 못 입으나 이것이 지극한 즐거움이다.

- **남가(南柯)의 한 꿈**: 남가일몽(南柯一夢). 당나라에 순우분이라는 사람이 술에 취해 집 앞 나무 그늘에서 잠이 들어, 임금의 사위가 되어 남가군을 다스리고, 전쟁과 천도를 경험한 꿈을 꾸었다. 꿈에서 깬 후 순우분은 나뭇가지 밑에서 꾼 꿈처럼 인생이 얼마나 헛된 것인지 깨달았다고 한다.
- **황량몽(黃粱夢)**: 당나라 때 노생들이 한단 땅 주막에서 도사 여옹에게서 베개를 빌려 베고 잠이 들어, 부귀영화를 누리며 80살까지 잘 산 꿈을 꾸었는데, 깨어 본즉 아까 주인이 짓던 좁쌀밥도 채 익지 않았다고 한다.

출제자 팁! 화자를 이해하라!

1 **화자는 누구이고, 화자가 처한 상황은?**
자연 속에 있으며, 자연을 즐기고 있는 사람

2 **화자의 정서 및 태도는?**
자연을 긍정적으로, 속세를 부정적으로 인식하며 자연에 은거하여 편안하고 한가롭게 지내고자 함.

Link

출제자 팁! 표현상의 특징을 파악하라!

❶ 비유와 역설을 활용하여 화자의 삶의 태도를 드러냄.

❷ 설의적 표현을 통해 자연 속에서 유유자적하는 삶을 살겠다는 의지를 강조함.

❸ 고사를 인용하여 인생의 덧없음을 드러냄.

❹ 자연물을 통해 화자의 정서를 드러냄.

최우선 출제 포인트!

1 자연과 속세의 대조적인 시어

자연		속세
여파(餘波), 연못의 잔물결, 오래된 우물에 그친 물, 누항, 단표, 뜬구름, 날아가는 새	대조 ↔	고해(苦海), 욕낭(慾浪), 탐천(貪泉), 공명(功名), 낮은 벼슬, 부귀, 세로(世路), 명성(名聲)

↓

자연과 속세에 대한 인식을 드러냄.

2 비유와 역설적 표현

비유적 표현		역설적 표현
• 고해(인간 세상) • 욕낭(욕심의 거센 물결) • 탐천(탐욕의 샘물)	+	진계(塵界)가 지척(咫尺)이나 지척(咫尺)이 천 리(千里)로다

↓

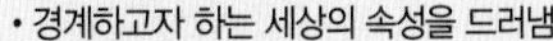

• 경계하고자 하는 세상의 속성을 드러냄.
• 속세를 멀리하고자 하는 화자의 태도를 드러냄.

최우선 핵심 Check!

1 자연과 ㅅㅅ의 대비를 통해 화자의 삶의 태도를 드러내고 있다.

2 '고해', '욕낭', '탐천', '공명' 등은 화자가 긍정적으로 인식하는 속세와 관련된 시어이다. (O / ×)

3 '누항(陋巷)'은 '어떤 것에도 구애받지 않는 자유로운 삶'이라는 긍정적 의미를 부여한 공간이다. (O / ×)

4 '진계(塵界)가 지척(咫尺)이나 지척이 천 리로다'에서는 역설적 표현을 통해 속세를 멀리하고자 하는 화자의 태도를 드러내고 있다. (O / ×)

5 '뜬 구름'과 '날아다니는 새'라는 자연물을 통해 화자의 한가로움을 드러내고 있다. (O / ×)

정답 1. 속세 2. × 3. ○ 4. ○ 5. ○

「규수상사곡」에 회답하는 노래

상사회답곡(相思回答曲) | 작자 미상

갈래 가사(내방 가사, 규방 가사) **성격** 직설적
주제 사랑 때문에 병이 든 남자에 대한 안타까움
시대 조선 후기

어렸을 때부터 함께 자랐으나 먼저 출가한 여성을 연모하여 상사병에 걸린 남성의 편지(「규수상사곡」)에 회답하는 여성의 노래이다.

이 몸이 여자 되어 도로(徒勞) 백 년 어려워라
헛되이 수고함 / 다른 남자와 백년가약을 맺을 수 없음
문 밖에를 아니 나고 규합(閨閤)에서 생장하여
나가지 않고 / 안방, 집안
백년가약(百年佳約) 정할 적에 연분(緣分)을 따라가서
부모가 정해 준 연분에 따라 결혼을 함
불경이부(不更二夫) 굳은 언약 철석같이 맺았더니
두 남편을 섬기지 않는다는 당대 사회적 가치관에 순응함
무심한 일봉 서찰(一封書札) 어대로 온단 말가
한 통의 편지(화자를 사랑하는 남자에게서 옴) / 화자의 심정이 직설적으로 표출됨 **Link** 표현상 특징 ❶
서중(書中)에 만단 사정(萬端事情) 읽어 보니 아득하다
(상사병이 들게 된) 여러 가지 사정

› 서사: 결혼 후 예전부터 알고 지내던 남자의 편지를 받고 난감해함

> 이 몸이 여자 되어 도로 다른 남자와 백년가약을 맺기가 어려워라.
> 문밖을 나가지 않고 규방에서 나고 자라
> 백년가약 정할 때에 (부모가 정해 준) 연분을 따라가서
> 한 남편만 섬기겠다는 굳은 언약을 철석같이 맺었더니
> 무심한 한 통의 편지가 어디에서 온단 말인가?
> 편지 중에 여러 가지 사정을 읽어 보니 아득하다.

회답(回答)을 쓰려 하고 붓을 들고 생각하니
남자의 편지에 답장을 하려 함
심신(心身)이 황홀하여 말조차 그쳤도다
화자의 안타까워하는 마음이 드러남
어화 서사(書辭) 중에 군자 설화 끝이 없다
편지에 쓰인 남자의 사연(짝사랑 → 화자의 결혼 → 상사병) **Link** 표현상 특징 ❷
『용렬(庸劣)한 이 내 거동 무삼 태도 가졌관대
변변하지 못한
이대도록 눈에 들어 병조차 든단 말가』 『 』: 자신 때문에 병이 든 남자에 대한 안타까움
『그런 마음 가졌으면 어찌하여 잠잠한고
좋아하는 마음
다른 곳 가기 전에 무심히 있지 말고
다른 남자에게 시집가기 전에
우리 서로 어렸을 제 한 가지 놀았으니
함께(화자와 남자는 어려서부터 친분이 있었음)
날과 언약한 일 없이 혼자 마음 무삼할고
삽삽한 이내 마음 생각하니 후회로다』 『 』: 이루어지지 않은 사랑에 대한 안타까움
매끄럽지 않고 껄껄한
일이 이미 이러하니 무삼 묘책(妙策) 있을손가
이미 다른 사람에게 시집을 갔으니(유교적, 현실 순응적)
광대(廣大)한 천지간(天地間)에 절색가인(絕色佳人) 무수(無數)한데
견줄 데 없이 아름다운 여자
날 같은 아녀자야 어느 곳에 없을손가
남자를 위로함

› 본사 1: 남자가 자신에 대한 마음을 진작 이야기하지 않은 것을 안타까워함

> 답장을 쓰려고 붓을 들고 생각하니
> 몸과 마음이 아찔하여 말조차 나오지 않는구나.
> 아아 편지 내용 중에 그대의 사연 끝이 없다.
> 보잘것없는 이내 거동이 무슨 태도를 지녔기에
> 이렇게까지 눈에 들어 병까지 들었단 말인가?
> 그런 마음 가졌으면 어찌하여 잠잠히 있었는가?
> 다른 곳에 시집가기 전에 무심히 있지 말고
> 우리 서로 어렸을 때 함께 놀았으니
> 나와 언약한 일도 없이 혼자 마음으로 무엇을 하겠는가?
> 껄껄한 이내 마음 생각하니 후회로구나.
> 일이 이미 이렇게 되었으니 무슨 꾀할 방법이 있을 것인가?
> 크고 넓은 천지에 빼어난 미인이 무수한데
> 나 같은 아녀자야 어느 곳에 없을 것인가?

사세(事勢)가 이러하니 이도 또한 천정(天定)이라
일이 되어 가는 형세 / 상사병으로 죽게 된 것 / 하늘이 정함
병이 실로 들었으면 마음 강잉(强仍)하오
억지로 참음 또는 마지못하여 그대로 함
『흐르는 이 세월에 조로(朝露) 가튼 우리 인생』 『 』: 우리 인생은 순간적인 것임
아침 이슬
『한번 죽어 돌아가면 다시 오기 어려워라
뼈는 썩어 황토 되고 살은 썩어 물이 된다』 『 』: 죽으면 그만인 허무한 인생
죽은 나를 찾아와서 이런 사정 하오리까
상사병으로 죽게 된 안타까운 사정

› 본사 2: 남자에게 상사의 마음을 정리하라고 권함

> 일이 이렇게 되었으니 이 또한 하늘의 뜻이라.
> 병이 실로 들었으면 마음을 억지로 참아 보시오.
> 흐르는 이 세월에 아침 이슬 같은 우리 인생
> 한번 죽게 되면 다시 돌아오기 어려워라.
> 뼈는 썩어 황토 되고 살은 썩어 물이 된다.
> 죽은 나를 찾아와서 이런 사정 하오리까?

물로 이룬 마음이라 목석(木石)이 아니어든
화자의 마음이 약해 흔들림
이러한 이 인생은 혈마사 죽게 하리 : 화자의 심리가 변화함 Link 표현상 특징 ❸
'설마'의 고어 남자와의 만남에 대한 강한 소망(설의적 표현)
그대는 대장부로 천금 같은 귀한 몸을
이내 일신(一身) 위하여서 병이 들어 누웠으니
심정(心情)을 허비(虛費)타가 가련히 죽게 되면
원억한 저 혼백이 내 탓을 삼으리라 > 본사 3: 남자가 상사병으로 죽게 될까 염려함
억울한

물로 이룬 마음이라 목석이 아니거든
이러한 이 인생을 설마 죽게 하겠는가?
그대는 대장부로 천금 같은 귀한 몸인데
이내 한 몸 위하여 병이 들어 누웠으니
마음을 허비하다가 가련하게 죽게 되면
억울한 저 혼백이 내 탓을 하리라.

백년을 못 살어든 남의 명(命)을 끊게 하랴
부녀자로서의 도리와 남자의 사랑 사이에서 갈등하다 만나기로 결심함(설의적 표현)
이러나 저러나 그대 사정 버리리오
상사병이 들어 죽게 된 사정 버릴 수 있는가(버릴 수 없다)
연분(緣分)이 있고 보면 자연히 만나리라
상사(相思)로 깊이 든 병 다 풀치고 기다리소
맺혔던 생각을 돌려 너그럽게 용서하고
금월 모일(某日) 명월야(明月夜)에 아무쪼록 뵈오리라
자신 때문에 상사병이 든 남자와의 만남을 약속함 > 결사: 남자의 사정을 모른 척할 수 없어 만날 약속을 정함

백 년을 못 살거든 남의 목숨을 끊게 하겠는가?
이러나 저러나 그대의 사정을 모른 척할 수 있으리오.
연분이 있으면 자연히 만나리라.
상사로 깊이 든 병 마음 돌려 용서하고 기다리소.
이달 아무 날 달 밝은 밤에 아무쪼록 뵈오리다.

출제자 톡! 화자를 이해하라!

1 **화자는 누구이고, 화자가 처한 상황은?**
결혼을 한 부녀자로, 자신을 연모하는 남자에게 편지를 받은 사람

2 **화자의 정서 및 태도는?**
자신 때문에 병이 든 남자를 안타까워하며 만남을 약속함.

Link

출제자 톡! 표현상의 특징을 파악하라!

❶ 화자의 심리를 진솔하고 직설적으로 전달함.
❷ 조선 전기 가사의 유교적 틀에서 벗어나 남녀 간의 순수한 연정을 표출함.
❸ 설의적 표현을 활용하여 화자의 변화된 심리를 드러냄.

최우선 출제 포인트!

1 '편지'의 기능

편지 → • 시상 전개의 주요 소재임.
• 화자의 심경에 변화를 일으키는 계기로 작용함.

2 화자의 변화된 심리

• 불경이부 굳은 언약 철석같이 맺었더니 • 사세가 이러하니 이도 또한 천정이라	→	• 이러한 이 인생은 혈마사 죽게 하리 • 백년을 못 살어든 남의 명(命)을 끊게 하랴
당대 가치관과 운명에 순응하여 남자를 거부함.		남자와의 만남을 약속함.

함께 볼 작품 • 자신을 향한 사랑의 노래에 회답하는 작품: 한우, 「어이 얼어 잘이」
• 그리움과 사랑을 노래하는 작품: 작자 미상, 「상사별곡」

최우선 핵심 Check!

1 ㅅㅅㅂ에 걸린 한 남자의 편지에 답하는 형식으로 이루어졌다.

2 〈서사〉에서 화자의 정서가 사실적, 직설적으로 표출되고 있다. (O / ×)

3 화자는 상대방의 편지에 당황하였으나 상대의 요청을 수용하는 태도를 보여 주고 있다. (O / ×)

4 임금에 대한 연모의 감정을 남녀 간의 사랑에 빗대어 표현한 충신연주지사로서의 성격을 지니고 있다. (O / ×)

5 다음의 구절에서는 공통적으로 ㅅㅇㅈ ㅍㅎ을 써서 화자의 변화된 심리를 드러내고 있다.

• 이러한 이 인생은 혈마사 죽게 하리
• 백년을 못 살어든 남의 명(命)을 끊게 하랴

정답 1. 상사병 2. ○ 3. ○ 4. × 5. 설의적 표현

'봉선화' 꽃잎을 따서 손톱에 물들이던 고유한 풍속을 노래

198위 봉선화가(鳳仙花歌) | 작자 미상

갈래 가사(규방 가사) **성격** 예찬적, 서정적
주제 봉선화에 어린 여인의 정감 **시대** 조선 후기

봉선화를 심고 꽃잎을 따서 손톱에 물들이는 여인의 심정을 노래하고 있다.

피리를 잘 불던 소사의 아내 농옥이 신선이 되어 하늘로 올라간 고사를 인용하여 지상에서의 인연이 봉선화에 머물게 되었다 표현함

향규(香閨)의 일이 업셔 백화보(百花譜)를 혀쳐 보니
(부녀자의 방 / 여러 가지 꽃에 관한 것을 쓴 책 / 펼쳐 보니)
봉선화 이 일홈을 뉘라서 지어낸고
(봉황과 신선이라는 의미를 담고 있는 봉선화 이름 / 질문 Link 표현상 특징 ❶)
진유(眞游)의 옥소(玉簫) 소리 자연(紫煙)으로 행(行)ᄒᆞᆫ 후에
(신선의 놀이 / 자줏빛 연기)
규중(閨中)의 나믄 인연(因緣) 일지화(一枝花)의 머므르니
(농옥의 지상에서의 인연 / 백화보에서 본 봉선화)
『유약(柔弱)ᄒᆞᆫ 푸른 닙은 봉의 쇼리 넘노는 듯
(『 』: 봉선화의 외양 묘사를 통해 이름의 유래를 밝힘 / □: 색채 이미지의 활용 Link 표현상 특징 ❷)
자약(自若)히 붉은 쏫은 자하군(紫霞裙)을 헤쳣는 듯』
(차분히 / 신선의 옷)

> 서사: 봉선화의 아름다운 모습과 『백화보』에 실린 봉선화 이름의 유래

부녀자들이 거처하는 방에 일이 없어 백화보를 펼쳐 보니
봉선화 이 이름을 누가 지어 냈는가?
신선의 옥피리 소리가 자줏빛 연기로 날아간 후에
규방에 남은 인연이 한 가지 꽃에 머물렀으니
연약한 푸른 잎은 봉의 꼬리가 넘노는 듯하며
차분히 붉은 꽃은 신선의 옷을 펼쳐 놓은 듯하구나.

백옥(白玉)섬 조흔 흘게 종종이 심어내니
(희고 고운 섬돌. / 깨끗한 / 촘촘히)
춘삼월(春三月)이 지난 후에 향기(香氣) 업다 웃지 마소
『취(醉)ᄒᆞᆫ 나븨 미친 벌이 ᄯᅡ라올가 저허ᄒᆞ네』
(두려워하네 / 『 』: 꽃에 향기가 없는 이유(설의적 표현) / 방탕한 남자를 비유함)
정정(貞靜)ᄒᆞᆫ 기상(氣像)을 녀자 밧긔 뉘 벗ᄒᆞᆯ고
(설의적 표현 / 봉선화에서 발견한 덕성)

> 본사 1: 정숙한 여인의 기상을 지닌 봉선화

고운 섬돌 깨끗한 흙에 촘촘히 심어 내니
춘삼월이 지난 후에 향기 없다고 비웃지 마오.
취한 나비와 미친 벌이 따라올까 두려워서라네.
정숙하고 고요한 기상을 여자 외에 누가 벗을 하겠는가?

옥난간(玉欄干) 긴긴 날에 보아도 다 못 보아
(봉선화를 아무리 보아도 질리지 않음)
사창(紗窓)을 반개(半開)ᄒᆞ고 차환(叉鬟)을 불너ᄂᆡ어
(여인이 기거하는 방의 비단으로 바른 창 / 잔심부름하는 여자 종)
다 핀 쏫을 ᄏᆡ여다가 수상자(繡箱子)에 다마 노코
(수놓는 도구들을 넣어 두는 상자)
여공(女工)을 그친 후의 중당에 밤이 깁고 납촉(蠟燭)이 밝앗을 제
(여자가 하는 일 - 바느질 / 안채 / 갈아 부수어 / 밀초)
『나음나음 고초 안자 흰 구슬을 가라마아
(차츰차츰 / 꼿꼿이 앉아 / 착색을 잘 시키기 위해 넣는 백반)
빙옥(氷玉)ᄀᆞᆮᄒᆞᆫ 손 가온ᄃᆡ 난만(爛漫)이 개여ᄂᆡ여
(□: 봉선화를 의미 / 봉선화를 빻는 모습 Link 표현상 특징 ❸)
파사국(波斯國) 저 제후(諸侯)의 홍산호(紅珊瑚)를 혀쳣는 듯
(페르시아 / 붉은 산호 궁궐)
심궁 풍류(深宮風流) 절고의 홍수궁(紅守宮)를 마아는 듯
(절구 / 붉은 도마뱀)
섬섬(纖纖)한 십지상(十指上)에 수(繡)실로 가마ᄂᆡ니』
(『 』: 손톱에 봉선화 물을 들이는 모습)
조희 우희 불근 물이 미미(微微)히 숨의는 양
(종이 / 희미하게, 조금씩)
가인(佳人)의 야튼 ᄲᅣᆷ의 홍로(紅露)를 씨쳣는 듯
(미인 / 얕은 / 붉은 이슬)
단단히 봉ᄒᆞᆫ 모양 춘라 옥자 일봉서를 왕모에게 부쳣는 듯
(비단에 옥으로 박은 글씨 / 서왕모 - 중국 신화에 나오는 신녀(神女))
『춘면(春眠)을 느초 ᄭᆡ여 차례로 풀어 노코』
(봄잠 / 늦게 / 손톱에 감았던 종이와 실을 풂 / 『 』: 손톱에 감아 놓았던 종이와 실을 풀어냄)
옥경대(玉鏡臺)를 대ᄒᆞ여서 팔자미(八字眉)를 그리래니
(옥으로 된 화장대 / 대하여서 / 팔자 모양의 눈썹(조선 시대 미인의 눈썹))
난데업는 불근 쏫이 가지에 부텃는 듯
(손톱 위에 물든 봉선화 물을 보고 마치 붉은 꽃이 매달린 듯하다고 함)
손ᄋᆞ로 우희랴니 분분(紛紛)이 훗터지고
(움켜잡으려 하니 / 어지럽게)

옥난간에서 길고 긴 날 동안 보아도 다 못 보아
사창을 반쯤 열고 심부름하는 여자아이를 불러내어
다 핀 봉선화 꽃을 캐어다가 수상자에 담아 놓고
바느질을 끝낸 후에 안채에 밤이 깊고 촛불이 밝았을 때
차츰차츰 꼿꼿이 앉아 백반을 갈아 부수어
옥같이 고운 손 가운데 흠뻑 개어 내니
페르시아 제후의 붉은 산호 궁궐을 헤쳐 놓은 듯하고
깊은 궁궐에서 절구에 붉은 도마뱀을 빻아 놓은 듯하구나.
가늘고 고운 열 손가락에 수놓는 실로 감아 내니
종이 위에 붉은 물이 희미하게 스미는 모양은
미인의 얇은 뺨 위에 붉은 이슬이 어린 듯
단단히 묶은 모양은 비단에 옥으로 쓴 한 통의 편지를 서왕모에게 부치는 듯하다.
봄잠에서 늦게 깨어 (열 손가락을) 차례로 풀어 놓고
옥으로 된 화장대 앞에서 팔자 눈썹을 그리려고 하니
난데없이 붉은 꽃이 가지에 붙어 있는 듯하여
손으로 잡으려 하니 어지럽게 흩어지고

입으로 불랴ᄒᆞ니 석긴 안개 가리왓다
거울에 서린 입김을 의미함
여반(女伴)을 서로 불러 낭랑(朗朗)이 자랑ᄒᆞ고
여자 친구 / 즐겁게
쪽 압희 나아가서 두 빗흘 비교(比較)ᄒᆞ니
꽃과 손톱의 빛깔
쪽 닙희 푸른 믈이 쪽의여서 푸르단 말 이 아니 오를손가
쪽에서 나온 물감이 쪽보다도 더 푸르다(청출어람) - 봉선화보다 손톱에 물들인 빛깔이 더 예쁘다는 의미
> 본사 3: 손톱에 봉선화 물이 붉게 든 모양

입으로 불려고 하니 입김에 (화장대 거울이) 가려 보이지 않는구나.
여자 친구를 불러 즐겁게 자랑하고
봉선화 앞에 가서 꽃과 손톱의 두 빛깔을 비교하니
쪽빛에서 나온 푸른 물이 쪽빛보다 푸르단 말, 이것이 아니 옳겠는가.

은근이 풀을 매고 돌아와 누얻더니
훌쩍 나타나거나 떠나는 모양이 거침없이
녹의홍상(綠衣紅裳) 일여자(一女子)가 표연(飄然)이 압희 와서
곱게 차려입은 젊은 여자 - 봉선화를 이름(의인법) Link 표현상 특징 ❸
웃는 ᄃᆞᆺ 찡기는 ᄃᆞᆺ 사례(謝禮)ᄂᆞᆫ ᄃᆞᆺ 하직(下直)ᄂᆞᆫ ᄃᆞᆺ
몽롱(朦朧)이 잠을 ᄭᆡ여 정녕(丁寧)이 ᄉᆡᆼ각ᄒᆞ니
곰곰이
아마도 ᄭᅩᆺ 귀신이 내게 와 하직(下直)ᄒᆞᆫ다
봉선화가 시들었음을 암시함
수호(繡戶)를 급히 열고 ᄭᅩᆺ 수풀을 점검ᄒᆞ니
수놓은 장막으로 가린 문
ᄯᅡ 우희 불근 ᄭᅩᆺ이 가득히 수노핫다 / 암암(黯黯)이 슬허ᄒᆞ고
봉선화가 시들어 땅 위에 떨어진 모습 / 속이 상하여 시무룩하게
낫낫티 주어담아 / ᄭᅩᆺ다려 말 부치ᄃᆡ 『그ᄃᆡᄂᆞᆫ 한(恨)티 마소
꽃에게 / 헤어짐을 아쉬워하는 꽃에게 위로하는 말
세세(歲歲) 연년(年年)의 ᄭᅩᆺ빗은 의구(依舊)ᄒᆞ니
해마다 / 옛날 그대로 변함이 없으니
『 』: 화자가 봉선화에게 하는 말 Link 표현상 특징 ❶
허믈며 그ᄃᆡ 자최 내 손에 머믈럿지
손톱에 봉선화 물은 남아 있음
동원(東園)의 도리화(桃李花)ᄂᆞᆫ 편시춘(片時春)을 자랑 마소
동산 / 복숭아꽃과 자두꽃 - 봉선화와 대비됨 / 잠깐 지나가는 봄(잠깐의 아름다움)
이십번(二十番) ᄭᅩᆺᄇᆞ람의 적막(寂寞)히 ᄯᅥ러진ᄃᆞᆯ 뉘라서 슬허ᄒᆞᆯ고
봄바람에 도리화 꽃잎이 떨어져도 슬퍼할 사람이 없음
규중(閨中)에 남은 인연(因緣) 그ᄃᆡ ᄒᆞᆫ 몸ᄲᅮᆫ이로세』
부녀자가 거처하는 곳 / 손톱에 물든 봉선화(의인법) Link 표현상 특징 ❸
『봉선화(鳳仙花) 이 일홈을 뉘라서 지어 ᄂᆡᆫ고 일로 ᄒᆞ야 지어서라』
서사에서 설명한 봉선화 이름의 유래와 호응 - 농옥과 봉선화의 인연이 규중 여인(화자)과 봉선화의 인연으로 변용됨
> 결사: 봉선화와 규중 여인의 계속되는 인연

은근히 풀을 매고 돌아와 누웠더니
푸른 저고리와 붉은 치마를 입은 한 여자가 홀연히 앞에 와서
웃는 듯, 찡그리는 듯, 사례하는 듯, 하직하는 듯하다.
어렴풋이 잠이 깨어 곰곰이 생각하니
아마도 봉선화 꽃 귀신이 내게로 와 하직을 고한 것이다.
수놓은 장막으로 가린 문을 급히 열고 꽃 수풀을 살펴보니
땅 위에 붉은 꽃(낙화)이 가득히 수를 놓았다. / 속이 상해서 슬퍼하고 낱낱이 주워 담으며 / 꽃에게 말을 걸기를 "그대는 한스러워 마소.
해마다 꽃빛은 옛날 그대로 변함이 없으며
더구나 그대 자취가 내 손톱에 머물러 있지 않은가?
동산의 도리화는 잠깐 지나가는 봄을 자랑하지 마소.
이십 번 꽃바람에 그대들이 적막히 떨어진들 누가 슬퍼하겠는가?
규중에 남은 인연이 그대 한 몸뿐이로세."
봉선화 이 이름을 누가 지었는가? 이렇게 해서 지어진 것이로구나.

출제자 Tip! 화자를 이해하라!

1 **화자는 누구이고, 화자가 처한 상황은?**
백화보에서 봉선화를 보고 이름의 유래를 궁금해하다 봉선화 꽃물을 들이고 있는 규방 여인

2 **화자의 정서 및 태도는?**
봉선화의 아름다움을 예찬함.

Link
출제자 Tip! 표현상의 특징을 파악하라!

❶ 묻고 답하는 형식을 활용하여 내용을 전개함.
❷ 다양한 색채 이미지를 활용하여 시적 대상을 예찬함.
❸ 비유, 의인화를 통해 시적 대상을 드러냄.

최우선 출제 포인트!

1 시상 전개 과정

봉선화의 개화 —— 봉선화의 낙화
↓
손톱에 봉선화 물을 들임.

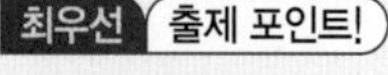 '꽃'에서 기상이나 절개를 예찬한 작품: 안민영, 「매화사」

최우선 핵심 Check!

1 화자가 시적 대상인 '봉선화'에 관심을 갖게 되는 데 계기로 작용하는 소재는 '백화보'이다. (O / ×)

2 〈결사〉에서 화자는 봉선화와 ㄷㄹㅎ의 대비를 통해 봉선화에 대한 각별한 정을 강조하여 드러내고 있다.

3 〈결사〉에서는 〈서사〉에서 설명한 봉선화 이름의 유래와 호응하는 구절이 나타나 있다. (O / ×)

정답 1. ○ 2. 도리화 3. ○

199위

어리석은 부인들에 대한 노래

용부가(庸婦歌) | 작자 미상

갈래 가사(계녀 가사) **성격** 풍자적, 경세적, 교훈적
주제 여인의 잘못된 행실에 대한 풍자와 비판
시대 조선 후기

생생하고 구체적인 묘사를 통해 부녀자들의 어리석은 행태를 비판적으로 그려 내고 있는 가사이다.

원문	현대어 풀이
흉보기도 싫다마는 저 부인(婦人)의 거동(擧動) 보소 (부인: 풍자의 대상 ① - 양반 계층의 여인 / 보소: 판소리체 - 독자의 참여 유발)	흉보기도 싫지만 저 부인이 하는 태도 보소.
시집간 지 석 달 만에 시집살이 심하다고	시집간 지 석 달 만에 시집살이 심하다고
친정에 편지하여 시집 흉을 잡아내네 (시집 식구들의 흉을 보는 '부인'의 행동 비판)	친정에 편지하여 시집의 흉을 잡아내네.
▶ 용부의 거동 소개	
『계염할사 시아버지 암상할사 시어머니 (계염할사: 음흉하고 욕심이 많음 / 암상할사: 시기하고 질투함)	욕심 많은 시아버지, 시샘 많은 시어머니,
고자실에 시누이와 엄숙하기 맏동서라 (엄숙하기: 무뚝뚝함)	고자질 잘하는 시누이와 무뚝뚝한 맏동서라.
요악(妖惡)한 아우 동서 여우 같은 시앗년에 (요악한: 요사스럽고 잔악함 / 시앗년: 남편의 첩)	요악한 아우 동서, 여우 같은 남편의 첩에
드세도다 남녀 노복(男女奴僕) 들며나며 흠구덕에 (흠구덕: 흠잡기)	드세기도 드센 남녀 종들이 들며나며 흠을 잡고
남편이나 믿었더니 십벌지목(十伐之木) 되었에라』 (십벌지목: 열 번 찍어 넘어간 나무 - 믿었던 남편이 다른 식구들의 편이 됨을 의미함)	남편이나 믿었더니 (그도 역시 남의 말을) 곧이듣게 되었구나.
여기저기 사설이요 구석구석 모함이라 (사설: 잔소리 / 화자의 논평 - 편지의 내용이 거짓과 모함임을 의미함)	여기저기 잔소리요, 구석구석 모함이라.
▶ 용부의 시집 식구 흉보기	
시집살이 못 하겠네 간숫병을 기울이며 (목숨을 끊기 위해)	시집살이 못 하겠네. 간숫병을 기울이고
치마 쓰고 내닫기와 봇짐 싸고 도망질에	치마를 쓰고 뛰어내리기도 하고 봇짐 싸서 도망질에
오락가락 못 견디어 승(僧)들이나 따라갈까	오락가락 못 견디어 중들이나 따라갈까?
긴 장죽(長竹)이 벗이 되고 들 구경 하여 볼까 (장죽: 담배를 가까이함)	긴 담뱃대가 벗이 되고 들 구경 하여 볼까?
문복(問卜)하기 소일(消日)이라 (문복: 점 보기)	점치는 일로 세월을 보내는구나.
겉으로는 시름이요 속으로는 딴생각에	겉으로는 시름인 척하지만 속으로는 딴생각에
반분대(半粉黛)로 일을 삼고 털 뽑기가 세월이라 (반분대: 살짝 칠한 옅은 화장 / 외모 가꾸기에 치중함)	몸치장으로 일을 삼고, 털 뽑기로 세월을 보내네.
시부모가 경계(警戒)하면 말 한마디 지지 않고 (경계: 타일러서 주의하게 함 / 시부모에게 말대꾸를 함)	시부모가 나무라면 말 한마디 지지 않고
남편이 걱정하면 뒤받아 맞넉수요 (맞넉수: 마주 대꾸함)	남편이 걱정하면 뒤를 받아 마주 대꾸하기요.
들고 나니 초롱군에 팔자나 고쳐 볼까 (들고 나니: 드나드는 젊은 남자 / 초롱군: 초롱꾼. 초롱을 들고 가며 밤길을 밝혀 주는 사람 / 초롱꾼을 따라가 개가할까 생각함)	드나드는 젊은 남자 따라가 팔자나 고쳐 볼까?
양반 자랑 모도 하며 색주가(色酒家)나 하여 볼까 (과장을 통한 풍자 효과의 극대화)	양반이라 자랑하면서 기생집이나 하여 볼까?
▶ 용부인의 행실 소개	
남문 밖 뺑덕어미 천성(天性)이 저러한가 (뺑덕어미: 풍자의 대상 ② - 평민 계층의 여인)	남문 밖의 뺑덕어미는 천성이 저러한가?
배워서 그러한가 본 데 없이 자라나서	배워서 그러한가 본 것 없이 자라나서
여기저기 무릎맞침 싸움질로 세월이며 (무릎맞침: 무릎 맞춤. 제삼자를 대질하여 옳고 그름을 따짐)	여기저기 무릎맞춤, 싸움질로 세월을 보내며
남의 말 말전주와 들면서 음식 공론 (말전주: 남의 말을 옮겨 이간질함 / 음식 공론: 음식에 대해 실속 없는 소리를 함)	남의 말 듣고는 이간질하고 들어와서는 음식 타령하고,
조상(祖上)은 부지(不知)하고 불공(佛供)하기 위업(爲業)할 제 (위업: 일삼을 때)	조상에게 제사는 안 지내고 불공 드리기로 일삼을 때,
무당 소경 푸닥거리 衣服(의복)가지 다 내 주고 (푸닥거리: 굿)	무당 소경에게 푸닥거리를 하느라 옷가지 다 내 주고,
『남편 모양 볼작시면 삽살개 뒷다리요 (삽살개 뒷다리: 비쩍 마른 남편의 모습)	남편 모양을 보니 삽살개 뒷다리 같고

(음영): '부인'이 부정적으로 보는 대상

『 』: 편지의 내용 - 시댁 식구들과 남편에 대한 험담

(원): 화자가 부정적으로 보는 대상 - 불교와 무속을 경시하는 유교적 가치관 반영

당대의 세태에 대한 풍자

Link 표현상 특징 ❶

자식 거동 볼작시면 털 벗은 솔개미라』 『 』: 과장을 통한 해학적 표현
헐벗은 자식의 모습
엿장사야 떡장사야 아이 핑계 다 부르고
탐욕스러운 먹성 / 목화의 씨를 빼는 기구
물레 앞에 선하품과 씨아 앞에 기지개라
여성이 해야 할 노동에 게으름을 부림(게으른 성품 비판)
이 집 저 집 이간질과 음담패설(淫談悖說) 일삼는다
모함(謀陷) 잡고 똥 먹이기
남을 모함하고 곤경에 빠지게 함
세간은 줄어 가고 걱정은 늘어 간다
치마는 절러 가고 허리통이 길어 간다
짧아지고
총 없는 헌 짚신에 어린 자식 들쳐 업고 (Link 표현상 특징 ❷)
짚신이나 미투리 따위의 앞쪽의 양편쪽으로 운두를 이루는 낱낱의 신울 / 찾아내어 가지거나 받아 냄
혼인 장사(葬事) 집집마다 음식 추심(推尋) 일을 삼고
결혼식이 있거나 장례식이 있는 집집마다 찾아다니며 음식을 졸라서 받아 냄
아이 싸움 어른 쌈에 남의 죄에 매 맞히기
까닭 없이 성을 내고 의뿐 자식 두다리며
어여쁜, 귀여운
며느리를 쫓았으니 아들은 홀아비라
딸자식을 다려오니 남의 집은 결딴이라
시집간 딸 / 딸의 시댁
두 손뼉을 두다리며 방성대곡 괴이하다
목을 놓아 욺. 대성통곡
무슨 꼴에 생트집에 머리 싸고 드러눕기
간부(姦夫) 달고 달아나기 관비정속(官婢定屬) 몇 번인가
간통한 남자 / 죄인을 관가의 종으로 만드는 형벌
> 용부의 못된 행실 비판
『무식한 창생(蒼生)들아 저 거동을 자세 보고
세상의 모든 사람. 백성
그른 일을 알았거든 고칠 개(改) 자 힘을 쓰소
일삼으시오. 힘쓰시오
옳은 말을 들었거든 행하기를 위업하소』
> 백성들에 대한 권계
『 』: 직접적인 화자의 의도 제시. 경세가(警世歌)의 성격을 지님 Link 표현상 특징 ❸

자식 거동을 보자니 털 빠진 솔개와 같구나.
엿장수, 떡장수를 아이 핑계로 다 부르고
물레 앞에선 지겹다고 하품하고 씨아 앞에선 기지개라.
이 집 저 집 다니며 이간질과 음담패설을 일삼는다.
모함하며 남을 곤경에 빠뜨리고,
살림살이는 줄어 가고 걱정은 늘어 간다.
치마는 점점 짧아지고 허리통은 점점 길어 간다.
총 없는 헌 짚신에 어린 자식 들쳐 업고
혼인집과 초상집 집집마다 음식 얻어먹기 일을 삼고,
아이 싸움 어른 싸움에 남의 죄에 매 맞히기,
까닭 없이 성을 내고 예쁜 자식들을 매질하며,
며느리를 쫓아냈으니, 아들은 홀아비라.
딸자식을 데려오니 사돈댁은 결딴난다.
두 손뼉을 두드리며 통곡하니 괴이하다.
무슨 꼴인지 생트집에 머리 싸고 드러눕기,
간통한 남자 데리고 달아나서 관가의 종이 되기를 몇 번이던가?
무식한 세상 사람들아, 저 거동을 자세히 보고
그릇된 일임을 알았거든 고치기에 힘을 쓰시오.
옳은 말을 들었거든 행하기를 일삼으시오.

출제자 팁! 창작 의도를 이해하라!

1 이 작품의 창작 의도는?
시집에 대해 잘못된 행동을 하고, 용렬한 행실로 살아가는 부녀자들의 행태를 전달하고 비판하여 다른 여성들이 그러한 행동을 하지 못하게 경계하기 위해서임.

Link
출제자 팁! 표현상의 특징을 파악하라!

❶ 희화화된 여인의 모습을 통해 시대 변화를 우회적으로 반영함.
❷ 전반적으로 과장되었지만 생생한 사실감을 주는 묘사가 두드러짐.
❸ 경세와 훈민을 염두에 둔 훈계의 의도가 직접적으로 드러남.

최우선 출제 포인트!

1 풍자적 묘사를 통한 교훈의 전달

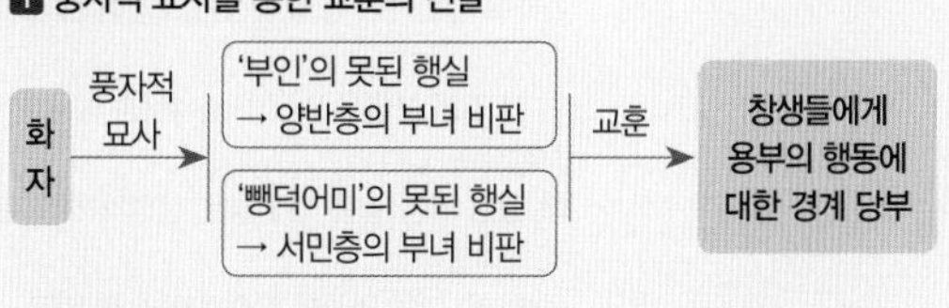

함께 볼 작품 어리석은 사람의 비행을 통해 교훈을 전달하는 작품: 작자 미상, 「우부가」

최우선 핵심 Check!

1 백성들에 대한 권계를 직설적으로 드러내고 있다. (O / ×)
2 여성의 행실이 어떠해야 하는지 용부들에게 가르치고자 하는 의도가 있다. (O / ×)
3 열거와 ㄱ ㅈ을 통해 용부의 잘못된 행실을 희화화하여 풍자적으로 표현하고 있다.

정답 1. ○ 2. × 3. 과장

200위

화전(진달래꽃을 넣어 지진 전)을 지져 먹고 가무를 즐기던 화전놀이의 즐거움을 노래

화전가(花煎歌) | 작자 미상

갈래 가사(내방 가사, 규방 가사)
성격 풍류적, 감각적 **주제** 화전놀이의 즐거움
시대 조선 후기

경상북도 문경 지방에서 불렸던 내방 가사로, 여인들이 봄 경치를 즐기며 화전놀이를 하는 모습을 그리고 있다.

4음보의 율격 **Link 표현상 특징 ❶**

어와/여종들아/이내 말씀/들어 보소
(여종들에게 어울리지 않는 말투 - 상투적 표현의 사용)
이 때가/어떤 해뇨/우리 임금/화갑(華甲)이라
(화갑: 환갑)
화봉(華封)의 축원(祝願)으로 우리 임금 축수(祝壽)하고
(화봉의 축원: 경사스러운 일을 기리어 축하하는 말 / 축수: 임금에게 축원함)
강구(康衢)의 격양가(擊壤歌)로 우리 여인 화답(和答)하네
(강구: 평화로운 거리 / 격양가: 태평세월을 기리는 노래)
인정전(仁政殿) 높은 전에 수연(壽宴)을 배설하니
(인정전: 창덕궁의 정전(正殿) / 수연: 장수를 축하하는 잔치)
백관(百官)은 헌수(獻壽)하고 창생(蒼生)은 고무(鼓舞)한다
(헌수: 장수를 비는 술잔을 올림 / 창생: 백성들 / 고무: 북을 치며 춤을 춤)
춘당대(春塘臺) 넓은 마당에 경과를 보이시니
(춘당대: 창덕궁 안에서 과거 시험을 보던 곳 / 경과: 경사가 있을 때 보는 과거)
목목(穆穆)하신 우리 임금 서일(瑞日)같이 임(臨)하시고
(목목하신: 밝고 어지신 / 서일: 상서롭게 비치는 해)
빈빈(彬彬)한 명유(名儒)들은 화상(華床)에 분분(紛紛)하다
(빈빈한 명유: 훌륭하고 이름난 선비 / 화상: 회갑 잔치의 빛나는 음식상)
> 서사: 환갑을 맞은 임금에 대한 축원

> 아아! 여종들아, 내 말씀 좀 들어 보소.
> 이때가 어떤 해인가? 우리 임금님께서 환갑을 맞으시는 해라.
> 경사스러운 날을 기리어 우리 임금의 만수무강을 축원하고
> 평화로운 거리의 태평세월을 기리는 노래로 우리 여인네들은 화답하네.
> 인정전 높은 진에 회갑 잔치를 베푸니,
> 모든 벼슬아치들은 장수를 비는 술잔을 올리고 백성들은 북을 치며 춤을 춘다.
> 춘당대 넓은 마당에서 과거를 보이시니
> 밝고 어지신 임금님이 상서롭게 비치는 해같이 임하시고,
> 훌륭하고 이름난 선비들은 빛나는 회갑 잔치상 앞에 한데 뒤섞여 모여 있다.

이렇듯이 좋은 해[歲]에 이 때가 어느 때뇨
「불한불열(不寒不熱) 삼춘(三春)이라 심류청사(深柳靑絲) 드린 곳에
(불한불열 삼춘: 춥지도 덥지도 않은 봄의 세 달 / 심류청사: 버드나무 푸른 가지)
황앵(黃鶯)이 편편(片片)하고 천붕수장(天崩繡帳) 베푼 곳에
(황앵: 노란 꾀꼬리 / 천붕수장: 수양버들이 늘어진 모양을 하늘에서 드리운 장막이라고 비유적으로 표현함)
봉접(蜂蝶)이 분분하다 우리 황앵 아니로되 **Link 표현상 특징 ❻**
(봉접: 벌과 나비)
꽃은 같이 얻었으니 우리 비록 여자라도
이러한 태평세에 아니 놀고 무엇하리」 「」: 화전놀이를 하는 까닭
백만사(百萬事) 다 버리고 하루 놀음 하려 하고
(백만사 다 버리고: 일상에서 벗어나고자 하는 마음)
일자를 정하자니 양일길신(良日吉辰) 언제런고
(양일길신: 일진이 좋은 날)
이월이라 염오일(念五日)에 청명시절(淸明時節) 제때로다
(염오일: 음력 25일 / 청명시절: 봄철)
손꼽고 바라더니 어느덧 다닫고야
(다닫고야: 이르렀구나, 다다랐구나)
> 본사 1: 봄날에 화전놀이를 감

> 이렇게 좋은 해에 이때가 어느 때인가?
> 춥지도 덥지도 않은 봄이라. 버드나무 푸른 실가지가 드리운 곳에
> 누런 꾀꼬리가 황금 조각이 번득이는 듯 날아다니고, 수양버들이 하늘에서 드리운 수놓은 장막처럼 늘어져 있는 곳에 / 벌과 나비가 어지러이 날고 있다. 우리가 누런 꾀꼬리는 아니지만 / 꽃은 같이 얻었으니, 우리 비록 여자라도
> 이러한 태평성대에 아니 놀고 무엇하리?
> 온갖 일을 다 버리고 하루 놀이를 하려고
> 날짜를 정하려고 하니 일진이 좋은 날이 언제인고?
> 음력 2월 25일에 청명시절이 (봄이 무르익어 화전놀이하기 좋은) 제때로다.
> 손꼽아 (그날을) 바라더니 어느덧 (그날이) 이르렀구나.

아이 종 급히 불러 앞뒷집 서로 일러
소식(消食)하고 가사이다 노소(老少) 없이 다 모여서
차례로 걸어가니 응장성식(凝粧盛飾) 찬란하다
(응장성식: 얼굴을 단장하고 옷을 화려하게 차려입음)
「원산(遠山) 같은 눈썹이랑 아미(蛾眉)로 다스리고
(아미: 미인의 눈썹)
횡운(橫雲) 같은 귀밑일랑 선빈(仙鬢)으로 꾸미도다
(횡운: 떠 있는 구름 / 선빈: 신선의 귀밑털)
동해의 고운 명주 잔줄지어 누벼 입고
추양(秋陽)에 바랜 베를 연반물 들여 입고」 「」: 여성들이 치장하는 모습, 대구 **Link 표현상 특징 ❷**
(연반물: 연한 반물(반물은 거무스름한 남빛))

> 어린 종을 급히 불러 앞뒷집에 서로 일러
> (화전놀이 하러 간다는) 소식을 전하고 가자. 늙은이 젊은이 구별 없이 다 모여서
> 차례로 걸어가니 곱게 단장한 모습이 눈이 부시다.
> 먼 산 같은 눈썹은 미인의 눈썹처럼 아름답게 치장하고
> 떠 있는 구름 같은 귀밑털은 신선의 것과 같이 꾸미도다.
> 동해처럼 고운 명주를 잔줄 지어 누벼 입고
> 가을 햇볕에 바랜 천에 엷은 반물로 들여 입고,

선명하게 나와 서서 좋은 풍경 보려 하고
가려 강산(佳麗江山) 찾았으되 용산(龍山)을 가려느냐
아름다운 강과 산
매봉으로 가려느냐 산명수려(山明秀麗) 좋은 곳은
산과 물이 깨끗함
소학산(蘇鶴山)이 제일이라 어서 가자 바삐 가자
❯ 본사 2: 행색을 단장하고 화전놀이를 감

선명하게 나와 서서 좋은 풍경 보려 하고
아름다운 경치를 찾았으되, 용산으로 갈 것이냐?
매봉산으로 갈 것이냐? 산수의 경치가 아름다운 곳은
소학산이 제일이라. 어서 가자 부지런히 가자.

앞에 서고 뒤에 서고 태산 같은 고봉준령(高峯峻嶺)
높이 솟은 산봉우리와 험준한 산마루
허위허위 올라가서 승지(勝地)에 다닫거다
힘에 겨워 힘들어하는 모양 / 경치가 좋은 곳
좌우 풍경 둘러보니 수양(首陽) 같은 금오산은 ▭: 중국의 고사를 사용함 **Link 표현상 특징 ❸**
백이와 숙제가 숨어 살았던 수양산
충신이 멀었거늘 어찌 저리 푸르렀으며 ▭: 공간의 이동
『황하 같은 낙동강은 성인이 나시려나
어찌 저리 맑았느뇨』 『 』: 황하가 100년에 한 번 맑아지면 성인이 난다는 이야기를 떠올림. 낙동강을 황하에 견주어 생각함
구경을 그만하고 화전(花煎)터로 내려와서
빈천이야 정관이야 시냇가에 걸어 놓고
솥이나 냄비류의 방언으로 추정
청유(淸油)라 백분(白粉)이라 화전을 지져 놓고
맑은 기름 / 쌀이나 밀 따위의 하얀 가루
화간(花間)에 제종숙질(諸從叔侄) 웃으며 불렀으되
여러 사촌 형제와 아저씨와 조카
어서 오소 어서 오소
집에 앉아 수륙진미(水陸珍味) 보기도 하려니와
맛이 좋은 음식, 산해진미
우리 일시 동환(同歡)하기 이에서 더할소냐
함께 즐거워함 / 설의적 표현 **Link 표현상 특징 ❺**
송하(松下)에 늘어앉아 꽃가지로 찍어 올려
춘미(春味)를 쾌(快)히 보고 남은 흥을 못 이기어
상상봉 치어달아
한없이 좋은 경치 일안(一眼)에 다 들이니
한눈
저 높은 백운산은 적송자(赤松子) 놀던 덴가
옛날 중국의 신선 이름
반석 위의 바둑판은 낙서격(洛書格)을 벌여 있고
유수(幽邃)한 황학동(黃鶴洞)은 서왕모(西王母) 있던 덴가
깊숙하고 그윽한 / 중국 신화에 나오는 신녀(神女) 이름
청계변 복사꽃은 무릉원(武陵源)이 의연(依然)하다
도연명의 『도화원기』에 나오는 이상향 / 전과 다름이 없다
이런 좋은 경개(景槪) 흠없이 다 즐기니
경치
『소선(蘇仙)의 적벽(赤壁)인들 이에서 더할소냐 『 』: 대구, 열거, 설의적 표현 **Link 표현상 특징 ❷, ❺**
중국 송나라 때의 문호 소동파가 놀던 적벽강
이백(李白)의 채석(采石)인들 이에서 덜할소냐』
당나라의 시인 이태백이 강물에 뜬 달을 잡으려다가 죽은 채석강
❯ 본사 3: 소학산에서 즐기는 화전놀이

앞에 서고 뒤에 서고 태산같이 높이 솟은 산봉우리와 험준한 산마루
힘들게 올라가서 경치 좋은 곳에 이르렀다.
좌우 풍경을 둘러보니, 수양산 같은 금오산은
충신이 멀리 있는데도 어떻게 저렇게 푸르렀으며,
황하 같은 낙동강은 성인이 태어나려는지
어떻게 저렇게 맑은가?
구경을 그만하고 화전터로 내려와서
솥과 냄비를 시냇가에 걸어 놓고
맑은 기름과 쌀가루, 밀가루로 화전을 지져 놓고
꽃 사이에서 제종숙질을 웃으며 불렀으되,
"어서 오소, 어서 오소.
집에 앉아 있으면 맛이 좋은 음식들을 보기는 하겠지만,
우리가 한때에 함께 즐거워하는 재미가 (화전놀이를 하는) 지금보다 더하겠느냐?"
소나무 아래에 늘어앉아 꽃가지로 찍어 올려
봄의 아름다움을 유쾌하게 즐기고 남은 흥을 이기지 못하여
상상봉으로 달려 올라가
한없이 좋은 경치를 한눈에 다 담으니,
저 높은 백운산은 적송자가 놀던 곳인가?
반석 위에 있는 바둑판은 낙서처럼 벌여 있고
깊숙하고 그윽한 황학동은 서왕모가 있던 곳인가?
맑고 깨끗한 시냇가에 핀 복사꽃은 무릉도원을 방불케 한다.
이렇게 좋은 경치를 흠 없이 다 즐기니,
소동파가 놀던 적벽강이 이곳보다 더 아름다울 것인가?
이백이 놀던 채석강보다 이곳이 덜 아름다울 것인가?

화간(花間)에 벌여 앉아 서로 보며 이른 말이
여자의 소견(所見)인들 좋은 경(景)을 모를소냐
부녀자들의 여성으로서의 풍토가 드러남 / 설의적 표현
규중(閨中)에 썩힌 간장(肝腸) 오늘이야 쾌(快)한지고
당시 여성들의 생활 모습을 알 수 있음
흉금(胸襟)이 상연(爽然)하고 심신(心身)이 호탕(浩蕩)하여
매우 시원하고 상쾌함 / 기세 있고 힘참
장장춘일(長長春日) 긴긴 날을 긴 줄도 잊었더니
서산에 지는 해가 구곡(九谷)에 재촉하여
여러 골짜기
『층암고산(層岩高山)에 모운(暮雲)이 일어나고
바위가 겹겹이 쌓인 높은 산 / 날이 저물 무렵의 구름
벽수동리(碧樹洞裏)에 숙조(宿鳥)가 돌아든다』 『 』: 대구법 Link 표현상 특징 ❷
푸른 나무들이 우거진 골짜기 / 잠을 자거나 자려고 하는 새
흥대로 놀려 하면 임간(林間)의 자연 취객이 아닌 고로 마지 못해 일어나니
화전놀이를 마치는 아쉬움
암하(巖罅)야 잘 있거라 강산(江山)아 다시 보자
바위의 틈(화전놀이를 하던 여인들이 놀던 바위 아래)
시화세풍(時和歲豊) 하거들랑 창안백발(蒼顔白髮) 흩날리고
시절이 태평하고 풍년이 듦 / 창백한 얼굴과 흰 머리 - 나이가 듦
고향 산천 찾아오마
> 결사: 아쉬워하며 화전놀이를 마침

꽃 사이에 벌여 앉아 서로 보며 이르는 말이

"여자의 생각이라고 좋은 경치를 모를 것인가? 규중에서 썩은 속이 오늘에서야 낫는구나."

가슴이 시원하고 마음과 몸이 확 트이어

긴긴 봄날이 긴 줄도 잊었더니,

서산에 지는 해가 여러 골짜기에 재촉하여

바위가 쌓인 높은 산에는 해 질 무렵의 구름이 (뭉게뭉게) 일어나고
푸른 나무들이 우거진 골짜기에는 잘새가 돌아든다.
흥이 나는 대로 놀고 싶지만 숲속의 자연 취객이 아니기 때문에 마지 못해 일어나니,

우리가 놀던 바위 아래야, 잘 있거라. 아름다운 이 강산아, 다시 보자.
기후가 좋아서 풍년이 들게 되면 늙어서라도

고향 산천을 (잊지 않고) 찾아오마.

출제자 톡! 화자를 이해하라!

1 **화자는 누구이고, 화자가 처한 상황은?**
늘 규방에 있던 부녀자들로, 오랜만에 밖으로 나와 화전놀이를 즐기고 있음.

2 **화자의 정서 및 태도는?**
화전놀이를 흥겹게 하면서도 화전놀이를 끝내는 아쉬움이 드러남.

Link

출제자 톡! 표현상의 특징을 파악하라!

❶ 4음보의 율격을 지니고 있음.
❷ 대구와 열거의 방식으로 운율을 형성함.
❸ 중국의 고사를 인용하여 화자의 정서를 표현함.
❹ 전형적인 화전 가사의 형태를 보임.
❺ 설의적 표현으로 화자의 심리를 드러냄.
❻ 비유적 표현으로 시적 대상의 속성을 드러냄.

최우선 출제 포인트!

1 시상 전개 방식

화전놀이를 하는 여인들 → 임금에 대한 축원 / 화전놀이를 즐김. / 놀이를 끝내는 아쉬움 → 화전놀이의 즐거움

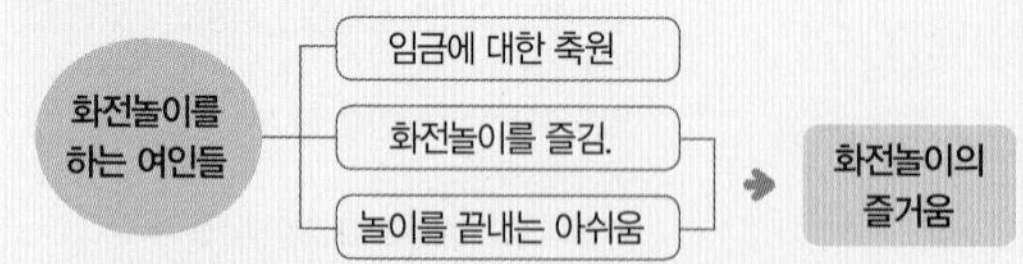

이 작품은 봄철을 맞은 여인들이 여성으로서의 억압된 삶의 굴레에서 벗어나 아름다운 경치를 찾아다니며 그 흥취를 읊은 가사이다. 오랜만에 야외에 나온 여인들은 봄 경치를 즐기다가 어느새 돌아갈 시간이 다가오자 못내 아쉬워하며 내년 봄을 기약하는 구조로 시상을 전개하고 있다.

함께 볼 작품 꽃놀이를 하며 부르는 노래: 작자 미상, 「유산가」

최우선 핵심 Check!

1 화자는 현실에서 벗어나 초월적인 세계를 지향하고 있다. (O / ×)

2 4음보의 율격, ㄷ ㄱ 와 열거의 방식을 통해 운율을 형성하고 있다.

3 〈본사 3〉에서는 공간의 이동에 따라 시상을 전개하고 있다. (O / ×)

4 '수양', '황하', '적송자', '서왕모' 등 중국 고사를 인용하여 화자의 정서를 효과적으로 드러내고 있다. (O / ×)

5 화자는 화전놀이를 마치며 산수에 대한 미련과 아쉬움을 보이고 있다. (O / ×)

정답 1. × 2. 대구 3. ○ 4. ○ 5. ○

안빈을 염치 말아 | 김수장

갈래 평시조 **성격** 낙관적, 의지적
주제 자신의 삶에 대한 만족감
시대 조선 후기

자연에서 살아가는 자신의 처지에 대해 만족하며 살겠다는 긍정적인 태도를 노래하고 있다.

「안빈(安貧)을 염(厭)치 말아 일 업쓰면 긔 죠흔이
벗 업다 한(恨)치 말라 말 업쓰면 이 죠흔이」
암아도 수분 안졸(守分安拙)이 긔 올흔가 ᄒᆞ노라. → 안분지족의 태도

- 일: 세상 일에서 겪는 근심을 의미
- 안빈: 안빈낙도(安貧樂道)
- 「 」: 자연에서 사는 자신의 처지에 대한 긍정적, 낙관적 인식. 대구법. 유사한 통사 구조
- 말: 세상 사람들의 입에 오르내리는 구설수를 의미
- 암아도: 아마도
- 수분 안졸: 자신의 분수에 만족하며 편안히 살다 죽음. 화자의 태도가 집약적으로 반영된 시어

가난한 가운데서도 (편안한 마음으로 지내는 것을) 싫어하지 마라. 근심이 없으면 그것이 좋은 것이니
벗이 없다고 한스러워 하지 마라. 구설수가 없으면 이것이 좋으니,
아마도 자신의 분수에 만족하며 편안히 살다가 죽는 것, 그것이 옳다고 하노라.

최우선 출제 포인트!

1 작품의 구조

초장	가난하지만 그로 인해 근심 없어서 좋음.	자신의 삶에 대한 긍정적, 낙관적 인식
중장	친구가 없지만 그로 인해 구설수가 없어서 좋음.	
↓		
종장	현재의 삶이 자신의 분수라면 받아들여 살아가겠다고 다짐함.	안분지족의 태도

최우선 핵심 Check!

1 화자는 자신의 상황에 대해 긍정적, 낙관적 태도를 보인다. (○ / ×)

2 초장과 중장에서는 ㄷㄱㅂ과 유사한 통사 구조를 반복하여 자신의 삶에 대한 화자의 인식을 강조하고 있다.

3 화자는 'ㅅㅂㅇㅈ'이라는 시어를 통해 삶의 가치관을 집약적으로 드러내고 있다.

정답 1. ○ 2. 대구법 3. 수분 안졸

청산아 웃지 마라 | 정구

갈래 평시조 **성격** 영탄적, 의지적
주제 자연에서의 삶에 대한 소망
시대 조선 중기

임금을 보필하느라 세속에서 살고 있는 화자가 자연으로 돌아갈 날을 소망함을 노래하고 있다.

「청산(靑山)아 웃지 마라 백운(白雲)아 조롱(嘲弄) 마라」
백발(白髮) 홍진(紅塵)에 내 즐겨 ᄃᆞᆫ니더냐
성은(聖恩)이 지중(至重)ᄒᆞ시니 갑고 가려 ᄒᆞ노라

- 「 」: 자연이 비웃는다고 생각함 - 자연 속에서 지내지 못하는 아쉬운 마음이 담겨져 있음
- 청산, 백운: 자연을 의미하는 시어. 의인화된 대상. 색채 이미지
- 홍진: 번거롭고 속된 세상을 비유적으로 이르는 말. 속세를 가리킴
- 백발: 화자의 처지를 드러낸 시어
- 내 즐겨 ᄃᆞᆫ니더냐: 속세에서의 삶이 즐겁지 않음을 강조함. 설의적 표현
- 성은이 지중ᄒᆞ시니: 자연으로 돌아가지 못하는 이유
- 가려 ᄒᆞ노라: 청산에 가려는 의지적 태도

청산아 (나를) 비웃지 마라. 흰 구름아 (나를) 조롱하지 마라.
(늙어) 흰머리가 되어서도 속세에서 내가 즐겨서 다니는 것인 줄 아느냐?
임금님 은혜가 하도 무거워서 (내가) 다 갚고 나서 (강호로) 가려 하노라.

최우선 출제 포인트!

1 화자의 처지와 소망

화자의 처지	• '홍진'에서 지내고 있음. → 즐겁지 않음. • 임금의 은혜가 무거워서 갚아야 함.

↓ 지향

자연(청산, 백운)으로 돌아가 살고 싶음.

최우선 핵심 Check!

1 '청산', '백운'은 자연을 의미하는 시어로, 속세를 의미하는 ㅎㅈ과 대비된다고 할 수 있다.

2 화자는 자연 속에서 지내지 못하는 아쉬움을, 자연이 자신을 비웃는 표현으로 드러내고 있다. (○ / ×)

3 화자는 임금의 은혜를 다 갚지 못하여 자연으로 돌아가지 못한다고 하고 있다. (○ / ×)

정답 1. 홍진 2. ○ 3. ○

불 아니 씨일지라도 | 작자 미상

갈래 사설시조 **성격** 소망적, 가정적
주제 풍족하고 편안한 삶에 대한 소망
시대 조선 후기

풍족하고 편안한 삶에 대한 소망을 재치 있게 그리고 있다.

「」: 고생 없이 살기 위해 화자가 소망하는 것들을 나열함(열거법). 불가능한 상황 설정

「불 아니 ᄯᅵ일지라도 졀노 닉는 솟과
여물쥭 아니 먹어도 크고 ᄉᆞᆯ져 한(잘) 것는 말과 질삼(길쌈) 잘ᄒᆞᄂᆞᆫ 여기(기생)쳡(女妓妾)과 술 십ᄂᆞᆫ(샘솟는) 주전자와 양(소의 위(胃)를 고기로 이르는 말) 절로 낫ᄂᆞᆫ(나오는) 검은 암소 두고」
평생에 이 다ᄉᆞᆺ 가져시면 부를 거시 이시랴 → 풍족하고 편안한 삶에 대한 동경
(다섯 가지를 가지고 싶은 간절한 소망을 드러냄. 설의적 표현)

불을 때지 않아도 저절로 (밥이) 익는 솥과
여물죽을 안 먹어도 크고 살쪄 잘 걷는 말과 길쌈 잘하는 기생 첩과 술이 (저절로) 샘솟는 주전자와 소의 양이 저절로 나오는 검은 암소 두고
평생에 이 다섯 가지를 가졌으면 부러울 것이 있겠느냐?

최우선 출제 포인트!

1 화자의 소망과 현재 처지

화자가 소망하는 것들 → 세속적인 욕망	• 불을 때지 않아도 저절로 밥이 익는 솥 • 여물죽을 안 먹어도 크고 살쪄 잘 걷는 말 • 길쌈 잘하는 기생 첩 • 술이 저절로 샘솟는 주전자 • 소의 양이 저절로 나오는 검은 암소

현재 화자의 처지: 곤궁한 삶을 살고 있음.

최우선 핵심 Check!

1 화자는 대상을 나열하는 ㅇㄱㅂ을 활용하여 자신이 소망하는 것들을 제시하고 있다.

2 화자는 불가능한 상황 설정을 통해 현재 삶에 대한 만족감을 표출하고 있다. (○ / ×)

3 화자는 설의적 표현을 사용하여 자신이 가지고 싶은 다섯 가지에 대한 소망을 드러내고 있다. (○ / ×)

정답 1. 열거법 2. × 3. ○

꿈에 왓던 님이 | 박효관

갈래 평시조 **성격** 대비적, 애상적
주제 임에 대한 사랑과 그리움
시대 조선 후기

꿈에서라도 임을 보았으면 하는, 헤어진 임에 대한 화자의 절절한 그리움이 드러나 있다.

「ᄭᅮᆷ(임을 만날 수 있는 공간)에 왓던 님이 ᄭᅵ여 보니 간 ᄃᆡ 업ᄂᆡ」 「」: 꿈(임이 찾아옴) ↔ 현실(임이 없음)
탐탐(耽耽)이 괴던 ᄉᆞ랑 날 ᄇᆞ리고 어ᄃᆡ 간고 → 임의 사랑을 느낄 수 없는 허망함
(꿈속의 임(나를 몹시 사랑해 줌) ↔ 현실의 임(나를 버림))
ᄭᅮᆷ속이 허사(虛事) | 라 만졍 쟈로 뵈게 ᄒᆞ여라
(꿈속에서라도 임을 만나고 싶은 간절한 마음)

꿈에 왔던 임이 (꿈에서) 깨어서 보니 간 데를 알 수 없네.
(나를) 마음에 들어 하며 사랑해 주시던 임이 나를 버리고 어디로 갔는가?
꿈속의 일이 헛된 일일망정 (꿈속에서 임이) 자주 보이게 하여라.

최우선 출제 포인트!

1 '꿈'과 '현실'의 대비

꿈(꿈속)	↔	현실
임이 화자를 찾아옴.		임이 간 곳을 알 수 없음.
임이 화자를 사랑해 줌.		임이 화자를 버리고 감.

임을 그리워하는 화자의 안타까운 심정을 효과적으로 드러냄.

최우선 핵심 Check!

1 ㄲ은 화자가 임을 만날 수 있는 공간으로 제시된 곳이다.

2 대비적 표현을 활용하여 화자의 정서를 효과적으로 드러내 주고 있다. (○ / ×)

3 화자는 꿈속에서라도 임을 만나고 싶은 간절한 마음을 드러내고 있다. (○ / ×)

정답 1. 꿈 2. ○ 3. ○

두고 가는 이별 | 신희문

갈래 평시조 **성격** 애상적
주제 임과 이별하고 싶지 않은 마음
시대 조선 후기

임이 자신의 마음을 헤아린다면 임이 자신을 떠나지 못할 것이라고, 임과 이별하고 싶지 않은 마음을 드러내고 있다.

두고 가는 이별 보닉는 닉 안도 잇네
(화자가 처한 상황 / 임과 이별하고 싶지 않은 마음)
「알뜨리 그리올 졔 구곡간장(九曲肝腸) 셕을노다」
(이별하여 그리움이 간절해지면(전제) / 그리움으로 인한 고통을 강조(결론))
「」: 임의 마음을 돌리고자 하는 의도가 담김
져 님아 혜여 보소라 아니 가든 못홀소냐
(자신의 마음을 헤아려 보라는 질문 / 자신의 마음을 안다면 떠나지 못할 것임을 강조, 설의적 표현)

(나를) 두고 가는 (임의) 이별, 보내는 내 마음도 있네.
(임이) 알뜰히 그리울 때, (나의) 구곡간장은 다 썩어질 것이로다.
저 임아 (나의 마음을) 헤아려 보소서. (내 마음을 헤아린다면) 떠나지 않는 것을 못하겠느냐?

최우선 출제 포인트!

1 작품의 구조

화자의 처지		이별한 상황의 화자의 모습
임과 이별하는 상황에 처함.	→	임에 대한 그리움으로 고통을 받을 것임

: 의도

임이 마음을 돌려 이별을 번복해 주기를 바람.

최우선 핵심 Check!

1 임과 이별하게 되면 화자는 그리움으로 인한 고통으로 ㄱㄱㄱㅈ이 썩을 것이라 하고 있다.

2 화자는 임과 이별하는 상황에서 임의 마음을 돌리고 싶어 한다. (○ / ×)

3 화자는 임이 자신의 마음을 헤아리고 있다고 여기면서 이별을 담담히 수용하고 있다. (○ / ×)

정답 1. 구곡간장 2. ○ 3. ×

나온댜 금일이야 | 김구

갈래 평시조 **성격** 예찬적, 영탄적
주제 태평성대에 대한 예찬
시대 조선 중기

작가가 자신의 책 읽는 소리를 듣고 온 중종과 술을 마시면서 지은 작품으로, 임금의 은혜에 감사하고 태평성대의 감격을 드러내고 있다.

나온댜 금일이야 즐거온댜 오늘이야
(유사 어휘의 반복과 대구법을 통해 화자의 정서를 강조함)
금일, 오늘: 시대적 배경을 고려할 때, 연산군의 폭정에서 벗어나 중종의 선정으로 태평성대가 된 현재를 의미
고금 왕래에 유(類) 업는 금일이여
(오늘(금일)을 강조하기 위한 표현)
매일이 오늘 갓트면 무슨 셩이 가시리
(태평성대가 지속되기를 바라는 마음이 담김 / 무슨 성가신 일이 있으리, 설의적 표현)

좋구나 오늘이여! 즐겁구나 오늘이여!
옛날부터 지금까지 다시 없는 오늘이여!
날마다 오늘만 같다면야 무슨 걱정이 있다고 속을 썩히겠는가?

• **배경 지식**: 중종(폭정을 일삼던 연산군을 폐하고 왕위에 오름.) 때의 문신인 김구가 어느 날 옥당에서 숙직하며 소리 내어 글을 읽고 있는데, 마침 임금이 산책을 하다가 이 소리를 듣고 들어왔다. 황공해하는 김구에게 임금은 달이 밝아 후원에 나왔다가 글 읽는 소리에 마음이 끌려 찾아왔으니, 군신의 예가 아닌 친구로 사귀겠다 하고 함께 술을 마셨다. 임금이 노래를 권하니 김구는 이 시조를 즉석에서 지어 불렀다 한다.

최우선 출제 포인트!

1 '오늘(금일)'에 대한 화자의 태도

오늘(금일)		화자의 태도
임금의 선정으로 태평성대가 된 현재	→	• 좋고 즐겁다는 정서를 드러냄. • '오늘'이 지속되기를 바람.

↓

임금의 선정으로 인한 태평성대에 대한 예찬

최우선 핵심 Check!

1 유사 어휘의 반복과 ㄷㄱㅂ을 사용하여 화자의 정서를 강조하고 있다.

2 '나온댜, 즐거온댜'에는 '오늘(금일)'에 대한 화자의 긍정적 인식이 담겨져 있다. (○ / ×)

3 화자는 태평성대인 현재의 상황이 지속되기를 바라고 있다. (○ / ×)

정답 1. 대구법 2. ○ 3. ○

청산도 절로 절로 | 송시열

갈래 평시조 **성격** 달관적, 순응적
주제 자연의 순리에 따르고자 하는 마음, 무위자연의 조화로운 삶 **시대** 조선 후기

'절로'라는 표현의 반복을 통해 자연의 섭리에 순응하는 조화로운 삶을 노래하고 있다.

▒ : 자연(대유법)

청산(青山)도 절로 절로 녹수(綠水)도 절로 절로
(시어의 반복 - 의미 강조 및 운율 형성)
산(山) 절로 수(水) 절로 산수간(山水間)에 나도 절로
(물아일체(物我一體)의 경지)
이 중에 절로 자란 몸이 늙기도 절로
(자연의 순리에 따르고자 하는 화자의 태도가 엿보임)

청산도 저절로 (서 있고) 녹수도 저절로 (흐른다.)
산도, 물도 저절로(자연 그대로이니) 자연 속의 나도 역시 저절로(자연 그대로)
이 중에 저절로 자란 이 몸이 늙는 것도 저절로

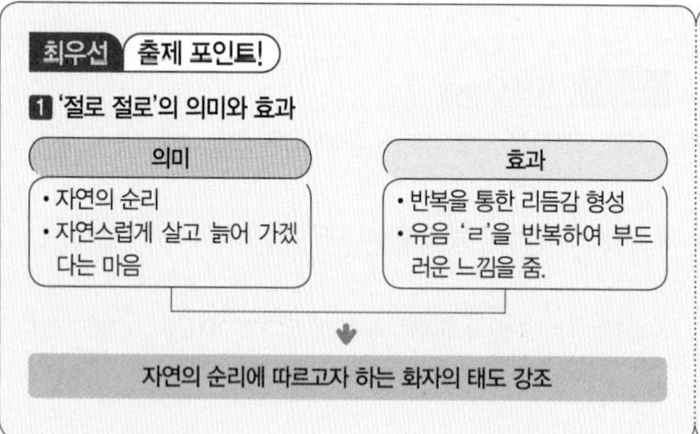

최우선 출제 포인트!

1 '절로 절로'의 의미와 효과

의미	효과
• 자연의 순리 • 자연스럽게 살고 늙어 가겠다는 마음	• 반복을 통한 리듬감 형성 • 유음 'ㄹ'을 반복하여 부드러운 느낌을 줌.

↓

자연의 순리에 따르고자 하는 화자의 태도 강조

최우선 핵심 Check!

1 '절로'라는 시어를 반복하여 리듬감을 형성하고 있다. (○ / ×)

2 자연의 순리에 따르려는 화자의 태도는 무위(無爲) 사상과 맞닿아 있다. (○ / ×)

3 '청산'과 '녹수'는 ㅈㅇ의 대유적 표현으로 사용되고 있다.

정답 1. ○ 2. ○ 3. 자연

ᄇᆞ롬도 쉬여 넘ᄂᆞᆫ 고개 | 작자 미상

갈래 사설시조 **성격** 연정가, 연모가
주제 임에 대한 강렬한 사랑의 의지
시대 조선 후기

임과의 사랑을 위해서라면 어떤 장애물도 뛰어넘겠다는 적극적인 의지를 드러낸 연정가(戀情歌)이다.

「ᄇᆞ롬도 쉬여 넘ᄂᆞᆫ 고개 구름이라도 쉬여 넘ᄂᆞᆫ 고개 (→ 의인법, 과장법)
(화자와 임 사이의 장애물)
산진(山眞)이 수진(水眞)이 해동청(海東青) 보ᄅᆞ매도 다 쉬여 넘ᄂᆞᆫ 고봉(高峰) 장성령(長城嶺) 고개」
(산에서 자란 매 / 집에서 길들인 매 / 송골매의 다른 이름 / 새끼 매를 길들여서 사냥에 쓰는 매 / 열거법)
(「 」: 고개가 매우 험함을 강조해서 드러냄 - 과장된 상황)
그 너머 님이 왓다 ᄒᆞ면 나는 아니 ᄒᆞᆫ 번도 쉬여 넘어 가리라
(임에 대한 강렬한 사랑의 의지를 표현함(가정법))

바람도 쉬어 넘는 고개, 구름이라도 쉬어 넘는 고개
산진이, 수진이, 송골매, 보라매도 다 쉬어야 넘을 만큼 높은 장성령 고개
그 고개 너머에 임이 왔다고 하면 한 번도 쉬지 않고 (단숨에) 넘어 가리라.

최우선 출제 포인트!

1 과장된 상황의 설정

바람도 구름도 매들도 쉬어 넘을 정도로 험난한 고개 → 임이 온다면 화자는 단숨에 넘을 수 있음.

↓

과장된 상황을 설정하여 임을 만나고자 하는 화자의 절실한 감정과 의지를 드러냄.

최우선 핵심 Check!

1 화자는 이별한 임을 애타게 그리워하고 있다. (○ / ×)

2 '고봉 장성령'의 높이와 험난함을 묘사함으로써, 삶의 고단함을 효과적으로 드러내고 있다. (○ / ×)

3 ㄱㅈ적 상황을 활용하여 임에 대한 화자의 지극한 사랑을 표현하고 있다.

정답 1. ○ 2. × 3. 가정

꿈으로 차사를 삼아 | 이정보

갈래 평시조 **성격** 서정적, 애상적
주제 임을 향한 그리움 **시대** 조선 후기

'꿈'을 의인화하는 방식으로 멀리 떨어진 임과 만나고 싶은 소망을 드러내고 있다.

현실에서의 임을 보고 싶은 화자의 바람을 실현하는 통로
꿈으로 차사(差使)를 삼아 먼 데 님 오게 하면 → 비현실적 상황의 가정
추상적 개념을 구체적인 대상으로 표현, 의인화 / 화자의 바람
비록 천 리라도 순식(瞬息)에 오련마는
임과의 정서적 거리 / '꿈'을 통로로 하기 때문
『그 님도 님 둔 님이니 올동말동하여라』 『 』: 동일 시어를 반복하며 임이 오지 않을 수 있다는 생각을 드러냄
'임'에게 다른 연인이 있음을 드러낸 말

• **차사:** 임금이 중요한 임무를 위하여 파견하던 임시 벼슬. 또는 그런 벼슬아치.

꿈을 차사로 삼아 먼 곳에 계신 임을 데려오게 하면
(꿈속이라서) 비록 천 리라도 순식간에 오겠지마는
그 임도 임을 둔 임이니 올지 안 올지 모르겠구나.

최우선 출제 포인트!

1 가정적 상황

가정적 상황	꿈으로 차사를 삼음.

↓

먼 데 임을 오게 함.		'임'이 연인을 두고 있음.
천 리에 있지만 순식간에 올 것임.	→ 그러나	임이 올지 안 올지 모르겠음. → 꿈속 상황에서도 임을 만나기 어려움을 드러냄.

최우선 핵심 Check!

1 '꿈으로 차사를 삼아'의 구절은 ㅊㅅㅈ 개념을 구체적인 대상으로 의인화하여 표현하고 있다.

2 '천 리'는 화자와 임 사이의 정서적 거리감을 드러낸다고 할 수 있다. (O / ×)

3 화자는 현실과 다르게 꿈에서는 임이 반드시 올 것이라 확신하고 있다. (O / ×)

정답 1. 추상적 2. ○ 3. ×

모시를 이리저리 삼아 | 작자 미상

갈래 사설시조 **성격** 기원적, 의지적
주제 임과의 사랑이 영원하기를 기원함.
시대 조선 후기

모시 삼기라는 여성의 노동을 통해 임과의 사랑을 오래 지속하고 싶은 화자의 소망과 의지를 표현하고 있다.

임과의 사랑을 의미
모시를 이리저리 삼아 두루 삼아 감삼다가
모시를 삼는 모습 - 화자가 여성임을 알 수 있음
가다가 한가운데 똑 끊어지었거늘 『호치단순(皓齒丹脣)으로 홈빨며 감빨아 섬섬옥수(纖纖玉手)로 두 끝 마주 잡아 비부쳐』 이으리라
모시실이 끊어진 상황 - 사랑이 끊긴 상황 / 흰 이와 붉은 입술 / 비벼서 / 흠뻑 빨며 / 이로 감아 빨아 / 가늘고 흰 아름다운 손
『 』: 끊어진 모시실을 잇는 모습 - 임과의 사랑을 이어 가려는 화자의 노력을 의미
저 모시를
도치법을 사용하여 화자의 태도 강조
우리도 사랑 끊어져 갈 제 모시같이 이으리라
사랑을 오래 지속하고 싶은 의지를 드러냄

모시를 이리저리 (손바닥으로) 비벼 꼬아 두루 비벼 꼬아 감아서 비벼 꼬다가
(모시를) 비벼 꼬다가 한가운데가 똑 끊어지거늘 흰 이와 붉은 입술로 흠뻑 빨며 이로 감아 빨아 흰 손으로 두 끝을 마주 잡아서 비벼서 이으리라, 저 모시를

우리도 사랑이 끊어져 갈 때 모시처럼 이으리라.

최우선 출제 포인트!

1 비유적 표현의 활용

모시	임과의 사랑을 의미

↓

모시실이 끊어짐.		사랑이 끊어짐.
입술과 이로 빨고 손으로 비벼서 이음.	→ 비유	모시실처럼 이어서 사랑이 지속되기를 바람.

최우선 핵심 Check!

1 중장에서는 ㄷㅊㅂ을 활용하여 임과의 사랑을 이어 가려는 화자의 태도를 강조하고 있다.

2 화자는 임과의 사랑이 끊어진 것에 낙담하며 좌절하는 모습을 보이고 있다. (O / ×)

3 화자는 모시실을 잇는 것을 통해 임과의 사랑이 지속되기를 바라고 있다. (O / ×)

정답 1. 도치법 2. × 3. ○

바람에 휘엿노라 | 인평 대군

갈래 평시조 **성격** 우의적, 예찬적
주제 소나무의 지조와 절개 예찬(지조 높은 삶에의 다짐) **시대** 조선 중기

절개와 지조로 상징되는 소나무의 덕목을 예찬하면서, 지조 높은 삶에의 다짐을 우의적으로 노래하고 있다.

바람에 휘엿노라 굽은 솔 웃지 마라
(굽은 솔: 지조와 절개를 지닌 대상 - 화자를 표상함 / 바람: 시련 - 부정적인 세력)

춘풍(春風)에 피온 꽃이 매양에 고아시랴
(꽃: 주체: 세상 사람들 / 고아시랴: 곱겠느냐)

풍표표(風飄飄) 설분분(雪紛紛)할 제 네야 나를 부르리라
(눈보라가 치면 쇠락하는 존재, '굽은 솔'과 대비됨 / 언제나 곱지 않음을 강조, 설의적 표현 / 풍표표 설분분: 바람 속에 눈이 펄펄 날림, 시련을 겪는 상황 - 부정적 상황 / 네: '꽃'을 의인화 / 나: '소나무'를 의인화 / 부르리라: 부러워하리라)

> 바람에 휘었다고 굽은 소나무를 비웃지 마라
>
> 봄바람에 피어난 꽃이 항상 곱겠느냐?
>
> 비바람 속에 눈이 펄펄 날릴 때 너(꽃)가 나(굽은 소나무)를 부러워하리라.

최우선 출제 포인트!

1 대비적 표현

꽃	↔	눈
한때만 고움. → 눈보라 치면 사라짐.	대조	굽어 있음. → 눈보라 쳐도 변함없이 늘 푸름

↓

소나무의 절개와 지조를 예찬
→ 지조 높은 삶을 살고자 하는 화자의 의지를 드러냄.

최우선 핵심 Check!

1 ㄱ ㅇ ㅅ 은 지조와 절개를 지닌 대상으로, 화자를 표상하는 자연물이다.

2 '꽃'은 항상 고운 모습을 지니고 있는 긍정적인 대상이다. (O / ×)

3 '풍표표 설분분'은 소나무의 모습을 부각시켜 주는 부정적 상황을 의미한다. (O / ×)

정답 1. 굽은 솔 2. × 3. ○

저 건너 흰옷 입은 | 작자 미상

갈래 사설시조 **성격** 해학적, 묘사적
주제 호감을 느낀 이성과 맺어지고 싶은 마음
시대 조선 후기

젊은 남성의 활기찬 모습에 매혹된 여성 화자의 관심과 욕망을 솔직하게 노래하고 있다.

『저 건너 흰옷 입은 사람 잔밉고도 얄미워라』
(『 』: 멋진 남성에 대한 화자의 호감 - 화자의 소망의 원인이 됨 / 흰옷 입은 사람: 멋져 보이는 남성 / 잔밉고도 얄미워라: 호감을 반어적으로 표현)

작은 돌다리 건너 큰 돌다리 넘어 밥 뛰어 간다 가로 뛰어 가는고 어허 내 서방(書房) 삼고라쟈
(남성의 행동을 생동감 있게 표현 - 화자의 시선에 의한 묘사 / 화자의 소망, 내 서방 - 화자의 최선의 소망)

진실(眞實)로 내 서방 못 될진데 벗의 님이나 되고라쟈
(소망 실현이 불가능함을 드러냄 / 벗의 님: 차선의 소망 - 멋진 남성과 어울리기를 바라는 소망의 간절함을 엿볼 수 있음)

> 저 건너의 흰 옷 입은 사람, 몹시 얄밉고도 얄밉구나.
> 작은 돌다리 건너 큰 돌다리 넘어 바삐 뛰어간다. (다리를) 가로질러 뛰어가는가? 아하 (저 사람을) 내 서방으로 삼고 싶구나.
>
> 진실로 내 서방이 못 될 것 같으면, 벗의 임이 되었으면 좋겠구나.

최우선 출제 포인트!

1 화자의 소망

대상		내 서방		벗의 님
저 건너 흰 옷 입은 사람 – 멋져 보이는 남성	→ 소망	최선의 소망	→ 불가능함.	차선의 소망

↓

소망(욕망)의 간절함을 부각함.

최우선 핵심 Check!

1 화자는 멋져 보이는 남성에 대해 호감을 지니고 있다. (O / ×)

2 여성의 시선으로 남성의 외양을 상세하게 묘사해 주고 있다. (O / ×)

3 '내 서방'은 화자의 최선의 소망을, ㅂ ㅇ ㄴ 은 화자의 차선의 소망을 드러낸다.

정답 1. ○ 2. × 3. 벗의 님

올히 댤은 다리 | 김구

갈래 평시조 **성격** 기원적
주제 임금의 영원한 행복을 기원함.
시대 조선 중기

불가능한 상황 설정을 통해 임금님이 영원히 복을 누리기를 기원하고 있다.

『올히 댤은 다리 학긔 다리 되도록애
(오리의 짧은 ↔ 학의 긴 다리)
거믄 가마괴 해오라비 되도록애』『』: 불가능한 상황 설정 - 영원하기를 바라는 마음 강조. 대조법, 대구법, 동일한 통사 구조의 반복
(검은 까마귀 ↔ 하얀 백로)
『향복 무강(享福無疆)ᄒᆞ샤 억만세(億萬歲)를 누리소셔』『』: 화자의 임금에 대한 기원
(끝없이 복을 누림)

오리의 짧은 다리가 학의 (긴) 다리가 될 때까지
검은 까마귀가 하얀 백로가 될 때까지
(임금이시여) 끝없이 복을 누리소서. 억만년을 (복을) 누리소서.

최우선 출제 포인트!

1 초장과 중장의 표현상 특징 – 반복과 대조

불가능한 상황 설정		
오리의 짧은 다리	↔ 대조	학의 긴 다리
검은 까마귀		하얀 백로
⋮		
동일한 구조의 반복과 대조를 통한 시상 전개		

최우선 핵심 Check!

1 초장과 중장에서는 동일한 통사 구조의 반복, ㄷㅈㅂ, 대구법을 사용하여 화자의 기원을 효과적으로 드러내고 있다.

2 초장과 중장에서는 불가능한 상황 설정을 통해 주제 의식을 강조하고 있다. (O / ×)

3 화자는 임금이 선정을 베풀어 백성들을 행복하게 할 책임이 있음을 강조하고 있다. (O / ×)

정답 1. 대조법 2. ○ 3. ×

우후요(雨後謠) | 윤선도

(비가 온 후의 노래)

갈래 평시조 **성격** 우의적
주제 비가 갠 풍경으로부터 느끼는 감회
시대 조선 중기

비가 갠 자연 현상에 대한 감회를 드러낸 작품으로, 당시 정치 현실을 고려하면 정사가 올바르게 된 기쁨과 조정에 나아가고 싶은 바람을 드러내고 있다.

□: 사회적 상황을 고려할 때, 간신이나 불충한 신하를 가리킴

『구즌비 개단 말가 흐리던 구룸 걷단 말가』『』: 대구적 표현을 통해 맑아진 날씨를 강조함 - 정치적 상황을 우의적으로 표현
압내희 기픈 소히 다 ᄆᆞᆰ앗다 ᄒᆞᄂᆞᆫ다 (화자의 정서 - 기쁨)
(사회적 상황을 고려할 때, 어지러운 조정을 가리킴)
『진실(眞實)로 ᄆᆞᆰ디옷 ᄆᆞᆰ아시면 갇긴 시서 오리라』 (갓끈을 씻어)
『』: 연못이 맑아졌으면 그 연못에 가서 갓끈을 씻겠다는 말 - 깨끗해진 조정에 나아가고 싶다는 바람

궂은 비가 개었단 말인가? 흐리던 구름이 걷혔단 말인가?
앞의 냇가와 깊은 못이 다 맑았다고 하는구나.
진실로 맑디 맑아졌으면 갓끈을 씻어 오리라.

- **배경 지식**: 어떤 이가 윤선도에게 당시의 재상 중 한 사람이 지난 잘못을 고쳤는데, 때마침 오랜 비가 개었다고 말해 주었다. 그러자 윤선도는 "그가 잘못을 고친 것이 진실로 구름이 걷히고, 비가 개고, 앞내가 맑아지는 것과 같은 일이라면, 우리가 감히 그가 인(仁)으로 돌아갔다고 하지 않을 수 있겠는가?" 하고, 이 노래를 지어 불렀다고 한다.

최우선 출제 포인트!

1 자연 현상과 사회적 상황의 비교

자연 현상		사회적 상황
궂은 비가 개고 흐리던 구름이 걷힘.	—	간신이나 불충한 신하가 사라짐.
앞의 냇가와 깊은 연못이 다 맑아짐.		어지러웠던 조정이 정상을 찾음.
↓		↓
갓끈을 씻으려 함.		다시 조정에 나아가고 싶음.

최우선 핵심 Check!

1 초장에서는 ㄷㄱ적 표현을 사용하여 맑아진 날씨를 강조하고 있다.

2 사회적 상황을 고려할 때, '구즌비, 흐리던 구룸'은 간신이나 불충한 신하를 의미한다. (O / ×)

3 화자는 비가 그친 뒤 냇가와 연못의 변화에 대해 안타까움을 드러내고 있다. (O / ×)

정답 1. 대구 2. ○ 3. ×

매화 녯 등걸에 | 매화

갈래 평시조 **성격** 서정적, 애상적
주제 봄이 왔는데도 꽃을 피우지 못하는 매화를 바라보는 안타까움 **시대** 조선 후기

매화가 춘설로 인해 꽃이 피지 못하고 있는 상황과 그로 인한 안타까움을 노래하고 있다.

매화나무, 화자 자신 - 중의적 표현

매화 녯 등걸에 봄절이 도라오니

나이 든 화자의 현재 처지 / 꽃이 피어날 수 있는 환경에 해당. '춘설'과 의미상 대비를 이룸

녯 퓌던 가지에 픠염즉도 ᄒᆞ다마ᄂᆞᆫ

꽃이 피어 주기를 바라는 화자의 기대감

춘설(春雪)이 난분분(亂紛紛)ᄒᆞ니 필동말동 ᄒᆞ여라

꽃이 피어나지 못하게 방해하는 대상 / 꽃이 피지 못하는 상황에 대한 화자의 안타까움이 담김

> 매화나무의 늙은 등걸에 봄철이 돌아오니
>
> 그 전에 피었던 가지에서 (꽃이 다시) 필 만도 하지마는
> 봄눈이 어지럽게 흩날리고 있으니 (꽃이) 필지 말지 모르겠구나.

최우선 출제 포인트!

1 화자의 정서

봄절이 도라오니	늙은 매화나무(매화 녯 등걸)에 꽃이 피어날 수 있는 환경	픠염즉도 ᄒᆞ다마ᄂᆞᆫ	화자의 기대감
		필동말동 ᄒᆞ여라	화자의 안타까움

최우선 핵심 Check!

1 '매화'는 '매화나무'와 화자 자신을 의미하는 ㅈ ㅇ 적 표현이다.

2 '봄절'과 '춘설'은 의미상 대비를 이룬다고 할 수 있다. (○ / ×)

3 화자는 봄이 되어 늙은 매화나무에 반드시 꽃이 필 것이라는 확신을 드러내고 있다. (○ / ×)

정답 1. 중의 2. ○ 3. ×

가노라 삼각산아 | 김상헌

갈래 평시조 **성격** 비분가, 우국가
주제 조국을 떠나는 우국지사의 심정
시대 조선 중기

병자호란 패전 후 작가가 청으로 끌려갈 때 지은 작품으로, 고국을 떠나는 불안한 심정이 표현되어 있다.

□: 고국(대유법, 의인법) / 대구

가노라 삼각산(三角山)아 / 다시 보쟈 한강수(漢江水) ㅣ 야

북한산 / 한강

고국산천(故國山川)을 ᄯᅥ나고쟈 ᄒᆞ랴마ᄂᆞᆫ

떠나고 싶지 않은 마음이 내재됨 - 비분강개, 억울함

시절(時節)이 하 수상(殊常)ᄒᆞ니 올동말동 ᄒᆞ여라

매우 / 뒤숭숭하니 / 불안한 심정의 반영

> 가노라, 삼각산아! 다시 보자, 한강수야!
>
> 고국의 산천을 (내가 원해서) 떠나고자 하겠느냐마는
> 시절이 하도 뒤숭숭하니 (고국에 다시) 올 수 있을지 모르겠구나.

최우선 출제 포인트!

1 대유법의 사용

삼각산(북한산) 한강수(한강)	=	고국

이 작품에는 대유법이 주로 사용되었는데, 대유법은 어떤 대상의 한 부분이나 속성으로 전체를 나타내는 표현 방법이다. 즉 이 작품에서는 '삼각산(三角山)' 과 '한강수(漢江水)'가 고국을 대표하고 있다.

함께 볼 작품 병자호란 패전 후 청으로 끌려간 사람들을 그리워하는 작품: 이정환, 「비가」

최우선 핵심 Check!

1 작가가 병자호란에 참전할 당시의 비장한 심정을 담고 있다. (○ / ×)

2 '삼각산'과 '한강수'는 ㄱ ㄱ 의 대유적 표현으로 사용되고 있다.

3 중장에서는 고국을 떠나고 싶지 않은 화자의 마음이 드러난다. (○ / ×)

정답 1. × 2. 고국 3. ○

나뷔야 청산에 가쟈 | 작자 미상

갈래 평시조 **성격** 자연 친화적
주제 나비와 청산으로 가고 싶은 마음(자연에 동화되고 싶은 마음) **시대** 조선 후기

'나비'를 의인화하여 자연과 하나가 되고 싶은 작가의 마음을 표현하고 있다.

○: 화자가 함께 자연으로 가고 싶은 대상(의인법)
□: 청유형의 사용 - 자연에 동화되고자 하는 마음을 드러냄

나뷔야 청산(靑山)에 가쟈 범나뷔 너도 가쟈
(청산: 이상향(자연), 범나뷔: 호랑나비)
가다가 져무러든 곳듸 드고 가쟈
(져무러든: 날이 저물거든, 곳듸: 꽃에)
곳에서 푸대접ᄒᆞ거든 닙헤셔나 자고 가쟈
(푸대접: 나비에 대한 세상의 대접, ᄒᆞ거든: 가정법 ㄴ 세상에 환영받지 못하는 화자의 처지 암시, 닙헤셔나: 잎에서라도)

나비야 청산에 가자, 호랑나비야 너도 (함께) 가자.
가다가 (날이) 저물거든 꽃에 (들어가서) 자고 가자.
(만약) 꽃에서 푸대접하거든 잎에서라도 자고 가자.

최우선 출제 포인트!

1 표현 방법

의인법	'나비'를 의사소통이 가능한 존재로 표현하여 화자가 자연과 하나가 되었음을 나타냄.
청유형	청유형 종결 어미를 반복적으로 사용하여 자연에 동화되고자 하는 마음을 드러냄.
가정법	가정법을 사용하여 세상에 환영받지 못하는 화자의 처지를 암시함.

최우선 핵심 Check!

1 의인화된 대상에게 말을 건네는 방식으로 시상이 전개되고 있다. (O / ×)

2 ㅊㅅ은 화자가 지향하는 이상향으로 볼 수 있다.

3 종장의 '푸대접ᄒᆞ거든'에 사용된 가정법은 현실에서 환영받지 못하는 화자의 처지를 암시하는 것이다. (O / ×)

정답 1. ○ 2. 청산 3. ○

냇ᄀᆞ에 ᄒᆡ오라바 | 신흠

갈래 평시조 **성격** 우의적, 풍자적
주제 당쟁을 그만두고 화합하기를 바람
시대 조선 중기

물고기를 노리는 해오라기의 모습을 통해 당쟁을 그만두기를 바라는 작가의 마음을 표현하고 있다.

냇ᄀᆞ에 ᄒᆡ오라바 므스 일 셔 잇ᄂᆞᆫ다
(ᄒᆡ오라바: 강자, 당쟁을 일삼는 무리)
무심(無心)ᄒᆞᆫ 져 고기를 여어 무슴ᄒᆞ려ᄂᆞᆫ다
(무심ᄒᆞᆫ: 당쟁에 뜻이 없는, 고기: 약자, 여어: 엿보아)
아마도 ᄒᆞᆫ 믈에 잇거니 니저신들 엇ᄃᆞ리
(ᄒᆞᆫ 믈: 한 조정, 니저신들 엇ᄃᆞ리: 당쟁의 경계와 화합의 권유)

냇가의 해오라기(백로)야, 무슨 일로 서 있느냐?
무심한 저 물고기를 엿보아 무엇을 하려느냐?
아마도 같은 물에 있으니 잊는 것이 어떻겠느냐?

최우선 출제 포인트!

1 시어 및 시구의 의미

시어 및 시구	의미
ᄒᆡ오라비	강자, 당쟁을 일삼는 무리
고기	약자, 당쟁에 뜻이 없는 화자
ᄒᆞᆫ믈	한 조정
니저신들 엇ᄃᆞ리	당쟁을 그만두고 화합을 권유함.

최우선 핵심 Check!

1 화자는 우의적 방식을 사용하여 현실의 상황을 보여 주고 있다. (O / ×)

2 중장의 '고기'는 화자가 비판하는 대상으로 볼 수 있다. (O / ×)

3 종장의 '니저신들 엇ᄃᆞ리'에는 ㄷㅈ에서 있었던 일들을 모두 잊고 조정이 ㅎㅎ하기를 바라는 작가의 의도가 드러나 있다.

정답 1. ○ 2. × 3. 당쟁, 화합

219위

설월이 만창한데 | 작자 미상

갈래 평시조 **성격** 서정적, 애상적
주제 임을 그리워하는 마음
시대 조선 후기

방안에서 눈 위에 비치는 달빛을 바라보면서 이별한 임에 대한 그리움을 노래하고 있다.

설월(雪月)이 만창(滿窓)한데 바람아 부지 마라
(설월이 만창한데: 계절적 배경 - 임을 생각나게 하는 배경 / 바람: 화자로 하여금 기대감을 갖게 만드는 소재 / 부지 마라: 명령형 어조)

예리성(曳履聲)아닌 줄을 분명하게 알건마는
(예리성: 신발을 끄는 소리. 임이 오는 소리에 해당)

그립고 아쉬운 때면 행여 권가 하노라
(그립고 아쉬운 때면: 정서의 직접적 표출 / 행여 권가 하노라: 바람 소리를 임이 오는 소리로 착각한다는 말 - 임에 대한 간절한 그리움을 엿볼 수 있음. 영탄적 표현)

눈 위에 비치는 달빛이 창문에 가득한데 바람아 불지를 말아라.
(임이) 신을 끌며 다가오는 소리가 아닌 줄을 똑똑히 알지마는
그립고 아쉬울 때는 행여 그인가 하노라!

최우선 출제 포인트!

1 화자의 정서

바람 소리 — 화자가 임이 오는 소리로 여기게 만듦. → 그립고 아쉬울 때 임이 오는 소리로 여기게 됨.

↓ 정서

임에 대한 간절한 그리움을 드러냄.

최우선 핵심 Check!

1 'ㅂ ㄹ'은 화자가 임이 오는 소리로 착각하게 하는 자연물로, 화자에게 기대감을 갖게 하는 소재이다.

2 화자는 바람이 부는 것을 보고 이별한 임을 떠올리고 있다. (O / ×)

3 화자는 임과 이별한 상황에서 임에 대한 그리움을 드러내고 있다. (O / ×)

정답 1. 바람 2. × 3. ○

220위

빈천을 팔려고 | 조찬한

갈래 평시조 **성격** 풍류적
주제 자연과 더불어 살고자 하는 마음
시대 조선 중기

가난에서 벗어나고 싶은 마음을 드러내면서도, 자연에서 사는 즐거움은 포기할 수 없음을 노래하고 있다.

빈천(貧賤)을 팔려고 권문(權門)에 들어가니
(빈천을: 화자의 상황 - 가난한 삶 / 권문: '권문세가'의 준말로, 권세가 있는 집안을 의미 - 물질적인 삶 또는 세속적 삶을 가리킴 / 빈천을 팔려고: 추상적 대상(빈천)을 사고팔 수 있는 구체적 대상으로 형상화함)

덤 없는 흥정을 누가 먼저 하자고 하겠는가
(덤 없는 흥정을 누가 먼저: 빈천을 살 사람이 없음을 강조 - 이해타산에 밝은 세태를 엿볼 수 있음 / 하겠는가: 설의적 표현)

강산(江山)과 풍월(風月)을 달라하니 그건 그리 못하리
(강산과 풍월: 자연. 대유법 / 그건 그리 못하리: 자연을 팔라 하는 것을 거절하는 의지적 태도 - 자연과 더불어 살겠다는 의지를 드러냄)

가난하고 천함을 팔려고 권세가의 집을 찾아갔더니,
이익이 없는 흥정을 누가 먼저 하겠다고 하겠는가?
(권세가가) 강산과 풍월을 달라 하니 그것은 그렇게 하지 못한다.

최우선 출제 포인트!

1 화자의 태도

빈천을 팔려 함.	→	강산과 풍월은 팔 수 없음.
가난에서 벗어나고 싶은 마음 표출		자연을 팔라는 것을 거절함.

↓

자연과 더불어 살아가겠다는 의지를 드러냄.

최우선 핵심 Check!

1 화자는 가난에서 벗어나고 싶은 마음을 지니고 있다. (O / ×)

2 화자는 권세가 집에서 좌절하며 자연에 귀의하려 하고 있다. (O / ×)

3 화자는 자연만은 팔 수 없다는 의지적인 태도를 보이고 있다. (O / ×)

정답 1. ○ 2. × 3. ○

집방석 내지 마라 | 한호

갈래 평시조 **성격** 한정가, 풍류적, 전원적, 달관적
주제 자연에서의 생활과 안빈낙도
시대 조선 중기

인공적인 것과 자연적인 것을 대조하여 자연 친화적 삶의 태도를 그려내고 있다.

□: 인공적인 것 ←대조→ ○: 자연적인 것

『짚방석(方席) 내지 마라 낙엽(落葉)엔들 못 안즈랴
솔불 혀지 마라 어제 진 돌 도다 온다』 「 」: 대구, 유사한 통사 구조의 문장 반복
아희야, 박주산채(薄酒山菜)ㄹ만졍 업다 말고 내여라
(박주산채: 보잘것없는 술과 안주 – 가난한 생활, 소박한 삶(대유법))

짚으로 만든 방석을 내지 마라. 떨어진 나뭇잎엔들 앉지 못하겠느냐?
관솔불을 켜지 마라. 어제 졌던 밝은 달이 돋아온다.
아이야, 변변치 않은 술과 나물일지라도 좋으니 없다 말고 내 오너라.

최우선 출제 포인트!

1 대조적 의미 구조

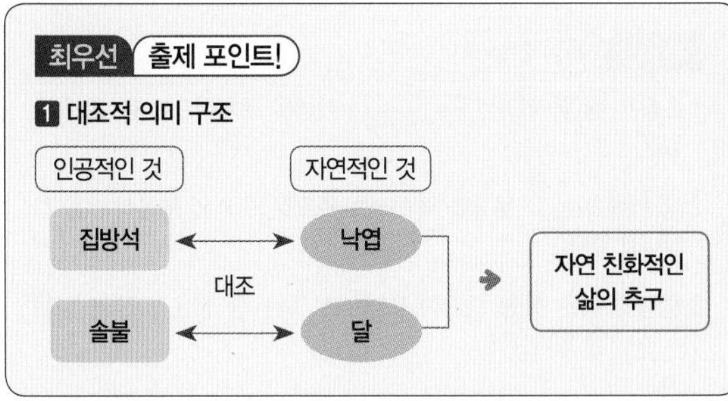

최우선 핵심 Check!

1 화자는 안빈낙도하는 삶의 자세를 보여 주고 있다. (O / ×)

2 초장과 중장에서는 유사한 통사 구조의 문장 반복, ㄷㅈㅂ을 사용하여 화자의 기원을 효과적으로 드러내고 있다.

3 ㅂㅈㅅㅊ는 화자의 소박한 삶을 드러내고 있다.

정답 1. ○ 2. 대조법 3. 박주산채

삭풍은 나모 긋틔 불고 | 김종서

갈래 평시조 **성격** 남성적, 직설적, 우국적
주제 무인의 호방한 기개와 우국충정
시대 조선 전기

무인의 기개를 한껏 드러낸 호기가(豪氣歌)로, 자신의 기개를 직설적으로 표현하고 있다.

『삭풍(朔風)은 나모 긋틔 불고/명월(明月)은 눈 속에 춘듸』 「 」: 겨울밤 변방의 분위기(대구법)
만리변성(萬里邊城)에 일장검(一長劍) 집고 셔셔
긴 ᄑᆞ람 큰 ᄒᆞᆫ소릐에 거칠 거시 업세라
(삭풍: 겨울에 부는 북풍 / 긋틔: 끝에 / 일장검: 긴 검 – 화자가 무인임을 알 수 있음 / 긴 ᄑᆞ람 큰 ᄒᆞᆫ소릐: 크게 한 번 외치는 소리(청각적 이미지) / 중장~종장: 무인의 호쾌한 기상과 의지(직설적 표현))

매서운 북풍은 나무 끝에 불고 밝은 달은 눈 덮인 산과 들을 차갑게 비추는데,
멀리 떨어진 변방 외딴 성에서 긴 칼을 힘 있게 짚고 서서
길게 휘파람을 불며 큰 소리로 한 번 외치니 이 세상에 내가 두려워할 것이 없구나.

최우선 출제 포인트!

1 장부의 기상을 표현

만리변성
- 삭풍, 눈 → 겨울
- 일장검 → 무인
- 긴 ᄑᆞ람 큰 ᄒᆞᆫ소릐

→ 변방의 혹독한 상황에도 굴하지 않는 장부의 기상

함께 볼 작품 무인의 호쾌한 기상이 드러나는 작품: 김종서, 「장백산에 기를 곳고」

최우선 핵심 Check!

1 다음은 이 작품의 표현상의 특징을 정리한 것이다. 빈칸을 채우시오.

	내용	표현 방법
초장	변방의 겨울밤 제시	㉠
중장	일장검으로 하늘을 찌르는 무인의 기개	직설적 표현
종장	휘파람 소리로 표현한 무인의 기개	㉡

정답 1. ㉠: 대구법, ㉡: 청각적 이미지

전원에 나믄 흥을 | 김천택

갈래 평시조 **성격** 한정가, 풍류가, 전원적, 중의적
주제 전원에서 느끼는 흥취, 자연에서 누리는 풍류
시대 조선 후기

전원에서 풍류를 즐기며 남은 생을 보내고자 하는 작가의 마음을 노래하고 있다.

『전원(田園)에 나믄 흥(興)을 전나귀에 모도 싯고』 『』: 추상적 개념의 구체적 형상화
자연 - 화자가 풍류를 즐기는 공간 / 다리를 저는 나귀
계산(溪山) 니근 길로 흥치며 도라와셔
계곡을 낀 산 / 자연을 만끽하며 살아가는 화자의 태도가 드러남
아ᄒᆡ야 금서(琴書)를 다스려라 나믄 ᄒᆡ를 보내리라
거문고와 책 = 풍류적 삶 / 준비해라 / 중의적 표현 ① 하루 중 남은 시간 ② 남은 생애

전원에 남은 흥(전원을 즐기다 남은 흥)을 다리 저는 나귀에 모두 싣고
계곡을 낀 산속 익숙한 길로 흥겨워하며 돌아와서
아이야, 거문고와 서책을 준비해라 (오늘 하루의, 내 평생의) 남은 시간을 보내리라.

최우선 출제 포인트!

1 '자연'의 의미 변화 – 풍류의 대상인 자연

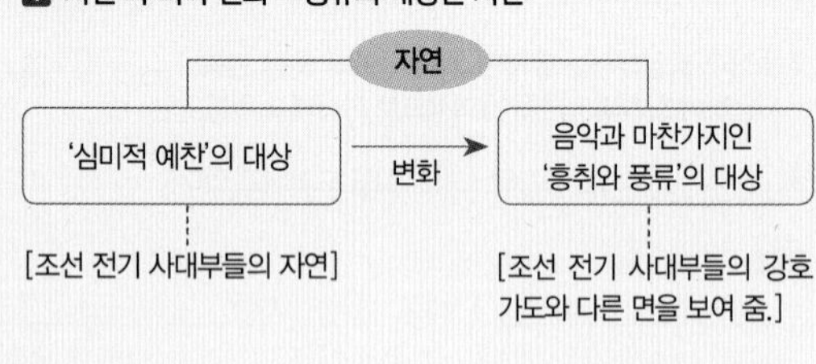

최우선 핵심 Check!

1 초장은 '흥(興)'이라는 ㅊㅅㅈ 개념을 구체적으로 형상화하고 있다.

2 '금서(琴書)'는 '거문고와 책'이라는 뜻으로, 화자의 풍류적 삶을 나타내고 있다. (O / ×)

3 종장의 '나믄 ᄒᆡ'는 중의적 표현으로, '하루 중 남은 시간'과 '남은 ㅅㅇ'를 의미한다.

정답 1. 추상적 2. ○ 3. 생애

님 그린 상사몽이 | 박효관

갈래 평시조 **성격** 애상적, 감상적
주제 임의 부재로 인한 외로움과 간절한 연모의 정
시대 조선 후기

귀뚜라미의 넋이라도 되어 임에게 사랑을 전달하고 싶은 심정을 노래하고 있다.

서로 그리워서 꾸는 꿈
님 그린 상사몽(相思夢)이 실솔(蟋蟀)의 넉시 되어
그리워하는 / 귀뚜라미, 화자의 분신(감정 이입) - 화자의 마음을 전해 주는 소재
추야장(秋夜長) 깁픈 밤에 님의 방(房)에 드럿다가
기나긴 가을 밤 - 화자의 외로움을 고조시키는 시간(계절적 배경) / 들어가서
날 잇고 깁피 든 잠을 ᄭᆡ와볼가 ᄒᆞ노라
날 잊은 임에 대한 원망의 심정 표현 / 깨워

임을 그리워하여 꾸는 상사몽이 귀뚜라미의 넋으로 변하여
길고 긴 가을밤 깊은 밤중에 임의 방에 들어가서
날 잊고 깊이 잠든 임의 잠을 깨워 볼까 하노라.

최우선 출제 포인트!

1 시상 전개 방식

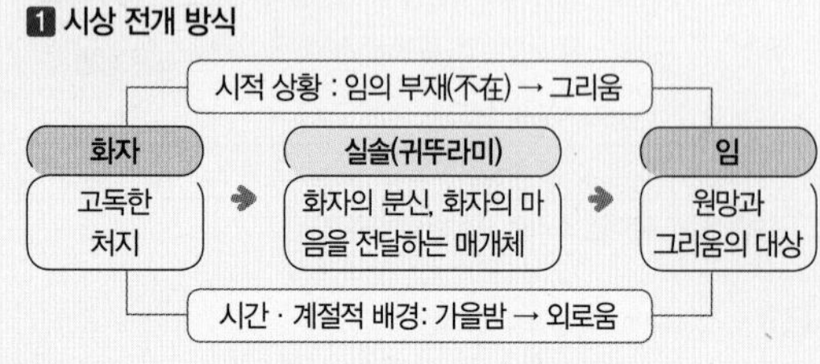

최우선 핵심 Check!

1 화자는 가을 밤 임에 대한 그리움을 노래하고 있다. (O / ×)

2 'ㅅㅅ'은 화자의 분신으로 임에게 화자의 심정을 전하는 매개체이다.

3 임은 만리타국에서 화자를 그리워하고 있다. (O / ×)

정답 1. ○ 2. 실솔 3. ×

풍상이 섯거 친 날에 | 송순

갈래 평시조 **성격** 의지적, 교훈적, 유교적
주제 임금에 대한 변함없는 충성과 절개를 맹세함.
시대 조선 전기

'황국화'라는 상징적 소재를 통해 임금의 뜻을 받들어 절개를 지키겠다는 굳은 의지를 노래하고 있다.

풍상(風霜)이 섯거 친 날에 ᄀᆞᆺ 픠온 황국화(黃菊花)를
(풍상: 바람과 서리 - 시련 / 황국화: 지조와 절개를 지키는 충신)
금분(金盆)에 ᄀᆞ득 담아 옥당(玉堂)에 보내오니
(금분: 좋은 화분 / 옥당: 홍문관 - 화자가 일하는 곳)
도리(桃李)야 곳이온 양 마라 님의 뜻을 알괘라
(도리: 복숭아꽃과 자두꽃 = 쉽게 변절하는 신하 / 곳이온 양: 꽃인 체 / 님: 임금 / 뜻: 지조를 지키라는 뜻)

> 바람이 불고 서리가 나린 날에 막 피운 황국화를
> (임금께서) 좋은 화분에 담아 홍문관에 보내주시니,
> 복숭아꽃과 자두꽃은 꽃인 양 하지 마라. (국화를 보낸) 임금의 뜻을 알겠구나.

- **배경 지식:** 명종이 대궐의 국화를 꺾어 홍문관에 보내고서 이를 소재로 시조 한 수를 지어 올리라 하였다. 이에 홍문관 관원들이 마땅히 지을 수가 없어 숙직을 하던 송순에게 부탁하여 지어 올렸더니 임금이 크게 기뻐하여 상을 내렸다 한다.

최우선 출제 포인트!

1 대조적 대상

황국화(黃菊花)	풍상을 이겨 내고 꽃을 피움.	지조와 절개가 굳은 충신
↕ 대조		
도리(桃李)	쉽게 피고 짐.	쉽게 변절하는 신하

최우선 핵심 Check!

1 '황국화'와 '도리'의 대조를 통해 주제 의식을 드러내고 있다. (○ / ×)

2 'ㅎㄱㅎ'는 풍상을 이겨 내고 핀 꽃으로, 지조와 절개를 지키는 신하를 상징한다.

정답 1. ○ 2. 황국화

간밤에 우던 여흘 | 원호

갈래 평시조 **성격** 연군가, 절의가, 애상적
주제 이별의 슬픔과 연군의 정 **시대** 조선 전기

임을 모시지 못하는 안타까움과 슬픔을 '여울물'에 의탁하여 그리고 있다.

간밤에 우던 여흘 슬피 우러 지내여다
(슬피 우러: '여흘'을 의인화함(의인법) / 여흘: 여울물. 감정 이입의 대상. 화자와 임을 연결하는 매개체(청각적 이미지))
이제야 ᄉᆡᆼ각ᄒᆞ니 님이 우러 보내도다 → 여울물이 임금의 눈물이라고 여김
(님: 임금(단종) / 보내도다: 영탄적 표현)
『져 물이 거스리 흐르고져 나도 우러 녜리라』
(거스리: 거꾸로)
『 』: 물이 거꾸로 흐른다면 자신의 슬픈 마음과 충절을 담아 임금에게 알리고 싶다는 의미임

> 지난밤에 울며 흐르던 여울 슬피 울면서 지나갔구나.
> 이제야 생각하니 임이 울어 보내는 소리였도다.
> 저 물이 거슬러 흐른다면 나도 울며 가리라.

최우선 출제 포인트!

1 시상의 흐름

여울의 울음 → 임(단종)의 울음 → 나의 울음

↓

억울하게 쫓겨난 임금에 대한 애틋한 정을 형상화함.

2 '물'에 의탁한 충절

여울물 …
- 화자와 임의 슬픈 심정이 투영된 존재
- 화자와 임 사이를 연결해 주는 역할(매개체)

최우선 핵심 Check!

1 작가가 생육신의 한 사람이라는 것을 고려할 때 '임'은 단종임을 알 수 있다. (○ / ×)

2 'ㅇㅎ'은 화자와 임의 슬픈 마음이 투영된 존재로, 화자와 임을 연결해 주는 매개체이다.

3 '여울의 울음 – 임의 울음 – 나의 울음'으로 시상이 전개되면서 ㅊㄱㅈ 이미지가 활용되고 있다.

정답 1. ○ 2. 여흘 3. 청각적

강산 죠흔 경을 | 김천택

갈래 평시조 **성격** 한정가
주제 힘이 없어도 마음껏 누릴 수 있는 자연
시대 조선 후기

가정법을 사용하여 누구나 마음껏 즐길 수 있는 자연에 대해 노래하고 있다.

강산(江山) 죠흔 경(景)을 힘센 이 닷톨 양이면
닉 힘과 닉 분(分)으로 어이ᄒᆞ여 엇들쏜이
진실(眞實)로 금(禁)ᄒᆞ 리 업쓸씩 나도 두고 논이노라

(자연 / 권력자, 사회적 · 경제적 약자 / 가정법 사용 / ◯: 힘과 부귀가 있는 존재 ↕ 대조 □: 화자 자신 - 힘도 부귀도 없는 존재 / 얻겠는가(설의적 표현) / 금지할 사람 / 자연에서 유유자적하는 화자의 삶의 태도가 드러남 / → 즐기노라)

자연의 아름다운 경치를 힘 센 사람들이 (서로 자기 것이라) 다툴 양이면
내 힘과 내 분수로 어떻게 얻겠는가?

진실로 (자연을 사랑하는 것을) 막을 사람이 없으므로 나도 두고 노니노라.

최우선 출제 포인트!

1 가정법의사용

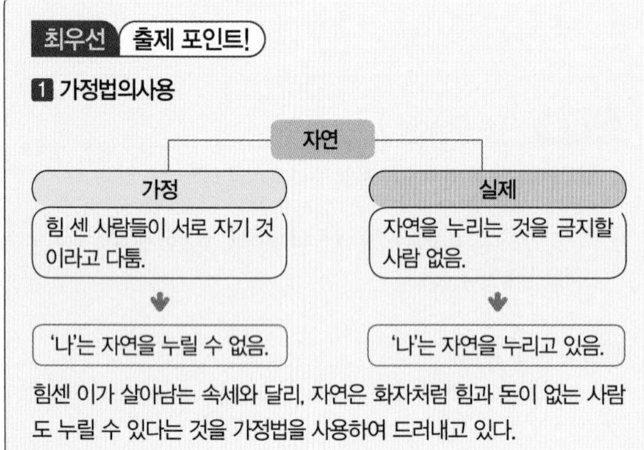

힘센 이가 살아남는 속세와 달리, 자연은 화자처럼 힘과 돈이 없는 사람도 누릴 수 있다는 것을 가정법을 사용하여 드러내고 있다.

최우선 핵심 Check!

1 화자는 권력도 재물도 없는 인물이다. (O / ×)

2 화자는 자연을 소유할 수 없음을 아쉬워하고 있다. (O / ×)

3 화자는 자연과 비교하여 약육강식이 지배하는 세속을 은근히 비판하고 있다. (O / ×)

4 초장에서는 ㄱㅈㅂ을 사용하고, 중장에서는 ㅅㅇ적 표현을 사용하여 화자의 정서를 드러내고 있다.

정답 1. ○ 2. × 3. ○ 4. 가정법, 설의

지당에 비 쓰리고 | 조헌

갈래 평시조 **성격** 한정가, 애상적
주제 봄의 정취와 외로움 **시대** 조선 중기

봄날 해질 무렵 연못 주변의 풍경을 통해 화자의 쓸쓸하고 외로운 심정을 노래하고 있다.

지당(池塘)에 비 쓰리고 양류(楊柳)에 닉 씌인 제
사공(沙工)은 어듸 가고 뷘 빅만 믹엿ᄂᆞᆫ고
석양(夕陽)에 짝 일흔 ᄀᆞᆯ며기ᄂᆞᆫ 오락가락 ᄒᆞ노매

(연못(공간적 배경) / 버드나무, 계절적 배경 - 봄 / 안개 - 쓸쓸한 분위기 / : 객관적 상관물 - 화자의 외로운 정서를 불러일으킴 / 해질 무렵(시간적 배경) - 애상적 분위기 조성)

연못에 비가 뿌리고 버드나무에 안개가 끼인 때에
뱃사공은 어디 가고 빈 배만 매어 있는가?

석양에 짝 잃은 기러기만 오락가락하는구나.

최우선 출제 포인트!

1 화자의 정서 부각

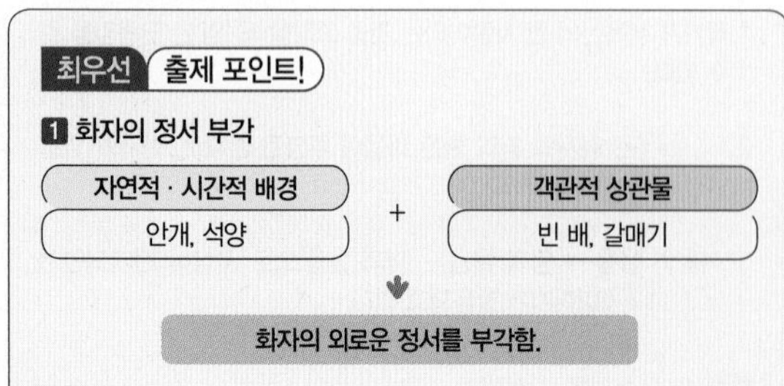

자연적 · 시간적 배경
안개, 석양
+
객관적 상관물
빈 배, 갈매기
화자의 외로운 정서를 부각함.

최우선 핵심 Check!

1 자연적 배경인 'ㄴ'는 화자의 쓸쓸한 감정을, 시간적 배경인 'ㅅㅇ'은 애상적 분위기를 조성하고 있다.

2 'ㅂ ㅂ, ㄱㅁㄱ'는 객관적 상관물로서, 화자의 외로운 정서를 효과적으로 부각하고 있다.

정답 1. 닉, 석양 2. 뷘 빅, ᄀᆞᆯ며기

두류산 양단수를 | 조식

갈래 평시조 **성격** 한정가, 예찬적
주제 지리산의 절경 예찬 **시대** 조선 중기

지리산의 아름다움을 예찬하고, 은둔자로서의 자신의 삶을 노래하고 있다.

두류산(頭流山) 양단수(兩端水)를 녜 듯고 이제 보니
(두류산: 지리산 / 양단수: 두 갈래로 흐르는 물줄기 / 녜 듯고: 옛날에 듣고)
도화(桃花) 뜬 묽은 물에 산영(山影)조추 잠겻셰라 □: 이상향
(도화: 복숭아꽃 - 무릉도원을 연상하게 하는 소재 / 산영: 산 그림자)
『아희야 무릉(武陵)이 어디오 나는 옌가 ᄒ노라』 『 』: 문답법을 통해 화자의 흥취를 표현함
(무릉: 무릉도원, 이상향 / 옌가: 여기인가)

지리산의 두 갈래로 흐르는 물을 옛날에 듣고 이제 와 보니
복숭아꽃 뜬 맑은 물에 산 그림자조차 잠겼구나.

아이야 무릉도원이 어디냐? 나는 여기인가 하노라.

최우선 출제 포인트!

1 이상향의 세계

도화	→	무릉
이상향을 상징하면서 종장의 '무릉도원'을 암시함.	→	무릉도원. 도연명의 『도화원기』에 나오는 이상 세계

이 작품의 화자는 지리산의 절경을 선경(仙境)의 대명사인 무릉도원에 빗대어서 그 아름다움을 예찬하고, 자연에 귀의한 은둔자로서의 삶에 대한 자긍심을 드러내고 있다.

최우선 핵심 Check!

1 화자는 지리산의 경치를 보고 예찬적 태도를 보이고 있다. (○ / ×)

2 중장의 'ㄷㅎ'는 무릉도원을 연상하게 하는 꽃으로, 이상향을 상징하고 있다.

3 종장에서는 ㅁㄷㅂ을 이용해 화자가 느끼는 감흥을 강조하고 있다.

정답 1. ○ 2. 도화 3. 문답법

청산리 벽계수ㅣ야 | 황진이

갈래 평시조 **성격** 감상적, 낭만적
주제 인생의 덧없음과 향락의 권유
시대 조선 중기

의인법과 중의법을 통해 상대방에게 인생을 즐길 것을 권하는 낭만적 분위기의 노래이다.

□: 중의적 표현

청산리(靑山裏) 벽계수(碧溪水)ㅣ야 수이 감을 자랑 마라
(청산리: 영원한 자연 / 벽계수: ① 푸른 시냇물 ② 덧없는 인생 ③ 시적 대상의 이름 / 수이 감을 자랑 마라: 빨리 간다고 자랑 마라)
일도 창해(一到滄海)ᄒ면 도라오기 어려오니
(일도 창해: ① 넓은 바다(자연) ② 한번 늙거나 죽으면)
명월(明月)이 만공산(滿空山)ᄒ니 수여 간들 엇더리
(명월: ① 밝은 달 ② 화자(황진이) / 만공산: 빈산에 가득 참)

청산 속 흐르는 시냇물아 빨리 흘러간다고 자랑 마라.
한 번 넓은 바다에 도달하면 다시 돌아오기 어려우니,
밝은 달이 빈산에 가득 찼을 때 쉬어 가면 어떠하리.

최우선 출제 포인트!

1 중의적 표현

시어	의미
벽계수(碧溪水)	① 푸른 시냇물
	② 덧없는 인생
	③ 시적 대상의 이름(왕실 친족 중 한 사람)
일도창해(一到滄海)	① 넓은 바다(자연)
	② 한번 늙거나 죽음
명월(明月)	① 밝은 달
	② 황진이

최우선 핵심 Check!

1 화자는 현재적 순간을 강조하는 낭만적 태도를 보이고 있다. (○ / ×)

2 화자는 ㅈㅇ적이고 비유적인 표현을 통해 인생을 즐길 것을 권유하고 있다.

3 '일도창해'는 표면적으로는 '넓은 바다'를 의미하지만, 이면적으로는 '한번 늙거나 ㅈㅇ'을 의미한다.

정답 1. ○ 2. 중의 3. 죽음

231위 내 언제 무신ᄒᆞ야 | 황진이

갈래 평시조 **성격** 애상적, 감상적
주제 임에 대한 그리움 **시대** 조선 중기

초조하게 임을 기다리는 여인의 마음을 여성 특유의 섬세한 시각으로 묘사하고 있다.

내 언제 무신(無信)ᄒᆞ야 님을 언제 속엿관ᄃᆡ (임에 대한 사랑이 변함 없음 / 서경덕 / 속였기에)
월침삼경(月沈三更)에 온 ᄯᅳᆺ지 전(全)혀 업다 (외로움과 쓸쓸함을 심화시킴 / 찾아오는 기척)
추풍(秋風)에 지는 닙 소릐야 낸들 어이ᄒᆞ리오 (서경덕의 「ᄆᆞ음이 어린 후ㅣ니」의 '지는 닙 부는 ᄇᆞ람에'를 차용한 시구 / 나도 어찌 할 수 없다(설의적 표현))

> 내가 언제 믿음이 없어 임을 언제 속였기에,
> 달마저 기울어진 한밤중이 되도록 아직도 찾아올 듯한 기척이 전혀 없네.
> 가을바람에 떨어지는 나뭇잎 소리조차 (임의 기척인 줄 속게 되는) 내 마음인들 어찌하리오?

최우선 출제 포인트!

1 시상 전개 방식

초장: 결백 주장	→	중장: 외로움	→	종장: 외로움 고조
임을 한 번도 속인 적이 없음.	→	밤이 늦도록 임은 오지 않음.	→	가을바람에 잎이 떨어지는 소리를 임이 오는 소리로 착각함.

초장에서 화자는 자신의 잘못 때문에 임이 오지 않는 것은 아닌지 스스로를 돌아보고 있으나 중장의 '전혀 없다'라는 구절에서 임에 대한 원망이 묻어난다. 한편 종장에서는 잎이 떨어지는 소리를 임이 오는 소리로 착각하는 장면을 통해 그만큼 간절히 임을 기다리고 있음을 형상화하고 있다.

최우선 핵심 Check!

1 임과 헤어져 있는 상황에서 임에 대한 사랑과 그리움을 드러내고 있다. (O / ×)

2 'ㅇㅊㅅㄱ(月沈三更), 추풍'은 화자의 외로움과 쓸쓸함을 심화시키는 역할을 한다.

3 '지는 닙 소릐'의 하강적 이미지와 청각적 이미지를 통해 임에 대한 애틋한 그리움을 형상화하고 있다. (O / ×)

정답 1. ○ 2. 월침삼경 3. ○

232위 한송정 ᄃᆞᆯ ᄇᆞᆰ은 밤의 | 홍장

갈래 평시조 **성격** 애상적
주제 임에 대한 그리움 **시대** 조선 전기

돌아오지 않는 임을 연모하는 여인의 애절한 심정을 노래하고 있다.

한송정 ᄃᆞᆯ ᄇᆞᆰ은 밤의 경포대예 물졀 잔 제 (강릉에 있는 정자 이름) ─ 선경(先景)
유신ᄒᆞᆫ 백구는 오락가락 ᄒᆞ건만은 (믿음직스러운 갈매기 ↔ 돌아오지 않는 임)
엇덧타 우리의 왕손(王孫)은 가고 안이 오ᄂᆞ니 - 후정(後情) (임금의 후손 - 그리워하는 임)

> 한송정 달 밝은 밤에 경포대의 물결은 잔잔하고
> (그 위를) 미더운 갈매기가 오락가락 날고 있는데
> 어찌하여 우리 임은 한 번 간 후 다시 오지 않는가?

최우선 출제 포인트!

1 선경 후정의 시상 전개

초장	중장	종장
달 밝은 밤 물결의 잔잔함. → 정적 표현	오락가락하는 갈매기 → 동적 표현	떠난 후 돌아올 줄 모르는 임을 그리는 심정
선경(先景)		→ 후정(後情)

최우선 핵심 Check!

1 선경 후정(先景後情)의 방식으로 시상을 전개하고 있다. (O / ×)

2 화자는 돌아오지 않는 임에 대한 그리움을 노래하고 있다. (O / ×)

3 'ㅂㄱ'는 떠나간 후 돌아올 줄 모르는 '왕손'과 대비를 이루며, 화자의 마음을 심화시킨다.

정답 1. ○ 2. ○ 3. 백구

장부로 삼겨 나서 | 김유기

갈래 평시조 **성격** 유교적
주제 보잘것없는 일에 얽매이지 않는 장부의 삶
시대 조선 후기

장부로서 큰 포부를 이루지 못할 상황이라면 사소한 일에는 신경을 쓰지 않겠다는 태도를 드러내고 있다.

장부(丈夫)로 삼겨 나서 입신양명(立身揚名) 못홀지면
(태어나서, 생겨나서 / 화자가 지향하는 가치 - 출세하여 이름을 세상에 떨침 / 가정법)
출하로 다 떨치고 일 업시 늘거리라
(차라리 / 팽개치고 / 큰 욕심 없이 살아가겠다는 각오를 드러냄)
이 밧긔 녹록(碌碌)흔 영위(營爲)에 거리낄 줄 이시랴
(평범하고 보잘것없는 / 일을 꾸려 나감 / 설의적 표현, 화자의 다짐 강조)

> 장부로 태어나서 입신양명을 못할 것이면
>
> 차라리 다 떨치고 일 없이 늙으리라.
>
> 이 밖의 보잘것없는 일을 꾸려 나가는 것에는 거리낄 것이 있겠는가?

최우선 출제 포인트!

1 화자의 직설적 어조

화자의 심정과 각오 → (직설적 어조) → 입신양명의 포부

이 작품은 화자의 가치관과 이상을 직설적이고 강한 어조로 표현하고 있다. 이렇게 직설적 어조로 입신양명의 포부를 노래한 작품은 우리 시가사(史)에 드물다고 할 수 있다.

최우선 핵심 Check!

1 화자가 궁극적으로 지향하고 있는 가치는 ㅇㅅㅇㅁ이다.

2 화자는 자신의 포부를 ㅈㅅㅈ 어조로 표현하고 있다.

3 상황의 가정과 그 상황에서의 자세를 제시하여 화자의 심정을 드러내고 있다. (O / ×)

정답 1. 입신양명(立身揚名) 2. 직설적 3. ○

사랑이 엇써터니 | 작자 미상

갈래 평시조 **성격** 연정가
주제 사랑의 끝없음 **시대** 조선 후기

사랑의 정도가 한이 없음을 '길이'로 표현해 사랑의 속성을 노래하고 있다.

사랑(思郎)이 엇써터니 둥고더냐 모지더냐
(사랑, 낭군 생각 / 어떠하더냐 / 둥글게 생겼더냐 모가 났더냐)
길더냐 져르더냐 발일넌냐 주힐너냐
(짧더냐 / 발(丈)로 재겠더냐 자(尺)로 재겠더냐)
『각별(各別)이 긴 줄은 모로되 쯧 간 듸를 몰닉라』
(자신의 사랑이 끝없이 영원함을 강조함(역설적 표현))

사랑의 속성에 대한 '질문' – 대구, 대조, 열거
□: 반복 - 운율 형성
『 』: 대답

> 사랑이 어떻더냐? 둥글더냐, 모가 나더냐?
>
> 길더냐, 짧더냐? 발(丈)로 재겠더냐? 자(尺)로 재겠더냐?
>
> 그렇게 긴 줄은 모르겠으되, 끝 간 데를 모르겠구나.

최우선 출제 포인트!

1 문답법을 통한 시상 전개

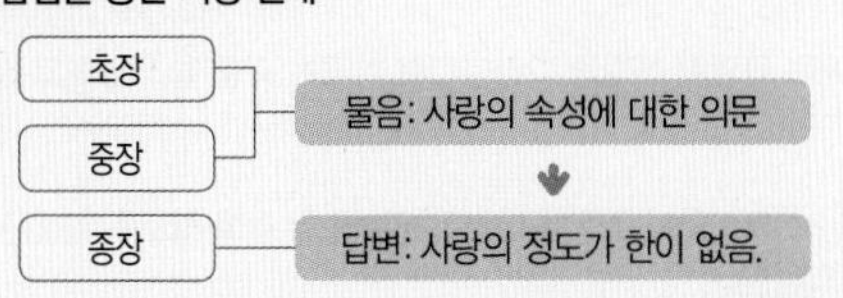

이 작품은 자문자답의 형식으로 시상이 전개되고 있는데, 종장에서 역설적 표현을 활용하여 사랑의 속성이 매우 길다는 것을 강조하고 있다.

최우선 핵심 Check!

1 ㅈㅁㅈㄷ의 방식으로 시상을 전개하고 있다.

2 화자는 '사랑'이라는 추상적 개념을 모양으로 구체화하고 있다. (O / ×)

3 종장에서는 ㅇㅅ적인 표현을 통해 사랑이 한이 없음을 강조하고 있다.

정답 1. 자문자답 2. ○ 3. 역설

동창이 밝았느냐 | 남구만

갈래 평시조 **성격** 교훈적, 사실적
주제 근면한 농경 생활 권유 **시대** 조선 후기

농촌 마을의 평화로운 아침 풍경을 제시한 뒤, 부드러운 어조로 부지런히 농사지을 것을 권장하고 있는 권농가(勸農歌)이다.

동창(東窓)이 밝았느냐 노고지리 우지진다
소 치는 아이는 상기 아니 일었느냐
재 너머 사래 긴 밭을 언제 갈려 하나니

(동창: 동쪽으로 난 창 / 시간적 배경 - 아침, 노고지리: 종달새 / 청각적 이미지, 소 치는: 소 먹이는, 상기: 아직, 재: 고개, 사래: 밭이랑)

동쪽 창이 밝았느냐? 종달새가 우짖는다.
소 먹이는 아이는 아직도 일어나지 않았느냐?
고개 너머 이랑이 긴 밭을 언제 갈려 하느냐?

최우선 출제 포인트!

1 화자의 발화 의도

초장	중장	종장
아침이 밝았으니	어서 일어나 일하러 가야지(왜 여태 자고 있느냐)	부지런히 농사를 지어야 한다.

→ 근면하고 성실한 자세를 강조함.

최우선 핵심 Check!

1 화자는 아직 일어나지 않은 아이를 타이르며 ㄱㅁ한 농촌 생활을 권유하고 있다.

2 청각적 이미지를 활용해 시간적 배경을 제시하고 있다. (○ / ×)

3 배경으로 제시된 농촌은 속세와 대비되는 자연으로서의 공간에 해당한다. (○ / ×)

정답 1. 근면 2. ○ 3. ×

구룸이 무심툰 말이 | 이존오

갈래 평시조 **성격** 우의적, 풍자적
주제 간신 신돈의 횡포 풍자 **시대** 고려

고려 말 간신 신돈의 횡포를 풍자한 작품으로, 자연물을 이용하여 당시의 상황을 우의적으로 비판하고 있다.

구룸이 무심(無心)툰 말이 아마도 허랑(虛浪)ᄒᆞ다
중천(中天)에 떠 이셔 임의(任意)로 ᄃᆞ니면셔
구ᄐᆡ야 광명(光明)ᄒᆞᆫ 날빗츨 ᄯᅡ라가며 덥ᄂᆞ니

(구룸: 간신(신돈), 무심: 욕심이 없음, 임의: 마음대로, 허랑: 허무맹랑, 중천: 권력의 핵심, 조정, 날빗: 햇빛, ᄯᅡ라가며 덥ᄂᆞ니: 간신의 횡포, 광명ᄒᆞᆫ: 임금의 총명)

구름이 사심이 없다는 말이 아마도 허무맹랑하다.
하늘 가운데 떠 있어 마음대로 다니면서
구태여 밝은 햇빛을 따라가며 덮는구나.

최우선 출제 포인트!

1 우의적 풍자

구름	→	햇빛
고려 말 승려 신돈	총명을 가림.	공민왕의 총명

이 작품은 고려 말 간신 신돈의 횡포를 우의적으로 비판한 작품으로, 신돈과 공민왕의 관계를 '구름'과 '햇빛'으로 비유하여 우의적으로 풍자하고 있다.

함께 볼 작품 자연물을 통해 현실을 비판한 작품: 이색, 「백설이 ᄌᆞ자진 골에」

최우선 핵심 Check!

1 화자는 우의적 표현을 통해 현실을 비판하고 있다. (○ / ×)

2 화자는 광명한 햇빛을 따라다니며 가리는 '구름'을 원망하고 있다. (○ / ×)

3 'ㄱㄹ'은 당시 조정에서 높은 권세를 누리며 횡포를 일삼은 신돈을 의미한다.

정답 1. ○ 2. ○ 3. 구룸

237위 간밤의 부던 ᄇᆞ람에 | 유응부

갈래 평시조 **성격** 우국적, 탄식적
주제 수양 대군의 횡포에 대한 개탄 및 우국의 정
시대 조선 전기

왕위 찬탈의 뜻을 품은 수양 대군이 중신들을 죽이고 단종을 폐위시킨 사건을 자연 현상에 빗대어 풍자하고 있다.

간밤의 부던 ᄇᆞ람에 눈서리 치단말가 → 과거(원인)
(ᄇᆞ람, 눈서리: 정치적 격변, 시련)
낙락장송(落落長松)이 다 기우러 가노ᄆᆡ라 → 현재(결과)
(낙락장송: 가지가 축축 늘어진 오래된 큰 소나무 - 조정 중신들 / 기우러 가노ᄆᆡ라: 중신들의 죽음을 의미)
ᄒᆞ믈며 못다 퓐 곳이야 닐러 무슴 ᄒᆞ리오 → 미래(예측)
(못다 퓐 곳: 젊은 선비들 / 닐러: 말하여)

> 지난밤에 불던 바람이 눈서리를 몰아치게 했단 말인가?
> 낙락장송이 다 기울어 가는구나.
>
> 하물며 못다 핀 꽃이야 말하여 무엇하겠느냐.

최우선 출제 포인트!

1 시간의 흐름에 따른 구성

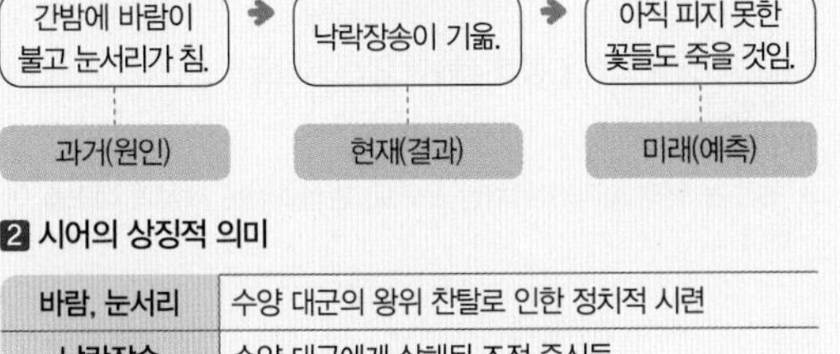

2 시어의 상징적 의미

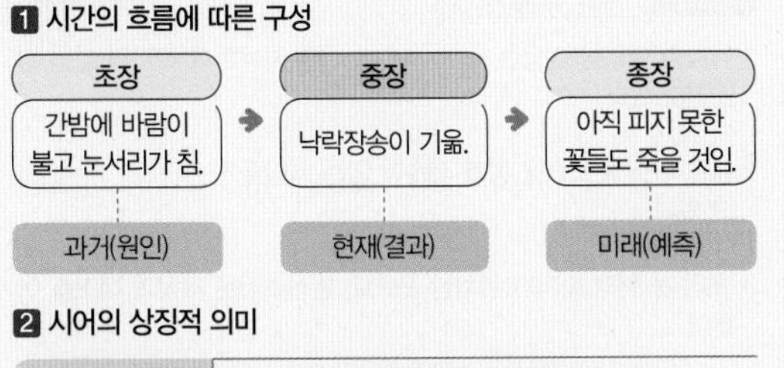

시어	의미
바람, 눈서리	수양 대군의 왕위 찬탈로 인한 정치적 시련
낙락장송	수양 대군에게 살해된 조정 중신들
못다 핀 꽃	정의감에 불타는 젊은 선비들

최우선 핵심 Check!

1 화자는 현재는 부정적으로 인식하는 반면, 미래는 희망적으로 인식하고 있다. (O / ×)

2 초장과 중장이 원인과 결과의 관계로 구성되어 있다. (O / ×)

3 'ㅂㄹ'과 'ㄴㅅㄹ'는 수양 대군의 왕위 찬탈로 인한 정치적 시련을 의미한다.

4 '낙락장송(落落長松)'은 ㅈㅈ ㅈㅅ들을, '못다 핀 곳'은 젊은 선비를 의미한다.

정답 1. × 2. ○ 3. ᄇᆞ람, 눈서리 4. 조정 중신

238위 ᄒᆞᆫ 손에 막ᄃᆡ 잡고 | 우탁

갈래 평시조 **성격** 탄로가(嘆老歌), 해학적
주제 늙음을 한탄함. **시대** 고려

의인화와 구체화를 통해 늙음은 인간이 어찌할 수 없는 한계임을 해학적인 표현으로 드러내고 있다.

(□: 늙음을 막기 위해 사용한 수단)

ᄒᆞᆫ 손에 [막ᄃᆡ] 잡고/또 ᄒᆞᆫ 손에 [가싀] 쥐고
(/: 대구법 / 가싀: 가시)
늙ᄂᆞᆫ 길 가싀로 막고/오ᄂᆞᆫ 백발(白髮) 막ᄃᆡ로 치려터니
(늙ᄂᆞᆫ 길, 백발: 추상적인 개념(늙음)의 구체화 / 백발: 늙음) — 해학성
『백발(白髮)이 제 몬져 알고 즈럼길로 오더라』 (『』: 의인법)
(몬져: 먼저 / 즈럼길로 오더라: 세월의 무정함을 해학적으로 표현)

> 한 손에 막대 잡고 또 한 손에 가시 쥐고,
>
> 늙는 길 가시로 막고 오는 백발 막대기로 치려고 하니
> 백발이 제가 먼저 알고 지름길로 오더라.

최우선 출제 포인트!

1 대상의 구체화

늙ᄂᆞᆫ 길	오ᄂᆞᆫ 백발(白髮)
추상적인 '세월'을 구체적인 '길'로 표현	추상적인 '늙음'을 구체적인 '백발(白髮)'로 표현 → 의인화

이 작품은 자연의 순리 앞에서 드러나는 인간의 한계를 대상의 구체화를 통해 해학적으로 표현하고 있다.

최우선 핵심 Check!

1 청각적 이미지를 사용하여 주제를 형상화하고 있다. (O / ×)

2 화자는 세월의 무정함을 해학적으로 표현하고 있다. (O / ×)

3 ㅂㅂ은 '늙음'이라는 추상적 대상을 구체화한 표현이다.

정답 1. × 2. ○ 3. 백발

매암이 맵다 울고 | 이정신

갈래 평시조 **성격** 한정가, 해학적
주제 초야에 묻혀 사는 한가로운 삶
시대 조선 후기

유사한 발음을 이용한 언어유희를 통해 초야에 묻혀 사는 삶을 노래하고 있다.

□: 세속에 사는 사람들

매암이 맵다 울고 쓰르라미 쓰다 우니 → 음의 유사성을 이용한 언어유희
매미
산채(山菜)를 맵다는가 박주(薄酒)를 쓰다는가 → 대구
산나물, 맛 없고 거친 음식 / 묻혀 있으니 / 맛이 없고 질이 떨어지는 술
우리는 초야에 뭇쳐시니 맵고 쓴 줄 몰라라
벼슬을 안하고 시골에 사는 삶 ↔ 관직, 속세

매미는 맵다고 울고 쓰르라미는 쓰다고 우니,

산나물을 맵다고 하는가? 박주(맛이 없고 질이 떨어지는 술)를 쓰다고 하는가?
우리는 초야(자연)에 묻혀 있으니 (산채와 박주가) 맵고 쓴 줄을 모르겠구나.

최우선 출제 포인트!

1 대조적인 삶의 모습

매암, 쓰르라미		우리
속세에서 혼란스러운 삶	↔ 대조	초야에서 여유로운 삶

이 작품은 '매미 – 맵다, 쓰르라미 – 쓰다'의 발음의 유사성을 이용한 언어유희를 통해 세속에 사는 사람들을 은근히 풍자하면서 그와 대조되는 자신의 삶을 강조하고 있다. 즉 화자는 시만이 지닌 언어적 묘미를 한껏 발휘하며 안분지족의 생활을 실천하는 자신의 삶에 대한 자긍심을 보이고 있다.

최우선 핵심 Check!

1 유사한 발음을 이용한 ㅇㅇㅇㅎ를 사용하여 화자의 삶을 강조하고 있다.

2 대조적 삶의 모습을 통해 세속에 있는 사람들을 은근히 ㅍㅈ하고 있다.

3 '초야'는 현재 화자가 위치한 곳으로, 번잡스러운 세상과 대조를 이룬다. (O / ×)

정답 1. 언어유희 2. 풍자 3. ○

산은 녯 산이로되 | 황진이

갈래 평시조 **성격** 관조적, 애상적
주제 ① 인생의 무상함 ② 임에 대한 그리움
시대 조선 중기

정지되어 있는 산과 끊임없이 흘러가는 물을 대조적으로 제시하여 인생의 무상함을 노래하고 있다.

□ ↔ ○: 대조

산(山)은 녯 산(山)이로되 물은 녯 물 안이로다
정지되어 있는 산(영원, 불변) / 흘러가는 물(순간, 가변)
『주야(晝夜)에 흘은이 녯 물리 이실쏜야』 『 』: 초장의 근거(옛 물이 아닌 이유)
있을 수 있겠는가(설의적 표현)
인걸(人傑)도 물과 ᄀᆞᆺᄒᆞ야 가고 안이 오노ᄆᆡ라
① 보편적 인간 ② 특정한 인물(서경덕) / 무상감

산은 옛날의 산인데 물은 옛날의 물이 아니구나.

밤낮으로 흐르니 옛날의 물이 있겠는가?

사람(임)도 물과 같아서 가고 오지 않는구나.

최우선 출제 포인트!

1 '인걸'의 해석에 따른 주제의 변화

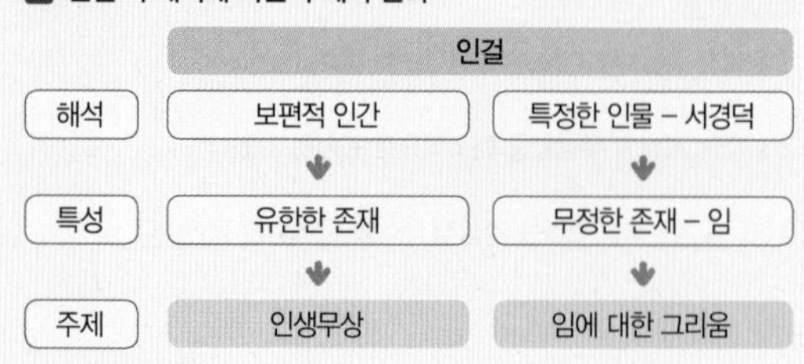

	인걸	
해석	보편적 인간	특정한 인물 – 서경덕
특성	유한한 존재	무정한 존재 – 임
주제	인생무상	임에 대한 그리움

최우선 핵심 Check!

1 ㅅ과 ㅁ의 대조를 통해 인생에 대한 무상감을 드러내고 있다.

2 화자는 자연물이 지닌 속성을 활용해 유교적 교훈을 전달하고 있다. (O / ×)

3 '인걸'을 특정한 인물로 해석할 경우, 주제는 '임에 대한 그리움'이 된다. (O / ×)

정답 1. 산, 물 2. × 3. ○

초암이 적료ᄒᆞᆫᄃᆡ | 김수장

갈래 평시조 **성격** 한정가, 자연 친화적
주제 초암에서 자연을 벗하며 지내는 생활
시대 조선 후기

번잡한 세속을 떠나 초가에서 홀로 살며, 자연과 더불어 사는 평화로움을 노래하고 있다.

초암(草庵)이 적료(寂廖)ᄒᆞᆫᄃᆡ 벗 업시 ᄒᆞᆫᄌᆞ 안ᄌᆞ
『평조(平調) 한 닙히 백운(白雲)이 절로 존다』
언의 뉘 이 죠흔 뜻을 알리 잇다 ᄒᆞ리오

- 초암(草庵): 초가 암자, 세속과 떨어진 공간
- 적료(寂廖): 적적하고 고요함
- 평조(平調): 낮은 음조의 노래
- 한 닙히: 한 곡조
- 백운(白雲)이 절로 존다: 물아일체의 경지를 드러냄(의인법)
- 절로: 저절로
- 『 』: 물아일체(物我一體)적 삶의 태도
- 언의 뉘: 어느 누가
- 이 죠흔 뜻: 자연을 벗하며 한가롭게 지내는 삶
- ᄒᆞ리오: 설의적 표현

초가 암자가 고요하고 적적한데 (찾아오는) 친구 하나 없이 혼자 앉아서,
평화롭고 낮은 음조의 노래 한 곡조에 흰 구름이 저절로 조는 것 같구나.
어느 누가 이 좋은 뜻을 알 사람이 있다 하겠는가?

최우선 출제 포인트!

1 동양화적 표현과 물아일체의 삶

동양화가 연상되는 묘사

적막하고 고요한 초암을 배경으로 연주자가 평조 대엽(平調大葉)을 연주하고 청중인 구름은 졸고 있는 듯한 모습

화자는 세속을 떠나 찾아오는 이도 없이 홀로 지내고 있으면서, 자연 속에서 한가롭게 사는 자신의 삶에 대한 만족감을 느끼고 있다. 특히 중장의 '평조'와 '백운'을 통해 물아일체의 삶에 대한 자긍심과 가객으로서의 풍류를 드러내고 있다.

함께 볼 작품 가객으로서의 풍류가 드러나는 작품: 김천택, 「전원에 나믄 흥을」

최우선 핵심 Check!

1 양반이 아닌 중인층 가객이 지은 노래로, 가객으로서의 예술적 자부심이 드러난다. (O / ×)

2 초장의 '벗'과 중장의 '백운'을 ㄷㅈ시켜 자연에서의 삶을 강조하고 있다.

3 중장에서는 '백운'을 ㅇㅇㅎ하여 물아일체의 경지를 나타내고 있다.

정답 1. ○ 2. 대조 3. 의인화

청초 우거진 골에 | 임제

갈래 평시조 **성격** 회고적, 애상적
주제 임(황진이)의 죽음에 대한 애도와 인생무상
시대 조선 중기

작가가 평안도 병마평사로 부임하러 가는 길에 황진이의 무덤에 들러 그녀의 죽음을 애도하며 지은 노래이다.

청초(青草) 우거진 골에 자ᄂᆞᆫ다 누엇ᄂᆞᆫ다
『홍안(紅顏)은 어듸 두고 백골(白骨)만 무쳣ᄂᆞᆫ이』
잔(盞) 자바 권(勸)ᄒᆞ리 업스니 그를 슬허ᄒᆞ노라

- 청초(青草): 푸른 풀(무덤의 풀)
- 자ᄂᆞᆫ다 누엇ᄂᆞᆫ다: 의문 형식, 황진이의 죽음을 애도함
- □↔△, △↔○: 색채 대비
- 홍안(紅顏): 젊고 아름다운 얼굴
- 『 』: 시어의 대비(홍안 ↔ 백골) → 무상감 표현
- 권(勸)ᄒᆞ리: 죽은 황진이
- 업스니: 대상의 부재 → 상실감
- 그를: 그것을
- 슬허ᄒᆞ노라: 슬픔, 안타까움

푸른 풀이 우거진 골짜기에 자느냐 누웠느냐?
젊은 시절의 아름다운 얼굴은 어디 두고 백골만 묻혔는가?
잔 잡아 권할 사람(죽은 황진이)이 없으니 그것을 슬퍼하노라.

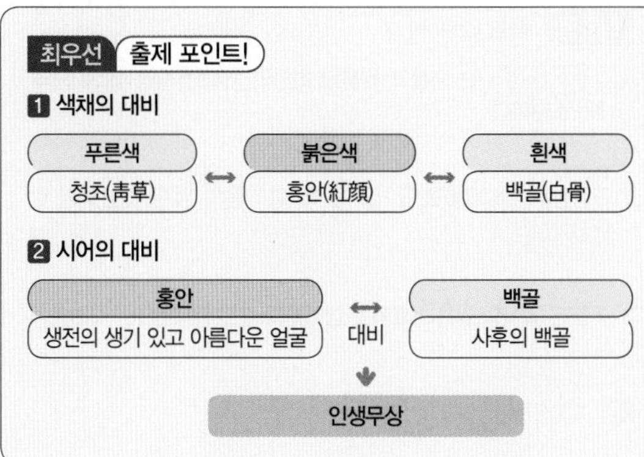

최우선 핵심 Check!

1 ㅎㅇ과 ㅂㄱ의 대비를 통해 화자가 느끼는 인생의 허무함을 표현하고 있다.

2 색채의 대비와 화자의 허탈한 어조를 통해 애상적 분위기를 조성하고 있다. (O / ×)

3 대상의 부재로 인한 슬픔과 안타까움이 나타나 있다. (O / ×)

4 종장에는 각박한 세태에 대한 비판적 인식이 드러나 있다. (O / ×)

정답 1. 홍안, 백골 2. ○ 3. ○ 4. ×

243위

삼동에 뵈옷 닙고 | 조식

갈래 평시조 **성격** 유교적, 우국적, 상징적
주제 임금의 승하를 애도함. **시대** 조선 전기

작가가 산중에 은거하던 중, 임금이 승하했다는 소식을 듣고 애도를 표현한 노래이다.

『삼동(三冬)에 뵈옷 닙고 암혈(巖穴)에 눈비 마자』 『 』: 벼슬하지 않고 산중에 은거하며 사는 화자
『구름 낀 볏뉘도 쬔 적이 업건마는』 『 』: 임금의 은총을 받은 적이 없음
서산(西山)에 힛지다 ᄒᆞ니 눈물겨워 ᄒᆞ노라

(바위에 뚫린 굴 - 자연 속에 은거함 / 화자가 벼슬하지 않은 사람임을 알 수 있음 / 임금의 은혜 / 임금이 승하(昇遐)함 / 임금의 승하(昇遐)를 슬퍼함)

한겨울에 (얇은) 베옷 입고 바위 굴에서 눈비 맞으며
구름 사이의 햇볕도 쬔 적이 없건마는

서산에 해졌다(임금이 승하하셨다) 하니 눈물겨워 하노라.

최우선 출제 포인트!

1 상징과 비유적 표현

뵈옷	벼슬하지 않은 사람(의 옷)
볏뉘	임금의 은총
힛지다	임금의 승하

최우선 핵심 Check!

1 작가는 임금의 ㅅㅎ를 애도하기 위해 이 작품을 썼다.
2 '군신유의(君臣有義)'라는 유교적 이념이 담겨 있다. (O / ×)
3 상징적 표현을 통해 주제를 효과적으로 전달하고 있다. (O / ×)

정답 1. 승하 2. ○ 3. ○

244위

철령 높은 봉에 | 이항복

갈래 평시조 **성격** 연군가
주제 ① 임금에 대한 충심 ② 자신의 억울함 호소
시대 조선 후기

작가가 귀양을 가면서 지은 작품으로, '구름'을 통해 자신의 심정을 드러내고 있다.

철령(鐵嶺) 높은 봉(峯)에 쉬어 넘는 저 구름아
고신원루(孤臣冤淚)를 비 삼아 띄어다가
님 계신 구중심처(九重深處)에 뿌려 본들 어떠리

(화자가 처한 힘겨운 상황 / 강원도 회양군과 함경남도 안변군 경계에 있는 고개 / 화자의 억울한 감정이 이입된 소재, 귀양 가는 작가 자신 / 임금의 사랑을 받지 못한 외로운 신하의 원통한 눈물 / 억울함을 하소연하고 충심을 전달하고픈 소망 / 임금(광해군). / 구중궁궐. 임금이 있는 대궐 안을 이름)

철령 높은 봉우리를 쉬었다가 (겨우) 넘는 저 구름아,
외로운 신하의 원통한 눈물을 비(로) 삼아 띄워다가
임(임금)이 계시는 깊은 궁궐 안에 뿌려 보면 어떠하겠는가?

최우선 출제 포인트!

1 '구름'의 의미

구름		화자
• 철령 높은 봉우리를 쉬었다가 넘음. • 고신원루(孤臣冤淚)를 비로 만들어 궁중에 뿌림.	감정 이입 =	• 험난한 행로에 놓임. • 억울함을 토로하고 싶음.

이 작품의 '구름'은 높은 봉우리를 올라야 하는 힘겨운 처지에 놓여 있으며, 비를 뿌려 자신의 심정을 표현하고자 하는 대상이다. 이러한 구름의 모습은 귀양 가는 화자의 처지 및 심정과 동일하므로 구름이 화자 자신을 의미한다고 볼 수 있다.

최우선 핵심 Check!

1 ㄱㅅㅇㄹ는 외롭고 원통한 화자의 처지를 직접적으로 드러내는 소재이다.
2 '구중심처(九重深處)'를 근거로 할 때, 이 작품의 '임'은 '임금'임을 알 수 있다. (O / ×)
3 '구름'은 화자와 임을 가로막는 장애물과 같은 존재이다. (O / ×)

정답 1. 고신원루 2. ○ 3. ×

내히 죠타 ᄒᆞ고 | 변계량

갈래 평시조 **성격** 교훈적, 유교적
주제 의(義)를 따르며 천성을 지키며 살겠다는 다짐
시대 조선 전기

'맹자의 성선설'에 바탕을 두고, 의(義)를 지키며 착한 천성에 따라 바르게 살아야 한다는 교훈을 전달하고 있다.

『내히 죠타 ᄒᆞ고 ᄂᆞᆷ 슬흔 일 ᄒᆞ지 말며』 『 』: 이기적인 태도 경계
(나에게 / 좋다 / 싫은) 대구
『ᄂᆞᆷ이 ᄒᆞᆫ다 ᄒᆞ고 의(義) 아니면 좃지 말니』 『 』: 부화뇌동(附和雷同)하는 태도 경계
(옳은 일이 아니면 따르지 말 것이니)
우리는 천성(天性)을 직희여 삼긴 대로 ᄒᆞ리라 → 타고난 성품을 지키며 살겠다 - 성선설(性善說)에 바탕을 둔 태도
(타고난 성품(착한 성품) / 지켜 / 생긴 대로, 본성대로)

내게 좋다(좋은 일이라) 해서 남이 싫어하는 일을 하지 말 것이며,
남이 한다고 해서 옳지 않은 일을 따르지 말 것이니,
우리는 타고난 성품을 지켜 생긴 대로(본성대로) 살아가리라.

최우선 출제 포인트!

1 유교 경전에서 차용한 삶의 자세

초장	중장	종장
이기심에 대한 경계	부화뇌동하는 태도 경계	천성을 지키는 삶
『논어』: 자기가 하고자 아니하는 바를 남에게 베풀지 마라.	『논어』: 군자는 의(義)에 밝고, 소인은 이욕(利欲)에 밝다.	『중용』: 하늘이 명한 것을 천성이라고 하고 천성을 따르는 것을 도(道)라 한다.

함께 볼 작품 백성들에게 교훈적 내용을 전하는 작품: 정철, 「훈민가」

최우선 핵심 Check!

1 유교의 경전이라 할 수 있는 『논어』와 『중용』의 내용을 인용하고 있다. (O / ×)

2 교훈적, 계세적(戒世的)인 내용을 은유적으로 드러내고 있다. (O / ×)

3 중장에서는 ㅂㅎㄴㄷ(附和雷同)하는 삶의 태도를 경계하고 있음을 알 수 있다. (O / ×)

4 종장은 맹자의 ㅅㅅㅅ에 바탕을 둔 태도로 볼 수 있다.

정답 1. ○ 2. × 3. 부화뇌동 4. 성선설

고울사 저 꽃이여 | 안민영

갈래 평시조 **성격** 예찬적
주제 꽃을 예찬하며 시들어 가는 것을 안타까워함.
시대 조선 후기

반쯤 시든 꽃을 예찬한 노래로, 사라져 가는 아름다움에 대해 읊고 있다.

(곱구나) 대구 ▒: 영탄적 표현, 예찬적 태도, 반복
『고울사 저 꽃이여/반(半)만 여윈 저 꽃이여』 『 』: 시들어가는 꽃의 아름다움
(대상에 대한 예찬적 어조 / 시든)
『더도 덜도 말고 매양 그만 허여 있어』 『 』: 그 상태를 유지하기 바람 - 꽃의 시듦(젊음의 상실)을 아쉬워함
(꽃(젊음)이 시드는 것을 아쉬워함)
춘풍(春風)에 향기 좇는 나뷔를 웃고 맞어 허노라
(꽃을 의인화함)

곱구나 저 꽃이여, 반쯤 시든 저 꽃이여!
더하지도 덜하지도 말고 항상 그만큼만 그대로 있어(있었으면 좋겠구나.),
봄바람에 향기 좇는 나비를 웃고 맞이하노라.

최우선 출제 포인트!

1 대상에 대한 예찬과 아쉬움

반쯤 시든 꽃 → • 지금 꽃의 모습에 대한 만족 • 더 시들 것에 대한 아쉬움

이 작품에서 화자는 '반쯤 시든 꽃'이 가지고 있는 두 가지 속성으로 인해, 아쉬움과 만족감이라는 상반되는 감정을 동시에 느끼고 있다.

함께 볼 작품 특정한 자연물에 대한 애정이 드러난 작품: 안민영, 「매화사」

최우선 핵심 Check!

1 화자는 영탄적 표현을 사용하여 대상에 대해 예찬하고 있다. (O / ×)

2 중장에서는 불가능한 상황을 설정하여 화자의 간절한 바람을 표현하고 있다. (O / ×)

3 종장에서 '나비를 웃고 맞이한다'고 표현하여 꽃을 의인화하고 있다. (O / ×)

정답 1. ○ 2. ○ 3. ○

거문고 ᄐᆞ쟈 ᄒᆞ니 | 송계연월옹

갈래 평시조 **성격** 풍류적, 자연 친화적
주제 자연의 소리에 대한 예찬 **시대** 조선 후기

자연이 연주하는 바람 소리를 예찬하는 작품으로, 자연에서 느끼는 풍류와 흥취를 노래하고 있다.

거문고 ᄐᆞ쟈 ᄒᆞ니 손이 알파 어렵거늘 (손이 알파: 인위적인 힘과 노력 / 거문고 ᄐᆞ쟈 ᄒᆞ니: 인간의 인위적 연주 / 알파: 고통을 주기도 함)
북창송음(北窓松陰)의 줄을 언져 거러 두고 (북쪽 창밖의 소나무 그늘 - 자연을 상징함) ↔ 대조
ᄇᆞ람의 제 우ᄂᆞᆫ 소릐 이 거시야 듯기 됴타 (ᄇᆞ람의 제 우ᄂᆞᆫ 소릐: 자연의 연주(대유법) / 이 거시야 듯기 됴타: 자연의 흥취를 만끽함(자연 친화적 태도))

> 거문고를 연주하려 하니 손이 아파서 (연주하기) 어렵거늘
> 북쪽 창밖의 소나무 그늘에 줄을 얹어 걸어 두고
> 바람에 저절로 우는 소리 이것이야말로 듣기 좋구나.

최우선 출제 포인트!

1 대조를 통한 강조

거문고	↔	북창송음, 바람
• 인간의 인위적 연주 • 연주하는 사람의 손이 아프기도 함.	대조	바람이 소나무 가지를 스치며 나는 자연의 소리

이 작품의 중장은 자연 그대로의 소리를 바람이 연주하는 소리로 형상화하고 있는데, 초장의 인위적인 거문고 소리와 대조되어 그 아름다움이 강조된다.

최우선 핵심 Check!

1 인간의 소리와 자연의 소리를 대조하고 있다. (○ / ×)

2 화자는 자신이 연주하는 거문고 소리에 불만을 가지고 있다. (○ / ×)

3 화자는 풍류적, ㅈㅇㅊㅎ적 태도를 지니고 있다.

정답 1. ○ 2. × 3. 자연 친화

청강에 비 듯는 소릐 | 봉림 대군

갈래 평시조 **성격** 비분가, 우의적
주제 볼모로 끌려가는 원한과 설욕 의지
시대 조선 후기

병자호란 후 봉림 대군(효종)이 청나라에 볼모로 끌려갈 때의 원통한 심정과 설욕에 대한 다짐을 노래하고 있다.

청강(淸江)에 비 듯는 소릐 긔 무어시 우읍관ᄃᆡ (청강: 맑은 강, 청나라 / 비 듯는 소릐: 비 떨어지는 소리 - 볼모가 된 화자(봉림대군)의 신세 / 우읍관ᄃᆡ: 우습기에)
만산홍록(滿山紅綠)이 휘드르며 웃는고야 (만산홍록: 온 산에 가득한 꽃과 풀, 청나라 사람 / 휘드르며 웃는고야: 꽃과 풀이 흔들리는 모습 - 볼모가 된 자신을 비웃는 것으로 느낌, 의인법)
『두어라 춘풍(春風)이 몃 날이리 우을ᄃᆡ로 우어라』 (춘풍: 봄바람, 강한 청나라 세력 / 몃 날이리: 청나라 세력이 얼마 가지 못할 것임 / 『 』: 훗날 치욕을 갚겠다는 의지)

> 맑은 강에 비 떨어지는 소리가 무엇이 그리 우습기에,
> 온 산에 가득한 꽃과 풀이 몸을 흔들어 대면서 웃는구나.
> 두어라, 봄바람이 며칠이나 더 불겠느냐? 웃고 싶은 대로 웃어라.

최우선 출제 포인트!

1 시대적 상황을 반영한 해석

청강	맑은 강	→	청나라
만산홍록	온 산 가득한 꽃과 풀	→	청나라 사람
춘풍	봄바람	→	청나라 세력
↕			
비 듯는 소리	비 떨어지는 소리	→	볼모가 된 화자의 신세

↓ 청나라에 끌려가는 원통한 심정

최우선 핵심 Check!

1 ㅂㅈㅎㄹ을 시대적 배경으로 창작되었다.

2 화자는 자신이 처한 상황을 운명론적으로 수용하고 있다. (○ / ×)

3 시대적 상황과 관련지어 이 작품을 감상할 때, '청강'은 ㅊㄴㄹ를, '춘풍'은 청나라 세력을 의미한다.

정답 1. 병자호란 2. × 3.청나라

초당에 일이 업서 | 유성원

갈래 평시조 **성격** 한탄적, 애상적
주제 태평성대에 대한 염원과 현실에 대한 탄식
시대 조선 전기

수양 대군의 왕위 찬탈을 '피리 소리'에 비유하여, 태평성대의 꿈이 깨져 버린 것을 한탄하고 있다.

초당(草堂)에 일이 업서 거문고를 베고 누어 (한가한 상황 / 초당: 집의 몸채에서 떨어진 조그만 집 / □: 전원에서의 한가로운 삶을 드러내는 소재)
태평성대(太平聖代)를 꿈에나 보려ㅎ니 (태평성대를 꿈에서나 볼 수 있음 - 현실이 부정적이라는 것을 우회적으로 드러냄)
문전(門前)에 수성어적(數聲漁笛)이 줌든 날을 깨와다 (어부들의 피리 소리 - '계유정난'(수양 대군의 왕위 찬탈)으로 인한 소음 (정변의 상황을 청각적 이미지로 형상화함))

초당에 일이 없어 거문고를 베고 누워
태평성대를 꿈에서나 보려 하였더니
문밖에서 나는 어부들의 피리 소리가 잠든 나를 깨우는구나.

최우선 출제 포인트!

1 화자의 현실 인식

'태평성대'를 꿈에나 보려 함.	+	'수성어적'이 잠든 자신을 깨움.
태평성대를 꿈에서나 볼 수 있는 것으로 여김(현실은 그렇지 못함).		수성어적(계유정난)으로 인한 소음 때문에 태평성태의 꿈에서 깨어남.

↓

태평성대를 염원하며 현실에 대해 탄식함.

최우선 핵심 Check!

1 ㄱㅇㅈㄴ이라는 역사적 사건을 배경으로 창작되었다.

2 화자는 현재의 상황을 태평성대로 인식하고 있다. (O / ×)

3 'ㅅㅅㅇㅈ'은 어부들의 피리 소리로, 화자의 잠을 깨우는 부정적인 소재이다.

정답 1. 계유정난 2. × 3. 수성어적

북창이 묽다커늘 | 임제

갈래 평시조 **성격** 중의적, 해학적
주제 임에 대한 은근한 구애 **시대** 조선 중기

사대부인 작가가 평양의 명기(名妓)인 한우에게 구애를 호소하는 작품으로, 중의적 표현 속에 해학적인 면모가 드러난다.

북창(北窓)이 묽다커늘 우장(雨裝) 업씨 길을 나니 (북창: 북쪽 창(북쪽 창으로 보이는 하늘) / 우장: 비옷, 도롱이 / 나니: 나섰더니)
산(山)에는 눈이 오고/들에는 춘비로다 → 대구법, 영탄법 (춘비: ① 차가운 비 ② 기생 한우(寒雨))
오늘은 춘비 맛잣시니 얼어 잘까 하노라 (: 중의법 / 맛잣시니: ① 맞았으니 ② 만났으니 / 얼어: ① 언 몸으로 ② 함께 어울려)

북쪽 하늘이 맑아서(맑다고 하기에) 비옷 없이 길을 나섰더니
산에는 눈이 오고 들에는 차가운 비가 내리는구나(기생 한우를 만났구나).
오늘은 찬비를 맞았으니 언 몸으로(한우와 함께 어울려) 잘까 하노라.

최우선 출제 포인트!

1 시어의 의미

찬비	맛잣시니	얼어 잘까
① 차가운 비 ② 기녀 '한우(寒雨)'의 이름	① 맞았으니 ② 만났으니	① 언 몸으로 잘까 ② 함께 어울려 잘까

대상에 대한 화자의 연정을 담아냄.

작가가 평양의 명기(名妓) 한우(寒雨)를 찾아가서 부른 노래로, 찬비를 맞았다는 것은 한우에게 사랑에 빠졌다는 뜻이고 '얼어 잔다'는 것은 그녀와 사랑을 나누고 싶다는 은근한 표현이다.

최우선 핵심 Check!

1 이 작품의 성격을 모두 찾으면?

□ 애상적 □ 중의적 □ 해학적 □ 교훈적 □ 자연 친화적

2 창작 배경을 참고할 때 작가는 언어유희적 표현을 사용하고 있다. (O / ×)

3 화자는 임에 대한 사랑의 호소를 직접적으로 하고 있다. (O / ×)

정답 1. 중의적, 해학적 2. ○ 3. ×

어이 얼어 잘이 | 한우

갈래 평시조 **성격** 연정가, 중의적
주제 임의 구애를 허락함. **시대** 조선 중기

한우에 대한 사랑을 노래한 임제의 시조 「북창이 뭀다커늘」에 대한 화답가(和答歌)이다.

『어이 얼어 잘이 므스 일 얼어 잘이』 『 』: 'ㄹ'의 반복과 비슷한 음을 반복하여 리듬감을 형성함
원앙을 수놓은 베개와 비취색의 비단 이불 - 원관념: 한우(화자)
원앙침(鴛鴦枕) 비취금(翡翠衾)을 어듸 두고 얼어 잘이
운우지락(雲雨之樂), 운우지정(雲雨之情) - 남녀 간의 사랑
『오늘은 춘비 맛자신이 녹아 잘까 ᄒᆞ노라』 『 』: 임제의 시조 「북창이 뭀다커늘」의 '오늘은 춘비 맛잣시니 얼어 잘까 ᄒᆞ노라.'에 대한 화답구 → 구애를 허락함
중의적 표현 - ① 차가운 비 ② 한우(화자 자신)

어찌 얼어 자겠습니까? 무슨 일로 얼어 자겠습니까?
원앙 베개와 비취 이불은 어디 두고 얼어 자려 하십니까?
오늘은 찬비 맞았으니 녹여서 잘까 합니다.

최우선 출제 포인트!

1 중의적 표현

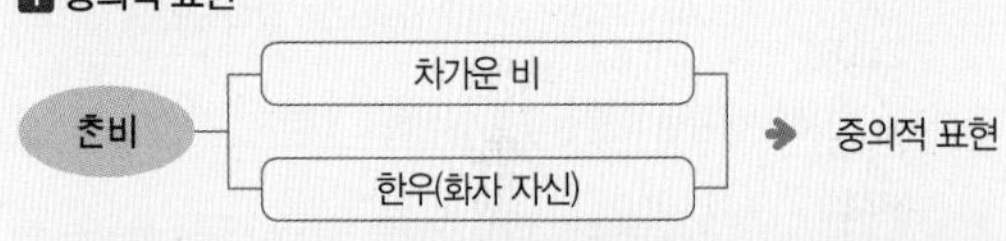

이 시조는 임이 자신에게 준 구애의 시조에 대한 화답가(和答歌)로, 중의적 표현이 돋보이는 작품이다. 이러한 언어유희는 시적 재미를 줄 뿐만 아니라 남녀 간의 사랑을 은은하고 고상하게 표현해 주는 효과를 주기도 한다.

최우선 핵심 Check!

1 임제의 시조 「북창이 뭀다커늘」의 답가로 알려진 작품이다. (O / ×)

2 화자는 직접적이고 직설적인 표현을 통해 남녀 간의 애정을 진솔하게 표현하고 있다. (O / ×)

3 중장의 '원앙침 비취금'은 화자 자신을 비유한 표현이다. (O / ×)

정답 1. ○ 2. × 3. ○

한산셤 돌 볼근 밤의 | 이순신

갈래 평시조 **성격** 우국적
주제 우국충정(憂國衷情) **시대** 조선 후기

임진왜란으로 국운이 위태롭던 시절 진중에서 나라에 대한 근심을 노래한 작품으로, 작가의 우국충정과 인간적 고뇌가 잘 드러나 있다.

적군의 동정을 살피려고 성 위에 만든 누각
『한산(閑山)셤 돌 볼근 밤의 수루(戍樓)에 혼자 안자』
『 』: 시·공간적 배경
큰 칼 녀픠 ᄎᆞ고 기픈 시름 ᄒᆞᄂᆞᆫ 적의
무인의 기개 / 나라에 대한 걱정: 우국지정(憂國之情), 우국충정(憂國衷情)
『어디서 일성호가(一聲胡笳)는 놈의 애를 긋ᄂᆞ니』 『 』: 우국충정으로 인한 깊은 시름의 토로
한 곡조의 피리 소리(청각적 이미지) / 화자 / 창자 / 끊나니
화자의 시름을 심화시키는 대상

한산섬 달 밝은 밤에 수루에 혼자 앉아,
큰 칼을 옆에 차고 깊은 시름에 잠겨 있을 때,
어디서 들려오는 한 곡조의 피리 소리가 남의 애를 끊는구나.

최우선 출제 포인트!

1 핵심 시어의 의미

기픈 시름 → 나라에 대한 걱정
일성호가(一聲胡笳) → 화자의 시름을 심화시키는 대상
→ 우국지정(憂國之情), 우국충정(憂國衷情)

최우선 핵심 Check!

1 초장과 중장에서는 공인(公人)의 모습을, 종장에서는 개인의 심정을 토로하고 있다. (O / ×)

2 화자가 처한 상황을 고려할 때, 'ㄱㅍ ㅅㄹ'은 우국지정(憂國之情)을 의미한다.

3 종장에서는 공감각적 이미지를 통해 비극적 분위기가 고조된다. (O / ×)

정답 1. ○ 2. 기픈 시름 3. ×

253위 나모도 병이 드니 | 정철

갈래 평시조 **성격** 비판적, 풍자적, 우의적
주제 염량세태에 대한 비판 **시대** 조선 중기

세력이 있을 때는 아첨하여 따르고 없어지면 푸대접하는 세상인심을 나무에 빗대어 비판하고 있다.

나모도 병이 드니 명ᄌᆞ라도 쉬리 업다
「호화이 셔신 제ᄂᆞᆫ 오리 가리 다 쉬더니
닙디고 가지 것근 후ᄂᆞᆫ 새도 아니 안ᄂᆞᆫ다」

- 병이 드니: 권세를 잃고 나니
- 명ᄌᆞ: 정자나무
- 쉬리: 쉴 사람
- 쉬리 업다: 이익이 없기 때문
- 호화이 셔신 제: 권세가 성할 때
- 오리 가리 다 쉬더니: 권세를 좇아 많은 사람이 몰려듦
- 닙디고 가지 것근 후: 권세를 잃고 난 후
- 2~3행: 대조
- 「 」: 염량세태(炎涼世態)와 같은 세상인심을 비판

나무도 병이 들면 정자나무라도 쉴 사람 없다.
(나무가 무성하여) 호화롭게 서 있을 때는 오고 가는 이들이 다 쉬더니,
잎이 떨어지고 가지가 꺾인 후에는 새마저도 앉지 않는구나.

최우선 출제 포인트!

1 염량세태 비판

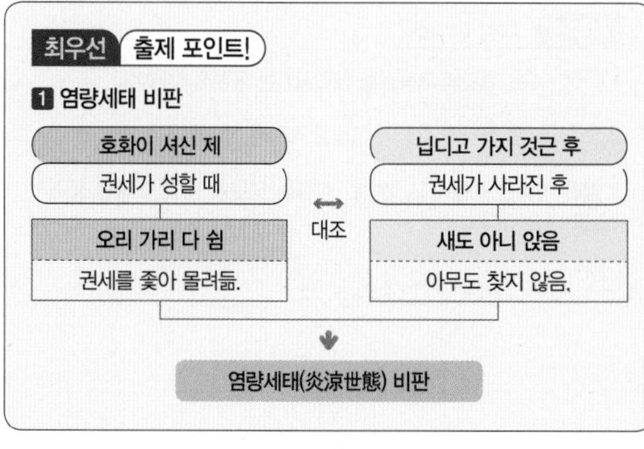

최우선 핵심 Check!

1 화자가 비판하고 있는 상황과 관련된 한자 성어로는 염량세태(炎涼世態)가 있다. (○ / ×)

2 화자는 늙고 병든 자신의 처지를 한탄하고 있다. (○ / ×)

3 과거와 현재의 상황을 대조하여 주제를 효과적으로 부각하고 있다. (○ / ×)

정답 1. ○ 2. × 3. ○

254위 곳지 진다 ᄒᆞ고 | 송순

갈래 평시조 **성격** 풍자적, 체념적, 우의적
주제 당쟁으로 희생된 선비들에 대한 안타까움
시대 조선 전기

을사사화의 소용돌이 속에 죄 없이 죽어간 선비들에 대한 안타까움을 노래하고 있다.

곳지 진다 ᄒᆞ고 새들아 슬허 마라
ᄇᆞ람에 흣날리니 곳의 탓 아니로다
「가노라 희짓ᄂᆞᆫ 봄을 ᄉᆡ와 므슴 ᄒᆞ리오」

- 곳: 을사사화에 희생된 선비들
- 새: 우국지사(憂國之士), 또는 세상 사람들
- ᄇᆞ람: 을사사화를 일으킨 무리
- 곳의 탓 아니로다: 꽃의 무고함 - 바람에 대한 원망
- 희짓ᄂᆞᆫ 봄: 처참한 비극에도 무심히 흐르는 역사 또는 사화에 성공한 이들이 득세한 시절
- ᄉᆡ와: 시샘하여
- 「 」: 체념적 태도

꽃이 떨어진다고 새들아 슬퍼 말아라.
바람에 흩날리니 꽃의 잘못이 아니로다.
가느라고 심술부리는 봄을 시샘하여 무엇하겠는가?

최우선 출제 포인트!

1 시어의 의미 파악

시어	의미
곳	을사사화에 희생된 선비들
새	우국지사, 혹은 세상 사람들
ᄇᆞ람	을사사화를 일으킨 무리
희짓ᄂᆞᆫ 봄	처참한 비극에도 무심히 흐르는 역사

↓

희생된 선비들에 대한 안타까움 및 현실에 대한 개탄과 체념

최우선 핵심 Check!

1 인간사를 자연물에 빗대어 화자의 생각을 우의적으로 표현하고 있다. (○ / ×)

2 화자는 현실 상황을 바꾸기 위해 적극적인 태도를 보이고 있다. (○ / ×)

3 '곳'은 을사사화로 희생된 선비들을 의미한다. (○ / ×)

4 ㅂ ㄹ은 을사사화를 일으킨 무리들로 부정적 이미지를 갖는다.

정답 1. ○ 2. × 3. ○ 4. ᄇᆞ람

255위 공산에 우는 접동 | 박효관

갈래 평시조 **성격** 애상적, 체념적
주제 임과의 이별로 인한 슬픔 **시대** 조선 후기

임과의 이별로 인한 화자의 한과 고독의 정서를 자연물에 의탁하여 표현하고 있다.

(접동: ① 한(恨)과 고독의 정서 환기 ② 감정 이입의 대상(객관적 상관물) ③ 화자와 동병상련(同病相憐)의 처지)

공산(空山)에 우는 접동 너는 어이 우짖는다
(공산(空山): 아무도 없는 텅 빈 산 - 화자의 고독감 심화)

『너도 날과 갓치 무음 이별 ᄒᆞ엿ᄂᆞ야』 (『 』: 접동새와 동병상련의 정서를 드러냄 / 이별: 화자의 처지(상황))

아모리 피ᄂᆞ게 운들 대답이나 ᄒᆞ더냐 (→ 의문형 종결 어미)
(피ᄂᆞ게 운들: 애절하게 운들 / 대답이나 ᄒᆞ더냐: 임의 대답 없음에 체념함)

> 아무도 없는 텅 빈 산에서 우는 접동새야, 너는 어이하여 울부짖느냐?
> 너도 나와 같이 (임과) 무슨 이별하였느냐?
>
> 아무리 피나게 운들 (임이) 대답이나 하더냐?

최우선 출제 포인트!

1 화자의 처지와 심정의 표현

배경의 사용		감정 이입
'공산(空山)'이라는 배경을 사용하여 화자의 고독을 표현	+	'접동새'를 의인화하여 화자의 슬픈 감정을 이입함.

최우선 핵심 Check!

1 '[ㄱ][ㅅ]'은 화자의 고독감을 심화시키는 공간적 배경이다.

2 '[ㅈ][ㄷ]'은 화자의 감정이 이입된 객관적 상관물이다.

3 임과 이별한 비통하고 절박한 심정을 의문형 종결 어미를 통해서 드러내고 있다. (O / ×)

정답 1. 공산(空山) 2. 접동 3. ○

256위 공명을 즐겨 마라 | 김삼현

갈래 평시조 **성격** 교훈적
주제 공명과 부귀에 대한 욕심을 버린 한가한 삶
시대 조선 후기

공명을 추구하고 부귀를 탐하는 사람들을 비판하고 한가로운 삶을 추구하고 있다.

(□: 화자가 경계하는 대상, 세상 사람들이 버려야 할 것)

[공명(功名)]을 즐겨 마라 영욕(榮辱)이 반이로다
(공명(功名): 공을 세워 이름을 날림 / 영욕(榮辱): 영화(榮華)와 치욕)

[부귀(富貴)]ᄅᆞᆯ 탐(貪)치 마라 위기(危機)를 ᄇᆞᆲᄂᆞ니라
(초장·중장: 대구법)

『우리ᄂᆞᆫ 일신(一身)이 한가(閑暇)커니 두려온 일 업세라』
(일신(一身): 한 몸 / 두려온 일: 영욕과 위기 / 『 』: 공명과 부귀를 멀리한 채 한가롭게 사는 삶의 즐거움)

> 공명을 즐겨하지 마라 영예와 치욕이 반이로다.
>
> 부귀를 탐하지 마라. 위기를 겪게 되느니라.
>
> 우리는 한가하니 두려워할 일이 없구나.

최우선 출제 포인트!

1 대구와 대조

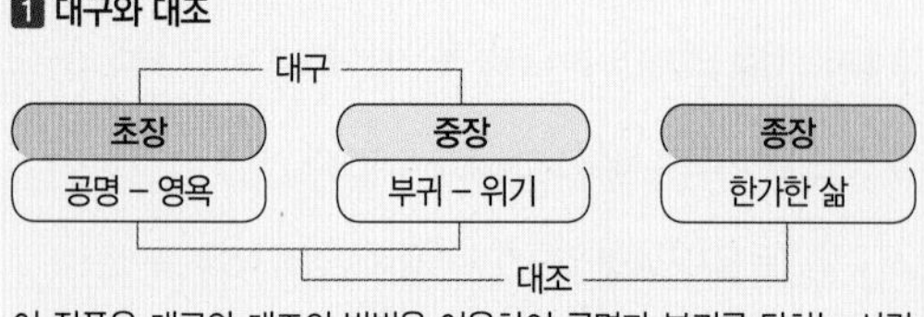

이 작품은 대구와 대조의 방법을 이용하여 공명과 부귀를 탐하는 사람들을 비판하고, 이를 버린 화자 자신의 삶을 강조하고 있다.

최우선 핵심 Check!

1 다음은 이 작품의 시상 전개 방법에 대한 설명이다. 빈칸에 적절한 말을 쓰시오.

> 이 작품은 초장에서는 공명이 영욕을 부르고 중장에서는 부귀가 위기를 부른다고 표현하여 초장과 중장은 (㉠)를 이루고 있다.
> 반면 초·중장과 종장은 공명과 부귀를 추구하는 사람과 한가한 삶을 추구하는 화자를 (㉡)하여 시상을 전개하고 있다.

정답 1. ㉠: 대구, ㉡: 대조

주문에 벗님네야 | 김천택

갈래 평시조 **성격** 교훈적
주제 권력욕에 대한 경계 **시대** 조선 후기

『사기』의 '토사구팽' 고사를 이용하여 권력에 대한 욕심을 경계하고 있다.

주문(朱門)에 벗님네야 고거사마(高車駟馬) 됴타 마쇼
토끼 죽은 후(後)면 기마자 삼기ᄂᆞ니
우리는 영욕(榮辱)을 모르니 두려온 일 업세라

(주문: 붉은 문 - 예전에 지위가 높은 벼슬아치의 집을 이르던 말 / 됴타: 좋다 / 벗님네: 권력에 욕심이 많은 사람 / 고거사마: 고귀한 사람들이 타는 수레 → 권력 / 토끼 죽은 후면 기마자 삼기ᄂᆞ니: 권력을 경계해야 하는 이유 / 영욕: 영화와 치욕 / 두려온 일: 쓸모 없어지면 언제 버림받을지 모르는 것)

높은 벼슬에 올라 좋은 집에 사는 여러분들
높고 빠른 수레를 좋다고 하지 마시오.
토끼가 죽은 뒤에는 개마저 삶아 먹히게 되니

우리는 영욕을 모르니 두려운 일이 없어라.

최우선 출제 포인트!

1 고사의 사용

두려온 일 → 토끼 죽은 후(後)면 기마자 삼기ᄂᆞ니
↓
토사구팽(兎死狗烹)
토끼가 죽으면 토끼를 잡던 사냥개도 필요 없게 되어 주인에게 삶아 먹히게 된다는 뜻으로, 필요할 때는 쓰고 필요 없을 때는 야박하게 버리는 경우를 이르는 말

함께 볼 작품 권력을 경계하는 작품: 작자 미상, 「굼벙이 매암이 되야」

최우선 핵심 Check!

1 화자는 자신이 생각하는 바람직한 삶의 자세를 제시하고 있다. (○ / ×)

2 화자는 중장의 내용을 근거로 권력에 대한 욕심을 경계할 것을 당부하고 있다. (○ / ×)

3 중장은 [ㅌ][ㅅ][ㄱ][ㅍ]이라는 고사성어와 관련이 깊다.

정답 1. ○ 2. ○ 3. 토사구팽(兎死狗烹)

금생여수ㅣ라 ᄒᆞᆫ들 | 박팽년

갈래 평시조 **성격** 연군가, 의지적
주제 임에 대한 일편단심 **시대** 조선 전기

수양 대군이 단종을 내쫓고 왕위에 오르자 여러 임금을 섬길 수 없음을 노래하고 있다.

금생여수(金生麗水)ㅣ라 ᄒᆞᆫ들 물마다 금(金)이 나며
옥출곤강(玉出崑崗)이라 ᄒᆞᆫ들 뫼마다 옥(玉)이 날쏜야
『암으리 사랑이 중(重)타 ᄒᆞᆫ들 님님마다 좃츨야』

(음영: 성군 / 초장·중장: 대구법 / 금생여수: 여수(중국에서 금이 가장 많이 나온다는 강)에서 금이 남 / 옥출곤강: 곤강(옥이 많이 난다는 중국의 산)에서 옥이 남 / 네모: 설의적 표현 / 『 』: 두 임금을 섬기지 않음 - 일편단심(一片丹心), 충신불사이군(忠臣不事二君))

• **박팽년**: 단종의 복위를 꾀하다 실패하여 처형된 여섯 명의 충신 중 한 명.

여수에서 금이 난다고 한들 (모든) 물마다 금이 나며,
곤강에서 옥이 난다고 한들 (모든) 산마다 옥이 나겠는가?
아무리 사랑이 중요하다고 한들 임마다(어떤 임이라도) 다 따르겠는가?

최우선 출제 포인트!

1 시상 전개 방식

초장	중장	종장
여수라 해도 물마다 금이 나오는 것은 아님.	곤강이라 해도 산마다 옥이 나는 것은 아님.	분별 없이 여러 임금을 섬길 수 없음.
전제	전제	결론

전제 → 결론

최우선 핵심 Check!

1 화자는 [ㅊ][ㅅ][ㅂ][ㅅ][ㅇ][ㄱ]의 의지적 태도를 보이고 있다.

2 초장과 중장은 전제, 종장은 결론의 형식으로 시상을 전개하고 있다. (○ / ×)

3 '[ㄱ], [ㅇ]'은 세상에서 귀하게 여기는 것으로, 성군을 의미한다.

정답 1. 충신불사이군(忠臣不事二君) 2. ○ 3. 금, 옥

삿갓세 되롱이 입고 | 김굉필

갈래 평시조 **성격** 한정가, 전원적
주제 전원생활에서 느끼는 여유로움
시대 조선 전기

무오사화로 인해 귀양살이를 하게 된 작가가 전원생활을 하면서 느끼게 된 자연의 의미를 노래하고 있다.

○: 소박한 산촌 생활을 보여 주는 소재

삿갓세 되롱이 입고 세우중(細雨中)에 호뫼 메고 → 기음매는 농부의 모습
(되롱이: 도롱이(옛날의 비옷) / 세우중: 가랑비 내리는 가운데 / 호뫼: 호미)

『산전(山田)을 흣매다가 녹음(綠陰)에 누어시니』 『 』: 풋잠이 든 농부
(흣매다가: 이리저리 김을 매다가 / 행동을 통해 화자의 여유로운 마음을 간접적으로 제시)

『목동(牧童)이 우양(牛羊)을 모라다가』 즘 든 날을 씨와라
(우양: 소와 양, 혹은 염소 / 『 』: 우양을 몰고가는 목동 - 한 폭의 풍경화 연상(묘사적))

> 삿갓 쓰고 도롱이(비옷) 입고 가랑비 내리는 가운데 호미 메고
> 산에 있는 밭의 김을 여기저기 매다가 나무 그늘에 누웠는데
> 목동이 소와 양을 몰고 와 잠든 나를 깨우는구나.

최우선 출제 포인트!

1 전·후반의 시상 전개

전반부 (초장~중장 중반)	+	후반부 (중장 후반~종장)
삿갓에 도롱이 입고 기음매는 농부의 모습		• 정자나무 그늘에 누워서 풋잠이 든 농부 • 우양을 몰고가는 목동

↓ 감각적인 묘사

벼슬을 떠나서 전원생활에 만족함.

최우선 핵심 Check!

1 화자는 쉬지 않고 부지런히 일하는 삶의 자세를 강조하고 있다. (○ / ×)

2 시각적인 묘사를 통해 화자가 지향하는 삶과 정서를 드러내고 있다. (○ / ×)

3 종장에서는 화자의 정서를 직접 드러내지 않고, 한가로운 광경을 제시하며 시를 끝맺어 여운을 남기고 있다. (○ / ×)

정답 1. × 2. ○ 3. ○

암반 설중 고죽 | 서견

갈래 평시조 **성격** 예찬적
주제 백이와 숙제의 지조와 절개 예찬
시대 고려

눈이 쌓인 바위에 홀로 서 있는 대나무를 보고 백이와 숙제를 떠올리며 그들의 지조와 절개를 예찬하고 있다.

▒: 동음이의어를 사용한 언어유희

암반(岩畔) 설중(雪中) 고죽(孤竹) 반갑고도 반가왜라
(암반 설중: 눈이 쌓인 바위 / 고죽: 홀로 서 있는 대나무)

뭇노라 고죽(孤竹)아 고죽군(孤竹君)의 네 엇덧닌다
(고죽군: 중국 하북성에 있던 제후국인 고죽을 다스리던 군주 - 백이와 숙제의 아버지)

수양산(首陽山) 만고(萬古) 청풍(淸風)에 이제(夷齊) 본 듯ㅎ여라
(수양산: 백이와 숙제가 절개를 지키며 살았던 곳 / 청풍: 맑은 바람 - 백이와 숙제가 지킨 절개 / 이제: 백이와 숙제를 함께 일컫는 말)

> 눈이 쌓인 바위에 홀로 서 있는 대나무 반갑기도 반가워라.
> 묻노라 고죽(대나무)아, 고죽군이 네 어떻더냐?
>
> 수양산에서 먼 옛날 절개를 지키며 살던 백이와 숙제를 본 듯하구나.

최우선 출제 포인트!

1 언어유희를 통한 상징

고죽(孤竹)

대나무	→	고죽군(孤竹君)
사군자의 하나로 절개를 상징		백이와 숙제의 아버지 → 백이와 숙제 고사를 떠올림.

지조와 절개 예찬

함께 볼 작품 중의적 표현을 쓴 작품: 임제, 「북창이 묽다커늘」

최우선 핵심 Check!

1 화자는 지조와 절개를 지키는 것에 대해 ㅇㅊㅈ인 태도를 보이고 있다.

2 '고죽(孤竹)'과 '고죽군(孤竹君)'은 ㄷㅇㅇㅇㅇ로, 화자는 언어유희의 방법으로 시상을 형상화하고 있다.

3 '고죽(孤竹)'과 '이제(夷齊)'는 어려운 상황에서도 지조와 절개를 지킨다는 공통점을 가지고 있다. (○ / ×)

정답 1. 예찬적 2. 동음이의어 3. ○

뉘 소리 담박훈 중에 | 김수장

갈래 평시조 **성격** 한정가, 풍류적, 자연 친화적
주제 자연과 더불어 사는 욕심 없는 삶
시대 조선 후기

가난한 삶 속에서도 자연과 더불어 사는 욕심 없는 삶을 추구하고 있다.

뉘 소리 담박(淡泊)훈 중(中)에 다만 깃쳐 잇는 것슨
(화자의 욕심 없고 소박한 생활이 드러남)
수경포도(數莖葡萄)와 일권가보(一卷歌譜)쁜이로다
(몇 줄기의 포도 / 한 권의 악보 - 『해동가요』를 말함)
이 중(中)에 유신(有信)훈 것슨 풍월(風月)인가 후노라
(자연(대유법))

> 내 살림살이가 담백하고 소박한 가운데 다만 깃들어 있는 것은
> 몇 줄기의 포도와 한 권의 악보뿐이로다.
>
> 이 중에 믿음이 있는 것은 자연인가 하노라.

최우선 출제 포인트!

1 가객으로서의 풍류

일권가보(一卷歌譜)	한 권의 악보 『해동가요』를 뜻하며, 화자가 일반 사대부가 아니라 가객이라는 것을 알 수 있음.
풍월	청풍명월(淸風明月)에서 온 말로 '자연'을 의미함.

이 작품의 화자는 소박하게 사는 자신의 삶에 남은 것은 한 권의 노래책과 자연뿐이라고 말함으로써 자연에 대한 풍류와 가객으로서의 삶에 대한 자부심을 드러내고 있다.

최우선 핵심 Check!

1 화자는 욕심 없고 소박한 생활을 하고 있다. (○ / ×)

2 '수경포도'(數莖葡萄)는 화자가 유일하게 가지고 있는 가치 있는 물건이다. (○ / ×)

3 'ㅇㄱㄱㅂ'를 통해 화자가 가객의 신분임을 짐작할 수 있다.

정답 1. ○ 2. × 3. 일권가보

꿈에나 님을 볼려 | 호석균

갈래 평시조 **성격** 애상적, 감상적
주제 임에 대한 간절한 그리움 **시대** 조선 후기

꿈에서라도 임을 보고 싶은 간절한 그리움을 자연물을 통해 효과적으로 표현하고 있다.

꿈에나 님을 볼려 잠일울가 누었더니
(임을 만날 수 있는 곳 - 임을 현실에서는 보기 힘듦)
새벽달 지새도록 자규성(子規聲)을 어이하리
(시간적 배경 - 화자의 정서 심화 / 자규(두견새)의 울음소리 - 화자의 정서 투영)
두어라 단장춘심은『너나 내나 다르리』
(『 』: 동병상련(同病相憐), 설의적 표현 / 너: 자규, 내: 화자 / 단장춘심: 애끊는 봄의 정서, 봄에 느끼는 애상적 정서 - 임에 대한 간절한 그리움)

> 꿈에나 임을 보려 잠을 자려고 누웠더니,
>
> 새벽달이 지새도록 두견새 소리를 어이하리.
>
> 두어라 (임을 향한) 애끊는 마음이 너와 내가 다르겠느냐?

최우선 출제 포인트!

1 화자의 정서 표현 방법

자규: 새벽에 울. → 잠을 깨움. → 화자: 꿈에서라도 임을 보고 싶음.
동병상련의 심정으로 동일시함.(감정 이입)
↓
임에 대한 그리움

최우선 핵심 Check!

1 화자는 '자규(子規)'에게 ㄷㅂㅅㄹ(同病相憐)의 감정을 느끼고 있다.

2 공간적 배경은 화자의 정서를 심화시키고 있다. (○ / ×)

3 화자는 현실에서는 만나기 어려운 임을 꿈을 통해 만나고자 한다. (○ / ×)

정답 1. 동병상련 2. × 3. ○

ᄆᆞ음아 너는 어이 | 서경덕

갈래 평시조 **성격** 탄로가, 영탄적
주제 늙음에 대한 한탄 **시대** 조선 중기

추상적 개념인 마음을 의인화하여 여전히 젊기만 한 마음과 달리 늙어 가는 자신의 처지를 한탄하고 있다.

ᄆᆞ음아 너는 어이 매양에 져멋는다
'마음'을 '너'로 의인화 / 항상, 늘
내 늘글 적이면 넨들 아니 늘글소냐
몸, 육체
아마도 너 좃녀 ᄃᆞ니다가 ᄂᆞᆷ 우일가 ᄒᆞ노라
마음 / 좇아 / 웃길까(웃음거리가 될까)

마음아 너는 어찌 늘 젊어 있느냐?
내가 늙을 때면 넌들 아니 늙을 줄 아느냐?
아마도 너 좇아 다니다가 남 웃길까(남의 웃음거리가 될까) 하노라.

최우선 출제 포인트!

1 발상 및 표현

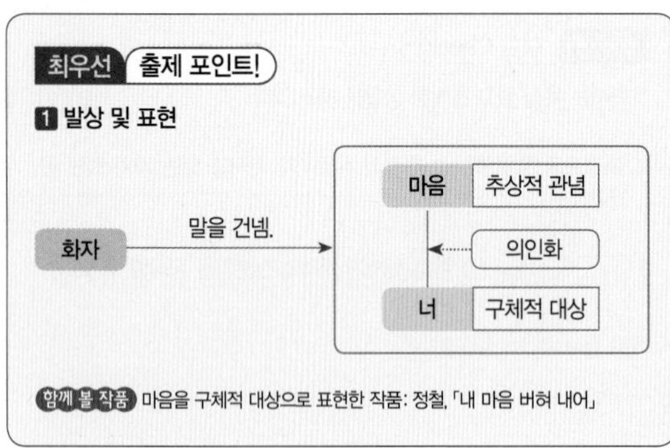

함께 볼 작품 마음을 구체적 대상으로 표현한 작품: 정철, 「내 마음 버혀 내어」

최우선 핵심 Check!

1 이 작품과 〈보기〉에 나타나는 발상 및 표현상의 공통점으로 추상적인 개념을 ㅇㅇㅎ하여 구체화시켜 표현하고 있다.

〈보기〉
한숨아 셰한숨아 네 어ᄂᆡ 틈으로 드러온다 / (중략)
어인지 너 온 날 밤이면 ᄌᆞᆷ 못 드러 ᄒᆞ노라

2 화자는 자신의 마음과 육체 사이에 괴리감을 느끼고 있다. (O / ×)

정답 1. 의인화 2. ○

뉘라셔 날 늙다 ᄒᆞᄂᆞ고 | 이중집

갈래 평시조 **성격** 탄로가, 체념적, 달관적
주제 몸은 늙었으나 마음은 늙지 않음.
시대 조선 후기

늙음을 탄식하는 노래 중 하나로, 늙음에 대한 이중적 태도를 보이고 있다.

뉘라셔 날 늙다 ᄒᆞᄂᆞ고 늙은이도 이러ᄒᆞᆫ가
늙음에 대한 부정
『곳 보면 반갑고 잔(盞) 잡으면 우음 난다』 『 』: 늙음을 부정하는 근거 - 마음은 아직 청춘임(대구, 예시)
웃음
춘풍(春風)에 ᄒᆞᆺ나는 백발(白髮)이야 낸들 어이ᄒᆞ리오
육체적 늙음, 대유법 / 체념적 달관(설의법)

누가 나를 늙었다 하는가? 늙은 사람도 이러한가?
꽃을 보면 반갑고 술잔을 잡으면 웃음이 난다.
봄바람에 흩날리는 백발이야 나인들 어찌하리오.

최우선 출제 포인트!

1 '늙음'에 대한 화자의 태도

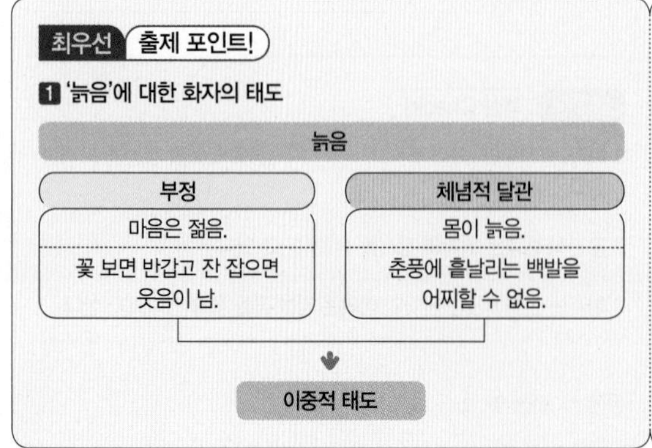

최우선 핵심 Check!

1 중의적 표현을 사용하여 화자의 태도를 강조하고 있다. (O / ×)

2 화자는 중장에서 늙음에 대해 ㅂㅈ하지만, 종장에서는 ㅊㄴ적 태도를 보이고 있다.

3 화자는 중장에서 마음은 늙지 않았다는 구체적 근거를 제시하고 있다. (O / ×)

정답 1. × 2. 부정, 체념 3. ○

길 우헤 두 돌부텨 | 정철

갈래 평시조 **성격** 애상적
주제 이별의 슬픔 **시대** 조선 중기

작가가 귀양길에 올라 지인들과 이별하며 지은 작품으로, 돌부처와 인간의 대조를 통해 이별의 슬픔을 노래하고 있다.

길 우헤 두 돌부텨 벗고 굶고 마조 셔셔 (화자가 부러워하는 대상: 두 돌부텨 / 가난, 역경: 벗고 굶고) ↔ 돌부처와 인간의 상황 대조
ᄇᆞ람비 눈서리ᄅᆞᆯ 맛도록 마졸만졍 (고난, 시련: ᄇᆞ람비 눈서리)
인간(人間)에 이별(離別)을 모ᄅᆞ니 그ᄅᆞᆯ 불워ᄒᆞ노라 (인간 세상: 인간 / 돌부처를 부러워하는 이유: 이별을 모ᄅᆞ니 / 돌부처: 그)

길 위에 두 돌부처 (옷을) 벗고 (밥을) 굶고 마주 서서,
바람, 비, 눈서리를 맞을 대로 맞을망정,
인간 세상의 이별을 모르니 그를 부러워하노라.

최우선 출제 포인트!

1 상황의 대조

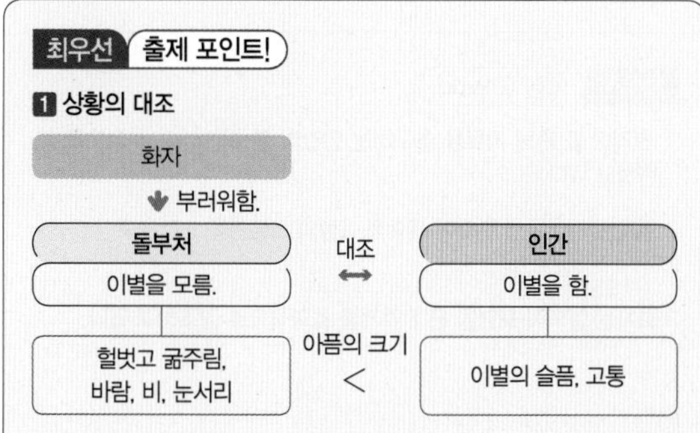

최우선 핵심 Check!

1 화자가 '돌부텨'를 부러워하는 이유는 이별을 몰라서이기 때문이다. (○ / ×)

2 'ᄇᆞ람비 눈서리'는 화자가 겪는 고난과 시련을 의미한다. (○ / ×)

3 화자는 벗고 굶는 자연적 시련을 겪는 것보다 이별의 슬픔을 겪는 것이 고통스럽다고 생각하고 있다. (○ / ×)

정답 1. ○ 2. × 3. ○

한숨은 ᄇᆞ람이 되고 | 작자 미상

갈래 평시조 **성격** 애상적
주제 임에 대한 그리움과 원망 **시대** 조선 후기

이별한 뒤 자신을 잊은 임에 대한 원망을 구체적인 행동으로 드러내고 있다.

한숨은 ᄇᆞ람이 되고 눈물은 세우(細雨) 되어 (실연당한 화자의 모습: 한숨, 눈물 / 가랑비: 세우)
님 자는 창(窓)밧긔 불거니 뿌리거니 (임의 잠을 방해하고자 함)
「날 닛고 기피 든 ᄌᆞᆷ을 깨워 볼까 ᄒᆞ노라」 (화자 자신: 날) 「 」: 자신을 잊고 잠든 임에 대한 원망과 그리움의 마음을 드러냄

한숨은 바람이 되고 눈물은 가랑비가 되어
임이 주무시는 창밖에 (바람이) 불게 하고 (비를) 뿌리게 하여
날 잊고 깊이 든 (임의) 잠을 깨워 볼까 하노라.

최우선 출제 포인트!

1 구체적 상황 설정

임과 이별함.	→ 임에 대한 원망	구체적인 상황 설정: 한숨과 눈물이 바람과 세우가 됨. → 임이 자는 창밖에서 불고, 뿌림. → 깊이 잠든 임의 잠을 깨우고자 함.

함께 볼 작품 임에 대한 원망을 드러내는 작품: 작자 미상, 「어이 못 오던다」

최우선 핵심 Check!

1 '[ㅎ][ㅅ], [ㄴ][ㅁ]'은 실연당한 화자의 모습을 나타낸다.

2 화자는 이별한 뒤 자신을 잊은 임에 대한 원망의 감정을 드러내고 있다. (○ / ×)

3 종장에서는 구체적인 상황 설정을 통해 임에 대한 화자의 태도를 드러내고 있다. (○ / ×)

정답 1. 한숨, 눈물 2. ○ 3. ○

구레 버슨 천리마를 | 김성기

갈래 평시조 **성격** 우의적
주제 자유를 추구하는 인간의 본성
시대 조선 후기

속박이나 규범에서 벗어나고 싶어 하는 인간의 본성을 '천리마'를 통해 비유적으로 표현하고 있다.

구레(굴레) 버슨 천리마(千里馬)를 뉘라셔 잡아다가
(속박을 벗어난 사람, 규범을 벗어난 인간 → 자유분방한 존재)
조죽 슬믄 콩을 슬지게 머겨둔들
(편안하게 살 수 있는 조건, 자유를 추구하는 인간을 잡아 두기 위한 보상이나 계책)
본성(本性)이 외양ᄒᆞ거니 이실 줄이 이시랴
(억세고 거치니 → 분방하니 / 설의적 표현)

굴레 벗은 천리마를 누가 잡아다가,
좁쌀로 쑨 죽과 삶은 콩을 살찌게 먹여 준다고 한들,
본성이 억세고 사나우니 (가만히) 있을 리가 있겠는가?

최우선 출제 포인트!

1 표현 의도

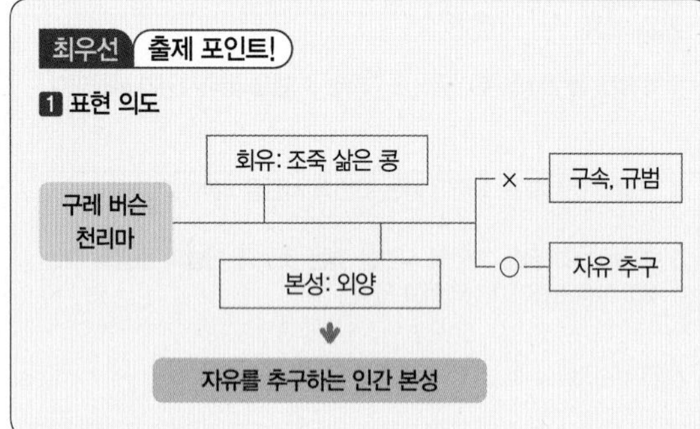

최우선 핵심 Check!

1 '천리마'를 통해 자유를 추구하는 인간의 본성을 ㅂㅇ적으로 표현하고 있다.

2 화자는 자연물에 빗대어 세속적 욕망의 허망함을 노래하고 있다. (○ / ×)

3 화자는 설의적 표현을 통해 주제를 효과적으로 강조하고 있다. (○ / ×)

정답 1. 비유 2. × 3. ○

술을 취케 먹고 | 정태화

갈래 평시조 **성격** 감상적
주제 술로써 시름을 잊고자 함. **시대** 조선 후기

세상의 모든 시름을 술을 통해 잠시나마 잊어 보고자 하는 마음을 노래하고 있다.

술을 취(醉)케 먹고 두렷이 안자시니
(술: 시름을 잊게 하는 대상)
『억만(億萬) 시름이 가노라 하직(下直)한다』
(『 』: 근심과 걱정이 화자와 하직 인사를 한다고 의인화하여 표현 / 억만: 모든 / 시름이 사라지는 듯하다 → 의인법)
아이야 잔(盞)가득 부어라 『시름 전송(餞送)하리라』
(『 』: 시름을 잊고자 함 / 아이야: 시의 분위기를 돋움 / 전송: 서운하여 잔치를 베풀고 보낸다는 뜻으로, 예를 갖추어 떠나보냄을 이르는 말)

술을 취하게 마시고 둘러앉아 있으니,
모든 시름이 가겠노라고 작별을 고하는구나.
아이야 (술을) 잔에 가득 부어라. 시름을 떠나보내리라.

최우선 출제 포인트!

1 의인법의 사용

표현	의미	
시름이 가노라 하직(下直)한다.	시름이 사라진다.	'시름'의 의인화
시름 전송(餞送)하리라	시름을 잊으리라.	'시름'의 의인화

함께 볼 작품 술을 통해 시름을 풀고자 하는 작품: 작자 미상, 「청산별곡」

최우선 핵심 Check!

1 화자는 술을 취하게 먹으며 시름을 잊고 싶어 하는 마음을 드러내고 있다. (○ / ×)

2 ㅅ은 화자의 근심과 걱정을 잊는 수단으로써 풍류 의식을 돋우는 데 기여하고 있다.

3 화자는 '시름'에 인격을 부여하여 자신과 동일시하고 있다. (○ / ×)

정답 1. ○ 2. 술 3. ×

세월이 여류하니 | 김진태

갈래 평시조 **성격** 유교적, 교훈적
주제 어머니에 대한 지극한 효심 **시대** 조선 후기

자식이 늙어 가는 모습을 보고 마음 아파하실 어머니를 위해, 흰머리를 뽑는 지극한 효심을 드러내고 있다.

세월이 여류(如流)하니 백발이 절로 난다 → 현상(사실)
뽑고 또 뽑아서 졈고자 하는 뜻은 → 행위
북당에 친재하시니 그를 두려워함이라 → 이유

(세월이 여류(如流)하니: 세월이 흐르는 물과 같으니('세월이 매우 빠름'을 비유적으로 이르는 말) / 백발이 절로 난다: 늙음을 한탄하는 마음이 드러남 / 뽑고: 흰머리를 / 졈고자: 젊게 보이고자 함 / 북당: 어머니가 거처하는 곳 / 친재하시니: 어머니가 살아 계시니 / 그를 두려워함이라: 효심, 어머니께 자식의 늙은 모습을 보이는 것)

세월이 흐르는 물과 같으니 흰머리가 저절로 난다.
(흰머리를) 뽑고 또 뽑아서 젊어지고자 하는 뜻은,
북당에 어머니께서 살아 계시니, 그것을 두려워하기 때문이다.

최우선 출제 포인트!

1 화자의 행위에 담긴 의미

초장	백발이 남.	현상
중장	흰머리를 뽑아 젊어지고자 함.	행위
종장	화자가 늙는 것을 보는 어머니가 마음 아파하실까 걱정함.	이유

↓

어머니에 대한 지극한 효심

함께 볼 작품 효도에 관해 노래한 작품: 박인로, 「조홍시가」

최우선 핵심 Check!

1 화자는 어머니께서 늙어 가시는 것에 두려움을 느끼고 있다. (○ / ×)

2 초장에서는 백발이 나는 현상, 중장에서는 현상에 따른 화자의 행위, 종장에서는 그 행위에 대한 ㅇㅇ가 나타나고 있다.

3 초장에서는 시간의 흐름을 비유적으로 표현하고 있다. (○ / ×)

정답 1. × 2. 이유 3. ○

이시렴 브디 갈싸 | 성종

갈래 평시조 **성격** 회유적
주제 신하를 떠나보내는 임금의 마음
시대 조선 전기

임금이 창작한 시조로, 신하와의 이별을 안타까워하는 마음이 드러나 있다.

『이시렴 브디 갈짜 아니 가든 못홀쏘냐』 『 』: 떠나는 사람을 잡고 싶은 화자의 마음이 표출됨
『무단(無端)이 슬튼야 놈의 말을 드럿는야』 『 』: 떠나는 이유에 대한 궁금증이 드러남
그려도 하 애도래라 가는 뜻을 닐러라

(이시렴: 있으렴 / 브디: 부디(꼭) / 갈짜: 가겠느냐 / 무단(無端)이: 까닭 없이 / 슬튼야: 싫더냐 / 놈의 말: 떠나라는 권유 / 하: 몹시 — 석별의 정을 더욱 강조 / 애도래라: 애가 탄다 / 가는 뜻을 닐러라: 떠나는 이유를 간곡하게 물음)

있으려무나, 부디 가겠느냐? 아니 가지는 못하겠느냐?
까닭 없이 싫더냐? 남의 말을 들었느냐?

그래도 몹시 애가 타는구나. 가는 뜻을 일러 보아라.

최우선 출제 포인트!

1 창작 배경

이 작품은 성종이 아끼던 신하 유호인이 고향에 계신 부모를 봉양하기 위해 합천 군수가 되어 떠날 때, 성종이 전별연을 베풀어 주며 지은 작품으로 알려져 있다. 작품 전반에 걸쳐 신하의 사직을 만류하고 있다는 해석보다는 신하와의 이별의 안타까움을 강조했다고 보는 편이 더 적절하다.

최우선 핵심 Check!

1 감각적 이미지를 통해 주제를 형상화하고 있다. (○ / ×)

2 상대방의 의사를 여러 번 묻는 방식을 취하여 화자의 간절한 심정을 드러내고 있다. (○ / ×)

3 화자는 감정과 의도를 직설적으로 표현하여 자신의 마음을 분명하게 드러내고 있다. (○ / ×)

정답 1. × 2. ○ 3. ○

사랑이 거짓말이 | 김상용

갈래 평시조 **성격** 연정가
주제 임에 대한 그리움 **시대** 조선 중기

연인의 말을 전제로 임에 대한 그리움을 투정하는 어조로 표현하고 있다.

사랑이 거짓말이 님 날 사랑이 거짓말이
(주격 조사 '이'와 어미 '-하다'를 생략함으로써 운율을 맞춤 / 점층법, 반복법)
쑴에 와 뵈단 말이 긔 더옥 거짓말이
('임'의 말 / 강조 / 설의적 표현)
날갓치 좀 아니 오면 어늬 쑴에 뵈오리
(화자는 '임'이 그리워 잠을 이루지 못함 → 전전반측(輾轉反側))

> 사랑한다는 것이 거짓말이니 임이 나를 사랑한다는 것이 거짓말이니
> 꿈에 와 보인다는 말이 더더욱 거짓말이니
>
> 나처럼 (애가 타서) 잠이 오지 않으면 어느 꿈에 보인다는 말인가?

최우선 출제 포인트!

1 여인이 투정하는 듯한 어조

'나' ← "나는 날마다 꿈속에서 당신을 만났소." — 임

'나' → "당신이 날 사랑한다는 말은 거짓말이군요. 나를 그리워한다면 어떻게 잠을 잘 수 있었나요?" → 임

최우선 핵심 Check!

1 일정한 요소를 생략하여 압축된 문장 구조를 반복함으로써 내용을 강조하고 있다. (O / ×)

2 ㅂㅂㅂ, ㅈㅊㅂ, 설의적 표현 등을 사용하여 자신의 심리적 상황을 잘 드러내고 있다.

정답 1. ○ 2. 반복법, 점층법

벽사창 밖이 어른어른커늘 | 작자 미상

갈래 사설시조 **성격** 연정가, 해학적
주제 임에 대한 연모의 정 **시대** 조선 후기

창밖의 그림자를 임으로 착각한 것이 시작(詩作)의 동기가 된 작품으로, 임에 대한 그리움을 해학적으로 표현하고 있다.

벽사창(碧紗窓) 밖이 어른어른커늘 임만 너겨 나가 보니
(푸른 비단을 바른 창(여자의 방))
임은 아니 오고 명월(明月)이 만정(滿庭)ᄒᆞ듸 벽오동(碧梧桐) 져
(밝은 달(달빛) / 정원에 가득함 / 푸른 오동나무)
즌 닙헤 봉황(鳳凰)이 ᄂᆞ려와 짓 다듬는 그림재로다
(화자의 착각을 불러일으키는 소재 - 구름 / 그림자를 임으로 착각함)
모쳐라 밤일싀만정 ᄂᆞᆷ 우일 번ᄒᆞ괘라
('마침'의 옛말 / 겸연쩍어함)

> (푸른 비단을 바른 여자의 방의) 창밖이 어른어른하거늘 임으로만 여겨 나가 보니
> 임은 아니 오고 달빛이 정원에 가득한데 푸른 오동나무 젖은 잎에 봉황이 내려와 깃 다듬는 그림자로다.
>
> 마침 밤이기에 망정이지 (낮이었더라면) 남 웃길 뻔하였구나.

최우선 출제 포인트!

1 해학미의 획득

해학미
- 임에 대한 간절한 마음 — 그림자에 속을 정도로 절박함.
- 수다스럽고 과장된 표현 — 자신의 상황을 희화화함.

웃음과 연민

최우선 핵심 Check!

1 창작 동기는 창밖의 그림자를 임으로 착각한 것이다. (O / ×)

2 자연물에 감정을 이입하여 화자의 심정을 표현하고 있다. (O / ×)

3 화자는 임에 대한 기다림을 수다스럽고 과장되게 표현하여 ㅎㅎㅁ를 얻고 있다.

정답 1. ○ 2. × 3. 해학미

븕가버슨 아해ㅣ 들리 | 이정신

갈래 사설시조 **성격** 풍자적, 해학적
주제 서로 속이고 해치려는 험난한 세태 풍자
시대 조선 후기

개천에서 잠자리를 잡으려는 아이들의 모습을 통해 약육강식의 험난한 세태를 풍자하고 있다.

: 중의적 표현 - 언어유희

븕가버슨 아해(兒孩)ㅣ 들리 거믜줄 테를 들고 기천(川)으로 왕래(往來)ᄒᆞ며
(븕가버슨 아해: 피를 써서 남을 해치는 사람 / 거믜줄 테: 거미줄을 붙여 만든 잠자리채 / 대조)

「븕가숭아 븕가숭아 져리 가면 죽ᄂᆞ니라 이리 오면 ᄉᆞᄂᆞ니라 부로나니 븕가숭이로다」
(어린아이들이 잠자리를 잡기 위해 속이는 내용. 감언이설(甘言利說) / 븕가숭아: 고추잠자리(해침을 당하는 사람) / 븕가숭이: 모해하는 사람이 발가숭이임 / 「」: 발가숭이(모해를 당하는 자)를 잡으려는 자도 발가숭이(모해를 하는 자)임 → 역설적 상황)

아마도 세상(世上)일이 다 이러ᄒᆞᆫ가 ᄒᆞ노라
(이러ᄒᆞᆫ가: 서로를 모함하는 세태, 약육강식의 세태)

발가벗은 아이들이 (잠자리를 잡으려고) 거미줄 테를 들고 개천을 왔다 갔다 하며

"발가숭아 발가숭아 저리 가면 죽고, 이리 오면 산다."며 부르는 사람이 발가숭이로다.

아마도 세상일이 다 이런 것인가 하노라.

최우선 출제 포인트!

1 중의적 표현과 역설적 상황을 통한 주제의 형상화

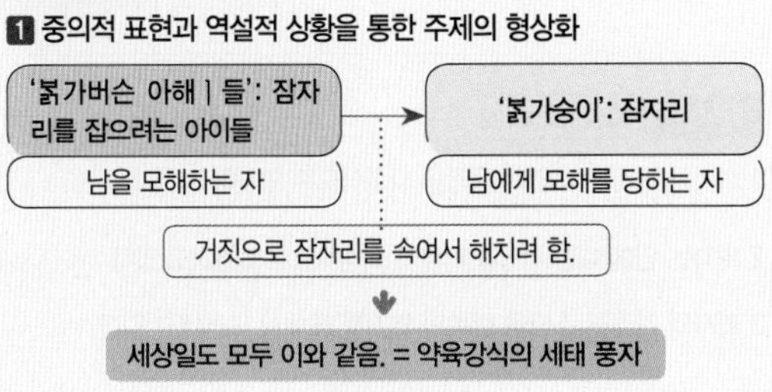

세상일도 모두 이와 같음. = 약육강식의 세태 풍자

최우선 핵심 Check!

1 'ㅂㄱㅅㅇ'는 '잠자리를 잡으려는 아이들'과 '잠자리'라는 중의적 의미로 쓰이고 있다.

2 중장의 상황에 가장 어울리는 한자 성어는 감언이설(甘言利說)이다. (O / ×)

3 종장을 통해 이 작품이 궁극적으로 ㅇㅇㄱㅅ의 험난한 세태를 비판하고 있음을 알 수 있다.

정답 1. 븕가숭이 2. ○ 3. 약육강식

천세를 누리소서 | 작자 미상

갈래 사설시조 **성격** 축수가, 기원적
주제 임의 만수무강을 기원함. **시대** 조선 후기

'누리소서'의 반복과 불가능한 상황의 설정을 통하여 임의 만수무강을 간절하게 기원하고 있다.

• 점층법: 사상·감정·사물 등을 작고, 낮고, 약한 것에서 크고 높고 강한 것에로 점차 고조시키는 방법

「천세(千歲)를 누리소서 만세(萬歲)를 누리소서 → 대구법, 화자의 소망 강조(임의 만수무강)
(천세: 천 년 - 오랜 세월 / 만세: 만 년)

「무쇠 기둥에 꽃 피여 여름이 여러 따드리도록 누리소서」
(여름: 열매 / 「」: 불가능한 상황을 설정하여 화자의 소망을 강조함(과장))

그밧긔 억만세(億萬歲) 외(外)에 또 만세(萬歲)를 누리소서」
(억만세: 무궁한 세월 / 「」: 반복법, 점층법, 의미 확장)

천세를 누리십시오 만세를 누리십시오.

무쇠 기둥에 꽃이 피고 열매가 열려서 (그것을) 따 드리도록 누리소서.
그 밖에 억만세, 그 외에 또 만세를 누리소서.

최우선 출제 포인트!

1 시적 발상 및 표현에 따른 효과

무쇠 기둥에 꽃 피여 여름이 여러 따드리도록 누리소서

↓

불가능한 상황을 설정하여 화자의 소망 강조

이 작품은 불가능한 상황을 설정하여 임의 만수무강을 기원하고 있다. 이와 유사한 발상을 지닌 작품에는 고려 가요 「정석가」, 김구의 「오리의 짧은 다리가」, 박인로의 「조홍시가」 제3수, 문충의 「오관산」, 작자 미상의 「황계사」 등이 있다.

최우선 핵심 Check!

1 초장에서 화자는 반복과 점층을 통해 임이 영원토록 살기를 간절히 기원하고 있다. (O / ×)

2 중장에서는 불가능한 상황을 설정하여 시적 대상의 만수무강을 기원하고 있다. (O / ×)

3 종장에서 '억만세'는 과장된 표현으로, 대상의 만수무강을 기원하는 화자의 감정이 담겨져 있다. (O / ×)

정답 1. ○ 2. ○ 3. ○

님으란 회양 금성 | 이정보

갈래 사설시조 **성격** 의지적, 연정가
주제 임(임금)과 떨어지지 않고 함께 있기를 바라는 마음 **시대** 조선 후기

비유, 묘사 등의 기법을 사용하여 임으로 표상되는 임금과 떨어지지 않고 항상 함께 있기를 바라는 마음을 고백하고 있다.

「」: 비유 - 임: 오리나무 / 화자 - 칡넝쿨

「님으란 회양(淮陽) 금성(金城) 오리남기 되고 나는 삼사월(三四月) 츩넌출이 되야」 그 남게 그 츩이 낙검의 납의 감듯 「일이로 츤츤 졀이로 츤츤 외오 풀러 올히 감아 얼거져 틀어져 밋붓터 끗ᄭᆞ지 죠곰도 빈틈업시 찬찬 굽의나게 휘휘 감겨 주야장상(晝夜長常) 뒤트러져 감겨 잇셔」

동섯ᄃᆞᆯ 바람비 눈설이를 암으만 맛즌들 ᄯᅥᆯ어질 쭐 이실야

(주석: 임금 / 강원도의 지역명 / 오리나무 / 칡넝쿨이(내가) / 나무에(임에게) / 납거미 / 나비 / 직유법 - 납거미에 나비를 감듯 / 「」: 칡넝쿨이 오리나무를 감는 모양의 구체적 묘사 - 생동감(임과 함께하고 싶은 심정을 드러냄) / □: 의태어의 사용 / 굽어지게 / 밑부터 끝까지 / 동지섣달 / 눈서리 / 밤낮으로 늘 / 설의적 표현 / 임과 화자 사이의 장애물(시련) / 임과 함께하겠다는 의지)

임은 회양 금성의 오리나무가 되고 나는 삼사월의 칡넝쿨이 되어

그 나무에 그 칡넝쿨이 납거미가 나비를 감듯 이리로 칭칭 저리로 칭칭 왼쪽으로 풀어 오른쪽으로 감아 얽어져 틀어져 밑부터 끝까지 조금도 빈틈없이 찬찬 굽어지게 휘휘 감겨 밤낮으로 늘 뒤틀어져 감겨 있어

동지섣달 바람비 눈서리를 암만 맞은들 떨어질 줄 있으랴?

최우선 출제 포인트!

1 임과 화자의 관계

임	화자
오리나무	칡넝쿨
나비	납거미

칭칭 감아 임과 떨어지지 않음. → 임과의 이별을 거부함(노골적).

최우선 핵심 Check!

1 화자가 바라본 자연의 풍경을 사실적으로 묘사하고 있다. (○ / ×)

2 화자는 임에 대한 사랑을 비유적, 과장적으로 표현하고 있다. (○ / ×)

3 화자의 간절한 소망을 반복과 열거를 통해서 드러내고 있다. (○ / ×)

정답 1. × 2. ○ 3. ○

님그려 겨오 든 잠에 | 작자 미상

갈래 사설시조 **성격** 연정가
주제 임에 대한 간절한 그리움과 상실감
시대 조선 후기

임을 그리워하는 화자가 임을 잠깐 만나는 꿈을 꾼 후, 임의 부재를 절실하게 느끼고 있음을 표현하고 있다.

「」: 현실

「님그려 겨오 든 잠에 쑴자리도 두리숭숭」 → 전전반측(輾轉反側)
그리던 님 잠간 만나 얼풋 보고 어드러로 간거이고 잠을 거슬
「잠씨여 겻테 업스니 아조 간가 ᄒᆞ노라」

(주석: 임 그리워 / 뒤숭숭 / 꿈속에서 있었던 일 / 꿈 - 임을 잡지 못한 화자의 안타까움이 절실하게 표현됨(도치법) / 잠에서 깨어 / 아주 / 「」: 현실 - 임의 부재를 확인하며 꿈꾸기 전보다 더 큰 상실감을 느낌)

임 그리워 겨우 든 잠에 꿈자리도 뒤숭숭

그리던 임 (꿈속에서) 잠깐 만나 얼풋 보고 어디로 간 것인가? 잡을 것을
잠 깨어 곁에 없으니 아주 간 것이 아닌가 하노라

최우선 출제 포인트!

1 시상 전개 과정

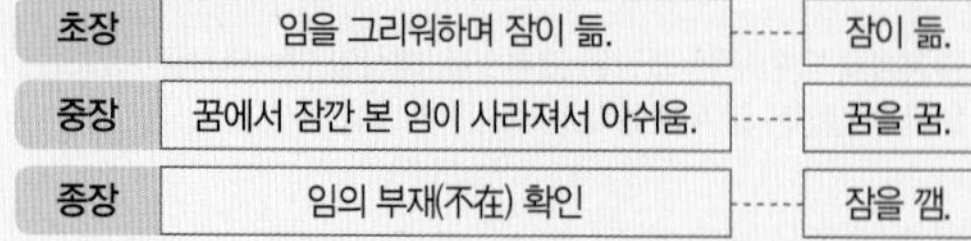

초장	임을 그리워하며 잠이 듦.	잠이 듦.
중장	꿈에서 잠깐 본 임이 사라져서 아쉬움.	꿈을 꿈.
종장	임의 부재(不在) 확인	잠을 깸.

최우선 핵심 Check!

1 '초 – 중 – 종장'의 시상 전개가 'ㅈㅇㄷ – 꿈을 꿈. – ㅈㅇㄲ'의 순서로 되어 있다.

2 중장에서 화자는 도치법을 써서 자신의 소망을 이루지 못한 안타까움을 표현하고 있다. (○ / ×)

정답 1. 잠이 듦, 잠을 깸 2. ○

277위 ᄒᆞᆫ 눈 멀고 ᄒᆞᆫ 다리 저는 두터비 | 작자 미상

갈래 사설시조 **성격** 우의적, 해학적, 풍자적
주제 탐관오리의 횡포와 허장성세 풍자
시대 조선 후기

조선 후기 양반 계층의 무능과 허장성세를 우의적으로 풍자하고 있다.

『ᄒᆞᆫ 눈 멀고 ᄒᆞᆫ 다리 저는 두터비 셔리 마즌 ᄑᆞ리 물고 두엄 우희 치다라 안자』

(두터비: 지방의 탐관오리, 풍자의 대상 / 물고: 착취하고 / ᄒᆞᆫ 눈 멀고 ᄒᆞᆫ 다리 저는: 지배 계층의 무능과 부조리함을 불구적 외형으로 희화화함 / ᄑᆞ리: 힘없는 백성 / 두엄: 부정으로 축재한 재물 / 『』: 화자 - 작품 외부에서 관찰하는 인물)

『건넌 산(山) ᄇᆞ라보니 백송골(白松骨)리 ᄯᅥ 잇거ᄂᆞᆯ 가ᄉᆞᆷ이 금즉ᄒᆞ여 플ᄶᅥᆨ ᄯᅱ여 내ᄃᆞᆺ다가 그 아ᄅᆡ 도로 잣바지거고나』

(백송골: 상부의 중앙 관리, 외세 / 금즉ᄒᆞ여: 섬뜩하여 / 『』: 강자 앞에서 비굴한 두꺼비의 모습을 희화화하여 해학적으로 묘사함)

『모쳐라 ᄂᆞᆯ낸 낼싀만졍 힝혀 둔자(鈍者)ㅣ런들 어혈(瘀血)질 번ᄒᆞ괘라』

(둔자: 대상의 희화화 / 『』: 화자 - 두꺼비. 자신의 비굴함을 합리화함 → 자화자찬(自畵自讚), 허장성세(虛張聲勢))

한 눈이 멀고 한 다리를 저는 두꺼비가 서리 맞아 절름거리는 파리를 물고 두엄 위에 치달아 앉아,

건너편 산을 바라보니 흰 송골매가 떠 있거늘 가슴이 섬뜩하여 펄쩍 뛰어 내닫다가 그 아래 도로 자빠졌구나.

마침 날랜 나였기에 망정이지 행동이 둔한 자였다면 피멍 들 뻔했구나.

최우선 출제 포인트!

1 의인화를 통한 우화적 수법

최우선 핵심 Check!

1 초장부터 종장까지 화자가 동일하다. (O / ×)

2 '[ㄷ][ㅌ][ㅂ]'는 풍자의 대상으로, 힘없는 백성을 착취하는 탐관오리를 의미한다.

3 이 작품은 「두터비 ᄑᆞ리를 물고」와 비슷한 내용과 시상 전개를 보이고 있는데, 이는 사설시조가 구비 문학의 성격을 띠고 있음을 보여 주는 것이다. (O / ×)

정답 1. × 2. 두터비 3. ○

278위 청천에 ᄯᅥᆺᄂᆞᆫ 기러기 | 작자 미상

갈래 사설시조 **성격** 연정가
주제 임에 대한 간절한 그리움 **시대** 조선 후기

의인화된 기러기와의 대화를 통해 임에 대한 절절한 그리움을 표현하고 있다.

청천(靑天)에 ᄯᅥᆺᄂᆞᆫ 기러기 ᄒᆞᆫ 쌍(雙) 한양성대(漢陽城臺)에 잠간 들러 쉬여 갈다 / 『이리로셔 져리로 갈 제 내 소식(消息) 들어다가 님의게 전(傳)ᄒᆞ고 져리로셔 이리로 올 제 님의 소식(消息) 드러 내 손ᄃᆡ 브ᄃᆡ 들러 전(傳)ᄒᆞ여 주렴』

(한양성대: '임'이 있는 곳, 서울의 궁궐 / 기러기: 편지를 전해 주는 새, 소식 전달의 매개체 / 갈다: 가겠느냐(의문형) / 이리로셔 져리로: 화자가 있는 곳에서 '임'이 있는 곳으로 / 님의게: 임에게 / 손ᄃᆡ: 나에게 / 브ᄃᆡ: 부디, 간절함이 드러남 / 『』: 화자가 기러기에게 임과 자신의 소식을 서로에게 전해 달라고 부탁함)

『우리도 님 보라 밧비 가ᄂᆞᆫ 길히니 전(傳)ᄒᆞᆯ 동 말 동 ᄒᆞ여라』

(『』: 기러기의 답변, 화자의 간절한 바람을 외면함)

푸른 하늘에 떠 있는 기러기 한 쌍이여, 한양성의 누대에 잠깐 들러 쉬어 가겠느냐? / 여기에서 저기로 갈 때 내 소식을 들어다가 임에게 전해 주고, 저기에서 여기로 올 때 임의 소식 들어 나에게 부디 들러 전하여 주렴.

우리도 임 보러 바삐 가는 길이니 전할 동 말 동 하여라.

최우선 출제 포인트!

1 화자와 기러기의 대화

화자 → 기러기: 내 소식을 임에게 전하고 임 소식을 나에게 전해 달라.

기러기 → 화자: 우리도 임을 만나러 가기 때문에 전할 수 있을지 모르겠다.

최우선 핵심 Check!

1 의인화된 기러기와의 [ㄷ][ㅎ]를 통해 화자의 소망과 정서를 드러내고 있다.

2 '[ㄱ][ㄹ][ㄱ]'는 화자의 처지와 대비되고 있다.

정답 1. 대화 2. 기러기

장진주사(將進酒辭) | 정철

갈래 사설시조 **성격** 낭만적, 풍류적, 허무적
주제 술로써 인생의 무상함을 해소함.
시대 조선 중기

국문학 사상 최초의 사설시조로, 애주가로 이름 높은 작가의 호탕한 성격이 잘 드러난 권주가(勸酒歌)이다.

『ᄒᆞᆫ 잔(盞) 먹새그려 ᄯᅩ 한잔 먹새그려 곶 것거 산(算)하며 무진무진(無盡無盡) 먹새그려』

이 몸 죽은 후(後)에 지게 우희 거적 더퍼 주리혀 ᄆᆡ여가나 유소보장(流蘇寶帳)에 만인(萬人)이 우러 녜나 『어옥새 속새 덥가나무 백양(白楊) 수페 가기곳 가면 누른 ᄒᆡ 흰 ᄃᆞᆯ ᄀᆞᄂᆞᆫ 비 굵근 눈 쇼쇼리 ᄇᆞ람 불 제』 뉘 ᄒᆞᆫ 잔 먹쟈 ᄒᆞᆯ고

ᄒᆞ믈며 무덤 우희 ᄌᆞᆫ나비 ᄑᆞ람 불 제 뉘우ᄎᆞᆫ들 엇지리

- 한잔 먹새그려(a) / 한잔 먹새그려(a) / 산(算)하며(b) / 무진무진 먹새그려(a)
- 산(算)하며: 마신 술의 잔을 세며
- 『 』: 반복법. a-a-b-a 구조. 낭만적(술을 먹자는 권유를 강조하여 드러냄)
- 지게 우희: 지게 위에
- 유소보장: 술이 달린 비단 장막. 상여 위에 침
- 지게 우희 거적 더퍼 주리혀 ᄆᆡ여가나: 초라한 죽음 ↕ 대조 유소보장(流蘇寶帳)에 만인(萬人)이 우러 녜나: 화려한 죽음
- 어옥새: 억새 / 덥가나무: 떡갈나무 / 백양: 버드나무
- ᄀᆞᄂᆞᆫ 비: 가는(細) 비 / 쇼쇼리 ᄇᆞ람: 회오리바람
- 『 』: 쓸쓸하고 삭막한 무덤 주변의 모습 - 인생무상
- 뉘 ᄒᆞᆫ 잔 먹쟈 ᄒᆞᆯ고: 술을 즐기는 태도의 합리화
- ᄌᆞᆫ나비: 원숭이
- 무덤 우희 ᄌᆞᆫ나비 ᄑᆞ람 불 제: 무덤 주변의 쓸쓸한 모습을 청각적으로 표현 - 인생무상(人生無常)을 강조
- 뉘우ᄎᆞᆫ들 엇지리: 죽고 나면 후회해도 소용없음. 설의적 표현

> 한 잔 먹세그려, 또 한 잔 먹세그려. 꽃을 꺾어 술잔 수를 세면서 끝없이 먹세그려.
>
> 이 몸이 죽은 후에는 지게 위에 거적을 덮어 졸라매어 가거나, 화려하게 꾸민 상여에 실려 많은 사람이 울면서 따라가거나, 억새와 속새, 떡갈나무와 백양나무 숲속에 가기만 하면 누런 해와 흰 달이 뜨고, 가랑비와 함박눈이 내리며, 회오리바람이 불 때 누가 한 잔 먹자고 하겠는가?
>
> 하물며 무덤 위에 원숭이가 휘파람을 불 때 (지난날을) 뉘우친들 무엇하겠는가?

최우선 출제 포인트!

1 '대조'를 통한 강조

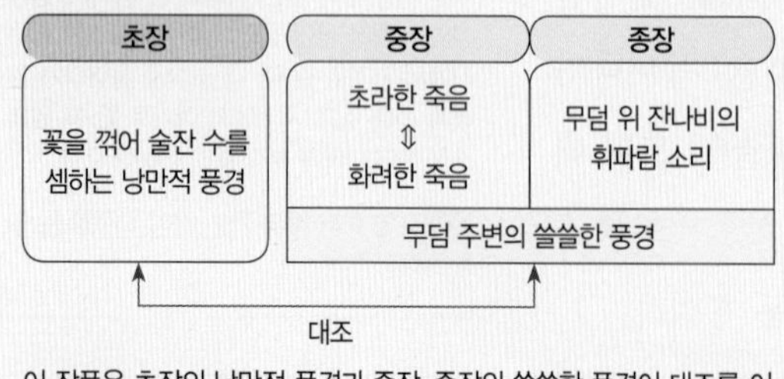

이 작품은 초장의 낭만적 풍경과 중장, 종장의 쓸쓸한 풍경이 대조를 이루고 있는데, 이러한 대조적 구조는 화자가 느끼는 인생무상을 강조하는 효과를 준다.

2 '술'의 기능

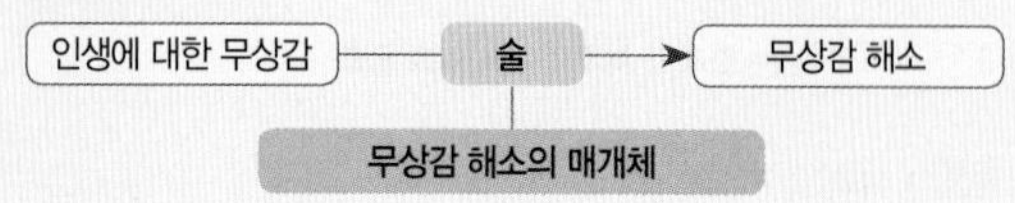

최우선 핵심 Check!

1 화자는 ㅅ로써 인생의 무상함을 해소하려는 낭만적, 향락적인 태도를 보이고 있다.

2 초장에는 '살어리 살어리랏다 청산에 살어리랏다'와 같은 전통적 율격이 나타난다. (○ / ×)

3 초장에서는 반복법을 활용하여 인생의 무상함을 강조하고 있다. (○ / ×)

4 우리말 표현을 주로 사용하여 시적 아름다움을 더하고 있다. (○ / ×)

5 종장에서는 ㅊㄱ적 이미지를 통해 무덤 주변의 쓸쓸한 분위기를 드러내고 있다.

6 술 권하는 낭만적 풍경과 무덤 주변의 쓸쓸한 풍경을 대조하여 주제 의식을 강조하고 있다. (○ / ×)

정답 1. 술 2. ○ 3. × 4. ○ 5. 청각 6. ○

280위 개야미 불개야미 | 작자 미상

갈래 사설시조 **성격** 단원가, 과장적
주제 자신의 결백을 주장함 **시대** 조선 후기

개미를 제재로 하여 남을 모함하는 말에 현혹되지 말라는 내용을 해학적으로 형상화하고 있다.

『개야미 불개야미 준등 쪽 부러진 불개야미 ─반복과 확장을 통한 의미 강화
개미. 화자 자신으로 볼 수도 있음
앞발에 정종 나고 뒷발에 종긔 난 불개야미 광릉(光陵) 십재 너
몸에 버짐이 나고 가려운 피부병의 일종 / 샘 고개
머 드러 가람의 허리를 ㄱ로물어 추혀들고 북해(北海)를 건넌단 말』
호랑이의 일종, 얼룩범 / 『 』: 허무맹랑한 말, 불가능한 상황 설정
이 이셔이다 님아 님아 → 세인들의 참소와 비방
청자. 임금으로도 볼 수 있음
온 놈이 온 말을 ᄒ여도 님이 짐쟉ᄒ소셔
백(白), 모든 / 임의 올바른 판단을 소망함 - 자신의 결백을 호소함

개미, 불개미, 잔등 똑 부러진 불개미

앞발에 피부병 나고 뒷발에 종기 난 불개미가 광릉 샘 고개 넘어 들어 호랑이 허리를 물어 추켜들고 북해를 건넌단 말이 있습니다. 임이시여, 임이시여.

모든 사람이 온갖 말을 해도 임이 (새겨서) 짐작하소서.

최우선 출제 포인트!

1 불가능한 상황의 설정

불가능한 상황	→	
등이 부러지고 피부병까지 있는 보잘것없는 개미가 호랑이를 물고 북해를 건넘.	→	다른 사람의 참언(讒言: 남을 헐뜯어 윗사람에게 고해 바침.)을 무조건 믿지 않기를 바람.

화자는 허무맹랑한 이야기를 통하여 '온 놈'이 하는 말이 거짓임을 호소하고 임이 올바른 판단을 하기를 소망하고 있다.

최우선 핵심 Check!

1 이 작품의 시상 전개 과정을 완성하시오.

초장	(㉠)과 확장을 통해 대상을 묘사함.
중장	현실에서 있을 수 없는 상황을 (㉡)이고 점층적으로 제시함.
종장	자신의 (㉢)을 호소하고 임이 올바른 판단을 하기를 소망함.

정답 1. ㉠: 반복, ㉡: 과장적, ㉢: 결백

281위 대천 바다 한가온데 | 작자 미상

갈래 사설시조 **성격** 과장적, 해학적
주제 참언에 대한 경계와 자신의 결백 주장
시대 조선 후기

말도 안 되는 상황을 예로 들어 자신의 결백을 주장하며 임이 바른 판단을 하기를 바라는 내용을 담고 있다.

바늘의 종류
『대천(大川) 바다 한가온데 중침(中針) 세침(細針) 싸지거다
배질을 할 때 쓰는 긴 막대
여나믄 사공(沙工)놈이 긋므된 사엇대를 긋치치 두레메여 일시
끝이 무딘 / 저마다
(一時)에 소릐치고 귀께여 내단 말』이 이셔이다
『 』: 말도 안 되는 허무맹랑한 내용 - 자신의 결백을 주장하기 위한 예시 및 결백함에 대한 근거
님아 님아 온 놈이 온 말을 ᄒ여도 님이 짐작ᄒ쇼셔
화자를 모함하는 자 / 화자를 모함하는 말 / 분별하소서 - 자신의 결백 강조

넓은 바다 한가운데 바늘이 빠지었다.

열 명 남짓한 사공들이 끝이 무딘 막대를 저마다 둘러메고 동시에 소리치고 바늘귀를 꿰어 냈다는 말이 있습니다.

임이시여, 임이시여, 많은 사람들이 온갖 말을 하더라도 임께서 짐작하십시오.

최우선 출제 포인트!

1 시상 전개 과정

초·중장	도저히 있을 수 없는 허황된 상황 제시	예시
종장	자신의 결백 호소, 이성적 판단 부탁	주장

최우선 핵심 Check!

1 초장과 중장의 극단적으로 과장된 상황은 임에 대한 원망의 심정을 강조한 것이다. (O / ×)

2 종장의 '온 놈이 하는 온 말'은 화자를 모함하는 말이다. (O / ×)

정답 1. × 2. ○

창밖이 어른어른커늘 | 작자 미상

갈래 사설시조 **성격** 연정가, 해학적
주제 임을 기다리는 애타는 마음
시대 조선 후기

창밖에 비친 구름 그림자를 임으로 착각한 화자의 행동을 해학적으로 표현하고 있다.

○: 화자가 기다리는 대상 □: 의태어를 사용하여 행동을 과장되게 표현함 → 임을 간절히 보고 싶은 마음을 드러냄

창밖이 어른어른커늘 (님)만 여겨 [펄떡] 뛰어 [뚝] 나서 보니
(님)은 아니 오고 으스름 달빛에 녈(가는) 구름 날 속였구나 (지나가는 구름을 임으로 착각함)
마초아(마침) 밤일세망정 행여 낮이런들 남 우일 뻔하여라 (해학적 표현. 겸연쩍어함)

창밖에 (무엇인가) 어른어른하여 임이라고만 여겨 펄쩍 뛰어 급히 나가서 보니
임은 아니 오고 으스름 달빛에 가는 구름이 나를 속였구나.
마침 밤이었기에 망정이지 만일 낮이었다면 남을 웃길 뻔했구나.

최우선 출제 포인트!

1 화자의 착각

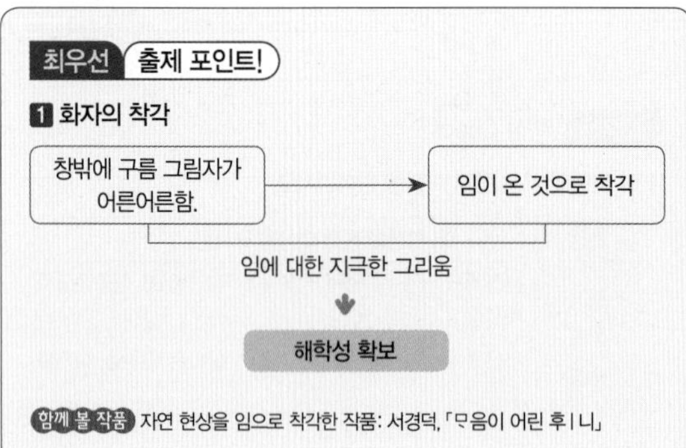

함께 볼 작품 자연 현상을 임으로 착각한 작품: 서경덕, 「마음이 어린 후ㅣ니」

최우선 핵심 Check!

1 화자는 ㄱ ㄹ을 임으로 착각할 정도로 임에 대한 지극한 그리움을 보이고 있다.

2 화자는 자기 자신을 희화화하여 작품 전체에 해학성을 부여하고 있다. (○ / ×)

3 의성어를 사용하여 임을 기다리는 여인의 간절한 마음을 표현하고 있다. (○ / ×)

정답 1. 구름 2. ○ 3. ×

내게는 원수ㅣ가 업셔 | 작자 미상

갈래 사설시조 **성격** 연정가, 해학적
주제 임을 그리워하는 마음
시대 조선 후기

임이 오지 않는 상황을 개와 닭의 탓으로 돌리며, 사랑을 방해하는 요인을 제거하려는 여인의 모습을 통해 해학미를 엿볼 수 있다.

내게는 원수(怨讐)ㅣ가 업셔 개와 돍이(화자와 임의 사랑을 방해하는 훼방꾼) 큰 원수(怨讐)로다
『벽사창(碧紗窓)(푸른 비단을 바른 창(여자의 방)) 깁픈 밤의 픔에 들어 자는 님을 (닭이) 자른(짧은) 목 느르혀(늘어뜨려) 홰홰쳐((닭이) 날개를 벌리고 탁탁 쳐) 울어 닐어 가게 ᄒᆞ고 적막(寂寞) 중문(重門)에 왓는 님을 (개가) 믈으락 나으락(물러섰다가 나아갔다가) 캉캉 즈저 도로 가게 ᄒᆞ니』 『 』: 임이 오지 않는 것을 개와 닭의 탓으로 돌림 - 해학적 표현
『암아도 유월(六月) 유두(流頭)(명절의 하나(음력 6월 15일)) 백종(百種)(명절의 하나(음력 7월 15일)) 전(前)에 서러저 업씨 ᄒᆞ리라』 『 』: 임과의 사랑을 방해하는 개와 닭을 제거하려 함 - 임과 함께 있고 싶은 마음의 표현

내게는 원수가 없는데 개와 닭이 큰 원수로다.
푸른 비단을 바른 여자 방의 깊은 밤에 (내) 품에 들어와 자는 임을 (닭이) 짧은 목 늘어뜨려 홰를 쳐 울어 (임이) 일어나 가게 만들고, 적막한 중문에 와 있는 임을 (개가) 물러섰다가 나아갔다가 캉캉 짖어서 도로 가게 만드니
아마도 6월 유두, 백중 전에 (닭과 개를) 사라져 없어지게 해야겠구나.

최우선 출제 포인트!

1 '닭'과 '개'의 특징

닭	개
자는 임을 깨워서 돌아가게 만듦.	우리집에 와 있는 임을 보고 짖어서 도로 가게 함.
화자와 임과의 사랑의 훼방꾼 → 화자가 제거하려는 대상	

최우선 핵심 Check!

1 화자는 임을 그리워하는 마음을 익살스럽고 해학적으로 표현하고 있다. (○ / ×)

2 화자는 사랑을 이루는 데 수동적이고 소극적인 성격이다. (○ / ×)

정답 1. ○ 2. ×

탐진에서의 고기잡이 노래

탐진어가(耽津漁歌) | 정약용

갈래 한시(7언 절구) **성격** 사실적, 토속적
주제 고기잡이를 하는 어부들의 모습
시대 조선 후기

작가가 탐진(지금의 전라남도 강진)에서 귀양살이를 할 때 지은 작품이다. 고기잡이를 하는 어부들의 활기찬 모습에 대한 긍정적 태도가 드러나 있다.

桂浪春水足鰻鱺 (계 랑 춘 수 족 만 려)
계랑포 봄물에 뱀장어가 많을시고
(공간적 배경: 계랑포 / 계절적 배경: 봄물 / 어부들이 잡으려는 대상: 뱀장어)
□: 향토적 어휘의 한자어 표현 Link 표현상 특징 ❶

撑取弓船漾碧漪 (탱 취 궁 선 양 벽 의)
푸른 물결 일렁일렁 활선으로 잡아 보세
(바다의 모습을 생동감 있게 표현, 음성 상징어 Link 표현상 특징 ❷)

> 기 · 승: 뱀장어잡이에 나서는 어부들의 활기찬 모습

高鳥風高齊出港 (고 조 풍 고 제 출 항)
「높새바람 살랑이면 나란히 출항하여
(높새바람: 북동풍)

馬兒風緊足歸時 (마 아 풍 긴 족 귀 시)
마파람 불라치면 돌아올 때라네」
(마파람: 남풍)
「 」: 고기잡이 배의 출항과 귀항 표현

> 전 · 결: 고기잡이 배의 출항과 귀항

출제자 톡! 화자를 이해하라!

1 **화자는 누구이고, 화자가 처한 상황은?**
봄을 맞아 뱀장어잡이에 나서는 어부들의 모습을 바라보고 있는 사람

2 **화자의 정서 및 태도는?**
고기잡이를 하는 어부들의 활기찬 모습에 대한 긍정적 태도를 보여 줌.

Link

출제자 톡! 표현상의 특징을 파악하라!

❶ 향토적인 어휘의 느낌을 최대한 살린 한자어를 사용하고 있음.

❷ 음성 상징어를 활용하여 바다의 모습을 생동감 있게 표현함.

❸ 작가의 개인적 의견을 드러내지 않으면서 대상의 모습을 사실적으로 그려냄.

최우선 출제 포인트!

1 향토적 어휘의 한자 표현

향토적 어휘		한자어
활선	→	弓船(궁선)
높새바람	→	高鳥風(고조풍)
마파람	→	馬兒風(마아풍)

한자어로 향토적 분위기를 드러냄.
↓
작가의 주체성을 엿볼 수 있음.

최우선 핵심 Check!

1 ㅎㅌ적 어휘의 느낌을 살린 한자어를 사용하고 있다.

2 화자는 자신의 고기잡이 경험담을 객관적으로 서술하고 있다. (O / ×)

3 첫 행에서는 시간적 배경과 공간적 배경을 드러내고 있다. (O / ×)

4 2행에서는 음성 상징어를 사용하여 바다의 모습을 생동감 있게 그려 내고 있다. (O / ×)

정답 1. 향토 2. × 3. ○ 4. ○

1등급! 〈보기〉!

「탐진악부(耽津樂府)」의 이해

정약용이 지은 악부시로, 『다산 시문집』 권 4에 수록되어 있다. 1801년(순조 1년) 신유교난에 연루되어 강진에 유배되었을 때 지은 작품으로, '탐진'은 강진의 옛 이름이다. 「탐진악부」는 「탐진촌요(耽津村謠)」(20수), 「탐진농가(耽津農歌)」(50수), 「탐진어가(耽津漁歌)」(10장)를 합하여 일컬은 것이다. 형식은 모두 7언 절구로 되어 있으나, 노래 부르기 쉽게 되어 있다.

시의 내용은 크게 두 가지로 나타난다. 첫째는 농어촌 백성들의 소박하고 진솔한 생활상과 삶의 터전을 생동감 있게 그려 낸 것이고, 둘째는 붕괴해 가는 봉건 체제에서 비롯된 실정(失政)과 탐관오리들의 횡포로 고통을 겪는 농어촌 백성들의 고난을 그린 것이다.

날이 맑았다 비가 왔다 함

285위 사청사우(乍晴乍雨) | 김시습

갈래 한시(7언 율시) **성격** 비유적, 경세적
주제 변덕스러운 인간 세상에 대한 비판과 순리에 따라 사는 의연한 삶 **시대** 조선 전기

언제 어떻게 변할지 모르는 변덕스러운 세상 인정을 날씨에 빗대어 비판하면서, 주위의 변화에 흔들리지 말고 순리에 따라 의연하게 살아갈 것을 노래하고 있다.

원문	해석
乍晴還雨雨還晴 사 청 환 우 우 환 청	「언뜻 개었다가 다시 비가 오고 비 오다가 다시 개니
天道猶然況世情 천 도 유 연 황 세 정	하늘의 도 또한 그러하거늘 하물며 세상 인정이랴」
譽我便應還毁我 예 아 변 응 환 훼 아	「나를 칭찬하다가 문득 돌이켜 나를 헐뜯고
逃名却自爲求名 도 명 각 자 위 구 명	공명을 피하더니 도리어 스스로 공명을 구하는 것이 되네」
花開花謝春何管 화 개 화 사 춘 하 관	「꽃이 피고 지는 것을 봄이 어찌 다스리며
雲去雲來山不爭 운 거 운 래 산 부 쟁	구름 가고 오는 것을 산은 다투지 않네」
寄語世人須記認 기 어 세 인 수 기 인	「세상 사람들에게 말하노니 반드시 기억해 알아 두라
取歡無處得平生 취 환 무 처 득 평 생	기쁨을 취하려 한들 어디에서인들 평생 얻을 수는 없다는 것을」

- 날씨: 변덕스러운 날씨
- 세상 인정: 비판의 대상
- 「 」: 인간사를 자연 현상에 빗대어 표현함. 설의적 표현 Link 표현상 특징 ❶, ❷
- 변덕스러운 날씨처럼 세상 인정도 변덕스러움. 염량세태(炎涼世態)
- 「 」: 변덕스러운 세상 인정의 모습
- 수 · 함: 변덕스러운 세상 인정
- 꽃, 구름: 쉽게 변하는 자연 - 자연의 순리
- 산: 의연한 자연(순리에 따름)
- 「 」: 대구법, 의인법 Link 표현상 특징 ❷
- 세상 사람들: 청자(변덕스러운 사람들)
- 반드시 기억해 알아 두라: 명령형 → 강조
- 도치법
- 경 · 미: 순리에 따라 살아야 함
- 세태에 따라 이리저리 변하는 삶에서는 평생의 기쁨을 얻을 수 없음 → '봄', '산'처럼 순리에 따르는 의연한 삶을 통해서만 기쁨을 얻을 수 있음
- 「 」: 세상 사람들에게 말을 건네는 방식을 통해 주제 의식을 드러냄 Link 표현상 특징 ❸

출제자 톡! 화자를 이해하라!

1 **화자는 누구이고, 화자가 처한 상황은?**
변덕스러운 날씨를 보며 상황에 따라 달라지는 변덕스러운 세상 인정을 떠올리는 사람

2 **화자의 정서 및 태도는?**
변덕스러운 세상 인정에 대한 비판적 태도를 드러냄.

Link

출제자 톡! 표현상의 특징을 파악하라!

❶ 인간사를 자연 현상에 빗대어 바람직한 삶의 자세를 제시함.

❷ 대구법, 대조법, 도치법, 의인법, 설의적 표현 등 다양한 표현 방법을 사용하여 주제를 효과적으로 드러냄.

❸ 세상 사람들을 청자로 설정하여 말을 건네는 방식으로 주제 의식을 드러냄.

최우선 출제 포인트!

1 제목의 의미

사청사우(乍晴乍雨): 날이 개었다 비가 왔다 함. → 변덕스러운 날씨
↓
변덕스러운 세상 인정을 빗대어 표현
→ 날씨처럼 변덕스러운 세상 인정 비판

2 대조를 이루는 소재

가변적 존재	↔ 대조	불변적 존재
꽃, 구름 / 세상 인정		봄, 산
↓		↓
변덕스러움.		의연함, 순리에 따름.

↓ 변덕스러운 세상 인정에 휘둘리지 않는, 순리에 따르는 삶을 강조함.

최우선 핵심 Check!

1 변덕스러운 세상 사람들의 모습을 구체적으로 제시하고 있다. (O / ×)

2 화자가 바람직하다고 생각하는 자연의 모습을 보여 주는 것은 ㅂ과 ㅅ이다.

3 계절의 변화에 따라 시상을 전개하고 있다. (O / ×)

4 의인화된 자연물에게 말을 건네는 방식으로 주제 의식을 드러내고 있다. (O / ×)

5 자연으로부터 인간이 본받아야 할 바람직한 삶의 자세를 이끌어 내고 있다. (O / ×)

정답 1. ○ 2. 봄, 산 3. × 4. × 5. ○

어떤 나그네(화자 자신)

유객(有客) | 김시습

갈래 한시(5언 율시) **성격** 풍류적, 감각적
주제 자연의 아름다움 속에서 정화시키는 속세의 근심 **시대** 조선 전기

봄 산에서 유유자적하며 흥취를 즐기며 세상 근심을 잊은 모습을 그리고 있다.

有客淸平寺 (유 객 청 평 사)
청평사의 나그네
(청평사: 화자가 머물고 있는 공간 / 나그네: 화자를 객관화함)

春山任意遊 (춘 산 임 의 유)
봄 산을 마음대로 노니네
(봄: 계절적 배경 / 마음대로: 화자의 유유자적한 삶을 엿볼 수 있음)

鳥啼孤塔靜 (조 제 고 탑 정)
「고요한 외로운 탑에 산새 지저귀고
(탑: 화자의 정서가 이입된 객관적 상관물 **Link** 표현상 특징 ❸)

花落小溪流 (화 락 소 계 류)
흐르는 작은 내에 꽃잎 떨어지네」
「」: 감각적 이미지(청각, 시각)를 활용하여 봄 산의 풍경을 형상화함. 대구법, 유사한 통사 구조의 반복 **Link** 표현상 특징 ❶, ❷

佳菜知時秀 (가 채 지 시 수)
「좋은 나물은 때 알아 돋아나고

香菌過雨柔 (향 균 과 우 유)
향기로운 버섯은 비 맞아 부드럽네」
「」: 감각적 이미지(시각, 후각, 촉각)를 통해 자연물의 생명력을 드러냄. 대구법, 유사한 통사 구조 반복 **Link** 표현상 특징 ❶, ❷

行吟入仙洞 (행 음 입 선 동)
시 읊조리며 신선 골짝 들어서니
(신선 골짝: 화자가 지향하는 공간을 상징함 - 이상향)

消我百年愁 (소 아 백 년 수)
나의 백 년 근심 사라지네
(백 년 근심: 세속적인 삶의 근심)

› 수: 봄 산에서 유유자적함
› 함: 한가로운 봄 산의 풍경
› 경: 생명력 넘치는 봄 산
› 미: 봄 산에서의 흥취로 근심을 잊음

출제자 톡! 화자를 이해하라!

1 **화자는 누구이고, 화자가 처한 상황은?**
봄 산에서 유유자적하고 있는 '나'

2 **화자의 정서와 태도는?**
- 봄 산의 풍경을 바라보며 흥취를 즐기고 있음.
- 봄 산의 아름다운 풍경을 보며 세속 근심을 잊음.

Link

출제자 톡! 표현상의 특징을 파악하라!

❶ 다양한 감각적 이미지를 사용하여 봄 산의 생동감 있는 풍경과 생명력을 형상화함.

❷ 대구법, 유사한 통사 구조의 반복을 통해 운율을 형성함.

❸ 객관적 상관물을 이용하여 화자의 정서를 드러냄.

최우선 출제 포인트!

1 소재의 역할

산새, 꽃잎, 나물, 버섯
↓
봄 산의 생동감 있는 풍경을 드러냄. → 화자로부터 흥취를 북돋움.

2 '신선 골짝'의 의미

신선 골짝 ➔ 화자가 흥취를 즐기는 봄 산
→ 화자가 지향하는 공간 – 세속의 근심을 잊을 수 있는 곳

최우선 핵심 Check!

1 화자의 정서를 드러내고 있는 객관적 상관물에는 ㅌ이 있다.

2 화자는 봄을 맞이하여 유유자적한 모습을 보이고 있다. (○ / ×)

3 감각이 전이된 공감각적 이미지를 사용하여 아름다운 봄 산의 풍경을 형상화하고 있다. (○ / ×)

4 봄 산의 아름다움을 드러내는 '꽃잎'과 달리 '산새'는 화자의 현재 처지를 부각하고 있다. (○ / ×)

5 화자는 '신선 골짝'에 들어서면서 속세의 근심을 잊고 있다. (○ / ×)

정답 1. 탑 2. ○ 3. × 4. × 5. ○

떠돌아다니는 유민의 탄식

287위 유민탄(流民歎) | 어무적

조선 중기 노비 출신의 시인

갈래 한시(7언 고시이나 3언 · 5언 · 7언을 변화 있게 구사) **성격** 현실적, 비판적 **주제** 백성을 구제하지 않는 부패한 관리에 대한 비판 **시대** 조선 중기

떠돌이 유민의 신세를 탄식하고 가난한 백성들의 어려움과 원성을 대변하면서 세도가들의 선정을 바라고 있다.

蒼生難蒼生難
창 생 난 창 생 난
年貧爾無食
연 빈 이 무 식
我有濟爾心
아 유 제 이 심
而無濟爾力
이 무 제 이 력
蒼生苦蒼生苦
창 생 고 창 생 고
天寒爾無衾
천 한 이 무 금
彼有濟爾力
피 유 제 이 력
而無濟爾心
이 무 제 이 심
願回小人腹
원 회 소 인 복
暫爲君子慮
잠 위 군 자 려
暫借君子耳
잠 차 군 자 이
試聽小民語
시 청 소 민 어
小民有語君不知
소 민 유 어 군 부 지
今歲蒼生皆失所
금 세 창 생 개 실 소
北闕雖下憂民詔
북 관 수 하 우 민 조
州縣傳看一虛紙
주 현 전 간 일 허 지
特遣京官問民瘼
특 견 경 관 문 민 막
馹騎日馳三百里
일 기 일 치 삼 백 리
吾民無力出門限
오 민 무 력 출 문 한
何暇面陳心內事
하 가 면 진 심 내 사
縱使一郡一京官
종 사 일 군 일 경 관
京官無耳民無口
경 관 무 이 민 무 구
不如喚起汲淮陽
불 여 환 기 급 회 양
未死孑遺猶可救
미 사 혈 유 유 가 구

백성들의 어려움이여, 백성들의 어려움이여
어려운 처지에 있는 백성들의 모습을 강조 - 화자의 안타까움이 담김, 반복법, 영탄적 표현 **Link** 표현상 특징 ❶
흉년 들어 너희들은 먹을 것이 없구나
백성들을 힘들게 하는 자연 재해
『나는 너희들을 구제할 마음이 있어도
너희들을 구제할 힘이 없구나』 『 』: 백성을 구제할 힘이 없는 화자 자신에 대한 탄식 - 대구법, 대조법 **Link** 표현상 특징 ❸

> 어려운 백성들을 구제할 힘이 없음을 탄식함

백성들의 괴로움이여, 백성들의 괴로움이여
괴로움을 겪는 백성들의 모습을 강조 - 1행의 변주 **Link** 표현상 특징 ❶, ❷
날이 추워 네가 이불이 없을 때
괴로움을 겪는 백성들의 모습을 형상화
『저들은 너희들을 구제할 힘이 있어도 『 』: 화자의 비판적 인식이 드러남 - 3, 4행의 변주, 대구법, 대조법 **Link** 표현상 특징 ❷, ❸
관리들을 가리킴
너희들을 구제할 마음이 없구나』

> 어려운 백성들을 구제할 마음이 없는 관리들

원컨대, 잠시라도 소인배의 마음을 돌려서
백성을 구제할 마음이 없는 것 □ ↔ △
군자의 생각을 가져 보게나 ▒: 화자가 관리들에게 권유하는 어조
백성의 고충을 헤아리는 어진 마음
『군자의 귀를 빌려
백성의 말을 들어 보게나』 『 』: 백성들의 어려움에 관심을 가지라는 의미

> 백성들의 말을 귀담아 듣기를 바람

백성은 할 말 있어도 임금은 알지 못하니
백성들의 고충이 임금에게 알려지지 않은 상황을 드러냄
오늘 백성들은 모두 살 곳을 잃었구나
백성들의 처지에 대한 화자의 탄식, 영탄적 표현 **Link** 표현상 특징 ❶
궁궐에서는 매양 백성을 걱정하는 조서 내리는데
지방 관청에 전해져서는 한갓 헛된 종이 조각
지방 관리들에게 백성을 걱정하는 마음이 없음을 드러낸 소재

> 임금의 마음이 전달되지 않는 현실 비판

서울에서 관리를 보내 백성의 고통을 물으려
백성을 걱정하는 임금의 마음 - 지방 관리들의 마음과 대비됨
역마로 날마다 삼백 리를 달려도
백성들은 문턱에 나설 힘도 없어
백성들의 힘겨운 삶을 강조 - 과장적 표현 **Link** 표현상 특징 ❹
어느 겨를에 마음속 일을 말이나 하겠소
자신들의 고통을 말조차 할 수 없는 백성들의 안타까운 현실을 부각함, 설의적 표현 **Link** 표현상 특징 ❺

> 힘든 삶 때문에 자신들의 말도 제대로 못하는 백성들

비록 한 고을에 한 서울 관리 온다고 해도
서울 관리는 귀가 없고 백성은 입이 없다네 → 대구법 **Link** 표현상 특징 ❸
백성들의 말을 귀담아 듣지 않으려는 태도 - 화자의 비판적 인식이 드러남
급회양 같은 착한 관리를 불러다가
중국 한나라 때 선정(善政)을 베푼 것으로 유명한 태수
아직 죽지 않은 백성을 구해봄만 못하리라
어려운 백성들을 구제할 방법이 없는 현실의 암담함을 드러냄

> 중앙 관리들의 무책임 비판 및 암담한 현실 인식

출제자 톡! **화자를 이해하라!**

1 **화자는 누구이고, 화자가 처한 상황은?**
힘들게 살아가는 백성들을 바라보고 있는 '나'

2 **화자의 정서 및 태도는?**
- 힘들게 사는 백성들에 대한 안타까움을 드러냄.
- 백성들을 구제할 힘이 없음을 탄식함.
- 백성들의 말을 귀담지 않는 관리들에 대한 비판 의식을 드러냄.
- 백성들을 구제할 방법이 없는 현실에 암담함을 느낌.

Link

출제자 톡! **표현상의 특징을 파악하라!**

❶ 반복법, 영탄적 표현을 사용하여 화자의 정서를 강조함.
❷ 시구의 변주를 통해 시적 의미를 강조함.
❸ 대구법, 대조법을 통해 화자의 정서와 태도를 부각함.
❹ 과장적 표현을 사용하여 백성들의 힘든 상황을 효과적으로 드러냄.
❺ 설의적 표현을 사용하여 안타까운 현실을 강조함.

최우선 **출제 포인트!**

1 백성들에 대한 정서 및 태도

백성들	흉년이 들어 어렵고 괴롭게 살아감. → 배고픔으로 문턱에 나설 힘도 없음.

화자	↔	관리들
• 백성들의 힘든 삶에 대해 안타까움을 드러냄. • 백성들을 구제할 힘이 없어 탄식함.	↔	• 백성들을 구제할 힘이 있어도 구제하지 않음. • 임금이 백성을 걱정하는 조서를 내려도 개의치 않음.

↓ 화자의 권유

관리들이 군자의 생각을 가지고
백성들의 말에 귀기울여 줄 것을 바람.

최우선 **핵심 Check!**

1 7, 8행은 3, 4행을 변주한 것으로, 대구법, ㄷㅈㅂ을 사용하여 관리들의 부정적 태도를 부각하고 있다.

2 백성들을 구제할 마음이 없음을 의미하는 '소인배의 마음'과 대조되는 2어절의 시구를 찾아 쓰시오.

3 화자는 흉년이 들어 어렵게 살아가는 백성들에 대한 안타까움을 드러내고 있다. (○ / ×)

4 '헛된 종이 조각'은 지방 관리들이 백성을 걱정하는 마음이 없음을 비유적으로 드러낸 시구이다. (○ / ×)

5 화자는 서울 관리조차 백성을 구제하지 않는 현실을 비판하고 있다. (○ / ×)

정답 1. 대조법 2. 군자의 생각 3. ○ 4. ○ 5. ○

1등급! 〈보기〉!

「유민탄」의 이해

이 작품은 위항 문학(委巷文學 – 조선 후기 서울을 중심으로 중인·서얼·서리 출신의 하급 관리와 평민들에 의해 이루어진 문학 양식)에 속하는 것으로, 칠언시에 삼언시, 오언시가 섞여 있으며, 작품에 나타난 반복과 대구의 표현 기교는 민요의 성격과도 통하는 바가 있다. 『함종어씨세보(咸從魚氏世譜)』에 의하면 이 작품의 작가인 어무적은 어머니가 관비였고 아버지는 사족(士族)으로, 처음에는 관노였으나 뒤에 면천된 것으로 추정된다. 사대부인 아버지의 영향으로 한문을 익혔으며, 시재에 뛰어났다. 위항 문학의 작가가 하층민인 것은 드문 경우로, 작가는 시 속에서 자신을 하층민과 동일시하지 않는다는 점이 특징적이다.

288위

밤에 다듬이 소리를 들음

야청도의성(夜聽擣衣聲) | 양태사

갈래 한시(7언 배율) **성격** 서정적, 애상적
주제 타국에서 고향을 그리워함. **시대** 발해

우리 문학사 중 유일한 발해 작품으로, 작가가 발해국의 부사(副使)로 일본에 갔다가 다듬이 소리를 듣고 고국을 그리워하며 지은 작품이다.

霜天月照夜河明 상천월조야하명
가을 하늘에 달 비치고 은하수 환하니 → 화자의 그리움의 정서를 유발하는 배경 (가을 하늘: 계절적 배경, 달: 시간적 배경)

客子思歸別有情 객자사귀별유정
나그네는 돌아가고픈 심정이 간절해지네 (나그네: 화자, 고향에 대한 그리움이 간절함을 알 수 있음)

厭坐長宵愁欲死 염좌장소수욕사
「긴긴 밤 근심에 겨워 오래 앉았노라니」 「 」: 전전반측(輾轉反側) (근심: 향수(鄕愁))

忽聞隣女擣衣聲 홀문린여도의성
홀연 들리는 이웃집 여인의 다듬이 소리 (고향에 대한 그리움을 심화시키는 소리 - 시를 쓰게 된 계기 Link 표현상 특징 ❶)

聲來斷續因風至 성래단속인풍지
바람에 실려 오는 소리 끊어질 듯 이어지며 (바람: 다듬이 소리의 전달 매개체)

夜久星低無暫止 야구성저무잠지
밤 깊고 별이 낮도록 잠시도 멈추지 않네 (별이 낮도록: 새벽이 되도록 - 시간의 경과)

自從別國不相聞 자종별국불상문
고국을 떠나온 뒤로는 듣지를 못하였건만 (일본에는 다듬이질을 하는 풍속이 없기 때문임)

今在他鄕聽相似 금재타향청상사
지금 타향에서 들으니 소리 서로 비슷하네 (고향에 대한 그리움에 빠지게 된 화자 → 고향에 대한 그리움의 구체화 Link 표현상 특징 ❷)

> 객지에서 이웃의 다듬이 소리를 들음

不知綵杵重將輕 부지채저중장경
그대 든 방망이는 무거운가 가벼운가

不悉靑砧平不平 불실청침평불평
푸른 다듬이 돌 고른가 거친가

遙憐體弱多香汗 요련체약다향한
약한 몸이 온통 구슬땀에 젖었으리 (구슬땀에 젖었으리: 촉각적 심상)

預識更深勞玉腕 예식경심노옥완
옥 같은 두 팔도 힘이 부쳐 지쳤으리

(다듬이질을 하는 여인의 모습을 상상함 Link 표현상 특징 ❸)

爲當欲救客衣單 위당욕구객의단
「홑옷으로 떠난 임을 구하고자 함인가 「 」: 여인의 다듬이질 동기를 상상함 (떠난 임: 여인이 임과 이별하였다고 상상함)

爲復先愁閨閣寒 위복선수규각한
규방에 외로이 있는 시름 잊자 함인가」 (후략)

> 다듬이질을 하는 여인을 상상함

출제자 톡! 화자를 이해하라!

1 **화자는 누구이고, 화자가 처한 상황은?**
객지에서 이웃 여인의 다듬이 소리를 듣고 있는 사람

2 **화자의 정서 및 태도는?**
고향을 그리워하고 있음.

Link

출제자 톡! 표현상의 특징을 파악하라!

❶ 소재를 활용하여 고향에 대한 화자의 심화된 정서를 드러냄.

❷ 청각적 심상을 주로 사용하여 주제를 강조함.

❸ 다듬이질을 하는 여인의 모습을 감각적 표현을 활용하여 드러냄.

최우선 출제 포인트!

1 '다듬이 소리'의 역할

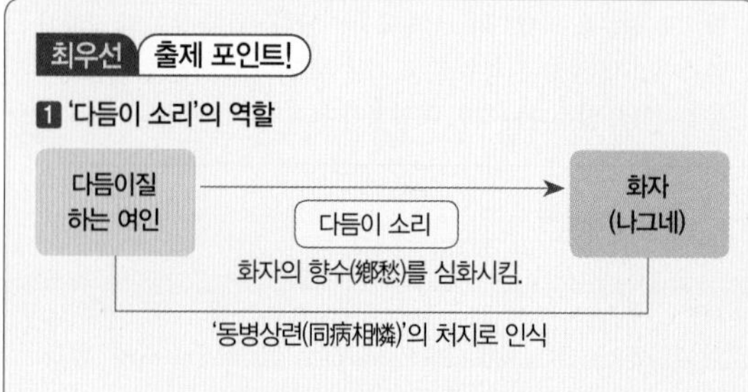

최우선 핵심 Check!

1 'ㄷㄷㅇ 소리'는 고향에 대한 화자의 그리움을 심화시키는 한편, 외로운 화자에게 위안을 주기도 한다.

2 '나그네', '고국을 떠나온 뒤', '타향' 등을 통해 고향을 떠나온 화자의 처지를 알 수 있다. (O / ×)

3 상상을 통해 떠나간 임에 대한 그리움을 드러내고 있다. (O / ×)

정답 1. 다듬이 2. ○ 3. ×

289위

평안도 안락성

안락성을 지나다가 배척받고 (過安樂見忤) | 김병연

갈래 한시(7언 율시) **성격** 풍자적, 해학적, 비판적
주제 관서 지방 양반들의 허세와 야박한 인심 풍자
시대 조선 후기

유랑 생활 중 평안도의 안락성이라는 곳에서 하룻밤을 보낸 작가가 그 지역 양반들의 허세와 야박한 인심을 풍자하고 있다.

安樂城中欲暮天
안 락 성 중 욕 모 천
안락성 안에 날이 저무는데
(시간적 배경 / 공간적 배경 - 반어적 풍자(전혀 안락하지 않음) Link 표현상 특징 ❶)

關西孺子聳詩肩
관 서 유 자 용 시 견
관서 지방 못난 것들이 시 짓는다고 우쭐대네 → 관서 지방 양반들에 대한 비판적 의식
('유자(儒者, 선비)' 대신 '유자(孺子, 어린아이)'라는 동음이의어를 사용해 양반의 허세를 유치하다고 풍자함)
> 수: 관서 지방 양반들의 허세

村風厭客遲炊飯
촌 풍 염 객 지 취 반
『마을 인심이 나그네를 싫어해 밥 짓기는 미루면서
(화자 자신(객관화))

店俗慣人但索錢
점 속 관 인 단 색 전
주막 풍속도 야박해 돈부터 달라네』 『 』: 관서 지방의 야박한 인심
> 함: 야박한 마을 인심과 풍속

虛腹曳雷頻有響
허 복 예 뢰 빈 유 향
『빈 배에선 자주 천둥소리가 들리는데
(배에서 나는 꼬르륵 소리를 천둥소리로 과장해서 표현 - 해학적 Link 표현상 특징 ❷, ❸)

破窓透冷更無穿
파 창 투 랭 갱 무 천
뚫릴 대로 뚫린 창문으로 냉기만 스며드네』 『 』: 화자의 고달픈 처지, 굶주림과 추위로 인한 고통
(열악한 거처)
> 경: 안락성에서 야박한 대우를 받음

朝來一吸江山氣
조 래 일 흡 강 산 기
『아침이 되어서야 강산의 정기를 한번 마셨으니
(곡식은 안 먹고 솔잎, 대추, 밤 따위만 날로 조금씩 먹음 - 신선이 되기 위한 수련법)

試向人間辟穀仙
시 향 인 간 벽 곡 선
인간 세상에서 벽곡의 신선이 되려 시험하는가』
『 』: 아침까지 아무것도 먹지 못함. 고달픈 자신의 처지를 해학적으로 표현함 → 선비로서의 자부심을 잃지 않으려는 당당함이 엿보임 Link 표현상 특징 ❸
> 미: 야박한 인심에 대한 조롱과 비판

출제자 톡! 화자를 이해하라!

1 **화자는 누구이고, 화자가 처한 상황은?**
안락성에서 양반들이 허세 부리는 모습을 보고, 마을 사람들로부터 야박한 대우를 받은 사람

2 **화자의 정서 및 태도는?**
- 양반들의 허세와 야박한 인심을 비판, 풍자하고 있음.
- 선비로서의 자부심과 당당함을 드러냄.

Link

출제자 톡! 표현상의 특징을 파악하라!

❶ 전혀 안락하지 않은 상황임에도 '안락성'이라고 반어적으로 표현함으로써 풍자의 효과를 높이고 있음.

❷ 과장과 언어유희적 표현을 활용해 부정적 세태를 효과적으로 표현함.

❸ 해학적 표현을 사용하여 화자의 처지와 태도를 효과적으로 드러내 줌.

최우선 출제 포인트!

1 반어적 풍자

안락성(安樂城)		우회적 표현
편안하고 즐거운 성	➔	• 시 짓는 능력을 과시하는 양반들의 허세 • 가난한 나그네를 괄시하는 야박한 인심 • 추위와 굶주림의 하룻밤

반어적 표현 – 풍자 효과를 높임.

최우선 핵심 Check!

1 'ㅇㄹㅅ'이라는 반어적 표현을 통해 부정적 세태를 비판 · 풍자하고 있다.

2 〈함련〉의 '나그네'는 화자가 스스로를 객관화하여 표현한 것이다. (O / ×)

3 〈미련〉의 '벽곡의 신선'을 통해 도교를 지향하는 작가의 사상을 엿볼 수 있다. (O / ×)

정답 1. 안락성 2. ○ 3. ×

1등급! 〈보기〉!

김병연의 생애

김병연(金炳淵, 1807~1863)은 조선 후기 방랑 시인으로 우리에게는 김삿갓으로 더욱 잘 알려져 있다. 그는 20세 전에 과거에 장원급제하여 이름을 알렸으나 가문의 치욕적인 비밀(자신의 할아버지가 역적 김익순이었다는 사실)을 안 이후 집을 뛰쳐나와 오직 삿갓과 대나무 지팡이만을 친구 삼아 세상을 떠돌아다니다가 생을 마쳤다. 그는 거지처럼 남의 집 문전에서 밥을 얻어먹어 가면서도 슬프고 외로울 때마다 수많은 시를 남겨 놓았는데, 그의 시들이 모두 독특하여 독보적 시 세계를 이루었다. 이렇게 볼 때, 김병연은 불운한 시대의 희생자인 동시에, 한평생을 서민 속에서 떠돌아다니며 서민의 생활을 문학화한 예술가였다고 할 수 있다.

자식의 죽음을 통곡함

290위 곡자(哭子) | 허난설헌

갈래 한시(5언 고시) **성격** 애상적
주제 어린 딸과 아들을 잃은 어머니의 슬픔
시대 조선 중기

자식들을 잃은 지극한 슬픔과 한을 직설적으로 표출하고 있다.

去年喪愛女
거 년 상 애 녀
『지난해 사랑하는 딸을 잃었고 『 』: 자식들의 죽음 - 시 창작 동기

今年喪愛子
금 년 상 애 자
올해에는 사랑하는 아들을 잃었네』 ❯ 딸과 아들이 연이어 죽음

哀哀廣陵土
애 애 광 릉 토
슬프고 슬픈 광릉 땅이여 — 슬픔의 직설적 토로, 영탄적 표현 **Link** 표현상 특징 ❶

雙墳相對起
쌍 분 상 대 기
두 무덤이 마주 보고 있구나

蕭蕭白楊風
소 소 백 양 풍
『백양나무에는 으스스 바람이 일어나고 『 』: 풍경 묘사로 쓸쓸한 분위기를 드러냄 - 화자의 슬픔을 부각 **Link** 표현상 특징 ❷
무덤가에 주로 심는 나무 - 죽음 상징

鬼火明松楸
귀 화 명 송 추
도깨비불은 숲속에서 번쩍인다』 ❯ 자식들의 무덤 앞에서 느끼는 슬픔
무덤에서 번쩍이는 푸른빛의 불꽃 - 죽음 상징

紙錢招汝魄
지 전 초 여 백
『지전으로 너의 혼을 부르고
죽은 사람이 저승 가는 길에 노자(路資)로 쓰라는 뜻으로 관 속에 넣는 돈 모양으로 오린 종이

玄酒奠汝丘
현 주 전 여 구
너희 무덤에 술잔을 따르네』 『 』: 자식들 무덤 앞에서 제를 지내는 모습

應知第兄魂
응 지 제 형 혼
『아아 너희들 남매의 혼은 『 』: 남매가 사후에라도 행복하기를 바라는 마음 - 화자의 바람과 자기 위안

夜夜相追遊
야 야 상 추 유
밤마다 정겹게 어울려 놀으리』 ❯ 제를 올리며 죽은 자식들이 행복하기를 바람

縱有服中孩
종 유 복 중 해
비록 뱃속에 아기가 있다 한들
현재 임신 중임. 두 아이를 잃은 상황과 대조됨 - 슬픔의 정서 부각 **Link** 표현상 특징 ❸

安可冀長成
안 가 기 장 성
어찌 그것이 자라기를 바라리오 ❯ 임신 중이나 삶의 의욕을 잃음
자식들을 잃은 죄책감과 슬픔 때문에 - 희망이 없는 화자의 모습

浪吟黃臺詞
낭 음 황 대 사
황대 노래를 부질없이 부르며
당나라 고종의 아들 장회 태자가 지음. 자식을 죽게 한 부모를 책망하는 노래 → 널리 알려진 중국 고사 인용

血泣悲呑聲
혈 읍 비 탄 성
피눈물로 울다가 목이 메이도다 **Link** 표현상 특징 ❷ ❯ 자식을 잃은 슬픔과 절망
극한의 슬픔 토로

출제자 톡! 화자를 이해하라!

1 **화자는 누구이고, 화자가 처한 상황은?**
딸과 아들을 연달아 잃고, 무덤에서 제를 지내는 사람

2 **화자의 정서 및 태도는?**
- 자식들을 잃은 슬픔에 괴로워하고 있음.
- 자식들이 죽은 다음에라도 행복하게 지내기를 바람.

Link
출제자 톡! 표현상의 특징을 파악하라!

❶ 영탄적 어조로 자신의 슬픔을 직설적으로 나타내고 있음.
❷ 배경 묘사, 고사의 인용을 통해 화자의 슬픔의 정서를 효과적으로 드러내고 있음.
❸ 대조적 상황을 제시하여 슬픔의 정서를 부각하고 있음.

최우선 출제 포인트!

1 대조적 상황의 역할
이 작품은 두 자식을 잃은 화자의 비통한 마음이 직설적으로 표현되어 있다. 특히 뱃속에 있는 아기를 거론하는 부분은 두 아이가 죽은 상황과 대조되어 그 슬픔을 배가시키고 있다.

두 아이의 죽음 ↔ 대조적 ↔ 뱃속에 있는 아기

화자의 슬픔을 배가함

함께 볼 작품 혈육의 죽음을 슬퍼하는 작품: 월명사, 「제망매가」

최우선 핵심 Check!

1 ㅁㄷㄱ의 배경을 묘사하여 쓸쓸한 분위기를 드러내면서 화자의 정서를 심화시켜 주고 있다.

2 화자는 가족의 부재로 인한 극도의 슬픔을 드러내고 있다. (O / ×)

3 화자는 고사를 인용하여 자신의 슬픔이 정화되기를 바라는 마음을 드러내고 있다. (O / ×)

정답 1. 무덤가 2. ○ 3. ×

291위

사계절을 노래함

사시사(四時詞) | 허난설헌

갈래 한시(7언 고시) **성격** 애상적, 연정가
주제 임에 대한 그리움 **시대** 조선 중기

임의 부재로 인한 외로움과 그리움 그리고 이별의 한 등을 노래한 작품으로, 사계절의 정경과 화자의 정서를 섬세하고 우아하게 표현하고 있다.

〈춘사(春詞)〉 → 각 계절의 정경을 묘사하고, 화자의 정서를 전달함 **Link 표현상 특징 ❶**

院落深沈杏花雨 원락심침행화우	고요하고 깊은 정원에 살구꽃은 비처럼 지고 (적막한 분위기 - 화자의 외로움을 엿볼 수 있음)
流鶯啼在辛夷塢 류앵제재신이오	꾀꼬리는 목련꽃 핀 언덕에서 지저귀네
流蘇羅幕襲春寒 류소라막습춘한	『오색 수실 달린 비단 휘장 안에는 찬 봄기운이 스며들고』 (화자가 여인임을 알 수 있음 / 『 』: 홀로 지내는 여인의 외로움을 감각적으로 표현)
博山輕飄香一縷 박산경표향일루	박산 향로에선 한 가닥 향 연기가 하늘거리누나 (박산: 중국의 전설에 나오는 산. 바다 가운데 있으며 신선이 산다고 함)
美人睡罷理新粧 미인수파리신장	『잠에서 깨어난 미인은 곱게 단장하고
香羅寶帶蟠鴛鴦 향라보대반원앙	고운 비단 옷에 원앙새 새긴 허리띠를 찼어라』 (『 』: 임을 기다리며 단장하는 화자의 모습을 시각적으로 형상화함)
斜捲重簾帖翡翠 사권중렴첩비취	비취 박은 겹발을 비스듬히 걷어 올리고
懶把銀箏彈鳳凰 나파은쟁탄봉황	은 거문고 잡고 하염없이 봉황음을 타는구나 (봉황음: 남녀의 금슬을 노래한 곡 - 임이 오기를 바라는 화자의 마음이 담김)
金勒雕鞍去何處 금륵조안거하처	『황금 굴레가 박힌 안장 얹고 임께선 어디로 가셨나요』 (굴레: 말이나 소 따위를 부리기 위하여 머리와 목에서 고삐에 걸쳐 얽어매는 줄 / 『 』: 화자의 처지 - 임과 이별한 상황)
多情鸚鵡當窓語 다정앵무당창어	정다운 앵무새는 이 창가에서 지저귀는데 (화자의 처지와 대비됨 - 화자의 외로움을 부각시키는 자연물 **Link 표현상 특징 ❸**)
草粘戲蝶庭畔迷 초점희접정반미	풀숲에서 놀던 나비는 뜨락으로 사라지더니 (나비: '임'을 가리킴)
花罥遊絲闌外舞 화견유사란외무	난간 밖 아지랑이 피어나는 꽃에서 춤추고 있구나 ('임'이 다른 여인과 어울리는 것을 표현)
誰家池館咽笙歌 수가지관열생가	뉘 집 연못가에서 들려오는 생황 노랫가락에 목이 메는데 (화자의 외로움을 심화시킴)
月照美酒金叵羅 월조미주금파라	달빛이 금빛 술잔 속의 향긋한 술을 비추고 있구나
愁人獨夜不成寐 수인독야불성매	시름 많은 여인 밤새 홀로 잠 못 이루었으니 (시름 많은 여인: 화자 자신 / 홀로 잠 못 이루었으니: 홀로 지내는 외로움, 임에 대한 그리움)
曉起鮫綃紅淚多 효기교초홍루다	먼동이 트면 명주 수건에 눈물 자국만 가득하리라 (임에 대한 그리움 때문에)

(1~4행: 외로운 봄밤의 풍경을 감각적(시각, 청각, 촉각, 후각)으로 표현 **Link 표현상 특징 ❷**)

(음영 표시: 임의 부재로 인한 외로움을 드러내는 표현)

> 봄날의 정경과 임에 대한 그리움

〈하사(夏詞)〉

槐陰滿地花陰薄 괴음만지화음박	느티나무 그늘 밑에서 꽃 그림자는 엷고 (봄에서 여름으로의 시간의 경과를 알 수 있음)
玉簟銀床敞珠閣 옥점은상창주각	평상에 대자리 깔고 앉으니 고운 누각이 시원하게 보이네
白苧衣裳汗凝珠 백저의상한응주	하얀 모시 치마 저고리엔 구슬 같은 땀이 맺히고 (여름의 복장)
呼風羅扇搖羅幕 호풍라선요라막	비단 부채에서 나오는 바람이 비단 휘장을 흔드는구나
瑤階開盡石榴花 요계개진석류화	돌층계엔 석류꽃이 피었다가 모두 지고
日轉華簷簾影斜 일전화첨렴영사	처마 밑의 햇빛을 받아 발엔 비스듬히 그늘이 지네 (발: 화자가 있는 방을 외부로부터 가려 주는 도구)
雕梁晝永燕引鶵 조량주영연인추	수리한 들보에선 하루 종일 제비가 새끼를 돌보고
藥欄無人蜂報衙 약란무인봉보아	약초밭 울타리엔 사람은 없고 벌만이 윙윙대는구나 (쓸쓸한 분위기 - 화자의 외로운 심정을 부각시킴)
刺繡慵來午眠重 자수용래오면중	『수놓다가 나른해서 그만 졸다 보니 (『 』: 낮잠에 빠짐)

(1~8행: 여름 낮의 풍경)

錦茵敲落釵頭鳳
금 인 고 락 차 두 봉
비단 방석에 봉황을 새긴 비녀가 떨어졌어라』

額上鵝黃膩睡痕
액 상 아 황 이 수 흔
이마 위 노란 거위 자국은 한잠 잔 흔적이고

流鶯喚起江南夢
류 앵 환 기 강 남 몽
꾀꼬리 울음소리가 강남 꿈을 깨웠어라
(임을 만났던 꿈 / 꿈속에서의 임과의 만남을 방해하는 자연물)

南塘女伴木蘭舟
남 당 여 반 목 란 주
남쪽 연못에서 아가씨는 목란배를 타고

采采荷花歸渡頭
채 채 하 화 귀 도 두
연꽃을 꺾으면서 나룻가로 저어오네

輕橈齊唱采菱曲
경 뇨 제 창 채 릉 곡
천천히 노를 저으며 채릉곡을 부르는데
(임과의 이별을 소재로 한 노래)

驚起波間雙白鷗
경 기 파 간 쌍 백 구
물결 사이에서 갈매기 한 쌍이 놀라서 날아가는구나
(화자의 고독한 처지와 대비되는 자연물 **Link** 표현상 특징 ❸)

> 여름날의 정경과 임에 대한 그리움

〈추사(秋詞)〉

紗廚寒逼殘宵永
사 주 한 핍 잔 소 영
부엌에 찬바람 스며들고 아직도 밤은 한참 남았는데
(여름에서 가을로의 시간의 경과를 알 수 있음)

露下虛庭玉屛冷
로 하 허 정 옥 병 랭
텅 빈 정원에 이슬이 내리니 옥병풍이 더욱 차가워라
(임의 부재 - 쓸쓸한 분위기 / 임의 부재로 인한 외로움을 촉각적 이미지로 표현함)

池荷粉褪夜有香
지 하 분 퇴 야 유 향
연꽃은 시들어도 밤새 향기가 나고

井梧葉下秋無影
정 오 엽 하 추 무 영
우물가 오동잎이 지니 가을 그림자가 없구나

丁東玉漏響西風
정 동 옥 루 향 서 풍
물시계 흐르는 소리가 서풍을 타고 들려오고

簾外霜多啼夕虫
렴 외 상 다 제 석 충
발 밖에는 서리가 내리고 저녁 벌레 소리가 구슬퍼라
(주렴 / 임이 오는 소리 대신 벌레 소리만 들림 - 화자의 외로운 심정 부각)

> 가을밤의 쓸쓸한 풍경

金刀剪下機中素
금 도 전 하 기 중 소
베틀에 잠긴 명주를 가위로 잘라내고

玉關夢斷羅幕空
옥 관 몽 단 라 막 공
옥관에서 꿈을 깨고 보니 비단 휘장이 적막하여라
(임의 부재)

裁作衣裳寄遠客
재 작 의 상 기 원 객
인편에 보내려고 임의 옷 지으려는데 (□: 임에 대한 화자의 마음을 보여 주는 매개체)
(임에 대한 사랑 상징)

悄悄蘭燈明暗壁
초 초 란 등 명 암 벽
슬픈 등잔불만 어두운 벽을 밝혀 주누나
(화자의 감정(슬픔) 이입의 대상 **Link** 표현상 특징 ❹)

含啼寫得一封書
함 제 사 득 일 봉 서
눈물을 머금고 편지 한 장을 써 놨는데
(임에 대한 화자의 그리움이 담김)

驛使明朝發南陌
역 사 명 조 발 남 맥
집배원이 내일 아침 남쪽으로 떠난다고 하네

裁封已就步中庭
재 봉 이 취 보 중 정
옷과 편지 챙겨 놓고 뜰을 거닐고 있자니

耿耿銀河明曉星
경 경 은 하 명 효 성
반짝이는 은하수에 새벽별이 밝아라
(화자의 어두운 심리와 대비)

寒衾轉輾不成寐
한 금 전 전 불 성 매
찬 이불 속에서 뒤척이며 잠을 이루지 못하는데
(임의 부재로 인한 외로움을 촉각적 이미지로 표현함)

落月多情窺畵屛
락 월 다 정 규 화 병
서산에 지는 달이 병풍 안을 다정하게 엿보고 있구나
(화자의 외로움을 위로하는 존재)

> 가을날의 정경과 임에 대한 그리움

〈동사(冬詞)〉

銅壺滴漏寒宵永
동 곤 적 루 한 소 영
물시계 가는 소리에 추운 밤은 깊어 가는데
(가을에서 겨울로의 시간의 경과를 알 수 있음)

月照紗幃錦衾冷
월 조 사 위 금 금 랭
휘장엔 달빛 비치고 비단 이불은 차갑기만 하여라
(임의 부재로 인한 화자의 외로움을 촉각적으로 표현)

宮鴉驚散轆轤聲
궁 아 경 산 로 록 성
궁궐 안의 까마귀들이 두레박 소리에 놀라 흩어지고

曉色侵樓窓有影
효 색 침 루 창 유 영
새벽 먼동이 터 오자 다락 창가엔 그림자가 어른거리네

簾前侍婢瀉金瓶 주렴 앞에서 시녀가 금병에 있는 물을 쏟으니
렴 전 시 비 사 금 병
玉盆手澁臙脂香 대야의 물에 손 담그기 껄끄러운데 연지 냄새는 향기로워라
옥 분 수 삽 연 지 향
春山描就手屢呵 봄의 산 경치를 그리면서 시린 손 호호 불고
춘 산 묘 취 수 루 가
(추운 날씨 / 봄을 기다리는 마음 - 임이 오기를 기다리는 마음이 내재됨)
鸚鵡金籠嫌曉霜 새장에 있는 앵무새 새벽 서릿발 싫다 하겠지
앵 무 금 롱 혐 효 상
(화자를 비유함 / 임을 기다릴 수 있는 시간인 밤이 지나가므로, 새벽은 임이 오지 않았음을 확인하는 시간이므로)

임을 기다리는 여인의 모습

南隣女伴笑相語 남쪽 이웃집 여자가 미소 지으며 하는 말이
남 린 여 반 소 상 어
玉容半爲相思痕 임 그리는 마음에 예쁜 내 얼굴 반쪽이 됐다고 하네
옥 용 반 위 상 사 흔
(임에 대한 그리움이 간절함을 드러냄)
金爐獸炭暖鳳笙 숯불 핀 화로는 따뜻해서 봉황 피리 소리가 흐르고
금 로 수 탄 난 봉 생
(봄이 올 때까지 임이 오기를 기다리겠다는 마음)
帳底羔兒薦春酒 장막 밑의 고아주를 봄에 마실 술로 바치리라
장 저 고 아 천 춘 주
(새끼 양을 잡아 고아서 만든 물로 빚은 술. 살찌게 하고 건강하게 하는 처방임)
憑欄忽憶寒北人 난간에 기대어 문득 변방의 임을 생각하나니
빙 란 홀 억 한 북 인
(임이 계신 곳)
鐵馬金戈青海濱 『창 들고 철마를 타면서 청해 물가를 달리시겠지
철 마 금 과 청 해 빈
(중국 청해성의 큰 호수)
驚沙吹雪黑貂弊 휘몰아치는 모래바람과 눈보라에 검은 담비 갖옷은 해졌을 테고
경 사 취 설 흑 초 폐
(가죽옷)
應念香閨淚滿巾 향기 나는 아내 방을 그리워하며 수건에 눈물이 가득하겠지』
응 념 향 규 루 만 건
(임도 자신을 그리워할 것이라고 생각하며 자신을 위로함)

『 』: 화자의 임의 모습에 대한 상상

변방에 가 있는 임을 그리워하는 규방 여인의 모습

> 겨울의 정경과 임에 대한 그리움

출제자 Tip! 화자를 이해하라!

1 **화자는 누구이고, 화자가 처한 상황은?**
규방의 여인으로, 사계절의 정경을 바라보며 임을 생각하고 있음.

2 **화자의 정서 및 태도는?**
- 임의 부재로 인해 외로워하고 있음.
- 임을 그리워하면서 임과의 재회를 바람.

Link

출제자 Tip! 표현상의 특징을 파악하라!

❶ 사계절의 정경과 함께 임에 대한 화자의 그리움을 드러냄.

❷ 시각, 청각, 촉각 등 다양한 감각적 이미지를 활용하여 화자의 상황과 정서를 나타냄.

❸ 화자와 대비되는 자연물을 통해 화자의 정서를 부각함.

❹ 감정이 이입된 소재를 통해 화자의 정서를 드러냄.

최우선 출제 포인트!

1 감각적 이미지의 사용

시각적	오색 수실 달린 비단 휘장, 황금 굴레가 박힌 안장, 비단 방석에 봉황을 새긴 비녀 등
청각적	꾀꼬리는 ~ 지저귀네, 봉황음, 앵무새는 ~ 지저귀는데, 생황 노랫가락 등
촉각적	찬 봄기운, 찬 바람, 옥병풍이 더욱 차가워라 등

2 시상 전개 방식

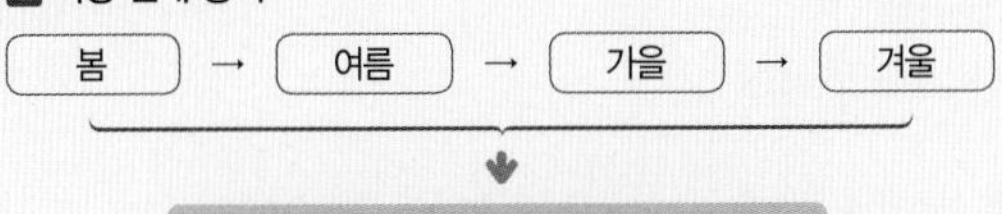
봄
여름
가을
겨울
계절의 흐름에 따라 시상을 전개하면서
화자의 정서를 표현함.

최우선 핵심 Check!

1 계절에 따라 화자의 주된 정서가 다르게 나타나 있다. (O / ×)

2 〈춘사〉의 '정다운 앵무새'와 〈하사〉의 '갈매기 한 쌍'은 모두 화자의 처지와 대비되는 ㄱㄱㅈㅅㄱㅁ이다.

3 〈추사〉에서 임에 대한 화자의 마음을 담고 있는 소재 두 개는 'ㅇ과 ㅍㅈ'이다.

4 〈동사〉에서 화자는 자신이 임을 그리워하는 것처럼 임도 자신을 그리워할 것이라 생각하고 있다.

정답 1. × 2. 객관적 상관물 3. 옷, 편지 4. ○

출제 우선 작품

얼음을 캐는 백성들의 삶을 노래함

착빙행(鑿氷行) | 김창협

뚫을 착 얼음 빙

갈래 한시 **성격** 사실적, 비판적, 고발적
주제 고통받는 백성들의 현실 고발
시대 조선 후기

엄동설한에 얼음을 채취하는 노동에 시달리는 백성들의 참상과 무더위 속에서 얼음을 즐기는 양반들의 모습을 대조하여 고통받는 백성들의 삶을 그리고 있다.

원문	해석
季冬江漢氷始壯 계 동 강 한 빙 시 장	늦겨울 한강에 얼음이 어니 (늦겨울 한강: 시간적, 공간적 배경 / 백성들의 고통스러운 삶 ↔ 양반들의 안락한 삶 Link 표현상 특징 ❶)
千人萬人出江上 천 인 만 인 출 강 상	많은 사람들이 강가로 나왔네 ('-네'라는 종결 어미의 반복 - 운율 형성 Link 표현상 특징 ❷)
丁丁斧斤亂相鑿 정 정 부 근 난 상 착	꽝꽝 도끼로 얼음을 찍어 내니 → 많은 사람이 강가로 나온 이유 - 얼음을 채취하기 위해 (꽝꽝: 음성 상징어 - 얼음 찍어 내는 상황을 생생하게 표현 Link 표현상 특징 ❹)
隱隱下侵馮夷國 은 은 하 침 풍 이 국	울리는 소리가 용궁까지 들리겠네 (얼음을 찍어 내는 소리가 매우 큼을 강조 - 과장법)
鑿出層氷似雪山 착 출 층 빙 사 설 산	찍어 낸 얼음이 산처럼 쌓이고 (얼음을 많이 채취함. 직유법, 과장법 Link 표현상 특징 ❸)
積陰凜凜逼人寒 적 음 늠 늠 핍 인 한	싸늘한 음기가 사람을 엄습하네 (얼음을 채취하는 백성들이 추위로 고통 받는 모습. 촉각적 이미지)
朝朝背負入凌陰 조 조 배 부 입 능 음	「아침이면 석빙고로 져 나르고 (석빙고: 얼음을 넣어 두던 창고)
夜夜椎鑿集江心 야 야 추 착 집 강 심	밤이면 얼음을 파 들어가네」 (대구법 Link 표현상 특징 ❸)
晝短夜長夜未休 주 단 야 장 야 미 휴	해 짧은 겨울에 밤늦도록 일을 하니 (일: 얼음을 채취하는 일)
勞歌相應在中洲 노 가 상 응 재 중 주	노동요 노래 소리 모래톱에 이어지네 (노동요: 고통을 잊기 위한 노래. 청각적 이미지 / 「 」: 백성들이 얼음을 채취하는 과중한 노동이 계속되고 있음을 보여 줌)
短衣至骭足無屝 단 의 지 한 족 무 비	「짧은 옷 맨발은 얼음 위에 얼어붙고 (「 」: 얼음을 채취하는 백성들의 비참한 상황을 드러냄. 과장법 Link 표현상 특징 ❸)
江上嚴風欲墮指 강 상 엄 풍 욕 타 지	매서운 강바람에 언 손가락 떨어지네」 (매서운 강바람: 얼음을 채취하는 백성들의 고통을 심화시키는 자연 현상) ❯ 겨울에 얼음을 채취하는 부역에 시달리는 백성들
高堂六月盛炎蒸 고 당 육 월 성 염 증	고대광실 오뉴월 무더위 찌는 날에 (고대광실: '늦겨울 한강'과 대조되는 시간적, 공간적 배경)
美人素手傳淸氷 미 인 소 수 전 청 빙	여인의 하얀 손이 맑은 얼음을 내어 오네 (하얀 손: 백성들의 '언 손가락'과 대비됨)
鸞刀擊碎四座徧 난 도 격 쇄 사 좌 편	난도로 그 얼음 깨 자리에 두루 돌리니 (난도: 장식이 있는 날카로운 칼 - 얼음을 캐는 '도끼'와 대비됨)
空裏白日流素霰 공 리 백 일 류 소 산	멀건 대낮에 하얀 안개가 피어나네 (하얀 안개: 얼음에서 나오는 차가운 기운을 비유적으로 표현)
滿堂歡樂不知暑 만 당 환 락 부 지 서	환락으로 가득한 집은 더위를 모르고 사니 → 한겨울에 얼음을 캐는 백성들의 처지와 대비됨. 과장법 Link 표현상 특징 ❸ (더위: '늦겨울 한강'과 대비됨)
誰言鑿氷此勞苦 수 언 착 빙 차 로 고	얼음 뜨는 그 고생을 누가 알아주리 (얼음 뜨는 고생을 감당한 백성들의 희생을 알아주지 않는 현실 비판. 설의적 표현 Link 표현상 특징 ❺)
君不見道傍暍死民 군 부 견 도 방 갈 사 민	「그대는 못 보았나, 길가에 더위 먹고 죽어 뒹구는 백성들이 (그대: 양반들 - 비판의 대상 / 더위 먹고 죽어 뒹구는: 백성들의 비참한 처지를 보여 줌)
多是江中鑿氷人 다 시 강 중 착 빙 인	지난겨울 강 위에서 얼음 뜨던 자들인 것을.」 (「 」: 백성들이 죽어 가는 참상에 대한 문제 의식을 드러냄. 도치법 Link 표현상 특징 ❺)

❯ 무더위 속에서 얼음을 즐기는 양반들과 대비되는 백성들의 비참한 현실

출제자 톡! 화자를 이해하라!

1 **화자는 누구이고, 화자가 처한 상황은?**
늦겨울 한강에서 얼음을 캐는 백성들을 바라보고 있는 사람

2 **화자의 정서 및 태도는?**
- 얼음을 캐며 고통을 겪는 백성들에 대한 연민과 안타까움을 드러냄.
- 백성들의 고통을 알아주지 않는 현실에 비판 의식을 드러냄.
- 백성들이 고통받는 현실에 대한 문제 의식을 드러냄.

Link

출제자 톡! 표현상의 특징을 파악하라!

❶ 인물들의 생활을 대조적으로 보여 주어 주제 의식을 드러냄.

❷ 종결 어미를 반복적으로 사용하여 운율을 형성함.

❸ 과장법, 직유법, 대구법을 활용하여 대상의 모습을 구체적으로 형상화함.

❹ 음성 상징어를 사용하여 상황을 생생하게 표현함.

❺ 도치법, 설의적 표현을 사용하여 현실에 대한 비판 의식을 강조함.

최우선 출제 포인트!

1 화자의 현실 인식

얼음 캐는 백성들		얼음을 먹는 양반들
• 늦겨울 한강에서 얼음을 캠. • 매서운 강바람에 손가락이 얾. • 도끼로 얼음을 찍어 냄. • 싸늘한 음기가 사람을 엄습함.	↔ 대조	• 오뉴월 고대광실에서 얼음을 먹음. • 하얀 손으로 얼음을 내어 옴. • 난도로 얼음을 깸. • 멀건 대낮에 얼음 기운이 피어남.

↓

고통받는 백성들의 현실을 고발함 → 현실 비판

함께 볼 작품 백성들의 고통스러운 삶을 형상화한 작품: 정약용, 「견여탄」

최우선 핵심 Check!

1 백성들의 고통스러운 삶과 안락한 양반들의 삶을 ㄷㅈ하여 주제 의식을 드러내고 있다.

2 화자는 '늦겨울 한강'에서 백성들과 함께 얼음을 캐는 노동을 수행하고 있다. (○ / ×)

3 화자는 '매서운 강바람' 속에서 이루어지는 노동의 비참함을 드러내고 있다. (○ / ×)

4 화자는 한겨울에 얼음을 채취하기 위해 고생한 백성들의 희생을 알아 주지 않는 현실을 비판하고 있다. (○ / ×)

5 화자는 백성들이 겪는 참상에 괴로워하면서 반성적 자세를 보이고 있다. (○ / ×)

정답 1. 대조 2. × 3. ○ 4. ○ 5. ×

1등급! 〈보기〉!

「착빙행」의 이해

이 작품에서는 늦겨울 얼어붙은 한강에서 얼음을 캐는 백성의 고통스러운 모습과 여름철 그 얼음을 즐기는 양반들의 안락한 모습을 대조적으로 제시하여 부조리한 현실 속에서 고통받는 백성들의 삶을 사실적으로 드러내고 있다. 한편 한겨울에 캔 얼음을 빙고에 저장하는 일을 하는 부역인 '장빙역'은 부역 중 최악으로, 고통스러움이 극에 달해 '장병역'을 피해 도망치는 이가 속출하여 '장빙과부'라는 말까지 생겨날 정도였다고 한다.

293위

달밤에 고향길을 바라봄

월야첨향로(月夜瞻鄕路) | 혜초

바라볼 첨

갈래 한시(5언 고시) **성격** 서정적, 애상적
주제 고향을 그리워하는 마음
시대 통일 신라

신라 출신의 당나라 유학승인 혜초가 고향을 그리워하는 마음을 노래하고 있다.

月夜瞻鄕路 월 야 첨 향 로	달밤에 고향길을 바라보니 시간적 배경. 고향에 대한 그리움을 유발함
浮雲颯颯歸 부 운 삽 삽 귀	뜬구름만 시원스럽게 돌아가네 화자의 현재 처지와 대비되는 자연물. 고향에 소식을 전달해 줄 수 있는 대상 Link 표현상 특징 ❶
緘書參去便 함 서 참 거 편	가는 편에 편지라도 부치려 해도 고향에 자신의 소식을 전하고 싶은 마음
風急不聽廻 풍 급 불 청 회	바람이 급해 말조차 듣지 않네 → 고향에 소식을 전하지 못하는 안타까움이 담김 고향에 소식을 전할 수 있는 상황을 가로막는 역할을 함

> 1연: 자신의 마음을 고향에 전할 수 없는 안타까움

我國天岸北 아 국 천 안 북	『내 나라를 하늘 끝 북쪽에 두고 『 』: 화자가 고국을 떠나 먼 이국 땅에 있음 신라
他邦地角西 타 방 지 각 서	남의 나라 서쪽 모퉁이에 와 있다니』 화자가 현재 있는 공간
日南無有雁 일 남 무 유 안	남쪽은 따뜻해 기러기도 오지 않는데 고향의 소식을 전해 줄 수 있는 대상
誰爲向林飛 수 위 향 림 비	누가 계림을 향해서 날아가리 고향에 소식을 전할 수 없는 안타까움을 강조. 설의적 표현 Link 표현상 특징 ❷

> 2연: 고향의 소식을 알 수 없는 것에 대한 안타까움

출제자 톡! 화자를 이해하라!

1 **화자는 누구이고, 화자가 처한 상황은?**
먼 이국 땅에서 달을 바라보고 있는 '나'

2 **화자의 정서 및 태도는?**
- 달을 바라보며 고향에 대한 그리움을 드러냄.
- 자신의 소식을 전할 수도, 고향의 소식을 알 수도 없는 것에 대한 안타까움을 드러냄.
- 체념적 태도를 보임.

Link

출제자 톡! 표현상의 특징을 파악하라!

❶ 자연물을 활용하여 고향에 대한 그리움을 효과적으로 전달함.

❷ 설의적 표현을 사용하여 화자의 정서를 강조함.

최우선 출제 포인트!

1 소재의 역할 및 화자의 정서

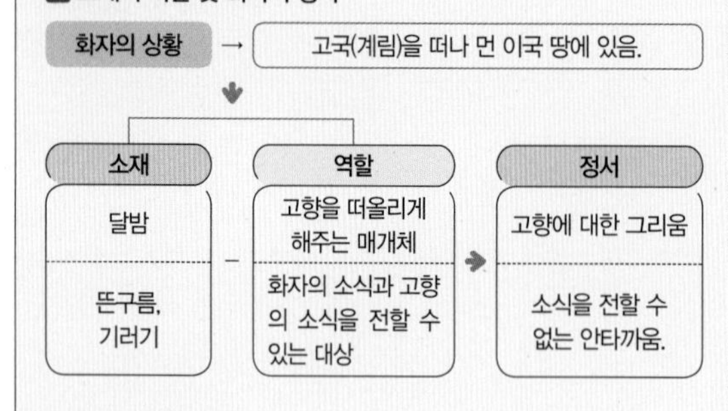

화자의 상황 → 고국(계림)을 떠나 먼 이국 땅에 있음.

소재	역할	정서
달밤	고향을 떠올리게 해주는 매개체	고향에 대한 그리움
뜬구름, 기러기	화자의 소식과 고향의 소식을 전할 수 있는 대상	소식을 전할 수 없는 안타까움.

최우선 핵심 Check!

1 '뜬구름', '[ㄱ][ㄹ][ㄱ]'는 화자의 소식을 고향에 전해 줄 수 있는 대상에 해당한다.

2 화자는 '달밤'을 보면서 임에 대한 그리움을 드러내고 있다. (O / ×)

3 '바람'은 화자가 고향으로 소식을 전할 수 있는 상황을 가로막는 역할을 한다. (O / ×)

4 설의적 표현을 사용하여 고향에 소식을 전할 수 없는 화자의 안타까움을 강조하고 있다. (O / ×)

정답 1. 기러기 2. × 3. ○ 4. ○

1등급! 〈보기〉!

「월야첨향로」의 이해

이 작품은 신라 출신으로 당나라로 유학을 간 스님 혜초가 불도를 닦기 위해 천축국을 둘러보고 적은 기행록인 「왕오천축국전」에 수록된 한시이다. 1연에서는 흘러가는 구름을 통해 자신의 소식을 고향에 전하고 싶지만 바람 소리 때문에 소식을 전할 수 없는 안타까움을, 2연에서는 자신이 머물고 있는 곳인 '남의 나라 서쪽 모퉁이'는 고향으로부터 너무 멀리 떨어져 있기 때문에 고향의 소식을 전해 줄 기러기조차 오지 않는 현실에 대한 안타까움과 막막함을 노래하고 있다.

농촌에서 부르는 노래

농가(農歌) | 정약용

갈래 한시(7언 고시) **성격** 사실적, 비판적
주제 권리들의 횡포 비판
시대 조선 후기

수박 대신 호박을 심는 이유를 통해 수탈을 일삼는 관리들의 횡포를 비판하고 있다.

新吐南瓜兩葉肥
신 토 남 과 양 엽 비
夜來抽蔓絡柴扉
야 래 추 만 락 시 비
平生不種西瓜子
평 생 부 종 서 과 자
剛怕官奴惹是非
강 파 관 노 야 시 비

음성 상징어 - 떡잎의 모양을 생생하게 드러냄 Link 표현상 특징 ❷
호박 심어 토실토실 떡잎 나더니 › 기: 떡잎이 난 호박
값싼 농작물 - 수탈의 대상이 아님
밤사이 덩굴 뻗어 사립문에 얽혔네 □↔△ › 승: 밤사이 덩굴 뻗은 호박
호박이 잘 자란 모습을 형상화
평생토록 수박을 심지 않는 것은 › 전: 수박을 심지 않음
값비싼 농작물 - 수탈의 대상, '호박'과 대비됨 Link 표현상 특징 ❶
관노들이 시비 걸까 두려워서라네 › 결: 수박을 심지 않은 이유
수탈을 당하는 농촌 현실을 보여 줌 - 수탈을 일삼는 관리들의 횡포에 대한 비판 의식이 담김

출제자 톡! 화자를 이해하라!

1 **화자는 누구이고, 화자가 처한 상황은?**
농가에서 호박이 자라는 것을 보며 농민의 현실을 생각하는 사람

2 **화자의 태도는?**
농민들에게 수탈을 일삼는 관리들의 횡포에 대한 비판적임.

Link

출제자 톡! 표현상의 특징을 파악하라!

❶ 대비적인 자연물을 활용하여 주제 의식을 드러냄.

❷ 음성 상징어를 사용하여 대상의 모습을 생생하게 표현함.

최우선 출제 포인트!

1 대비적인 소재 및 주제 의식

호박		수박
값싼 농작물 → 수탈 대상이 아님.	↔	값비싼 농작물 → 수탈의 대상임.

↓

수탈을 일삼는 관리들에 대한 비판 의식을 드러냄.

최우선 핵심 Check!

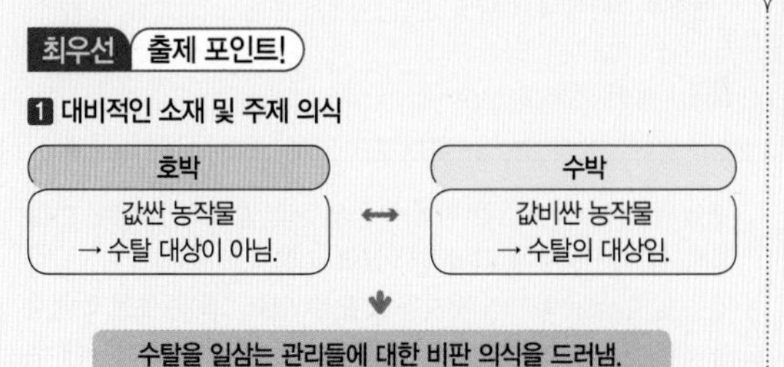

1 값비싼 농작물인 'ㅅㅂ'과 값싼 농작물인 '호박'을 대비하여 주제 의식을 드러내고 있다.

2 의성어를 사용하여 사물의 모습을 생생하게 표현하고 있다. (○ / ×)

3 농민들이 수박을 심지 않는 이유는 관리들에게 수탈을 당하기 때문이다. (○ / ×)

정답 1. 수박 2. × 3. ○

봄눈을 바라보며 느낌을 노래함

295위 춘설유감(春雪有感) | 최명길

갈래 한시(7언 절구) **성격** 관조적, 의지적
주제 귀향에 대한 희망과 고난 극복의 의지
시대 조선 중기

작가가 병자호란 이후 청나라 심양에 억류되었을 당시에 지은 한시로, 절망적인 상황에서도 고향으로 돌아가리라는 희망을 드러내고 있다.

絶域逢春未覺春
절 역 봉 춘 미 각 춘
(화자가 억류된 곳, 청나라 심양 / 절기상 봄이지만 봄의 정취를 찾아볼 수 없음)
이역에서 봄을 맞으나 봄인 줄 모르다가
> 기: 봄을 느낄 수 없는 심양의 봄

朝來驚見雪花新
조 래 경 견 설 화 신
(시간적 배경 / 화자로 하여금 고향을 떠나 이역으로 붙잡혀 온 신세임을 환기해 주는 소재)
아침결에 눈송이 새로 날리는 것 놀라며 보네
> 승: 눈이 내리는 봄 풍경에 대한 놀라움

莫將外物爲欣慼
막 장 외 물 위 흔 척
(고향에서는 볼 수 없는 풍경 - 이역에 있는 화자 자신의 처지를 인식하게 함 Link 표현상 특징 ❶)
외물의 변화에 즐거워하거나 슬퍼하지 말지니
> 전: 외물의 변화에 초연한 마음

春意分明在此身
춘 의 분 명 재 차 신
(계절의 변화, 눈에 보이는 현상)
『봄날의 기운은 분명히 이 몸에 있기에』
> 결: 진정한 봄의 기운은 마음에 있음

(모든 일이 마음먹기에 달려 있다는 의미 Link 표현상 특징 ❷)
(『 』: 현재의 상황에 좌절하지 않고 고향으로 돌아갈 수 있다는 희망을 드러냄 - 의지적 태도)

출제자 톡! 화자를 이해하라!

1 **화자는 누구이고, 화자가 처한 상황은?**
이역(심양) 땅에서 봄에 눈 오는 모습을 바라보는 '나'

2 **화자의 정서 및 태도는?**
- 봄에 눈이 오는 것을 보고 놀라워함.
- 고향으로 돌아갈 수 있다는 의지적인 태도를 드러냄.

Link
출제자 톡! 표현상의 특징을 파악하라!

❶ 자연 현상을 바라보는 화자의 정서가 직접적으로 표출됨.

❷ 상징적 시어(시구)를 활용하여 주제 의식을 드러냄.

최우선 출제 포인트!

1 상징적 시어(시구)의 대비

눈송이		봄날의 기운
이역에서 맞은 봄 → 이역에 억류된 화자의 처지를 환기시켜 줌.	↔	봄의 정취가 드러남. → 고향에서 느낄 수 있는 봄을 의미함.

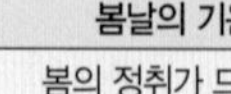

↓

귀향에 대한 희망과 고난 극복의 의지를 강조함.

최우선 핵심 Check!

1 심양에 날리는 '눈송이'와 의미상 대비되는 소재로, 화자가 고향에서 느끼는 봄을 의미하는 시구를 찾아 쓰시오.

2 화자는 봄날에 이역에서 내리는 눈을 보고 우울해하고 있다. (O / ×)

3 화자는 마음가짐이 중요하다고 하면서 고향으로 돌아갈 수 있다는 희망을 버리지 않고 있다. (O / ×)

정답 1. 봄날의 기운 2. × 3. ○

1등급! 〈보기〉!

「춘설유감」의 이해

이 작품은 작가 최명길이 병자호란 때 청나라와의 화친을 주도하면서도 명나라와 지속적으로 연락을 했다는 이유로 청나라 심양에 억류되었을 때 창작한 한시이다. 시적 공간인 '심양'은 만주 지역에 있던 청나라의 도시로 봄이 되어도 눈이 오는 것을 보고 작가는 매우 낯설음을 느낀다. 이러한 환경에서도 화자는 '봄날의 기운'이 자신의 마음속에 있다고 말하고 있는데, 이를 통해 힘겨운 상황에 좌절하지 않고 고향으로 돌아가리라는 희망을 잃지 않는 화자의 의지를 엿볼 수 있다. '봄'은 계절적 배경을 의미하면서도 화자에게 있어서는 귀국을 의미한다고 할 수 있다.

시를 정표로 지어 주고 헤어짐

증별(贈別) | 정철

줄 증 헤어질 별

갈래 한시(5언 절구) **성격** 애상적, 서정적
주제 이별의 아쉬움
시대 조선 중기

이별의 아쉬움을 드러내면서도 만나고 헤어짐은 하늘 뜻이라고 달관의 태도를 보여 주고 있다.

화자가 처한 상황 - 이별의 상황

惜別重携手 석 별 중 휴 수	석별의 정에 거듭 손잡고 이별의 아쉬움을 행동으로 구체화함 Link 표현상 특징 ❶	기: 손을 잡고 석별의 정을 나눔
論懷更命樽 논 회 갱 명 준	회포 나누며 다시 술을 드네. 이별의 아쉬움을 달래는 역할을 함	승: 술을 마시며 회포를 나눔
一生頻聚散 일 생 빈 취 산	일생에 자주 모였다 흩어졌다 하니 이별에 대한 화자의 인식 - 헤어짐은 있을 수 있는 일임을 드러냄	전: 일생에서 만나고 헤어짐은 있는 일임
萬事任乾坤 만 사 일 건 곤	온갖 일은 하늘에다 맡기고야. 이별의 아픔을 절제하여 표현 - 운명론적 태도	결: 만나고 헤어짐은 하늘에 달려 있음

출제자 톡! 화자를 이해하라!

1 **화자는 누구이고, 화자가 처한 상황은?**
이별하는 상황에서 술을 먹고 있는 사람

2 **화자의 정서 및 태도는?**
- 이별 상황에서 이별의 아쉬움을 드러냄.
- 이별의 아픔을 절제하고 있음.
- 이별이 하늘의 뜻이라고 하는 운명론적 태도를 보임.

Link

출제자 톡! 표현상의 특징을 파악하라!

❶ 화자의 정서를 구체적인 행동을 통해 형상화함.

최우선 출제 포인트!

1 화자의 정서 및 태도

화자의 정서		화자의 태도
이별로 인한 아쉬움.	↔	이별의 아픔을 억제함.

2 이별에 대한 화자의 인식

만나고 헤어짐은 하늘에 달려 있음. → 운명론적 인식

최우선 핵심 Check!

1 화자의 이별의 아쉬움을 달래는 역할을 하는 시어로는 [ㅅ]이 있다.

2 화자는 이별을 극복하기 위해 스스로에게 다짐을 하고 있다. (○ / ×)

3 화자는 만나고 헤어짐은 하늘의 뜻이라며 이별에 대해 운명론적 태도를 보이고 있다. (○ / ×)

정답 1. 술 2. × 3. ○

297위

소녀(딸아이)를 애도함

도소녀(悼小女) | 이규보

(죽음을) 슬퍼할 도 어린 딸

갈래 한시(5언 고시) **성격** 애상적, 회고적, 영탄적
주제 딸의 죽음으로 인한 슬픔
시대 고려

어린 딸의 갑작스러운 죽음과 그로 인한 슬픔을 형상화하고 있다.

小女面如雪 소 녀 면 여 설	『어린 딸의 얼굴이 눈같이 희고 『 』: 죽은 어린 딸에 대한 화자의 회상 **Link** 표현상 특징 ❶ 시적 대상 / 인물의 외양, 직유법 **Link** 표현상 특징 ❸
聰慧難具說 총 혜 난 구 설	총명하기 이를 데 없어
二齡已能言 이 령 이 능 언	두 살에 능히 말을 하되
圓於鸚鵡舌 원 어 앵 무 설	앵무새보다 능란하였다. 딸이 말을 잘했음을 사물과 비교하여 제시함
三歲似恥人 삼 세 사 치 인	세 살에 수줍음을 아는 듯
遊不越門闑 유 불 월 문 얼	놀아도 대문 밖을 나서지 않고
今年方四齡 금 년 방 사 령	금년이 바로 네 살인데
頗能學組綴 파 능 학 조 철	능히 길쌈질을 배우기도 했다.』 (두 살~네 살) 어린 딸이 행동과 사람됨을 시간의 흐름에 따라 구체적으로 나열함 **›** 1~8행: 어린 딸에 대한 회상
胡爲遭奪歸 호 위 조 탈 귀	어찌하여 빼앗김을 당했는지
倏若駭電滅 숙 약 해 전 멸	갑자기 번개처럼 사라졌어라. 딸의 갑작스러운 죽음에 대한 인식 - 화자의 허탈한 심정과 비애감, 비유적 표현 **Link** 표현상 특징 ❸
春雛墮未成 춘 추 타 미 성	비로소 어린 새끼 떨어져 죽는 건 부모를 비유적으로 표현 / '어린 딸'을 비유적으로 표현
始覺鳩巢拙 시 각 구 소 절	새 둥지 나쁜 탓임을 깨달았노라. 어린 딸을 제대로 보살피지 못한 자책감이 드러남
學道我稍寬 학 도 아 초 관	『도를 배운 나는 아픈 생각 씹어 삼키나 『 』: 어린 딸의 죽음을 수용하는 화자와 아내의 태도 차이가 드러남 슬픔을 절제하는 화자의 모습
婦哭何時輟 부 곡 하 시 철	아내 울음은 언제 그치려나.』 딸의 죽음에 대한 슬픔을 직접적으로 표출하는 아내의 모습 **›** 9~14행: 딸을 잃은 슬픔
吾觀野田中 오 관 야 전 중	『보건대 밭 가운데
有穀苗初茁 유 곡 묘 초 줄	곡식의 어린 싹이 돋아날 때 어린 딸의 비유적 표현 **Link** 표현상 특징 ❸
風雹或不時 풍 박 혹 불 시	혹시 뜻밖에 우박이 오면 시련, 고난을 의미 - 생명을 위협하는 대상
撲地皆摧沒 박 지 개 최 몰	모두 맞아 꺾어지나니.』 『 』: 딸의 죽음과 자연 현상을 비교하여 제시함 **Link** 표현상 특징 ❷ 어린 딸의 죽음을 비유적으로 표현
造物旣生之 조 물 기 생 지	『조물주는 생명을 이미 만들어 내고 삶과 죽음을 관장하는 주체
造物又暴奪 조 물 우 폭 탈	조물주는 생명을 또 사정없이 빼앗도다.』 『 』: 조물주에 대한 화자의 원망, 대구법, 대조법 **Link** 표현상 특징 ❹
枯榮本何常 고 영 본 하 상	피고 시듦이 어찌 그리 덧없는가. 삶과 죽음을 '꽃'에 비유하여 표현 / 삶과 죽음에 대한 무상감을 드러냄 - 딸의 죽음으로 인해 얻은 깨달음
變化還似譎 변 화 환 사 휼	변화함은 도리어 거짓 같도다.
去來皆幻爾 거 래 개 환 이	인생이 가고 옴이 모두 허깨비거니 인생무상을 비유적으로 표현
已矣從此訣 이 의 종 차 결	아서라, 너와는 영영 이별이로구나. 감탄사 / 딸의 죽음에 대한 수용 - 체념적 태도 **›** 15~24행: 삶과 죽음에 대한 성찰

Link

출제자 톡! 화자를 이해하라!

1 **화자는 누구이고, 화자가 처한 상황은?**
죽은 어린 딸을 회상하고 있는 '나'

2 **화자의 정서 및 모습은?**
- 어린 딸의 죽음에 대해 자책감을 드러냄.
- 슬픔을 절제하고 괴로움을 참는 태도를 보임.
- 어린 딸의 죽음을 회상하며 삶과 죽음에 대해 성찰하는 모습을 보임.
- 딸의 죽음을 수용하는 체념적 태도를 보임.

출제자 톡! 표현상의 특징을 파악하라!

❶ 과거 회상을 바탕으로 시상을 전개함.
❷ 인물의 상황과 자연 현상을 비교하여 시상을 전개함.
❸ 비유적인 표현을 사용하여 인물의 모습을 표현함.
❹ 대구법과 대조법을 사용하여 대상에 대한 화자의 정서를 드러냄.

최우선 출제 포인트!

1 시적 대상에 대한 화자의 정서 · 태도와 성찰

시적 대상 – 딸		화자의 정서		화자의 태도
• 얼굴이 희고 총명함. • 두 살에 앵무새보다 말을 잘함. • 네 살에 능히 길쌈질을 배움.	→ 죽음	• 갑작스럽게 죽은 딸에 대한 허탈함과 비애감 • 어린 딸을 제대로 보살피지 못한 자책감	→	딸의 죽음을 수용함(체념적 태도).

↓

화자의 성찰	• 삶과 죽음은 덧없음. • 사람들의 인생은 무상함.

2 비유적 표현

자연 현상		딸
어린 싹이 돋아남.	= 비유	딸이 출생함.
뜻밖에 우박이 옴.		딸이 생명의 위협을 받음.
어린 싹이 꺾어짐.		딸이 죽음.

최우선 핵심 Check!

1 어린 딸에 대한 회상을 바탕으로 시상을 전개하고 있다. (O / ×)

2 화자는 자신의 구체적인 경험을 바탕으로 현실에 대한 비판 의식을 드러내고 있다. (O / ×)

3 '어린 새끼', 'ㅇ ㄹ ㅆ'은 화자의 어린 딸을 비유적으로 표현한 것이다.

4 화자는 삶과 죽음을 관장하고 있는 '조물주'에 대해 ㅇ ㅁ의 정서를 드러내고 있다.

5 화자는 인생무상을 깨달으며 딸의 죽음을 수용하는 모습을 보이고 있다. (O / ×)

정답 1. ○ 2. × 3. 어린 싹 4. 원망 5. ○

1등급! 〈보기〉!

「도소녀」의 이해

이 작품은 『동국이상국전집』 권 제5집에 수록되어 전하는 한시로, 어린 딸의 죽음을 애도하는 추도시이다. 5남 3녀를 낳은 작가는 30세에 첫째 딸을 잃게 된다. 작가의 실제 경험을 바탕으로 한 이 작품을 통해 4살이라는 어린 나이에 갑작스럽게 죽게 된 딸에 대한 애통함과 부모로서 자식을 잘 돌보지 못한 데 대한 자책감을 드러내고 있다. 그러나 작가는 딸을 잃은 슬픔에 머물지 않고 이를 계기로 인생에 대한 진지한 성찰을 보여 주고 있다.

남당의 노래(남당에 살았던 여인이 부른 노래)

남당사(南塘詞) | 작자 미상

갈래 한시(7언 고시, 전 16수) **성격** 애상적, 연정적
주제 이별의 정한과 원망
시대 조선 후기

다산이 강진에서 유배 생활을 하면서 사랑했던 여인이 이별 후에 유배에서 벗어나 돌아간 다산을 그리워하는 마음을 담고 있다.

〈제1수〉

南塘江上是儂家
남당강상시농가
底事歸依舊住茶
저사귀의구주다
欲識郎君行坐處
욕식낭군행좌처
池邊猶有手栽花
지변유유수재와

강진읍 가까이 있는 지명. 탐진강이 바다로 들어가는 곳으로 예전에는 배가 닿는 항구였음
『남당 물가에 우리 집이 있거늘
화자의 친정이 있는 공간
무슨 까닭으로 다산 초당에 머무는고?
낭군과 행복한 시간을 보낸 추억이 깃든 공간
낭군이 기거하시던 곳 그 자취를 느끼고 싶어서요.
화자가 다산 초당에 머무는 이유
손수 가꾸신 꽃이 연못가에 피어 있어요.』
낭군(다산 정약용)과 동일시되는 대상 - 낭군을 떠올리게 해 주는 매개체

질문 / 답변
문답의 방식 - 낭군에 대한 애틋한 마음 강조 **Link** 표현상 특징 ❶
> 친정인 남당으로 돌이기지 않은 이유와 임과의 추억

〈제12수〉

紅橘村西月出山
홍귤촌서월출산
山頭石似望人還
산두석사망인환
此身萬死猶餘恨
차신만사유여한
願作山頭一片頑
원작산두일편완

귤동 서편 쪽으로 월출산 솟아 있는데
강진군 도암면의 다산 초당이 소재한 마을
저 산마루 바위는 누구를 기다리나?
낭군을 기다리는 화자와 동일시되는 대상 - 망부석에 해당
이 몸은 천만번 죽어도 한이 끝내 남으리라.
낭군과의 이별로 인한 한을 강조함 - 과장적 표현
『저 산마루 바위처럼 망부석이나 되고 지고.』 『 』: 망부석 전설을 통해 낭군에 대한 사무치는 그리움을 표현
그리움과 한의 응결체

Link 표현상 특징 ❷
> 망부석 전설을 통한 애절한 그리움의 토로

〈제13수〉

崦嵫日色爲君悲
엄자일색위군비
恨不相逢未老時
한불상봉미노시
縱乏膠舔烏兎術
종핍교첨오토술
忍將餘景做生離
인장여경주생리

서산에 지는 해 임을 위한 슬픔인가
화자의 슬픔이 이입된 객관적 상관물 - 애상적 정서를 환기함 **Link** 표현상 특징 ❸
늙기 전에 상봉하지 못함을 한하노니
낭군과의 재회에 대한 비관적 인식이 담김
『아무도 오토를 붙잡아 맬 힘이 없다는데』 『 』: 낭군과 이별한 채로 시간이 흘러감에 대한 화자의 한탄이 드러남
해와 달. 해에는 다리 셋 달린 까마귀가 깃들이고 달에는 토끼가 살고 있다는 신화에서 유래함
남은 세월 내내 생이별로 지낼거나.
낭군과 이별하며 지내야 하는 자신의 신세에 대한 한탄

> 애절한 그리움과 이별의 정한

〈제15수〉

南塘春水自生煙
남당춘수자생연
渚柳汀花覆客船
저류정화복객선
直到天涯通一路
직도천애통일로
載兒行便達牛川
재아행편달우천

『남당 봄물에 안개가 자욱한데
늘어진 버들가지 갓 핀 꽃향기가 여객선을 덮네.』 『 』: 남당의 봄날의 풍경, 시각적, 후각적 이미지
봄의 계절감을 드러내는 소재
Link 표현상 특징 ❹
여기서 곧바로 하늘가로 길이 통해
낭군과의 재회를 가능하게 해 주는 매개물 / 임이 있는 곳. 다산의 고향인 경기도 광주 마현의 지방
배에 우리 아이 실으면 소내로 닿을 텐데…….
임에게 가고자 하는 간절한 마음을 드러냄

> 낭군에게 가고 싶은 간절함

〈제16수〉

南塘歌曲止於斯 남 당 가 곡 지 어 사	남당의 노래 여기서 그치나니 화자의 이별의 정한을 담은 노래
歌曲聲聲絕命詞 가 곡 성 성 절 명 사	이 노래 마디마디 절명의 소리 낭군에 대한 그리움과 한이 깊이 담겨 있음을 강조
不待南塘歌曲奏 부 대 남 당 가 곡 주	남당의 노래 들어 볼 것도 없이
負心人自負心知 부 심 인 자 부 심 지	저버린 마음이야 저버린 사람이 잘 알겠지. 자신을 버리고 떠난 낭군에 대한 원망이 담김 - 체념적 어조

> 자신을 떠난 낭군에 대한 원망

• **배경 지식**: 다산의 소실이었던 여인은 다산의 유배가 해제되자 친정인 남당 본가로 보내졌다. 하지만 그녀는 우여곡절 끝에 다산 초당으로 돌아와 날마다 연못과 누대, 초목 사이를 서성거리며 서럽고 원망스러운 마음을 달랬다. 미상의 작가는 이 여인의 이야기를 듣고 몹시 슬프고 안타깝게 여겨 「남당사」 16수를 지었다고 서문에서 밝히고 있다.

출제자 톡! 화자를 이해하라!

1 **화자는 누구이고, 화자가 처한 상황은?**
낭군이 떠난 다산 초당에 머물고 있는 '나'

2 **화자의 정서 및 모습은?**
- 낭군에 대한 사무치는 그리움을 드러냄.
- 낭군과 이별한 채 시간만 흘러가는 상황에 대해 한탄하고 있음.
- 낭군이 있는 곳에 가기 바라는 마음을 드러냄.
- 자신을 버리고 떠난 낭군에 대한 원망을 드러냄.

Link

출제자 톡! 표현상의 특징을 파악하라!

❶ 자문자답의 방식으로 대상에 대한 화자의 정서를 드러냄.
❷ 망부석 전설을 활용하여 화자의 정서를 강조함.
❸ 객관적 상관물을 통해 화자의 정서를 직접적으로 표출함.
❹ 시각적, 후각적 이미지를 사용하여 계절감을 효과적으로 형상화함.

최우선 출제 포인트!

1 화자의 처지

화자		화자의 처지
다산이 사랑했던 여인	➔	낭군과 이별한 후, 집에 가지 않고 다산 초당에 머물러 있음.

2 화자의 정서

제1수	→	그 낭군이 기거하던 곳에서 그 자취를 느끼고 싶어 함.	→	낭군에 대한 애틋함.
제12수		산마루 바위처럼 망부석이 되고 싶음.		사무치는 그리움.
제13수		남은 세월 내내 생이별로 지내야 함.		자신의 처지에 대한 한탄
제15수		배에 우리 아이 태우면 소내에 닿을 것임.		낭군에게 가고자 하는 간절한 마음
제16수		저버린 마음이야 저버린 사람이 잘 알 것임.		낭군에 대한 원망

최우선 핵심 Check!

1 〈제1수〉에서 화자가 낭군과 행복한 시간을 보낸 추억의 공간으로 'ㄷㅅㅊㄷ'이 있다.

2 〈제12수〉에서 화자는 망부석 전설을 활용하여 자신의 사무치는 그리움을 표현하고 있다. (O / ×)

3 〈제13수〉에서 화자는 해와 달을 청자로 설정하여 임에 대한 원망을 드러내고 있다. (O / ×)

4 〈제15수〉에서 낭군과의 재회를 바라는 화자의 소망이 담긴 소재는 '배'이다. (O / ×)

5 〈제16수〉에서 화자는 자신을 버리고 떠난 낭군에 대한 원망의 정서를 드러내고 있다. (O / ×)

정답 1. 다산 초당 2. ○ 3. × 4. ○ 5. ○

호박으로 인한 탄식(넋두리)

남과탄(南瓜歎) | 정약용

호박

갈래 한시(7언 배율) **성격** 일상적, 자조적
주제 궁핍한 현실에 대한 자조
시대 조선 후기

끼닛거리가 떨어져서 호박을 훔친 계집종을 꾸짖고 있는 아내에게 화를 풀라고 말하면서, 생계를 이어 나가기 어려운 처지에 대한 자조의 목소리를 드러내고 있다.

원문	풀이	해설
苦雨一旬徑路滅 고 우 일 순 경 로 멸	궂은비 열흘 만에 여기저기 길 끊기고	
城中僻巷烟火絕 성 중 벽 항 연 화 절	성안에도 시골에도 밥 짓는 연기 사라져 경제적으로 궁핍한 사회 현실을 엿볼 수 있음	❯ 궁핍한 현실
我從太學歸視家 아 종 태 학 귀 시 가	태학에서 글 읽다가 집으로 내 돌아와 화자가 학업에 정진하고 있는 공간 – 현실적 생계 문제와 동떨어진 공간	
入門譁然有饒舌 입 문 화 연 유 요 설	문안에 들어서자 시끌시끌 야단법석 계집종이 옆집 밭의 호박을 딴 것으로 인해 집안이 시끄러움	
聞說罌空已數日 문 설 앵 공 이 수 일	들어 보니 『며칠 전에 끼닛거리 떨어져서 경제적으로 어려운 화자의 집안 사정이 드러남	
南瓜鬻取充哺歠 남 과 죽 취 충 포 철	호박으로 죽을 쑤어 허기진 배 채웠는데	
早瓜摘盡當奈何 조 과 적 진 당 내 하	어린 호박 다 땄으니 이 일을 어찌할꼬	
晩花未落子未結 만 화 미 락 자 미 결	늦게 핀 꽃 지지 않아 열매 아직 안 맺었네 먹을 호박마저도 없는 상황 – 화자 집안이 경제적으로 고통받고 있음을 보여 줌	
隣圃瓜肥大如瓨 린 포 과 비 대 여 강	항아리만큼 커다란 옆집 밭의 호박 보고	
小婢潛窺行鼠竊 소 비 잠 규 행 서 절	계집종이 남몰래 그걸 훔쳐 가져와서』 집안 사람들의 배고픔을 면하게 하기 위한 계집종의 행동	『 』: 아내가 화자에게 들려 준 말에 해당 – 일상적 체험을 바탕으로 함
歸來效忠反逢怒 귀 래 효 충 반 봉 노	충성을 바쳤으나 도리어 맞는 야단 도둑질을 했기 때문임	**Link** 표현상 특징 ❶
孰敎汝竊箠罵切 숙 교 여 절 추 매 절	누가 네게 훔치랬냐 회초리 꾸중 호되네 계집종에 대한 아내의 꾸짖음	❯ 호박을 훔친 계집종을 꾸짖는 아내
嗚呼無罪且莫嗔 오 호 무 죄 차 막 진	『어허 죄 없는 아이 이제 그만 화를 푸소	『 』: 아내에게 하는 화자의 말 **Link** 표현상 특징 ❷
我喫此瓜休再說 아 끽 차 과 휴 재 설	이 호박 나 먹을 테니 더 이상 말을 말고	
爲我磊落告圃翁 위 아 뢰 락 고 포 옹	밭 주인에게 떳떳이 사실대로 얘기하소』 문제 해결을 위해 아내에게 제안한 말	❯ 아내의 꾸짖음을 만류하는 '나'
於陵小廉吾不屑 어 릉 소 렴 오 불 설	오릉 중자 작은 청렴 내 아니 달갑다네 오릉에 살던 진중자. 진중자는 형이 의롭지 못하다 하여 홀로 떠나 오릉에서 청렴한 삶을 살았다고 전해짐	→ 경제적으로 궁핍한 현실에 대한 화자의 자조
會有長風吹羽翮 회 유 장 풍 취 유 핵	나도 장차 때 만나면 청운에 오르겠지만 화자가 벼슬길에 오르지 못한 상황임을 알 수 있음	
不然去鑿生金穴 불 연 거 착 생 금 혈	그게 되지 않으면 금광 찾아 나서야지 집안의 생계를 책임져야 한다는 의식에서 나온 생각. 자조적 어조	❯ 자신의 상황에 자조하는 '나'
破書萬卷妻何飽 파 서 만 권 처 하 포	만 권 서적 읽었다고 아내 어찌 배부르랴 화자가 현재 지향하고 있는 삶에 해당 / 학문에 정진하는 것이 생계에 도움이 되지 않음을 드러냄. 설의적 표현	**Link** 표현상 특징 ❸
有田二頃婢乃潔 유 전 이 경 비 내 결	밭 두 뙈기만 있어도 계집종 죄 안 지었으리 궁핍함에서 벗어날 수 있는 최소한의 조건 / 자책감이 드러남	❯ 생계를 신경 쓰지 못한 것에 대한 자책

출제자 톡! 화자를 이해하라!

1 **화자는 누구이고, 화자가 처한 상황은?**
경제적으로 궁핍한 생활을 하는 학자인 '나'

2 **화자의 정서 및 모습은?**
- 자신이 처한 상황에 대해 자조적인 모습을 보임.
- 집안의 생계를 신경 쓰지 못하는 것에 대한 자책감을 드러냄.

Link

출제자 톡! 표현상의 특징을 파악하라!

❶ 일상적인 체험을 바탕으로 시상을 전개함.
❷ 대화를 인용하여 사실감을 부여함.
❸ 설의적 표현을 사용하여 화자의 생각을 강조함.

최우선 출제 포인트!

1 화자의 현실 인식과 대응

일상적 사건		화자의 인식
계집종이 생계를 위해 이웃집 호박을 훔쳐 아내에게 혼이 남.	→	• 궁핍한 자신의 상황에 대한 자조적 모습과 집안의 생계를 신경 쓰지 못하는 것에 대한 자책감을 보임. • '청렴'이라는 가치와 생계에 대해 돌아봄.

화자의 대응	아내에게 화를 풀고 밭 주인에게 사실대로 말하라고 함.

2 '호박'의 의미와 역할

호박 → 배고픔을 면하기 위한 수단

↓ 옆집 밭의 호박을 계집종이 훔쳐 옴.

화자의 집안이 경제적으로 어려움을 단적으로 드러냄.

최우선 핵심 Check!

1 ㅌㅎ은 화자가 학문에 정진하는 곳으로, 현실적 생계 문제와 동떨어진 공간에 해당한다.

2 계집종은 집안 사람들의 배고픔을 면하게 하기 위해 남의 집 호박을 몰래 따서 가져왔다. (○ / ×)

3 화자의 아내는 계집종의 행위를 꾸짖으면서 자신의 처지에 대해 한탄하고 있다. (○ / ×)

4 화자는 아내에게 화를 풀라고 말하면서 문제 해결을 위한 방법을 제안하고 있다. (○ / ×)

5 화자는 청운의 꿈을 포기하고 가족들의 생계를 위해 돈벌이에 나서기로 결심하고 있다. (○ / ×)

정답 1. 태학 2. ○ 3. × 4. ○ 5. ×

1등급! 〈보기〉!

「남과탄」의 이해

일상적 현실을 소재로 하는 작가 정약용의 문학적 성향은 일상적 소재인 '호박'과 관련하여 있었던 일을 사실적으로 드러낸 이 작품을 통해서도 확인할 수 있다. 이 작품에서 계집종은 끼니를 해결하기 위해 옆집 밭의 호박을 훔치는데, 작가는 이러한 일상적 소재를 통해 경제적으로 궁핍한 현실에 대한 안타까움뿐만 아니라, 학업이 생계 유지에 도움이 되지 못한다는 현실 인식을 드러내고 있다. 이어서 더 나아가 작가는 경제적으로 궁핍한 사회 현실에 대한 비판 의식도 보여 주고 있다. 작가는 시(詩)란 현실을 보여 줌으로써 삶에 대한 깨달음을 드러내는 한편, 잘못된 세상을 바로잡는 데 기여해야 한다는 생각을 가지고 있었으며, 이러한 생각은 실용을 중시한 정약용의 가치관과 연결된다고 할 수 있다.

새해에 집에서 온 서신을 받고 (新年得家書) | 정약용

갈래 한시(7언 배율) **성격** 애상적, 성찰적
주제 유배지에서 느끼는 가족에 대한 걱정과 그리움
시대 조선 후기

유배지에서 가족의 편지를 받고 가족에 대한 마음을 드러낸 작품으로 유배지에서의 힘겨운 삶과 가족에 대한 그리움 등이 절제된 언어로 표현되어 있다.

歲去春來漫不知 (세 거 춘 래 만 부 지)
『해가 가고 봄이 와도 까맣게 몰랐다가
(시간의 흐름에 무관심함)

鳥聲日變此堪疑 (조 성 일 변 차 감 의)
새소리가 날로 변해 웬일인가 하였다네』 『』: 새소리를 통해 계절의 변화를 알게 됨
(봄의 도래)

鄕愁値雨如藤蔓 (향 수 치 우 여 등 만)
(비)가 오면 집 생각이 [다래덩굴같이] 뻗고 ○: 집에 대한 그리움을 심화시키는 소재
(집에 대한 그리움을 비유적으로 표현 - 자연물의 속성을 통해 향수를 부각함)

瘦骨經寒似竹枝 (수 골 경 한 사 죽 지)
겨울을 난 야윈 몰골 [대나무 가지 같아] □: 대상을 비유적으로 드러냄 Link 표현상 특징 ❶
(화자) (화자의 야윈 모습을 대나무 가지로 비유 - 유배지에서의 화자의 곤궁한 삶 암시)

厭與世看開戶晩 (염 여 세 간 개 호 만)
세상 꼴 보기 싫어 방문을 늦게 열고
(화자의 세상에 대한 부정적 정서를 표현)

知無客到捲衾遲 (지 무 객 도 권 금 지)
찾는 객 없을 줄 알아 이불도 늦게 개지 → 계절감과 대비하여 화자의 처지를 제시함 Link 표현상 특징 ❷

> 1～6행: 계절과 대비되는 화자의 모습

兒曹也識銷閒法 (아 조 야 식 소 한 법)
무료함을 메우는 법 자식들이 알았는지
(유배지에서의 삶)

鈔取醫書付一鴟 (초 취 의 서 부 일 치)
의서(醫書)에 맞춰 빚은 [술] 한 단지 부쳐 왔군 □: 화자에 대한 가족들의 사랑, 화자로부터 가족에 대한 애잔한 그리움을 불러일으킴.
(의학에 관한 책)

千里傳書一小奴 (천 리 전 서 일 소 노)
천릿길을 어린 종이 가지고 온 [편지] 받고

短檠茅店獨長吁 (단 경 모 점 독 장 우)
초가 주점 등잔 아래 홀로 앉아 한숨 짓네
(가족에 대한 그리움과 가족의 힘겨운 삶에 대한 안타까움)

稚兒學圃能懲父 (치 아 학 포 능 징 부)
『농사 배운 어린 자식 아비 징계해서이고 『』: 편지 내용, 대구 Link 표현상 특징 ❸
(현실에 대한 반성)

病婦縫衣尙愛夫 (병 부 편 의 상 애 부)
[옷]을 꿰매 보낸 아내 그래도 날 사랑하나 봐

憶嗜遠投紅稬飯 (억 기 원 투 홍 나 반)
즐긴다고 이 먼 데를 [찰밥] 싸서 보내오고
(투호(投壺) 놀이에 쓰는 철로 만든 병)

救飢新賣鐵投壺 (구 기 신 매 철 투 호)
굶주림 면하려고 철투호를 팔았다네』 > 7～14행: 유배지로 온 화자에 대한 가족의 사랑
(궁핍해진 가족의 삶)

施裁答札無他語 (시 재 답 찰 무 타 어)
답을 금방 쓰려 하니 달리 할 말이 없어

飭種檿桑數百株 (칙 종 염 상 수 백 주)
뽕나무나 수백 그루 심으라고 부탁했지 > 15～16행: 가족에 대한 화자의 그리움
(곤궁한 생활 형편을 극복하는 방안)

출제자 팁! 화자를 이해하라!

1 **화자는 누구이고, 화자가 처한 상황은?**
유배지에서 곤궁하고 무료한 생활을 하는 사람

2 **화자의 정서 및 태도는?**
- 유배지에서 시간의 흐름에 무관심하고 바깥세상을 부정적으로 봄.
- 가족에 대한 그리움과 안타까움 등을 느낌.

Link
출제자 팁! 표현상의 특징을 파악하라!

❶ 대상을 비유적 표현을 써서 드러냄.
❷ 계절감과 대비하여 화자의 처지를 드러냄.
❸ 대구를 통해 가족에 대한 사랑을 표현함.

- **징계(懲戒)**: 자기 스스로 과거에 당한 일을 돌아보고 뉘우치고 경계함.

최우선 출제 포인트!

1 화자의 감정 변화

유배지에서의 화자의 모습	→	가족한테서 온 편지	→	• 가족에 대한 사랑을 느낌. • 화자의 가족에 대한 그리움과 걱정
무료함과 무기력함. 세상에 관심이 없음.		화자에 대한 가족들의 사랑		

최우선 핵심 Check!

1 화자는 유배지에서 계절의 변화나 세상 소식에 관심이 많다. (○ / ×)
2 '대나무 가지'는 화자의 야윈 모습을 비유적으로 표현한 시어이다. (○ / ×)
3 화자에 대한 가족들의 사랑을 알 수 있는 소재로는 '술, ㅍㅈ, 옷, 찰밥' 등이 있다.
4 '철투호를 팔았다네'의 구절에서 궁핍해진 가족들의 삶을 알 수 있다. (○ / ×)

정답 1. × 2. ○ 3. 편지 4. ○

301위

어머니를 그리워하며 생각하는 시

사친시(思親詩) | 김만중

갈래 한시(7언 절구) **성격** 애상적, 서정적
주제 어머니에 대한 그리움
시대 조선 중기

김만중이 유배지에서 처음 맞는 어머니의 생신날 지은 한시로, 어머니에 대한 그리움과 효심이 드러나 있다.

今朝欲寫思親語
금 조 욕 사 사 친 어
오늘 아침 어머니 그리는 글 쓰려 하니, ▶ 기: 어머니에게 편지를 쓰려 함
(오늘 아침: 어머니의 생신 날 아침 / 어머니 그리는 글: 생신을 축하하려는 글)

字未成時淚已滋
자 미 성 시 루 이 자
글자도 쓰기 전에 눈물 이미 넘쳐나네. ▶ 승: 편지를 쓰기 전에 눈물이 남
(눈물: 어머니에 대한 화자의 간절한 그리움이 담김 Link 표현상 특징 ❶)

幾度濡毫還復擲
기 도 유 호 환 부 척
몇 번이고 붓을 적셨다가 다시 던져 버렸으니, ▶ 전: 편지를 도저히 쓸 수 없음
(그리움이 간절하여 도저히 편지를 쓸 수 없음)

集中應缺海南詩
집 중 응 결 해 남 시
문집 가운데 해남시는 응당 빠지게 되리. ▶ 결: 문집에서 해남시를 빼려 함
(문집: 시와 문장을 모은 책 / 해남시는 응당 빠지게 되리: 해남시(사친시)가 어머니에 대한 마음을 담을 수 없었기 때문에 Link 표현상 특징 ❷)

출제자 톡! 화자를 이해하라!

1 **화자는 누구이고, 화자가 처한 상황은?**
어머니와 멀리 떨어진 곳에서 어머니 생신날을 맞이하는 사람

2 **화자의 정서 및 태도는?**
- 멀리 있는 어머니에 대한 간절한 그리움을 드러냄.
- 편지를 쓰는 행동을 통해 어머니에 대한 지극한 효심을 드러냄.

Link

출제자 톡! 표현상의 특징을 파악하라!

❶ 함축적 시어를 활용하여 화자의 정서를 효과적으로 드러냄.

❷ '-리'라는 추측의 어미를 사용하여 화자의 생각을 드러냄.

최우선 출제 포인트!

1 화자의 상황과 정서

화자의 상황	–	유배지에서 어머니의 생신날을 맞이하여 편지를 쓰려 함.		
화자의 정서	–	글자를 쓰기도 전에 눈물이 나서 편지를 쓸 수 없음.	→	어머니에 대한 그리움

2 '눈물'의 의미

눈물	–	어머니의 대한 간절한 그리움

최우선 핵심 Check!

1 화자는 어머니에게 글을 쓰려 하지만 눈물 때문에 쓰지 못하고 있다. (O / ×)

2 '눈물'에는 어머니에 대한 화자의 간절한 그리움이 담겨 있다. (O / ×)

3 화자는 '해남시'에 대해 부정적으로 평가하여 문집에 싣지 않으려 하고 있다. (O / ×)

정답 1. ○ 2. ○ 3. ×

요양에서 달을 보며 고향을 그리워함

요양의 달 | 허균

갈래 한시(4언 절구) **성격** 애상적, 서정적
주제 고향 대한 그리움 **시대** 조선 중기

이국 땅(요양)에서 달을 바라보며 고향에 대한 그리움을 노래하고 있다.

明月殊方夜
명 월 수 방 야
이국의 보름달
화자로 하여금 고향을 생각나게 해 주는 자연물
› 기: 이국에서 보름달을 봄

深秋客在遼
심 추 객 재 요
깊은 가을 나그네는 요양 땅에 있네.
시간적 배경 / 화자 자신 / 화자가 있는 공간 - 화자의 처지를 알게 해 줌
› 승: 요양에서 가을을 보내는 화자

小樓南陌上
소 루 남 맥 상
남쪽 길 내 고향 조그만 누각 △↔○
화자가 가고 싶어 하는 공간 - 요양 땅과 대비됨 Link 표현상 특징 ❷
› 전: 고향을 생각함

歸夢正迢迢
귀 몽 정 초 초
돌아갈 꿈은 아득하고 아득하네.
시어의 반복 - 고향으로 돌아갈 수 없는 자신의 처지에 대한 한탄 Link 표현상 특징 ❶
› 결: 고향으로 돌아갈 수 없는 처지에 대한 한탄

출제자 톡! 화자를 이해하라!

1 **화자는 누구이고, 화자가 처한 상황은?**
고향을 떠나 요양 땅에서 가을을 보내고 있는 사람

2 **화자의 정서 및 태도는?**
- 고향을 그리워함.
- 고향으로 갈 수 없는 자신의 처지를 한탄함.

Link

출제자 톡! 표현상의 특징을 파악하라!

❶ 시어의 반복을 통해 화자의 정서를 강조함.
❷ 대비되는 공간을 제시하여 화자의 정서를 부각함.

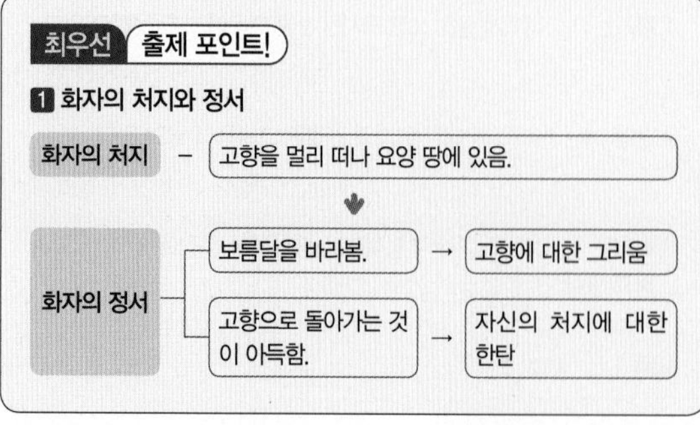

최우선 출제 포인트!

1 화자의 처지와 정서

화자의 처지 – 고향을 멀리 떠나 요양 땅에 있음.

화자의 정서
- 보름달을 바라봄. → 고향에 대한 그리움
- 고향으로 돌아가는 것이 아득함. → 자신의 처지에 대한 한탄

최우선 핵심 Check!

1 ㅂㄹㄷ은 화자로 하여금 고향을 생각나게 해 주는 자연물이다.

2 화자는 고향을 떠나 이국인 요양 땅에서 생활하고 있다. (O / ×)

3 화자는 고향으로 돌아가려는 강한 의지를 보이고 있다. (O / ×)

정답 1. 보름달 2. ○ 3. ×

303위

목숨을 끊으며 쓴 시

절명시(絶命詩) | 황현

갈래 한시(7언 절구, 전 4수) **성격** 우국적, 비탄적
주제 국권 피탈의 위기에 처한 지식인의 고뇌
시대 조선 말기

험난한 역사 속에서 지식인으로서의 처신의 어려움과 참담한 심경을 표현하고 있다.

〈제1수〉

亂離滾到白頭年 난 리 곤 도 백 두 년	난리를 겪다 보니 머리가 하얗게 세었구나 → 역사적 시련으로 인한 고뇌를 외양을 통해 드러냄 **Link** 표현상 특징 ❶	
幾合捐生却未然 기 합 연 생 각 미 연	몇 번이나 목숨을 바치려다 뜻을 이루지 못했도다 (혼란한 시국)	
今日眞成無可奈 금 일 진 성 무 가 내	오늘은 참으로 어찌할 수 없으니	
輝輝風燭照蒼天 휘 휘 풍 촉 조 창 천	가물거리는 촛불이 푸른 하늘에 비치도다 (국권 피탈의 상황 / 바람 앞의 등불 같은 현실, 순국을 결심한 화자의 내면, 비유적 표현 **Link** 표현상 특징 ❷)	› 순국에 대한 결심

〈제3수〉

鳥獸哀鳴海岳嚬 조 수 애 명 해 악 빈	새와 짐승은 슬피 울고 강산은 찡그리네 (감정 이입의 대상 / 국권 피탈의 슬픔을 드러냄, 활유법 **Link** 표현상 특징 ❸)	
槿花世界已沈淪 근 화 세 계 이 침 륜	무궁화 세계는 이미 사라지고 말았구나 (우리나라(대유법))	
秋燈掩卷懷千古 추 등 엄 권 회 천 고	가을 등불 아래 책 덮고 천고의 역사 생각하니 (자신이 해야 할 일을 생각함)	
難作人間識字人 난 작 인 간 식 자 인	세상에서 글 아는 사람 노릇하기 어렵구나 (지식인으로서의 사회적 책무)	› 지식인으로서의 고뇌

출제자 톡! 화자를 이해하라!

1 **화자는 어떤 사람이고, 화자가 처한 상황은?**
1910년 국권 피탈의 소식을 접하고 죽을 결심을 한 후 마지막으로 시를 짓고 있는 사람

2 **화자의 정서 및 태도는?**
- 나라를 잃은 고뇌와 절망적 심경을 드러냄.
- 지식인으로서의 책임감을 드러내고 있음.

Link
출제자 톡! 표현상의 특징을 파악하라!

❶ 외양 묘사를 통해 나라를 잃은 화자의 고뇌를 표현함.
❷ 화자가 처한 상황을 비유적으로 드러냄.
❸ 감정 이입과 활유법을 이용하여 화자의 정서를 강조함.

개념 Tip
활유법: 무생물을 생물인 것처럼, 감정이 없는 것을 감정이 있는 것처럼 표현하는 수사법

최우선 출제 포인트!

1 소재의 의미

국권 피탈의 상황 및 화자의 정서 강조

최우선 핵심 Check!

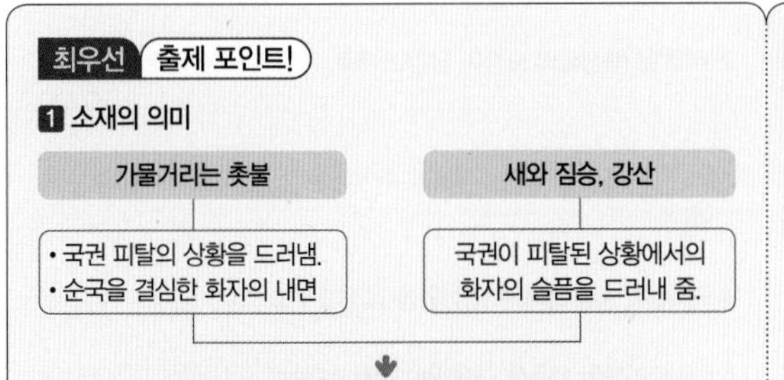

1 국권을 피탈당한 상황에서 지식인의 비통함을 담고 있다. (○ / ×)

2 〈제1수〉에서 '가물거리는 촛불'은 국권 피탈의 상황과 순국을 결심한 화자의 내면을 의미하고 있다. (○ / ×)

3 〈제3수〉에서 화자의 감정이 이입된 자연물에는 ㅅ와 ㅈㅅ, ㄱㅅ이 있다.

4 〈제3수〉의 ㄱㅇ ㄷㅂ은 성찰의 매개체 역할을 하고 있다.

정답 1. ○ 2. ○ 3. 새, 짐승, 강산 4. 가을 등불

304위

탐진 마을에서 부르는 노래

탐진촌요(耽津村謠) | 정약용

갈래 한시(7언 절구) **성격** 사실적, 비판적, 고발적
주제 관리들의 횡포 고발 **시대** 조선 후기

작가가 유배 생활을 하던 시절에 지은 작품으로, 탐관오리가 횡포를 부리던 농촌의 현실과 농민들의 힘겨운 삶을 그리고 있다.

棉布新治雪樣鮮
면 포 신 치 설 양 선
黃頭來博吏房錢
황 두 래 박 이 방 전
漏田督稅如星火
누 전 독 세 여 성 화
三月中旬道發船
삼 월 중 순 도 발 선

새로 짜낸 무명이 눈결같이 고왔는데 (무명: 목화실로 짠 피륙 - 수탈의 대상 / 눈결같이: 직유법) ▶ 기: 무명을 짠 농민들의 기쁨
이방 줄 돈이라고 황두가 빼어 가네 (황두: 지방 관리 / 이방, 황두: 수탈의 주체 - 비판의 대상 **Link** 표현상 특징 ❶) → 수탈 상황을 드러냄 **Link** 표현상 특징 ❷ ▶ 승: 백성을 수탈하는 관리
「누전 세금 독촉이 성화같이 급하구나 (누전: 토지 대장에 빠진 토지의 세금)
삼월 중순 세곡선(稅穀船)이 서울로 떠난다고」 (세곡선: 세금으로 바치는 곡식을 싣고 가는 배 - 수탈의 상징) 「」: 도치법을 사용하여 수탈 상황을 강조해 줌 **Link** 표현상 특징 ❸ ▶ 전 · 결: 탐관오리의 횡포로 고통 받는 민중

출제자 톡! 화자를 이해하라!

1 **화자는 누구이고, 화자가 처한 상황은?**
탐관오리들이 횡포를 부리는 상황을 지켜보고 있는 사람

2 **화자의 정서 및 태도는?**
백성들을 수탈하는 탐관오리들에 대한 비판적 태도를 드러냄.

Link

출제자 톡! 표현상의 특징을 파악하라!

❶ 수탈 계층의 포악상을 고발함.
❷ 수탈당하는 농촌 현실을 사실적으로 표현하고 있음.
❸ 도치법을 사용하여 시적 상황을 강조함.

최우선 출제 포인트!

1 시어의 상징성
이 작품은 관리에게 무명을 빼앗기고, 세금 독촉에 시달리는 백성들의 현실을 사실적으로 드러내고 있다.

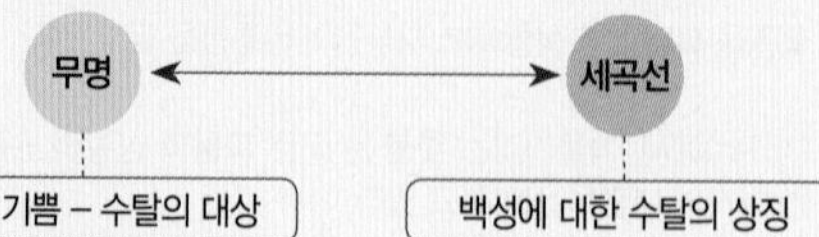

2 설득력 확보의 방법
이 작품은 백성들이 수탈당하는 모습을 객관적으로 관찰하고, 이를 사실적으로 표현함으로써 설득력을 확보하고 있다.

수탈당하는 농민의 현실 —(객관적 관찰 / 사실적 표현)→ 설득력 확보

최우선 핵심 Check!

1 백성이 수탈당하는 상황을 사실적으로 드러내고 있다. (O / ×)

2 '무명'은 백성들의 노동이 담긴 소재로, 수탈의 대상에 해당한다. (O / ×)

3 'ㅇㅂ'과 'ㅎㄷ'는 백성을 수탈하는 탐관오리로, 수탈의 주체이다.

4 도치법을 사용하여 수탈 상황을 강조해 주고 있다. (O / ×)

5 탐관오리들의 행동에 어울리는 한자 성어는 ㄱㄹㅈㄱ(苛斂誅求)이다.

정답 1. ○ 2. ○ 3. 이방, 황두 4. ○ 5. 가렴주구

305위

불일암 인운 스님에게 주다

불일암 인운 스님에게

[佛日庵贈因雲釋] | 이달

갈래 한시(5언 절구) **성격** 낭만적, 탈속적
주제 자연 속에 사는 탈속적 경지 **시대** 조선 후기

자연과 동화되어 살아가는 스님의 탈속적 삶에 대한 화자의 동경이 드러나고 있다.

寺在白雲中 (사 재 백 운 중)
절집이라 구름에 묻혀 살기로
　　속세와 단절되어 있음

白雲僧不掃 (백 운 승 불 소)
[흰 구름]이라 스님은 쓸지를 않아
　　속세의 일에 무심함 - 자연을 있는 그대로 두고 자연과 일체되어 살아감

> 기 · 승: 흰 구름 속에서 탈속적 삶을 살고 있는 스님

客來門始開 (객 래 문 시 개)
『바깥 손 와서야 문 열어 보니
　　세월의 흐름을 일깨워 주는 존재 / 이미, 벌써

萬壑松花老 (만 학 송 화 로)
온 산의 [송화꽃] 하마 쇠었네』
　　봄이 감(세월의 흐름) Link 표현상 특징 ❷

> 전 · 결: 손님이 오고 나서야 세월의 흐름을 알게 됨

[ ]: 시각적 이미지 Link 표현상 특징 ❶
『 』: 시간의 흐름을 잊은 채 살아가는 탈속의 경지가 드러남

출제자 톡! 화자를 이해하라!

1 **화자가 누구이고, 화자가 처한 상황은?**
자연과 동화되어 사는 스님의 모습을 보고 있는 사람

2 **화자의 정서 및 태도는?**
스님의 탈속적 삶을 동경함.

Link

출제자 톡! 표현상의 특징을 파악하라!

❶ 시각적 이미지를 사용하여 고요한 산속 절의 한적한 분위기를 연출함.

❷ 자연물의 변화를 통해 시간의 흐름을 드러내 줌.

최우선 출제 포인트!

1 시각적 이미지

이 작품은 '흰 구름', '송화꽃' 같은 시각적 이미지가 사용되고 있다. '흰 구름'은 속세와의 단절, 탈속의 경지를, '송화꽃'은 세월의 흐름을 나타낸다. 두 이미지의 대비를 통해 고요한 산속에서 느낄 수 있는 한적한 분위기를 시각적으로 형상화하고 있다.

흰 구름	(노란) 송화꽃
속세와의 단절, 탈속의 경지	세월의 흐름을 표상

↓

한적한 분위기를 시각적으로 형상화함.

최우선 핵심 Check!

1 고요한 산속의 한적한 분위기를 시각적으로 형상화하고 있는 소재에는 'ㅎ ㄱ ㄹ'과 'ㅅ ㅎ ㄲ'이 있다.

2 'ㅂ ㄲ ㅅ'은 세월의 흐름을 일깨워 주는 존재이다.

3 〈전구〉와 〈결구〉를 통해 시간의 흐름을 잊고 사는 스님의 탈속적 경지를 엿볼 수 있다. (O / ×)

정답 1. 흰 구름, 송화꽃 2. 바깥 손 3. ○

삿갓을 읊다[詠笠] | 김병연

갈래 한시(7언 율시) **성격** 비유적, 관조적
주제 방랑 생활의 풍류와 욕심 없는 삶에 대한 자부심
시대 조선 후기

방랑 생활 중 비바람을 막아 주는 삿갓에 대한 고마움을 표현하고 있다.

浮浮我笠等虛舟 부부아립등허주
가뿐한 내 삿갓이 빈 배와 같아 ('삿갓'의 비유적 표현 - 욕심 없는 삶을 드러냄)

一着平生四十秋 일착평생사십추
한 번 썼다가 사십 년 평생 쓰게 되었네 (화자의 분신, 방랑 생활의 동반자 / 화자가 평생 동안 유랑 생활을 했음을 엿볼 수 있음)
> 수: 삿갓을 쓰고 방랑하는 삶

牧竪輕裝隨野犢 목수경장수야독
목동은 가벼운 삿갓 차림으로 소 먹이러 나가고

漁翁本色伴沙鷗 어옹본색반사구
어부는 갈매기 따라 삿갓으로 본색을 나타냈지 (소박하게 살아가는 백성)
(자연과 하나가 되는 삶을 사는 '목동'과 '어부' Link 표현상 특징 ❶)
> 함: 삿갓과 함께하는 서민들의 삶

醉來脫掛看花樹 취래탈괘간화수
『취하면 벗어서 구경하던 꽃나무에 걸고

興到携登翫月樓 흥도휴등완월루
흥겨우면 들고서 다락에 올라 달 구경하네』 (『 』: 삿갓과 함께 자연을 즐기는 풍류적 삶을 사는 화자)
> 경: 삿갓과 함께 자연을 벗하는 화자의 삶

俗子依冠皆外飾 속자의관개외식
속인들의 의관은 모두 겉치장이지만 (옷차림 - '삿갓'과 대비되는 대상 Link 표현상 특징 ❷ / 세상 사람들의 허식을 비판함)

滿天風雨獨無愁 만천풍우독무수
하늘 가득 비바람 쳐도 나만은 걱정이 없네 (비바람을 막아 주는 현실적인 물건인 '삿갓'에 대한 자부심)
> 미: 속인들의 허식 비판 및 자신의 삶에 대한 자부심

출제자 톡! 화자를 이해하라!

1 **화자는 누구이고, 화자가 처한 상황은?**
삿갓과 함께 방랑하는 삶을 살고 있는 '나'

2 **화자의 정서와 태도는?**
- 삿갓에 대해 긍정적인 태도를 드러냄.
- 삿갓을 쓰고 다니는 자신의 삶에 대한 만족감과 자부심을 드러냄.

Link
출제자 톡! 표현상의 특징을 파악하라!

❶ 서민들의 삶 속에 함께 있는 삿갓의 모습을 나열하여 현실적 삶을 지향하는 화자의 태도를 드러냄.

❷ '삿갓'과 대비되는 대상을 통해 속인들에 대한 비판적 태도를 드러냄.

최우선 출제 포인트!

1 대조적 대상

삿갓	• 목동과 어부가 쓰는 실용적인 옷 • 위선과 허식을 벗고 진솔한 삶을 살게 해 주는 도구 • 자연을 벗하는 삶에서 쓰는 방랑의 상징
	↕ 대조
의관	속인들의 겉치장

함께 볼 작품 대조를 통해 안분지족의 삶을 노래한 작품: 한호, 「집방석 내지 마라」

최우선 핵심 Check!

1 'ㅇㄱ'은 '삿갓'과 대비되는 대상으로, 속인들의 허식이 담긴 소재이다.

2 화자는 '삿갓'을 쓰고 자연을 벗 삼아 살아가는 삶에 대해 만족감을 드러내고 있다. (O / ×)

3 화자는 목동과 어부가 쓰는 삿갓과 자신이 쓰는 삿갓을 대비하여, 삿갓에 대한 만족감을 표출하고 있다. (O / ×)

정답 1. 의관 2. ○ 3. ×

1등급! 〈보기〉!

「삿갓을 읊다」의 이해
이 작품에서 '삿갓'은 화자의 분신이자 삶의 동반자라 할 수 있다. 방랑의 삶을 산 화자에게 삿갓은 비바람과 같은 고통을 막아 주는 존재이기도 하고, 자유로운 방랑의 삶 그 자체를 상징하기 때문이다. 한편, 삿갓은 속인들의 '의관'과 대비되면서 위선과 가식을 벗은 진솔함을 상징하는 대상이기도 하다.

어머니를 그리워하다

사친(思親) | 신사임당

갈래 한시(7언 율시) **성격** 애상적, 회고적
주제 고향에 계신 어머니에 대한 그리움
시대 조선 전기

작가가 결혼 후 여러 가지 현실적인 제약으로 인해 갈 수 없는 고향과 어머니에 대한 간절한 그리움을 노래하고 있다.

원문	풀이	해설
千里家山萬疊峰 천 리 가 산 만 첩 봉	천 리나 떨어진 고향집은 만 겹 봉우리에 쌓였는데 (고향집: 화자가 가고 싶은 공간 – 어머니가 계시는 공간 / 천 리나 떨어진: 정서적 거리감 / 만 겹 봉우리: 고향 길을 가로막는 장애물)	
歸心長在夢魂中 귀 심 장 재 몽 혼 중	가고픈 마음은 오래도록 꿈속에 있네 (가고픈 마음: 화자의 소망 집약 / 꿈속: 현실에선 이루기 어려운 소망임을 드러냄, 간절한 그리움을 강조)	수: 고향에 대한 그리움
寒松亭畔孤輪月 한 송 정 반 고 륜 월	『한송정 가에는 외로운 둥근 달이요 (외로운: 감정 이입)	대구 Link 표현상 특징 ❶
鏡浦臺前一陣風 경 포 대 전 일 진 풍	경포대 앞에는 한 줄기 바람이로다	
沙上白鷺恒聚散 사 상 백 로 항 취 산	모랫벌엔 백로가 언제나 모였다 흩어지고	대구
波頭漁艇各西東 파 두 어 정 각 서 동	파도 위엔 고깃배가 오락가락 떠다니네』 『 』: 고향의 풍경 묘사 – 회상(시각적 이미지) → 화자의 고향에 대한 그리움 강조함 Link 표현상 특징 ❶	함 · 경: 고향의 모습을 떠올림
何時重踏臨瀛路 하 시 중 답 임 영 로	어느 때 강릉 길을 다시 밟아 (강릉: 화자의 고향, 친정)	
綵服斑衣膝下縫 채 복 반 의 슬 하 봉	색동옷 입고 어머님 곁에서 바느질할꼬 (고사를 활용하여 어머니와 함께하고 싶은 마음을 드러냄 Link 표현상 특징 ❷)	미: 어린 시절과 어머니에 대한 그리움

• **색동옷 ~ 바느질할꼬**: 중국 초나라의 노래자(老萊子)라는 사람이 늙은 부모를 위해 70세에 색동옷을 입고 재롱을 부렸다는 고사와 관련된 구절로, 화자의 효심이 드러나는 부분이다.

출제자 특! 화자를 이해하라!

1 **화자는 누구이고, 화자가 처한 상황은?**
갈 수 없는 고향의 풍경을 회상하고 있는 사람

2 **화자의 정서 및 태도는?**
어머니와 고향에 대한 간절한 그리움을 드러냄.

Link

출제자 특! 표현상의 특징을 파악하라!

❶ 시각적 이미지와 대구법을 활용하여 고향의 풍경을 묘사하고 있음.

❷ 고사를 활용하여 어머니와 함께하고 싶은 화자의 그리움의 정서를 드러내고 있음.

최우선 출제 포인트!

1 대구를 통한 고향 풍경 묘사

대구	한송정	둥근 달	경포대	바람
	모랫벌	백로	파도 위	고깃배

↓ 고향 풍경의 묘사
↓ **고향에 대한 화자의 간절한 그리움 강조**

최우선 핵심 Check!

1 화자의 소망이 집약된 시구에는 ㄱ ㄱ ㅍ ㅁ ㅇ이 있다.

2 화자는 고향 풍경에 대한 묘사를 통해 고향에 대한 그리움을 효과적으로 표현하고 있다. (O / ×)

3 화자는 '둥근 달'과 '백로'에 자신의 감정을 이입하고 있다. (O / ×)

4 화자는 어머니와 함께 바느질하던 어린 시절로 돌아가고 싶은 소망을 드러내고 있다. (O / ×)

정답 1. 가고픈 마음 2. ○ 3. × 4. ×

동명왕에 관해 쓴 장편 서사시

동명왕편(東明王篇) | 이규보

갈래 한시, 장편 영웅 서사시(5언 연속체)
성격 서사적, 신화적 **주제** 고구려를 건국한 동명왕의 영웅적 일대기 **시대** 고려

고구려의 건국 시조인 동명왕의 신화를 장편 서사시 형식으로 쓴 작품으로, 작가의 국가관과 민족에 대한 자부심, 그리고 외적에 대한 항거 정신이 잘 드러난다.

(전략)

王知慕漱妃 仍以別室寘	왕지모수비 잉이별실치	왕이 해모수의 왕비인 것을 알고 / 이에 별궁에 두었다
懷日生朱蒙 是歲歲在癸	회일생주몽 시세세재계	해를 품고 주몽을 낳았으니 / 이 해가 계해년이었다
骨表諒最奇 啼聲亦甚偉	골표량최기 제성역심위	골상이 참으로 기이하고 / 우는 소리가 또한 심히 컸다
初生卵如升 觀者皆驚悸	초생란여승 관자개경계	처음에 되만한 알을 낳으니 / 보는 사람들이 깜짝 놀랐다
王以爲不祥 此豈人之類	왕이위불상 차기인지류	왕이 "상서롭지 못하다 / 이것이 어찌 사람의 종류인가." 하고
置之馬牧中 群馬皆不履	치지마목중 군마개불리	『마구간 속에 두었더니 / 여러 말들이 모두 밟지 않고
棄之深山中 百獸皆擁衛	기지심산중 백수개옹위	깊은 산속에 버렸더니 / 온갖 짐승이 모두 옹위하였다』
母姑擧而養 經月言語始	모고거이양 경월언어시	어미가 우선 받아서 기르니 / 한 달이 되면서 말하기 시작하였다
自言蠅噆目 臥不能安睡	자언승참목 와불능안수	스스로 말하되, "파리가 눈을 빨아서 / 누워도 편안히 잘 수 없다." 하였다
母爲作弓矢 其弓不虛掎	모위작궁시 기궁불허기	어머니가 활과 화살을 만들어 주니 / 그 활이 빗나가는 법이 없었다
年至漸長大 才能日漸備	연지점장대 재능일점비	나이가 점점 많아지매 / 재능도 날로 갖추어졌다
扶餘王太子 其心生妬忌	부여왕태자 기심생투기	부여왕 태자가 / 그 마음에 투기가 생겼다
乃言朱蒙者 此必非常士	내언주몽자 차필비상사	말하기를 『주몽이란 자는 / 반드시 범상한 사람이 아니니
若不早自圖 其患誠未已	약불조자도 기환성미이	만일 일찍 도모하지 않으면 / 후환이 끝없으리라』 하였다
王令往牧馬 欲以試厥志	왕령왕목마 욕이시궐지	왕이 가서 말을 기르게 하니 / 그 뜻을 시험하고자 함이었다
自思天之孫 厮牧良可恥	자사천지손 시목량가치	스스로 생각하니 천제의 손자가 / 천하게 말 기르는 것 참으로 부끄러워
捫心常竊導 吾生不如死	문심상절도 오생불여사	가슴을 어루만지며 항상 혼자 탄식하기를 /『사는 것이 죽는 것만 못하다
意將往南土 立國立城市	의장왕남토 입국입성시	마음 같아서는 장차 남쪽 땅에 가서 / 나라도 세우고 성시도 세우고자 하니
爲緣慈母在 離別誠未易	위연자모재 이별성미이	사랑하는 어머니가 계시기 때문에 / 이별이 참으로 쉽지 않구나』
其母聞此言 潸然抆淸淚	기모문차언 산연문청루	그 어머니 이 말 듣고 / 흐르는 눈물 씻으며
汝幸勿爲念 我亦常痛痞	여행물위념 아역상통비	『너는 내 생각하지 말라 / 나도 항상 마음 아프다
士之涉長途 須必憑騄駬	사지섭장도 수필빙록이	장사가 먼 길을 가려면 / 반드시 준마가 있어야 한다』며
相將往馬閑 卽以長鞭捶	상장왕마한 즉이장편추	아들을 데리고 마구간에 가서 / 곧 긴 채찍으로 말을 때리니
群馬皆突走 一馬騂色斐	군마개돌주 일마성색비	여러 말은 모두 달아나는데 / 붉은빛이 얼룩진 한 말이 있어
跳過二丈欄 始覺是駿驥	도과이장란 시각시준기	두 길 되는 난간을 뛰어넘으니 / 이것이 준마인 줄 비로소 깨달았다
潛以針刺舌 酸痛不受飼	잠이침자설 산통불수사	남모르게 바늘을 혀에 꽂으니 / 시고 아파 먹지 못하였다
不日形甚癯 却與駑駘似	불일형심구 각여노태사	며칠 못 되어 형상이 심히 야위어 / 나쁜 말과 다름없었다

해모수: 천제의 아들 - 북부여의 시조
왕: 동부여의 금와왕
왕비: 하백의 딸 - 유화
골상: 주몽이 천상(天上)의 존재임을 엿볼 수 있음 - ① 고귀한 혈통
계해년: 기원전 58년
골상: 주로 얼굴이나 머리뼈의 겉으로 보이는 생김새
처음에 되만한 알을 낳으니: ② 기이한 탄생 - 전기적 요소 Link 표현상 특징 ❸
상서롭지 못하다: 불길하다
여러 말들, 온갖 짐승: 조력자에 해당
깊은 산속에 버렸더니: ③ 어려서 버려짐
『 』: 주몽의 고귀함을 나타냄
> 주몽의 출생
④ 주몽의 비범한 능력
그 활이 빗나가는 법이 없었다: 활을 잘 쏴 '주몽'이라 함
> 주몽의 비범한 능력
⑤ 자라서 위기에 처함❶
『 』: 주몽을 두려워하는 부여 태자의 모습을 알 수 있음
> 주몽에 대한 태자의 투기
그 뜻을 시험하고자 함: 주몽의 인물됨을 시험했다는 의미
천하게 말 기르는 것 참으로 부끄러워: 말을 기르는 것에 대한 주몽의 정서
성시: 도읍
나라도 세우고 성시도 세우고자 하니: 주몽의 꿈이 원대함을 알 수 있음
『 』: 주몽의 탄식
사랑하는 어머니: 유화를 가리킴
> 자신의 처지를 탄식하면서도 이상을 품은 주몽
나도 항상 마음 아프다: 말을 돌보아야 하는 주몽의 처지에 대한 어머니로서의 아픔
준마: 빠르게 달리는 좋은 말
『 』: 주몽이 꿈을 이룰 수 있도록 격려하는 말
붉은빛이 얼룩진 한 말: 주몽 어머니가 찾던 말 - 준마
준마를 얻기 위한 주몽의 꾀 - 주몽의 비범함을 알 수 있음

원문	현대어 풀이
爾後王巡觀 予馬此卽是 이후왕순관 여마차즉시	그 뒤에 왕이 돌아보고 / 바로 이 말을 주었다
得之始抽針 日夜屢加餧 득지시추침 일야루가위	얻고 나서 비로소 바늘을 뽑고 / 밤낮으로 도로 먹였다』 ▶ 위협으로부터 달아날 준비를 하는 주몽
暗結三賢友 其人共多智 암결삼현우 기인공다지	『가만히 세 어진 벗을 맺으니 / 그 사람들 모두 지혜가 많았다』 (세 어진 벗: 오이, 마리, 협보 세 사람 - 각각 유(儒), 불(佛), 도(道)를 상징함) 『 』: 주몽이 얻은 세 벗에 대한 평가
南行至淹滯 欲渡無舟艤 남행지엄체 욕도무주의	남쪽으로 행하여 엄체수에 이르러 / 건너려 하여도 배가 없었다 (엄체수: 압록강 동북쪽) ⑤ 자라서 위기에 처함 ❷
秉策指彼蒼 慨然發長喟 병책지피창 개연발장위	채찍을 잡고 저 하늘을 가리키며 / 개연히 긴 탄식을 발한다
天孫河伯甥 避難至於此 천손하백생 피난지어차	『"천제의 손자 하백의 외손이 / 난을 피하여 이곳에 이르렀소 (주몽의 신분을 알 수 있음)
哀哀孤子心 天地其忍棄 애애고자심 천지기인기	불쌍한 고자의 마음을 / 황천후토가 차마 버리시리까."』 (고자: 외로운 사람, 황천후토: 하늘의 신과 땅의 신) 『 』: 위기에 처한 상황에서 하늘의 도움을 바라는 주몽의 기원이 드러남
操弓打河水 魚鼈騈首尾 조궁타하수 어별병수미	『활을 잡아 하수를 치니 / 고기와 자라가 머리와 꼬리를 나란히 하여 (고기와 자라: 전기적 요소 **Link** 표현상 특징 ❸)
屹然成橋梯 始乃得渡矣 흘연성교제 시내득도의	높직이 다리를 이루어 / 비로소 건널 수 있었다』 『 』: ⑥ 조력자의 도움으로 위기를 탈출함 - 주몽이 천제의 손자임을 인정받는 장면으로 천우신조(天佑神助)의 장면이라 할 수 있음
俄爾追兵至 上橋橋旋圮 아이추병지 상교교선비	조금 뒤에 쫓는 군사 이르러 / 다리에 오르니 다리가 곧 무너졌다』 (쫓는 군사: 부여왕 태자의 군사) ▶ 위협으로부터 무사히 벗어난 주몽
雙鳩含麥飛 來作神母使 쌍구함맥비 내작신모사	한 쌍의 비둘기 보리 물고 날아 / 신모의 사자가 되어 왔다 (한 쌍의 비둘기: 주인공이 가야 할 방향을 알려 주는 조력자)
形勝開王都 山川鬱䃶巋 형승개왕도 산천울죄규	형세 좋은 땅에 왕도를 개설하니 / 산천이 울창하고 높고 컸다 ⑦ 나라를 건설함 - 승리자가 됨
自坐茀蕝上 略定君臣位 자좌불절상 약정군신위	스스로 띠자리 위에 앉아서 / 대강 군신의 위치를 정하였다 (띠자리: 띠풀을 엮어 만든 방석으로, 지위의 높고 낮음을 표시하는 도구) ▶ 왕도의 정립
	(후략)

출제자 톡! 작품의 의의와 창작 의도를 이해하라!

1 이 작품의 문학사적 의의는?
우리나라 최초의 건국 서사시로, 영웅의 일대기 구조가 후대 서사 문학에 많은 영향을 끼침.

2 이 작품의 창작 의도는?
- 중화 사상에서 벗어나 민족의 일체감과 긍지, 민족의식 및 역사의식을 고취하기 위함.
- 우리 민족이 천손의 후예임을 알리기 위함.

Link

출제자 톡! 표현상의 특징을 파악하라!

❶ '주몽 설화'를 바탕으로 한 서사시 형식을 취함.

❷ 영웅의 일대기 구조와 천손 하강 모티프를 지님.

❸ 서사 전개 과정에서 비현실적 요소를 제시하여 인물의 신이한 면모를 부각시킴.

최우선 출제 포인트!

1 영웅의 일대기

① 고귀한 혈통	천제의 아들 해모수와 하백의 딸 유화의 결합
② 기이한 탄생	알에서 태어남.
③ 어려서 버림받음.	금와가 알을 마구간과 깊은 산속에 버림.
④ 비범한 능력을 보임.	태어난지 한 달만에 말을 하고, 자라서는 활을 매우 잘 쏨.
⑤ 위기에 처함.	• 부여의 태자가 시기를 함. • 강을 건널 수가 없음.
⑥ 조력자의 도움으로 위기를 벗어남.	• 말들과 짐승들의 보호를 받음. • 고기와 자라, 비둘기의 도움으로 강을 건너 새로운 땅을 찾게 됨.
⑦ 위기 극복 후, 승리자가 됨.	고구려를 건국함.

최우선 핵심 Check!

1 이 작품에 대한 설명으로 적절하지 않은 것은?
① 우리나라 최초의 건국 서사시이다.
② 우리 민족의 우월성이 표현되어 있다.
③ 인물의 일대기를 사실적으로 기술하고 있다.
④ 천손 하강 구조를 통해 동명왕의 위대함을 부각하고 있다.

2 주몽이 고기와 자라의 도움으로 강을 건너는 장면은 그가 천손의 후예임을 인정받는 부분이다. (O / ×)

3 민족의 일체감과 긍지를 고취하기 위한 작가의 창작 의도가 드러나 있다. (O / ×)

정답 1. ③ 2. ○ 3. ○

시를 짓는 버릇

309위 시벽(詩癖) | 이규보

갈래 한시(5언 배율) **성격** 사색적, 고백적, 반어적
주제 시 짓기를 좋아하는 마음 **시대** 고려

힘겨운 창작 과정에도 시 짓기를 그만둘 수 없음을 노래한 작품으로, 반어적 표현을 통해 시를 좋아하는 마음을 보여 주고 있다.

年已涉縱心 位亦登台司
연 이 섭 종 심 위 역 등 태 사
始可放雕篆 胡爲不能辭
시 가 방 조 전 호 위 불 능 사
朝吟類蜻蛚 暮嘯如鳶鴟
조 음 류 청 렬 모 소 여 연 치
無奈有魔者 夙夜潛相隨
무 내 유 마 자 숙 야 잠 상 수
一著不暫捨 使我至於斯
일 착 불 잠 사 사 아 지 어 사
日日剝心肝 汁出幾篇詩
일 일 박 심 간 즙 출 기 편 시
滋膏與脂液 不復留膚肌
자 고 여 지 액 불 부 유 부 기
骨立苦吟哦 此狀良可嗤
골 립 고 음 아 차 상 량 가 치
亦無驚人語 足爲千載貽
역 무 경 인 어 족 위 천 재 이
撫掌自大笑 笑罷復吟之
무 장 자 대 소 소 파 부 음 지
生死必由是 此病醫難醫
생 사 필 유 시 차 병 의 난 의

『나이 이미 칠십을 넘었고 / 지위 또한 정승에 올랐네』 『 』: 연로한 나이. 시 짓기를 그만두어도 될 만한 화자의 상황
이제는 시 짓는 일 벗을 만하건만 / 어찌해서 그만두지 못하는가
> 시 짓기를 그만두지 못하는 것에 대한 자문

『아침에 귀뚜라미처럼 읊조리고 / 저녁엔 올빼미인 양 노래하네』
『 』: 자연물을 활용하여 밤낮으로 시 짓기하는 모습을 드러냄. 직유법 Link 표현상 특징 ❶
『어찌할 수 없는 시마(詩魔)란 놈 / 아침저녁으로 몰래 따라다니며
시마(詩魔): 시를 짓고 싶은 마음을 불러일으키는 마력 Link 표현상 특징 ❷ / 『 』: '시마'를 의인화함
한번 붙으면 잠시도 놓아주지 않아』 / 나를 이 지경에 이르게 했네
이 지경: 시 짓기를 그만두지 못하는 지경
> 화자에게 밤낮으로 시를 쓰게 하는 시마

『날이면 날마다 심간(心肝)을 깎아내 / 몇 편의 시를 쥐어 짜내니
심간: 심장과 간 / 『 』: 시작(詩作)의 고통을 구체적으로 묘사함
기름기와 진액은 다 빠지고 / 살도 또한 남아 있지 않다오
뼈만 남아 괴롭게 읊조리니』 / 이 모양 참으로 우습건만
괴롭게 읊조리니: 겉으로는 괴롭다고 하지만, 실제로는 시 짓기를 좋아함. 반어적 표현 Link 표현상 특징 ❸
> 시 짓기의 괴로움

깜짝 놀랄 만한 시를 지어서 / 천년 뒤에 남길 것도 없다네
천년 뒤에 남길 것도 없다네: 불후의 명작을 짓지는 못함 - 겸손한 태도 및 분발의 다짐
> 자신이 지은 시에 대한 겸손

손바닥 부비며 혼자 크게 웃다가 / 웃음 그치고는 다시 읊조려 본다
다시 읊조려 본다: 시를 짓는 고약한 습관
살고 죽는 것이 여기에 달렸으니 / 이 병은 의원도 고치기 어려워라
살고 죽는 것이 여기에 달렸으니: 시 짓는 것은 천성임 - 창작에 대한 열정 / 이 병은 의원도 고치기 어려워라: 체념, 수용적 태도 - 시 창작에 전념하겠다는 의지
> 시 짓기를 그만둘 수 없음

출제자 톡! 화자를 이해하라!

1 **화자는 누구이고, 화자가 처한 상황은?**
자신의 시 창작에 대해 생각하고 있는 '나'

2 **화자의 정서 및 태도는?**
- 시 짓기를 괴로워하고 있음.
- 시를 지을 수밖에 없음을 알고 체념적 태도를 보임.

Link
출제자 톡! 표현상의 특징을 파악하라!

❶ 밤낮으로 시를 짓는 화자의 모습을 자연물에 비유하여 표현함.

❷ 시를 짓고 싶은 마음을 '시마'가 자신을 괴롭히는 것처럼 표현함.

❸ 반어적 표현을 통해 시 짓기를 좋아하는 화자의 마음을 표현함.

최우선 출제 포인트!

1 반어적 표현

표면적	↔	이면적
시 짓기의 고통 토로	↔	시 짓기를 멈추지 않겠다는 의지

↓ 반어적 표현

화자는 자신이 더 이상 시를 써야 할 나이나 지위가 아닌데도 불구하고 고통스러운 시 창작을 그만두지 못하는 이유를 '시마(詩魔)'의 탓으로 돌리고 있다. 즉 시를 짓는 것도 병과 같아서 자신이 어쩔 수 없다고 체념하여 말하는 것이다. 이러한 화자의 태도는 시 창작의 괴로움에서 벗어나지 못하는 자신의 처지를 한탄하는 것 같지만, 시 창작을 멈추지 않겠다는 의지를 반어적으로 표현한 것으로 볼 수 있다.

최우선 핵심 Check!

1 이 작품에 대한 설명으로 적절하지 않은 것은?
① 반어적 표현을 통해 화자의 마음을 강조하고 있다.
② 밤낮으로 시를 짓는 화자의 모습을 자연물에 비유하고 있다.
③ 화자는 시 짓기에 몰입하여 건강을 해친 것을 후회하고 있다.
④ 화자는 시를 짓는 자신의 버릇은 고칠 수 없다고 여기고 있다.
⑤ 화자는 자신이 지은 시의 가치에 대해 겸손한 태도를 보이고 있다.

2 화자는 시 짓기를 그만두지 못하는 상황을 자신도 어쩌지 못하는 ㅅㅁ 때문이라 생각하고 있다.

3 화자는 늘 시를 짓는 자신의 습관을 ㅂ에 비유하고 있다.

정답 1. ③ 2. 시마(詩魔) 3. 병

길을 가는 중에

도중(途中) | 김시습

갈래 한시(5언 율시) **성격** 서정적, 우수적
주제 늦가을 산촌 풍경에서 느끼는 나그네의 쓸쓸함
시대 조선 전기

작가가 오십이 넘어 관동 지방을 유랑하면서 느낀 감회를 노래한 작품으로, 늦가을 산촌에서 느끼는 쓸쓸함이 잘 드러나 있다.

맥국 - 강원도 춘천 지역에 있었던 고대의 소국(小國)

貊國初飛雪 맥국초비설 — 맥의 나라 이 땅에 첫눈이 날리니 (□: 계절적 배경 - 쓸쓸함을 유발함)
春城木葉疏 춘성목엽소 — 춘성에 나뭇잎은 성글어지네 ▶ 수: 늦가을의 쓸쓸한 모습
(춘성: 강원도 춘천)
秋深村有酒 추심촌유주 — 가을 깊어 마을에 술은 있는데
客久食無魚 객구식무어 — 나그네는 오래도록 생선 맛을 못 보았네 ▶ 함: 나그네의 고달픈 삶 (선경, **Link** 표현상 특징 ❶)
(나그네: 화자 자신(객관화) / 오래도록 생선 맛을 못 보았네: 유랑 생활의 고달픔)
山遠天垂野 산원천수야 — 『산은 멀어 하늘이 들판에 드리웠고
(『 』: 하늘과 대지가 맞닿은 모습. 끝없이 펼쳐진 풍경 - 화자의 외롭고 쓸쓸한 정서를 부각함 **Link** 표현상 특징 ❷)
江遙地接虛 강요지접허 — 강물은 아득해 땅이 허공에 닿았네』 ▶ 경: 아득한 산하의 쓸쓸한 모습 (후정)
(지는 해: 시간적 배경 - 쓸쓸함 유발)
孤鴻落日外 고홍락일외 — 외로운 기러기는 지는 해 밖으로 날아가니
(기러기: 화자의 감정을 투영한 객관적 상관물. 감정 이입의 대상 **Link** 표현상 특징 ❸)
征馬政躊躇 정마정주저 — 먼 길을 가야 하는 말이 발걸음 주저하네 ▶ 미: 나그네의 고독함
(화자가 유랑 중임을 엿볼 수 있음)

출제자 톡! 화자를 이해하라!

1 **화자는 누구이고, 화자가 처한 상황은?**
유랑하는 중 늦가을 산촌의 풍경을 보며 감회에 젖어 있는 나그네

2 **화자의 정서 및 태도는?**
늦가을 산촌에서 느끼는 쓸쓸함과 외로움을 드러냄.

Link

출제자 톡! 표현상의 특징을 파악하라!

❶ 선경 후정의 방식으로 시상을 전개함.

❷ 늦가을 산촌의 풍경이 화자의 쓸쓸한 정서와 잘 어우러져 있음.

❸ 화자의 외로운 심정을 객관적 상관물에 투영하여 표현함.

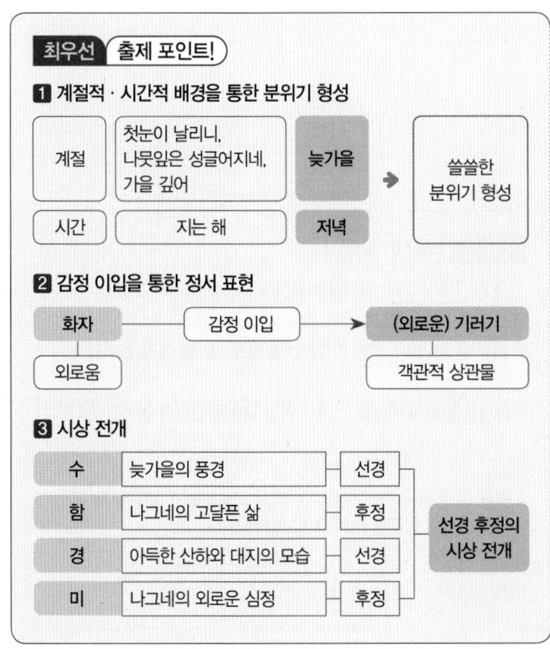

최우선 핵심 Check!

1 ㄱㄹㄱ는 화자의 외로운 감정이 투영된 객관적 상관물이다.

2 구체적인 지명을 통해 작품의 공간적 배경을 제시하고 있다. (O / ×)

3 늦가을 산촌의 풍경과 화자의 정서가 서로 대조를 이루고 있다. (O / ×)

4 전반부(수련과 함련)는 화자의 정서가, 후반부(경련과 미련)에는 대상의 경치가 나타나는 시상 전개 방식을 취하고 있다. (O / ×)

5 4구(함련)의 '오래도록 생선 맛을 못 보았네'에는 나그네의 고달픈 삶의 모습이 드러나 있다. (O / ×)

정답 1. 기러기 2. ○ 3. × 4. × 5. ○

반달을 읊다

영반월(詠半月) | 황진이

갈래 한시(5언 절구) **성격** 서정적
주제 임에 대한 그리움 **시대** 조선 중기

하늘에 떠 있는 '달'을 견우와 헤어진 후에 직녀가 던져 놓은 빗이라고 표현하여 임과 이별한 여인의 심정을 노래하고 있다.

誰斷崑山玉
수 단 곤 산 옥
누가 곤륜산 옥을 잘라
(곤륜산: 옥이 난다는 중국 전설 속의 산)

裁成織女梳
재 성 직 녀 소
직녀의 빗을 만들어 주었던고
(반달: 원관념 - 반달, 은유법 Link 표현상 특징 ❷)
▶ 기 · 승: 반달을 직녀의 빗이라 생각함

牽牛一去後
견 우 일 거 후
『(직녀는) 견우님 떠나신 뒤에
(견우님: 화자가 사랑하는 임을 비유함. 견우직녀 설화를 차용했음을 알 수 있음 Link 표현상 특징 ❸)

愁擲碧空虛
수 척 벽 공 허
시름하며 허공에 던져두었네』
(허공에 던져두었네: 사랑하는 임과 헤어져 홀로 있으니 예쁘게 단장할 이유가 없기 때문)
▶ 전 · 결: 견우와 이별한 직녀가 빗을 허공에 던짐
『 』: 하늘에 뜬 반달을 직녀가 던진 빗으로 표현함(견우와 이별한 직녀의 슬픔을 형상화함)

출제자 톡! 화자를 이해하라!

1 **화자는 누구이고, 화자가 처한 상황은?**
임과 헤어진 여인

2 **화자의 정서 및 태도는?**
임과 이별한 슬픔과 그리움이 드러남.

Link

출제자 톡! 표현상의 특징을 파악하라!

❶ 자연적 배경인 '반달'을 활용하여 이별의 정서를 드러냄.

❷ 반달을 사랑의 상징인 '직녀의 빗'에 빗대어 표현함.

❸ 견우직녀 설화를 차용하여 사랑하는 임과 헤어진 여인의 슬픔을 형상화함.

최우선 출제 포인트!

1 은유적 표현의 활용

이 작품의 작가는 하늘에 떠 있는 '반달'을 보고, 사랑하는 견우와 헤어진 직녀가 더 이상 단장할 이유가 사라져 허공에 빗을 던진 것이라는 참신한 발상을 드러내고 있다.

원관념		보조 관념
반달	→	직녀의 빗

2 허공에 던져진 '빗'의 의미

빗 → • 화자의 수심 • 임에 대한 그리움

최우선 핵심 Check!

1 ㄱㅇㅈㄴ의 설화를 차용하여 시상을 전개하고 있다.

2 '반달'을 직녀의 ㅂ에 비유하여 화자의 정서를 드러내고 있다.

3 화자는 하늘의 반달을 보면서 임의 모습을 닮았다 여기고 있다. (O / ×)

4 빗을 던져 버린 화자의 행위는 임과 이별하였기 때문에 더 이상 단장할 필요가 없음을 드러낸다고 할 수 있다. (O / ×)

정답 1. 견우직녀 2. 빗 3. × 4. ○

봄날의 흥취

춘흥(春興) | 정몽주

갈래 한시(5언 절구) **성격** 서정적, 감상적
주제 봄의 흥취와 봄에 대한 기대감 **시대** 고려

봄비를 보며 느끼는 봄의 흥취와 봄에 대한 기대감을 서정적, 감각적으로 표현하고 있다.

: 계절감을 드러내는 소재 Link 표현상 특징 ❷

春雨細不滴 (춘 우 세 부 적)
봄비 가늘어 방울지지 않더니
가늘게 내리는 봄비 - 시각적 이미지
> 기: 가늘게 내리는 봄비

夜中微有聲 (야 중 미 유 성)
밤 되니 작은 소리 들리네
시간적 배경 / 봄비 내리는 소리 - 청각적 이미지
감각적 이미지를 활용하여 이른 봄의 정경을 묘사함 Link 표현상 특징 ❶
> 승: 고요한 밤에 들리는 봄비 소리

雪盡南溪漲 (설 진 남 계 창)
『눈 녹아 남쪽 시냇물이 불어나니
시각적 이미지
> 전: 눈이 녹아 시냇물이 녹음

草芽多小生 (초 아 다 소 생)
새싹은 얼마나 돋아났을까』
봄의 생명력 / 『 』: 봄에 대한 화자의 기대감(상상), 의문형 표현 Link 표현상 특징 ❸
> 결: 돋아날 새싹에 대한 기대감

출제자 톡! 화자를 이해하라!

1 **화자는 누구이고, 화자가 처한 상황은?**
봄비 내리는 모습을 보고 비 온 뒤의 모습을 상상하고 있는 사람

2 **화자의 정서 및 태도는?**
- 봄비가 내리는 것을 통해 이른 봄의 흥취를 느끼고 있음.
- 봄비가 내린 뒤의 모습을 설레는 마음으로 기대함.

Link

출제자 톡! 표현상의 특징을 파악하라!

❶ 감각적 이미지를 활용하여 이른 봄의 정경을 효과적으로 표현함.

❷ 계절감을 드러내는 시어를 사용하여 이른 봄의 흥취를 효과적으로 형상화함.

❸ 의문형 표현을 통해 다가오는 봄에 대한 기대감을 드러냄.

최우선 출제 포인트!

1 시상 전개 방식

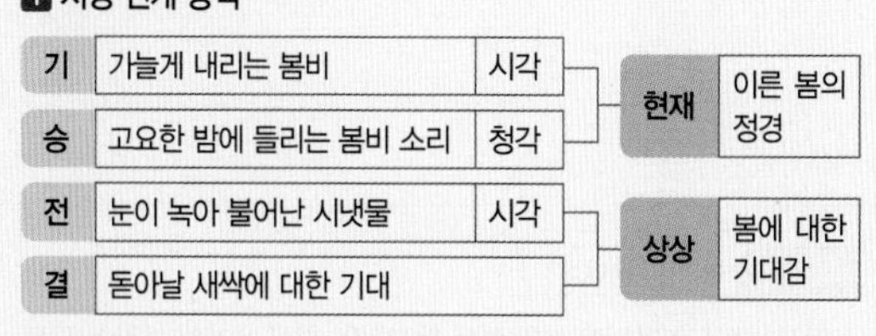

기	가늘게 내리는 봄비	시각	현재	이른 봄의 정경
승	고요한 밤에 들리는 봄비 소리	청각		
전	눈이 녹아 불어난 시냇물	시각	상상	봄에 대한 기대감
결	돋아날 새싹에 대한 기대			

최우선 핵심 Check!

1 ㅅㄱ적 이미지와 ㅊㄱ적 이미지를 사용하여 봄의 정경을 효과적으로 표현하고 있다.

2 계절감을 드러내는 시어를 사용하여 이른 봄의 분위기를 효과적으로 형상화하고 있다. (O / ×)

3 봄비를 맞고 돋아난 새싹의 모습이 사실적으로 묘사되어 있다. (O / ×)

정답 1. 시각, 청각 2. ○ 3. ×

1등급! 〈보기〉!

정몽주의 시 세계

고려의 충신인 포은 정몽주(鄭夢周, 1337~1392)는 절개와 지조의 상징으로 대표되는 인물이다. 이러한 그의 성정 때문에 정몽주를 꽉 막힌 사람이라고 생각하는 경향이 종종 있지만, 시와 문학에 있어서는 그 도량이 매우 넓었다. 특히 그는 순수한 시풍과 호방(豪放)한 시세계를 보여 준다. 특히 그의 대표작인 「춘흥(春興)」은 두보의 「춘야희우(春夜喜雨)」에서 영향을 받은 작품으로, 짧고 간결한 표현을 사용하여 봄의 설렘을 순수하게 드러낸 작품으로 평가받는다.

청산은 나를 보고

[靑山兮要我] | 나옹

갈래 한시(선시) **성격** 달관적
주제 감정에 휘둘리지 않고 욕심 없이 살고자 함.
시대 고려

고려 말의 고승 나옹 화상이 지은 불교적 선시(禪詩)로, 삶에 대한 달관적 자세가 잘 드러나 있다.

〈제1수〉

○: 의인화의 대상 부정적 이미지(지양, 거부) ↔ 긍정적 이미지(지향, 추구)

青山兮要我以無語
청 산 혜 요 아 이 무 어
『청산은 나를 보고 말없이 살라 하고 — **Link** 표현상 특징 ❶

화자 『 』: 대구법, 유사한 통사 구조 반복 - 의미 강조, 운율 형성

蒼空兮要我以無垢
창 공 혜 요 아 이 무 구
창공은 나를 보고 티 없이 살라 하네』

의인화를 통해 마치 자연물이 화자에게 말을 건넨 것처럼 표현 **Link** 표현상 특징 ❷, ❸

聊無愛而無憎兮
료 무 애 이 무 증 혜
사랑도 벗어 놓고 미움도 벗어 놓고

달관적인 자세

如水如風而終我
여 수 여 풍 이 종 아
물같이 바람같이 살다가 가라 하네

달관의 삶을 비유적으로 표현

> 사랑이나 미움과 같은 감정에 얽매이지 않고 살고자 함

〈제2수〉

青山兮要我以無語
청 산 혜 요 아 이 무 어
청산은 나를 보고 말없이 살라 하고

蒼空兮要我以無垢
창 공 혜 요 아 이 무 구
창공은 나를 보고 티 없이 살라 하네

聊無怒而無惜兮
료 무 노 이 무 석 혜
『성냄도 벗어 놓고 탐욕도 벗어 놓고 『 』: 〈제1수〉의 3, 4행의 변형 - 의미 강조, 운율 형성

如水如風而終我
여 수 여 풍 이 종 아
물같이 바람같이 살다가 가라 하네』

> 성내지 않고 욕심내지 않고 살고자 함

출제자 톡! 화자를 이해하라!

1 **화자는 누구이고, 화자가 처한 상황은?**
자연물을 통해 바람직한 삶의 자세에 대해 생각하는 사람

2 **화자의 정서 및 태도는?**
세상사에 얽매이지 않는 달관적인 삶의 태도를 드러냄.

Link

출제자 톡! 표현상의 특징을 파악하라!

❶ 대립적 이미지의 시어를 통해 화자가 추구하는 삶의 자세를 드러냄.

❷ 대구법, 유사한 통사 구조를 반복하여 의미를 강조하고 운율감을 형성함.

❸ 의인화된 대상이 화자에게 말을 건네는 것처럼 시상을 전개함.

최우선 출제 포인트!

1 대립적 이미지의 시어

이 작품은 부정적 이미지의 시어와 긍정적 이미지의 시어를 대립적으로 사용하여 화자가 지양하는 삶의 자세와 지향하는 삶의 자세를 더욱 선명하게 보여 주고 있다.

부정적 이미지	말, 티, 사랑, 미움, 성냄, 탐욕	대립 ↔	물, 바람	긍정적 이미지

↓

달관적 삶의 자세 강조

최우선 핵심 Check!

1 의인화된 자연과의 대화를 통해 부정적인 현실 세계에 대한 비판적 태도를 드러내고 있다. (○ / ×)

2 대구와 유사한 통사 구조의 반복을 통해 주제를 강조하고 있다. (○ / ×)

3 대립적 이미지의 시어를 활용하여 달관적인 삶의 자세를 강조해 주고 있다. (○ / ×)

정답 1. × 2. ○ 3. ○

진중(전쟁터)에서 읊다

진중음(陣中吟) | 이순신

갈래 한시(5언 율시) **성격** 우국적, 우국시
주제 나라에 대한 걱정과 무인으로서의 의지
시대 조선 후기

임진왜란 당시 작가가 전쟁터에서 지은 3편의 '진중시' 중 첫 번째 작품으로, 조국의 앞날에 대한 걱정과 무인으로서 나라를 지키겠다는 각오가 드러나 있다.

天步西門遠 천보서문원 — 임금의 행차는 서쪽에서 멀어지고 (선조가 도성을 떠나 의주로 피란하는 상황)
東宮北地危 동궁북지위 — 왕자는 북쪽 땅에서 위태롭다 (세자가 볼모로 잡힌 상황)
[인물들의 모습을 통해 전쟁 중 위태로운 상황을 드러내 줌] ▶ 수: 위태로운 전쟁 상황

孤臣憂國日 고신우국일 — 외로운 신하는 나라를 걱정할 때이고 (왜적의 침입으로 위태로워진 조국을 걱정함)
壯士樹勳時 장사수훈시 — 사나이는 공훈을 세워야 할 시기로다 (전쟁터에 나가서 싸울 것을 독려함)
[대구의 표현을 통해 화자의 애국심을 강조함 Link 표현상 특징 ❶, ❷] ▶ 함: 신하로서의 도리

誓海魚龍動 서해어룡동 — 바다에 맹세하니 물고기와 용도 감동하고 (나라를 지키겠다는 맹세 / 의인법)
盟山草木知 맹산초목지 — 산에 맹세하니 초목도 알아준다 (의인법)
[대구의 표현을 통해 화자의 태도를 강조함 Link 표현상 특징 ❶, ❸] ▶ 경: 나라를 지키겠다는 맹세

讐夷如盡滅 수이여진멸 — 원수를 모두 멸할 수 있다면 (왜적 / 가정적 상황)
雖死不爲辭 수사불위사 — 비록 죽음일지라도 사양하지 않겠노라 (단호한 어조로 비장한 각오를 드러냄. 무인으로서의 기백이 드러남 Link 표현상 특징 ❷)
▶ 미: 죽음을 불사한 충성심

출제자 톡! 화자를 이해하라!

1 **화자는 누구이고, 화자가 처한 상황은?**
임금이 피란하고 왕자가 볼모로 잡히는 급박한 전쟁 상황에 처해 있는 사람

2 **화자의 정서 및 태도는?**
나라의 앞날을 걱정하며, 목숨을 바쳐 나라를 지킬 것을 다짐하고 있음.

Link

출제자 톡! 표현상의 특징을 파악하라!

❶ 대구법을 사용하여 시적 상황과 화자의 태도를 효과적으로 드러내 줌.

❷ 강인하고 단호한 어조로 화자의 태도를 드러내고 있음.

❸ 자연물을 의인화하여 화자의 태도를 효과적으로 강조해 줌.

최우선 출제 포인트!

1 대구를 통한 '우국충정'의 표현

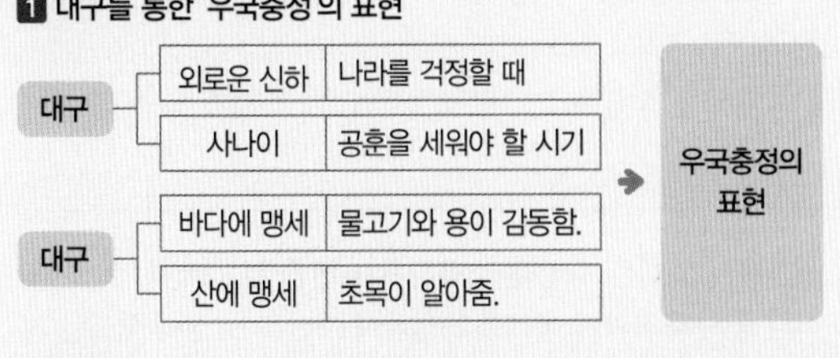

함께 볼 작품 무인이 나라를 걱정하는 마음을 노래한 작품: 이순신, 「한산섬 달 밝은 밤의」

최우선 핵심 Check!

1 화자는 임금과 왕자의 상황을 통해 위태로운 전쟁 상황을 보여 주고 있다. (O / ×)

2 대구법을 사용하여 화자의 태도를 강조하고 있다. (O / ×)

3 화자는 위정자로서의 책임감과 개인의 행복한 삶 사이에서 갈등하고 있다. (O / ×)

정답 1. ○ 2. ○ 3. ×

제목이 없음

315위 무제(無題) | 김병연

갈래 한시(7언 절구) **성격** 낙관적
주제 가난한 농민에 대한 위로와 작가의 안빈낙도
시대 조선 후기

방랑 생활을 하는 작가가 농가에서 하게 된 식사의 모습을 그린 것으로, 농민에 대한 연민의 감정과 안빈낙도 정신이 잘 드러나 있다.

四脚松盤粥一器
사 각 송 반 죽 일 기
네 다리 소반 위에 멀건 죽 한 그릇
① 농부의 가난한 삶 ② 나그네에게 베푸는 인정
› 기: 농부의 대접

天光雲影共排徊
천 광 운 영 공 배 회
하늘빛과 구름 그림자 함께 떠도네
죽에 비치는 풍경 - 화자의 자유로운 모습을 형상화함
› 승: 화자의 유유자적함

主人莫道無顏色
주 인 막 도 무 안 색
주인이여 면목이 없다 말하지 마오
주인에 대한 위로 - 대화하는 방식 활용 Link 표현상 특징 ❶
› 전: 농부에 대한 위로

我愛靑山倒水來
아 애 청 산 도 수 래
얼비쳐 오는 청산 내사 좋으니
해학적 표현 - 화자의 탈속적 경지를 엿볼 수 있음 Link 표현상 특징 ❷
› 결: 화자의 탈속적 경지

출제자 톡! 화자를 이해하라!

1 **화자는 누구이고, 화자가 처한 상황은?**
한 농가에서 죽을 먹고 있는 나그네

2 **화자의 정서 및 태도는?**
• 면목 없다는 주인을 위로함.
• 자유로우면서도 탈속적인 삶의 태도를 보임.

Link

출제자 톡! 표현상의 특징을 파악하라!

❶ 나그네와 주인이 대화하는 시상 방식이 활용됨.

❷ 익살스러운 표현을 하면서도 품위가 있음.

최우선 출제 포인트!

1 화자와 농부의 태도

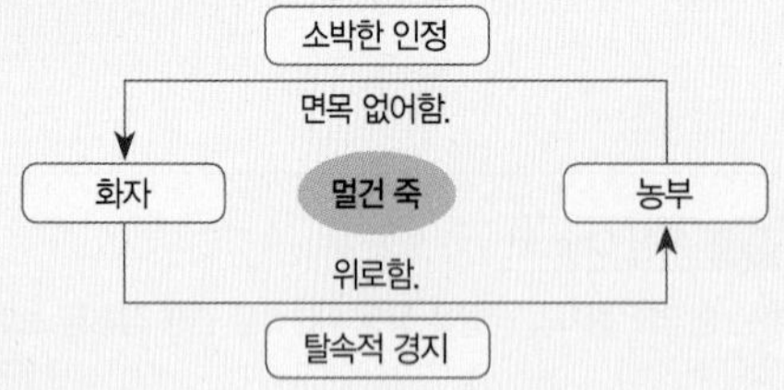

함께 볼 작품 나그네가 화자인 작품: 김병연, 「안락성을 지나다가 배척받고」

최우선 핵심 Check!

1 주인의 화자에 대한 인정을 드러내는 소재에는 '멀건 ㅈ'이 있다.

2 화자는 죽만 줄 수밖에 없어 면목이 없다 여기는 주인을 위로하고 있다. (O / ×)

3 화자는 대화 형식을 활용하여 현실에 대한 비판 의식을 드러내 주고 있다. (O / ×)

정답 1. 죽 2. ○ 3. ×

1등급! 〈보기〉!

「무제(無題)」 제목의 의미

이 작품의 제목 '무제(無題)'는 '제목이 없다'는 뜻이다. 이 작품이 초라한 음식으로 자신을 대접하는 농부와의 허물없는 대화체로 쓰였다는 점을 고려할 때, 작가가 특별한 창작 의도 없이 생활에서 느끼는 감정을 소박하게 표현한 것으로 볼 수 있다. 이와 동시에 작가가 속세를 초월하여 자연을 벗 삼아 떠도는 자신의 삶의 모습에 대한 긍정적 가치를 드러내는 것으로도 해석할 수도 있다.

316위

시무나무 아래의

스무나무 밑의[二十樹下] | 김병연

갈래 한시(7언 절구) **성격** 풍자적, 해학적
주제 각박한 세상인심에 대한 풍자와 신세 한탄
시대 조선 후기

작가가 함경도 어느 부잣집에서 냉대를 받고, 나그네의 설움을 느껴 지었다는 이 작품은, 발음의 유사성을 이용한 언어유희로 세상의 각박한 인심을 풍자하고 있다.

二十樹下三十客 (이 십 수 하 삼 십 객) [느릅나뭇과의 낙엽 교목, 시무나무라고도 함]	스무나무 밑의 설운 나그네에게 [화자의 정서 - 서러움] (二十 : 이십 → 스물 → 스무 / 三十 : 삼십 → 서른 → 설운 → 서러운)	기: 서러운 나그네 신세
四十家中五十食 (사 십 가 중 오 십 식)	망할 놈의 집안에서 쉰밥을 주는구나 → 각박한 세상인심 - 비판의 대상 Link 표현상 특징 ❶ (四十 : 사십 → 마흔 → 망할 / 五十 : 오십 → 쉰 → 쉰(상한))	승: 각박한 세상인심
人間豈有七十事 (인 간 개 유 칠 십 사)	사람 사는 세상에 어찌 이런 일이 있으랴 → 각박한 세상인심에 대한 화자의 한탄, 설의적 표현 Link 표현상 특징 ❸ (七十 : 칠십 → 일흔 → 이런)	전 · 결: 세상인심에 대한 탄식
不如歸家三十食 (불 여 귀 가 삼 십 식)	차라리 집으로 돌아가 설은 밥을 먹느니만 못하니라 (三十 : 삼십 → 서른 → 설은(설익은))	

출제자 톡! 화자를 이해하라!

1 **화자는 누구이고, 화자가 처한 상황은?**
어느 집에서 주는 쉰밥을 먹은 나그네

2 **화자의 정서와 태도는?**
- 각박한 세상인심에 대해 한탄함.
- 각박한 현실에 대한 비판 의식을 드러냄.

Link

출제자 톡! 표현상의 특징을 파악하라!

❶ 발음의 유사성을 활용한 언어유희를 통해 각박한 세태를 풍자함.

❷ 재미있는 말장난을 통해 기존 한시의 정형성을 무너뜨림.

❸ 설의적 표현을 사용하여 각박한 세태에 대한 정서를 강조해 주고 있음.

최우선 출제 포인트!

1 언어유희적 표현

한자		고유어		유사한 발음		
二十	→	스물	→	스무(시무)	➔	발음의 유사성을 이용한 언어유희 → 각박한 인심을 효과적으로 풍자
三十		서른		설운(서러운)		
四十		마흔		망할		
五十		쉰		쉰(상한)		
七十		일흔		이런		
三十		서른		설은		

최우선 핵심 Check!

1 화자는 언어유희를 사용하여 해학성을 불러일으키고 있다. (○ / ×)

2 '쉰밥'은 각박한 세상인심을 드러내 주는 소재이다. (○ / ×)

3 화자는 대구적 표현을 사용하여 각박한 세태에 대한 비판 의식을 드러내고 있다. (○ / ×)

정답 1. ○ 2. ○ 3. ×

1등급! <보기>!

'스무나무 밑의'의 이해
이 작품은 한자로 표기한 숫자의 한자 발음을 우리말 발음으로 바꾸어 풀이하는 언어유희를 사용하여 해학성을 극대화하고 있다. 이는 기존 한시의 정형성을 무너뜨리는 것으로, 한자와 한글의 놀이를 통한 언어 개혁이라 볼 수 있다. 즉 문어체를 구어체로 바꾸면서 언어의 자유로운 혁신을 추구한 것이다.

김병연의 현실 저항의 시
김병연의 방랑 생활은 현실에 대한 불만과 저항의 의미를 가지고 있었다. 그는 조선 왕조에 대해 은근한 불만의 감정을 표시한 것은 물론, 봉건 질서를 부정하는 태도를 취하였다. 특히 빈부의 차가 심한 사회적 불합리를 비판하고 집권 계층의 거만과 불의 그리고 허식을 격렬하게 비판했다. 이러한 그의 불만과 저항 정신은 기존 한시의 정형성을 무너뜨리는 모습으로도 나타난다. 언어유희를 이용하여 한자와 한글의 놀이적 대비를 하였으며, 문어체를 구어체로 바꾸면서 자유로운 혁신을 추구하기도 하였다. 「스무나무 밑의[二十樹下]」가 그 대표적 작품이라 할 수 있다.

317위

우물에 비친 달을 읊다

영정중월(詠井中月) | 이규보

갈래 한시(5언 절구) **성격** 탈속적, 교훈적
주제 인간 욕심의 허망함에 대한 경계
시대 고려

우물에 비친 달빛을 통해 색즉시공(色卽是空)의 불교적 진리를 담아내고 있다.

: 각 구의 끝 글자를 '색중각공'으로 끝맺어, 색을 통해 공을 깨닫는다는 불교적 진리를 드러내고 있다.

山僧貪月色 (산 승 탐 월 색)
산에 사는 스님이 달빛을 탐해 (인간의 욕심 / 탐욕의 대상 Link 표현상 특징 ❶) > 기: 달빛을 탐낸 스님

幷汲一甁中 (병 급 일 병 중)
병 속에 물과 달 함께 길었네 (달이 비친 물을 길었음) > 승: 병 속에 물을 담음

到寺方應覺 (도 사 방 응 각)
절에 돌아와 비로소 깨달았다네 > 전: 절에 돌아와 깨달음을 얻음

甁傾月亦空 (병 경 월 역 공)
병을 기울이면 달 또한 비는 것을 (인간 욕심의 허망함 - 색즉시공(色卽是空)) > 결: 욕망의 허무함을 깨달음

(도치 - 깨달음의 내용 강조 Link 표현상 특징 ❷)

출제자 톡! 화자를 이해하라!

1 **화자는 누구이고, 화자가 처한 상황은?**
병에 달 비친 물을 길어온 스님을 보고 있는 사람

2 **화자의 정서 및 태도는?**
스님을 통해 인간 욕심의 허망함에 대한 깨달음과 경계를 강조함.

Link

출제자 톡! 표현상의 특징을 파악하라!

❶ 허망한 인간의 욕심을 '달빛'에 비유하여 색즉시공의 불교적 깨달음을 형상화함.

❷ 도치법을 활용하여 깨달음의 내용(인간 욕심의 허망함)을 강조함.

최우선 출제 포인트!

1 시상 전개 방식

기	달빛을 탐함.	탐욕에 빠짐.
승	물과 함께 달빛을 병 속에 담음.	탐욕의 추구
전	절에 돌아와 깨달음.	깨달음
결	욕심의 허망함을 깨달음.	

2 깨달음의 형상화

달빛: 탐욕의 대상, 세속적 · 물질적 가치, 집착 → 깨달음: 인간 욕심의 허망함, 색즉시공(色卽是空)

최우선 핵심 Check!

1 '인간 욕심의 허망함'이라는 이 시의 주제가 드러나는 시행을 쓰시오.

2 스님의 모습을 통해 '색즉시공(色卽是空)'이라는 불교적 진리를 전달하고 있다. (○ / ×)

3 도치법을 사용해 깨달음의 내용을 강조하고 있다. (○ / ×)

정답 1. 병을 기울이면 달 또한 비는 것을 2. ○ 3. ○

1등급! 〈보기〉!

색즉시공 공즉시색(色卽是空 空卽是色)

『반야심경』에 나오는 유명한 구절로 '색(물질)이 공이요, 공이 색이다'로 해석된다. 세상에 존재하는 모든 형체(色)는 공(空)이므로, 형상은 일시적인 모습일 뿐이라는 뜻을 가지고 있다.

꽃을 꺾다
절화행(折花行) | 이규보

갈래 한시(행) **성격** 해학적
주제 신랑 신부의 어여쁜 사랑 **시대** 고려

모란꽃으로 신랑의 사랑을 확인하려는 신부와, 신부를 놀리려는 신랑의 모습을 해학적으로 그려 내고 있다.

출제 우선 작품

牡丹含露真珠顆 목 단 함 로 진 주 과
진주 이슬 머금은 모란꽃을
(모란꽃: 아름다움의 상징 - 신부가 질투하는 대상)

美人折得窓前過 미 인 절 득 창 전 과
신부가 꺾어 들고 창 앞을 지나가다

含笑問檀郎 함 소 문 단 랑
방긋이 웃으며 신랑에게 묻기를

花强妾貌强 화 강 첩 모 강
꽃이 예쁜가요 제가 예쁜가요
(신랑의 사랑을 확인하기 위한 질문)
> 신부의 질문

檀郎故相戲 단 랑 고 상 희
신랑이 짐짓 장난을 치느라

强道花枝好 강 도 화 지 호
꽃이 당신보다 더 예쁘구려
(신부를 놀리려는 신랑의 장난스런 대답)
> 신랑의 대답

(신부의 질문 ~ 신랑의 대답: 대화 형식으로 시상 전개 - 극적 구성 방식 **Link** 표현상 특징 ❷)

美人妬花勝 미 인 투 화 승
신부는 꽃이 더 예쁘다는 말에 토라져
(신랑의 말에 대한 신부의 반응 - 기분이 상함)

踏破花枝道 답 파 화 지 도
꽃가지를 밟아 뭉개고는 말하길
(꽃에 대한 신부의 미움이 담긴 행동)

花若勝於妾 화 약 승 어 첩
꽃이 저보다 예쁘거든

今宵花同宿 금 소 화 동 숙
오늘 밤은 꽃하고 주무세요
(꽃을 질투하는 신부의 모습)
> 신부의 질투

• 행(行): 한시(漢詩)의 체의 하나. 악부(樂府)에서 나온 것으로, 사물이나 감정을 거침없이 표현하는 형식임.

출제자 톡! 화자를 이해하라!

1 **화자는 누구이고, 화자가 처한 상황은?**
신랑과 신부가 주고받는 대화를 관찰하고 있는 사람

2 **신부의 정서 및 태도는?**
• 신랑의 말에 기분이 상한 모습을 보여 줌.
• 모란꽃을 질투하는 모습을 드러냄.

Link
출제자 톡! 표현상의 특징을 파악하라!

❶ 화자가 관찰자의 입장에서 신랑과 신부의 모습을 전달함.
❷ 대화체 형식으로 시상을 전개하여 극적인 효과를 주고 있음.

최우선 출제 포인트!

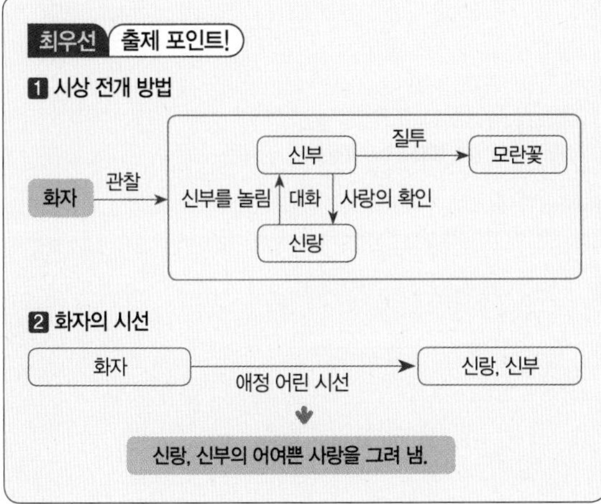

최우선 핵심 Check!

1 신랑과 신부의 ㄷㅎ를 중심으로 하는 극적 구성 방식을 취하고 있다.

2 'ㅁㄹㄲ'은 아름다움을 상징하는 소재이자, 신부가 질투하는 대상이다.

3 화자가 대상을 관찰하는 입장에서 시상을 전개하고 있다. (O / ×)

4 신랑과 신부의 사랑싸움을 통해 부부 간에 지켜야 할 도리에 대해 말하고 있다. (O / ×)

정답 1. 대화 2. 모란꽃 3. ○ 4. ×

319위

쑥을 캐다

채호(采蒿) | 정약용

갈래 한시(4언 고시) **성격** 사실적, 현실 비판적
주제 농민들의 비참한 현실과 위정자들의 무능 고발
시대 조선 후기

피폐해진 자연의 모습과 굶주리는 백성들의 모습을 형상화하여 무능하고 불성실한 벼슬아치의 모습을 고발하고 있다.

□: 가난한 백성들이 곡식 대신 먹으려던 자연물 - 식량난으로 고통 받는 백성들의 삶을 보여 주는 소재 **Link 표현상 특징 ❶**

采蒿采蒿 채호채호	다북쑥을 캐네 다북쑥을 캐네 → 어구의 반복 - 다북쑥을 캐는 상황 강조
匪蒿伊莪 비호이아	다북쑥이 아니라 제비쑥이었네 (양식거리)
群行如羊 군행여양	「양 떼처럼 사람들이 떼를 지어 (식량이 부족한 사람들의 수가 매우 많음을 비유적으로 표현)
遵彼山坡 준피산파	다른 사람을 따라 저기 저 산의 언덕을 오르네 (다북쑥을 캐기 위해)
靑裙傴僂 청군우루	푸른 치마에 몸을 구부리고 있고
紅髮俄兮 홍발아혜	붉은 머리카락이 흩날리고 있구나」 「」: 먹을 것을 찾아 헤매는 사람들의 모습
采蒿何爲 채호하위	다북쑥을 캐는 것은 무엇을 하려는 건가 (화자의 물음 **Link 표현상 특징 ❷**)
涕滂沱兮 체방타혜	눈물이 흘러내리네 눈물이 흘러내리네 → 어구의 반복 - 슬픔을 강조해 줌 (① 화자의 눈물 ② 백성들의 눈물 - 중의적 표현)
甁無殘粟 병무잔속	「단지 안에는 곡식 하나 남아 있지 않고
野無萌芽 야무맹아	들에도 싹 하나 없는데」 「」: 식량이 떨어진 비참한 현실
唯蒿生之 유호생지	오직 다북쑥만이 나서
爲毬爲科 위구위과	무더기를 이루었네
乾之穛之 건지료지	「말리고 또 말려서 「」: 다북쑥을 곡식 대신에 먹는 모습
瀹之鹺之 약지차지	데치고 소금을 쳐서는
我饘我鬻 아전아죽	미음 쑤고 죽 쑤어 먹네」
庶无他兮 서무타혜	다른 것은 아니라네 (다북쑥 외에는 먹을 것이 없음)

(단지 안에는 ~ 먹네: 다북쑥을 캐는 이유 - 식량으로 먹기 위해서임. 화자의 대답 **Link 표현상 특징 ❷**)

> **식량이 떨어져 다북쑥을 캐 먹는 가난한 백성들**

采蒿采蒿 채호채호	다북쑥을 캐네 다북쑥을 캐네
匪蒿伊鼓 비호이긴	다북쑥이 아니라 제비쑥이었네
藜莧其萎 려현기위	명아주도 비름도 다 시들고
慈姑不孕 자고불잉	자귀나물은 떡잎도 안 생겼네
芻槱其焦 추유기초	「풀과 나무도 다 타고
水泉其盡 수천기진	샘물까지도 다 말라 버렸네」 「」: 가뭄으로 황폐해진 자연의 모습
田無田靑 전무전청	논에는 논우렁도 없고
海無蠯蜃 해무비신	바다에는 조개와 소라도 없다네
君子不察 군자불찰	「벼슬아치들은 살펴보지도 않고 (위정자들, 비판의 대상)
曰饑曰饉 왈기왈근	흉년이라 말만 하고 기근이라 말만 하네 (현실적인 도움이 되지 않음)
秋之旣殞 추지기운	가을이면 이미 죽을 상황인데

(다북쑥을 캐네 ~ 제비쑥이었네: 앞의 1, 2행의 반복)

(명아주도 ~ 소라도 없다네: 심각한 가뭄으로 인해 먹을 것이 하나도 없는 백성들의 비참한 상황 **Link 표현상 특징 ❸**)

春將賑兮 봄이 되면 구휼한다고만 하네」 『 』: 현실적인 해결 방안을 제시하지 않는 벼슬아치들의 모습 - 불성실하고 방관적인 태도
춘 장 진 혜 (구휼: 사회적 또는 국가적 차원에서 재난을 당한 사람이나 빈민에게 금품을 주어 구제함) Link 표현상 특징 ❸
夫壻旣流 남편은 유랑길 떠났는데
부 서 기 유 (유랑길: 유리걸식(流離乞食) - 정처 없이 떠돌아다니며 빌어먹음)
誰其殯兮 누가 나를 묻어 주리
수 기 근 혜 (설의적 표현으로 비극성 강조)
嗚呼蒼天 『오 하늘이여
오 호 창 천
曷其不愁 왜 그리도 봐주지 않으시나요』 『 』: 현실에 대한 절망감, 한스러움 > 굶주림에 고통 받는 백성들
갈 기 불 은
(후략)

출제자 톡! 화자를 이해하라!

1 **화자는 누구이고, 화자가 처한 상황은?**
다북쑥을 캐는 여인으로, 흉년과 기근에 시달리며 비참하게 살고 있음.

2 **화자의 정서 및 태도는?**
- 굶주리는 상황에 한탄하고 절망감을 드러냄.
- 백성들을 외면하는 벼슬아치에 대한 비판 의식을 드러냄.

Link
출제자 톡! 표현상의 특징을 파악하라!

❶ 사실적 소재를 사용하여 백성들의 고통스러운 삶을 보여 줌.
❷ 물음과 대답의 방식을 활용하여 먹을 것이 없어 다북쑥을 먹어야 하는 당대의 비참한 상황을 강조해 줌.
❸ 굶주린 백성들과 이를 외면하는 벼슬아치의 모습을 대조적으로 그림.

최우선 출제 포인트!

1 작품에 묘사된 백성들의 삶의 모습

작품 속 묘사	백성들의 삶의 모습
• 다북쑥을 캐서 죽을 끓여 먹음. • 먹을 것을 찾아 헤맴.	식량이 없어 고통 받음.
• 들에 싹이 없음. • 풀과 나무가 타고, 샘물이 마름.	가뭄, 흉년으로 인해 기근에 시달림.
• 남편은 유리걸식함. • 화자는 누가 자신을 묻어 줄까 걱정함.	먹을 것을 찾아 떠돌아다니거나, 굶어 죽을 지경에 이름.

2 대상에 대한 작가의 대조적 태도

백성들	↔	벼슬아치들
• 먹을 것을 찾아 헤맴. • 먹고살기 위해 유랑길을 떠남.		• 백성의 삶을 살피지 않음. • 대응책을 마련하지 않음.
연민		비판

최우선 핵심 Check!

1 ㄷㅂㅆ은 백성들이 생계를 연명하기 위해 캐는 자연물로, 백성들의 고통스러운 삶을 보여 주는 소재이다.

2 화자의 남편이 ㅇㄹㄱ을 떠났다는 것은, 유리걸식하던 당대 백성들의 현실을 반영한 것이다.

3 극심한 가뭄으로 인해 피폐해진 생활상을 보여 주고 있다. (O / ×)

4 백성들을 살피지 않는 벼슬아치들의 행태를 비판하고 있다. (O / ×)

5 고통 받는 백성들의 모습을 통해 당대 현실을 고발하고 있다. (O / ×)

6 화자는 하늘을 원망하며 비참한 현실을 타개할 실제적인 방법을 찾아줄 것을 요구하고 있다. (O / ×)

정답 1. 다북쑥 2. 유랑길 3. ○ 4. ○ 5. ○ 6. ×

용산 마을 아전[龍山吏] | 정약용

갈래 한시(5언 고시) **성격** 사실적, 비판적
주제 백성을 수탈하는 관리들의 횡포
시대 조선 후기

작가가 유배지에 있을 때 부패한 관리들이 백성들을 수탈하는 모습을 보고 지은 작품이다.

吏打龍山村 搜牛付官人 리 타 용 산 촌 수 우 부 관 인	아전들 용산 마을 들이쳐 / 소 끌어내 관가로 넘기는구나
驅牛遠遠去 家家倚門看 구 우 원 원 거 가 가 의 문 간	소 몰고 멀리멀리 사라지는 걸 / 집집이 문밖에 서서 멍하니 바라만 보네
勉塞官長怒 誰知細民苦 면 색 관 장 노 수 지 세 민 고	사또님 노여움 풀어 드리기 급급한데 / 백성의 아픔이야 누가 아랑곳하랴
六月索稻米 毒痛甚征戍 육 월 색 도 미 독 부 심 정 수	유월 한여름에 나락을 바치라니 / 그 곤경은 수자리 살기에 못지않네
德音竟不至 萬命相枕死 덕 음 경 부 지 만 명 상 침 사	덕음(德音)은 끝끝내 내려오지 않아 / 수많은 목숨이 늘비하게 죽어 가는구나
窮生儘可哀 死者寧득矣 궁 생 진 가 애 사 자 령 가 의	궁박한 신세 애처롭기 그지없다 / 죽는 편이 차라리 낫다 하리
婦寡無良人 翁老無兒孫 부 과 무 량 인 옹 노 무 아 손	아낙네 남편 없이 홀몸이요 / 늙은이 자손도 없이 외로운 신세
泫然望牛泣 淚落沾衣裙 현 연 망 우 읍 누 락 점 의 군	뺏긴 소 바라보며 눈물 글썽글썽 / 눈물이 줄줄줄 적삼 치마 다 적시네
村色劇疲衰 吏坐胡不歸 촌 색 극 피 쇠 이 좌 호 불 귀	마을 풍색이 극도로 황량한데 / 아전놈 버텨 앉아 어쩐 일로 아니 가나
甁罌久已罄 何能有夕炊 병 앵 구 이 경 하 능 유 석 취	쌀독이 진작 바닥났으니 / 무슨 수로 저녁밥 짓는단 말인가
坐令生理絕 四隣同嗚咽 좌 령 생 리 절 사 린 동 오 인	살아갈 길 없도록 만드니 / 사방 이웃들 함께 목메어 흐느끼네
脯牛歸朱門 才諝以甄別 포 우 귀 주 문 재 서 이 견 별	소 잡아 포를 떠서 권문세가에 바치나니 / 재서는 이로 말미암아 드러난다지

주석:
- 아전들: 부패한 관리 – 비판의 대상
- 용산 마을: 정약용의 유배지인 강진에 있는 마을
- 소: 백성: 생존을 위해 필요한 대상 / 아전: 수탈의 대상, 권문세가에 아첨하기 위한 수단
- 집집이 문밖에 서서 멍하니 바라만 보네: 수탈의 상황 / 관리의 수탈에 무기력한 농민들의 모습 **Link** 표현상 특징 ❶
- 사또님 노여움 풀어 드리기 급급한데: 높은 관리의 눈치를 보는 하급 관리의 모습
- 백성의 아픔이야 누가 아랑곳하랴: 백성들의 아픔을 외면하는 상황을 강조, 설의적 표현 **Link** 표현상 특징 ❷
- 유월 한여름에 나락을 바치라니: 관리들이 억지를 부리며 백성을 수탈하는 모습
- 수자리: 국경을 지키는 일(군역)
- ❯ 아전들이 소를 빼앗아 간 이유와 세금의 과중함
- 덕음(德音): 임금의 말 – 백성들의 희망
- 수많은 목숨이 늘비하게 죽어 가는구나: 수탈로 인한 백성들의 비참한 상황
- 궁박한 신세 애처롭기 그지없다: 백성들을 바라보는 화자의 정서
- 죽는 편이 차라리 낫다 하리: 가혹한 세금으로 죽는 것이 나을 정도로 살기가 어려움
- 뺏긴 소 바라보며 눈물 글썽글썽: 소를 빼앗겨 눈물 흘리는 백성들 **Link** 표현상 특징 ❶
- ❯ 관리들의 수탈로 피폐해진 백성의 삶과 안타까운 처지
- 마을 풍색이 극도로 황량한데: 수탈로 인해 피폐해진 마을의 상황
- 아전놈 버텨 앉아 어쩐 일로 아니 가나: 저녁밥까지 요구하는 아전들
- ❯ 아전들의 횡포
- 권문세가에 바치나니: 아전들이 소를 빼앗는 이유
- 재서: 재주와 슬기
- 재서는 이로 말미암아 드러난다지: 지배 계층의 부패한 모습을 반어적으로 표현함 **Link** 표현상 특징 ❸
- ❯ 수탈한 소를 뇌물로 바치는 사회 구조의 모순

출제자 톡! 화자를 이해하라!

1 **화자는 누구이고, 화자가 처한 상황은?**
관리들이 백성들의 소를 빼앗아 가는 모습을 보는 사람

2 **화자의 정서 및 태도는?**
- 비참한 생활을 하는 백성들에 대한 연민의 심정을 드러냄.
- 수탈 계층에 대한 비판적 태도를 드러냄.

Link

출제자 톡! 표현상의 특징을 파악하라!

❶ 관찰자의 입장에서 현실을 사실적으로 묘사함.

❷ 설의적 표현을 사용하여 시적 상황을 효과적으로 강조해 줌.

❸ 반어적 표현을 사용하여 지배 계층의 부패한 모습을 드러내 줌.

최우선 출제 포인트!

1 수탈당하는 백성들의 삶 묘사

소 — • 백성: 생존을 위해 필요한 대상 • 아전(부패한 관리): 수탈의 대상 → 소를 중심으로 수탈당하는 백성의 삶을 묘사함.

함께 볼 작품 관리들의 횡포를 사실적으로 보여 준 작품: 정약용, 「탐진촌요」

최우선 핵심 Check!

1 '(ㅅ)'는 백성에게는 생존의 대상이면서 아전에게는 수탈의 대상이 되는 소재이다.

2 화자는 관찰자의 입장에서 백성들이 겪는 비참한 모습을 표현하고 있다. (○ / ×)

3 화자는 각박해진 농촌 인심을 안타깝게 바라보고 있다. (○ / ×)

4 반어적 표현을 통해 지배 계층의 부패한 모습을 비판하고 있다. (○ / ×)

정답 1. 소 2. ○ 3. × 4. ○

1등급! 〈보기〉!

「용산 마을 아전」과 두보의 한시

「용산 마을 아전」, 「파지방 아전」, 「해남 고을 아전」의 3편은 두보(杜甫)의 유명한 서사시 「삼리(三吏)」를 차운(次韻)한 것이다. 두보가 「삼리」에서 배치한 운자를 그대로 따랐을 뿐 아니라, 분위기나 수법까지 비슷함을 느끼게 한다. 그러나 두보가 악부시의 일반 관행과는 다르게 새로운 제재로 「삼리」를 구성했던 것처럼 정약용 또한 당대의 현실에서 제재를 얻어서 새로운 작품으로 재창조한 것이다.

꿈속에서 광상산을 노닐며 부르는 노래

321위 몽유광상산시(夢遊廣桑山詩) | 허난설헌

갈래 한시(5언 절구) **성격** 예언적, 애상적
주제 꿈에서 본 광상산의 풍경과 죽음에 대한 예견
시대 조선 중기

허난설헌이 죽기 4년 전 꿈에서 신선 세계의 산인 광상산을 보고 지은 시로, 스물일곱 송이 연꽃이 떨어지는 것에서 엿볼 수 있듯이 작가가 자신의 죽음을 예견한 시로 여겨지는 작품이다.

碧海侵瑤海 (벽 해 침 요 해)
『[푸른] 바닷물이 구슬 바다에 넘노니』 ⟩ 기: 푸른 바다의 모습
「 」: 꿈속 광상산의 풍경 묘사 / □: 색채어 - 선명한 시각적 이미지 형성 Link 표현상 특징 ❶

青鸞倚彩鳳 (청 란 의 채 봉)
[파란] 난새가 아름다운 봉황새와 어울렸구나』 ⟩ 승: 난새와 봉황새가 어울리는 모습
(난새: 중국 전설에 나오는 상상의 새)

芙蓉三九朶 (부 용 삼 구 타)
『아름다운 연꽃 스물일곱 송이 ⟩ 전: 아름다운 연꽃의 모습
「 」: 자신의 죽음에 대한 예견 Link 표현상 특징 ❷ / 작가인 허난설헌 자신의 나이(27세) 암시

紅墮月霜寒 (홍 타 월 상 한)
[붉게] 떨어져 달밤 서리에 싸늘하네』 ⟩ 결: 달밤에 연꽃이 진 모습

출제자 Tip! 화자를 이해하라!

1 **화자는 누구이고, 화자가 처한 상황은?**
꿈속에서 본 광상산의 풍경을 묘사하고 있는 사람

2 **화자의 정서 및 태도는?**
- 광상산의 풍경에 대한 감탄을 드러냄.
- 연꽃이 떨어지는 것을 통해 비탄의 정서를 드러냄.

Link

출제자 Tip! 표현상의 특징을 파악하라!

❶ 색채어를 사용하여 선명한 시각적 이미지를 형성함.

❷ 연꽃이 떨어지는 것을 통해 화자 자신의 죽음을 예견하고 있음.

최우선 출제 포인트!

1 '떨어진 연꽃'의 의미

아름다운 연꽃 스물일곱 송이 = 작가 자신의 나이 → 붉게 떨어져 달밤 서리에 싸늘하네.
↓
자신의 죽음을 예견함.

최우선 핵심 Check!

1 [ㅍ][ㄹ]색과 [ㅂ][ㅇ]색의 색채어의 대비를 통해 선명한 시각적 인상을 주고 있다.

2 광상산의 풍경에 대한 화자의 감탄이 드러나 있다. (○ / ×)

정답 1. 푸른, 붉은 2. ○

1등급! 〈보기〉!

허난설헌과 '광상산'

허난설헌(許蘭雪軒, 1563~1589)은 조선 중기 선조 때의 시인으로, 「홍길동전」의 작가 허균의 누이로도 잘 알려져 있다. 원만하지 못한 결혼 생활 등으로 인한 불행한 개인사를 섬세한 필치와 독특한 감성의 시로 노래하였다. 「몽유광상산시」의 '광상산'은 허난설헌이 꿈에서 본 환상의 산인데, 푸른 바다가 손에 잡힐 듯하고 난새(봉황새)가 현란한 색채를 뿜어내는 무릉도원이라고 한다. 다음은 시집 『몽유광상산시』 서문에 나온 이 시의 창작 동기이다.

"을유년(1585) 봄에 복을 입어 시댁에 기거하고 있었는데, 꿈에 해상의 한 산에 올라보니 산은 모두 구슬로 되어 있고 구슬 샘물이 흘러내렸다. 스무 살쯤 된 두 여자가 오더니 나를 이끌고 산 정상에 올랐다. 바다가 훤히 트여 있었고 해가 막 솟아올랐다. 두 여자의 부탁으로 시 한 수를 지었더니 그들은 내 시를 보고 선어(仙語)라고 칭찬하였다. 이윽고 붉은 구름이 봉우리에 떨어지는 소리에 잠에서 깨어났는데, 베개 맡에는 아직도 아지랑이 기운이 자욱했다. 이태백이 꿈속에 천모산 놀이를 읊은 시의 경지가 여기에 미칠는지. 그래서 이에 적는다."

322위

느낀 대로 노래하다

감우(感遇) | 허난설헌

갈래 한시(5언 율시) **성격** 애상적, 비판적
주제 〈제1수〉 난초(자신의 처지)에 대한 연민, 〈제3수〉 양반 권세의 허망함. **시대** 조선 중기

작가인 허난설헌의 시적 감수성이 잘 드러난 작품으로, 자신의 처지에 대한 연민과 현실에 대한 비판적 인식을 드러내고 있다.

〈제1수〉

盈盈窓下蘭 枝葉何芬芳 영영창하란 지엽하분방	하늘거리는 창가의 난초 잎이 / 어쩌면 이다지도 향그러울까	창가의 난초: 객관적 상관물 - 화자의 서글픈 처지와 정서를 드러내 주는 자연물 Link 표현상 특징 ❶ / 어쩌면 이다지도 향그러울까: 난초에 대한 화자의 감탄, 후각적 이미지
西風一披拂 零落悲秋霜 서풍일피불 영락비추상	가을바람이 한 번 스치고 가면 / 가엽게도 찬 서리에 시든다지만	가을바람, 찬 서리: 시련·고난을 상징
秀色縱凋悴 淸香終不死 수색종조췌 청향종불사	빼어난 그 모습은 이울어져도 / 맑은 향기 끝내 죽지 않으리	이울어져도: 시들어도 / 맑은 향기: 고고한 절개, 품위, 후각적 이미지 / 외양 - 변화(시듦) ↔ 본질 - 유지(맑은 향기)
感物傷我心 涕淚沾衣袂 감물상아심 체루첨의몌	그 모습 보면 내 마음이 아파 / 눈물 흐르면서 옷소매를 적시네	난초(자신의 처지)에 대한 화자의 연민

앞 두 행: 객관적 사실 중심(선경) / 뒤 두 행: 주관적 반응 중심(후정) — 대조, Link 표현상 특징 ❷

> 난초를 보며 연민을 느낌

〈제3수〉

東家勢炎火 高樓歌管起 동가세염화 고루가관기	양반댁의 세도가 불길처럼 드세던 날 / 드높은 누각에선 노랫소리 울렸지만	세도가 불길처럼 드세던 날: 세도가 매우 높음을 비유적으로 표현
北隣貧無衣 枵腹蓬門裏 북린빈무의 효복봉문리	가난한 백성들은 헐벗고 굶주린 / 주린 배를 안고서 오두막에서 쓰러졌다네	양반댁 ↔ 가난한 백성들: 대조 Link 표현상 특징 ❸
一朝高樓傾 反羨北隣子 일조고루경 반선북린자	「그러다 하루아침 집안이 기울면 / 도리어 가난한 백성들을 부러워하리니」	집안이 기울면: 권세를 잃으면 / 「 」: 권세를 누리던 세도가의 지난날과 대비되는 모습 → 권세의 허망함을 드러냄 Link 표현상 특징 ❸
盛衰各遞代 難可逃天理 성쇠각체대 난가도천리	흥하고 망함은 바뀌고 또 바뀌어 / 하늘의 이치를 벗어나기는 어려울레라	바뀌고 또 바뀌어: 권세가 영원하지 않음 / 하늘의 이치를 벗어나기는 어려울레라: 모든 일의 흥망성쇠는 순리대로 흘러감

> 양반 권세의 허망함

출제자 톡! 화자를 이해하라!

1 **화자는 누구이고, 화자가 처한 상황은?**
난초와 권세가를 바라보며 생각하는 사람

2 **화자의 정서 및 태도는?**
- 난초를 바라보며 난초와 자신에 대한 연민을 드러냄.
- 권세가를 바라보며 권세에 대한 비판 의식과 허망함을 드러냄.

Link

출제자 톡! 표현상의 특징을 파악하라!

❶ 객관적 상관물을 통해 화자의 처지와 정서를 드러내 줌.

❷ 선경 후정의 시상 전개 방식을 사용함.

❸ 대조적인 시어와 상황을 통해 주제 의식을 효과적으로 전달해 줌.

최우선 출제 포인트!

1 화자의 정서(제1수)

서글픈 자신의 처지 —(연민)→ 난초

2 상황의 대조를 통한 주제 강조(제3수)

세도가 드높았던 양반댁 ↔ 하루아침에 기운 양반댁

↓

권세는 영원한 것이 아님. → 양반 권세의 허망함.

최우선 핵심 Check!

1 〈제1수〉는 선경 후정의 방식으로 시상을 전개하고 있다. (O / ×)

2 〈제1수〉에서 ㄴ ㅊ는 화자의 처지와 정서를 드러내 주는 객관적 상관물이다.

3 〈제3수〉에서 화자는 권세가에 대한 비판적 인식을 드러내고 있다. (O / ×)

4 〈제3수〉에서 화자는 인간사의 흥망성쇠란 사람이 노력하는 대로 이루어질 수 있다는 깨달음을 얻고 있다. (O / ×)

정답 1. ○ 2. 난초 3. ○ 4. ×

323위

두보의 시를 읽다

독두시(讀杜詩) | 이색

갈래 한시(7언 율시) **성격** 예찬적
주제 두보의 시를 읽고 난 후의 감흥과 두보에 대한 예찬 **시대** 고려

작가가 당나라 시인인 두보의 시를 읽고 느낀 정회를 표현한 감상적이고 예찬적 성격의 한시이다.

錦里先生豈是貧 (금 리 선 생 기 시 빈)
금리 선생이 어찌 가난하리
(금리 선생: 두보 / 어찌 가난하리: 정신적으로 가난하지 않음을 강조, 설의적 표현 Link 표현상 특징 ❶)

桑麻杜曲又回春 (상 마 두 곡 우 회 춘)
두릉 뽕밭 삼밭에 또 봄이 돌아왔네
> 수: 정신적으로 풍요로운 두보

鉤簾丸藥身無病 (구 렴 환 약 신 무 병)
『발 드리우고 환약 지으니 몸에 병은 없고
(『 』: 두보의 시를 인용한 부분 Link 표현상 특징 ❷)

畫紙敲針意更眞 (화 지 고 침 의 갱 진)
종이에 바둑판 그리고 긴 바늘 두들겨 낚시 만드니 천진도 하구나』
> 함: 평화로운 강촌에서 한가로운 생활을 한 두보

偶値亂離增節義 (우 치 난 리 증 절 의)
우연히 난리를 만나 절의를 더할망정
(난리: 안녹산의 난 때문에 일어난 전쟁 - 두보로 하여금 고난을 겪게 함)

肯因衰老損精神 (긍 인 쇠 로 손 정 신)
쇠하고 늙었기로 정신이야 손상하겠는가
(쇠하고 늙었기로: 두보의 시에 대한 예찬 / 정신이야 손상하겠는가: 두보의 정신적 가치에 대한 화자의 예찬적 태도가 담김. 설의적 표현 Link 표현상 특징 ❶)
> 경: 전쟁 중 빛나는 두보의 높은 정신

古今絕唱誰能繼 (고 금 절 창 수 능 계)
고금을 통해 잘 읊은 노래를 누가 이으리
(두보의 전철을 따르고자 하는 심정이 담김)

賸馥殘膏丐後人 (승 복 잔 고 개 후 인)
남은 향기와 기름을 후인들에게 남겨 주는구나
(남은 향기와 기름: 두보의 문학 작품과 그 안에 담긴 정신세계 - 원미지(元微之)의 말을 인용)
> 미: 두보의 시에 대한 감탄과 예찬

- **금리 선생**: '금리(金里)'는 중국 성도(成都)의 별칭인 금관성(錦官城)을 말하며, 두보가 이곳에 당을 짓고 살았기 때문에 스스로 금리 선생이라 불렀다.
- **발 드리우고～천진도 하구나**: 두보의 시 「강촌」의 일부를 인용한 부분이다. 인용한 내용은 다음과 같다.
  나이 든 아내는 종이에 장기판을 그리고, 어린 아들은 바늘을 두들겨 낚시를 만드네. 아플 때 필요한 약물이면 그뿐 미천한 몸이 이밖에 또 무엇을 구할까(老妻畫紙爲碁局 稚子敲針作釣鉤 多病所須唯藥物 微軀此外更何求)

출제자 톡! 화자를 이해하라!

1 **화자는 누구이고, 화자가 처한 상황은?**
두보의 시를 읽고 있는 사람

2 **화자의 정서 및 태도는?**
두보의 삶과 작품에 대해 예찬적 태도를 드러냄.

Link

출제자 톡! 표현상의 특징을 파악하라!

❶ 설의적 표현을 사용하여 두보에 대한 화자의 태도를 강조하여 드러냄.

❷ 두보의 시 구절과 그 작품에 대한 평가 구절을 인용하여 시상을 전개함.

최우선 출제 포인트!

1 '두보'를 향한 칭송

전원 속의 두보	전쟁 속의 두보
전원 속에서 한가로이 사는 모습을 긍정적으로 바라봄.	전쟁 중에서도 높은 정신적 세계를 잃지 않는 두보의 모습을 찬양함.

↓

남은 향기와 기름
두보의 문학 작품과 그 안에 담긴 정신세계 → 두보에 대한 예찬적 태도

최우선 핵심 Check!

1 '남은 ㅎㄱ와 ㄱㄹ'은 두보가 남긴 문학 작품과 그 속에서 느껴지는 두보의 높은 정신세계를 비유적으로 표현한 말이다.

2 화자는 두보의 작품과 다른 작가의 말을 인용하여 시상을 전개하고 있다. (O / ×)

3 화자는 두보가 난리를 만나 고통을 겪은 상황에 대해 안타까운 마음을 드러내고 있다. (O / ×)

4 화자는 두보처럼 좋은 작품을 창작하고자 하는 심정을 드러내고 있다. (O / ×)

정답 1. 향기, 기름 2. ○ 3. × 4. ○

기생된 이 몸 | 계랑

갈래 한시(7언 절구) **성격** 애상적
주제 자신의 처지에 대한 부끄러움과 슬픔
시대 조선 전기

나그네가 시를 지어 계랑을 유혹하자 그 시를 받아 답한 것으로, 기생이지만 절개를 사랑했던 계랑의 슬픔이 잘 드러나 있다.

平生恥學食東家
평 생 치 학 식 동 가
떠돌며 밥 얻어먹기를 평생 부끄럽게 여기고 (기생으로 떠돌며 살아온 것 / 자신의 처지에 대한 감정을 직설적으로 드러냄) ▶ 기: 기생 신분에 대한 부끄러움

獨愛寒梅映月斜
독 애 한 매 영 월 사
달빛 젖은 매화를 사랑하는 나 (Link 표현상 특징 ❶ / 절개 - 화자가 지향하는 대상 Link 표현상 특징 ❷) ▶ 승: 기생이지만 매화를 사랑함

時人不識幽閑意
시 인 불 식 유 한 의
세인은 고요히 살려는 내 마음을 알지 못하고 (세상 사람 / 매화처럼 절개를 지키며 살고자 하는 마음) ▶ 전: 세상 사람들은 나의 마음을 모름

指點行人枉自多
지 점 행 인 왕 자 다
오가는 손길마다 수군대고 추근거리네 (기생이라고 쉽게 보고 수작을 걸어옴) ▶ 결: 사내들은 기생이라고 추근거림

출제자 톡! 화자를 이해하라!

1 **화자는 누구이고, 화자가 처한 상황은?**
기생의 신분 때문에 다른 사람들에게 업신여겨지는 상황을 겪는 사람

2 **화자의 정서 및 태도는?**
기생이라는 자신의 처지를 부끄러워하며 슬퍼함.

Link
출제자 톡! 표현상의 특징을 파악하라!

❶ 자신의 처지에 대한 감정을 직설적으로 드러냄.

❷ 시어가 지닌 상징적 의미를 통해 자신의 삶의 지향점을 드러냄.

최우선 출제 포인트!

1 화자의 정서

처지	화자	지향
기생	정서: 부끄러움, 슬픔	매화
모두가 업신여김.		절개

(처지 ← 화자 → 지향)

함께 볼 작품 기녀가 쓴 한시 작품: 황진이, 「영반월」

최우선 핵심 Check!

1 화자는 기생이라는 자신의 처지에 대해 부끄럽게 여기고 있다. (○ / ×)

2 화자는 자신의 능력을 알아주지 않는 현실에 좌절하고 있다. (○ / ×)

3 화자는 '매화'를 통해 절개를 지키며 살고 싶은 마음을 드러내고 있다. (○ / ×)

정답 1. ○ 2. × 3. ○

1등급! 〈보기〉!

계랑의 생애
계랑(桂浪, 1573~1610)은 부안의 기생으로 '매창(梅窓)'이라고도 불린 조선의 명기(名技)이다. 계랑은 비록 기생이었으나 여느 기생과 다른 점이 많았다. 특히 벼슬이나 권력 등에 굴하지 않았고 돈의 유혹에도 넘어가지 않았다. 또한 거문고에 능했으며, 시작(詩作)에도 뛰어난 능력을 보여서 1688년에는 시집 『매창집』이 간행되기도 했다. 계랑은 기녀로서 많은 사대부와 교우하였는데, 그중 촌은 유희경과 각별했다. 이 둘의 사랑은 다수의 시조와 한시 작품으로 남아 있다.

저문 봄, 강가에서 사람을 보내고 난 뒤에 느끼는 바가 있어[暮春江上送人後有感] | 이규보

갈래 한시(고율시) **성격** 애상적, 감각적
주제 벗을 떠나보낸 아쉬움과 벗에 대한 그리움
시대 고려

늦은 봄 강가에서 벗을 떠나보낸 아쉬움과 그리움, 재회에 대한 소망 등을 노래한 작품이다.

한시	풀이	내용
暮春去送人歸 모 춘 거 송 인 귀	늦은 봄 떠나는 벗 보내고 오니 (시적 상황 - 친구와의 이별 / 늦은 봄: 계절적 배경)	
滿目傷心芳草 만 목 상 심 방 초	눈앞 가득 고운 풀에 맘이 아프네 (맘이 아프네: 화자의 정서 - 이별로 인한 슬픔 / 고운 풀: 화자가 처한 이별의 상황과 대조되는 자연물 - 객관적 상관물 Link 표현상 특징 ❶)	벗을 떠나보낸 슬픔
扁舟他日歸來 편 주 타 일 귀 래	훗날 조각배 돌아오거든 (조각배: 벗이 타고 있을 것이라 기대하게 해 주는 소재 / 재회에 대한 소망)	
爲報長年三老 위 보 장 년 삼 로	뱃사공이여 알려 주소	친구가 돌아오기를 기다림
烟水渺瀰千里 연 수 묘 미 천 리	안개 낀 강 아스라이 천 리를 흐르고 (벗을 떠나보낸 아쉬운 마음이 투영된 자연 풍경 - 공간적 배경의 시각적 묘사 + 화자의 심정을 간접적으로 표현)	
心如狂絮亂飛 심 여 광 서 란 비	마음은 버들개지인 양 어지러이 날리네 (벗을 떠나보낸 심란한 마음)	이별 후의 아쉽고 심란한 마음
何況洛花時節 하 황 낙 화 시 절	하물며 꽃 지는 시절에 (이별의 슬픔을 심화하는 계절적 배경)	
送人能不依依 송 인 능 불 의 의	사람 보내고 연연하지 않겠나 (사람: 벗 / 연연하지 않겠나: 헤어지는 것에 대한 서운한 심정 강조. 설의적 표현 Link 표현상 특징 ❷)	이별 후의 서운한 마음
殘霞映日流紅 잔 하 영 일 류 홍	노을은 햇빛 비쳐 붉게 흐르고 (붉게 ↕ 푸르네: 색채 대비(시각적) / 화자의 심란한 마음과 대비되는 아름다운 자연의 모습(시각적 이미지) Link 표현상 특징 ❸)	
遠水兼天鬪碧 원 수 겸 천 투 벽	먼 강물은 하늘만큼 푸르네	저물녘의 하늘과 푸른 강물
江頭柳無限絲 강 두 류 무 한 사	강가의 버드나무 수없는 푸른 실은 (푸른 실: 버드나무 가지 / 벗에 대한 화자의 그리움을 심화하는 객관적 상관물 Link 표현상 특징 ❶)	
未解絆留歸客 미 해 반 류 귀 객	내 마음 얽매어 머물게 하네 (벗에 대한 그리움)	친구에 대한 그리움

출제자 톡! 화자를 이해하라!

1 **화자는 누구이고, 화자가 처한 상황은?**
벗을 떠나보낸 '나'

2 **화자의 정서 및 태도는?**
- 벗과 이별하여 서운함을 느낌.
- 벗을 그리워하며 재회하기를 바람.

Link

출제자 톡! 표현상의 특징을 파악하라!

❶ 객관적 상관물을 활용하여 화자의 정서를 심화시켜 보여 줌.

❷ 설의적 표현을 사용하여 화자의 정서를 강조해 줌.

❸ 화자의 정서와 대비되는 아름다운 자연의 모습을 표현하여, 화자의 정서를 심화시켜 줌.

최우선 출제 포인트!

1 소재의 특징

소재	특징	
(고운) 풀	아름다운 모습이 화자가 처한 이별의 상황과 대조됨.	화자의 처지와 심정을 강조하는 객관적 상관물
버드나무	버드나무의 푸른 실이 벗에 대한 화자의 그리움을 심화함.	
조각배	떠난 벗이 타고 있을 것이라 기대감을 주는 소재 → 벗과의 재회에 대한 화자의 염원이 담김.	

2 화자의 심정

벗과의 이별로 인한 슬픔 + 벗과의 재회에 대한 소망 + 벗에 대한 그리움

최우선 핵심 Check!

1 화자는 이별의 현실에 좌절하지 않고 재회를 확신하고 있다. (O / ×)

2 아름다운 자연의 모습과 벗과 헤어진 화자의 모습을 대비하고 있다. (O / ×)

3 꽃이 지는 늦은 봄이라는 계절적 배경이 시적 분위기를 조성하고 있다. (O / ×)

4 객관적 상관물을 통해 화자의 정서와 처지를 간접적으로 드러내고 있다. (O / ×)

5 화자의 정서로 보기 어려운 것은?

슬픔 아쉬움 야속함 그리움 심란함

정답 1. ○ 2. × 3. ○ 4. ○ 5. 야속함

모양이 편평하지 아니한 바위

반타석(盤陀石) | 이황

갈래 한시(7언 절구) **성격** 예찬적, 교훈적
주제 세파 속에서도 흔들리지 않는 반타석의 모습 예찬 **시대** 조선 전기

거친 물살의 흐름에도 흔들리지 않고 항상 제자리를 지키는 바위의 모습을 보고, 세파에 흔들리지 않는 바람직한 처세의 모습을 노래하고 있다.

黃濁滔滔便隱形
황 탁 도 도 편 은 형
『누런 탁류 넘실댈 때는 곧 형체를 숨기더니
(더러워진 마음. 혼란한 정치 상황)
> 기: 혼탁한 물결에 대처하는 반타석의 모습

安流帖帖始分明
안 류 첩 첩 시 분 명
고요히 흐를 때면 비로소 분명히 나타나네』
(깨끗한 마음. 안정된 세상)
(『 』 물결의 상황에 따라 보였다가 사라지는 반타석의 모습. 대조적 상황 Link 표현상 특징 ❶)
> 승: 고요한 물결에 대처하는 반타석의 모습

可憐如許奔衝裏
가 련 여 허 분 충 리
어여쁘다 이 같은 치고받는 물결 속에서도
(반타석에 대한 화자의 긍정적 태도가 드러남 / 거친 세파 Link 표현상 특징 ❷)

千古盤陀不轉傾
천 고 반 타 불 전 경
천고에 반타석은 구르거나 기울지도 않았네
(편평하지 아니한 바위 / 화자가 지향하는 삶의 모습 Link 표현상 특징 ❸)
> 전 · 결: 거친 물결 속에서도 한결같은 반타석의 모습

출제자 톡! 화자를 이해하라!

1 **화자는 누구이고, 화자가 처한 상황은?**
물결 속에 있는 반타석을 바라보는 사람

2 **화자의 정서 및 태도는?**
외부 환경에 흔들리지 않는 반타석의 모습을 예찬함.

Link

출제자 톡! 표현상의 특징을 파악하라!

❶ 대조적인 상황을 제시하여 내용을 강조함.

❷ 상징적 소재를 사용하여 현실에 대한 인식을 드러냄.

❸ 자연물의 모습을 통해 화자가 지향하는 삶의 자세를 드러냄.

최우선 출제 포인트!

1 '반타석'의 모습

이 작품은 어려운 환경 속에서도 아주 오랜 시간 동안 변함없는 반타석의 모습을 통해 바람직한 삶의 자세를 노래하고 있다.

• 탁류가 넘실댈 때는 몸을 숨김. • 고요한 물결에는 몸을 드러냄. • 거친 세파에도 구르거나 기울지 않음.	➔	외부의 변화에 휘둘리지 않고, 오랜 세월 한결같이 제자리를 지킴.

함께 볼 작품 바위의 불변성을 예찬한 작품: 윤선도, 「오우가」

최우선 핵심 Check!

1 자연물의 모습을 통해 바람직한 삶의 자세를 보여 주고 있다. (○ / ×)

2 색채의 대비를 통해 주제 의식을 전달하고 있다. (○ / ×)

3 '구르거나 기울지도 않았네'에는 화자가 추구하는 삶의 자세가 드러나 있다.

정답 1. ○ 2. × 3. ○

1등급! 〈보기〉!

「반타석(盤陀石)」의 창작 배경

퇴계 이황은 정계에서 은퇴한 뒤, 고향인 낙동강 상류 토계의 동암(東巖)에 있는 양진암(養眞庵)에서 은거하였는데 이때 토계를 퇴계(退溪)라 개칭하고 자신의 아호로 삼았다. 한편 퇴계를 흐르는 물이 도산 서원이 있는 산언덕에 이르러 큰 연못을 이루었는데 이황은 이곳을 '탁영담(濯纓潭)'이라고 불렀으며, 이 연못 앞에 있던 너럭바위가 바로 '반타석(盤陀石)'이다. 이 바위는 홍수가 져 흙탕물이 세차게 흐를 때는 그 모습이 사라졌다가 다시 물이 맑아지면 모습을 드러냈는데 이황은 이러한 바위의 모습을 보고 이 작품을 지은 것이다.

요동 벌판

요야(遼野) | 김정희

갈래 한시(5언 고시) **성격** 체험적, 영탄적, 예찬적
주제 요동 벌판에 대한 감탄 **시대** 조선 후기

작가가 요동 벌판을 여행하며 본 것과 느낀 것 등을 표현한 작품으로, 인간의 보잘것없는 삶에 대한 연민을 드러내고 있다.

「 」: 화자의 여정을 알 수 있음 - 화자의 체험이 드러남 Link 표현상 특징 ❶

山到石嶺盡 萬里橫襟前	산도석령진 만리횡금전	「산은 석령산 끝에 와서 끝이 났으니 / 만리 벌판이 눈앞에 가로질렀구나」
天地空虛處 儘在此中間	천지공허처 진재차중간	천지가 비고 빈 곳에 / 하늘 땅은 이곳에만 모였나 보다
水凹與山凸 平掃疣贅縣	수요여산철 평소우췌현	「물은 오목하고 산은 뾰족해 / 평평하게 덧붙인 고을을 쓸어 버렸구나」
乾端入何處 地體信覺圓	건단입하처 지체신각원	하늘 끝은 어디로 들어갔는고 / 땅덩이가 진실로 둥글다는 것을 알겠다
視極以爲際 到際又茫然	시극이위제 도제우망연	「보이는 끝은 하늘 끝이요 / 끝에 가도 또 끝이 보이지 않는구나」
兩曜匪海出 皆從大陸緣	양요비해출 개종대륙연	「해와 달이 바다에서 나오는 게 아니고 / 모두가 대륙에서 나오고 지나 보다」
白塔出菌頭 何以雄塞邊	백탑출균두 하이웅새변	백탑이 버섯 머리같이 솟아 있으니 / 어찌 저리 넓은 벌판이 생겼는고
遊雲弄狡獪 時自幻遠山	유운롱교회 시자환원산	「노는 구름은 교활하여 / 때로는 먼 산을 꼭두각시로 만들곤 하네」
千秋大哭場 戲喩仍妙詮	천추대곡장 희유잉묘전	「천추의 커다란 울음터라니 / 재미난 그 비유 신묘도 해라
譬之初生兒 出世而啼先	비지초생아 출세이제선	갓 태어난 핏덩이 어린아이가 / 세상 나와 우는 것에 비유하였네」
十方恒沙佛 無量百億千	시방항사불 무량백억천	시방 세계 모래알같이 많은 부처들 / 백억인지 천억인지 헤아릴 수 없구나
如將此地量 還復着一連	여장차지량 환복착일련	만약에 이 땅을 가지고 헤아린다면 / 도리어 산(算) 가지 하나를 더해야 하리
依舊從線路 人行殊可憐	의구종선로 인행수가련	예전마냥 선로(線路) 따라 들어가자니 / 인생의 가는 길 참으로 가련하구나

주석(행 순서):

- 1행: 석령산이 끝나고 요동 벌판이 시작됨 / 만리 벌판: 요동 벌판 / ▶ 요동 벌판에 도착함
- 2행: 하늘 땅은 이곳에만 모였나 보다: 광활한 요동 벌판의 모습을 표현
- 3행: 「 」: 물과 산이 전혀 없는 평평한 벌판의 모습
- 5행: 「 」: 끝없이 펼쳐진 요동 벌판의 모습 - 화자의 감탄을 엿볼 수 있음 ▶ 광활한 요동 벌판을 보고 놀람
- 6행: 「 」: 지평선을 본 후의 생각
- 7행: 백탑: 중국 요동벌에 있는 탑 / 광활한 요동 벌판에 비하면 웅장한 백탑도 작고 보잘것없음
- 8행: 노는 구름은 교활하여: 의인법 / 「 」: 구름이 산을 가리고 있음을 표현 ▶ 광활한 요동 벌판의 모습
- 9행: 박지원이 「통곡할 만한 자리」에서 요동 벌판을 두고 '통곡할 만한 곳'이라고 했던 것을 인용함 / 재미난 그 비유 신묘도 해라: 박지원의 비유에 감탄함 Link 표현상 특징 ❷
- 10행: 박지원의 비유가 신묘한 이유 / 「 」: 박지원의 글을 인용하여 요동 벌판에 대한 느낌을 표현함 ▶ 박지원의 글을 예찬함
- 11행: 시방: 불교 용어. 사방팔방과 상하. 온 세상
- 12행: 요동 벌판의 무한함을 헤아린다면 / 더욱 큰 수임 - 요동 벌판의 광활함 ▶ 요동 벌판의 무한함
- 13행: 선로(線路): 정해진 길 / 인생의 가는 길 참으로 가련하구나: 유한한 인간의 삶에 대한 연민 Link 표현상 특징 ❸ ▶ 보잘것없는 인생에 대한 깨달음

출제자 톡! 화자를 이해하라!

1 **화자는 누구이고, 화자가 처한 상황은?**
광활한 요동 벌판을 바라보고 있는 사람

2 **화자의 정서 및 태도는?**
- 광대한 요동 벌판의 모습에 감탄함.
- 인간의 유한함에 대한 연민을 드러냄.

Link

출제자 톡! 표현상의 특징을 파악하라!

❶ 화자의 체험과 정서를 바탕으로 시상을 전개함.

❷ 다른 이의 글에서 인상적인 구절을 인용하고 그것에 대해 평가함.

❸ 광활한 요동 벌판과 인생을 대조하여 인생의 보잘것없음을 강조함.

최우선 출제 포인트!

1 작품의 구조

전반부		후반부
요동 벌판의 광활함.	➔	자연 앞에서 보잘것없는 인간의 삶

2 시구 인용의 효과

인용	인용의 효과
• '천추의 커다란 울음터' • '갓 태어난 핏덩이 어린아이가 / 세상에 나와 우는 것에 비유하였네'	• 요동 벌판에 대한 박지원의 표현을 인용하여 그 표현의 기발함에 대해 예찬함. • 광활한 요동 벌판에 대조되는 인생의 보잘것없음을 표현함.

최우선 핵심 Check!

1 화자 자신의 체험을 바탕으로 시상을 전개하고 있다. (O / ×)

2 화자는 요동 벌판의 광활한 모습을 보면서 조선의 안타까운 현실을 떠올리고 있다. (O / ×)

3 화자는 요동 벌판을 '천추의 커다란 울음터'라고 한 박지원의 표현에 대해 신묘한 비유라고 평가하였다. (O / ×)

4 화자는 광활한 대자연 앞에서 호연지기(浩然之氣)를 기를 것을 다짐하고 있다. (O / ×)

정답 1. ○ 2. × 3. ○ 4. ×

328위

유배지에서 처의 죽음을 애도함

유배지에서 처의 죽음을 슬퍼하며

[配所輓妻喪] | 김정희

갈래 한시(7언 절구) **성격** 애상적, 도망시(悼亡詩)
주제 아내를 잃은 슬픔 **시대** 조선 후기

유배지인 제주도에서 아내의 죽음을 듣고 이를 슬퍼하는 마음을 담은 작품으로, 불가능한 상황을 설정하여 화자의 심정을 강조하고 있다.

那將月老訟冥司 나 장 월 로 송 명 사	어찌하면 저승에 가 월하노인께 하소연하여 (월하노인: 부부의 인연을 맺어 준다는 전설상의 늙은이 - 화자가 자신과 아내의 처지를 바꿀 수 있다고 여기는 인물 **Link** 표현상 특징 ❶)
來世夫妻易地爲 내 세 부 처 역 지 위	내세에는 부부 처지 바꾸어 달라 할까 → 화자가 하소연하고자 하는 것 (내세: 죽은 뒤에 다시 태어나 산다는 미래의 세상을 이름) **›** 기 · 승: 화자의 소원
我死君生千里外 아 사 군 생 천 리 외	천 리 먼 타지에서 나 죽고 그대 살아 있다면 (천 리 먼 타지: 유배지인 제주도 / 나 죽고 그대 살아 있다면: 현재와 반대되는 상황 - 가정법)
使君知我此心悲 사 군 지 아 차 심 비	이 마음 이 슬픔을 그대가 알려마는 (이 슬픔: 배우자를 잃은 슬픔) 불가능한 상황을 가정하여 자신의 슬픔을 강조함 - 화자가 부부의 처지를 바꾸어 달라 할까 하는 이유에 해당 **Link** 표현상 특징 ❷ **›** 전 · 결: 아내를 잃은 깊은 슬픔

출제자 톡! 화자를 이해하라!

1 **화자는 누구이고, 화자가 처한 상황은?**
아내가 죽은 상황을 겪고 있는 '나'

2 **화자의 정서 및 태도는?**
내세에는 자신과 아내의 처지가 바뀌어, 아내가 자신의 깊은 슬픔을 알기를 바라고 있음.

Link

출제자 톡! 표현상의 특징을 파악하라!

❶ 전설 속의 인물을 등장시켜 화자의 슬픔을 하소연함.

❷ 불가능한 상황을 가정하여 화자의 슬픔을 강조함.

최우선 출제 포인트!

1 '월하노인'의 역할

일반적 역할		작품 속에서의 역할
중국 고대 전설에서 혼인을 관장하는 신으로 부부의 인연을 맺어 줌.	➔	화자가 자신의 슬픔을 하소연하는 대상 → 자신과 아내의 처지를 바꿀 수 있는 인물

2 가정법을 통한 슬픔의 강조

가정법		
내세에는 부부의 처지가 바뀌어 자신이 먼저 죽고 아내가 살아 있음.	➔	• 아내에 대한 깊은 사랑과 그런 아내가 죽은 것에 대한 슬픔을 강조함. • 죽은 아내가 자신의 심정을 이해하기를 바람.

최우선 핵심 Check!

1 화자가 자신과 아내의 처지를 바꾸어 줄 수 있다고 여기는 전설상의 인물로 ㅇㅎㄴㅇ이 있다.

2 화자는 아내의 죽음을 통해 인생무상에 대한 깨달음을 얻고 있다. (O / ×)

3 화자는 불가능한 상황을 설정하여 자신의 슬픈 심정을 효과적으로 강조해 주고 있다. (O / ×)

4 화자는 자신의 슬픔을 알아주지 못하는 아내에 대해 원망의 태도를 보이고 있다. (O / ×)

정답 1. 월하노인 2. × 3. ○ 4. ×

1등급! <보기>!

「유배지에서 처의 죽음을 슬퍼하며」의 창작 배경

김정희(金正喜, 1786~1856)는 1840년부터 1848년까지 9년간 제주도에서 유배 생활을 하였는데 1842년, 그의 나이 57세 때 충남 예산에서 부인이 죽었다. 부인과 금슬이 좋았던 김정희는 부인이 죽은 사실도 모르고, 부인에게 제주도 음식이 맞지 않음을 투정하여 젓갈 등을 보내달라는 편지를 보냈다고 한다. 부인이 죽은 후 한 달이 지난 후에서야 자신이 죽은 부인에게 반찬 투정을 했다는 것을 알고 대성통곡하며 이 시를 썼다고 전해진다.

잠실 고개의 정자에서

잠령민정(蠶嶺閔亭) | 임제

갈래 한시(5언 고시) **성격** 우국적, 비판적, 의지적
주제 나라를 걱정하는 대장부의 기상
시대 조선 중기

나라의 위기 상황에도 마땅한 대책을 세우지도, 인재를 제대로 등용하지도 않는 조정을 비판하면서 자신의 능력을 펼쳐 나라를 구하고자 하는 웅대한 포부를 드러내고 있다.

□: 외세를 비유한 표현

東溟有長鯨 (동 명 유 장 경)
『동쪽 바다엔 큰 고래(왜적)가 날뛰고

西塞有封豕 (서 새 유 봉 시)
서편 국경에는 사나운 짐승(북쪽 오랑캐(여진족)) 있건만』

『 』: 외세의 위협을 받는 위기 상황(외부 상황)

대구 **Link** 표현상 특징 ❶

> 외세의 위협에 처한 현실

대조

江障哭殘兵 (강 장 곡 잔 병)
『강가 초소엔 잔약한 병졸 울부짖고

海徼無堅壘 (해 요 무 견 루)
바닷가 진지엔 굳센 보루 없구나』

『 』: 부실한 국경의 상황(내부 상황)

대구

> 외세의 위협에 대응할 수 없는 변방 진지

廟算非良籌 (묘 산 비 양 주)
『조정에서 하는 일 옳지 않거니 (조정에 대한 비판을 직접적으로 드러냄)

全軀豈男子 (전 구 기 남 자)
몸을 사리는 것이 대장부이랴』 (나라의 위기에 몸을 아끼지 않겠다는 대장부의 기개)

『 』: 마땅한 대책을 세우지 못하는 조정에 대한 비판 의식이 담김

○: 화자 자신

> 무능한 조정에 대한 비판

寒風不再生 (한 풍 부 재 생)
『훌륭한 제 주인을 얻지 못하니 (화자의 능력을 알아주는 사람)

絕景空垂耳 (절 경 공 수 이)
명마는 속절없이 귀 수그리네』

『 』: 등용되지 못한 자신의 처지를 비유적으로 표현함

> 훌륭한 인재가 능력 발휘를 못함

誰識衣草人 (수 식 의 초 인)
뉘라서 알리오 초야에 묻힌 사람 (설의적 표현 / 활유법)

雄心日千里 (웅 심 일 천 리)
웅심이 하루에도 천 리를 달리는 줄 (웅대한 뜻(자신의 능력을 펼쳐 나라를 구하고자 하는 웅대한 포부))

도치 **Link** 표현상 특징 ❷

> 알아주지 않는 자신의 처지와 웅대한 포부

출제자 톡! 화자를 이해하라!

1 **화자는 누구이고, 화자가 처한 상황은?**
잠령의 정자에서 진지의 병사들을 바라보며 나라의 현실을 걱정하고 있는 사람

2 **화자의 정서 및 태도는?**
- 조정에 대한 비판과 나라에 대한 걱정을 드러냄.
- 자신의 능력을 펼치고자 하는 웅대한 포부를 드러냄.

Link

출제자 톡! 표현상의 특징을 파악하라!

❶ 대구와 대조, 비유적 표현을 통해 시적 상황을 효과적으로 드러냄.

❷ 설의적 표현과 도치법을 사용하여 화자의 마음을 효과적으로 드러냄.

❸ 남성적 기백이 느껴지는 의지적 어조를 사용함.

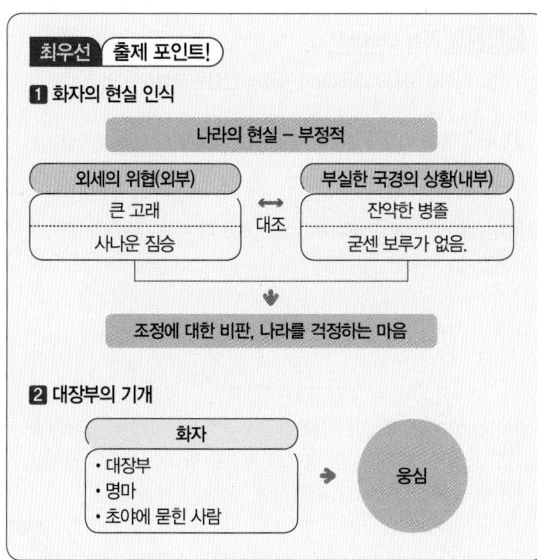

최우선 핵심 Check!

1 화자는 조정에 대한 비판을 비유적 표현을 사용하여 간접적으로 드러내고 있다. (○ / ×)

2 화자는 남성적 기백이 느껴지는 어조를 사용하여 자신의 뜻을 드러내고 있다. (○ / ×)

3 '큰 고래', 'ㅅㄴㅇ ㅈㅅ'은 나라를 위협하는 외세를 비유한 시어이다.

4 화자는 주인을 얻지 못한 자신을 'ㅁㅁ'에 비유하고 있다.

5 'ㅇㅅ'은 화자가 자신의 능력을 펼쳐 나라를 구하고자 하는 포부를 드러낸 시어이다.

정답 1. × 2. ○ 3. 사나운 짐승 4. 명마 5. 웅심

이삭 줍는 노래

습수요(拾穗謠) | 이달

갈래 한시(7언 절구) **성격** 사실적, 현실 비판적
주제 관의 수탈로 피폐한 농촌의 현실 고발
시대 조선 후기

밭고랑에서 이삭 줍는 아이의 말을 인용하여, 관의 극심한 수탈로 피폐한 조선 후기 농촌의 실상을 사실적으로 그리고 있다.

원문	풀이
田間拾穗村童語 전간습수촌동어	(이삭이라도 주워 목숨을 연명하려 함 - 비참한 생활상을 엿볼 수 있음) 밭고랑에서 이삭 줍는 시골 아이의 말이 (인용 - 시골 아이의 말을 통해 가혹한 수탈로 피폐한 농촌의 현실을 사실적, 객관적으로 전달함 Link 표현상 특징 ❶)
盡日東西不滿筐 진일동서불만광	하루 종일 동서로 다녀도 광주리가 차지 않는다네 ❯ 기 · 승: 하루 종일 일해도 광주리에 이삭이 차지 않는 현실
今歲刈禾人亦巧 금세예화인역교	(피폐한 농촌의 현실 - 가혹한 수탈(관가 창고에 바쳤다네)의 결과) 올해에는 벼 베는 사람들 또한 교묘해져서
盡收遺穗上官倉 진수유수상관창	(이삭을 남기지 않음) 이삭 하나 남기지 않고 관가 창고에 바쳤다네 ❯ 전 · 결: 관가의 수탈이 극심함 (광주리가 차지 않는 이유 - 관의 가혹한 수탈. 가렴주구(苛斂誅求), 가정맹어호(苛政猛於虎))

출제자 톡! 화자를 이해하라!

1 **화자는 누구이고, 화자가 처한 상황은?**
시골 아이에게 농촌의 현실에 대한 이야기를 듣고 있는 사람

2 **화자의 정서 및 태도는?**
관가의 수탈로 피폐해진 농촌의 현실을 고발하며 비판함.

Link

출제자 톡! 표현상의 특징을 파악하라!

❶ 시골 아이와의 대화를 가정하고, 아이의 말을 인용함으로써 농촌의 현실을 사실적, 객관적으로 전달함.

❷ 직접적인 비판보다는 현실과의 객관적 거리를 유지한 채 간접적으로 비판함.

최우선 출제 포인트!

1 표현상의 특징

시골 아이와 함께 한 대화를 인용함으로써 객관적 거리를 유지하면서 농촌 현실의 비참한 현실을 적나라하게 드러내고, 현장감을 부여하고 있다.

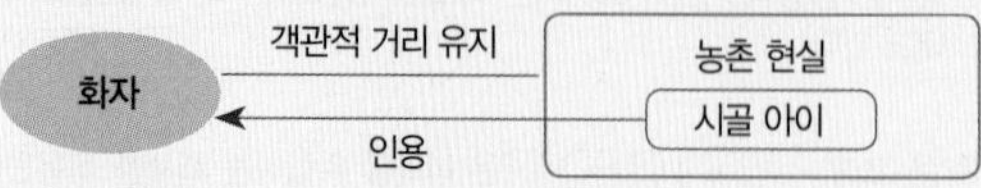

함께 볼 작품 백성들의 목소리를 통해 현실의 어려움을 고발한 작품: 정약용, 「채호」

최우선 핵심 Check!

1 시골 아이를 화자로 설정하여 농촌의 현실을 고발하고 있다. (○ / ×)

2 인용을 통해 가혹한 수탈로 고통 받는 농민들의 삶을 객관적으로 전달하고 있다. (○ / ×)

3 아이의 광주리에 이삭이 차지 않는 것은 벼 베는 사람들의 행동 때문이다. (○ / ×)

정답 1. × 2. ○ 3. ○

1등급! 〈보기〉!

이달의 시 세계

이달(李達, 1539~1612)은 조선 중 · 후기의 시인으로 '삼당파(三唐派)' 시인의 한 사람이다. '삼당파'란 조선 선조 때 당시(唐詩) 창작에 뛰어난 능력을 보인 백광훈, 이달, 최경창 세 시인을 일컫는 말이다. 이달은 특히 절구에 능했으며 가슴속에 간직한 상처를 기본 정조로 하여 울적한 정서를 따뜻한 느낌의 시어로 아름답게 표현하는 것이 그의 시적 특징이라 할 수 있다.

산민의 고초를 읊다

영산가고(詠山家苦) | 김시습

갈래 한시(7언 절구, 전 8수) **성격** 비판적, 풍자적
주제 탐관오리의 수탈로 인한 백성의 고달픈 삶
시대 조선 전기

지배층의 횡포로 인한 백성들의 고달픈 삶과 이들을 수탈하여 편안한 삶을 사는 탐관오리를 대조적으로 제시하여 주제 의식을 드러내고 있다.

〈제4수〉

피지배층, 수탈의 대상 ↔ 지배층, 수탈의 주체

農夫揮汗勤終歲 농부휘한근종세 — 농부는 한 해가 다 가도록 땀 흘려 애쓰고
蠶婦蓬頭苦一春 잠부봉두고일춘 — 누에 치는 아낙네 봄내 쑥대머리로 고생하는데 (피지배층의 생계를 위한 고달픈 삶)
머리털이 마구 흐트러져 어지럽게 된 머리
醉飽輕裘滿城市 취포경구만성시 — 취하고 배부르고 좋은 옷 입은 무리 성 안에 가득해
相逢盡是自安人 상봉진시자안인 — 만나는 사람마다 편안한 분들뿐이로구나 (지배층의 편안한 삶)

대조 Link 표현상 특징 ❶

> 피지배층의 고달픈 삶과 지배층의 편안한 삶

〈제5수〉

長官仁愛猶能喘 장관인애유능천 — 사또가 어질어도 헐떡일 생활인데
수탈을 당하지 않아도 백성들의 형편이 넉넉하지 못함
幸遇豺狼是可憐 행우시랑시가련 — 승냥이 이리를 만났으니 가련하도다
탐관오리 Link 표현상 특징 ❷ / 백성들(피지배층)에 대한 연민
婦戴翁提盈道路 부대옹제영도로 — 이고 진 유랑민 길마다 가득하니
탐관오리(지배층)의 수탈로 삶의 터전을 잃고 유랑하는 백성들이 많음
豈遭飢凍不豊年 기조기동불풍년 — 굶주림과 추위가 어찌 흉년 탓이리오
흉년 탓이 아니라 탐관오리(지배층)의 수탈 때문임을 강조. 설의적 표현 Link 표현상 특징 ❸

> 탐관오리의 수탈로 인한 백성들의 고달픈 삶

출제자 톡! 화자를 이해하라!

1 **화자는 누구이고, 화자가 처한 상황은?**
탐관오리의 수탈로 인한 백성들의 고달픈 삶을 바라보고 있는 사람

2 **화자의 정서 및 태도는?**
- 고달픈 삶을 사는 백성들에 대한 연민을 드러냄.
- 편안한 삶을 살면서 백성을 착취하는 지배층에 대한 비판 의식을 드러냄.

Link

출제자 톡! 표현상의 특징을 파악하라!

❶ 대상 간의 삶을 대조해 주제를 효과적으로 전달함.
❷ 대상을 동물에 비유하여 풍자의 효과를 살림.
❸ 설의적 표현을 통해 대상의 삶의 원인을 강조함.

최우선 출제 포인트!

1 대조를 통한 풍자

피지배층, 수탈의 대상	↔ 대조	백성을 수탈하는 지배층, 탐관오리
땀 흘리는 농부		취하고 배부르고 좋은 옷 입은 무리
쑥대머리 아낙네		편안한 분들
유랑민		승냥이, 이리
굶주림과 추위, 고달픈 삶		배부르고 편안한 삶

↓

백성을 수탈하는 탐관오리에 대한 비판과 풍자

최우선 핵심 Check!

1 화자는 탐관오리들의 수탈로 인해 백성들이 유랑민으로 전락한 상황을 안타까워하고 있다. (○ / ×)

2 화자는 백성들의 굶주림과 추위의 원인이 흉년에 있다고 생각하고 있다. (○ / ×)

3 〈제4수〉에서는 피지배층과 지배층의 삶을 대조하여 지배층에 대한 비판적 의식을 드러내고 있다. (○ / ×)

4 〈제5수〉에서 '승냥이, ㅇㄹ'는 탐관오리들을 비유적으로 표현한 시어이다.

정답 1. ○ 2. × 3. ○ 4. 이리

세상살이의 어려움(속편)

332위 속행로난(續行路難) | 이인로

갈래 한시(7언 고시, 전 3수) **성격** 교훈적, 의지적
주제 세상살이의 어려움 **시대** 고려

세상살이의 어려움을 노래한 작품으로, 자신의 능력을 펼칠 수 없는 세상에 대한 한탄과 세상살이의 어려움 속에서 바르게 살고자 하는 의지를 드러내고 있다.

〈제1수〉

登山莫編怒虎須 등산막편노호수
산에 올라 성난 호랑이 수염 건드리지 말고

蹈海莫採眠龍珠 도해막채면용주
바다에 가서 잠자는 용의 구슬 탐내지 마라

(□: 인간 탐욕의 대상. 비유법 Link 표현상 특징 ❷ / 명령형 / 인간의 탐욕을 경계함. 대구법 Link 표현상 특징 ❶)

人間寸步千里阻 인간촌보천리조
사람의 한 치 걸음이 천 리처럼 느껴지고

太行孟門眞坦途 태행맹문진탄도
험산 준령도 진실로 평탄한 길처럼 느껴질 때 있네

(마음가짐에 따라 달라지는 세상일)

蝸角戰甘鬧蠻觸 와각전감료만촉
나라끼리 사소한 일로 서로 싸워 소란한데

路岐多處泣楊朱 노기다처읍양주
갈림길 너무도 많아 양주도 눈물지었지

(갈림길이 많은 세상살이의 어려움 / 고사를 인용한 우회적 표현 Link 표현상 특징 ❸)

君不見嚴陵尙傲劉文叔 군불견엄릉상오유문숙
『그대 못 보았는가 엄자릉이 광무제에게 거만하게 굴며

(엄자릉이 몸을 숨긴 부춘산 동강의 여울 / 중국 후한의 제1대 황제)

七里灘頭一竿竹 칠리탄두일간죽
칠리탄 기슭에서 낚시질만 한 것을』

(세속적 욕심을 버리고 자연 속에서 은거한 엄자룽 / 『 』: 세속적 욕심을 멀리하는 것이 현명함을 엄자룽 고사를 통해 간접적으로 드러냄 Link 표현상 특징 ❸)

> 세상살이의 어려움과 지혜로운 삶의 자세

〈제2수〉

我欲飇車叩閶闔 아욕표거고창합
나는 회오리바람 수레로 궁궐 문 두드리고 싶고

(자신의 능력)

請挽大河洗六合 청만대하세육합
은하수를 당겨다 우주를 씻어 내고도 싶네

(비유적 표현을 활용하여 자신의 능력으로 큰일을 하고 싶은 화자의 포부를 드러냄 Link 표현상 특징 ❷)

狂謀謬算一不試 광모류산일불시
어리석고 잘못된 계산이라 시험 한 번 하지 못하고

(포부를 펼치지 못한 화자 자신을 비유)

蹄涔幾歲藏鱗甲 제잠기세장린갑
고인 물처럼 작은 일에 몇 년이나 마음 버렸던가

(소극적이었던 과거의 삶에 대한 반성 / 화자의 큰 포부)

峨洋未入子期聽 아양미입자기청
『높고 넓은 뜻 받아 줄 종자기 같은 친구 없고

(○: 화자와 동일시되는 대상)

羆虎難逢周后獵 비호난봉주후렵
비호는 주 후의 사냥 행렬 만나지 못하였네』

(『 』: 종자기와 주 문왕 고사를 인용하여 자신의 뜻을 알아주는 사람이 없음을 한탄함 Link 표현상 특징 ❸)

行路難歌正悲 행로난가정비
세상살이 험난한 노래는 정말 서글픈 것

(행로난(行路難) - 작품의 제목과 주제 함축)

匣中雙劍蛟龍泣 갑중쌍검교룡읍
갑 속의 쌍검에 교룡이 우는구나

(→ 영탄적 표현 Link 표현상 특징 ❹ / 답답한 현실 / 때를 못 만나 뜻을 이루지 못한 영웅호걸을 비유적으로 이르는 말)

> 자신의 능력을 알아주지 않는 세상에 대한 한탄

〈제3수〉

顔巷枕肱食一簞 안항침굉식일단
안회는 거리에서 팔을 베고 한 바구니 밥을 먹었으며

(공자의 수제자로 가난한 생활 속에서도 편안한 마음으로 도를 즐긴 인물(안분지족, 안빈낙도, 단사표음))

東陵晝膳脯人肝 동릉주선포인간
도척은 동릉에서 점심으로 사람 간을 회 쳐 먹었네

(중국 춘추 시대의 큰 도적으로 몹시 악한 사람을 비유적으로 이름 / 대조 Link 표현상 특징 ❶, ❸)

世間萬事眞悠悠 세간만사진유유
세상 모든 일이 진실로 아득하여

直道由來作人難 직도유래작인난
곧은 길엔 원래 사람 노릇 어렵도다

(신념대로 바르게 살아가기 어려운 세상 / 화자가 추구하는 올바른 삶)

我欲伸曲鉤斬曲几 아욕신곡구참곡궤
『나는 굽은 갈고리를 펴고 굽은 책상을 베고자 하니

(바르게 살고자 하는 화자의 의지적 태도)

要須平直如金矢 요수평직여금시
바르고 곧기가 쇠 화살 같아야 하네

(화자가 추구하는 가치)

黃河正漲碧琉璃　　황하를 푸른 유리같이 맑게 하여
황 하 정 창 벽 류 리　　화자가 지향하는 것
不著一點秋毫累　　추호의 더러움도 안 붙게 하고 싶네』
불 착 일 점 추 호 루　　『 』: 바르고 곧으며, 맑고 깨끗하게 살고자 하는 의지

> 세상살이의 어려움과 바르게 살고자 하는 의지

- **갈림길 너무도 많아 양주도 눈물지었지**: 읍기양주(泣岐楊朱). 양주(楊朱)가 길을 가다 갈림길을 보고 울었다는 고사에서 온 말. 어느 길로 가느냐에 따라 그 결과가 달라지고, 일단 어느 한쪽 길에 들어서고 나면 다시 되돌릴 수 없음을 슬퍼했다는 '읍기양주(泣岐楊朱)'에서 유래되었다.
- **엄자릉**: 광무제의 어린 시절 친구. 광무제가 후한을 건국한 뒤 그에게 간의대부 벼슬을 주려 했으나 거절하고 부춘산(富春山)에 들어가 밭 갈고 낚시질하며 은거했다.
- **종자기**: 거문고의 명인이었던 백아(伯牙)의 친구로서, 백아의 거문고 소리를 잘 알아들었다고 한다. 그가 죽자 백아는 자기의 음악을 이해하여 주는 이가 없음을 한탄하여 거문고 줄을 끊고 다시는 거문고를 타지 않았다고 한다.
- **비호는 주 후의 사냥 행렬 만나지 못하였네**: 강태공이 낚시를 하다 주 문왕을 만나 등용되어 주나라 재상이 된 고사에서 온 말이다. 여기서 비호는 강태공, 주 후는 주문왕이다. 여기에서 비호(화자와 동일시하는 대상)가 주 후의 사냥 행렬을 만나지 못했다는 것은 화자의 뜻을 알아주는 사람이 없음을 말한다.
- **주 후**: 주 문왕. 중국 주나라 무왕의 아버지이다. 문왕이 하루는 사냥을 가려다 거북점을 쳐 보니 '이번 사냥에서 얻는 것은 용도, 곰도, 범도 아닌 왕을 보좌할 훌륭한 인재'라는 점괘가 나왔다. 문왕이 내심 기뻐하며 사냥을 했는데 그날 따라 잡히는 것이 없었고, 그러는 사이 어느새 위수 가에 다다랐다. 그곳에서 낚시질을 하는 한 사람을 만났는데 문왕은 첫눈에 그 사람이 비범한 사람임을 알아보았다. 그 사람이 바로 강태공이었다.

출제자 톡! 화자를 이해하라!

1 **화자는 누구이고, 화자가 처한 상황은?**
세상살이에 대해 생각하고 있는 '나'

2 **화자의 정서 및 태도는?**
- 탐욕을 경계하고 자연 속에서 안분지족하는 삶을 살고자 함.
- 자신의 능력을 펼칠 수 없는 세상에 대한 한탄하고 바르게 살고자 하는 의지를 보임.

Link

출제자 톡! 표현상의 특징을 파악하라!

❶ 대구와 대조를 통해 시적 의미를 강조해 줌.
❷ 비유적 표현을 통해 화자가 지향하는 삶의 자세와 포부를 드러냄.
❸ 다양한 고사를 인용하여 자신의 생각을 우회적, 간접적으로 드러냄.
❹ 영탄적 표현을 사용하여 화자의 정서를 강조해 줌.

최우선 출제 포인트!

1 고사의 인용 의도

양주	갈림길(선택의 상황)이 많은 세상살이의 어려움을 말함.
엄자릉	욕심을 버리고 자연 속에 묻혀 사는 것이 현명함을 보여 줌.
종자기, 주 후	자신을 알아주지 않는 현실에 대한 한탄을 드러냄.
안회, 도척	안빈낙도의 삶을 살고 싶은 마음 표현(대조)

↓

다양한 고사를 인용하여 화자의 생각을 우회적으로 표현함.

2 화자가 지향하는 삶의 자세

엄자릉	• 세상의 욕심을 버리고 자연 속에서 유유자적하는 삶 • 유유자적(悠悠自適), 물외한인(物外閑人)
안회	• 가난한 생활을 하면서도 편안한 마음으로 도를 즐기는 삶 • 안빈낙도(安貧樂道), 안분지족(安分知足)
쇠 화살	바르고 곧은 삶 (↔ 굽은 갈고리, 굽은 책상)
푸른 유리	맑고 깨끗한 삶 (↔ 황하)

최우선 핵심 Check!

1 〈보기〉에서 화자가 지향하는 삶의 태도를 지닌 인물을 모두 고르시오.

□ 양주 □ 엄자릉 □ 광무제 □ 종자기 □ 안회 □ 도척

2 '세상살이 험난한 노래'는 제목과 주제 의식을 함축하고 있는 구절이다. (O / ×)

3 다양한 고사를 인용하여 자신의 생각을 간접적으로 드러내고 있다. (O / ×)

4 화자는 험한 세상에서 자신의 능력을 펼치고자 하는 것은 어리석은 일이라고 생각한다. (O / ×)

5 〈제1수〉의 '호랑이 수염'과 '용의 구슬'은 화자가 추구하는 대상이고, 〈제4수〉의 '쇠 화살'과 '푸른 유리'는 화자가 기피하는 대상이다. (O / ×)

정답 1. 엄자릉, 안회 2. ○ 3. ○ 4. × 5. ×

대관령을 넘으면서 친정을 바라보다

333위 대관령을 넘으면서

[踰大關嶺望親庭] | 신사임당

갈래 한시(7언 절구) **성격** 애상적, 서정적
주제 어머니를 홀로 두고 떠나는 안타까움
시대 조선 전기

늙으신 어머니를 고향에 홀로 남겨 둔 채 시댁이 있는 서울로 떠나는 화자의 안타까운 심정이 드러나 있다.

慈親鶴髮在臨瀛
자 친 학 발 재 임 영
「늙으신 어머님을 강릉에 두고 『 』: 어머니와 작별하는 시적 상황
(그리움의 대상: 어머님 / 화자의 고향, 친정: 강릉)

身向長安獨去情
신 향 장 안 독 거 정
이 몸 혼자 서울로 떠나는」 마음
(화자의 시댁: 서울 / 어머니를 두고 떠나는 안타까움, 애틋함, 걱정스러움: 마음)

▶ 기 · 승: 늙으신 어머님을 고향에 두고 서울로 떠나는 화자의 안타까운 심정

回首北邨時一望
회 수 북 촌 시 일 망
돌아보니 고향은 아득도 한데
(강릉: 고향)

白雲飛下暮山靑
백 운 비 하 모 산 청
흰 구름이 날고 산은 저무네
(배경 묘사 - 어머니를 두고 떠나는 화자의 쓸쓸하고 애틋한 정서 부각 **Link** 표현상 특징 ❶)
(흰 구름: 망운지정(望雲之情) - 자식이 객지에서 고향에 계신 어버이를 생각하는 마음 **Link** 표현상 특징 ❷)

▶ 전 · 결: 어머니에 대한 깊은 정

출제자 톡! 화자를 이해하라!

1 **화자는 누구이고, 화자가 처한 상황은?**
늙으신 어머니를 고향에 홀로 두고 서울로 돌아가고 있는 사람

2 **화자의 정서 및 태도는?**
어머니를 두고 떠나는 안타까움, 어머니에 대한 그리움이 드러남.

Link

출제자 톡! 표현상의 특징을 파악하라!

❶ 배경 묘사를 통해 어머니를 두고 떠나는 화자의 정서를 부각시키고 있음.

❷ 고사를 효과적으로 활용하여 어머니에 대한 애틋한 정을 표현함.

최우선 출제 포인트!

1 '흰 구름'에 담긴 뜻

4구(결구)의 '흰 구름'은 '망운지정'이라는 주제를 함축하고 있으면서도, '저무는 산'과 더불어 막막하고 쓸쓸한 화자의 정서를 부각해 주는 자연물이라 할 수 있다.

흰 구름 → 망운지정(望雲之情)
⋮
구름을 바라보며 그리워하는 정
↓
자식이 객지에서 고향에 계신 부모를 생각하는 마음

최우선 핵심 Check!

1 '[ㅎ] [ㄱ][ㄹ]'은 '망운지정'이라는 한자 성어를 떠올리게 하는 시어로, 어머니에 대한 화자의 애틋한 정을 담고 있다.

2 고향과 어머니에 대한 그리움의 정서가 드러난다. (O / ×)

3 선경 후정의 방식으로 시상을 전개하고 있다. (O / ×)

4 '강릉'은 화자가 그리워하는 관념적 공간에 해당한다. (O / ×)

정답 1. 흰 구름 2. ○ 3. × 4. ×

1등급! 〈보기〉!

'흰 구름'에 반영된 '적인걸' 고사

이 작품의 4구(결구)에 있는 '흰 구름' 안에는 '적인걸 고사'가 숨어있다. '적인걸 고사'는 중국 당나라의 적인걸이 태행산에 올라가 흰 구름[白雲]을 바라보며 "저 구름 아래 우리 아버지가 계신다."라고 말하며 그 아래에 서 있다가 구름이 옮겨간 뒤에야 그 자리를 떠났다는 고사이다. 이렇듯 작가는 고사의 삽입을 흔적 없이 깔끔한 이미지로 전환시키고 있는데, 이는 매우 유려한 시작(詩作) 솜씨라 할 수 있다.

어머니를 생각하는 노래

사모곡(思母曲) | 작자 미상

갈래 고려 가요 **성격** 예찬적
주제 자식에 대한 어머니의 절대적 사랑 예찬
시대 고려

아버지의 사랑보다 더 깊고 강한 어머니의 사랑을 노래한 작품으로, 남녀의 애정이 아닌 '효'를 노래한 고려 가요라는 점에서 주목할 만하다.

원문	주석	현대어 풀이
호ᄆᆡ도 ᄂᆞᆯ히언마ᄅᆞᄂᆞᆫ (호ᄆᆡ: 아버지의 사랑을 비유적으로 표현)	Link 표현상 특징 ❶	호미도 날이 있지마는
낟ᄀᆞ티 들 리도 업스니이다 (낟: 어머니의 사랑을 비유적으로 표현)	➤ 호미와 낫의 날카로움 비교	낫같이 들 리가 없습니다.
아바님도 어이어신마ᄅᆞᄂᆞᆫ		아버님도 어버이시지마는
위 덩더둥셩 (의미 없는 조흥구, 여음구)	Link 표현상 특징 ❷	위 덩더둥셩
어마님ᄀᆞ티 괴시리 업세라 (어머니의 사랑을 가장 높게 평가함)	➤ 아버지와 어머니의 사랑 비교	어머님같이 사랑하실 분이 없어라.
아소 님하 (감탄 어구)	반복 → 의미 강조 / Link 표현상 특징 ❸	아서라, 사람들이여(아아, 임아)
어마님ᄀᆞ티 괴시리 업세라	➤ 어머니의 사랑을 강조하여 예찬함	어머님같이 사랑하실 분이 없어라.

출제자 톡! 화자를 이해하라!

1 **화자는 누구이고, 화자가 처한 상황은?**
작가 자신으로, 부모의 사랑에 대해 생각함.

2 **화자의 정서 및 태도는?**
자식에 대한 어머니의 절대적인 사랑을 예찬함.

Link

출제자 톡! 표현상의 특징을 파악하라!

❶ 부모의 사랑을 농기구(호미, 낫)에 빗대어 표현함.
❷ 여음구를 사용하여 흥취를 불러일으킴.
❸ 감탄 어구와 반복적인 표현을 사용하여 어머님의 깊은 사랑을 강조함.

최우선 출제 포인트!

1 농기구에 비유한 부모의 사랑

낫 (어머니의 사랑) > 호미 (아버지의 사랑)

이 작품은 효(孝)를 노래하면서도 어머니의 사랑을 아버지의 사랑에 비교하여 더 깊다고 강조하고 있다. 특히 일상생활에 사용하는 '낫'과 '호미'를 비유의 대상으로 삼은 것이 참신하고, 작가의 신분도 짐작해 볼 수 있다.

2 고려 가요의 형식과 「사모곡」

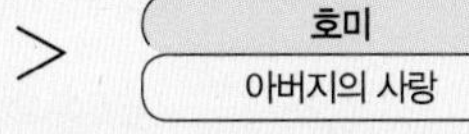

「사모곡」의 형식적 특성

- 향가의 잔영: '아소 님하'
- \+ 시조의 원류: 후렴구와 반복구를 제외하면 시조의 3장 형식과 대응됨.

최우선 핵심 Check!

1 일상생활에 사용되는 소재를 활용하여 시상을 전개하고 있다. (O / ×)

2 흥을 돋우기 위해 의미 없이 사용된 구절이 나타난다. (O / ×)

3 시조의 종장 첫 구의 감탄사와 유사한 감탄 어구가 사용되었다. (O / ×)

4 동일한 문장을 반복하여 주제 의식을 강조하고 있다. (O / ×)

5 호미를 ㅇㅂㅈ의 사랑에, 낫을 ㅇㅁㄴ의 사랑에 비유하여 어머니의 사랑이 아버지의 사랑보다 깊음을 강조하고 있다.

정답 1. ○ 2. ○ 3. × 4. ○ 5. 아버지, 어머니

봄이 전각에 가득 차다

만전춘별사(滿殿春別詞) | 작자 미상

갈래 고려 가요 **성격** 연가, 남녀상열지사
주제 임과의 영원한 사랑에 대한 소망 **시대** 고려

시조 형식의 기원이 되는 작품으로, 남녀 사이의 강렬한 사랑을 솔직하게 노래한 고려 가요이다.

어름 우희 댓닙 자리 보와 님과 나와 어러 주글만뎡
어름 우희 댓닙 자리 보와 님과 나와 어러 주글만뎡
정(情) 둔 오늘 밤 더듸 새오시라 더듸 새오시라

(상황의 대조적 설정 / 극한 상황을 설정하여 임에 대한 뜨거운 사랑을 표현함 / 뜨거운 속성 → 뜨거운 연정 / 구절의 반복으로 화자의 태도 강조, 운율감 형성 Link 표현상 특징 ❶)
> 임과 오래도록 함께하고 싶은 마음

얼음 위에 댓잎 자리 펴서 임과 나와 얼어 죽을망정,
얼음 위에 댓잎 자리 펴서 임과 나와 얼어 죽을망정,
정 둔 오늘 밤 더디 새소서, 더디 새소서.

「경경(耿耿) 고침상(孤枕上)애 어느 ᄌᆞ미 오리오
서창(西窓)을 여러ᄒᆞ니 도화(桃花)ㅣ 발(發)ᄒᆞ두다
도화(桃花)는 시름업서 소춘풍(笑春風)ᄒᆞᄂᆞ다 소춘풍ᄒᆞᄂᆞ다」

(홀로 잠자리에 누워 뒤척이는 상황 / 잠이 오지 않음을 강조, 설의적 표현 / 열어젖히니 / 근심 없이 피어 봄을 즐기는 존재, 화자의 처지와 대비되는 자연물로 화자의 정서를 부각함, 객관적 상관물 Link 표현상 특징 ❷ / 「 」: 반복되는 구를 제외하면 시조의 형식과 유사함, 시조 형식의 기원)
> 임을 그리며 잠을 이루지 못함

근심 어린 외로운 잠자리에 어찌 잠이 오리오.
서쪽 창문을 열어젖히니 복숭아꽃이 피어나는구나.
복숭아꽃은 근심 없이 봄바람에 웃는구나, 봄바람에 웃는구나.

「넉시라도 님을 ᄒᆞᆫ ᄃᆡ 녀닛 경(景) 너기더니
넉시라도 님을 ᄒᆞᆫ ᄃᆡ 녀닛 경(景) 너기더니
벼기더시니 뉘러시니잇가 뉘러시니잇가」

(임과 함께 / 현실에서는 함께할 수 없는 관계 / 임에 대한 원망이 드러남 / 어기시던 이 → 임을 가리킴 / 구절의 반복으로 화자의 태도 강조, 운율감 형성 Link 표현상 특징 ❶ / 「 」: 「정과정」에서도 유사한 표현이 나타남)
> 임에 대한 서운함과 원망

넋이라도 임과 함께 살고자 했는데,
넋이라도 임과 함께 살고자 했는데,
어기던 이가 누구였습니까? 누구였습니까?

「올하 올하 아련 비올하
여흘란 어듸 두고 소(沼)해 자라 온다
소콧 얼면 여흘도 됴ᄒᆞ니 여흘도 됴ᄒᆞ니」

(연약한 / 비오리, 임 / 오리야, 여울과 소를 왔다 갔다 하는 방탕한 남성 / 화자 ↔ 다른 여인 / 무절제한 사랑에 대한 냉소 / 「 」: 비유적 표현을 사용하여 방탕한 임의 모습을 표현함 Link 표현상 특징 ❸)
> 방탕한 임에 대한 풍자

오리야, 오리야, 연약한 비오리야,
여울은 어디 두고 연못에 자러 오느냐?
연못이 곧 얼면 여울도 좋으니, 여울도 좋으니.

「남산(南山)애 자리 보와 옥산(玉山)을 벼여 누어
금수산(錦繡山) 니블 안해 사향(麝香) 각시를 아나 누어
남산(南山)애 자리 보와 옥산(玉山)을 벼여 누어
금수산(錦繡山) 니블 안해 사향 각시를 아나 누어
약(藥) 든 가ᄉᆞᆷ을 맛초ᄋᆞᆸ사이다 맛초ᄋᆞᆸ사이다」

(따뜻한 아랫목 / 옥베개 / 수놓은 비단 이불 / 사향이 든 주머니, 아름다운 여인 / 1, 2행의 반복 / 임과 함께하기를 소망함 Link 표현상 특징 ❹ / 「 」: 반복되는 구를 제외하면 시조의 형식과 유사함, 시조 형식의 기원)
> 임에 대한 욕망

남산에 잠자리를 보아 옥산을 베고 누워,
금수산 이불 안에서 사향 각시를 안고 누워,
남산에 잠자리를 보아 옥산을 베고 누워,
금수산 이불 안에서 사향 각시를 안고 누워,
약 든 가슴을 맞추십시다, 맞추십시다.

아소 님하/원대평생(遠代平生)애 여힐 술 모ᄅᆞᄋᆞᆸ새

(감탄사 / 영원히 임과 함께 있기를 소망함)
> 임과의 영원한 사랑 기원

아, 임이시여, 영원히 이별할 줄 모르고 지냅시다.

출제자 톡! 화자를 이해하라!

1 **화자는 누구이고, 화자가 처한 상황은?**
임으로 인한 근심에 싸여 잠을 이루지 못하고 있는 '여인'

2 **화자의 정서 및 태도는?**
- 떠난 임을 그리워하면서 임과 함께하고 싶은 간절한 바람을 드러냄.
- 자신을 떠나간 임에 대한 원망을 드러냄.
- 방탕한 임에 대해 풍자의 태도를 드러내고 있음.
- 임과의 영원한 사랑을 기원하고 있음.

Link

출제자 톡! 표현상의 특징을 파악하라!

❶ 구절의 반복을 통해 화자의 태도를 강조하고 운율을 형성함.

❷ 화자의 처지와 대비되는 자연물을 통해 화자의 정서를 부각함.

❸ 비유적 표현을 활용하여 무절제한 사랑을 드러내는 임의 모습을 표현함.

❹ 임과 함께하고 싶은 마음을 노골적으로 노래하고 있음.

❺ 일상어를 사용한 연과 한자어를 사용한 연이 동시에 나타남.

최우선 출제 포인트!

1 여러 노래의 합성

이 작품은 전체적으로 내용이 균형이 맞지 않고 각 연마다 성격이 다르다. 특히 2, 5연은 다른 연에 비해 한자어가 많으며 3연은 정서의 「정과정」과 매우 유사하기까지 하다. 이는 이 작품이 당시 유행하던 노래를 합성하여 하나의 노래로 만들어졌을 가능성을 짐작하게 한다.

연	내용	연	내용
1연	임과 오래도록 함께하고 싶음	2연	임을 그리며 잠을 이루지 못함.
3연	임에 대한 서운함과 원망	4연	방탕한 임에 대한 풍자
5연	임에 대한 욕망과 상상	6연	임과의 영원한 사랑 기원

최우선 핵심 Check!

1 'ㄷㅎ'는 임을 그리워하는 화자의 처지와 대비되는 자연물이다.

2 2연과 5연은 ㅅㅈ와 형식면에서 유사하다.

3 화자는 임과의 사랑에 대해 수동적이고 체념적인 태도를 보여 주고 있다. (O / ×)

4 화자는 임을 '오리'로 표현하면서, '여울'과 '연못'을 오가는 모습을 통해 임을 배려심 있는 인물로 표현하고 있다. (O / ×)

정답 1. 도화 2. 시조 3. × 4. ×

1등급! 〈보기〉!

「만전춘별사」의 구성과 형식

『악장가사』에 실려 있는 「만전춘별사」는 모두 5연으로 되어 있으나 그것을 아우르면서 종결짓는 결사(結詞)가 마지막에 추가되고 있어 이것을 독립된 연으로 볼 경우 6연이 된다.

각 연은 형식상으로 불균형을 보이고 있고 시어(詩語)도 이질적이며 의미론적으로도 통일성이 결여되고 있다. 이에 이 작품이 여러 이질적이고 독립적인 당대의 유행 노래를 궁중의 속악 가사로 합성하고 재편성함으로써 성립된 것으로 보는 것이 일반적이다.

한편 이와는 달리 이 작품이 전강(前腔)·후강(後腔)·대엽(大葉)의 3부분으로 가창된다는 점에 주목하는 이들도 있다. 이들은 전체 작품을 초·중·종장의 3장 형태로 재편함으로써 형태적 통일성을 찾아 한 편의 정제(整濟)된 작품으로 보기도 하는데, 그러나 그것은 연(聯) 사이의 의미론적 긴밀성이 고려되지 않았다는 문제점을 지니고 있다.

특히 이 노래의 제3연은 정서(鄭敍)가 지었다는 「정과정(鄭瓜亭)」의 노랫말과 일치하고 있어 기존의 노랫말로 짜맞춘 듯한 성격이 강하다. 이 노래는 넓은 의미의 시조 양식이 고려 가요에 개입된 것으로 보아, 쇠퇴기의 고려 가요 작품일 것이라 추정하기도 한다. 혹은 여러 이질적인 가요가 뒤섞여 얽어졌다는 점에서 초창기의 고려 가요로 보는 견해도 있다.

「만전춘별사」의 의의와 평가

표현 면에서는 관능적이고 감각적인 언어 표현이 지배적인데, 전체적으로 보아 비유와 상징, 반어와 역설 등을 통하여 남녀 사이의 강렬한 사랑을 노래하고 있다. 형식적인 측면에서 이 노래의 2연과 5연이 시조 양식에 접근하는 형태를 보여 준다고 하여 시조 장르의 기원을 찾는 자료로 주목되기도 한다. 또한 이 노래가 민요·고려 가요·시조·한시(漢詩)·경기체가(景幾體歌)·향가 등 당대의 기존 장르를 다양하게 수용하여 양식적으로 변용하고 있다는 점이 주목되기도 하였다. 이러한 사실들을 바탕으로 볼 때, 「만전춘」은 장르 복합체로서의 양상을 보이는 가요로 볼 수 있다. – 『한국민족문화대백과사전』

처용의 노래

처용가(處容歌) | 작자 미상

갈래 고려 가요, 무가(巫歌) **성격** 주술적
주제 역신을 몰아내는 처용의 위용과 기상
시대 고려

향가 「처용가」와 마찬가지로 처용이 역신을 몰아내는 축사의 내용을 지닌 일종의 무가이다.

원문	현대어 풀이
어와 아븨 즈지여 처용(處容)아븨 즈ᅀᅵ여 (즈지: 모습)	아아, 아비의 모습이여 처용 아비의 모습이여
『만두삽화(滿頭揷花) 계오샤 기울어신 머리예 (만두삽화: 머리에 가득 꽂힌 꽃)	머리 가득 꽃을 꽂아 무거워 기울어진 머리에
아으 수명장원(壽命長遠)ᄒᆞ샤 넙거신 니마해	아아, 목숨 길고 오래 되어 넓으신 이마에
산상(山象)이슷 기ᇫ어신 눈섭에	산의 기상과 비슷하신 무성하신 눈썹에
애인상견(愛人相見)ᄒᆞ샤 오ᅀᆞᆯ이신 누네 (애인상견: 사랑하는 사람을 서로 봄)	애인을 바라보는 것 같은 원만하신 눈에
풍입영정(風入盈庭)ᄒᆞ샤 우글어신 귀예 (풍입영정: 바람이 찬 뜰)	바람이 찬 뜰에 들어 우그러지신 귀에
홍도화(紅桃花)ᄀᆞ티 븕어신 모야해 (홍도화: 붉은 복숭아꽃 / 모야해: 얼굴)	복숭아꽃같이 붉으신 얼굴에
오향(五香) 마ᄐᆞ샤 웅긔어신 고해	다섯가지 향 맡으시어 우묵하신 코에
아으 천금(千金)머그샤 위어신 이베	아아, 천금을 머금으시어 넓으신 입에
백옥유리(白玉琉璃)ᄀᆞ티 ᄒᆡ여신 닛바래	백옥 유리 같이 흰 이에
인찬복성(人讚福盛)ᄒᆞ샤 미나거신 ᄐᆞᆨ애 (ᄐᆞᆨ: 턱)	사람들이 기리고 복이 성하시어 앞으로 나온 턱에
칠보(七寶) 계우샤 숙거신 엇게예 (칠보: 일곱 가지 보배 / 엇게: 어깨)	칠보를 못 이기어 숙이신 어깨에
길경(吉慶) 계우샤 늘의어신 ᄉᆞ맷길헤 (길경: 길함과 경사로움)	길함과 경사로움에 겨워서 굽어지신 소매길에
설믜 모도와 유덕(有德)하신 가ᄉᆞ매 (설믜: 슬기)	슬기 모이시어 덕이 있으신 가슴에
복지구족(福智俱足)ᄒᆞ샤 브르거신 ᄇᆡ예 (복지구족: 복과 지혜가 넉넉함 / ᄇᆡ: 배)	복과 지혜가 모두 넉넉하시어 부르신 배에
홍정(紅鞓) 계우샤 굽거신 허리예 (홍정: 붉은 허리띠)	붉은 허리띠에 겨워서 굽어지신 허리에
동락태평(同樂太平)ᄒᆞ샤 길어신 허튀예 (허튀: 하체)	태평함을 함께 즐겨 기나긴 다리에
아으 계면(界面) 도ᄅᆞ샤 넙거신 바래』 (계면: 슬프고 애타는 느낌을 주는 음조 → 지금 처용무를 추고 있음) 『 』: 비유적 표현을 활용하여 처용의 모습(처용 가면의 모습)을 자세히 묘사하고 있음 **Link** 표현상 특징 ❶ **› 처용무를 추는 처용의 모습**	아아, 계면조에 맞추어 춤추며 도는 넓으신 발에
누고 지ᅀᅥ 셰니오 누고 지ᅀᅥ 셰니오	누가 만들어 세웠는가? 누가 만들어 세웠는가?
바늘도 실도 어ᄢᅵ 바늘도 실도 어ᄢᅵ (동일 구절의 반복 - 운율 형성 **Link** 표현상 특징 ❹) (처용 아비를 만든 방법 - 처용 아비의 신이함에 대한 예찬)	바늘도 실도 없이 바늘도 실도 없이
처용(處容)아비ᄅᆞᆯ 누고 지ᅀᅥ 셰니오	처용 아비를 누가 만들어 세웠는가?
마아만 마아만 ᄒᆞ니여 (마아만 마아만: 많이도 많이도)	많고 많은 사람들이여
십이제국(十二諸國)이 모다 지ᅀᅥ 셰온 (처용 아비가 위대한 존재임을 드러냄)	열두 나라가 모이어 만들어 세운
아ᅀᅡ, 처용(處容) 아비ᄅᆞᆯ 마아만 마아만 ᄒᆞ니여	아아, 처용 아비를, 많고 많은 사람들이여
머자외 야자 녹리(綠李)야 ᄲᆞᆯ리나 내신 고ᄅᆞᆯ 야라 (머자외 야자: 버찌와 오얏 / 역신을 물리치기 위한 처용의 준비)	버찌야, 오얏아, 녹리야, 빨리 나와서 나의 신을 매어라
아니 옷 ᄆᆡ시면 나리어다 머ᄌᆞᆫ 말 → 위협적인 말투, 도치법 (머ᄌᆞᆫ: 궂은)	아니 매어 있으면 나올 것이다 재앙의 말

동경(東京) ᄇᆞᆯᄀᆞᆫ ᄃᆞ래 새도록 노니다가
드러 내자리를 보니 가ᄅᆞ리 네히로섀라
아으 둘흔 내해어니와 둘은 뉘해어니오 (뉘해: 열병대신을 가리킴)
어런 저긔 처용(處容)아비옷 보시면
『열병대신(熱病大神)이ᅀᅡ 회(膾)ㅅ가시로다』 (열병대신: 열병을 일으키는 귀신)
『천금(千金)을 주리여 처용(處容)아바
칠보(七寶)를 주리여 처용(處容)아바
천금(千金) 칠보(七寶)도 마오
열병신(熱病神)을 날자바 주쇼셔』
『산(山)이여 ᄆᆡ히여 천리외(千里外)예
처용(處容)아비를 어여녀거져』
아으 열병대신(熱病大神)의 발원(發願)이샷다 (발원: 신이나 부처에게 소원을 빎. 또는 그 소원)

향가 「처용가」를 인용함 **Link** 표현상 특징 ❷

『 』: 처용의 권능이 열병대신보다 우위에 있음

유사한 통사 구조의 반복 - 운율감 형성 **Link** 표현상 특징 ❹

『 』: 화자와 처용의 대화, 처용의 바람이 드러남 → 희곡적 요소 **Link** 표현상 특징 ❸

『 』: 열병대신의 바람 - 처용 아비를 피하고 싶음 **Link** 표현상 특징 ❸

> 열병대신을 물리칠 수 있는 처용 아비

신라 서울 밝은 달밤에 밤새도록 놀다가
돌아와 내 자리를 보니 다리가 넷이구나.
아아, 둘은 내 것이거니와, 둘은 누구의 것인가?
이런 때에 처용 아비가 곧 보시면
열병대신 따위야 횟감이로다.
천금을 줄까? 처용 아비여
칠보를 줄까? 처용 아비여
천금도 칠보도 다 말고
열병대신을 나에게 잡아 주소서.
산이나 들이나 천 리 먼 곳으로
처용 아비를 피해 가고 싶다.
아아, 열병대신의 소망이로다..

출제자 톡! 화자를 이해하라!

1 작품의 전승 과정은?
향가 「처용가」 → 고려 가요 「처용가」: 궁중의 잡귀를 쫓기 위한 의식과 결부되어 전승됨.

Link

출제자 톡! 표현상의 특징을 파악하라!

❶ 비유적 표현을 사용하여 처용의 모습을 묘사하고 있음.
❷ 향가 「처용가」의 내용을 인용하고 있음.
❸ 화자와 처용의 대화, 열병대신의 말을 제시하여 희곡적 요소를 띠고 있음.
❹ 동일 구절의 반복 및 유사한 통사 구조의 반복으로 운율감을 형성함.

최우선 출제 포인트!

1 향가 「처용가」의 계승과 변형

향가 「처용가」	고려 가요 「처용가」
처용이 역신을 몰아내는 축사의 내용	
• 향찰로 기록 • 역신과의 적극적 화해 및 적극적 관용의 태도	• 한자로 기록 • 처용의 모습이 자세히 묘사됨. • 희곡적 분위기가 강함. • 역신에 대한 처용의 태도가 강하게 드러남.

함께 볼 작품 주술적 요소가 포함되어 있는 작품: 처용, 「처용가」

최우선 핵심 Check!

1 신라 시대의 ㅎ ㄱ 인 「처용가」의 일부분이 들어 있으며, 처용희의 일부로서 가창되었다.

2 화자와 처용 아비의 대사 등을 통해 희곡적 요소를 찾을 수 있다. (O / ×)

3 역신에 대한 처용 아비의 적극적 화해 혹은 적극적 관용의 태도가 드러난다. (O / ×)

4 처용 아비는 열병대신을 가벼이 여기고 있고, 열병대신은 이러한 처용 아비를 피해 도망가고 싶어 한다.

정답 1. 향가 2. ○ 3. × 4. ○

337위 시집살이 노래 | 작자 미상

시집살이에 대한 노래

갈래 민요[부요(婦謠)] **성격** 해학적, 풍자적
주제 고된 시집살이의 한(恨)과 체념

언어유희와 해학적 표현 등을 통해 고된 시집살이를 해야 했던 부녀자들의 애환을 드러내고 있다.

형님 온다 / 형님 온다 / 분고개로 / 형님 온다 → 시집간 딸이 친정을 방문함
('a-a-b-a' 구조 - 운율감 형성 Link 표현상 특징 ❸ / 형님: 시집 간 사촌 언니 / 분고개: 지명)
형님 마중 누가 갈까 형님 동생 내가 가지 (내: 대화 상대자 - 사촌 동생)
형님 형님 사촌 형님 시집살이 어떱뎁까
(사촌 동생의 물음 - 시집살이에 대한 호기심 Link 표현상 특징 ❶)

> 기: 친정 온 형님에게 시집살이에 대해 물음(화자: 사촌 동생)

이애 이애 그 말 마라 시집살이 개집살이 (시집살이의 어려움을 해학적으로 표현함. 언어유희 Link 표현상 특징 ❷)
앞밭에는 당추 심고 뒷밭에는 고추 심어 (고추. 동어 반복을 피하고 운율을 살림)
고추 당추 맵다 해도 시집살이 더 맵더라 (다의어를 이용한 언어유희로 시집살이의 고통스러움을 표현)
둥글둥글 수박 식기(食器) 밥 담기도 어렵더라 (밥그릇이 수박처럼 둥글기 때문)
도리도리 도리소반(小盤) 수저 놓기 더 어렵더라 (둥글고 작은 밥상이라 수저가 잘 떨어지기 때문)
『오 리(五里) 물을 길어다가 십 리(十里) 방아 찧어다가
아홉 솥에 불을 때고 열두 방에 자리 걷고』 『 』: 고된 노동으로 인한 시집살이의 고달픔
외나무다리 어렵대야 시아버니같이 어려우랴 (시아버지 대하기가 외나무다리 건너기보다 조심스럽고 어렵다는 뜻)
나뭇잎이 푸르대야 시어머니보다 더 푸르랴 (시어머니의 서슬이 나뭇잎보다 더 푸르다는 뜻('서슬이 푸르다': 권세나 기세가 대단하다))
(비교, 대조, 설의적 표현)
『시아버니 호랑새요 시어머니 꾸중새요 (호랑새: 호랑이처럼 무서움 / 꾸중새: 꾸중을 많이 함)
동세 하나 할림새요 시누 하나 뾰족새요 (동세: 동서 / 할림새: 남의 잘못을 잘 고해바침 / 뾰족새: 성을 잘 냄)
시아지비 뾰중새요 남편 하나 미련새요 (시아지비: 시아주버니 / 뾰중새: 퉁명스러움 / 미련새: 어리석고 둔함)
자식 하난 우는 새요 나 하나만 썩는 샐세』 (우는 새: 칭얼거리고 떼를 씀 / 썩는 샐세: 시집살이에 속이 썩음)
『 』: 시집 식구들을 새에 비유하여 시집살이의 고달픔을 해학적으로 드러냄 Link 표현상 특징 ❷
귀먹어서 삼 년이요 눈 어두워 삼 년이요
말 못 해서 삼 년이요 석 삼 년을 살고 나니 (석 삼 년: 9년)
『배꽃 같던 요내 얼굴 호박꽃이 다 되었네
삼단 같던 요내 머리 비사리춤이 다 되었네 (비사리춤: 머리가 벗겨 놓은 싸리나무 껍질처럼 거칠다는 의미)
백옥 같던 요내 손길 오리발이 다 되었네』 (백옥: 아주 고운 무명)
○: 결혼 전의 아름다운 용모를 비유하는 자연물 ↔(대조) △: 결혼 후의 초라해진 용모를 비유하는 자연물
『 』: 대조적 표현을 사용하여 고된 시집살이를 겪은 화자의 모습을 드러냄. 유사한 통사 구조의 반복 Link 표현상 특징 ❸
『열새 무명 반물치마 눈물 씻기 다 젖었네 (반물치마: 짙은 남빛 치마)
두 폭붙이 행주치마 콧물 받기 다 젖었네』 『 』: 시집살이의 어려움이 단적으로 드러남

> 서: 고된 시집살이에 대한 한탄(화자: 형님)

『울었던가 말았던가 베갯머리 소(沼) 이겼네 (연못이 만들어질 만큼 눈물을 많이 흘림(과장법))
그것도 소이라고 거위 한 쌍 오리 한 쌍 ('자식들'을 비유함)
쌍쌍이 때 들어오네』 (때 들어오네: ① 때를 맞추어 들어오다. ② 떼 지어 들어오다. ③ 물에 떠 들어오다)
『 』: 고통스러운 시집살이를 자식들을 바라보며 견뎌 나가고 있다는 점을 비유적이고 해학적으로 표현함

> 결: 시집살이에 대한 해학적인 체념(화자: 형님)

출제자 톡! 화자를 이해하라!

1 **화자는 누구이고, 처한 상황은?**
화자는 고된 시집살이를 하다가 친정에 온 여인으로, 사촌 동생에게 시집살이에 대해 이야기하는 상황

2 **화자의 정서와 태도는?**
- 고된 시집살이에 대한 애달픔과 한스러움을 드러냄.
- 고된 시집살이에 대해 체념적 태도를 보임.

Link
출제자 톡! 표현상의 특징을 파악하라!

❶ 두 여인이 대화하는 형식으로 시상이 전개됨.
❷ 비유적 표현과 언어유희를 통한 해학적 표현이 돋보임.
❸ 'a-a-b-a' 구조와 유사한 통사 구조 반복을 통해 운율을 형성함.

최우선 출제 포인트!

1 대화를 통한 시상 전개

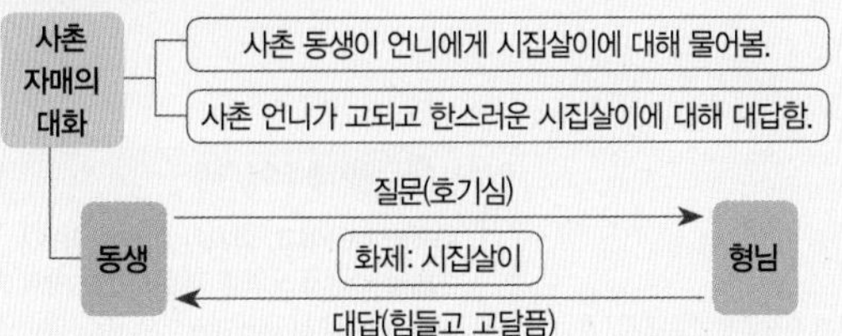

2 해학적 표현

시집 식구들의 성격을 가상의 새에 비유하여 표현함으로써 상황을 익살스럽고 해학적으로 표현하고 있다. 이 밖에 배꽃과 호박꽃, 삼단과 비사리춤, 백옥과 오리발 등의 대조를 통해 결혼 후 초라해진 자신의 모습을 과장하여 표현한 것 또한 해학적인 효과를 더하고 있다.

시아버지 = 호랑새, 시어머니 = 꾸중새, 동서 = 할림새, 시누 = 뾰족새, 시아주버니 = 뾰중새, 남편 = 미련새

함께 볼 작품 여인의 한스러운 생애를 노래한 작품: 허난설헌, 「규원가」

최우선 핵심 Check!

1 '시집살이 개집살이', '고추 당추' 등에서는 말장난을 이용해 해학성을 살린 ㅇㅇㅇㅎ가 나타난다.

2 〈결〉에서 ㄱㅇ, ㅇㄹ로 비유된 화자의 어린 자식들이 화자에게 다가오는 장면은 시집살이의 고달픔을 해학적으로 승화시킨 것이라고 볼 수 있다.

3 대화 형식을 활용하여 화자의 시집살이의 어려움을 구체적으로 드러내고 있다. (O / ×)

4 일상적인 언어를 통해 조선 시대 봉건 사회의 여성 차별을 비판하고 있다. (O / ×)

5 유사한 통사 구조의 반복을 통해 운율을 형성하고 있다. (O / ×)

6 시집 식구들을 '새'에 비유하여 각 인물들의 특징을 드러내고 있다. (O / ×)

정답 1. 언어유희 2. 거위, 오리 3. ○ 4. × 5. ○ 6. ○

1등급! 〈보기〉!

여성의 목소리가 드러나는 부요(婦謠)

남성 중심의 사회에서 여성은 오랫동안 모진 굴레와 억압에 강요된 삶에 시달려야 했기 때문에 그만큼 처절한 애환의 정서가 작품화될 수밖에 없었다. 이처럼 여성의 목소리로 여성의 삶을 노래한 작품을 '부요(婦謠)'라고 한다.

한편 개인의 의사는 전혀 고려되지 않은 채 혼인이 이루어졌던 과거의 전통은 사랑이 없는 결혼 생활, 고된 시집살이, 축첩(蓄妾)의 합법화에서 비롯된 첩과의 갈등, 재혼이 금지된 청상(靑孀)의 처지와 같은 부작용을 낳았으며, 이 중 가장 힘들고 어려운 체험이 '시집살이'였다. 따라서 부요에서 가장 큰 줄기를 이루는 것이 시집살이에 대한 노래이며, 이 노래는 여러 민요들 중에 독특한 서정미, 진실성, 아름다운 운율, 소박한 언어, 정제된 형식으로 그 질적인 우수성을 인정받고 있다.

논에서 김을 매면서 부르는 노래

338위 논매기 노래 | 작자 미상

갈래 민요, 노동요 **성격** 긍정적, 낙천적
주제 농사에 대한 기쁨과 농부로서 갖는 자부심

논에서 김을 맬 때 노동의 피로를 풀기 위하여 부르는 노래로, 농민들의 낙천적인 사고가 반영되어 있다.

잘하고 자로 하네 에히요 산이가 자로 하네

이봐라 농부야 내 말 듣소 이봐라 일꾼들 내 말 듣소 → 소리꾼의 선창(先唱)
선소리꾼이 노래를 시작하며 농부들의 관심을 유도함
잘하고 자로 하네 에히요 산이가 자로 하네 → 일하는 이들의 후창(後唱), 후렴구로 운율감 형성 **Link** 표현상 특징 ❶, ❷
(자로: 자주, 잘 / 에히요: 흥을 돋우는 감탄사 / 산이: 선(先)소리꾼)
> 일꾼들의 관심 유도

「하늘님이 주신 보배 편편옥토(片片沃土)가 이 아닌가」 (편편옥토: 어느 논이나 모두 비옥함)
「」: 좋은 농토에서 농사를 지을 수 있게 해 준 것에 감사함 → 낙천적 성격
잘하고 자로 하네 에히요 산이가 자로 하네
> 좋은 농토 예찬

물꼬 찰랑 돌아 놓고 쥔네 영감 어디 갔나 (쥔네: 주인네)
논에 물을 풍부하게 해 놓고 → 농사가 잘 되고 있음을 말함
잘하고 자로 하네 에히요 산이가 자로 하네
> 논매기 일에 대한 독려

잘한다 소리를 퍽 잘하면 질 가던 행인이 질 못 간다 (질: 길)
논매는 일보다 '잘한다'는 소리(후창)만 열심히 하면 길 가던 행인이 쳐다보느라 멈춘다는 의미
잘하고 자로 하네 에히요 산이가 자로 하네

잘하고 자로 하네 우리야 일꾼들 자로 한다
잘하고 자로 하네 에히요 산이가 자로 하네
> 논매기 노래의 흥겨움에 대한 자부심

이 논배미를 얼른 매고 저 논배미로 건너가세 (논배미: 논두렁으로 둘러싸인 논의 하나하나 구역)
작업을 독려하고 상부상조(相扶相助) 정신을 드러냄
잘하고 자로 하네 에히요 산이가 자로 하네

담송담송 닷 마지기 반달 만치만 남았구나 (담송담송: 음성 상징어의 사용 / 마지기: 논밭 넓이의 단위)
일이 얼마 남지 않았으니 빨리 서두르자는 의미
잘하고 자로 하네 에히요 산이가 자로 하네

「일락서산(日落西山)에 해는 지고 월출동령(月出東嶺)에 달 돋는다」 (일락서산: 해가 서산으로 지다 / 월출동령: 달이 동쪽 고개에서 돋아 온다)
「」: 의미의 반복과 대구의 형식으로 일을 서두르자는 의미를 강조함
잘하고 자로 하네 에히요 산이가 자로 하네 **Link** 표현상 특징 ❸
> 더욱 열심히 일하자는 일꾼들에 대한 독려

잘하고 자로 하네 에히요 산이가 자로 한다
잘하고 자로 하네 에히요 산이가 자로 하네

잘하고 못하는 건 우리야 일꾼들 솜씨로다
> 농부들의 솜씨에 대한 자부심

출제자 톡! 화자를 이해하라!

1 **화자가 누구이고, 화자가 처한 상황은?**
논일을 하면서 노래를 부르고 있는 농부들

2 **화자의 정서 및 태도는?**
긍정적이고 낙천적인 정서를 바탕으로 고된 일을 흥겹게 하고자 함.

Link

출제자 톡! 표현상의 특징을 파악하라!

❶ 선후창(先後唱)의 연창(聯唱) 형식을 취함.
❷ 4음보의 운율과 후렴구의 반복으로 리듬감을 형성함.
❸ 의미의 반복과 대구법을 통해 시적 의미를 강조해 줌.
❹ 경쾌한 리듬감이 있고 일이 진행될수록 노래의 속도가 빨라짐.

최우선 출제 포인트!

1 노래의 구조

선창(先唱)		후창(後唱)
선창자가 혼자 부름.		일하는 이들이 부름.
기(起)	관심 유도	잘하고 자로 하네 에히요 산이가 자로 하네 → 나머지 일꾼들이 같이 부름.
서(敍)	① 농토 예찬 ② 논매기 일에 대한 독려 ③ 논매기 노래의 흥겨움에 대한 자부심 ④ 일꾼들에 대한 독려	
결(結)	농부들의 자부심	

최우선 핵심 Check!

1 선창자가 앞소리를 부르고 후창자가 뒷소리를 부르는 방식으로 이루어져 있다. (○ / ×)

2 힘들고 고된 농사일을 하면서 먹을거리를 걱정해야 하는 비애감이 드러난다. (○ / ×)

3 의미 반복 및 대구법을 사용하여 일을 서두르자는 의미를 강조해 주고 있다. (○ / ×)

정답 1. ○ 2. × 3. ○

339위

슬프고 근심하는 마음이 가득한 노래

수심가(愁心歌) | 작자 미상

갈래 민요 **성격** 애상적
주제 임에 대한 간절한 그리움

평안도 지방에서 전해지는 대표적인 민요로, 사랑하는 임을 만나지 못하는 안타까움과 슬픔 그리고 임에 대한 간절한 그리움이 진솔하게 표현되어 있다.

이 몸이 번루(煩累)하여
번거로운 근심
「설상가상(雪上加霜)에 매화꽃이오 무릉도원에 범나비로구나」 「 」: 화자의 처지와 대비되는 봄날의 아름다운 풍경 Link 표현상 특징 ❶
눈 위에 서리가 덮인다는 뜻으로, 난처한 일이나 불행한 일이 잇따라 일어남을 이르는 말
건건사사로 님 그려 못 살겠네 ◯: 화자의 정서 표현
사사건건
「약사몽혼(若使夢魂)으로 행유적(行有跡)이면
만일 꿈속의 넋이 오간 길에 흔적이 남는다면
문전 석로(門前石路)가 반성사(半成砂)라」 「 」: 임에 대한 간절한 그리움을 과장하여 표현하여 화자의 정서를 강조함(이옥봉의 한시 「몽혼(夢魂)」에서 차용) Link 표현상 특징 ❸
임의 집 앞 돌길의 반은 모래가 되었으리라
창망(滄茫)한 구름 밖에 님의 소식이 망연(茫然)이로다
넓고 멀어서 아득한 / 매우 넓고 멀어서 아득함
우리네 두 사람이 연분은 아니오 원수로구나

만나기 어렵고 이별이 종종 잦아서 못살겠네
화자가 근심하는 이유
금수강산이 매우 좋다고 할지라도 님이 없으면 적막이로구나

차마 가산 정주가 가로막혀 나 못살겠네 차마 ~ 못살겠네(못살겠구나): 반복 → 운율감 형성, 화자의 답답한 정서 강조 Link 표현상 특징 ❷
임과 화자 사이를 가로막는 장애물 - 가산과 정주(평안북도의 지명)
인생이 죽어지면 만수장림(萬樹長林)에 운무(雲霧)로구나
많은 나무와 길게 뻗쳐 있는 숲 / 구름과 안개
아니 놀고 아니 쓰지는 못하리로다 / 따라라 따라라 날 따라 오려무나
반복을 통한 리듬감 형성
수화사지(水火死地)라도 날 따라 오려무나
물과 불 속 같은 죽을 지경의 매우 위험하고 위태한 곳
차마 진정 네 화용(花容) 그리워서 나 못살겠네
꽃처럼 아름다운 얼굴
오르며 내리며 조르는 경상(景狀)에
좋지 못한 몰골, 딱하고 가엾은 모습
말쑥한 냉수가 이내 목을 메는구나
깨끗한 냉수에도 목이 멤
차마 진정 가지로 기막혀 나 못살겠네
갈수록
님이 날 생각하고 오르며 내리며

「대성통곡에 얼마나 울었는지 / 큰길로 변해 한강수로구나」 「 」: 과장법 Link 표현상 특징 ❸
'큰 물로 변해'의 오기
차마 님의 생각이 간절하여 나 못살겠구나

모란봉 꼭대기에 칠성단을 무어놓고
칠원성군(북두칠성)을 모신 단 / 쌓아 놓고, 꾸며 놓고
노랑대가리 쥐 물어가라고 기도만 하누나
꼬마 신랑(비유) / 어서 자라서 신랑 구실하게 해 달라고
차마 가지로 서러워서 못살겠네

님이라 하는 것은 어느 장모님 따님이기에
화자가 남성임을 알 수 있음
잠들고 병들기까지는 못 잊겠구나
결코 잊을 수 없음을 강조
「잘 살아라 잘 살아라 옛정을 잊고 새 정을 고아서
반복을 통한 리듬감 형성 Link 표현상 특징 ❷
부디 평안하게 잘 살아라」 「 」: 화자의 임에 대한 당부

차마 진정 가지로 서러워서 못살겠네

› 임에 대한 깊은 그리움

출제 우선 작품

남산이 고와서 바라다 볼까요

님 계시기에 바라다 보지요

차마 진정 님의 화용(花容) 그리워 나 못살겠네

수로구나 수로구나 대천지 중에서도 원수로구나

'원수'의 '수'를 반복하여 리듬감 형성 - 언어유희

불구대천지원수(不俱戴天之怨讐) - 하늘을 같이 이지 못하는 원수라는 뜻으로, 이 세상에서 같이 살 수 없을 만큼 원한이 깊게 맺힌 원수를 비유적으로 이르는 말

남의나 님 정 두라는 것이 원수로구나

남의 임 / 처리하기 어려운 일이나 사건

사로구나 난사(難事)로구나 난사 중에서도 겹난사로구나

반복을 통한 리듬감 형성 **Link 표현상 특징 ❷**

남의 님에게 정 들여 놓고 살자고 하기도 겹난사로구나

차마 진정 가지로 서러워서 나 못살겠네

나를 조르다 병이 나신 몸이 제 병에 죽어도 내 탓이라는구나

차마 진정 나 못살겠네

> 임자가 있는 임을 사랑하는 심정

님의 집을 격장(隔墻)에 두고 보지 못하니

담 하나를 사이에 두고 이웃함

마음이 불안하고 사정치 못하니 나 죽겠구나

떠난 임이 돌아오지 않을까 염려하는 심정

님이 가실 제 오마고 하더니 가구나 영절(永絕)에 무소식이로구나

소식이나 관계 또는 생명이나 혈통 따위가 영원히 끊어져 아주 없어짐

차마 진정 나 죽겠구나

밤중마다 님의 생각 날 적에

분하고 한스러운 마음을 풂

어느 다정한 친구님 전에다 설분설한(雪憤雪恨)을 하잔 말인가

진달래를 비롯한 화초들 - 화자의 처지와 대비되는 자연물 **Link 표현상 특징 ❶**

남산을 바라보니 진달화초는 다 만발하였는데

허리 아래의 부분

옷동 짧고 아랫동 펑파짐한 아해야 날 살려라

위쪽 부분 / 옆으로 퍼진 모양이 동그스름하게 꽤 넓적하거나 평평하게 꽤 널찍한

『태산이 가로막힌 것은 천지간 조작이오

『 』: 임의 소식이 인위적 장애물로 인해 전달되지 못함

님의 소식 가로막힌 것은 인간 조작이로구나』

'대구법'을 사용하여 임을 그리워하는 화자의 심정을 표현함 **Link 표현상 특징 ❸**

차마 진정 못살겠네

남산 송죽에 홀로 앉아 우는 저 뻐꾹새야

임을 떠올리게 하는 소재 - 임에 대한 그리움을 부각함

님 죽은 혼령이거든 네 아닌 불상하단 말인가

차마 가지록 님의 생각 그리워 나 못살겠구나

갈수록

풍진 소식 막래전(莫來傳)하고

세상 소식을 전하지 말고

가는 춘풍을 더위잡으란 말인가

움켜잡으란

차마 진정 나 못살겠구나

천리 원정에 님 이별하고

천리나 되는 먼 길

곡귀강남(哭歸江南)으로 나 돌아간다

울면서 강남으로 돌아감

차마 진정코 나 못살겠네

우수 경칩에 대동강 풀리더니

이십사절기의 하나. 우수는 양력 2월 18일경, 경칩은 양력 3월 5일경

정든 님 말씀에 요내 속 풀니는구나
차마 진정 님의 생각 그리워 나 못살겠구나
강촌의 일일에 환수생(生)하니
강촌의 하루하루 / 나무가 다시 살아나니
강풀만 푸르러도 님 생각이라
차마 진정 님 생각 간절하여 나 못살겠구나
비나이다 비나이다 하느님 전에 비는 수로구나
간 곳마다 님 생겨 달라고 비는 수로구나
심사가 울울(鬱鬱)하여 나 못살겠네 ➤ 임의 소식을 알 수가 없어 답답함
마음이 상쾌하지 않고 매우 답답하여

(후략)

출제자 톡! 화자를 이해하라!

1 **화자는 누구이고, 화자가 처한 상황은?**
사랑하는 임과 헤어져 임을 생각하는 '나'

2 **화자의 정서 및 태도는?**
- 임과 헤어진 자신의 처지를 한탄하고 있음.
- 임에 대한 그리움과 슬픔, 안타까움 등을 드러냄.

Link

출제자 톡! 표현상의 특징을 파악하라!

❶ 화자의 처지와 대비되는 아름다운 봄날의 풍경을 제시하여 화자의 처지를 부각시킴.
❷ 특정한 어구의 반복을 통해 리듬감을 형성함.
❸ 과장적 표현을 사용하여 화자의 정서를 강조함.
❹ 독백체의 어조와 대상에게 말을 건네는 듯한 어조가 동시에 나타남.
❺ 대구법을 사용하여 화자의 정서를 강조함.

최우선 출제 포인트!

1 표현상의 특징과 효과

구분	내용	효과
과장	문전 석로(門前石路)가 반성사(半成砂)라 / 대성통곡에 ~ 큰길로 변해 한강수로구나	임에 대한 그리움 강조
대구	태산이 가로막힌 것은 천지간 조작이오 / 님의 소식 가로막힌 것은 인간 조작이로구나	임에 대한 그리움 강조
특정한 어구 반복	차마 ~ 못살겠네(못살겠구나)	리듬감 형성
시어의 반복	• 따라라 따라라 날 따라 오려무나 / 수화사지라도 날 따라 오려무나 • 잘 살아라 잘 살아라 옛정을 잊고 새 정을 고아서 / 부디 평안하게 잘 살아라 • 수로구나 수로구나 대천지 중에서도 원수로구나 / 남의나 님 정 두라는 것이 원수로구나 • 사로구나 난사로구나 난사 중에도 겹난사로구나 / 남의 님에게 정 들여 놓고 살자고 하기도 겹난사로구나 • 비나이다 비나이다 하느님 전에 비는 수로구나 / 간 곳마다 님 생겨 달라고 비는 수로구나	리듬감 형성

최우선 핵심 Check!

1 'ㅃㄲㅅ'는 임을 떠올리게 하는 자연물로, 화자의 정서를 부각하는 역할을 한다.

2 화자는 사랑하는 임을 떠나보내야 하는 상황에 놓여 있다. (O / ×)

3 독백체의 어조와 대상에게 말을 건네는 듯한 어조가 동시에 나타난다. (O / ×)

4 화자는 다른 사람과의 비교를 통해 자신의 외로운 처지를 더욱 부각하고 있다. (O / ×)

5 '차마 ~ 못살겠네(못살겠구나)'를 반복하여 리듬감을 형성하는 동시에 화자의 정서를 강조하고 있다. (O / ×)

6 화자는 자신을 떠난 임이 언젠가는 돌아올 것이라고 확신하고 있다. (O / ×)

정답 1. 뻐꾹새 2. × 3. ○ 4. × 5. ○ 6. ×

340위

경상남도 밀양 지역의 아리랑

밀양 아리랑 | 작자 미상

갈래 민요 **성격** 서정적, 적층적
주제 청춘 남녀 간의 사랑과 애환과 돈만을 중시하는 세태 풍자

우리나라 3대 아리랑 중 하나로, 사랑하는 사람을 대하는 애틋한 정서가 다양한 표현법을 통해 드러나고 있다.

날 좀 보소 날 좀 보소 날 좀 보소
(화자의 적극적이고 직설적인 표현, 반복법 Link 표현상 특징 ❶)
동지섣달 꽃 본 듯이 날 좀 보소 (선창)
(자신을 귀하고 소중하게 여기며 반가이 맞아 주길 바라는 심정)
「아리아리랑 쓰리쓰리랑 아라리가 났네
(「」: 후창 - 각 연마다 동일하게 반복, 흥을 돋우고 리듬감을 형성함 Link 표현상 특징 ❶, ❷)
아리랑 고개로 넘어간다」
> 임의 사랑과 관심을 얻고자 하는 간절한 소망

(님녀가 유별한 조선 시대 사회상이 나타남)
정든 임이 오시는데 인사를 못 해
(부엌일을 할 때 덧입는 작은 치마)
행주치마 입에 물고 입만 방긋
(화자의 애틋한 마음을 함축적으로 표현)
아리아리랑 쓰리쓰리랑 아라리가 났네
아리랑 고개로 넘어간다
> 임에 대한 애틋한 마음

울 너머 총각의 각피리 소리
(울타리) (동물의 뿔을 이용해 만든 피리)
물 긷는 처녀의 한숨 소리 (대구법)
(울타리를 사이에 두고 사랑하는 마음을 전하지 못하는 안타까운 마음)
아리아리랑 쓰리쓰리랑 아라리가 났네
아리랑 고개로 넘어간다
> 젊은 처녀의 애틋한 심정

늬가 잘나 내가 잘나 그 누가 잘나
(종이돈, 지폐)
구리 백통 지전이라야 일색이지
(1~3연과 이질적인 내용 - 구전되면서 첨가된 것으로 볼 수 있음(적층성) Link 표현상 특징 ❸)
(관련 속담 - 돈만 있으면 개도 멍첨지)
아리아리랑 쓰리쓰리랑 아라리가 났네
아리랑 고개로 넘어간다
> 돈을 중시하는 세태 풍자

출제자 특! 화자를 이해하라!

1 **화자의 정서 및 태도는?**
임이 화자를 봐 주기를 바라면서도 부끄러움을 타고 있음. 4연에서는 물질만능주의를 비판하고 있음.

Link

출제자 특! 표현상의 특징을 파악하라!

❶ 비유법, 대구법, 반복법 등 다양한 표현 기법을 사용함
❷ 선후창의 연창(連唱) 형식을 취함.
❸ 이질적 내용들이 서로 묶인 것을 통해 적층의 성격을 지녔음을 알 수 있음.

최우선 출제 포인트!

1 작품의 적층성

이 작품은 1연과 2 · 3연의 화자의 태도가 서로 다르며, 1~3연의 내용과 4연의 내용이 이질적이다. 이는 이 노래가 입에서 입으로 전승되며 다양한 체험이 쌓여 형성된 적층 문학의 성격을 가지고 있기 때문이다.

연	내용	
1연	상대방에 대한 적극적인 애정	화자의 태도가 서로 다름. (1연 / 2·3연)
2연	상대방에 대한 소극적인 애정	
3연	서로의 감정을 솔직하게 드러내지 못하는 안타까움.	
4연	돈을 중시하는 당시의 세태를 풍자함.	내용이 이질적임. (1~3연 / 4연)

함께 볼 작품 우리나라 3대 아리랑 중 두 개 작품: 작자 미상, 「정선 아리랑」, 「진도 아리랑」

최우선 핵심 Check!

1 〈1연〉의 '동지섣달 꽃'은 '귀하고 소중한 존재'를 비유한다. (○ / ×)

2 구절의 반복, 대구법을 통해 운율을 형성하고 있다. (○ / ×)

3 후창 부분의 후렴구를 통해 리듬감을 살리고, 시의 주제를 강조하고 있다. (○ / ×)

4 〈1~3연〉은 청춘 남녀의 ㅇㅈ이 주로 드러나는 데 비해, 〈4연〉은 물질 중심의 세태를 풍자하고 있는데, 이것은 이 작품이 오랜 시간 구전되는 동안 내용이 첨삭되면서 그 시대에 맞게 새로운 내용이 덧붙여졌기 때문이다.

정답 1. ○ 2. ○ 3. × 4. 애정

341위

베틀에 앉아 베를 짜며 부르는 노래

베틀 노래 | 작자 미상

갈래 민요[노동요, 부요(婦謠)] **성격** 낙천적
주제 베를 짜는 과정과 가족애

강원도 통천 지방에 전해지는 노동요로, 고된 생활 속에서도 베를 짜면서 낭만과 흥을 잃지 않았던 옛 여인들의 삶의 모습이 담겨 있다.

□: '갈'과 '올'을 반복하는 언어유희(발음의 유사성 이용)를 통해 흥을 돋움 Link 표현상 특징 ❷

기심 매러 갈 적에는 갈뽕을 따 가지고
기심 매고 올 적에는 올뽕을 따 가지고
(기심: 김. 논밭에 난 잡풀 / 대구법, 반복법 → 운율 형성 Link 표현상 특징 ❸)
› 김매러 오가며 뽕잎을 땀

삼간방에 누어 놓고 청실홍실 뽑아내서
「강릉 가서 날아다가 서울 가서 매어다가
하늘에다 베틀 놓고 구름 속에 이매 걸어」
(삼간방: 세 칸 방 / 누어: 누에 / 청실홍실: 색채 이미지 / ▒: 베짜기의 과정을 시간 순서에 따라 노래함 Link 표현상 특징 ❶ / 날아다가~매어다가: 베 짜기를 준비하는 과정 / 「 」: 베 짜기의 과정을 환상적으로 표현함 → 힘든 노동의 상황에서도 낭만적 여유를 잃지 않는 낙천적 태도를 보여 줌 Link 표현상 특징 ❹)

함경나무 바디집에 오리나무 북에다가
짜궁짜궁 짜아 내어 가지잎과 뭅거워라
(자신을 '선녀(직녀)'에 비유함 / 바디집: 베틀에 딸린 기구인 바디를 베틀에 끼우는 테 / 뭅: 명주실의 한 바람(길이의 단위)을 세는 단위 / 짜궁짜궁: 베 짜는 소리(음성 상징어)로 현장감을 살림 Link 표현상 특징 ❺)
› 실을 뽑아서 베를 짬

「배꽃같이 바래워서 참외같이 올 짓고
「외씨같은 보선 지어」 오빠님께 드리고
겹옷 짓고 솜옷 지어 우리 부모 드리겠네」
(「 」: 직유법 / 바래워서: 표백하여 / 보선: 버선 / 「 」: 화자의 가족에 대한 사랑과 정성 → 가족을 배려하는 민중의 생활 감정이 드러남)
› 가족을 위해 버선과 옷을 지으려 함

출제자 톡! 화자를 이해하라!

1 **화자는 누구이고, 화자가 처한 상황은?**
베틀을 이용하여 베를 짜고 있는 여인

2 **화자의 정서 및 태도는?**
힘든 노동 속에서도 긍정적 태도로 여유와 가족애를 보이고 있음.

Link
출제자 톡! 표현상의 특징을 파악하라!

❶ 뽕잎을 따는 데서 옷을 짓기까지의 과정을 시간 순서대로 노래함.
❷ 언어유희를 통해 흥을 돋움.
❸ 대구법과 반복법을 사용하여 운율을 형성함.
❹ 베 짜기의 과정을 환상적으로 표현하여 화자의 태도를 드러내 줌.
❺ 음성 상징어를 활용하여 현장감을 줌.

- **날아다가**: 베틀에 실을 걸어다가.
- **매어다가**: 달아놓은 날실에 풀을 먹이고 고루 다듬어 말리어 감아다가.
- **이매**: 잉아. 베틀의 세로로 늘어뜨려진 실을 끌어 올리도록 맨 굵은 줄.
- **북**: 베틀에서 날실의 틈으로 왔다갔다 하면서 씨실을 푸는 배 모양의 기구.

최우선 출제 포인트!

1 시상 전개 방식 – 추보식 구성

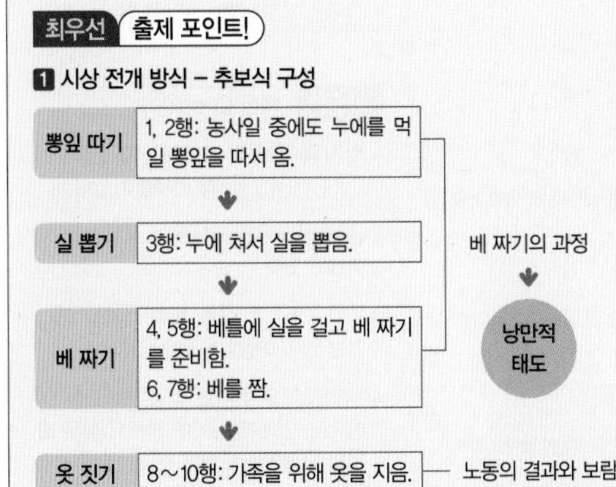

뽕잎 따기
1, 2행: 농사일 중에도 누에를 먹일 뽕잎을 따서 옴.
실 뽑기
3행: 누에 쳐서 실을 뽑음.
베 짜기
4, 5행: 베틀에 실을 걸고 베 짜기를 준비함.
6, 7행: 베를 짬.
옷 짓기
8~10행: 가족을 위해 옷을 지음.
베 짜기의 과정
낭만적 태도
노동의 결과와 보람

최우선 핵심 Check!

1 베 짜기의 고달픔과 지루함을 덜기 위해 부르던 ㄴㄷㅇ이다.

2 〈1, 2행〉에서는 '갈'과 '올'을 의도적으로 반복시킨 ㅇㅇㅇㅎ를 통해 흥을 돋우고 있다.

3 〈3행〉에서는 색채 이미지를 사용하여 표현의 효과를 높이고 있다. (O / ×)

4 〈4, 5행〉에서는 베 짜기의 과정을 환상적으로 표현하여 화자의 낙천적 태도를 드러내고 있다. (O / ×)

5 〈9, 10행〉에서 화자는 베 짜기의 결과로 얻을 경제적 이득을 상기하여 노동의 고달픔을 잊어 보고자 한다. (O / ×)

정답 1. 노동요 2. 언어유희 3. ○ 4. ○ 5. ×

342위

원산에서 불린 아리랑 노래

원산 아리랑(신고산 타령) | 작자 미상

갈래 민요 **성격** 서정적, 애상적
주제 임에 대한 그리움과 자신의 처지 한탄
시대 조선 후기

함경도 원산 지방에서 불리는 노래로, 임에 대한 그리움과 임을 보낸 화자 자신의 처지에 대한 한탄을 노래하고 있다.

[음영]: 음성 상징어를 사용하여 생동감을 부여함 Link 표현상 특징 ❷

[네모]: 청각적 이미지를 활용하여 시적 상황을 부각함

신고산이 우루루 함흥 차 가는 소리에
(기차 소리 - 이 노래가 근대화 시기에 불리어졌음을 엿볼 수 있음)
구고산 큰애기 반봇짐만 싼다
('함흥 차 가는 소리'를 듣고 '반봇짐'을 쌈 → 임이 떠날 시간이 임박함)
어랑어랑 어허야 어야 더야 내 사랑아
(후렴구 - 운율을 형성하고 흥을 돋우는 역할을 함 Link 표현상 특징 ❶)

(서울과 원산을 잇는 철로인 경원선에 '신고산'이라는 역이 생기면서, 그 역에서 멀지 않은 곳에 있던 고산은 '구고산'이라 불리게 됨.)

> 1연: 기차를 타고 떠나려는 임

(으스스하고 쓸쓸하니)
가을바람 소슬하니 낙엽이 우수수 시고요
(애상적 분위기를 형성함)
귀뚜라미 슬피 울어 남은 간장 다 썩이네
(화자의 슬픔을 심화시키는 존재)
어랑어랑 어허야 어야 더야 내 사랑아

[음영]: 감정 이입의 대상 Link 표현상 특징 ❸

휘늘어진 낙락장송 휘어 덥석 잡고요
(가지가 길게 축축 늘어진 키가 큰 소나무 - 화자의 시름을 풀 수 있는 대상)
애달픈 이내 진정 하소연이나 할까나
(화자의 정서가 직접적으로 표출됨)
어랑어랑 어허야 어야 더야 내 사랑아

(우리나라에서 가장 험한 산골인 삼수와 갑산)
삼수갑산 머루 다래는 얽으러 섥으러졌는데
(구절의 반복 - 운율감 형성)
나는 언제 임을 얽으래 섥으러지느냐
(임과 이별한 자신의 신세에 대한 한탄)
어랑어랑 어허야 어야 더야 내 사랑아

[세모]: 화자 처지와 대비되는 소재 Link 표현상 특징 ❹

[동그라미]: 구절의 반복 - 운율감 형성

> 2~4연: 떠난 임을 기다리는 화자

『상갯골 큰애기 정든 임 오기만 기다리고
(임이 돌아오기를 바라는 간절함이 드러남)
삼천만 우리 동포 통일되기만 기다린다』
어랑어랑 어허야 어야 더야 내 사랑아

(『 』: 대구적 표현을 활용하여 남녀 간의 사랑뿐만 아니라 집단 차원의 소망이라는 시적 의미를 강조함 Link 표현상 특징 ❺)

> 임을 기다리는 화자의 모습과 통일을 기다리는 우리 민족의 모습

가지 마라 잡은 손 야멸차게 떼치고
(임이 여성임을 드러내 줌 / 떠나는 임을 붙잡는 화자를 떨쳐 내는 임의 태도가 드러남)
갑사댕기 팔라당 후치령 고개를 넘노다
(함경남도 풍산군과 북청군을 잇는 고개)
어랑어랑 어허야 어야 더야 내 사랑아

> 화자를 떠나는 임의 모습

울적한 심회를 풀 길이 없어 나왔더니
(임이 떠난 데서 오는 정서를 드러냄)
처량한 산새들은 비비배배 우노나
(화자의 슬픔을 드러낸 대상)
어랑어랑 어허야 어야 더야 내 사랑아

> 떠난 임 때문에 울적한 화자

출제자 톡! 화자를 이해하라!

1 화자는 누구이고, 화자가 처한 상황은?
임을 떠나보낸 뒤 힘겨워하는 화자

2 화자의 정서 및 태도는?
- 임을 떠나보낸 뒤 슬픔에 잠겨 있음.
- 임이 돌아오기를 간절히 기다림.
- 임과 이별한 자신의 처지에 대한 한탄이 느러남.

Link

출제자 톡! 표현상의 특징을 파악하라!

❶ 후렴구의 반복을 통해 운율을 형성함.
❷ 음성 상징어를 사용하여 생동감을 자아냄.
❸ 객관적 상관물을 통해 화자의 정서를 드러냄.
❹ 화자의 처지와 대비되는 자연물을 통해 화자의 처지를 부각함.
❺ 대구법을 사용하여 시적 의미를 강조함.

최우선 출제 포인트!

1 소재의 역할

소재	소재의 역할
가을바람, 낙엽	애상적 분위기를 조성하는 역할을 함.
귀뚜라미, 산새들	화자의 정서를 드러내 주는 역할을 함. – 감정 이입의 대상
낙락장송	임과 이별한 화자가 시름을 풀 수 있게 해 주는 역할
머루 다래	임과 이별한 화자의 처지와 대비되는 역할을 함.

최우선 핵심 Check!

1 화자의 감정이 이입된 자연물에는 'ㄱㄸㄹㅁ'와 '산새들'이 있다.

2 음성 상징어를 사용하여 생동감을 자아내고 있다. (○ / ×)

3 'ㄱㅅㄷㄱ'를 통해 화자를 떠나가는 임이 여성임을 알 수 있다.

4 '낙락장송'은 화자와 임을 매개하는 대상으로, 임에게 소식을 전하고 싶은 화자의 간절함을 드러내 준다. (○ / ×)

정답 1. 귀뚜라미 2. ○ 3. 갑사댕기 4. ×

343위

임과 이별하며 부른 노래

이별요(離別謠) | 작자 미상

갈래 민요 **성격** 애상적, 연정적
주제 떠난 임에 대한 그리움 **시대** 조선 후기

화자는 다시 돌아오지 못할 곳으로 가 버린 임을 그리워하며 자신 역시 임이 떠난 곳으로 따라가고 싶다는 마음을 드러내고 있다.

「님아 님아 우리 님아 (: 'a-a-b-a' 구조 – 임을 향한 화자의 간절한 마음 강조 **Link** 표현상 특징 ❹)
이제 가면 언제 올지」 (「」: 임과 이별할 상황에 있는 화자의 처지가 드러남)
「병풍에 그린 닭이 (「」: 불가능한 상황을 설정하여 시상을 전개 – 임이 다시 오기 어려움을 강조. 대구법, 유사한 통사 구조 반복 **Link** 표현상 특징 ❶, ❷)
꼭교 울면 다시 올래 (꼬끼오. 음성 상징어)
옹솥에 삶은 밤이 (옹기로 만든 솥)
싹이 나면 다시 올래
고목나무 새싹 돋아
꽃이 피면 다시 올래」 › 다시 오기 어려운 곳으로 떠난 임
님아 님아 우리 님아
「병자년 보리 흉년에
장내 장아리 웃장 당그며
잔 엿가래 굵은 엿가래 (화자에 대한 임의 정성을 드러내는 소재)
사다 주던 우리 님아」 (「」: 임과 함께한 과거를 떠올림 – 임을 그리워하는 화자의 심정)
어데 가서 올 줄도 모르는고 (떠난 임이 오지 않는 것에 대한 안타까움)
「용 가는 데 구름 가고 (「」: '임'과 화자 자신의 관계를 자연 현상에 비유함 – 임과 함께하고 싶은 간절한 마음 강조. 대구법, 유사한 통사 구조 반복 **Link** 표현상 특징 ❷, ❸)
비 가는 데 바람 가고
님 가는 데 나는 가오」 › 임과의 추억과 임을 따라가고 싶은 마음

출제자 톡! 화자를 이해하라!

1 **화자는 누구이고, 화자가 처한 상황은?**
임을 떠나보낸 상황에 처해 있는 '나'

2 **화자의 정서 및 태도는?**
- 과거를 회상하며 임을 그리워하고 있음.
- 임이 오지 않는 것에 대한 안타까움을 드러냄.
- 임과 함께하고 싶은 간절한 마음을 드러냄.

Link
출제자 톡! 표현상의 특징을 파악하라!

❶ 불가능한 상황을 설정하여 임이 다시 오기 어려움을 강조함.
❷ 대구법, 유사한 통사 구조의 반복을 통해 운율을 형성하며 의미를 강조함.
❸ 비유적 표현을 사용하여 '임'과 화자의 관계를 드러냄.
❹ 'a-a-b-a' 구조를 반복하여 임에 대한 화자의 간절한 마음을 강조함.

최우선 출제 포인트!

1 불가능한 상황의 설정

- 병풍의 그린 닭이 꼭교 울면
- 옹솥에 삶은 밤이 싹이 나면
- 고목나무 새싹 돋아 꽃이 피면

→ 임이 다시 오기 어려움을 강조함.

2 비유적 표현

- 용 가는 데 구름 가고
- 비 가는 데 바람 가고

→ 임과 함께하고 싶은 마음을 강조함.

최우선 핵심 Check!

1 불가능한 상황을 설정하여 임이 오기 어려움을 강조하고 있다. (○ / ×)

2 대구법, 공감각적 이미지를 사용하여 임의 모습을 구체적으로 형상화하고 있다. (○ / ×)

3 화자는 과거를 떠올리며 임에 대한 그리움을 드러내고 있다. (○ / ×)

4 화자는 '임'과 자신의 관계를 자연 현상에 빗대어 임과 함께하고 싶은 마음을 강조하고 있다. (○ / ×)

정답 1. ○ 2. × 3. ○ 4. ○

344위

방물을 주며 떠나려는 낭군을 붙잡으려는 여인의 노래

방물가(房物歌) | 작자 미상

갈래 민요 **성격** 의지적, 회유적
주제 이별을 앞둔 남녀의 갈등 **시대** 조선 후기

조선 후기의 잡가 중 하나로, 이별을 거부하는 여성과 여러 가지 방물로 여성을 회유하려는 남성의 대화로 이루어져 있다.

(여성 화자)

서방님 정(情) 떼고 정(正) 이별한대도 날 버리고 못 가리라.
(임과의 이별에 대한 거부 의지가 드러남) (→ 여성 화자의 말)
금일 송군(送君) 임 가는 데 백년 소첩(百年小妾) 나도 가오.
(오늘 낭군을 보냄 - 임과 이별하는 상황에 처해 있음) (평생 임과 함께하려는 마음을 드러냄)
날 다려 날 다려 날 다려가오. 한양 낭군님 날 다려가오.
(시구를 반복하여 운율감을 형성하고 임과 헤어지기 싫은 마음을 강조함 Link 표현상 특징 ❸)
나는 죽네 나는 죽네 임자로 하여 나는 죽네.
('a-a-b-a' 구조 - 이별을 겪는 여성 화자의 절망감 강조 Link 표현상 특징 ❷)

> 이별을 거부하는 여성 화자

(여성 화자와 남성 화자의 대화 형식으로 시상을 전개함 Link 표현상 특징 ❶)

(남성 화자)

네 무엇을 달라고 하느냐. 네 소원을 다 일러라. (→ 남성 화자의 말)
(방물을 주고 여성과 헤어지려는 남성 화자의 의중을 엿볼 수 있음)
「제일명당 터를 닦아 고대광실(高臺廣室) 높은 집에
(매우 크고 좋은 집)
내외 분합(分閤) 물림퇴며 고불도리 선자(扇子)추녀 헝덩그렇게
(대청과 방 사이 또는 대청 앞쪽에 다는 네 쪽 문) (서까래를 부챗살 모양으로 댄 추녀)
지어나 주랴.」 (「」: 남성 화자의 제안 ① - 좋은 집을 지어주겠다고 함)

네 무엇을 달라고 하느냐. 네 소원을 다 일러라. (: 동일한 시구의 반복 - 화자의 태도 강조, 운율감 형성 Link 표현상 특징 ❸)
「연지분 주랴. 면경 석경 주랴 옥지환(玉指環) 금봉차(金鳳釵) 화
(주로 얼굴을 비추어 보는 작은 거울) (옥가락지) (금으로 봉황을 새긴 비녀)
관주(花冠珠) 딴 머리 칠보(七寶) 족두리 하여나 주랴.」 (「」: 남성 화자의 제안 ② - 각종 방물을 주겠다고 함. 열거법 Link 표현상 특징 ❹)
(구슬로 만든 화관) (부녀자들이 예복을 입을 때에 머리에 얹던 관의 하나)
네 무엇을 달라고 하느냐. 네 소원을 다 일러라. 「세간치레를 하
(세간으로 집 안을 꾸밈)
여나 주랴.

용장(龍欌) 봉장(鳳欌) 귓도리 책상이며 자개 함롱(函籠) 반다지
(용의 모양을 새긴 옷장과 봉황의 모양을 새긴 옷장) (자개를 붙인 옷을 넣는, 큰 함처럼 생긴 농)
삼층
각계수리 이층 들미장에 원앙금침(鴛鴦衾枕) 잣베게
(원앙을 수놓은 이불과 베개) (색색의 헝겊 조각을 조그맣게 고깔로 접어 돌려 가며 꿰매 붙여 마구리의 무늬가 잣 모양으로 되게 만든 베개)
샛별 같은 쌍요강 발치 발치 던져나 주랴.」 (「」: 남성 화자의 제안 ③ - 가재도구를 마련해 주겠다고 함. 열거법 Link 표현상 특징 ❹)
(누울 때 발이 가는 쪽)
네 무엇을 달라고 하느냐. 네 소원을 다 일러라. 「의복 치레를 하
여나 주랴.

보라 항릉(亢綾) 속저고리 도리볼수 겉저고리 남문대단 잔솔치마
백방수화주 고장바지 물면주 단속곳에 고양 나이 속버선에 몽고
('고쟁이'의 방언)
삼승 겉버선에
자지 상직 수당혜(繡唐鞋)를 명례궁(明禮宮) 안에 맞추어 주랴.」 (「」: 남성 화자의 제안 ④ - 각종 의복을 마련해 주겠다고 함. 열거법 Link 표현상 특징 ❹)
(수놓은 비단으로 신울(신발의 양쪽 가에 댄, 발등까지 올라오는 부분)을 만든 신발) ('덕수궁'의 옛 이름. 칠궁의 하나)
네 무엇을 달라고 하느냐. 네 소원을 다 일러라. 「노리개 치레를
하여나 주랴.

은(銀)조로롱 금(金)조로롱 산호(珊瑚)가지 밀화불수(蜜花佛手)
(부처의 손 모양으로 만든 보석 노리개)
밀화장도(蜜花粧刀) 곁칼이며 삼천주 바둑실을 남산더미만큼 하
(밀화로 꾸민, 주머니 속에 넣거나 옷고름에 늘 차고 다니는 칼집이 있는 작은 칼) (과장법을 통해 자신의 제안을 강조함)
여나 주랴.」 (「」: 남성 화자의 제안 ⑤ - 각종 노리개(방물)를 마련해 주겠다고 함. 열거법 Link 표현상 특징 ❹)

> 갖은 방물과 잡화로 여성을 달래는 남성 화자

여성 화자

『나는 싫소 나는 싫소 아무것도 나는 싫소. → 여성 화자의 말
남성의 제안에 대한 거부. 물질보다 사랑을 중요하게 생각하는 태도 강조- 'a-a-b-a' 구조 Link 표현상 특징 ❷
고대광실도 나는 싫고 금의옥식(錦衣玉食)도 나는 싫소.
비단옷과 흰쌀밥이라는 뜻으로, 호화스럽고 사치스러운 생활을 이르는 말
워낭충충 걷는 말에 마부담(馬負擔) 하여 날 다려가오.』
말에 얹음

『 』: 남성이 제안하는 모든 것을 거부하고 임과 함께하고 싶어 하는 마음을 드러내는 여성

> 남성 화자의 제안을 거부하고 함께 가기 바라는 여성 화자

출제자 톡! 화자를 이해하라!

1 **화자는 누구이고, 화자가 처한 상황은?**
이별을 거부하는 여성 화자와 방물로 여성 화자를 회유하려는 남성 화자

2 **화자의 정서 및 모습은?**
- 여성 화자는 남성 화자와의 이별을 거부하는 의지적 태도를 보임.
- 남성 화자는 여성 화자를 달래려는 회유적 태도를 보임.

Link

출제자 톡! 표현상의 특징을 파악하라!

❶ 남성 화자와 여성 화자의 대화 형식으로 시상을 전개함.

❷ 'a-a-b-a' 구조를 통해 화자의 태도를 강조함.

❸ 동일 시구의 반복으로 운율을 형성하여 대상에 대한 화자의 태도를 드러냄.

❹ 방물과 잡화 등 각종 사물을 열거하여 제시함.

최우선 출제 포인트!

1 시상 전개 방식

여성 화자		남성 화자		여성 화자
이별을 거부하고 떠나는 임과 함께 하고 싶음.	→	이별을 거부하는 여성 화자에게 갖은 방물과 잡화를 줄 것을 제안하고 있음.	→	남성 화자의 제안을 거부하고, 남성 화자와 함께 하고 싶은 마음을 드러냄.

남녀 간의 대화 형식

최우선 핵심 Check!

1 여성 화자와 남성 화자의 대화 형식으로 시상을 전개하고 있다. (O / ×)

2 남성 화자가 값비싼 방물 등을 제안하는 것은 이별의 아픔을 잊고자 하는 인식이 내재된 것이라 할 수 있다. (O / ×)

3 남성 화자의 제안을 거절하는 여성 화자의 모습은 물질보다 사랑을 우선시하는 모습이라 할 수 있다. (O / ×)

정답 1. ○ 2. × 3. ○

1등급! 〈보기〉!

「방물가」의 이해

경기 12잡가 중 하나인 이 작품은, 임과 이별하고 싶어 하지 않는 애절한 여인과 애절함과 여인을 데려가지 않는 대신 갖은 방물((여자가 쓰는 화장품, 바느질 기구, 패물 등의 물건)을 주겠다는 남자와의 갈등이 드러나 있다. 이 작품에서 남자는 자신을 따라가겠다고 하는 여인의 요구를 물질에 대한 요구로 전환한 뒤, 크고 좋은 집과 값비싼 방물들을 제시하며 여인을 회유하려 하지만, 여인은 좋은 옷과 맛있는 음식도 싫다며 자신을 데려가라고 하고 있다. 한편 남자가 여인에게 주려 하는 방울들은 값비싸고 화려한 물건들인데, 이는 흥미로운 요소들을 통해 청자의 관심을 유도하고자 한 잡가의 일반적 특성을 보여 주는 것이다.

아리랑 타령 | 작자 미상

아리랑 노래

갈래 민요 **성격** 풍자적, 현실 비판적
주제 민족의 현실에 대한 비판과 풍자

구한말에서 일제 강점기에 이르기까지의 민족 수난의 현실을 비판하고 풍자하고 있다.

구한말

이씨의 사촌이 되지 말고 / 민씨의 팔촌이 되려무나 (고종 황제(왕실) / 가까운 친척 / 명성 황후(외척) / 먼 친척 → 왕실의 가까운 친척보다 외척의 먼 친척이 더 권세가 있어 국정을 문란하게 한 일을 풍자함. 대구법 Link 표현상 특징 ❶)
『아리랑 아리랑 아라리요 / 아리랑 배 띄여라 노다 가세』 (→ 3음보, 띄워라, 놀다가, → 후렴구 반복 Link 표현상 특징 ❷)
(『 』: 이렇듯 부정적인 세상이니 배를 띄워 놀다 가자 → 현실 향락적, 체념적 삶의 태도)
> 외척의 세도에 의한 국정의 문란 비판

남산 밑에다 장춘단을 짓고 / 군악대 장단에 받들어총만 한다 (을미사변과 임오군란에 희생된 충신들의 제사를 지내던 곳, 외세의 침략 상징 / 형식에 치중할 뿐 외세의 침략에 무기력한 군대 비판 → 빛 좋은 개살구)
아리랑 아리랑 아라리요 / 아리랑 배 띄여라 노다 가세
> 유명무실해진 신식 군대에 대한 비판

『아리랑 고개다 정거장 짓고 / 전기차 오기만 기다린다』 (도탄에 빠진 민중의 삶은 아랑곳하지 않음 / 전차 / 『 』: 민족의 삶과 동떨어진 개화를 비판함)
아리랑 아리랑 아라리요 / 아리랑 배 띄여라 노다 가세
> 문명 개화의 허상에 대한 비판

— 시간의 흐름에 따른 시상 전개 Link 표현상 특징 ❸

일제 강점기

문전의 옥토는 어찌 되고 / 쪽박의 신세가 웬 말인가 (생활의 터전 / 일제의 수탈로 피폐해진 민족의 삶)
아리랑 아리랑 아라리요 / 아리랑 배 띄여라 노다 가세
> 일제의 가혹한 수탈로 황폐해진 민족의 삶

(□: 민족의 삶의 터전 ○: 개화(開化), 수탈을 위해 만든 수단)

밭은 헐려서 신작로 되고 / 집은 헐려서 정거장 되네 (삶의 비애의 원인 → 대구법 Link 표현상 특징 ❶)
아리랑 아리랑 아라리요 / 아리랑 배 띄여라 노다 가세
> 일제에 탄압당하고 희생된 우리 민족

말깨나 하는 놈 재판소 가고 / 일깨나 하는 놈 공동산 간다 (일제에 탄압당하던 희생된 우리 민족 / 부당한 현실을 비판하는 사람 → 항일 의식을 지닌 사람 / 일 잘하는 사람 / 공동묘지)
아리랑 아리랑 아라리요 / 아리랑 배 띄여라 노다 가세
> 일제의 민족 통제 및 노역 부과 비판

출제자 톡! 화자를 이해하라!

1. **화자가 처한 상황은?**
   개화와 신문물의 물결 속에서 혼란스럽고, 수탈당하는 삶을 살고 있음.
2. **화자의 정서 및 태도는?**
   - 민족의 현실에 대해 비판적 태도를 보이고 있음.
   - 삶의 비애에 젖어 체념적, 자조적인 태도도 보이고 있음.

Link
출제자 톡! 표현상의 특징을 파악하라!

❶ 2행의 대구 형식으로 리듬감을 형성함.
❷ 3음보 율격을 지니며 후렴구가 반복됨.
❸ 시간의 흐름에 따른 추보식 전개 방식을 사용함.

최우선 출제 포인트!

1 시간 순서에 따른 역사적 현실

1연	을미사변(1895년) 전까지 명성 황후의 친척들이 권력을 등에 업고 매관매직을 일삼음.
2연	을미사변 이후 군대 모습은 신식으로 바뀌었지만 실전 훈련보다 의식(儀式) 훈련을 중시함.
3연	개화파들에 의해 1899년 신식 문명의 상징인 전차가 서울에 생김.
4연	일제는 1905년부터 토지 조사라는 명목으로 농민들로부터 토지를 빼앗음.
5연	일제는 조선의 산물을 더 신속히 일본으로 빼돌리기 위해 새로 도로와 철도를 만듦.
6연	일제는 항일 의식을 가진 사람을 철저하게 통제하였고, 조선 민중들에게 노역을 부과함.

최우선 핵심 Check!

1 화자는 당대의 현실에 대해 비판적이고 풍자적인 태도를 보이고 있다. (○ / ×)

2 3음보의 음보율과 대구 형식으로 리듬감을 형성하고 있다. (○ / ×)

3 세련된 시어를 사용하여 암울한 현실의 극복 의지를 보이고 있다. (○ / ×)

4 ㅅㄱ의 흐름에 따른 시상 전개로 민족이 처한 수난의 현실을 나타내고 있다.

정답 1. ○ 2. ○ 3. × 4. 시간

산꼭대기에 관한 노래 / 산꼭대기에서 부르는 노래

영산가(令山歌) | 작자 미상

갈래 잡가 **성격** 감각적, 풍류적, 낭만적
주제 인생무상과 삶의 유흥에 대한 권유
시대 조선 후기

다양한 계층의 언어를 사용하여 인생은 덧없는 것이니 살아생전 마음껏 놀아보자는 주제 의식을 드러낸 조선 후기 12잡가의 하나이다.

영산홍록(映山紅綠)에 봄바람 넘노나니 황봉백접(黃蜂白蝶)
붉은 꽃과 푸른 잎이 무성하여 산을 붉고 푸르게 덮음 / 노란 꿀벌과 흰 나비 / □: 색채 이미지의 대비 - 봄날의 아름다운 풍경을 드러냄 Link 표현상 특징 ❶

「붉은 꽃 푸른 잎은 산양산기(山陽山氣)를 자랑하고
산의 남쪽 부분에서 뿜는 따뜻한 봄기운

가는 새 오는 나비 춘기춘흥(春氣春興)을 조롱한다」 「」: 대상을 의인화하여 자연에 대한 화자의 친밀함을 드러냄 Link 표현상 특징 ❷
봄의 기운과 흥취

죽장(竹杖)을 짚고 망혜(芒鞋)를 신어라
대나무 지팡이와 짚신 - 나들이를 가기 위한 간편한 복장을 의미

천리강산 들어가니 만장폭포도 좋거니와

여산(廬山)이 여기로다 「비류직하삼천척(飛流直下三千尺) 「」: 이백의 「망여산폭포」 인용 Link 표현상 특징 ❺
중국의 유명한 산 / 삼천 척이나 되는 폭포가 나는 듯이 곧장 쏟아져 내리니 - 폭포의 웅장함, 과장법

의시은하낙구천(疑是銀河落九天)」은 옛글에도 일러 있고
마치 저 높은 하늘에서 은하수가 떨어지는 듯하네 - 폭포의 아름다움을 은하수에 비유 Link 표현상 특징 ❹

타기황앵(打起黃鶯) 아이들은 막교지상(莫教枝上)에 한을 마라
나뭇가지를 쳐서 꾀꼬리가 날아가게 하는 것 / 나뭇가지에 앉게 하지 않는 것 / 섭섭하게 생각하지 마라

꾀꼬리 탓이 아니더냐 황금 같은 저 꾀꼬리 Link 표현상 특징 ❺
꾀꼬리의 탓임 / 꾀꼬리의 외양이 황금색처럼 노랗다는 의미, 직유법 Link 표현상 특징 ❹

황금 갑옷 떨쳐입고 세류영(細柳營)에 넘노는 듯
노란 꾀꼬리의 외양을 비유함 / 중국 한나라의 명장인 주아부가 군대를 주둔시켰던 곳, 원관념: 나뭇가지

벽력같이 우는 소리 깊이 든 잠 다 깨운다 ❯ 봄날의 아름다운 경치에서 느끼는 흥취
꾀꼬리의 지저귀는 소리

「산 절로 수 절로 하니 산수 간에 나도 나도 절로

이 중에 절로 난 몸이 늙기도 절로 하리」 「」: 산과 물(자연)처럼 자연의 순리에 따라 늙어 가겠다는 표현, 송시열의 시조 인용, 동일 시어 반복 - 의미 강조 및 운율 형성

화류 장대(章臺) 고운 여자
'화류항(기생들이 모여 사는 공간)'을 비유적으로 이르는 말

너희 얼굴 곱다 하고 자랑하지 말려무나

「뒷동산 피는 꽃은 명춘 삼월 피려니와

나와 같은 초로인생(草露人生) 한번 끔쩍 죽어지면 ▒: 동일 시구 반복 - 운율 형성 및 의미 강조 Link 표현상 특징 ❸
풀잎에 맺힌 이슬과 같은 인생 - 허무하고 덧없는 인생

다시 갱생 어려워라」 「」: '꽃'과 화자를 대비 - 사람은 한 번 죽으면 어쩔 수 없음을 강조 Link 표현상 특징 ❻

「낙양성 십리허에 높고 낮은 저 무덤은」 「」: 진시황 같은 영웅호걸도 결국 죽고 없어짐 - 인생의 무상함을 환기하는 소재, 잡가 「성주풀이」 인용 Link 표현상 특징 ❺
낙양성에서 십 리 정도 떨어진 곳인 북망산을 가리킴

영웅호걸이 몇몇이며 절대가인이 몇몇이냐
의문형 종결 어미를 통해 인생의 무상감을 강조함

「통일천하 진시황은 아방궁(阿房宮)을 사랑 삼고 「」: 중국 진시황의 고사 인용 - 인생의 허무함과 덧없음을 드러냄
중국 진(秦)나라 시황제가 기원전 212년에 세운 궁전

삼천궁녀를 시위하여 몇만 년을 살자 하고

만리장성 굳게 쌓고 기천만 년 살잤더니
진시황이 죽은 곳 / 진시황이 묻힌 곳의 푸른 풀

사구평대(沙丘坪臺) 저문 날에 여산청초(驪山青草) 속절없다」 ❯ 인생의 허무함과 덧없음
인생무상을 드러내 주는 말

이러한 영웅들은 사후유명(死後留名) 되려니와
죽어서 이름을 남긴다는 말

「나와 같은 초로인생 한번 끔쩍 죽어지면
죽어서도 이름을 남기는 영웅들과 대비되는 평범한 삶을 사는 화자를 가리킴

칠성포로 질끈 묶어 소방상 댓돌 위에
시신을 염습한 다음에 묶는 끈으로 사용하는 삼베 / 좁은 곳에 사용하는 작은 상여

두렷이 메고 갈 때 한 모퉁이 돌아가니

궂은비는 세우 섞어 함박으로 퍼붓는데
가늘게 내리는 비
무주공산 터를 닦아 청송(青松)으로 울을 삼고
초야(자연)에 파묻힘을 드러낸 말
두견새로 벗을 삼아 주야장천 누웠으니 「」: 화자 자신이 죽고 난 이후의 모습 상상 - 이름을 남기지 못한 채 초야에 묻힌 모습
산은 요요 물은 콸콸 이것이 낙이로다」
음성 상징어를 사용하여 주변 풍경을 생동감 있게 제시함
「이러한 일 생각하면 아니 놀고 무엇 하리 「」: 살아 있는 동안 즐겨야 한다는 주제 의식이 드러남
인생의 허무함과 덧없음 살아 있을 때 인생을 즐겨야 함을 강조, 설의적 표현
노류장화(路柳墻花)를 꺾어서 들고 마음대로만 놀아 보세」
아무나 쉽게 꺾을 수 있는 길가의 버들과 담 밑의 꽃이라는 뜻으로, 기생을 비유적으로 이르는 말
> 마음껏 인생을 즐길 것을 권유함

출제자 톡! 화자를 이해하라!

1 **화자는 누구이고, 화자가 처한 상황은?**
봄을 맞이하여 봄날의 경치를 구경하고 있는 '나'

2 **화자의 정서 및 태도는?**
- 봄의 아름다운 경치에 흥취를 느끼고 있음.
- 인생에 대해 허무하고 덧없음을 느끼면서, 현재의 삶을 즐겨야 한다는 생각을 드러냄.

Link

출제자 톡! 표현상의 특징을 파악하라!

❶ 색채 이미지를 대비하여 통해 봄날의 풍경을 그려냄.

❷ 대상을 의인화하여 자연에 대한 화자의 친밀함을 드러내고 있음.

❸ 동일 시구를 반복하여 운율을 형성하고 의미를 강조함.

❹ 비유적인 표현을 사용하여 대상을 구체적으로 형상화함.

❺ 타 작품의 구절을 인용하여 화자의 태도를 강조함.

❻ 대상과의 대비를 통해 죽음에 대한 화자의 인식을 드러냄.

최우선 출제 포인트!

1 타 작품의 구절 인용

	→	
비류직하삼천척(飛流直下三千尺) 의시은하낙구천(疑是銀河落九天)		이백의 「망여산폭포」 인용 – 만장폭포의 장엄함과 아름다움을 표현함.
타기황앵(打起黃鶯) 막교지상(莫敎枝上)		당나라 시인 김창서의 「춘원」 인용 – 봄날의 흥취를 드러냄.
산 절로 수 절로 하니 산수 간에 나도 절로 이 중에 절로 난 몸이 늙기도 절로 하리		송시열의 시조 인용 – 자연의 순리에 따라 늙어 갈 것임을 드러냄.
낙양성 십리허에~절대가인이 몇몇이냐		잡가 「성주풀이」 인용 – 인생의 허무함과 덧없음을 드러냄.

최우선 핵심 Check!

1 봄날의 아름다운 풍경을 드러내기 위해 ㅅ ㅊ 이미지를 대비하고 있다.

2 '초로인생'은 화자 자신을 비유하는 말로, 허무하고 덧없는 인생을 의미한다. (○ / ×)

3 화자는 진시황의 고사를 인용하여 인생무상을 드러내고 있다. (○ / ×)

4 자연물과 화자를 대비하여 주제 의식을 드러내고 있다. (○ / ×)

5 화자는 인생은 허무하고 덧없는 것이므로 살아 있는 동안 가치 있게 삶을 보내기를 권유하고 있다. (○ / ×)

정답 1. 색채 2. ○ 3. ○ 4. ○ 5. ×

작은 춘향가 - 판소리 「춘향가」를 요약해서 보여 주는 춘향가

소춘향가(小春香歌) | 작자 미상

갈래 잡가 **성격** 애상적, 연정적
주제 만남과 이별에 대한 춘향과 몽룡의 희비(喜悲)
시대 조선 후기

판소리 「춘향가」 중 춘향과 몽룡이 만나는 장면과 몽룡과 헤어진 후 춘향이 슬퍼하는 장면을 조합하여 만든 십이잡가의 하나이다.

춘향의 거동 보아라
(화자 - 판소리 사설의 문체)
『오른손으로 일광을 가리고
(『 』: 춘향의 동작 묘사)
왼손 높이 들어』「저 건너 죽림 보인다 (「 」: 춘향의 말. 몽룡에게 자신의 집 위치를 알려 줌)
『대 심어 울하고 솔 심어 정자라 (○: 지조, 절개) (울타리)
동편에 연당(蓮塘)이요 서편에 우물이라』 (연꽃을 심은 못) (대구의 방식으로 운율감을 조성함 Link 표현상 특징 ❷)
(『 』: 춘향의 집의 모습을 구체적으로 드러냄)
『노방(路傍)에 시매오후과(時買五侯瓜)요 문전(門前)에 학종선생류(學種先生柳)라』 (길가에는 권세 있고 부귀한 사람들이 지나가고 / 문 앞에는 오류 선생을 본받아 버드나무를 심었구나) (『 』: 당나라 시인 왕유의 「노장행」 인용)
긴 버들 휘늘어진 늙은 장송
광풍에 흥을 겨워 우줄우줄 춤을 추니 (큰 소나무) (감정 이입, 의인법을 활용하여 몽룡을 만나는 춘향의 기대감을 드러냄 Link 표현상 특징 ❹)
(음성 상징어 사용 - 나무들의 움직임을 생동감 있게 표현 Link 표현상 특징 ❺)
저 건너 사립문 안에 삽살개 앉아
먼 산만 바라보며 꼬리 치는 저 집이오니
(춘향이 자신의 집을 가리킴)
황혼에 정녕 돌아오소」
(저녁에 춘향 자신을 보러 오라는 의미)
> 이몽룡에게 자신의 집을 알려 주는 춘향

(춘향의 말 / Link 표현상 특징 ❶)

떨치고 가는 형상 사람의 뼈다귀를 다 녹인다
(춘향을 가리킴) (춘향의 모습에 반한 이몽룡의 모습. 과장법)
너는 웬 계집이건대 나를 종종 녹이느냐
(동일 시구의 반복 - 운율 형성, 의미 강조 Link 표현상 특징 ❷)
너는 웬 계집이건대 장부의 간장을 다 녹이나
(유사한 통사 구조의 반복 Link 표현상 특징 ❷)
(『 』: 대비적 표현을 통해 춘향을 빨리 보고 싶고 춘향과 오래 있고 싶은 간절한 마음을 드러냄. 유사한 통사 구조의 반복)
『녹음방초승화시(綠陰芳草勝華時)에 해는 어이 더디 가고 Link 표현상 특징 ❷
(우거진 나무 그늘과 향기로운 풀이 꽃보다 아름다운 때, 여름철 화사한 때를 말함)
오동추야(梧桐秋夜) 긴긴 달에 밤은 어이 수이 가노』
(11월의 가을밤)
> 춘향에 대한 이몽룡의 연정

(이몽룡의 말)

『일월무정(日月無情) 덧없도다 옥빈홍안(玉鬢紅顔) 공노(空老)로다』
(무정하게 흐르는 세월) (옥 같은 귀밑머리와 붉은 얼굴, 아름다운 여인 - 춘향 자신을 드러낸 말) (허무하게 늙음)
(『 』: 이몽룡과 이별하고 속절없이 늙어 감을 한탄함. 대구법)
우는 눈물 받아 내면 배도 타고 가련마는
(이몽룡과의 이별로 인한 슬픔, 그리움의 정서를 강조함. 과장법 Link 표현상 특징 ❸)
지척동방 천 리인가 어이 그리 못 보는고 → 이몽룡에 대한 기다림과 원망이 담김
(이몽룡과의 정서적 거리)
> 이별한 이몽룡을 기다리는 춘향

(춘향의 말)

판소리 「춘향가」에서 파생된 잡가는 주로 춘향의 고난을 다루고 있는데, 이는 남존여비의 시대적 분위기 속에서 생활하던 민간 여성들의 처지와 상통한다는 점에서 당시 여성들에게 인기가 높았음.

출제자 톡! 화자를 이해하라!

1 **화자는 누구이고, 화자가 처한 상황은?**
만남과 이별을 겪고 있는 이몽룡과 춘향을 바라보는 사람

2 **화자의 정서 및 태도는?**
- 3~12행: 춘향은 몽룡에게 집을 알려 주며 몽룡을 만나는 것에 대한 기대감을 드러냄.
- 14~17행: 이몽룡은 춘향과 오랜 시간 동안 함께하고 싶은 마음을 드러냄.
- 18~20행: 춘향은 이별한 이몽룡을 기다리며 늙어감에 대한 한탄과 오지 않는 이몽령에 대한 원망의 정서를 드러냄.

Link

출제자 톡! 표현상의 특징을 파악하라!

❶ 인물들의 대화와 독백을 간접적으로 인용하여 시상을 전개함.
❷ 동일한(유사한) 통사 구조 반복, 대구법을 사용하여 운율감을 형성함.
❸ 과장된 표현을 사용하여 화자의 정서를 강조함.
❹ 감정 이입과 의인법을 활용하여 화자의 정서를 나타냄.
❺ 음성 상징어를 사용하여 생동감을 부여함.

- **노방에 시매오후과**: 길가에서는 때에 맞게 오후들이 오이를 팔고 있음. 오후는 권세 있고 부귀한 사람들을 뜻하는 말.
- **문전에 학종선생류**: 문 앞에는 오류 선생을 본받아 버드나무를 심음. 오류 선생은 도연명의 호이며, 자기 집 문 앞에 버드나무 다섯 그루를 심었다고 함.
- **녹음방초승화시**: 우거진 나물 그늘과 향기로운 풀이 꽃보다 아름다운 때. 여름철 화사한 때를 말함.

최우선 출제 포인트!

1 시상 전개 방식

춘향의 말		이몽룡의 독백		춘향의 독백
4~11행		12~15행		16~18행
이몽룡에게 자기 집을 구체적으로 알려 줌.	→	춘향의 모습에 반한 이몽룡이 춘향과 오래 함께하고 싶은 마음을 드러냄.	→	이몽룡과 이별한 춘향이 늙어 감을 한탄하면서 기다림과 원망의 정서를 드러냄.

최우선 핵심 Check!

1 '옥빈홍안 공노'는 인생의 덧없음, 세월의 ㅁㅅㅎ을 의미한다.

2 유사한 통사 구조의 반복과 대구법을 활용하여 운율을 형성하고 있다. (O / ×)

3 이몽룡은 춘향의 모습에 반한 뒤, 춘향의 집에 가지 못함을 안타까워하고 있다. (O / ×)

정답 1. 무상함 2. ○ 3. ×

348위

형장을 잡고 부른 노래

집장가(執杖歌) | 작자 미상

갈래 잡가 **성격** 사실적, 비유적, 해학적
주제 춘향을 매질하는 집장 군노의 모습
시대 조선 후기

판소리 「춘향가」 중 사또의 수청을 들지 않는 춘향이 매질을 당하는 대목을 사설로 엮은 12잡가 중 하나이다.

판소리 사설체임을 알 수 있음 Link 표현상 특징 ❹

집장 군노(執杖軍奴) 거동(擧動)을 봐라

수령의 명을 받아 죄인에게 곤장을 치는 일을 하는 군졸

춘향을 동틀에다 쫑그라니 올려 매고

형을 맞는 대상 - 이 작품 내용이 판소리 「춘향가」에 해당함을 알 수 있음

『형장(刑杖)을 한 아름을 드립다 덥석 안아다가

춘향의 앞에다가 좌르르 펄뜨리고』 『 』: 춘향을 매질하기 위해 준비하는 군노의 모습

좌우 나졸들이 집장(執杖) 배립(排立)하여

줄지어서 죽 늘어섬

분부 듣주어라 여쭈어라 △: 음성 상징어 사용 - 생동감을 부여 Link 표현상 특징 ❷

집장 군노의 말

바로바로 아뢸 말씀 없소 사또 안전(案前)에 죽여만 주오

춘향의 단호하고 의지적인 태도를 엿볼 수 있음 ➤ **집장 군노가 춘향을 매질하기 위해 준비함**

집장 군노 거동을 봐라 ▒: 작품에서 반복적으로 제시되는 구절. 서사 진행을 구분 짓고, 내용 전환을 드러냄. 청자의 집중을 유도하는 역할을 함. 운율 형성 Link 표현상 특징 ❶

형장 하나를 고르면서 이놈 집어 느긋느긋 저놈 집어 능청능청

집장 군노가 춘향을 봐 주기 위해 시간을 끄는 모습. 대구법 Link 표현상 특징 ❸

『춘향이를 곁눈을 주며 저 다리 들어라 『 』: 매질을 당할 춘향을 걱정하는 집장 군노의 비장함 속에서도 웃음을 자아내는 해학미가 있음

골(骨) 부러질라 눈 감아라 보지를 마라

나 죽은들 너 매우 치랴느냐 걱정을 말고 근심을 마라』

매우 세게 치지 않겠다는 말. 설의적 표현

집장 군노 거동을 봐라 ➤ **집장 군노가 매질을 당할 춘향을 걱정함**

『형장 하나를 골라 쥐고 선뜻 들고 내닫는 형상(形狀)

지옥문 지키었던 사자(使者)가 철퇴를 들어 메고 내닫는 형상』

『 』: 집장 군노가 형장을 들고 내닫는 무시무시한 모습을 표현

좁은 골에 벼락치듯 너른 들에 번개하듯

대구적 표현, 비유적 표현 Link 표현상 특징 ❸

십 리만치 물러섰다가 오 리만치 달려 들어와서』

하나를 드립다 딱 부치니 아이구 이 일이 웬일이란 말이오

① 매질을 당한 춘향의 말 ② 매질을 당하는 춘향을 보는 사람들의 반응 ③ 노래하는 가수의 말

허허 야 년아 말 듣거라 ➤ **집장 군노가 춘향을 매질함**

『꽃은 피었다가 저절로 지고 □: 절망적, 비극적 상황에 놓인 '춘향'을 비유적으로 표현한 말

잎은 돋았다가 다 뚝뚝 떨어져서

허허한치 광풍(狂風)의 낙엽이 되어』 『 』: 가련한 춘향의 처지를 자연물을 통해 형상화함. 비유법, 대구법 Link 표현상 특징 ❸

신관 사또의 횡포

청버들을 좌르르 훑어

맑고 맑은 구곡지수(九曲之水)에다가 풍기덩실 지두덩실

흐늘거려 떠나려 가는구나

춘향에게 비극이 일어날 것임을 암시적으로 드러냄

말이 못된 네로구나. ➤ **춘향에게 비극이 일어날 것임을 드러냄**

집장 군노의 행동을 보아라.

춘향을 형틀에다 쫑그라니 올려서 매고

(춘향을 신문하기 위해) 몽둥이를 한아름을 들입다 덥석 안아다가
춘향 앞에다가 좌르르 펼쳐 떨어뜨리고

좌우 나졸들이 곤장을 들고 죽 늘어서서

(사또의) 분부를 들어 보아라. (할 말이 있으면 사또에게) 여쭈어라.
바로바로 (사또에게) 할 말은 없소. 사또 앞에서 죽여만 주오.
집장 군노 행동을 보아라.

몽둥이 하나를 고르면서 이놈 집어 느긋느긋 저놈 집어 능청능청
춘향이에 곁눈을 주면서, 저 다리 들어라.

뼈가 부러질라. 눈 감아라 보지를 마라.

내가 (사또에게 벌을 받아) 죽은들 너를 매우 치겠느냐? 걱정하지 말고 근심하지 마라.
집장 군노 행동을 보아라.

몽둥이 하나를 골라 쥐고 선뜻 들고 내닫는 모습이
지옥문을 지키고 있던 사자(使者)가 철퇴를 들어 메고 내닫는 모습
좁은 골짜기에 벼락이 치듯 넓은 들판에 번개가 내리꽂히듯
십 리만치 물러섰다가 오 리만치 달려 들어와서

하나를 들입다 딱 부치니, 아이구 이 일이 웬일이란 말이오.
허허 야 이년아 말을 듣거라.

꽃은 피었다가 저절로 지고

잎은 돋았다가 다 뚝뚝 떨어져서

허허한치 광풍에 (날리는) 낙엽이 되어

청버들을 좌르르 훑어

맑고 맑은 아홉 굽이가 진 시냇물에 풍기덩실 지두덩실
흐늘거려 떠나려 가는구나.

(집장 군노가 하는) 말이 (춘향이) 네 처지가 잘못되었구나.

Link

출제자 톡! 화자를 이해하라!

1 **화자는 누구이고, 화자가 처한 상황은?**
집장 군노가 춘향을 매질하는 모습을 바라보는 사람

2 **집장 군노의 정서는?**
• 매질을 당할 춘향을 걱정하고 있음.

출제자 톡! 표현상의 특징을 파악하라!

❶ 동일 문장을 반복하여 운율을 형성함.
❷ 음성 상징어를 사용하여 인물의 모습과 상황을 생생하게 표현함.
❸ 비유법, 대구법을 사용하여 인물이 처한 상황을 효과적으로 드러냄.
❹ 관객에게 이야기하는 듯한 판소리 사설 문체가 드러남.

최우선 출제 포인트!

1 '춘향'의 처지를 비유한 표현

피었다 저절로 지는 '꽃' / 돋았다 떨어지는 '잎' / 광풍의 '낙엽'	➔	춘향의 절망적이고 비극적인 상황을 암시함.

2 표현의 효과

	표현	효과
음성 상징어	'좌르르', '느긋느긋', '는청는청'	음성 상징어를 사용하여 인물의 모습과 상황을 생생하게 표현함.
대구적 표현	'좁은 골에 벼락치듯 너른 들에 번개하듯'	운율을 형성하고, 인물의 상황에 대해 긴장감을 유발함.

함께 볼 작품 판소리 「춘향가」를 모티브로 한 작품: 작자 미상, 「형장가」

최우선 핵심 Check!

1 특정 문장을 반복적으로 사용하여 청자의 주의를 집중시키고 있다. (O / ×)

2 '느긋느긋', '는청는청'과 같은 음성 상징어를 사용하여 집장의 행동을 ㅅㄷㄱ 있게 표현하고 있다.

3 '~ 거동을 봐라'를 반복하여 사건의 진행에 따른 서사를 구분 짓고 있다. (O / ×)

4 집장 군노는 사또의 명을 받아 인정사정없이 춘향을 매우 치고 있다. (O / ×)

5 '꽃', '잎', '낙엽'은 가련한 처지의 춘향의 모습을 비유적으로 드러낸 것이다. (O / ×)

정답 1. ○ 2. 생동감 3. ○ 4. × 5. ○

1등급! 〈보기〉!

「집장가」의 이해

이 작품은 판소리 「춘향가」 중에서 이 도령이 한양으로 올라간 후 부임한 신관 사또의 수청을 거절한 춘향이를 매질하는 대목을 사설로 엮은 12잡가이다.
'집장가'라는 제목에서도 알 수 있듯이 춘향을 매질하는 집장 군노의 모습이 강조되고 있다. 우쭐거리며 무지막지하게 행동하는 집장 군노(執杖軍奴)와 매질을 당하는 처지에 놓인 연약한 춘향이를 대비시키는 가운데 '덥석, 좌르르, 느긋느긋, 는청는청, 둥기둥덩실' 등과 같은 음성 상징어를 사용하여 생생한 현장감을 느낄 수 있으며 극적인 효과를 얻고 있다. 또한 '광풍의 낙엽이 되어 / 청버들을 좌르르 훑어'에서 계절적으로 일치하지 않는 명사를 나란히 배치하여 잡가만이 줄 수 있는 파격미를 살리고 있다.

349위

사헌부에서 부른 노래

상대별곡(霜臺別曲) | 권근

사헌부

갈래 경기체가 **성격** 예찬적
주제 조선 왕조의 정치 이념에 대한 긍정과 미래에 대한 찬양 **시대** 조선 전기

백성에게는 편안한 삶을 보장하고 국가 통치에는 도덕적 규범성을 부여하는 일을 하는 사헌부의 하루 일과를 보여 주고 있는 악장이다.
└중국의 가곡에 대하여 우리 가요를 지칭하는 말로, 시조와 함께 고려 중기 이후에 형성된 시형

〈제3장〉 ← 총 5장 중 3장

「」: 관원들이 대청에 모여 정사를 살피는 모습을 제시함. 3·3·4조의 3음보의 율격 Link 표현상 특징 ❶

「각방빅(各房拜) 례필후(禮畢後) 대텽제좌(大廳齊坐)
졍기도(正其道) 명기의(明其義) 참쟉고금(參酌古今)
시졍득실(時政得失) 민간니해(民間利害) 구폐됴됴(救弊條條)」
위 징샹(狀上)ㅅ 경(景) 긔 엇더ᄒᆞ니잇고 ❯ 사헌부 관원들이 직무를 수행하는 광경

관원들이 정사를 돌보는 모습에 대한 예찬적 태도, 자신이 하는 일에 대한 자부심이 드러남. 설의적 표현 Link 표현상 특징 ❷

엽(葉) 군명신딕(君明臣直) 대평셩딕(大平盛代) 군명신딕(君明臣直) 대평셩딕(大平盛代)
(군명신딕: 임금과 신하가 지녀야 할 태도에 해당 / 대평셩딕: '군명신직'할 경우 따라오는 결과에 해당)
▒: 유사한 통사 구조의 반복 - 운율 형성, 의미 강조 Link 표현상 특징 ❸

위 죵간여류(從諫如流)ㅅ 경(景) 긔 엇더ᄒᆞ니잇고
(죵간여류: 임금이 신하들의 간언을 받아들이는 모습) ❯ 임금이 신하들의 간언을 받아들이는 광경

관원들이 각자의 처소에 위치하여 대사헌에게 절하는 예를 마치고 대청에 모여 조회하고, 도를 바로잡고 의를 밝혀, 옛날과 지금의 (사례들을) 이리저리 비추어 알맞게 고려하여 시정의 득과 실, 백성의 이로움과 해로움에 대한 폐단을 조목조목 구제해 주니,
아아, 문서를 올리는 그 광경이 그 어떠합니까?(정말 대단하지 않습니까?)
임금은 현명하고 신하는 직언하는 태평 성대에, 임금은 현명하고 신하는 직언하는 태평 성대에
아아, 간언을 따르는 것이 물 흐르는 듯하는 그 광경이 그 어떠합니까?(정말 대단하지 않습니까?)

- **각방빅**: 관원들이 각자의 처소에 위치하여 대사헌에게 절함.
- **례필후**: 예를 마치고.
- **대텽제좌**: 사헌부 소속 전 관원이 대청에 모여 조회함.
- **졍기도**: 도를 바로잡음.
- **명기의**: 의를 밝힘.
- **시졍득실**: 시정의 득과 실.
- **민간니해**: 백성의 이로움과 해로움.
- **구폐됴됴**: 조목조목 폐해를 구제해 줌.
- **징샹(장상)**: 문서를 올림.
- **군명신딕**: 임금은 현명하고 신하가 직언함.
- **죵간여류**: 간언을 따르는 것이 물 흐르는 듯함.

출제자 톡! 화자를 이해하라!

1 **화자는 누구이고, 화자가 처한 상황은?**
사헌부에서 관원으로서 직무에 수행하고 있는 사람

2 **화자의 정서 및 태도는?**
- 관직을 성실히 수행하는 모습에 대해 예찬적 태도를 드러냄.
- 관원으로서 자신에 대한 자부심을 드러냄.

Link

출제자 톡! 표현상의 특징을 파악하라!

❶ 한자어를 활용한 3·3·4조의 3음보 율격을 활용함.
❷ 설의적 표현을 사용하여 대상에 대한 태도를 강조함.
❸ 유사한 통사 구조를 반복하여 의미를 강조하고 운율을 형성함.

최우선 출제 포인트!

1 시상 전개 과정

1~4행	→	5, 6행
사헌부 관원들이 조회를 마친 후 백성의 이해와 득실을 따져 가며 직무를 수행하는 광경	→	태평성대의 전제인 임금과 신하 사이에 의사소통이 막히지 않고 이루어지는 광경

최우선 핵심 Check!

1 설의법을 사용하여 직무를 성실히 수행하는 관원들에 대한 예찬적 태도를 드러내고 있다. (O / ×)

2 화자는 태평성대가 되기 위해서는 임금은 현명하고 신하는 직언을 할 수 있어야 한다고 생각한다. (O / ×)

3 화자는 관원들이 일하는 모습에 대해 안타까움을 드러내고 있다. (O / ×)

정답 1. ○ 2. ○ 3. ×

1등급! 〈보기〉!

「상대별곡」의 이해

고려 시대의 악장과 속요를 모은 『악장가사(樂章歌詞)』에 실려 전하는 경기체가로, 새 왕조의 기강을 바로잡고자 하는 취지를 펴기 위해 지은 것으로 보인다. '상대'란 사헌부의 별칭으로, 사헌부의 모습이나 집무 광경 등을 모두 5장에 걸쳐 노래하고 있다. 1장부터 4장까지는 경기체가의 형식을 지켰으나, 5장에서는 경기체가의 형식에서 벗어난 모습을 보이고 있다. 1장에서는 새 왕조의 도읍터가 천년승지임을 드러내며, 사헌부의 기풍과 관헌들의 기상을 예찬하고 있으며, 2장에서는 사헌부 관헌들이 출근하는 광경을 묘사하고 있다. 3장에서는 현명한 임금과 충직한 신하의 모습을, 4장에서는 일을 끝낸 관원들이 잔치를 즐기는 장면을 노래하고 있다. 마지막 5장에서는 어진 임금과 충성스러운 신하들이 있는 태평성대에 훌륭한 인재들의 모임이 좋다고 노래하고 있다.

새로운 도읍(한양)에 대한 노래

신도가(新都歌) | 정도전

갈래 악장(속요체) **성격** 송축가, 예찬적, 기원적
주제 새로운 도읍의 아름다움과 이성계의 성덕 찬양
시대 조선 전기

새로운 도읍지인 한양을 찬양하고 이성계의 성덕을 칭송하면서, 조선의 영원한 번성을 기원하고 있는 속요체 형식의 악장이다.

녜는 양쥬(楊州)ㅣ ᄀᆞ올히여 (양쥬: 한양의 옛 명칭 - 한양이 유서 깊은 곳임을 강조함)

디위예 신도형승(新都形勝)이샷다 (디위예: 경계에 / 이샷다: 감탄형 어미 - 화자의 정서 강조 Link 표현상 특징 ❷ / 신도형승: 새 도읍(한양)의 지세와 경치가 뛰어남 - 새로운 도성 건설을 주관한 작가의 자부심이 드러남)

ᄀᆡ국셩왕(開國聖王)이 셩ᄃᆡ(聖代)를 니르어샷다 (ᄀᆡ국셩왕: 태조 이성계 / 셩ᄃᆡ를 니르어샷다: 태평성대를 이룬 성덕을 예찬함)

잣다온뎌 당금경(當今景) 잣다온뎌 (잣: 성(城) / 당금경: 지금의 경치 / 잣다온뎌: 도성답구나 / → 한양 천도를 주장했던 당사자로서의 만족감이 드러남. 반복법 Link 표현상 특징 ❸)

셩슈만년(聖壽萬年)ᄒᆞ샤 만민(萬民)의 함락(咸樂)이샷다 (셩슈만년ᄒᆞ샤: 임금께서 수명을 만 년 누리셔서 / 함락: 즐거움을 누림)

아으 다롱다리 (악률을 맞추는 여음구 - 고려 가요의 형식적 특징이 남아 있음 Link 표현상 특징 ❶)

『알ᄑᆞᆫ 한강슈(漢江水)여 뒤흔 삼각산(三角山)이여』 (『 』: 대구법 / 한양이 풍수지리상 지덕이 성한 터임을 보여 줌 - 배산임수)

『덕듕(德重)ᄒᆞ신 강산(江山) 즈으메 만세(萬歲)를 누리쇼셔』 (덕듕ᄒᆞ신: 덕을 쌓으신 / 즈으메: 사이에 / 『 』: 임금의 만수무강을 기원 - 조선 왕조의 무궁한 번영을 기원함)

옛날에는 양주 고을이여

그 경계에 (새 도읍지가 들어서니) 새 도읍지의 뛰어난 경치로다.
나라를 여신 성스러운 임금님께서 태평성대를 이룩하셨도다.
도성답구나! (바로) 지금의 경치가 도성답구나!

임금님께서 만 년을 누리셔서 모든 백성이 함께 즐거워하도다.
아으 다롱다리

앞에는 한강물이여, 뒤에는 삼각산이여

덕이 많으신 (이) 강산 사이에서 만 년을 누리소서.

- **배경 지식**: 조선의 개국 주도 세력은 건국 후 한양이 풍수지리상 배산임수(背山臨水)의 조건을 갖춘 지덕(地德)이 성한 터라 주장하며, 구시대를 상징하는 개경을 떠나 한양으로 천도할 것을 결정했다. 도성 건설을 주관한 정도전은 조선 왕조 창업기에 민심을 수습하고, 건국의 정당성을 확보하기 위한 목적으로 「신도가」를 지어 개국을 송축하고 새로운 도성을 만들었다는 자부심을 나타내었다. 또한 임금의 만수무강을 바라며 궁극적으로 조선 왕조의 무궁한 번영을 기원하는 의도를 드러내고 있다.

출제자 톡! 화자를 이해하라!

1 **화자는 누구이고, 화자가 처한 상황은?**
새 도읍지인 한양을 바라보며 흡족해하는 사람

2 **화자의 정서 및 태도는?**
- 새로운 도읍지인 한양을 찬양함.
- 태조 이성계의 성덕을 예찬함.
- 임금이 만수무강하기를 기원함.

Link

출제자 톡! 표현상의 특징을 파악하라!

❶ 3음보의 율격과 여음구를 활용함.
❷ 감탄형 어미를 사용하여 화자의 정서를 강조함.

최우선 출제 포인트!

1 시상 전개 과정

전대절(1~5행)		후대절(7, 8행)
조선의 새로운 도읍지인 한양의 아름다움을 찬양하고, 태조 이성계의 성덕을 칭송함.	→	한양의 지형적 특성과 임금의 만수무강을 기원함. → 조선 왕조의 무궁한 번영을 기원함.

함께 볼 작품 '악장'에 속하는 노래: 정인지 외, 「용비어천가」

최우선 핵심 Check!

1 3음보의 율격과 여음구를 활용하여 시상을 전개하고 있다. (O / ×)

2 화자는 새로운 도읍지인 한양의 아름다움을 찬양하고 있다. (O / ×)

3 화자는 자신에게 성덕을 베푼 임금에 대한 연군지정을 드러내고 있다. (O / ×)

정답 1. ○ 2. ○ 3. ×

극락왕생(죽어서 극락에서 다시 태어남)을 기원하는 노래

351위 원왕생가(願往生歌) | 광덕

갈래 향가(10구체) **성격** 기원가, 불...
주제 극락왕생에 대한 간절한 염원 **시대** ...

서방 정토에 이르기를 바라는 간절한 소망을 달에 의탁(依託)하여 노래한 작품이다.

원문	해독	현대어 풀이
月下伊底赤 (월 하 이 저 역)	달하 이뎨 (존칭 호격) — 달님이시여(돈호법) → 초월적인 힘에 기댐 **Link** 표현상 특징 ❶	달님이시여, 이제
西方念丁去賜里遣 (서 방 염 정 거 사 리 견)	서방ᄭᆞ장 가샤리고 (서방 정토까지)	서방정토까지 가시려는가.
無量壽佛前乃 (무 량 수 불 전 내)	무량수불 전에 (극락으로 중생을 인도하는 부처)	(가시거든) 무량수불 앞에
惱叱古音多可白遣賜立 (뇌 질 고 음 다 가 백 견 사 립)	닏곰다가 ᄉᆞᆲ고샤셔 ➤ 달님에 대한 당부	일러 사뢰옵소서.
誓音深史隱尊衣希仰支 (서 음 심 사 은 존 의 희 앙 지)	다딤 기프샨 존(尊)어히 울워러 (다짐 / 부처님에게 / 우러러)	맹세 깊으신 부처님께 우러러
兩手集刀花乎白良 (양 수 집 도 화 호 백 량)	두 손 모도호ᄉᆞᆲ바 (합장)	두 손을 모아
願往生願往生 (원 왕 생 원 왕 생)	원왕생 원왕생 — 왕생의 기원을 강조 **Link** 표현상 특징 ❷	왕생을 원하여 왕생을 원하여
慕人有如白遣賜立 (모 인 유 여 백 견 사 립)	그릴사름 잇다 ᄉᆞᆲ고샤셔 — 왕생에 대한 간절한 마음 표출 ➤ 극락왕생의 염원	그리워하는 사람 있다고 사뢰옵소서.
阿邪此身遺也置遣 (아 사 차 신 유 야 치 견)	아으 이 몸 기텨 두고 (감탄사 / 남겨)	아, 이 몸 남겨 두고
四十八大願成遣賜去 (사 십 팔 대 원 성 견 사 거)	사십팔대원 일고샬까 — 이루실까(설의적 표현) **Link** 표현상 특징 ❶ ➤ 간절한 염원 및 찬탄	마흔여덟 가지 큰 소원을 이루실까.

— 양주동 해독

배경 설화 문무왕 때에 광덕과 엄장이라는 두 사람이 있었는데 어느 날 엄장의 집 창밖에서 "광덕은 지금 서방 정토에 가니 그대는 잘 있다가 속히 나를 따라오라."라는 소리가 났다. 이튿날 엄장이 광덕의 집에 가 보니 그는 과연 죽어 있었다. 광덕의 장례를 마친 엄장은 광덕의 아내와 합의하에 동거하게 되었는데, 저녁에 같이 자며 동침(同寢)을 요구하니 여자가 거절하며 말하기를 "스님이 정토(淨土)에 가기를 바란다는 것은 마치 나무 위에 올라가 물고기를 얻으려는 것과 같습니다. 광덕은 나와 10여 년을 같이 살았으나 한 번도 동침한 적이 없었고, 저녁마다 단정히 앉아 염불을 하고, 도를 닦았습니다."라고 하였다. 엄장은 이에 몸을 깨끗이 하고 잘못을 뉘우쳐 스스로 꾸짖고, 한마음으로 도를 닦으니 역시 서방 정토로 가게 되었다.

출제자 톡! 화자를 이해하라!

1. **화자는 누구이고, 화자가 처한 상황은?**
   극락왕생을 기원하는 화자가 기원의 대상인 '달'에게 자신의 뜻을 무량수불 앞에 사뢰어 달라고 비는 상황
2. **화자의 정서 및 태도는?**
   달에게 극락왕생을 간절하게 기원함.

Link

출제자 톡! 표현상의 특징을 파악하라!

❶ 돈호법, 설의적 표현 등 다양한 표현 방법을 사용함.

❷ 기원의 어조를 사용하여 소망의 진정성을 부여함.

최우선 출제 포인트!

1 시상 전개의 완결성

기원의 주체		기원의 매개체		기원의 대상
화자 / 현세	➔ 청원	달	➔ 전달	무량수불 / 서방(西方)

극락왕생에의 간절한 염원

함께 볼 작품 달에게 기원하는 노래: 작자 미상, 「정읍사」

최우선 핵심 Check!

1 'ㅇㅇㅅ'은 왕생을 기원하는 화자의 소원이 담긴 시어이다.

2 화자는 자신의 소원을 직접 드러내지 않고 우회적으로 표현하고 있다. (O / ×)

3 'ㄷ'은 화자의 소원을 무량수불에게 전달하는 매개체의 역할을 한다.

정답 1. 원왕생 2. × 3. 달

바다의 노래

해가(海歌) | 작자 미상

갈래 고대 가요, 한역시 **성격** 주술적, 집단적
주제 납치된 수로 부인의 무사 귀환을 기원
시대 상고 시대

신성한 존재인 '거북'을 통해 소원을 성취하고자 하는 집단적이고 주술적인 성격의 노래이다.

龜乎龜乎出水路
구 호 구 호 출 수 로
掠人婦女罪何極
약 인 부 녀 죄 하 극
汝若悖逆不出獻
여 약 패 역 불 출 헌
入網捕掠燔之喫
입 망 포 략 번 지 끽

거북아 거북아 수로(수로 부인)를 내놓아라
(수로 부인을 납치한 해룡 / 명령)
남의 아내 앗은 죄 얼마나 클까
(명령·요청의 근거(상대방의 잘못 지적 → 윤리적 설득))
— 부름과 명령 **Link** 표현상 특징 ❶

네 만일 거역하고 바치지 않으면
(거북 / 명령을 무시할 경우)
그물로 잡아내어 구워서 먹으리라
(위협을 통한 주술 효과의 극대화)
— 가정과 위협 **Link** 표현상 특징 ❷

배경 설화 신라 성덕왕 때 순정공이 강릉 태수로 부임하던 도중 바닷가의 한 정자에서 점심을 먹고 있는데, 갑자기 해룡(海龍)이 나타나 아내 수로 부인을 바닷속으로 끌고 들어갔다. 한 노인의 충고로 마을 사람들과 땅을 치며 이 노래를 불러 부인을 돌려받았다고 한다.

출제자 톡! **화자를 이해하라!**

1 **화자가 처한 상황은?**
해룡에게 아내를 빼앗긴 남편(순정공)과 마을 사람들이 수로 부인을 돌려달라고 요구하고 있음.

2 **화자의 정서 및 태도는?**
해룡에게 명령하며 위협함.

Link

출제자 톡! **표현상의 특징을 파악하라!**

❶ 강한 명령적 어조를 사용해 직설적으로 표현함.

❷ 주술적 노래가 갖는 구성상의 특징인 '호명 – 명령 – 가정 – 위협'의 구조를 지님.

최우선 출제 포인트!

1 구성상의 특징

부름과 명령	거북아 거북아	부름
	수로를 내놓아라	명령
	남의 아내 앗은 죄 얼마나 클까	(근거)
가정과 위협	네 만일 거역하고 바치지 않으면	가정
	그물로 잡아내어 구워서 먹으리라	위협

2 「구지가」와 「해가」의 비교

	「구지가」	「해가」
차이점	• 수로왕의 강림 기원 • 공적 성격 – 사회적 소망 • 4언 4구 • 명령 · 요청의 근거가 없음.	• 수로 부인의 귀환 기원 • 사적 성격 – 개인적 소망 • 7언 4구(→ 형식과 내용 확장) • 명령 · 요청의 근거를 제시함.
공통점	• 집단적이고 주술적인 성격을 지님. • 한역 시가 형태로 배경 설화 속에 삽입되어 전함. • 신령스러운 존재인 '거북'을 통해 소원을 성취하고자 함. • 주술적 노래의 기본 구조 공유('호명 – 명령 – 가정 – 위협'의 구조)	

↓

「구지가」와 「해가」가 오랜 세월 민간에 구비 전승되었음을 보여 줌.

최우선 핵심 Check!

1 여러 사람이 함께 부른 집단 가요이다. (O / ×)

2 화자는 거북에게 수로 부인을 내어놓으라고 직접적으로 명령하고 있다. (O / ×)

3 '부름 – 명령 – 가정 – ㅇㅎ'의 기본 구조로 시상이 전개되고 있다.

4 신령스러운 존재인 거북을 통해 소원을 성취하고자 하는 주술적 성격의 노래이다. (O / ×)

5 4행은 「구지가」의 직접적 영향을 받은 것으로 추정되는 부분으로, 위협을 통한 주술적 효과의 극대화가 이루어지고 있다. (O / ×)

정답 1. ○ 2. ○ 3. 위협 4. ○ 5. ○

출제율이 높지는 않지만
교과서에 실린 적이 있는

고전 시가 53작품

353 ~ 405

제3부

출제 플러스 작품

353 하우요(夏雨謠) | 윤선도

〈제1수〉

비 오ᄂᆞᆫ 듸 들희 가랴 사립 닷고 쇼 머겨라 (소에게 여물을 먹여라)
마히 ᄆᆡ양이랴 잠기 연장 다ᄉᆞ려라 (마히: 장마가, ᄆᆡ양이랴: 마냥이랴, 잠기: 쟁기)
쉬다가 개ᄂᆞᆫ 날 보아 ᄉᆞ래 긴 밧 가라라

〈제2수〉

심심은 ᄒᆞ다마ᄂᆞᆫ 일 업ᄉᆞᆯ ᄉᆞᆫ 마히로다
답답은 ᄒᆞ다마ᄂᆞᆫ 한가(閑暇)ᄒᆞᆯ ᄉᆞᆫ 밤이로다
아ᄒᆡ야 일즉 자다가 동(東)트거든 닐거라

갈래 연시조
성격 교훈적
주제 여름철 농촌 생활
특징 ① 명령형 어미를 반복하여 교훈을 제시함.
② 설의적 표현(제1수)과 대구법(제2수)을 사용해 의미를 강조함.

감상 톡! 작가 윤선도가 해남에서 은거할 때 지은 작품으로 「산중신곡(山中新曲)」 18수 가운데 2수이다. '장마(비)'를 어떻게 해석하느냐에 따라 이해가 달라지는 중의적인 작품으로, '비'를 자연적 의미로 해석한다면 비가 갠 후 농사를 짓겠다는 뜻으로 이해할 수 있고, '비'를 정치적 시련으로 해석한다면 시련이 끝난 후 조정으로 복귀하겠다는 의미로도 이해할 수 있다.

354 하하 허허 ᄒᆞᆫ들 | 권섭

하하 허허 ᄒᆞᆫ들 내 우음이 졍 우움가 (정말 우스워서 웃는 것이겠는가 / 우음: 웃음, 졍: 정말)
하 어쳑 업서셔 늣기다가 그리 되게 (어쳑 업서셔: 어처구니가 없어서, 늣기다가: 느끼다가, 그리 되게: 그렇게 웃는 것이네)
벗님ᄂᆡ 웃디를 말구려 아귀 ᄧᅧ여디리라 (벗님ᄂᆡ: 부정적 상황을 야기한 사람들, ᄧᅧ여디리라: 찢어지리라)

갈래 연시조(전 10수)
성격 풍자적, 비판적, 냉소적
주제 진정한 웃음이 불가능한 현실에 대한 풍자
특징 ① 대화체의 구조로 이루어짐.
② 의성어를 사용하여 웃음을 표현함.
③ 설의법, 과장법을 사용해 대상을 비판함.

감상 톡! '웃음'이라는 소재를 활용하여 화자가 처한 부정적인 상황과 그 상황을 야기한 사람들에 대해 냉소적으로 비판하는 작품이다. 화자는 세상일에서 느끼는 환멸을 거짓 웃음으로 표현하는데 환멸의 구체적 내용은 설명하지 않고 있다. 한편 이 작품은 이전의 양반들의 시조와는 다르게 의성어와 비속어 같은 다듬어지지 않은 말을 그대로 표현하고 있는데, 이를 통해 엄격했던 양반 시조의 규범이 조선 후기에 서서히 무너져 가고 있음을 알 수 있다.

355 갈가보다 말가보다 | 작자 미상

갈가보다 말가보다 임을 따라서 아니 갈 수 없네 (반복과 변형으로 화자의 갈등 표현) 「오늘 가고 내일 가고 모레 가고 글피 가고 하루 이틀 사흘 나흘 곱잡아 여드레 팔십 리를 다 못 갈지라도 임을 따라서 아니 갈 수 없네」 (「 」: 반복, 점층으로 임을 따르고자 하는 강한 의지 표현 / 나흘에 두 곱을 하여 여드레(4×2=8)) 「천창만검(千槍萬劍) 가운데 부월(斧鉞)이 앞에 닥칠지라도 임을 따라서 아니 갈 수 없네」 (천창만검: 천 개의 창과 만 개의 검 → 위험(장애물) ① / 부월: 작은 도끼와 큰 도끼 → 위험(장애물) ②) 나무라도 [은행나무]는 음양을 나누어 마주나 섰고 돌이라도 [망부석]은 자웅(雌雄)을 따라서 마주나 섰는데, (□: 화자의 처지와 대립되어 부러움의 대상이 되는 존재(객관적 상관물))
요 내 팔자는 왜 그리 망골이 되어 간 곳마다 있을 임 없어서 나 못 살겠네 (망골: 언행이 몹시 고약하거나 주책없는 사람을 낮잡아 이르는 말. 화자 자신의 처지를 비관하는 의미)

갈래 사설시조
성격 애상적, 한탄적, 연정가
주제 임에 대한 그리움
특징 ① 자연물과의 대비를 통해 자신의 처지를 부각시킴.
② 열거와 반복, 점층 등의 표현 방식을 사용함.

감상 톡! 사랑하는 임과 함께할 수 있다면 고난과 시련도 감당하겠다는 화자의 간절한 마음이 드러나 있는 작품이다. 과장, 열거, 반복, 점층 등 다양한 표현 방식으로 화자의 심정을 극대화하여 보여 주고 있다.

(□: 임과 헤어져 심리적으로 흔들리는 자신의 모습과 소나무·버드나무와의 동질성을 통해 슬픔을 드러냄)

356 재 우희 웃둑 션 소나모 | 작자 미상

재 우희 웃둑 션 소나모 바람 불 적마다 [흔들흔들] (재: 고개 마루)
개올에 셧는 버들 무스 일 조차셔 [흔들흔들] (개올: 개울, 버들: 버드나무, 무스: 무슨)
님 그려 우는 눈물은 올커니와 「입하고 코는 어이 무스 일 조차셔 후루룩 빗죽 하나니」 (올커니와: 물론이거니와, 조차셔: 때문에, 빗죽: 삐죽 / 「 」: '후루룩 빗죽'하는 입과 코를 통해 슬픔을 쏟아내는 모습을 해학적으로 드러냄 → 슬픔과 거리를 둠)

갈래 사설시조
성격 감상적, 애상적, 해학적
주제 임과 이별한 슬픔과 그리움
특징 ① 자연물과 반복을 통해 자신의 심정을 나타내고 있음.
② 대구를 활용하여 리듬감을 형성함.
③ 울고 있는 화자의 모습을 해학적으로 표현함.

감상 톡! '소나무'와 '버드나무'의 흔들거리는 모습을 통해 자신의 임과 이별한 상황에 대한 슬픔과 그리움을 표현한 작품이다. 화자는 슬픈 감정을 슬픔 자체로 두지 않고, 자기 자신과 거리를 두는 표현 방식을 사용하여 웃음을 유발하고 있는데, 이는 한국 문학만이 가지고 있는 독특한 해학미라 할 수 있다.

357 거문고 줄 꽂아 놓고 | 김창업

거문고 줄 꽂아 놓고 홀연히 잠을 든 제
시문견폐성(柴門犬吠聲)에 반가운 벗 오는고야
(사립문의 개 짖는 소리 / 영탄적 표현)
아희야 점심도 하려니와 탁주 먼저 내어라

갈래 평시조
성격 한정가, 풍류적
주제 찾아온 친구에 대한 반가움
특징 ① 시간의 흐름에 따른 추보식 구성을 취함.
② 영탄법을 사용하여 화자의 감정을 표현함.

감상 톡! 거문고 연주를 들어 줄 사람이 없이 무료해 하던 화자에게 마침 친구가 찾아오자 술상을 차리라며 반가운 마음을 표현하고 있는 작품이다.

358 풍파에 놀란 사공 | 장만

(문관 / 문관으로서의 벼슬살이)
풍파(風波)에 놀란 사공(沙工) 빅 프라 몰을 사니
(세찬 바람과 험한 물결, 당파 싸움 / 팔아 / 말. 무관으로서의 벼슬살이)
구절양장(九折羊腸)이 물도곤 어려왜라
(꼬불꼬불한 양의 창자 같은 험한 산길 / 보다 / 밭)
이 후(後)란 빅도 몰도 말고 밧 갈기만 ᄒᆞ리라 → 주제연
(초야에 묻혀 살고 싶다는 작가의 소망)
□: 세상살이의 어려움

갈래 평시조
성격 우의적
주제 세상살이의 어려움, 벼슬살이의 어려움.
특징 세상살이의 어려움을 우의적으로 풍자함.

감상 톡! 세상살이의 어려움을 겪고 난 화자가 벼슬을 그만두고 한가롭게 농사만 짓겠다는 결심을 드러내는 작품이다. '배와 말을 탔다'는 것은 벼슬살이를 드러낸 말이며, '구절양장(九折羊腸)'은 험한 산길을 의미하므로 어려운 세상살이를 표현한 것으로 볼 수 있다.

359 어와 동량재롤 | 정철

어와 동량재(棟梁材)롤 뎌리 ᄒᆞ야 어이 홀고
(건축물의 기둥과 들보로 쓸 만한 재목 → 중대한 일을 맡을 인재)
헐뜨더 기운 집의 의논(議論)도 하도 할샤
(헐뜯어 / 위태로운 나라 / 불필요한 당쟁 / 많고 / 많구나)
뭇 목수 고자(庫子) 자 들고 허둥대다 말려ᄂᆞ다
(당쟁을 일삼는 무능한 정치가 / 창고지기가 쓰는 작은 자)

갈래 평시조
성격 비유적, 풍자적, 비판적
주제 당쟁으로 인해 인재들이 내몰리는 현실에 대한 개탄
특징 ① 비유적 표현을 활용하여 당대 현실을 풍자함.
② 설의적 표현을 활용하여 화자의 안타까운 심정을 드러냄.

감상 톡! 간신배들이 당쟁만을 일삼으며 나라의 초석이 될 직한 인재들을 모함하여 내쫓는 세태를 풍자한 작품이다. 즉 '동량재(棟梁材)'는 한 나라의 중대한 일을 맡을 만한 인재를, '헐뜨더 기운 집'은 위기에 처해 있는 나라의 형편을, '뭇 목수'는 인재를 헐뜯고 모함하는 일에 더 열을 올리는 소인배들을 의미하고 있다.

360 어져 세상 사람 | 작자 미상

어져 세상(世上) 사람 알지 말자꾸나
알면 정(情)이 나고 정이 나면 생각하니
평생에 떠나고 그리는 정은 사람 안 탓인가 하노라

갈래 평시조
성격 연쇄적, 애상적
주제 이별의 아픔과 그리움
특징 ① 청유형 어미를 사용하여 청자에게 말을 건네는 방식을 취함.
② 단정과 이유의 구성 방식으로 시상을 전개함.

감상 톡! 사랑하는 임과 헤어져 그리워하는 것을 사람을 안 탓으로 돌리고 있는 작품이다. 이별한 임을 그리워하는 아픔을 사람을 알지 말자는 호소로 표출하면서 자신이 겪고 있는 이별의 고통이 그만큼 애절하다는 것을 강조하고 있다.

361 우레갓치 소리나는 | 작자 미상

우레갓치 소리나는 님을 번개갓치 번뜻 만나
비갓치 오락가락 구름갓치 헤여지니
흉중(胸中)에 바람 갓튼 한숨이 안개 피듯 하여라
□: 기상 현상

갈래 평시조
성격 애상적, 비유적
주제 이별의 슬픔
특징 ① 이별의 상황을 기상 현상에 빗대어 표현함.
② '갓치'가 반복적으로 사용되어 운율을 형성함.

감상 톡! 만남과 이별의 과정을 기상 현상에 빗댄 독특한 작품이다. 동일한 어구를 반복 사용하여 형성하고 있으며, 직유법을 활용하여 주제를 형상화하고 있다.

362 오동에 듯는 빗발 | 김상용

오동(梧桐)에 듯는 빗발 무심(無心)히 듯건마는
떨어지는 / 떨어지는 것이지만

나의 시름 ᄒᆞ니 닙닙히 수성(愁聲)이로다
많으니 / 근심하는 소리(시름) / 설의적 표현

『이 후(後)야 입 넙은 남기야 시물 줄이 이시랴』
넓은 / 나무 / 심지 않겠다

『 』: 잎에 떨어지는 빗소리(근심하는 소리)가 크게 들리기 때문

갈래 평시조
성격 애상적, 김상적
주제 삶의 시름과 고뇌
특징 오동잎에 떨어지는 빗소리에 화자의 감정을 투영함.

감상 톡! 나뭇잎에 떨어지는 빗소리에 화자의 감정을 투영하여 근심을 효과적으로 드러낸 작품이다. 오동잎에 떨어지는 빗소리를 근심 소리와 연결하여 화자의 정서를 탁월하게 묘사하고 있으며, 다시는 잎 넓은 나무를 심지 않겠다는 화자의 결심은 근심이 얼마나 깊은가를 알 수 있게 한다.

363 장검을 빼어 들고 | 남이

장검(長劍)을 빼어 들고 백두산(白頭山)에 올라 보니
무인(武人)인 화자

대명천지(大明天地)에 성진(腥塵)이 잠겼에라
환하게 밝은 세상 - 우리나라(조선) / 비린내가 나는 먼지 - 어지러운 세상

언제나 남북풍진(南北風塵)을 헤쳐 볼고 하노라
남북의 오랑캐가 일으킨 병란

갈래 평시조
성격 의지적, 우국적
주제 국란 평정의 의지
특징 무인의 기상을 직설적으로 표현함.

감상 톡! 국란을 다스리고자 하는 무인의 기백과 의지가 드러난 작품으로, 외적의 침략으로부터 위기에 빠진 나라를 구하겠다는 화자의 신념과 포부가 직설적으로 표현되어 있다.

364 장백산에 기를 곳고 | 김종서

『장백산(長白山)에 기를 곳고 두만강(豆滿江)에 ᄆᆞᆯ을 싯겨』
백두산 / 꽂고 / 씻겨 / 『 』: 무인의 기상

서근 져 션ᄇᆡ야 우리 아니 ᄉᆞ나희냐
남을 모함하고●시기하는 썩어 빠진 / 사내 대장부 아니냐

『엇덧타 인각화상(麟閣畫像)을 누고 몬져 ᄒᆞ리오』
누구의 화상이 먼저 걸리겠는가

『 』: 나라에 공훈을 세워 이름을 남기고자 하는 기개가 드러남

• **인각(기린각)**: 중국 후한의 무제가 기린을 잡았을 때 세운 누각에 기린을 그려 넣은 데서 생긴 이름으로, 후에 선제(先帝)가 공신 열한 명의 화상(畫像)을 그려 걸었다 함. 나라의 공훈이 많은 신하의 얼굴을 그린 뒤 걸게 하여 '인각화상'이라는 말이 생김.

갈래 평시조
성격 의지적
주제 나라의 공훈을 세우고자 하는 무인의 호방한 기개
특징 ① 대화체를 사용해서 나약한 선비들을 직설적으로 비판함.
② 중국의 고사(故事)를 이용하여 주제를 드러냄.

감상 톡! 무인으로서의 호탕한 기상과 포부가 나타나 있는 작품으로, 나라를 위해 공을 세우겠다는 화자의 의지가 직접적으로 드러나 있다. 화자는 대화체를 사용하여 육진 개척(만주 회복)을 반대한 나약한 선비들을 비판하고, 이들보다 먼저 공을 세워 기린각에 자신의 화상을 걸겠다(나라의 공이 많은 신하의 얼굴을 그려 건다는 중국의 고사 인용)고 다짐하고 있다.

365 재 너머 성 권농 집에 | 정철

재 너머 성 권농(成勸農) 집에 술 익닷 말 어제 듣고
성혼(成渾). '권농'은 관직명임

누운 소 발로 박차 언치 놓아 지즐 타고
말이나 소 등에 덮는 담요 / 눌러 타고

아이야, 네 권농(勸農) 계시냐 정좌수(鄭座首) 왔다 사뢰라
화자(정철)

갈래 평시조
성격 풍류적, 해학적, 전원적
주제 전원 생활의 흥취(興趣)
특징 시상 전개의 과감한 생략으로 시 전체에 속도감을 주고 화자의 흥을 드러냄.

감상 톡! 작가인 송강 정철이 유배 중에 근처에 살고 있는 성혼의 집에 방문하는 모습을 표현한 작품이다. 복잡한 세상일을 모두 잊고 신이 나서 친구 집을 찾아가는 모습이 경쾌하게 그려져 있다. 이 작품의 가장 큰 특징은 중장과 종장 사이의 시상 전개를 과감히 생략하여 작품 전체에 속도감을 준 것인데, 이러한 생략은 친구와 빨리 만나고 싶은 화자의 심정을 표현하는 데 효과적이다.

366 충신은 만조정이요 | 작자 미상

충신(忠臣)은 만조정(滿朝廷)이요 효자(孝子)는 가가재(家家在)라
조정에 가득 참 / 집집마다 있음

우리 성주(聖主)는 애민적자(愛民赤子)ᄒᆞ시ᄂᆞᆫ듸
백성을 사랑하고 아낌

명천(明天)이 이 뜻을 알오셔 우순풍조(雨順風調)ᄒᆞ소셔
비가 때 맞춰 내리고 바람이 고르게 붊

갈래 평시조
성격 예찬적, 기원적
주제 임금의 성덕 예찬과 태평성대의 기원
특징 대구법을 통해 대상을 예찬함.

감상 톡! 임금의 덕을 예찬하고 태평성대를 기원하는 작품으로, 천지신명에게 '우순풍조'를 기원하는 것은 태평성대를 기원하는 관습적 표현이다. 문학성보다는 교훈적이고 실용적인 경향이 강하게 드러난다.

367 놉프락 나즈락ᄒᆞ며 | 안민영

놉프락 나즈락ᄒᆞ며 멀기와 갓갑기와
(높았다가 낮았다가 하며 / 멀기 / 가깝기)
모지락 둥그락ᄒᆞ며 길기와 져르기와
(모났다가 둥글었다 하며 / 짧기)
평생(平生)을 이리ᄒᆞ엿시니 무삼 근심 잇시리

갈래 평시조
성격 달관적, 교훈적
주제 인생에 대한 달관, 유유자적(悠悠自適)한 삶
특징 대구법과 대조법, 반복법을 통해 유유자적의 태도를 드러냄.

감상 톡! 대구와 대조를 활용해 모나지 않게 삶을 살아가는, 즉 인생을 달관하여 유유자적하게 살아가는 삶의 자세를 드러내는 작품이다. 두 가지 상태의 대조(높고 낮음, 멀고 가까움, 모나고 둥긂, 길고 가까움)가 초, 중장에 걸쳐 반복되면서 인생의 진리가 나타나고 있다. 이를 통해 가객 신분인 작가의 인생에 대한 달관적 태도를 느낄 수 있다.

368 청량산 육륙봉을 | 이황

(36봉우리라고도 하고 12봉우리라고도 함)
청량산(淸凉山) 육륙봉(六六峰)을 아ᄂᆞ니 나와 백구(白鷗)
(경북 봉화군에 있는 산 / 아는 사람이 / 갈매기)
(그래서 다른 사람이 이곳을 알게 할 리가 있겠냐마는)
백구(白鷗)야 헌사ᄒᆞ랴 못 미들손 도화(桃花) ㅣ로다
(야단스럽게 떠들랴마는 / 못 믿겠는 것은 복숭아꽃이로구나)
『도화(桃花)야 ᄯᅥ나지 마로려 어주자(魚舟子) 알가 하노라』
((강물에) 떠서 아래로 흘러가지 말아 다오 / 어부)
『 』: 청량산의 아름다움을 다른 사람이 알게 될까 봐 두려워함

갈래 평시조
성격 풍류적, 자연 친화적, 낭만적
주제 청량산의 아름다움 예찬
특징 ① 연쇄법을 사용하여 리듬감을 형성함.
② 의인법을 사용하여 '도화'를 사람처럼 표현함.

감상 톡! 아름다운 청량산의 경치를 혼자 누리고 싶은 마음을 표현한 작품으로, '도화'를 통해 청량산의 아름다움을 '무릉도원'과 연결시키고 있다. 한편 초장 끝과 중장 처음의 '백구'와 중장 끝과 종장 처음의 '도화'가 연쇄적으로 연결되면서 운율감을 형성하고, 종장에서 도화를 사람처럼 표현하는 등의 유려한 표현 방법을 사용하고 있다.

369 높으나 높은 낡에 | 이양원

높으나 높은 낡에 날 권하여 올려 두고
(나무에 - 벼슬자리에)
이보오 벗님네야 흔드지나 말았으면
(간신배들 / 모함하지나)
떨어져 죽기는 섧지 아녀도 님 못 볼까 하노라
(벼슬을 그만두는 것 / 임금)

갈래 평시조
성격 우의적, 풍자적
주제 간신배들에 대한 비판과 우국충정
특징 상징적 표현과 반어법을 통해 세태를 풍자하고 주제를 드러냄.

감상 톡! 당쟁을 일삼는 간신배들을 우의적으로 풍자한 작품이다. 당파나 개인의 이익을 추구하는 사람들이 자신을 모함하는 데 대한 비판과 원망의 정서가 드러나 있다. 작가인 이양원은 임진왜란 때 큰 공을 세우고 중신들의 추천으로 영의정의 중책을 맡았으나, 자신을 추천한 중신들이 도리어 자신을 모함하자 답답한 세태를 한탄하며 이 작품을 지었다고 전해진다.

370 녹초 청강상에 | 서익

(우거진 맑은 강가)
녹초(綠草) 청강상(淸江上)에 굴레 버슨 ᄆᆞᆯ이 되여
(푸른 풀 / 벼슬을 그만둔 자연인, 화자(비유))
ᄣᅢᄣᅢ로 멀이 들어 북향(北向)ᄒᆞ야 우는 ᄯᅳᆺ은
(가끔 / 머리 / 북쪽을 향하여)
석양(夕陽)이 재 넘어 감애 님자 글여 우노라
(임금 / 그리워)

갈래 평시조
성격 애도가(哀悼歌), 유교적, 은유적
주제 임금의 승하를 애도함.
특징 은유적 표현으로 주제를 드러냄.

감상 톡! 중종(中宗) 임금의 승하 소식을 듣고 애도의 마음을 표현한 작품이다. 작가는 중종의 생전에 이미 벼슬을 내놓고 고향으로 물러나 있었는데, 고향에서 승하 소식을 듣고 임금을 그리워하는 마음을 이렇게 표현한 것이다. 벼슬길에서 은퇴하여 자연에 은거하면서도 임금에 대한 충의를 끝내 지키고자 했던 조선 시대 사대부의 유교적 충의 정신을 느낄 수 있다.

371 봄비[春雨] | 허난설헌

□: 객관적 상관물

보슬보슬 봄비는 못에 내리고
(음성 상징어 / 화자의 쓸쓸함을 자아냄)
찬바람이 장막 속 스며들 제 — 선경(先景)
(화자의 외로운 처지를 드러냄)
뜬시름 못내 이겨 병풍 기대니
(여인의 한 / 독수공방의 처지 암시)
송이송이 살구꽃 담 위에 지네 — 후정(後情)
(화자의 외롭고 쓸쓸한 심사를 드러냄)

갈래 한시(5언 절구)
성격 독백적, 서정적, 애상적
주제 규중 여인의 고독함. 규방의 적막함과 외로움
특징 ① 객관적 상관물을 사용해 화자의 정서를 드러냄.
② 음성 상징어를 통해 운율을 형성하고 감각적 이미지를 살림.
③ 선경 후정의 시상 전개 방식을 사용함.

감상 톡! 규방에서 홀로 외롭게 지내야 하는 자신의 처지를 봄비가 내리는 풍경에 기대어 나타내고 있는 작품이다. 절제된 언어로 객관적 상황을 묘사하여 고독 속에서 젊은 날을 보내는 자신의 처지를 표현하였다. 특히 떨어지는 살구꽃을 통해 사라져 가는 젊은 날의 쓸쓸함을 나타낸 것은 이 작품의 백미라 할 수 있다.

372 장난삼아 서흥 도호부사 임군 성운에게 주다 | 정약용

서흥의 도호는 너무나 어리석어
(황해도 / 벼슬의 일종)
새장에 앵무새 키우듯이 기생을 방에 가둬 두고는
금실 같은 담배와 반죽 설대로
(담뱃대)
기생 시켜 태워 올리라 하고 그것이 멋이라네
▶ 서흥의 도호부사인 성운의 풍류를 즐기는 모습을 놀림

(공간적 배경 - 황해도와 평안도(관서 지방))
시월 들어 서관에 한 자 되게 눈 쌓이면
(시간적 배경 - 추운 겨울)
이중 휘장 부드러운 담요로 손님을 잡아 두고는
갓 모양의 따뜻한 냄비에 노루 고기 전골하고
무김치 냉면에 배추 무침을 곁들인다네
(◯: 추운 겨울 찾아온 손님을 대접하기 위한 음식 - 접대하는 주인과 손님 사이의 정을 드러냄)
▶ 음식으로 손님을 대접함

성조의 은애를 듬뿍 받은 그대의 집안
(어진 임금, 당대의 왕 / 임성운의 집안)
스물에 성주가 된 것을 뭇사람들이 감탄하네
삼십 되어 부절 받고 사십 오십 다 되어도
(사신들이 가지고 다니던 신분의 증거)
아름다운 그 얼굴 절반쯤 핀 꽃이로세
(젊어 보이는 외모에 대한 칭찬)
▶ 임성운의 집안과 외모에 대한 칭찬

갈래 한시(7언 절구)
성격 서정적, 묘사적, 사실적
주제 서흥 도호부사 임성운에 대한 장난과 칭찬
특징 ① 냉면을 먹는 정겨운 분위기를 구체적으로 묘사함.
② 화자와 임성운 사이의 친밀감이 나타남.

감상 톡! 작가인 정약용이 황해도 도호부사 임성운의 집에서 대접받고 장난스럽게 쓴 작품이다. 추운 겨울에 찾아온 손님을 대접하는 모습을 그리고 있는데, 이 작품에는 관서 지방의 풍습과 음식 문화에 대해서 알 수 있는 근거들이 등장한다. 이 작품의 내용으로 볼 때 음식을 대접하는 주인과 대접을 받는 손님이 무척 친밀하며 그들 사이의 우정이 꽤 깊었음을 짐작해 볼 수 있다.

373 마하연(摩訶衍) | 이제현

(금강산에 있는 절)

산중에 해가 솟아 정오가 되었는데
(시각적 이미지)
풀 이슬에 짚신이 흠뻑 젖는구나
(촉각적 이미지)
오래된 절에는 스님도 살지 않는데
흰 구름만 마당에 가득하구나
(시각적 이미지)

갈래 한시(5언 절구)
성격 회화적, 감각적
주제 산중의 적막한 풍경
특징 시각적, 촉각적 이미지를 통해서 산중의 모습을 나타냄.

감상 톡! 흰 구름이 가득한 절의 모습을 통해 고요하고 탈속적인 산사(山寺)의 모습을 드러내고 있는 작품이다. 촉각적, 시각적 이미지를 절제된 언어 속에 녹여 내어 한 폭의 동양화를 보는 것과 같은 느낌을 준다.

374 임진유감(臨津有感) | 김부식

(강가에서 느끼는 정서를 노래)
(□: 화자의 정서를 심화시키는 소재)

『가을 바람 산들산들 강물은 넘실넘실
(호수나 큰 강물이 넘칠 듯이 가득한 모양)
고개 돌려 하늘 보니 생각 아득하여라』
(『 』: 한가로운 가을 풍경)
쓸쓸하다 나의 임 멀리 떨어졌으니
강가의 난초는 누구 위한 향기뇨
(화자의 외로운 처지를 드러냄)

갈래 한시(7언 절구)
성격 낭만적, 애상적
주제 가을 강가에서 느끼는 외로움
특징 난초를 통해서 자신의 상황과 정서를 드러냄.

감상 톡! 가을날 강가에서 느끼는 쓸쓸한 정서를 노래한 작품으로, 1구와 4구는 강가의 정경을 제시하고, 2구와 3구에서는 화자의 심정을 노래하고 있다. 이 작품의 '난초'는 훌륭한 능력을 지닌 대상을 비유한 것으로, 화자의 분신이자 자신의 뛰어난 능력을 비유한 것이다. 이 난초를 통해 화자는 향기를 가지고 있어도 함께 나눌 임조차 없는 안타까운 현실을 탄식하고 있다.

375 능허사(凌虛詞) | 김시습

(옥황상제가 있는 곳에 가려면 공중으로 올라가야 하는데, 이를 '능허'라 함)

〈제1수〉

푸른 하늘에 구름 한 점 없이 공기는 맑은데
(신선 세계)
저벅저벅 공중을 걷는 소리 때때로 들려오네
(속세에서 들려오는 소리)
십이 층 누각 위에서 긴 피리를 부노니
(중국 곤륜산 선인의 거처에 있다는 열두 고루(高樓). 곤륜산에 있다고도 하며, 천상의 옥경에 있다고도 함)
신선이 사는 백옥경일세
(옥황상제가 사는 궁궐. 화자가 지향하는 공간)
▶ 신선 세계의 모습

〈제2수〉

아침에는 항해(沆瀣)를 마시고 저녁에는 유하(流霞)를 마시네

신선이 마시다는 밤의 맑은 이슬 / 신선이 마신다는 좋은 술

믿어야 하리 공중을 걷는 이 있다는 것을

대립적 공간

굽어보니 땅덩어리 너무도 아득한데

하루에 구만 리를 날아간다는 상상의 새

대붕은 날지 않고 하루살이 우글대네

대립적 의미의 시어

> 하루살이 같은 인간들이 가득한 속세

〈제3수〉

맑은 새벽에 학을 타고 맑은 하늘로 올라가니

붉은 구름 크게 열리자 옥황상제가 있는 곳이로다

특명으로 신하에게 붉은 조서 쓰게 하시니

특별한 명령

낭랑한 소리로 선계의 글 한 줄 읊어 보네

> 옥황상제가 사는 신선들의 세계

〈제4수〉

왼편 세계에 구름 한 점 없어 흰 느릅나무 심었는데

구름처럼 보이게 하기 위해 느릅나무를 심음

광한궁 안의 선녀들 춤을 추네

달 속에 있다는, 항아가 사는 가상의 궁전

은하수에 배를 띄우니 아득히 물결이 이는데

금 대궐 옥 누각 이곳이 옥황상제 계시는 곳이로다

> 선계의 황홀한 모습

〈제5수〉

인간 세상 어디에도 풍파 없는 곳이 없어 → 현실 비판

탐욕에 물든 속세의 모습

여덟 날개 달고 바람을 타고 오르니 큰 집이 여기 있네

광한궁

인간 세상, 신선 세계와 대립되는 공간

하계(下界)의 하루살이 세상은 좁기만 한데

부정적 현실 인식 / 설의적 표현

만 길이나 쌓인 먼지 그대를 속이면 어찌하리

부정적 현실 인식

> 인간 세계에 머물러 사는 사람들에 대한 안타까움

갈래 한시(7언 절구)
성격 비판적, 도교적
주제 현실에 대한 비판과 선계에 대한 동경
특징 ① 신선 세계를 상징하는 관습적 표현을 통해 선계의 이미지를 드러냄.
② 신선 세계와 인간 세계를 대비시켜 인간 세계를 비판함.

감상 톡! 인간 세계(하계)와 대비되는 신선 세계를 통해 현실을 비판한 작품으로 작가의 자유로운 사상이 드러나 있다. 작가 김시습은 세조의 왕위 찬탈 이후로 자신의 신념이 무너진 세상을 떠나 방랑의 길을 걸은 사람이다. 그래서 그는 자신의 작품 안에서 권력으로 인한 갈등이 없는 신선 세계를 그려 내고, 그곳에서 정신적 자유를 추구하며 노니는 상상을 하였다. 이러한 상상은 현실 세계에서 좌절한 작가가 선택한 탈출구이자 해방구였으며, 또 현실 세계에 대한 비판을 우회적으로 보여 주는 것이었다. 이 작품에서도 〈제1수〉와 〈제3, 4수〉에서는 신선 세계에서 노니는 기쁨을, 〈제2수〉와 〈제5수〉에서는 인간 세계에 대한 부정적 인식을 드러내고 있다.

376 원생원(元生員) | 김병연

지방 유지의 이름

해 뜨자 원숭이가 언덕에 나타나고

원생원(猿生原)

고양이가 지나가자 쥐가 다 죽네

서진사(鼠盡死)

황혼이 되자 모기가 처마에 이르고

문첨지(蚊檐至)

밤 되자 벼룩이 자리에서 쏘아 대네

조석사(蚤席射)

동음이의어를 활용한 언어유희, 풍자

갈래 한시(5언 절구)
성격 비판적, 우의적, 해학적, 풍자적
주제 마땅치 않은 마을 유지들에 대한 풍자와 조롱
특징 동음이의어를 사용해 대상을 풍자하고 조롱함.

감상 톡! 작가 김병연이 유랑하던 중 초라한 행색의 자신을 박대한 네 노인을 비난하기 위해 지은 작품이다. 한시 원문을 보면 원생원(猿生原: 원숭이), 서진사(鼠盡死: 쥐), 문첨지(蚊檐至: 모기), 조석사(蚤席射: 벼룩)로 표현되어 있는데, 이는 원 생원(元生員), 서 진사(徐進士), 문 첨지(文僉知), 조 석사(趙碩士)의 음을 빌려 쓴 것이다. 즉 동음이의어를 활용한 언어유희로 대상에 대한 풍자와 조롱을 드러내고 있는 것이다.

377 산중설야(山中雪夜) | 이제현

산중에 밤에 내린 눈

『 』: 잠 못 이루는 화자의 심정을 촉각적, 시각적 이미지로 형상화함

『종이 이불에 찬 기운 스며들고 불등은 어두운데』

불문에 갓 들어온 어린 남자 중 / 등잔불

『사미승은 밤새도록 종 한 번 울리지 않는구나』

화자와 사미승의 대비

절문

숙객이 일찍 문 연다고 성내겠지만 『 』: 깊은 잠에 빠진 사미승

하룻밤 묵어가는 나그네, 화자

암자 앞 눈에 눌린 소나무 한번 보고 싶구나

맑고 깨끗함을 추구하는 화자의 정신 세계를 보여 주는 소재

갈래 한시(7언 절구)
성격 감각적
주제 맑고 깨끗한 정신 세계의 추구, 눈 내리는 산 중 절에서의 하룻밤
특징 ① 잠들지 못하는 화자와 잠에 빠진 사미승을 대비함.
② 어두운 밤과 하얀 설경을 대비함.

감상 톡! 산사(山寺)에서 잠 못 들고 있는 화자가 눈 속의 소나무를 보고 싶어 하는 마음을 그린 작품으로, 고결함을 추구하는 화자의 정신 세계가 잘 드러나 있다. 사미승이 울려야 하는 종소리는 들리지 않지만 어두운 밤에 하얗게 내리는 눈 속에 서 있는 소나무 등의 이미지를 통해 산사의 눈 오는 밤 경치의 정취를 흠뻑 느낄 수 있다.

378 애절양(哀絕陽) | 정약용

갈밭 마을 젊은 아낙의 곡소리 긴데

관청 문을 향해 울다가 하늘 보고 호소하네

남편이 출정 가서 돌아오지 않음은 오히려 있을 법하건마는

예로부터 사내가 생식기를 잘랐다는 말은 들어보지 못했네
남절양

『시아버지 돌아가시고 아이는 아직 배냇물도 마르지 않았는데
태어난 지 얼마 안 됨
『 』: 군역(軍役) 제도의 문란함을 비판

삼대가 군적에 올랐다니』

달려가 호소해도 호랑이 같은 문지기

이정(里正)은 으르렁대며 소 끌고 갔구나
지방 행정 조직의 최말단인 '이(里)'의 책임자
『 』: 남편이 자신의 생식기를 스스로 벰

『칼을 갈아 방에 드니 자리에는 피가 흥건하고』
아이가 군적에 등록되어 군역을 면제받는 대신 소를 빼앗긴 것

아이 낳아 곤궁을 만났다고 스스로 한탄하네

> 기구한 사연을 전하며 슬퍼하는 아낙네

잠실에서 궁형(宮刑)을 행하는 것이 어찌 그만한 허물이 있어서랴
죄인의 감옥 / 생식기를 자르는 형벌

민(閩)나라 사람들이 자식을 거세했던 일도 진실로 슬픈 일이라오
중국 민나라에서 사내아이를 낳으면 거세하여 강대국에 내관으로 바침

자식 낳고 살아가는 것이 하늘이 내린 이치이기에

하늘의 도는 아들이 되고 땅의 도는 딸이 되는데

말이나 돼지를 거세하는 것도 슬프다고 말할진대

하물며 백성들이 자손 이을 것을 생각함에서랴

부호들은 일 년 내내 풍악을 즐기면서

쌀 한 톨 비단 한 조각 바치는 일 없다네
지배층에 대한 비판

우리 백성들 똑같아야 하거늘 어찌 가난하고 부유한가
『시경』의 편이름. 왕이 백성을 고루 사랑해야 한다는 뜻을 뻐꾸기에 비유하여 백성을 다스리는 군자의 도리를 읊은 시

객창(客窓)에서 거듭 시구편(鳲鳩篇)을 외우네

> 지배층의 부당한 세금 포탈 비판

갈래 한시(7언 고시)
성격 비판적, 현실적
주제 백성들의 비극적인 현실 고발 및 불평등한 사회 구조에 대한 비판
특징 젊은 아낙의 말을 따와서 주제를 사실적으로 드러냄.

감상 톡! 제목의 '양(陽)'은 남성의 생식기를 가리키는 말이며, 이 생식기를 절단한 믿지 못할 사건을 통해 조선 후기 군포 및 세금 수탈의 모순을 비판하고 있는 작품이다. 화자는 참담한 현실 속 고통받는 백성들의 현실을 한 아낙의 말을 인용하여 사실적으로 전달하고 있으며, 이를 통해 불합리한 사회 구조를 비판하고 있다.

379 창의시(倡義詩) | 최익현
의병을 일으키는 시

노인, 대유법
백발로 밭이랑에서 분발하는 것은
벼슬길에서 물러나 초야에 묻혀 사는 이가 농사일에 더욱 힘을 쏟는 것은

초야의 충심(忠心)을 바랐음이라
나라를 아끼는 마음을 바람이라

난적은 누구나 쳐야 하니
왜적

고금(古今)을 물어서 무엇하겠는가 → 투쟁 의식의 응축
예나 지금이나 일어나야 할 이유를 물을 필요가 없이 반드시 쳐야 함(설의적 표현)

갈래 한시(5언 절구)
성격 우국적, 의지적
주제 국난에 의병을 일으켜 대항할 것을 결의함.
특징 ① 의병을 일으키고자 하는 의지와 목적이 선명히 드러남.
② 대유법과 설의법을 활용하여 주제 의식을 드러냄.

감상 톡! 1905년 을사늑약 체결에 대해 의병을 일으켜 투쟁하고자 하는 목적에 따라 지어진 작품이다. 고전 한시의 고답적인 표현을 벗어나서 투쟁 의지를 적극적으로 표출하고 있다.

380 쌍화점(雙花店) | 작자 미상
만두 가게

○: 사건이 벌어지는 공간적 배경(밀애의 장소)

쌍화점(雙花店)에 쌍화(雙花) 사라 가고신된
만두 가게 / 만두

회회(回回)아비 내 손모글 주여이다
: 적극적인 구애의 표현
만두 가게 주인. 아랍인 또는 몽고인을 의미함

이 말ᄉᆞ미 이 점(店) 밧긔 나명들명 → 소문이 나면
만두 가게 / (소문이) 퍼지면

『다로러거디러 죠고맛감 삿기 광대 네 마리라 호리라
어린 광대(가게에서 심부름하는 아이) / 소문내지 말라는 위협

더러둥셩 다리러디러 다리러디러 다로러거디러 다로러』
『 』: 의미 없는 여음
□: 사건의 목격자(힘없는 존재)

긔 자리예 나도 자라 가리라
앞의 화자를 부러워하는 다른 화자

『위 위 다로러거디러 다로러』 『 』: 의미 없는 여음

긔 잔 ᄃᆡ ᄀᆞ티 덦거츠니 업다
난잡한 곳이
문란한 행실에 대한 비판

> 쌍화점 회회아비와의 밀애

삼장사(三藏寺)애 브를 혀라 가고신된
절 / 불을 밝히러

그 뎔 사쥬(社主)ㅣ 내 손모글 주여이다
절의 주지 - 종교 지도자를 의미함

이 말ᄉᆞ미 이 뎔 밧긔 나명들명

다로러거디러 죠고맛간 삿기 상좌(上座)ㅣ 네 마리라 호리라
어린 중, 행자

더러둥셩 다리러디러 다리러디러 다로러거디러 다로러

긔 자리예 나도 자라 가리라

위 위 다로러거디러 다로러

긔 잔 ᄃᆡ ᄀᆞ티 덦거츠니 업다

> 삼장사 주지와의 밀애

드레 우므레 므를 길라 가고신된
두레박으로 물을 긷는 깊은 우물

우뭇룡(龍)이 내 손모글 주여이다
우물(왕궁), 용(제왕) - 정치 지도자를 의미함

이 말ᄉᆞ미 이 우믈 밧긔 나명들명

다로러거디러 죠고맛간 드레바가 네 마리라 호리라
두레박

더러둥셩 다리러디러 다리러디러 다로러거디러 다로러

긔 자리예 나도 자라 가리라
위 위 다로러거디러 다로러
긔 잔 ᄃᆡ ᄀᆞ티 덦거츠니 업다 ▶ 우물 용과의 밀애

술 ᄑᆞᆯ 지븨(술 파는 집) 수를 사라 가고신ᄃᆞᆫ
그 짓 아비(술집 주인 - 평범한 일반 백성을 의미함) 내 손모글 주여이다
이 말ᄉᆞ미 이 집 밧긔 나명들명
다로러거디러 죠고맛간 싀구바가지(술 바가지)가 네 마리라 호리라
더러둥셩 다리러디러 다리러디러 다로러거디러 다로러
긔 자리예 나도 자라 가리라
위 위 다로러거디러 다로러
긔 잔 ᄃᆡ ᄀᆞ티 덦거츠니 업다 ▶ 술집 아비와의 밀애

갈래 고려 가요
성격 퇴폐적, 향락적, 풍자적
주제 남녀 간의 자유분방한 애정 행각
특징 ① 전 4연의 분절체로 구성됨.
② 자유분방한 남녀 관계를 노골적으로 표현하면서도 은유와 풍자적 표현을 통해 당시의 퇴폐적이고 향락적인 사회상을 풍자함.
③ 한 연에 성격이 다른 화자가 시적 상황에 대해 다른 태도를 보임.

감상 톡! 남녀 간의 자유로운 애정 행각을 적나라하게 표현한 작품으로, 고려 말의 퇴폐적이고 향락적인 사회상을 짐작할 수 있다. 조선 시대에 남녀상열지사로 분류되어 배척을 받았다. 왕부터 일반 백성에 이르기까지 계층을 불문하고 퇴폐적인 생활을 했던 당시의 사회의 풍자하고 있다.

381 상저가(相杵歌) | 작자 미상

(방아를 찧으면서 부르는 노래)

듦긔동(덜커덩, 방아 찧는 소리(의성어)) 방해나 디허 히얘
게우즌 바비나(거친 밥이나) 지서 히얘
아바님 어마님ᄭᅴ 받ᄌᆞᆸ고 히야해 (주제 의식(효도)이 담긴 구절)
남거시든 내 머고리(먹으리(영탄적 표현)) 히야해 히야해 → 낙천적 세계관

(음영: 방아를 찧을 때 장단을 맞추기 위해 내는 의미 없는 소리. 동일한 구절의 반복으로 운율감 형성)

갈래 고려 가요
성격 낙천적, 유교적
주제 부모에 대한 효심
특징 ① 의성어를 사용하여 방아 찧는 광경을 실감 나게 표현함.
② 장단을 맞추기 위한 의미 없는 소리를 반복적으로 사용하여 흥을 돋움.

감상 톡! '상저(相杵)'는 '여자들이 절구에 둘러서서 방아를 찧음'의 의미로, 이 작품은 부모를 위해 방아를 찧는 고려 시대 여성의 모습을 담은 노래이다. 일종의 노동요로, '듦긔동'이라는 방아를 찧는 소리로 시작하고, '히얘'라는 매김 소리를 반복하여 노동의 분위기를 고조시키며 흥을 도우고 있다.

382 이상곡(履霜曲) | 작자 미상

(서리가 내린 길을 노래)

비 오다가 개야 아(노랫가락을 맞추기 위한 여음) 눈 하(많이) 디신(내린) 나래
서린 석석사리(나무 숲) 조분 곱도신(굽어 돌아간) 길헤
「다롱디우셔 마득사리 마득너즈세 너우지」
잠 ᄯᅡ간(잠을 빼앗아 간) 내 니믈 너겨(생각하여)
깃ᄃᆞᆫ(그이는) 열명 길헤(무서운 길, 저승길) 자라 오리잇가(자러 오시겠습니까 - 설의적 표현)
종종(때때로) 벽력(霹靂) 아 싱함타무간(生陷墮無間)
고대셔(바로, 곧) 싀여딜(없어질) 내 모미
종종 벽력(霹靂)(벼락) 아 싱함타무간(生陷墮無間)
고대셔 싀여딜 내 모미
(반복)
내 님 두ᄉᆞᆸ고(두고) 년뫼롤 거로리(다른 산을 걸으리 - 다른 사람을 사랑하지 않겠다는 의미)
이러쳐 뎌러쳐(이렇게 저렇게)
이러쳐 뎌러쳐 긔약(期約)이잇가
아소(감탄사) 님하(님이시여) 흔ᄃᆡ 녀젓(한곳에(함께) 살아가고자) 긔약(期約)이이다

(○: 임과의 만남을 방해하는 장애물)
(음영: 임이 오기 어려운 길)
(「 」: 노래의 곡조를 맞추기 위한 여음. 무의미한 주술적 조음으로 보는 것이 일반적임)

• 무간: 무간지옥(無間地獄). 한 겁 동안 끊임없이 생겨나 무간지옥에 떨어짐. 고통을 받는다는 지옥

갈래 고려 가요
성격 애상적, 순정적
주제 사별한 남편에 대한 사랑과 정절
특징 ① 설의법과 반복법을 통해 화자의 생각을 강조함.
② 한자어와 불교 용어가 사용됨.
③ 음탕한 내용이 없음에도 「쌍화점」, 「만전춘」과 함께 남녀상열지사로 분류됨.

감상 톡! 죽은 남편에 대한 변치 않는 사랑과 정절을 다짐하며 저승에서라도 재회하고 싶은 염원을 노래한 작품으로, 「쌍화점」, 「만전춘」과 함께 남녀상열지사의 대표작이다. 이 작품의 제목인 '이상(履霜)'은 '서리를 밟게 되면 장차 단단한 얼음의 계절이 올 것을 미리 알아 대비해야 한다.'라는 경계의 의미로 사용되던 말이다. 즉 「이상곡」은 남편을 여의고 홀로 된 여인이 걷게 될 험난한 삶의 길을 비유한 것으로 이해할 수 있다.

383 도솔가(兜率歌) | 월명사

(미륵에게 소원을 비는 노래)

오ᄂᆞᆯ 이에(해가 두 개 나타난 일) 산화(散花)('산화'는 꽃을 뿌려 부처에게 공양하는 의식으로, 여기서는 산화가(散花歌)의 의미) 불러
보보ᄉᆞᆯᄫᆞᆫ(솟아나게 한) 고자 너는(꽃아 너는, 의인법) ▶ 꽃을 뿌림
고ᄃᆞᆫ(곧은) ᄆᆞᅀᆞ미 명(命)ㅅ(마음의 명에) 브리이악(부리워져)
미륵 좌주(彌勒座主)(앞으로 이 세상에 내려와 중생을 구할 부처) 모리셔 벌라(늘어서라) ▶ 꽃을 뿌려 부처를 모심
(명령을 통한 소망 제시)

– 김완진 해독

갈래 향가 (4구체)
성격 의식요, 주술적, 불교적
주제 불교 신앙을 통해 국가의 변괴를 막음.
특징 ① 꽃을 의인화하여 주술적으로 호명함.
② 명령형을 통해 자신의 소망을 제시함.
배경 설화 신라 경덕왕 19년 4월에 해가 두 개가 나타나 열흘 동안이나 사라지지 않았다. 일관(日官: 고대에 왕의 측근에서 천체의 변이로써 길흉을 가리는 일을 맡은 관직)이 "인연이 있는 승려에게 청하여 꽃을 뿌리며 정성을 들이면 재앙을 물리칠 수 있을 것입니다."라고 아뢰었다. 이것은 대개 꽃을 뿌리면 부처가 와서 앉기 때문이며, 귀신은 향내 맡기와 빛 부기를 싫어하는 것으로 믿었던 까닭이다. 이에 왕은 깨끗한 단을 만들고 청양루에 행차하여 인연 있는 승려를 기다렸다. 그때 마침 월명사가 지나가고 있었으므로, 왕이 그를 불러 단을 열고 기도문을 짓게 했다. 이때 그가 지어 바친 것이 바로 이 작품이며, 조금 후에 두 개의 해가 나타난 괴변이 사라졌다고 한다.

감상 톡! 신라 경덕왕 때 해가 둘이 나타나는 일이 생기자 이러한 괴변을 물리치기 위해 지은 작품으로, 산화 공덕의 불교적 의식이 나타나 있다. '해'는 임금 또는 절대자를 상징하므로 해가 둘이 나타났다는 것은 국가의 지도자가 둘이 나타났다는 것을 의미하기도 한다. 즉 이 작품은 현재의 왕권에 도전하는 세력이 출현했으며, 이를 막기 위해 산화 공덕의 의식이 행해졌다고 해석할 수 있다.

384 원가(怨歌) | 신충

└옛정을 저버린 임금을 원망하는 노래

『믈흿 자시 ─왕이 맹세한 잣나무. 약속에 대한 믿음의 증표
ᄀᆞᄉᆞᆯ 안들 이우리 디매 → 사철 푸르고 불변하니 (시들어)
너 엇뎨 니저 이신 『 』: 즉위 전의 효성왕이 화자에게 한 약속(인용) (뜰의)
울월던 ᄂᆞᄎᆡ 겨샤온ᄃᆡ (너(신충)를 잊지 않겠다고 하신)
(우러르던 효성왕의 얼굴)
『ᄃᆞᆯ 그림제 녯 모샛 『 』: 왕의 마음이 변하여 등용되지 못하고 소외된 채 좌절하고 있는 화자의 처지와 그로 인한 원망을 드러냄
(화자의 처지 비유, 못의)
녈 믌결 애와티ᄃᆞᆺ』
(지나가는, 원망하듯)
즛ᅀᅡ ᄇᆞ라나
(모습, 모양 - 신의를 저버린 임금(효성왕)의 얼굴)
누리도 아쳐론 데여 → 세상사에 대한 절망과 체념
(세상, 싫은지고)
(마지막 2구 망실)

– 양주동 해독

갈래 향가 (10구체 – 마지막 2구 망실)
성격 주술적
주제 신의를 저버린 임(왕)에 대한 원망
특징 ① 사물에 빗대어 자신의 처지를 드러냄.
② 배경 설화를 통해 작품의 주술적 성격이 드러남.
배경 설화 신라 효성왕이 즉위 전, 왕이 되면 신충을 잊지 않겠다고 잣나무를 두고 맹세해 놓고 즉위 후 잊어버리자 이를 원망하며 부른 작품이다. 이 노래를 잣나무에 붙였더니 나무가 말라 버렸고, 이 사실을 안 효성왕이 신충을 등용하자 다시 살아났다고 한다.

감상 톡! 왕의 마음이 변하여(약속을 잊어버려) 등용되지 못하고 소외된 채 좌절하고 있는 자신의 처지를, 연못에 비친 달그림자가 이는 물결에도 쉽게 사라져 버리는 모습에 비유하여 약속을 저버린 왕에 대한 원망을 드러내고 있다.

385 서동요(薯童謠) | 서동

└마를 파는 아이의 노래

선화 공주(善化公主)니믄
(전도된 행위의 주체)
놈 그스지 얼어 두고 → 남몰래 선화 공주를 모함하려는 의도
(남몰래, ① 정을 통하여 ② 시집가)
맛둥바ᄋᆞᆯ
› 선화 공주의 은밀한 사랑
(서동)
바ᄆᆡ 몰 안고 가다
(밤에, 몰래)
› 서동과의 밀애

– 양주동 해독

갈래 향가 (4구체)
성격 주술적, 민요적, 참요
주제 ① 선화 공주의 은밀한 사랑 ② 선화 공주에 대한 연모의 정
특징 ① 민요 및 동요적 성격이 있음.
② 직설적이고 노골적인 표현을 사용함.
③ 주체와 객체를 바꾸어 자신의 소망을 드러냄.
④ 미래를 예언하고 암시하는 참요(讖謠)적 성격을 가지고 있음.
배경 설화 백제의 제30대 무왕의 이름은 장(璋)이다. 그의 어머니는 과부로, 연못가에 집을 짓고 살았는데, 그 못에 살고 있던 용과 관계하여 장을 낳았다. 장은 어려서부터 마[薯]를 캐어 팔아 생활을 했기 때문에 사람들은 그를 서동(薯童)이라고 불렀다. 그는 신라 진평왕의 셋째 딸인 선화 공주가 매우 아름답다는 소문을 듣고, 경주로 몰래 들어가 공주를 자기 아내로 삼을 방법을 생각하다가, 「서동요」를 지어 아이들에게 마를 나누어 주면서 부르게 하였다. 노래는 삽시간에 온 경주에 퍼졌고, 마침내 대궐에까지 전해지자 진평왕은 공주를 멀리 귀양 보내기로 하였다. 왕후는 쫓겨나는 공주가 애처로워 순금 한 말을 노자로 주었다. 공주가 귀양지에 이를 즈음 도중에서 기다리고 있던 서동이 슬픔에 잠긴 공주에게 동행이 되자고 하였다. 그 후에 서동은 공주를 아내로 맞아 백제로 돌아가 함께 살았는데, 공주를 통해 금이 보배라는 것을 비로소 알았다. 서동은 자신이 마를 캐던 뒷산에 그런 것이 얼마든지 있다 하였고, 그 금을 캐어 인심을 모으고 마침내 백제의 왕이 되었다.

감상 톡! 배경 설화에 따르면 이 작품은 서동의 계략에 의해 만들어진 일종의 참요(讖謠)이다. 미모의 공주를 아내로 삼고자 하는 서동의 갈망에 따라 서동이 사랑의 주체와 객체를 교묘하게 전도시켜 사랑을 성취한 노래이다.

386 몽금포 타령 | 작자 미상

└황해도 지방에 전승되는 민요. 「장산곶 타령」이라고도 함

장산곶 마루에 북 소리 나더니 금일도 상봉에 임 만나 보겠네 → 선창(先唱)
(등성이를 이루는 지붕이나 산의 꼭대기, └만선을 알리는 소리, 가장 높은 봉우리)

에헤요 에헤요 에헤요 임 만나 보겠네 → 후창(後唱)
(앞 구절의 뒷부분 반복)
› 임을 만날 기대감

갈 길은 멀구요 행선은 더디니 늦바람 불라고 서낭님 조른다
(배가 감, 배가 빠르게 움직일 수 있도록 바람이 불기를 기원함)

에헤요 에헤요 에헤요 서낭님 조른다
› 빠른 행선을 소망함

임도 보고요 술도 마시며 몽금이 개암포 들렀다 가
(장연군의 포구)

게나

에헤요 에헤요 에헤요 들렀다 가게나

> 고기잡이 생활의 회포를 풂

바다엔 흰 돛 쌍쌍이 도오나 외로운 사랑엔 눈물만 겨워라

(흰 돛 쌍쌍이 도오나: 외로운 화자의 처지와 상반됨 / 외로운 심정을 부각함(대조))

에헤요 에헤요 에헤요 눈물만 겨워라

> 외로운 처지와 슬픈 감정

바람새 좋다고 돛 달지 말고요 몽금이 앞바다 노다나 가지요

에헤요 에헤요 에헤요 노다나 가지요

> 곁에 없는 임이 몽금포에 들렀다가 가기를 원함

은은히 들리는 어적 소래에 이내 마음이 서글프구나

(어적 소래: 피리 소리)

에헤요 에헤요 에헤요 마음이 서글프구나

> 어부의 피리 소리가 서글픔

『북 소래 두둥둥 처울리면서 봉죽을 받은 배 떠들어오노나』 『 』: 만선(滿船)을 기대함

(봉죽: 풍어를 위해 끝에 꿩 깃을 단 대나무를 비유적으로 이르는 말)

에헤요 에헤요 에헤요 떠들어오노나

> 만선을 이룬 배가 들어옴

달은 밝고 바람은 찬데 순풍에 돛 달고 돌아를 오노나

(순풍에 돛 달고 돌아를 오노나: 바다에 나간 배가 무사히 돌아오기를 기원함)

에헤요 에헤요 에헤요 돌아를 오노나

> 만선으로 들어오는 배를 맞이함

갈래 민요, 유희요
성격 서정적, 애상적
주제 어민들의 삶과 정서
특징 ① 선후창의 연창(連唱) 형식을 취함.
② '후창' 부분에서 앞 구절의 뒷부분을 반복함.

감상 톡! 민중들 사이에 자연스럽게 형성되어 구전된 노래로, 황해도 지역의 특색과 한민족의 보편적 정서를 동시에 담고 있는 작품이다.

387 강강술래 | 작자 미상

『달 떠 온다 달 떠 온다 우리 마을에 달 떠 온다』 강강술래

(『 』: a-a-b-a구조, 선창자 부분 / 강강술래: 후창자 부분(후렴구))

저 달이 장차 우연히 밝아 장부 간장 다 녹인다 강강술래

『우리 세상이 얼마나 좋아 이렇게 모아 잔치하고 강강술래』 『 』: 현재 삶을 즐겨야 하는 이유

(우리 세상이 얼마나 좋아: 낙천적 세계관 / 이렇게 모아 잔치하고: 집단 가무(歌舞)의 성격)

강강술래 잘도 한다 인생일장은 춘몽이더라 강강술래

(인생일장은 춘몽: 인생의 덧없음)

아니야 놀고 무엇을 할꼬 노세 노세 젊어서 노세 강강술래

『늙고 병들면 못 노니라 놀고 놀자 놀아 보세 강강술래』 『 』: 현세적 세계관(유흥적, 향락적)

이러다가 죽어지면 살은 녹아 녹수가 되고 강강술래

(녹수: 맑은 물)

뼈는 삭아 진토가 되니 우리 모두 놀고 놀자 강강술래

(진토: 티끌과 흙)

어느 때의 하세월에 우리 시방에 다시 올래 강강술래

(어느 때, 하세월: 중복된 표현 / 시방: 지금)

『우리 육신이 있을 적에 춤도 추고 노래도 하고 강강술래』

(현세적 세계관)

놀고 놀고 놀아 보자 질게 하면 듣기도 싫다 강강술래

(질게 하면 듣기도 싫다: 후렴구를 길게 하지 말라는 뜻 – 짧은 인생을 즐기듯 빠르고 경쾌하게 부르라는 뜻)

노세 노세 젊어서 노세 칭칭이도 고만하자 강강술래

(칭칭이: 쾌지나 칭칭나네 – 여기서는 강강술래 가락을 일컬음)

갈래 민요, 유희요
성격 유흥적, 집단적, 낙천적, 현세적
주제 인생의 덧없음과 현재성
특징 ① 'a – a – b – a'의 전통적인 운율 구조를 사용함.
② 선후창의 연창(連唱) 형식을 취함.
③ 대구법과 반복법을 사용하여 리듬감을 형성함.

감상 톡! '강강술래 놀이'에 맞춰 부르는 일종의 유희요(遊戲謠)로, 주요 무형 문화재 제8호로 지정된 작품이다. 선후창의 연창 형식을 취하면서 '선창'은 주제 의식을 드러내고 '후창'은 작품의 통일성을 유지하는 역할을 하고 있다. 유흥적이고 향락적인 현세적 세계관을 보인다.

388 켕마쿵쿵 노세 | 작자 미상

(켕마쿵쿵: 악기 소리를 의성어로 나타낸 표현)

노 ~ 세 ~ 이 노 ~ 세 ~ 켕마쿵쿵 노 ~ 세이 → 선창

(특별한 의미 없는 후렴구. 북, 꽹가리, 장구 등의 악기 소리를 흉내 낸 의성어로 보기도 함)

노 ~ 세 ~ 이 노 ~ 세 ~ 켕마쿵쿵 노 ~ 세이 → 후창

> 노래의 시작

(○: 현재의 좋은 물건 ↔ △: 시간이 지나 보잘것없어진 물건)

낙락장송 고목되면 켕마쿵쿵 노 ~ 세이 → 선창

(낙락장송: 가지가 늘어진 소나무 / 고목: 말라죽은 나무)

노~세~이 노~세~ 켕마쿵쿵 노~세이 → 후창
눈 먼 새도 아니 오네 켕마쿵쿵 노~세이
노~세~이 노~세~ 켕마쿵쿵 노~세이
비단옷도 떨어지면 켕마쿵쿵 노~세이
노~세~이 노~세~ 켕마쿵쿵 노~세이
행주 걸레기로 다 나가네 켕마쿵쿵 노~세이
'걸레'의 방언
노~세~이 노~세~ 켕마쿵쿵 노~세이
› 낙관적인 생각을 노래함

(중략)

고생하던 우리 농군 켕마쿵쿵 노~세이
노래의 주체
노~세~이 노~세~ 켕마쿵쿵 노~세이
금년 농사도 잘 지었으니 켕마쿵쿵 노~세이
농사 솜씨에 대한 자부심 → 노동요의 성격
노~세~이 노~세~ 켕마쿵쿵 노~세이
우렁차게 잘 놀아보세 켕마쿵쿵 노~세이
› 농민의 노고를 치하함

메기는 소리의 끝과 받는 소리가 겹쳐 이중창 효과를 냄
노~세~이 노~세~ 켕마쿵쿵 노~세이
노세 소리도 고만하세 켕마쿵쿵 노~세이
노래의 마무리
노~세~이 노~세~ 켕마쿵쿵 노~세이
› 노래의 마무리

갈래 민요, 노동요
성격 현세적, 낙천적
주제 농사일을 열심히 하고 현재를 즐기자
특징 ① 선후창의 연창(聯唱) 형식을 취함.
② 선창이 열린 구조를 가짐.
③ 현재 삶의 중요성을 강조함.

감상 톡! 모내기를 끝내고 주인이 벌인 잔치 마당에서 농민들이 부른 노래로, 놀이 형태로 구성된 작품이다. 현재의 소중함과 생활의 즐거움을 강조한 농민들의 낙천적 사고관이 드러나 있고, 농민 자신의 처지를 스스로 위로하는 따뜻함을 느낄 수 있다.

389 경기 아리랑 | 작자 미상

아리랑 아리랑 아라리요
아리랑 고개로 넘어간다 ― 후렴구 - 운율 형성 기능
임과 화자 사이를 가로막는 장애물
「나를 버리고 가시는 님은 「」: 위협을 통해 화자의 간절한 소망을 제시함
임과의 이별 상황
십 리도 못 가서 발병난다」
› 떠나는 임에 대한 위협

아리랑 아리랑 아라리요
아리랑 고개로 넘어간다

청청하늘엔 별도 많고
맑고 푸른 하늘
우리네 가슴엔 수심도 많다 ― 대구법
근심
› 수심이 많은 가슴속

아리랑 아리랑 아라리요
아리랑 고개로 넘어간다
저기 저 산이 백두산이라지
동지섣달에도 꽃만 핀다 ― 앞 연들의 내용과 연계성 부족
음력 11, 12월. 한겨울
› 백두산을 바라봄

갈래 민요
성격 애상적, 서정적
주제 이별의 슬픔과 안타까움
특징 ① 동일한 후렴구를 반복하여 운율감을 형성하고 시상에 안정감을 부여함.
② 3음보 율격을 반복하고, 후렴구에 'ㄹ'과 'ㅇ'을 빈번히 사용하여 음악적 효과를 높임.
③ 다양한 창자에 의해 불리면서 내용의 연계성이 떨어짐.

감상 톡! 우리 민족이 가장 많이 애창하는 대표적 전통 민요로, 이별로 인한 애상을 노래하고 있다. 「경기 아리랑」은 서울 · 경기 지방에서 발생하여 「서울 아리랑」이라고도 불리며, 전통 아리랑(「정선 아리랑」, 「진도 아리랑」, 「밀양 아리랑」)과 구별하여 「신 아리랑」, 「신민요 아리랑」, 「본조 아리랑」이라 부르기도 한다.

390 진도 아리랑 | 작자 미상

『문경 새재는 웬 고개인고 『』: 선후창 방식
경북 문경시와 충북 괴산군 사이의 고개
구비야 구비야 눈물이 난다 → 선창(先唱)
굽이 탄식을 직설적으로 표현함
아리아리랑 쓰리쓰리랑 아라리가 났네
아리랑 응응응 아라리가 났네』 ― 후창(後唱) - ① 후렴구 ② 작품 전체의 통일성 부여
콧소리. 여기서는 짐을 지고 고개를 오르내리는 소리, 한숨 소리, 울음소리 등을 의미

치어다보니 만학천봉(萬壑千峰)
쳐다보니 첩첩이 겹쳐진 깊고 큰 골짜기와 수많은 산봉우리
굽어보니 백사지(白沙地)로다
흰모래가 깔려 있는 땅. 곡식이나 초목 따위가 자라지 못하는 메마른 땅. 의지할 데가 도무지 없는 객지나 타향
아리아리랑 쓰리쓰리랑 아라리가 났네
아리랑 응응응 아라리가 났네
› 1, 2연: 험난한 인생

임이 죽어서 극락을 가면
이내 몸도 따라가지 지장보살
죽더라도 임과 함께하고픈 소망 부처 없는 세계에서 중생을 교화하는 관세음보살
아리아리랑 쓰리쓰리랑 아라리가 났네
아리랑 응응응 아라리가 났네
다려가오 날 다려가오
데려가오
우리 임 뒤따라서 나는 가네
아리아리랑 쓰리쓰리랑 아라리가 났네

아리랑 응응응 아라리가 났네 ▶3, 4연: 죽음을 초월한 사랑

(후략)

갈래 민요
성격 애상적, 한탄적
주제 고달픈 삶의 애환 및 임과 사별한 슬픔
특징 ① 인생의 험난함을 자연물로 비유하여 표현함.
② 한 사람씩 돌아가면서 선창을 하고, 나머지는 함께 후창을 하는 선후창 방식을 취함.
③ 4음보 율격으로 리듬감을 형성함.

감상 톡! 우리나라 3대 아리랑의 하나로, 임에 대한 사랑, 고달픈 삶의 비애로 인한 탄식을 소박하고 직설적으로 노래하고 있어 민중의 정서를 가장 잘 담아낸 아리랑으로 평가받는 작품이다.

391 모 심는 소리 | 작자 미상

△: 다음으로 넘어간다는 소리 - 동일 위치에서 반복적으로 사용

에이여 심어를 주게 심어를 주서요
노동의 권고
오종종 줄모루만 심어를 주소 ▶줄모로만 심기를 당부함
못줄을 대어 가로와 세로로 줄이 반듯하도록 심는 모

에이여 이 논자리를 다 심구서
다음 논자리로 넘어를 가세 ▶모심기를 독려함
□: 청유형 종결 어미

에이여 쉬어를 합시다 쉬어를 합시다
노동의 능률을 높이기 위한 휴식의 권유
담배참이나 지어를 가네 ▶휴식을 권유함
노동 중 담배를 피우는 시간(휴식 시간)

에이여 달도나 밝은데 어둡기 전에
이 논자리를 오종종 줄모를 심어를 주소
▶어두워지기 전에 모심기를 재촉함

갈래 민요, 노동요
성격 집단적
주제 모심기에 대한 독려
특징 ① 3음보 율격을 반복하고, 동일 위치에서 특정 시어를 반복하여 음악적 효과를 높임.
② 청유형 종결 어미(–ㅂ시다, –세)를 활용하여 노동과 휴식을 권고함.

감상 톡! 강원도 지역에서 불리던 민요로, 일을 즐겁게 하고 공동체 의식을 높여서 일의 능률을 높이기 위하여 부르는 노동요에 해당한다.

392 자진방아 타령 | 작자 미상

정월이라 대보름날
음력으로 한 해의 첫째 달 / 음력 정월 보름날
액매기가 떴단다
액운을 막아주는 연을 띄우는 풍속
에라디어 에헤요
방애흥애로다 ▶정월 대보름날의 액막이 풍속

이월이라 한식날은
동지에서 105일째 되는 날. 양력 4월 5일이나 6일쯤
춘추절이 떴단다
종묘와 서원에서 선조들에게 제사를 지내는 풍속
에라디어 에헤요
방애흥애로다 ▶이월 한식날의 춘추절 풍속

삼월이라 삼짇날은
삼짇날. 음력 3월 3일 - 강남 갔던 제비가 돌아온다는 날
제비 새끼가 떴단다
에라디어 에헤요
방애흥애로다 ▶삼월 삼짇날에 제비가 돌아옴

사월이라 팔일날은
초파일. 음력 4월 8일 - 석가모니의 탄생일
관등노리가 떴단다
관등놀이. 연등 행사. 초파일의 민속놀이
에라디어 에헤요
방애흥애로다 ▶사월 초파일의 관등놀이 풍속

오월이라 단옷날은
음력 5월 5일
추천줄이 떴단다
그넷줄. 여인들이 그네를 뛰던 풍속
에라디어 에헤요
방애흥애로다 ▶오월 단옷날의 그네뛰기 풍속

(후략)

갈래 민요
성격 낙천적, 긍정적
주제 각 달의 절기에 따른 세시 풍속
특징 ① 월령체 형식을 통해 각 달의 절기와 세시 풍속을 소개함.
② 후렴구를 사용하여 흥을 돋우고, 즐겁고 경쾌한 분위기를 조성함.

감상 톡! 전문 소리꾼들에 의해 불린 경기 민요로, 정월에서 5월까지는 월령체로 되어 있고, 그 이하는 연, 종달새, 바람개비처럼 하늘에 떠 있는 물건이나 새 따위를 노래하고 있다.

393 청춘과부가(靑春寡婦歌) | 작자 미상

청상과부가 된 슬픔과 안타까움을 노래

천지 인간 만물 중에 무상할손 이내 사정
인생무상(人生無常) - 모든 것이 덧없음
못 할러라 못 할러라 공방살림 못 할러라
'a - a - b - a' 구조로, 화자의 서러운 마음을 부각하고 운율을 형성함
열젓스나 거멋스나 부부밖에 또 있는가
얼굴에 얽은 자국이 있거나

견우직녀성도 두리 서로 마조 섯고 □: 화자의 처지와 대조를 이루는 대상

용천검 태아검도 두리 서로 짝이 되고

전설 속의 명검

날짐승 길버러지 다각각 짝이 잇건만

전생차생 무슨 죄로 우리 두리 부부 되여

전생과 이승, 불교의 윤회 사상이 깔려 있음

거믄 머리 백발 되고 희든 몸이 황금 되고

영원히 함께하고자 하는 마음

자손만당 영화 보고 백년해로 사잣너니

자손으로 가득찬 집 부부가 한평생 사이좋게 지내며 늙음

하느님도 무정하고 가운이 불행하여

인정이 없고 집안의 운수

조물이 시기하고 귀신조차 사정없다

말 잘하고 인물 조코 활 잘 쏘고 키 훨신 큰

남편의 출중한 외모와 능력 - 남편에 대한 화자의 애정을 드러냄

다정한 우리 낭군 사랑하든 우리 낭군

남편에 대한 그리움이 드러남

무슨 나이 그리 만하 청산고혼 되단 말가

청산의 외로운 넋 - 남편이 요절하였음을 짐작할 수 있음

『삼생연분 아닐런가 사주팔자 그러한가

전생, 현생, 내생의 인연 - 부부의 깊은 인연을 말함

기위(旣爲) 부부 되었거든 죽지 말고 사렷거나

이미 되었음

그리 죽자 할작시면 만나지나 마랏거나』 『 』: 요절한 남편에 대한 안타까움과 운명에 대한 원망

부질없는 이내 심사 어느 누가 위로하리

이제 와 쓸모없는 생각

심회로다 심회로다 하해가치 기픈 수심

마음속에 품은 생각 넓은 바다 근심

태산가치 노픈 심회 상사로다 상사로다

서로 생각하고 그리워함

> 서사: 남편의 죽음에 대한 안타까움과 그리움

상사하든 우리 낭군 어이 그리 못 오든가

동일 어구의 반복: 의미 강조·운율 형성

와병에 인사절하니 병이 드러 못 오든가

병으로 자리에 누움

약수 삼천리가 둘러 못 오든가

중국 서쪽의 전설 속 강으로 기러기 깃털도 가라앉혀서 아무도 건널 수 없었다 함

만리장성이 가리와 못 오든가

『춘수 만사택하니 물이 기퍼 못 오든가 『 』: 도연명의 「사계」에 나오는 구절로, 봄·여름·가을·겨울의 계절감이 드러남

봄물이 연못에 가득하니

하운이 다기봉하니 산이 노파 못 오든가

여름 구름이 산봉우리들처럼 떠 있으니

물이 깊거든 배를 타고 뫼이 높거든 기어 넘지

추월이 양명휘할 제 달을 띄어 오시려나

가을 달이 드높이 밝게 빛남

동령에 수고송한데 백설 날려 못 오시나』

동쪽 언덕에 외로운 소나무가 빼어난데

『동창에 도든 달이 서창에 지거든 오려는가

병풍에 그린 황계 사경일점에 날 새라고 꼬꼬 울거

털빛이 누런 닭 새벽 1~3시 사이의 한 시간

든 오시려나

금강산 상상봉이 평지 되여 물 미러 배 둥둥 뜨거

든 오려는가』 『 』: 이루어질 수 없는 상황을 제시하여 임을 볼 수 없는 안타까움을 심화함

어이 그리 못 오든가 무삼 일로 못 오든가

가슴속에 불이 나서 생초목이 다 타간다

화자의 심정을 비유적으로 표현함

눈물이 비가 되여 붙는 불을 끄렷마는

과장법

한숨이 바람 되여 점점 부러

구곡간장 써근 물이 눈으로 소사날 제

굽이굽이 서린 창자·시름이 쌓인 마음속을 비유함

구년지수 되엿구나 한강지수 되엿구나

중국 요나라 때 9년 동안 계속되었다는 홍수(과장법)

척척사랑 영리별은 두말없는 내일이야

사이가 좋던 사람

구중청산 기픈 골에 잠자느라 못 오든가

아홉 구비나 되는 푸른 산 남편을 만나고 싶은 간절함

자내 일정 못 오거든 이내 몸 다려가소

남편을 평범하게 부르는 말

> 본사 1: 남편을 다시 만날 수 없는 현실에 대한 안타까움

선천후천 생긴 후에 날 가튼이 또 잇는가

사람이 생기기 전, 후

부모 동생 업섯스니 미들 곳이 바이없다

자신의 처지를 믿고 하소연할 곳

애고애고 이내 일이야 눌로 하야 이러할고

근원 버힐 칼이 없고 근심 없앨 약이 없다

화자의 근심의 원인

사랏슬 제 하든 거동 눈에 삼삼 어려잇고

남편이 하던 행동

주거갈 제 하든 말슴 귀에 쟁쟁 박혀 잇네

보고지고 보고지고 임의 얼굴 보고지고

듯고지고 듯고지고 임의 소래 듯고지고 ─ 반복을 통해 남편에 대한 그리움을 강조함(a-a-b-a 구조)

원수로다 원수로다 천하 사람 많건마는

연소하신 우리 임을 무슨 죄로 다려가서

철석간장(鐵石肝腸) 다 노기고 차마 서러 못 살레라

굳센 의지나 지조가 있는 마음(화자의 마음)

안젓스나 누엇스나 왼갓 회포 절로 난다

마음속에 품은 생각

> 본사 2: 남편에 대한 그리움

(중략)

애고답답 내 팔짜야 한심코도 가이없다

월명성희하고 오작이 남비로다

달은 밝고 별은 드물고 까마귀, 까치가 남쪽으로 날아간다 - 조조의 「단가행(短歌行)」 중 일부

부모 동생 중한 연분 천지에도 없것마는

낭군 그려 서른 마음 차마 잊지 못할레라

견우성 직녀성도 일년일도 그리다가

일 년에 한 번

칠월칠석 만나보니 그 아니 조흘손가

직녀를 부러워함

우리 낭군 어이하야 조흔 연분 그리는고

앞 남산 조흔 밭을 어느 낭군 가라 주며

동창하 비즌 술을 눌로 하야 맛을 뵈리

옥면을 잠간 드러 장원의 투향접은

여인(화자)의 얼굴 향기를 탐하는 나비

나를 조차 이러난다 어화 이 일이야

청려장 손에 드러 반공에 노피 떠서

명아줏대로 만든 지팡이

천하를 구버보니 눈앞에 구주로다

여러 나라

백운을 둘러 타고 오로봉 차자가서

중국 노산의 봉우리

불사약을 어더먹고 이리저리 다니다가

한때의 꿈, 덧없는 꿈

홀연히 깨여보니 남가일몽뿐이로다

> 본사 3: 남편에 대한 그리움에 지쳐 꿈을 꿈

(후략)

갈래 가사 (내방 가사)
성격 애상적, 한탄적, 회한적
주제 남편과 사별한 아픔과 청상이 된 여인의 신세 한탄
특징 ① 짝이 있는 대상들을 나열하여 화자의 서글픈 신세를 부각함.
② 유사한 통사 구조의 반복으로 운율감을 형성하고 화자의 마음을 효과적으로 드러냄.
③ 비현실적 상황을 제시하여 화자의 안타까운 정서를 심화함.

감상 톡! 청춘에 남편과 사별한 여인이 외로움을 한탄하며 직녀를 부러워하다가, 노승에게서 깨달음을 얻고 부처에게 귀의하고자 하는 심정을 노래한 작품이다.

394 노인가(老人歌) | 작자 미상

└노인이 부른 노래

곤륜산(崑崙山) ᄂᆞ린 맥(脈)의 오악(五嶽)이 중흥(中興)ᄒᆞ니
(곤륜산: 불사(不死)의 물이 흐른다는 중국의 전설 속 산 / 오악: 우리나라의 금강산, 묘향산, 지리산, 백두산, 삼각산)

천하명산 분배ᄒᆞ고 무수강산(無數江山) 구비텨셔

천수만산(千水萬山) 곳곳마다 사ᄅᆞᆷ 살게 삼겨시니
(사ᄅᆞᆷ 살게 삼겨시니: 사람이 살게 생겼으니)

무궁(無窮)ᄒᆞᆫ 조화 중의 우리 자연(自然) 늙엇고나

어와 청춘(靑春) 소년(少年)들아 백발(白髮) 보고 웃디 마라

덧업시 가ᄂᆞᆫ 세월(歲月) 넨들 매양(每樣) 졂을소냐
(매양: 언제나)

져근덧 늙어시니 공(空)된 줄 알거니와
(져근덧: 순식간에)

『소문(所聞) 업시 오ᄂᆞᆫ 백발(白髮) 귀밋히 반백(半白)이라 『』: 백발을 의인화함

청좌(請坐) 업시 오ᄂᆞᆫ 백발(白髮) 털긋마다 점점 흰다』
(청좌: 으뜸 벼슬아치의 출석을 청하는 일)

이리져리 혜여 보니 오ᄂᆞᆫ 백발 검을소냐

『위풍(威風)으로 제어(制禦)ᄒᆞ면 겁(怯)내야 아니 올까 『』: 백발을 물리칠 방법을 해학적으로 표현함
(위풍: 위세 있고 엄숙한 풍채·기세)

기운(氣運)으로 조차 보면 못 이긔여 아니 올까

ᄭᅮ지저 물니티면 무색(無色)ᄒᆞ야 아니 올까
(무색: 부끄러워)

욕(辱)ᄒᆞ야 거절(拒絶)ᄒᆞ면 노여ᄒᆞ야 아니 올까

긴 창(槍)으로 딜너 보면 무셔워 아니 올까

드ᄂᆞᆫ 칼노 내텨디면 혼(魂)이 나서 아니 올까

휘장으로 ᄀᆞ려 볼까 방패로 막아 볼까

소진(蘇秦) 장의(張儀) 구변으로 달내면 아니 올까
(소진 장의: 중국의 유명한 유세가와 정치가 / 구변: 말을 잘하는 솜씨)

됴흔 음식 가초 출혀 인정 쓰면 아니 올까』

ᄒᆞᆯ 수 업다 뎌 백발은 사ᄅᆞᆷ마다 격ᄂᆞᆫ고나

인부득(人不得) 항소년(恒少年)은 풍월 중의 명담(名談)이오
(인부득 항소년: 사람은 항상 젊을 수 없음 / 명담: 사리에 꼭 맞게 뜻 있는 말)

『인생칠십 고래희ᄂᆞᆫ 글귀 중의 한심(寒心)ᄒᆞ다
(인생칠십 고래희: 인생살이 칠십 년은 예부터 드묾 / 한심: 딱하고 기막힘)

삼천갑자 동방삭도 전무후무(前無後無) 처엄이오
(삼천갑자 동방삭: 서왕모의 복숭아를 먹어 장수하였다는 중국의 문인)

칠백세(七百歲) 사던 팽조도 금문고문(今聞古聞)
(팽조: 장수하였다는 중국의 선인)

ᄯᅩ 잇ᄂᆞᆫ가』 『』: 동방삭이나 팽조와 같이 오래 살 수 없음

부유(蜉蝣) ᄀᆞᆺ흔 이 세상(世上)의 초로(草露) ᄀᆞᆺ흔 우리 인생
(부유: 하루살이 / 초로: 풀잎에 맺힌 이슬)

칠팔십 산다 ᄒᆞᆫ들 일장춘몽(一場春夢) ᄭᅮᆷ이로다
(일장춘몽: 한바탕의 봄 꿈 → 인생의 덧없음)

어와 가련(可憐)ᄒᆞᆯ샤 물 우희 평초(萍草)로다
(평초: 개구리밥)

우리 인생 가련ᄒᆞ다

이 몸이 늙어디면 다시 졂기 어려웨라

➤ 기: 인생의 허무함과 늙음을 물리치고 싶은 마음

『창힐이 조자(造字)ᄒᆞᆯ 제 가증(可憎)ᄒᆞ다 늙을 노(老) 자(字) 『』: '노(老)'자를 의인화하여 늙어 가는 신세를 한탄함
(창힐: 처음으로 문자를 만들었다는 중국 고대의 인물 / 조자: 글자를 만들 때 / 가증: 미워할 만하다)

진시황 분시서(焚詩書)ᄒᆞᆯ 제 나디 안코 내ᄃᆞ라셔
(진시황 분시서ᄒᆞᆯ 제: 진시황이 서책을 불태울 때 / 내ᄃᆞ라셔: 내달아서)

의미 업고 사정(事情) 업시 세상 사ᄅᆞᆷ 늙히ᄂᆞᆫ고』

늙기도 셜운 중의 모양(貌樣)조차 그러ᄒᆞᆯ까

『ᄭᅩᆺᄀᆞᆺ치 곱던 얼골 검버섯 무ᄉᆞᆷ일꼬

옥(玉)ᄀᆞᆺ치 희던 ᄉᆞᆯ은 동토(動土) 등걸 되얏고나
(동토 등걸: 건드리면 안 되는 땅의 줄기를 잘라 낸 나무의 밑동)

삼단ᄀᆞᆺ치 기던 머리 불앙당[不汗黨]이 뎌 갓고나
(불앙당: 불한당)

볼다기 잇던 ᄉᆞᆯ은 마고(麻姑)할미 ᄶᅥ어 가고
(마고할미: 전설 속의 신선 할미)

새별ᄀᆞᆺ치 ᄇᆞᆰ던 눈은 판수 거의 되야 간다
(판수: 맹인)

섮대ᄀᆞᆺ치 곳던 허리 질마ᄀᆞᆺ치 무ᄉᆞᆷ일고
(섮대: 화살대 / 질마: 소나 말 위에 얹는 안장)

유수(流水)ᄀᆞᆺ치 조턴 말은 반(半)벙어리 무ᄉᆞᆷ일고

얼는 ᄒᆞ면 듯던 귀가 층암절벽(層岩絶壁) 막혓고나
(층암절벽: 몹시 험한 바위가 겹겹으로 쌓인 낭떠러지)

명강이를 것고 보니 비수검(匕首劒) ᄂᆞ리셧다
(비수검: 날이 예리하고 짧은 칼)

ᄑᆞᆯᄯᅡ시을 들고 본니 수양버들 느러뎟다』 『』: 늙어 가는 모습
(ᄑᆞᆯᄯᅡ시: 팔다리)

무ᄉᆞᆷ일 보왓ᄂᆞ냐 눈물이 귀쥐ᄒᆞ다

독ᄒᆞᆫ 감기 드럿ᄂᆞᆫ가 코물도 추비ᄒᆞ다

정신이 혼미ᄒᆞ니 총명인들 ᄇᆞᆰ을손가

ᄲᅥᆨᄀᆞ로 ᄶᅵ엇ᄂᆞᆫ가 체머리 무ᄉᆞᆷ일꼬
(체머리: 머리가 계속해서 흔들리는 병적 현상)

신풍미주(新豊味酒) 먹엇ᄂᆞᆫ가 빗틀거름 불샹ᄒᆞ다

집핑이를 집허시니 등짐쟝ᄉᆞ ᄒᆞ얏ᄂᆞᆫ가

묵묵무언(默默無言) 안자시니 부텨님 ᄂᆞ리엿ᄂᆞᆫ가

ᄂᆞᆷ의 말을 참예(參預)ᄒᆞᆯ까 문동답서(問東答西) 답답ᄒᆞ다
(참예: 어떤 일에 끼어듦 / 문동답서: 물음과 관계없는 엉뚱한 대답)

집안일 분별(分別)ᄒᆞᆯ제 ᄲᅮᆫ견이 일수(一手)로다

그 중의 먹으랴고 비육불포(非肉不飽) 노래ᄒᆞᆫ다
(비육불포: 고기를 먹지 않으면 배가 부르지 않음(노인의 쇠약한 지경))

뎌 중의 더우랴고 비백불난(非帛不暖) 말숨ᄒᆞᆫ다
(비백불난: 비단이 아니면 따뜻하지 않음(노인의 쇠약한 지경))

누가 주어 늙엇ᄂᆞᆫ가 소년(少年) 보면 자세(籍勢)ᄒᆞ고
권력이나 조건을 믿고 세도를 부림

누가 빼야 근력(筋力) 업나 자질 보면 ᄯᅦ를 쓰ᄂᆡ
아들과 조카

지척(指斥)ᄒᆞ면 셩을 내고 육십갑자 곱아 보니 덧업시 도라온다
웃어른의 언행을 지적하고 탓함

사시절(四時節) ᄉᆞᆲ혀보니 덧업시도 디나간다

늙을ᄉᆞ록 분(忿)ᄒᆞᆫ ᄆᆞᄋᆞᆷ 정(定)ᄒᆞᆯ 슈 바이 업다

❯ 승: 늙어서 추해진 모습과 인생의 덧없음

『편작(扁鵲)이 불너다가 늙ᄂᆞᆫ 병(病) 고틸손가
중국 전국 시대의 명의

불사약(不死藥) 어더다가 쇠(衰)ᄒᆞ디 안케 ᄒᆞ야 볼까
죽지 않는 약

주사 야도(晝思夜度) ᄉᆡᆼ각ᄒᆞ나 늙을 밧 ᄒᆞᆯ 슈 업다』
밤낮으로 생각하다　『 』: 늙지 않을 방도를 생각하나 막을 도리가 없음

어와 셜운디고 ᄯᅩ ᄒᆞᆫ 말 드러 보소

『ᄭᅩᆺ치라도 ᄠᅥ러디면 오ᄂᆞᆫ 나뷔 도라가고

나모라도 병(病)이 들면 눈먼 새도 아니 오ᄂᆡ

거믜라도 ᄠᅥ러디면 물것대로 도라가고
무는 벌레들

옥식(玉食)도 쉬여디면 슈채 구멍 ᄎᆞ자 가ᄂᆡ』
맛있는 음식

세상일 ᄉᆡᆼ각ᄒᆞ니 만사가 허사로다
『 』: 인생의 허무함을 자연물과 음식 등에 비유하여 표현함

『어제 날 청춘(靑春) 적의 업던 친구 절노 와셔

주란화각(朱欄畵閣) 놉흔 집의 백옥반 교자상(交子床)의
단청을 곱게 하여 아름답게 꾸민 누각　『 』: 화려했던 젊은 시절 회상

술맛도 됴커니와 안쥬도 찬란(燦爛)ᄒᆞ다

차례(次例)로 느러안자 잡거니 권(勸)커니

몃 순배(巡杯) 도라가니 풍월(風月)도 ᄒᆞ야 볼까
술자리에서 술을 차례로 돌림

일각(一角)인들 ᄲᅡ딜소냐 뉘대뎌대 생황 양금(笙簧洋琴)이며

오음 육률 ᄀᆞ즌 풍류(風流) 차제(次第)로 노래ᄒᆞᆯ 제

각히 소장(所長) 불너대야

한가ᄒᆞᆫ 처사가(處士歌)ᄂᆞᆫ 악민가(樂民歌)로 화답ᄒᆞ고

다정ᄒᆞᆫ 상사가(相思歌)ᄂᆞᆫ 춘면곡(春眠曲) 화답ᄒᆞ고

허탕ᄒᆞ다 어부사(漁父辭)ᄂᆞᆫ 매화곡(梅花曲) 화답ᄒᆞ고

듯기 됴흔 길고락은 권주가(勸酒歌)로 화답ᄒᆞ고

처량ᄒᆞ다 노고가(老姑歌)ᄂᆞᆫ 화계(花階)타령 화답ᄒᆞ고

괴상하고 망측한
괴망(怪妄)ᄒᆞᆫ 남행(南行) 친구 활발ᄒᆞᆫ 무변(武弁) 친구
조상의 공덕으로 된 벼슬아치. 음관　무관

용졸(庸拙)ᄒᆞᆫ 선븨 친구 테셜 구진 한량(閑良) 친구
용렬하고 옹졸함　설사 잦은

복색 됴흔 대전별감(大殿別監) 눈치 만흔 포도부장(捕盜部將)
포도청의 한 관직

ᄯᅦ 만흔 정원사령(政院使令) 숙긔 됴흔 나장(羅將)이며
승정원 직원　의금부 하급 관리

돈 잘 쓰ᄂᆞᆫ 입전시정(立廛市井) ᄆᆡ 잘 티ᄂᆞᆫ 각사사령(各司使令)
서울에서 비단 파는 장사꾼　관아의 심부름꾼

패가자제(敗家子弟) 난봉죽과 허랑 맹랑 무록배(無祿輩)
패망한 집 자제　녹이 없는 무리들

축일상봉(逐日相逢) 교유ᄒᆞ니 늙은 줄 모로ᄂᆞᆫ고나』
날마다 서로 만나

❯ 전: 젊은 날 여러 부류의 친구들과의 교유를 회상함

어와 설운디고 늙어시니 어이ᄒᆞ리
늙음에 대한 한탄과 서러움

조석(朝夕) 사괴던 친구 부운(浮雲)ᄀᆞᆺ히 흐터디고
뜬구름

죽쟈 사쟈 ᄒᆞ던 친구 유수(流水)ᄀᆞᆺ히 도라가네

설나 절나 독부리여 허희탄식(歔欷歎息)뿐이로다
울며 탄식함

『부럽다 청년(少年)들아 졂어셔 힘컷 먹소
『 』: 젊어서 실컷 놀기를 권유함

즐거웨라 소년(少年)들아 졂어실 제 슬컷 노소』

식객삼천(食客三千) 맹상군(孟嘗君)은 죽어디면 ᄌᆞ최 업고
중국 전국 시대 제나라의 재상

백자천손(百子千孫) 곽분양(郭汾陽)도 죽어디면 허사로다
당나라 현종 때의 충신

영웅(英雄)도 말을 마소 영웅도 아니 늙나

호걸(豪傑)도 자랑 마소 호걸은 일생(一生) 사나

아마도 먹고 쓰고 노는 거시 호걸인가 ᄒᆞ노라
덧없는 인생을 즐길 것을 권유

❯ 결: 늙어서 서러운 처지와 젊었을 때 실컷 놀기를 권유함

갈래 가사
성격 한탄적, 해학적
주제 늙음을 한탄하며 젊어서 인생을 즐길 것을 권유함.
특징 ① 열거법, 대구법, 직유법을 주로 사용하여 늙음을 사실적으로 묘사함.
② 중국의 고사, 인물의 이야기를 인용함.

감상 톡! 젊은 세월을 허송세월한 노인 화자가 소년들에게 늙거나 죽고 나면 모든 것이 허망할 뿐이니 젊었을 때 실컷 즐기라고 권유하는 작품이다. 비슷한 내용의 「백발가」가 젊은 시절을 허랑방탕하게 보낸 것을 후회하며 유교적 교훈을 주는 것과는 달리, 덧없는 인생을 마음껏 즐기라는 서민적이고 반봉건적인 교훈을 주는 것이 이 작품의 특징이다.

395 백발가(白髮歌) | 작자 미상

└늙음에 대한 탄식을 노래

춘일(春日)이 노곤하여 초당에 누었더니
초가

세상을 돈망(頓忘)하고 여취여광 못 깨더니
아주 잊어버림　취한 듯 몽롱한 듯

정신이 태탕하여 남가일몽(南柯一夢) 잠이 들어
꿈과 같이 헛된 한때의 부귀영화. 여기서는 꿈을 꾸었다는 의미
문전(門前)의 한 노인이 양식(糧食) 달라 구걸하네
▶ 화자가 꿈에서 거지 노인을 만남

의복(衣服)이 남루하고 용모가 초췌하여
낡아 해지고
행색도 수상하고 모양조차 괴이하다
뉘 탓으로 늙었는지 근력 없다 탄식하며
뉘 탓으로 가난한지 묻지 않는 팔자 한탄
무슨 공명(功名) 하였는지 꼬락서니 해괴하다
공을 세워 이름을 널리 드러냄
남의 말 참견하며 문동답서(問東答西) 가소롭다
동문서답 - 물음과 상관없는 엉뚱한 대답
귀먹은 핑계하고 딴전이 일수로다
날카로운 칼
「정강이를 볼작시면 비수검(匕首劍) 날이 서고
살이 없고 뼈만 남아 앙상함
팔다리를 볼작시면 수양버들 흔들흔들
아래 턱은 코를 차고 무르팍은 귀를 넘고
어린 체를 하려는지 콧물조차 훌쩍이며
눈과 이별하였는지 눈물은 무삼일고
무슨 일인가
등짐장사 하려는지 집팽이는 무삼일고
「」: 꿈에서 만난 노인의 모습
지팡이
떡가루를 치려는지 체머리는 무삼일고
신풍미주(新豊美酒) 취하였나 비척걸음 가관이다」
좋은 술 / 비틀거리면서 걷는 걸음
「그 중에도 먹으랴고 비육불포(非肉不飽) 노래하며
「」: 반찬과 옷에 대해 투정 / 고기를 먹지 않으면 배가 부르지 않음
그 중에도 입으랴고 비백불난(非帛不暖) 문자 쓴다」
비단옷을 입지 않으면 따뜻하지가 않음
「성명은 무엇이며 거주(居住)는 어디메뇨
「」: 화자의 질문
보아하니 반명(班名)으로 무삼 노릇 못하여서
양반이라고 이를 만한 명색
남의 농사 전혀 믿고 문전걸식(門前乞食) 어이 하노」
문 앞에서 빌어먹음
저 노인 거동 보소 허희탄식(歔欷歎息) 기가 막혀
한숨을 지으며 탄식함
▶ 화자가 거지 노인의 행색과 태도를 비판함

여보소 주인네야 걸객(乞客) 보고 웃지 마소
몰락 양반으로 의관을 갖추고 얻어먹는 사람
젊어서 허랑(虛浪)하면 이러한 이 나뿐일까
나도 본디 양반(兩班)으로 지체도 남만 하고
신분이나 지위
세간도 남부럽잖고 인물도 잘났더니
집안 살림
사지(四肢)가 성하면은 무슨 일을 겁을 낼까
우리도 청춘시절 부모덕에 편히 자라
귀엽고 잘생긴 남자 아이
슬하(膝下)의 교동으로 비금주수(飛禽走獸) 길들여서
부모의 보살핌 아래 / 날짐승과 길짐승
만하추동(晩夏秋冬) 좋은 세상 꿈결같이 다 보낼 때
매양 그러할 줄 알고 포식난의(飽食暖衣) 편히 자라
배부르게 먹고 따뜻한 옷을 입음
인도(人道)를 못 닦으니 행실(行實)이 무엇인고
사서삼경(四書三經) 던졌으니 공맹안증(孔孟顔曾) 그 뉘 알리
공자, 맹자, 안회, 증자 - 유학의 네 성현
장삼이사(張三李四) 화류객(花柳客)을 행로(行路)에 잠깐 만나
평범한 사람들
원일견지(願一見之) 찾았으니 혹선혹후(或先或後) 놀러갈 제
한번 만나 보기를 바람 / 앞서거니 뒤서거니
주루화각(朱樓華閣) 곳곳마다 화조월석(花朝月夕) 때 맞추어
아름답게 꾸민 누각 / 경치가 제일 좋을 때
주육진찬(酒肉珍餐) 다 갖추고 친구 모아 노닐 적에
진수성찬
한두 잔(盞) 세네 배(杯)에 몇 순배(巡杯)나 돌아갔노
주사청루(酒肆青樓) 사랑 삼아 여중일색(女中一色) 희롱이라
술집과 기생집 / 여인들 중 가장 아름다운 여인
녹록한 선비들은 글은 읽어 무엇하노
평범하고 보잘것없는
곤곤(困困)한 농부들은 밭은 갈아 무엇하노
몹시 곤란하거나 빈곤한
옷 걱정하지 마라 가련한 여인네야
한나라 장안(長安)의 풍류 남녀들이 노는 곳 / 열손가락이 까닥도 하지 않음 - 게으름
오릉년소 우리들은 십지부동(十指不動) 옷 입는다
은으로 꾸민 안장을 얹은 흰 말을 타고 금시의 동쪽으로 나아가
은안백마 금시동에 낙화답진 유하처오
꽃놀이에 떨어지는 꽃을 다 밟으니 이제 어디 가서 놀아 볼까
잡기(雜技)도 하려니와 오락(娛樂)인들 없을소냐
가는 소리를 내는 해금
양금퉁소 세해저로 오음 육률(五音六律) 가무(歌舞)할 제
현악기와 피리 / 옛날 중국 음악의 다섯 가지 소리와 여섯 가지 율
오동추야(梧桐秋夜) 명월천(明月天)과 낙양춘색(洛陽春色) 백도화(白桃花)를
오동잎 떨어지는 달 밝은 밤과 낙양의 봄빛이 가득한 흰 복숭아꽃
자신의 장기 가운데 가장 뛰어난 재주
차례로 늘어앉혀 각기 소장 불러낼 제
조선 12가사의 하나. 술 권하는 노래
듣기 좋은 권주가(勸酒歌)는 장진주(將進酒)로 화답하고
「장진주사」를 가곡으로 부른 악곡. 술 권하는 노래
조선 12가사의 하나. 자연에 사는 즐거움을 담은 노래
흥치 좋은 양양가는 백구사(白鷗詞)로 화답하고
조선 12가사의 하나. 이백의 시를 가사로 개작
다정한 춘면곡(春眠曲)은 상사별곡(想思別曲) 화답하고
임과 이별한 남성의 슬픔 / 임과 이별한 여인의 슬픔
자연에 묻혀 사는 즐거움을 노래함
한가한 처사가(處士歌)는 어부사(漁父詞)로 화답하고
자연에 묻혀 자연을 즐기는 노래
화창한 여민락(與民樂)은 남풍시(南風時)로 화답하고
궁중 잔치 때 연주하던 아악곡 / 순임금이 백성들의 풍요를 빈 시
처량한 노승가(老僧歌)는 황계 타령 화답이라
청아한 죽지사(竹枝詞)는 낙빈가(樂貧歌)로 병창하고
자연 속에서 느끼는 즐거움을 노래함
허탕한 길고락은 매화가로 화답하고
조선 12가사의 하나 / 사랑을 매화에 실어 노래함
요탕한 정위풍은 노처녀를 놀려내며
구색친구 삼색 벗과 곁들어서 오입할 제
널리 사귀어서 생긴 여러 방면의 친구
논인장단(論人長短) 판결사에 시비 경계 깨뜨려서
남의 잘잘못을 논하여 평가함
호주(好酒) 탐색 좋은 투전(投錢) 오늘이야 매양으로
우리 청춘 한평생을 그 뉘 아니 믿었으리
▶ 방탕하게 보낸 노인의 젊은 시절

인생부득 갱소년(人生不得更小年)은 풍월(風月) 중에 진담(眞談)이요
인생은 다시 소년 시절로 되돌아갈 수 없음

인간칠십 고래희(人間七十古來稀)는 옛사람이 이른 바라
인생살이 칠십 년은 예부터 드묾

삼천갑자 동방삭도 적하(謫下) 인간 하단 말가
장수한 사람

팔백 세 팽조수는 고금 이후 또 없으며

금정오동(金井梧桐) 일엽락(一葉落)은 춘풍(春風)이 날 속인다
우물에 낙엽이 떨어져 가을임이 분명하지만 봄바람이 나를 속인다

육십갑자 꼽아 보니 팔구에 둘이 없네
칠십이(8×9)에서 둘이 없음 - 70세

백 년 삼만 육천 일이 일장춘몽(一場春夢) 아니런가

▶ 노인이 인생무상을 느낌

청춘이 어제러니 백발(白髮)이 짐작하여

소문 없이 오는 서리 귀밑을 재촉하니

슬프다 이 터럭이 언제 온 줄 모르겠다
털(백발)

친로가빈 처자들과 왜옥(矮屋) 살림 하던 땐가
늙은 부모와 가난한 집안 / 낮고 조그마한 집

엄동설한(嚴冬雪寒) 이 세상에 부귀공명(富貴功名) 하던 땐가
겨울의 심한 추위

천리타향(千里他鄕) 객의 수심(愁心) 잔등독좌(殘燈獨坐) 하던 땐가
먼 타향 / 나그네의 근심 / 새벽 등불 아래 홀로 앉음

전전반측(輾轉反側) 잠 못 들어 고향 생각 하던 땐가
이리저리 뒤척이며 / 세상을 떠돎

팔년풍진(八年風塵) 환란 중에 주유천하 하던 땐가

▶ 소리 소문 없이 찾아온 백발

무정세월 약류파(無情歲月若流波)에 우리 자연 늙었으니
무정한 세월이 물과 같음(덧없이 세월이 흐름)

어와 청춘소년들아 옥빈홍안(玉鬢紅顔) 자랑 마라
옥 같은 귀밑머리와 붉은 얼굴, 아름다운 젊은이를 이름

덧없이 가는 세월 넌들 매양 젊을소냐
항상

우리도 소년 적에 풍신이 이렇던가 「」: 과거(소년 시절의 외모)
겉모양

「꽃같이 곱던 얼굴 검버섯이 절로 나고 ↕ 현재(노인의 외모) (대조, 열거)

백옥같이 희던 살이 황금같이 되었으며
살색이 누렇게 됨

삼단같이 검던 머리 다박솔이 되었으며

명월같이 밝던 눈이 반판수가 되었으며
맹인

청산유수 같던 말이 반벙어리 되었으며

전일에 밝던 귀가 만장풍우 뛰놀며
귀에 잡음이 나서 잘 듣지 못함

일행천리 하던 걸음 상투 끝이 먼저 가고

살대같이 곧던 허리 길마 가지 방불하다
소나 말 따위에 얹는 안장

선 수박씨 같던 이가 목탁 속이 되었으며
이가 다 빠져 합죽이 입이 됨

단사(丹沙)같이 붉던 입술 외밭고랑 되었구나」

있던 조업(祖業) 도망하고 맑은 총명 간 데 없네
가족의 일

묵묵무언(默默無言) 앉았으니 불도 하는 노승인가

자식보고 공갈하면 구석구석 울음이요
윽박지르며 을러댐

옳은 훈계 말대답이 대접하여 망령이라 (중략)

▶ 과거와 달라진 현실에 슬퍼함

늙기도 서러운 중에 흉들이나 보지 마소

꽃이라도 쇠잔(衰殘)하면 오던 나비 아니 오고
쇠하여 힘이나 세력이 점점 약해짐

나무라도 병이 들면 눈 먼 새도 아니 오고

금의(錦衣)라도 떨어지면 물걸레로 돌아가고
비단옷

옥식(玉食)도 쉬어시면 시궁발치 버리나니
맛있는 음식

고대광실(高臺廣室) 좋은 집도 파락(擺落)하면 보기 싫고
매우 크고 좋은 집 / 파괴되어 몰락함

녹음방초(綠陰芳草) 좋은 경도 낙엽 되면 볼 것 없다
푸른 숲과 향기로운 풀

만석꾼 부자라도 패가하면 볼 것 없고
땅이 많은 부자 / 집안이 망하면

조석상대 하던 친구 부운(浮雲)같이 흩어지고
아침과 저녁으로 상대하던 / 뜬구름

평생지교(平生之交) 맺었더니 유수같이 물러가니

문전냉락 안마희(門前冷落鞍馬稀)는 이를 두고 이름이오
문 앞이 쓸쓸하여 말 타고 오는 손님이 뜸해짐

황금진용 황수색을 이러므로 이른 바라
돈을 모두 쓰고 나니 쓸쓸함

연부역강(年富力强) 하올 적에 그런 줄을 모르고서
나이가 젊고 기력이 왕성함

무항산 무항심(無恒産無恒心)이 수신제가 나 몰라라
일정한 재산이나 생업이 없으면 흔들리지 않는 굳건한 마음도 없음

부모의 버린 사랑 일가친척 독부(獨夫) 되어
일가친척들 사이에 혼자가 되어

친구 벗님 꾸지람이 사면(四面)에서 일어나니

처자(處子)는 원망하고 노복(奴僕)은 도망하니
아내와 자식 / 종과 노비

조업(祖業)은 없어지고 가산(家産)은 탕패하고
탕진(다 써서 없앰)

남은 것이 몸뿐이요 장만한 게 백발이라

한탄하는 이 백발이 인간공도(人間公道) 알건마는
늙은이(대유법) / 인간의 바른 도리

북망산 상하봉은 볼수록 한심하다
무덤이 많은 곳

적막강산 몇백 년에 청산 백골 매몰하니

부귀불음 빈천락(富貴不淫貧賤樂)은 도덕군자 몇몇이며
부귀해도 음란하지 않고 가난을 즐김

입절사의(立節死義)하는 영웅 충신 열사 누구누구
마지막까지 절개를 지키고 죽은 사람

「그네도 늙었으니 늙은 값이 있건마는 「」: '그네'들과 '나(노인)'의 대조(자조적 태도)
영웅, 충신, 열사, 도덕군자

가소롭다 이 내 몸이 헛나이만 먹었으니」
꿈속 거지 노인

엊그제 즐기던 일 모두 다 허사로다

지각(知覺) 나자 늙었으니 후회막급 하릴없다

▶ 과거의 삶에 대한 후회와 탄로

이 모양이 되었으니 슬프다 청춘네들

내 경상(景狀) 볼작시면 그 아니 우스운가
좋지 못한 몰골 / 자조적 태도

광음을 허송 말고 늙기 전에 힘써 보소
시간이나 세월

▶ 노인의 젊은이들에 대한 당부

갈래 가사
성격 교훈적, 경세적(警世的), 탄식적
주제 방탕하게 보낸 젊은 시절에 대한 회한과 늙음에 대한 탄식
특징 ① 문답식의 구조로 이루어짐.
② 대조법, 열거법, 과장법, 대구법 등의 표현 방식을 사용함.

감상 톡! 노인 화자가 늙음에 대해 탄식하며 자신의 과거를 반성하고, 젊었을 때 근면 성실하라는 유교적 교훈을 주는 작품이다. 화자가 봄날 잠깐 잠이 들었는데 꿈속에서 걸인 노인을 만나 그와 대화하는 형식으로 이루어져 있는 것이 특징이다. 꿈속 노인은 자신이 부유한 가정에서 성장했으나 방탕하게 젊은 시절을 보낸 결과 걸인이 되었음을 말하며 젊은이들에게 근면 성실하게 살 것을 당부하고 있다.

396 기음 노래 | 작자 미상

기음 노래: 김을 매면서 부르는 노래

어유와 계장님네 이 기음 매자스라
기음 노래 내 부름세
천지 삼기실 제 사람이 같이 나니
너르나 너른 천하 많으나 많은 사람
현우(賢愚)가 다르거니 귀천인들 같을손가
성인이 법을 지어 사민(四民)을 나누시니
행실 닦고 글 읽기는 선비님네 할 일이오
맨들기는 장인이오 바꾸기는 장사로다
치치(蚩蚩)한 우리들은 할 일이 무엇인고
속미(粟米)와 포루(布縷)는 고금에 한 법이니
복전역색(服田力穡)이 아니 근본인가
종년작고가 수곤 줄도 알것마는
앙사부육(仰事俯育)이 아니면 어이하리

(기음: 논밭에 난 잡풀('김'의 방언) / 현우: 현명하고 어리석음 / 귀천: 귀함과 천함 / 사민: 사농공상(士農工商) - 당시의 네 가지 신분 / 치치: 어리석음 / 속미: 곡식 / 포루: 화자(농민)·베와 실 / 복전역색: 농사일에 힘쓰는 것 / 종년작고: 한 해 동안 농사를 마치는 것 / 앙사부육: 위로는 부모를 섬기고 아래로는 처자를 살핌)

▶ 농사짓는 일에 대한 자부심

창경(倉庚)이 처음 울고 뽕잎이 푸를 적에
동풍은 습습하고 세우는 몽롱한데
밭으로 가자스라 행여 이때 잃을세라
송아지 다 먹였나 남은 벌써 가는구나
자네 거름 다 내갔나 우리 씨앗 나눠가소
앞집 보습 뒷집 장기 선후를 다툴손가
높은 언덕 낮은 이랑 차례로 일군 후에
고루고루 뿌리어라 행여 빈 데 있을세라
이삭이 비록 선들 가꾸어야 아니 되랴
엊그제 갓 맨 기음 어느 사이 벌써 기네
가을을 바라거니 세 벌 수고 꺼릴손가
끓는 흙 찌는 풀 속 상하로 오락가락
호미쇠도 녹으려든 혈육이 견딜소냐
오뉴월 삼복 더위 땀으로 낯을 씻고
헌 삿갓 쇠코중의 열양을 막을소냐
보리술 건듯 깨니 콧노래도 경이 없네

(창경: 꾀꼬리 / 이때: 봄 / 잃을세라: ~ㄹ세라: ~할까 두렵다 / 보습: 농기구 / 장기: 쟁기 / 세 벌 수고: 세 번에 걸친 김매기 / 쇠코중의: 쇠코잠방이 / 열양: 뜨거운 햇볕)

▶ 봄과 여름철의 농사일의 수고로움

붉은 다락 푸른 난간 높은 베개 둥근 부채
누으락 앉으락 가색간난(稼穡艱難) 그 뉘 알리
비 오면 장마질까 볕 나면 가물세라
독한 안개 모진 바람 시름도 하도 할사
추풍이 건듯 불어 백로위상(白露爲霜)하니
들 가운데 누른 구름 네 녘으로 한 빛이라
왼 여름 주린 뱃속 머지 아녀 절로 불러
이른 논에 △참새 무리 늦은 논에 △기러기 떼
남의 자배 모르기는 얄미울손 짐승이라
내일은 들 거두세 새벽밥 일찍 하소
낫 갈아 손에 들고 지게 꾸며 등에 걸고
베거니 묶거니 이거니 지거니
늙으신네 그니질 젊으신네 도리깨질
섬 욱이네 새끼 꼬네 어지러이 구는지고
자네 밭에 몇 뭇인고 내 소출 이뿐일세
공사채 다 갈이면 남는 것이 얼마 칠고

(가색간난: 농작물을 심고 거두는 일의 힘들고 어려움 - 농사의 고통을 모르는 부유한 이들의 생활 모습과 대비 / 백로위상: 흰 이슬이 서리가 됨(가을이 됨) / 누른 구름: 추수를 앞둔 황금 들녘 / △: 힘들게 지은 곡식을 해치는 짐승 / 자배: 수고 / 그니질: 벼를 훑는 일 / 도리깨질: 곡식 이삭을 두드려 낟알을 떠는 일 / 뭇: 벼 한줌의 단 / 소출: 논밭에서 나는 곡식 / 갈이면: 갚으면)

▶ 수확에 대한 걱정과 기대

어유와 계장님네 이내 말씀 들어 보소
종년토록 수고타가 하루 겨를 못 얻을까
『건너 동네 떡을 하고 넘어 동네 술을 빗소
울 뒤에 밤이 벌고 마당가에 대추 듣네』
개 찌니 닭 삶으니 가지가지 향미로다
용볶이 봉탕인들 이에서 나을손가
김풍헌 이약정을 좌상으로 모신 후에
헌 패랭이 베무즙이 차례로 앉은 후에
질동이 내어놓고 쪽박잔 가득 부어
잡거니 밀거니 사양하여 추선할 제
물장구 초금 피리 곡조도 좋을시고
술김에 흥이 나니 되춤이 절로 난다

(『 』: 풍요로운 가을의 모습 / 향미: 향기로운 맛 / 용볶이 봉탕: 용과 봉황으로 만든 진귀한 음식 / 김풍헌 이약정: 관직에 있는 사람들 / 좌상: 높은 자리 / 헌 패랭이 베무즙: 낡은 모자와 거친 옷 - 가난한 사람들 / 질동이: 질그릇 / 추선: 추천하여 술잔을 권함)

▶ 추수 후 벌이는 동네 잔치의 즐거운 모습

어디서 면주인은 불청객이 온단 말고
잔기침 굵은 호령 반절은 무슨 일고
어서 나소 자로 나소 반객인들 내몰손가
환자 배자 부세 전령 응당 구실 말라 할가

(면주인: 지방의 면에서 호적과 공공사무를 맡아보던 사람 / 반절: 윗몸을 반쯤 굽혀서 하는 절 / 어서 나소 자로 나소: 면주인의 소란스러운 행위)

향청 분부 작청 구청 원님인들 어이 알리
한집에 세네 군포 제 구실도 못하거든
사돈일지 권당일지 일족몰이 더욱 설워
저 넘어 십여 호가 어제 밤에 단단 말가
뉘라서 우리 정상 그려다가
구중궁궐에 님 계신 데 드리리

(아전이 집무를 보는 곳 / 지방의 수령을 자문·보좌하던 자치 기구 / 내야 할 군역을 제대로 못 냄 / 죽은 사람과 어린아이에게 세금을 물리는 일 / 친족과 외척을 아울러 이르는 말 / 도망친 사람 몫까지 내야 함 / 있는 그대로의 사정과 형편 / 아홉 번 거듭 쌓은 담 안에 자리한 궁궐)

> 관리들의 횡포와 군역의 불합리함 고발

갈래 가사
성격 사실적, 묘사적, 한탄적
주제 농사일의 어려움과 관리들의 횡포
특징 ① 농촌 생활의 모습을 사실적으로 표현함.
② 시간의 흐름에 따라 화자의 정서를 구체화함.
③ 화자가 청자에게 말을 하는 형식으로 이루어짐.

감상 톡! 농사의 전 과정을 소재로, 농사짓는 일의 어려움과 고통을 토로하면서도 농사에 대한 보람을 드러내는 작품이다. 특히 작품 후반부에는 관리들의 횡포와 군역의 불합리함을 고발함으로써 농촌 살림의 고달픔을 사실적으로 묘사하고 있다.

397 단장사(斷腸詞) | 작자 미상

(애(창자)가 끊어지는 이야기)

생각 끝에 한숨이오 한숨 끝에 눈물이라
눈물로 지어내니 들어 보소 단장사(斷腸詞)라
이리하야 날 속이고 저리하야 날 속인다
속이는 이 좋거니와 속는 사람 어떠하리
상사(相思)로 말미암아 병들어 누웠으니
「모첨(茅簷)에 우는 새는 종일토록 상사로다」
우졸(愚拙)한 규중처는 흩은 머리 헌 치마에
한 손에 미음 들고 잡수시오 권할 적에
그 경상(景狀) 가긍하다 이내 병 어이하리
「행여 올가 바랐더니 반가운 임의 소식
시문(柴門)에 개 짖으니 풍설에 행인이라」
산을 보되 생각이오 물을 보되 생각이라
세월이 무진(無盡)하니 생각토록 무익이라
「모진 의술 철침으로 중완(中腕)을 찌르는 듯
초경(初更)에 이십팔수 오경(五更)에 삼십삼천
크나큰 나무 몽치 종경(鐘磬)을 치는 듯이
쾅쾅 치는 이내 간장 철석인들 온전하리」
우리 임 상경시(上京時)에 주야로 바라보게
이내 몸 죽은 후에 선산에도 묻지 말고

(애(창자)가 끊어지는 이야기 / 생각하고 그리워함 / 초가지붕 / 미련한 / 그 모습이 불쌍하고 가엾다 / 사립문 / 눈바람 / 끝이 없음 / 혈(穴) 자리 중 하나. 배꼽 위의 위가 있는 곳 / 저녁 7~9시 / 새벽 3~5시 / 종과 경쇠(작은 종) / 조상의 무덤이 있는 산)

「 」: 초가지붕 처마에 우는 새는 하루 종일 임을 그리워함(감정 이입)
「 」: 임을 기다리다가 행인을 임으로 착각함
→ 대구법
「 」: 임과 이별한 자신의 고통스러운 심정을 비유함

선연동 높은 곳에 높직이 묻어 주오

> 이별의 고통과 임에 대한 그리움

「조선(祖先)의 유세적덕 백자천손 하련마는
불초(不肖)한 이내 몸이 박복한 탓이로다
선영(先塋)에 풀이 긴들 제초할 이 뉘 있으리
청명 한식 화류 시에 잔 드릴 이 전혀 없다」
창창제천(蒼蒼諸天)은 하정(下情)을 감하소서
월노인연 맺은 후에 유자유손(有子有孫) 하오며는
불효도 면하올 겸 연분(緣分)도 좋으리라

(자손 대대로 덕을 쌓음 / 많은 자손 / 못나고 어리석은 / 조상의 무덤 / 잡초를 뽑아 없앰 / 푸른 하늘에 있는 하느님 / 아래사람들의 사정 / 살펴주소서 / 월하노인(부부의 인연을 맺어 준다는 전설상의 늙은이)을 통한 부부의 인연 / 부부의 인연)

「 」: 자식이 없어 죽은 뒤에 제사지내 줄 사람이 없음을 한탄함

> 자식을 낳지 못한 한(恨)

「서산(西山)에 지는 해는 어이 그리 수이 가나
북망산(北邙山) 누누총에 오느니 백발이라
궂은비 찬 바람에 백양(白楊)이 소슬한데
백발이 그 몇이며 가인(佳人)이 그 얼만고
왕사(往事)는 춘몽이오 황분(荒墳)만 남아 있다
우리도 이 세상에 저와 같이 초로(草露) 인생
백발이 오기 전에 아니 놀지 못하리라」

(사람이 죽어서 묻히는 곳. 중국의 허난성 뤄양에 있는 산 / 백양나무(화자의 슬픔을 고조시키는 객관적 상관물) / 미인 / 지난 일 / 버려두어 거칠어진 분묘 / 풀잎에 맺힌 이슬이 아침에 사라지듯 허망한 인생)

「 」: 인생무상

> 세월의 흐름에 대한 무상함

이 몸이 생기랴면 임이 나지 말았거나
임의 몸이 생기랴면 내가 나지 말았거나
공교할 손 임과 나와 한 세상에 생겨났네
한 세상에 생긴 일이 연분인 듯하건마는
연분으로 생겼으면 그리 어이 그리는고
그립고 답답하니 연분(緣分)이 원수로다
「창천(蒼天)이 뜻을 알아 연분을 맺은 후에
화조월석(花朝月夕)에 주야 진정 마주 앉아
살뜰히 그리던 일 옛말 삼아 하고 지고」
내 마음 이러하니 저인들 어이 무심하리
옛말도 끝이 없고 할 말도 무궁(無窮)하다
중천(中天)에 외기럭아 소식이나 전하여라

(맑고 푸른 하늘 / 꽃 피는 아침과 달 밝은 밤(좋은 때) / 임 / 임과 화자를 연결해 줄 매개체)

「 」: 임과 다시 함께 하고자 하는 소망

> 임과의 인연과 임에 대한 그리움

갈래 가사
성격 원망적, 한탄적
주제 이별의 고통과 임에 대한 그리움
특징 ① 비유적인 표현으로 화자의 마음을 효과적으로 나타냄.
② 독백 형식으로 화자의 진솔한 마음을 표현함.

감상 톡! 사랑하는 임과 이별한 고통을 애절하게 토로한 작품이다. 비유적 표현을 사용하여 이별로 인한 한스러운 마음을 절절하게 노래하면서, 자신을 떠난 임에 대한 원망과 임과 다시 만나 사랑을 이루고자 하는 이중적인 감정을 효과적으로 드러내고 있다.

독락팔곡(獨樂八曲) | 권호문

└홀로 8곡을 부르며 즐거워함

〈제1장〉

태평성대(太平聖代)에 시골에 은거하는 절행이 뛰어난 선비가 (재창)
(화자의 처지)

구름 덮인 산기슭의 밭을 갈고 안개 낀 강가에 낚시를 드리우니, 이 밖에는 일이 없다. → 속세를 떠나 자연과 함께함

빈궁과 영달이 하늘에 달렸으니 빈천함을 걱정하랴
(지위가 높고 귀하게 됨 / 가난하고 궁색함 / 가난하고 천함)

옥당(玉堂) 금마(金馬) 높은 벼슬은 내가 원하는 바가 아니로다.
(관직 생활)

천석(泉石)이 수역(壽域)이요, 초옥(草屋)이 춘대(春臺)로다.
(자연의 경치 / 짚이나 갈대로 지붕을 인 집 / '수역'과 '춘대'는 요순 같은 임금이 다스리는 태평성대를 의미함)

어사와! 어사와! 천지를 굽어보고 우러러보며, 삼라만상이 제각기 갖춘 형체를 멀리서 바라보며

거연(居然)하고 호연(浩然)하게 옷섶을 풀어 놓고 홀로 술 마시며 두건을 뒤로 젖히고 길이 휘파람 부는 모습 그 어떠합니까
(자연을 마음껏 누릴 수 있음에 대한 자부심)

▶ 자연 속에서 은거하며 사는 즐거움

〈제3장〉

선비는 무엇을 일삼아야 하느냐 뜻을 높게 가질 뿐이로다 (재창)
(선비로서 가져야 할 자세)

과거 급제란 명예로움은 내 뜻을 손상시키고 이익과 출세란 덕을 해치는 것이로다

모름지기 책 가운데서 성현을 뫼시옵고

언어와 정신을 밤낮으로 가다듬고 수양하여

내 한 몸이 바르게 된다면 어딘들 못 가리오

『굽어보고 우러러봄이 넓고 크며 왕래가 평이로우니
(『 』: 나의 의지대로 살겠다는 자부심과 당당함의 표현)

내 갈 길을 알아서 뜻을 세우지 아니하리오』

벽처럼 선 낭떠러지가 만 길은 되는데 내 마음은 활달하여 작은 일에 구애되지 않고 변하지 않느니
(공명정대한 모양)

뜻이 커서 말함이 시원스러운데다 책 읽어 아득한 옛 현인을 벗으로 삼는 모습 그 어떠합니까

▶ 학문 수양에 전념함

〈제7장〉

하나의 병풍에다 하나의 평상을 두고 왼쪽에는 경계의 말과 오른쪽에는 마음에 새길 말을 두고 (재창)

신목(神目)은 번개와 같으니 어두운 방 안이라고 제 마음을 못 속이며
(귀신의 눈)

천청(天聽)은 우레와 같으니 사사로이 하는 말인들 망발을 하랴
(하늘의 들으심)

경계하고 삼가며 두려워하는 마음을 은미간(隱微間)에 잊지 마세
(은밀한 일보다 잘 드러나는 것은 없고 미세한 일보다 더 뚜렷해지는 일은 없음)

앉는 것은 시동(尸童)처럼 하고 얼굴빛은 단정하고 엄숙해서 생각하는 것처럼 하며 낮에는 쉼 없이 노력하고 저녁에는 반성하는 뜻은

존경하는 마음으로 천군(天君)을 섬기고 외부의 누끼치는 일을 물리쳐 없애어
(마음)

온몸이 영(令)을 좇아 오륜(五倫)이 불두(不斁)하여 치평(治平) 사업을 다 이루려 하였더니
(인(仁), 의(義), 예(禮), 지(智), 신(信)의 다섯 가지 덕 / 세상이 평온하게 잘 다스려지고 있는 것)

때가 아닌지 운명인지 마침내 성공하지 못하고 세월은 나와 더불어 기다려 주지 않으니

허옇게 센 머리로 임천(林泉)에서 할 일이 다시없다
(세상을 버리고 은둔하기 알맞은 곳을 비유적으로 이르는 말)

우습다 산의 남쪽과 물의 북쪽인 양지바른 곳에다 내 발자취를 거두어 감추고

평생을 한가하게 늙어 가는 모습 그 어떠합니까

▶ 고결한 선비로서 은둔하며 한가로이 늙는 즐거움

갈래 경기체가(전 7장)
성격 풍류적, 전원적
주제 자연에 묻혀 한가롭게 사는 즐거움과 학문 수양
특징 ① 경기체가의 소멸기에 지어진 작품으로 경기체가 고유의 정통적 양식에서 벗어나 있음.
② 기존의 경기체가와 달리 전대절과 후소절의 구분이 없고, 각 행이 4음보 중심으로 배열됨.

감상 톡! 현전하는 마지막 경기체가로 고려 시대에 주로 창작되었던 경기체가가 조선 시대 초기까지 그 명맥을 유지하였음을 알 수 있는 작품이다. 화자는 벼슬을 탐하지 않고 자연 속에서 소박하게 사는 것의 즐거움을 표현하고 있으며, 부귀영화는 모두 하늘의 뜻이므로 유유자적하게 살겠다는 사고방식을 드러내고 있다. 제목에는 8곡으로 되어 있으나, 실제로는 7곡만이 작가의 문집인 『송암별집』에 수록되어 전한다.

애국하는 노래 | 이필균

아세아에 대죠션이 ᄌᆞ쥬독립 분명ᄒᆞ다 → 선창

(합가) ᄋᆡ야에야 ᄋᆡ국ᄒᆞ세 나라 위히 죽어 보세 → 후창
(여러 사람이 함께 부르는 부분)

▶ 자주 독립 사상과 애국심 고취

분골ᄒᆞ고 쇄신토록 츙군ᄒᆞ고 ᄋᆡ국ᄒᆞ세
(목숨을 다 바쳐서)

(합가) 우리 정부 놉혀 주고 우리 군면 도와주세
(국민)

▶ 애국 사상의 고취

깁흔 잠을 어셔 ᄭᆡ여 부국강병(富國强兵) 진보ᄒᆞ세
봉건적 의식
(합가) 놈의 쳔ᄃᆡ 밧게 되니 후회막급 업시 ᄒᆞ세
> 개화를 통한 부국강병의 필요성

합심ᄒᆞ고 일심 되야 셔셰 동졈(西勢東漸) 막아 보세
서양 세력의 동양 침략
(합가) ᄉᆞ롱공샹(士農工商) 진력ᄒᆞ야 사ᄅᆞᆷ마다 ᄌᆞ유ᄒᆞ세
사농공상. 모든 계층의 백성
> 서구 세력의 침략 경계

남녀 업시 입학ᄒᆞ야 셰계 학식 ᄇᆡ화 보자
학문의 길 / 문명의 개화 / 개화된 사람
(합가) 교육ᄒᆞ야 ᄀᆡ화되고, ᄀᆡ화히야 사ᄅᆞᆷ되네
> 교육을 통한 문명 개화

팔괘국긔(八卦國旗) 놉히 달아 륙ᄃᆡ쥬에 횡힝ᄒᆞ세
태극기 / 전 세계
(합가) 산이 놉고 물이 깁게 우리 ᄆᆞ음 밍셰ᄒᆞ세
> 국위 선양의 의지

갈래 개화 가사
성격 계몽적
주제 개화 · 계몽을 통한 애국
특징 ① 4음보의 전통 가사 형식을 따름.
② 민요의 선후창 형식을 따라 각 절마다 뒷부분에 '합가'라는 후렴 형식을 취함.
③ 직설적이고 설득적인 어조와 청유형 어미를 통해 계몽적 의도가 드러남.

감상 톡! 개화 의식의 고취와 외세의 침략을 경계하는 내용을 담아 개화기의 시대정신을 깊이 있게 드러낸 작품이다. 화자는 혼란스러운 개화기에 우리 민족의 과제들을 나열하고 있고, 계몽적이고 설득적인 태도를 보이고 있다.

400 동심가(同心歌) | 이중원

잠을 ᄭᆡ세, 잠을 ᄭᆡ세 □: 청유형 어미, 반복을 통한 강조
ᄉᆞ쳔 년이 ᄭᅮᆷ 쇽이라
민족의 역사
「만국(萬國)이 회동(會同)ᄒᆞ야
함께 모여 - 세계 각국의 교류
ᄉᆞ히(四海)가 일가(一家)로다」 「」: 사해동포주의, 세계주의
온 세상
> 개화 의식의 고취
구구세졀(區區細節) 다 ᄇᆞ리고
이런저런 자잘한 일들
샹하(上下) 동심(同心) 동덕(同德)ᄒᆞ세
개화의 조건
놈으 부강 불어ᄒᆞ고
근본 업시 회빈(回賓)ᄒᆞ랴
어떤 일에 대하여 주장하는 사람을 제쳐 놓고 자기 마음대로 처리함을 이르는 말
> 부강을 위한 일치단결 촉구
「」: 변화하고 있는 실상을 제대로 보지 못하고 허상만 좇는 모습에 대한 안타까움
○: 실상 △: 허상
「범을 보고 개 그리고 / 봉을 보고 ᄃᆞᆰ 그린다」
문명(文明) ᄀᆡ화(開化) ᄒᆞ랴 ᄒᆞ면
낡은 폐습을 타파하고 발달된 문명을 받아들여 발전함
「실샹(實狀) 일이 뎨일이라」 > 실상을 통한 개화의 중요성
실질적 가치가 있는 일
「」: 공허한 명분이나 관념이 아닌 현실에 부합하는 실천적 행동 요구

못셰 고기 불어 말고
못의 고기. 이미 개화된 나라
그믈 ᄆᆡᄌᆞ 잡아 보셰
민족의 대동단결
그믈 ᄆᆡᆺ기 어려우랴
동심결(同心結)로 ᄆᆡᄌᆞ 보셰
합심 협력. 굳은 의지
> 민족의 단결을 통한 개화 제안

갈래 개화 가사
성격 계몽적, 애국적, 설득적
주제 문명 개화를 위한 일치단결
특징 ① 청유형 어미를 사용하여 계몽적 성격을 드러냄.
② 대구와 비유를 통해 화자의 생각을 효과적으로 전달함.

감상 톡! 전통 가사의 형식에 새로운 시대정신을 담고 있는 작품으로, 시대 변화에 대한 인식을 바탕으로 문명개화를 위한 민족의 일치단결을 강조하고 있다.

401 창의가(倡義歌) | 신태식

어와 세상 사람들아 금세(今世) 형편 들어 보소
아태조(我太祖) 창업하사 오백여 년 내려올 제
오천 년 요순지치(堯舜之治) 이천 년 공부자도(孔夫子道)
요와 순임금이 덕으로 천하를 다스리던 시대 / 공자의도
인의예지 법을 삼아 삼강오륜 분명하다
계계승승 나린 덕화 팔역(八域)이 안돈하다
계승한 / 조선 팔도 / 잘 정리되어 안정됨
임진왜란 병자호란 중간 기침 근심이라
태상왕이 이르기를 인의(仁義) 있다 칭찬터니
자리를 물려 주고 생존한 임금. 여기서는 고종
불상할사 을사조약 오적(五賊)의 농간이라
1905년 일제가 한국의 외교권을 빼앗기 위해 맺은 조약에 가담한 다섯 매국노
제 임의로 천편(擅便)하야 산림 천택(川澤) 전수하니
제 마음대로 처단함 / 온 나라를 넘기니
천지도 회맹(晦盲)하고 일월도 무광하다
캄캄하여 보이지 않음
국가가 요란한데 창생(蒼生)인들 편할소냐
세상의 모든 사람들
수백 년 양반 종사(從事) 이씨 은우(恩遇) 뉘 아닌가
은혜로써 대우함
가삼에 끓는 피난 개인 개인 일반이라
죽자 하니 어리석고 살자 하니 성병(成病)일레
병을 얻음
주소(晝宵)로 잠 못 이뤄 전전반측 누웠으니
밤낮
시문(柴門)에 개 짖으며 훤호지성 요란하다
떠드는 소리
문을 열고 탐문하니 관동 대진 경통(警通)이라
놀라운 소식
이천만 우리 동포 아연히 있단 말가
군율(軍律)을 당치 말고 하루바삐 출두허소
군대의 규칙이나 법률 / 의병이 되라는 의미
(후략)

갈래 개화 가사
성격 선동적
주제 국권 회복을 위한 궐기 촉구
특징 ① 구체적인 서술을 통해 기사성(記寫性)을 드러냄.
② 화자가 직접 경험하며 느낀 점을 생동감과 현장감 있게 표현함.

감상 톡! 실제 의병 활동에 참가했던 작가의 체험을 바탕으로 의병 투쟁의 당위성과 투쟁 과정, 그리고 패배 후의 일본에 대한 분노를 기록하고 있는 작품이다. 화자는 국권을 상실한 안타까운 현실을 개탄하면서 백성들이 의병 활동에 가담하여 나라를 되찾기를 바라는 열망을 표현하고 있다.

갈래 개화 가사(전 10연 중 4연 수록)
성격 비판적, 계몽적, 민족적
주제 국권 위기의 현실에 대한 탄식과 애국심의 고취
특징 4 · 4조의 운율과 여음구의 반복, 민요적 구조 등을 통해 내용을 쉽게 전달함.

감상 톡! 일제에 의해 좌지우지되는 나라의 현실을 염려하며 매국 세력을 비판하고 백성들의 애국을 격려하는 작품이다. 4 · 4조의 운율, 여음구의 반복, 민요의 형식 등을 사용해 대중들에게 계몽적 내용을 쉽게 전달하고 있다.

402 가요풍송(歌謠諷誦) | 작자 미상

떠 잇고나 떠 잇고나 대한강산(大韓江山) 떠 잇고나
광부대수(匡扶大手)(나라를 구할 존재) 누구런고 산령수신(山靈水神)(산신령과 물의 신) 통곡(痛哭)하며
옥황상제(玉皇上帝) 호소(呼訴)하니 감응지리(感應之理)(믿는 마음이 통하여 산령수신이나 옥황상제가 반응하는 이치) 업슬손가
애고지고 흥

반갑도다 반갑도다 대한 민심(大韓民心) 반갑도다
팔역(八域)(우리나라 전체)이 정비(鼎沸)(떠들썩하고 요란함)하되 국채보상(國債報償) 열심(熱心)하야
지금도 육속(陸續)(계속하여 끊이지 않음)하니 애국성(愛國誠)이 감사(感謝)하다
애고지고 흥

우지 마라 우지 마라 해산장졸(解散將卒) 우지 마라
징병령(徵兵令)을 실시(實施)하면 설치(雪恥)(치욕을 씻음)은번 아니 될까
애고지고 흥

놀고 가세 놀고 가세 각부대신(各部大臣) 놀고 가세
귀쏙말이 비밀(秘密)하니 다회만찬(茶會晩餐)(차를 마시거나 저녁 식사를 하는 모임) 자미(滋味)로다
세상사(世上事)는 하여(何如)(어떠하던지)턴지 일신안락(一身安樂)(자기 한 몸 편하고 즐거움) 제일(第一)인가
애고지고 흥

(후략)

403 기역 자(字)를 쓰고 보니 | 작자 미상

기역 자(字)를 쓰고 보니 기억하세 기억하세
국가 수치 기억하세 우리 대한 독립하면
영원 만세 무궁토록 강구연월(康衢煙月)(태평성대의 평화로운 거리 풍경) 태평가로
자유 복락(福樂)(행복과 안락) 누리련만 오늘 수치 생각하면
죽더래도 못 잊겠네
가 자(字) 하나 쓰고 보니 가련하다 우리 동포
가이없은 그 모양을 말할 곳이 전혀 없네
죽여 없앨 창귀(倀鬼)(남을 못된 짓을 하도록 인도하는 사람을 비유적으로 이르는 말. 외국에 아첨하는 무리)들은 월급 푼에 탐이 나서
외인(外人)에게 아첨하여 제 동포를 모해(謀害)(꾀를 써서 남을 해침)하니
기가 막혀 못살겠네
나 자(字) 하나 쓰고 보니 『나라 파는 저 대관(大官)은
남산골로 드나들며 주야 애걸(晝夜哀乞) 얼굴 삼고
제집 일은 본체 않네』 권고해도 듣지 않고
(『 』: 나랏일은 버려두고 남산골의 외국 공관만 드나들며 굽실거림)
논박(論駁)해도 쓸데없다 답답할사 이내 심회(心懷)
저 인물을 어찌할꼬
다 자(字) 하나 쓰고 보니 달아나는 저 세월을
잡을 사람 누가 있나 유수(流水)같이 쉬지 않고
화살같이 빨리 가니 잠시라도 허송 말고
국가사업 연구하여 청년 시기 잃지 말고
용진무퇴(勇進無退)(용감하게 나아가 물러서지 않음) 하여 보세
라 자(字) 하나 쓰고 보니 나망처처(羅網處處)(빠져 나올 수 없는 그물 속) 그물 속에
솟아날 곳 바이 없네 아무쪼록 정신 차려
고식지계(姑息之計)(임시로 편한 것을 취하는 계책) 다 버리고 모험 사상 길러 내어
넓고 넓은 이 천지에 저 그물을 벗어나서

자유행동 하여 보세

마 자(字) 하나 쓰고 보니 마굴(魔窟) 중에 빠진 백성
마귀 소굴

어찌하면 건져낼꼬 진심갈력(盡心竭力) 일심(一心)으로
마음과 힘을 있는 대로 다함

우리 동포 침해자를 어서 바삐 몰아내고

열강국과 동등되어 육대주에 우리나라 빛내 보세

(후략)

갈래 개화 가사
성격 계몽적, 비판적
주제 부패한 관리에 대한 비판과 부국강병의 다짐
특징 ① 각 행이 유사한 통사 구조로 이루어짐.
② 언어유희를 통해 한글 자모와 우리의 현실을 엮어 시대 상황을 비판함.
③ 개화기의 부패한 정치 상황이 잘 드러남.

감상 톡! 한글 자모와 사회 · 정치적인 내용을 연결시켜 표현한 작품이다. 개화기 위기 의식을 바탕으로 민족을 배신한 관리들을 비판하고 국민들이 지녀야 할 태도를 계몽적으로 드러내고 있다.

404 권학가(勸學歌) | 작자 미상

학도(學徒)야 학도(學徒)야 청년 학도(靑年學徒)야
돈호법

벽상(壁上)의 괘종(掛鐘)을 들어 보시오
벽 위의 괘종시계 소리

한 소리 두 소리 가고 못 오니

인생(人生) 백 년(百年) 가기 주마(走馬) 같도다

청산(靑山) 속에 묻힌 옥(玉)도 갈아야 광채(光彩) 나고

낙락장송(落落長松) 큰 나무도 깎아야 동량(棟梁) 되네
기둥과 들보로 쓸 재목. 집안이나 나라를 떠받치는 중대한 일을 맡을 만한 인재를 이르는 말

갈래 창가
성격 계몽적, 교훈적
주제 청년 학도에게 학문을 권함.
특징 돈호법과 비유법을 사용해 주제를 전달함.

감상 톡! 달리는 말과 같이 순식간에 지나가는 인생을 학문을 갈고 닦아 의미 있게 살자고 권하는 작품으로, 다른 창가들과 마찬가지로 계몽적이고 교훈적인 내용을 담고 있다.

405 경부 철도가(京釜鐵道歌) | 최남선

우렁탸게 토하난 긔뎍(汽笛) 소리에
뿜어내는 / 근대 문명의 도입을 상징함

남대문을 등디고 떠나 나가서
서울역

빨니 부난 바람의 형세 갓흐니
빠른 속도로 달리는 기차를 비유함

날개 가딘 새라도 못 따르겟네 ➤ 힘차고 빠른 기차의 외양
기차의 빠른 속도(과장법)

늙은이와 뎖은이 셕겨 안즈니
세대 차별이 없음

우리네와 외국인 갓티 탓스나
외국인과 함께 생활하는 당시 사회상을 알 수 있음

내외 틴소(親疎) 다갓티 익히 디내니
친함과 친하지 아니함 / 익하게

됴고마한 딴 세상 뎔노 일웟네 ➤ 새로운 모습인 기차의 내부
기차 안의 모습 / 저절로 이루어졌네

관왕묘(關王廟)와 연화봉(蓮花峰) 둘러 보는 중(中)
관우의 사당 / 서울 용산구 청파동에 있는 산

어느덧에 용산역(龍山驛) 다달앗도다

『새로 이룬 저자는 모두 일본(日本)집

이천여명(二千餘命) 일인(日人)이 여기 산다네』
『 』: 일본인들이 거주하는 당대의 생활 모습 ➤ 용산역 주변의 일본인 거주촌 모습

(후략)

갈래 창가(전 67편)
성격 예찬적, 계몽적
주제 근대 문명에 대한 동경과 예찬
특징 ① 최초로 7 · 5조의 음수율에 맞춰 노래함.
② 일본에서 유행하던 「철도가」에 영향을 받음.
③ 각 절이 4행으로 이루어진 전 67편의 장편 창가임.

감상 톡! 근대 문명의 도입을 상징하는 경부 철도의 개통을 찬양하는 창가로, 근대 문명에 대한 예찬과 계몽 의식이 드러나 있다.

하루 10분 독서
미래를 바꾸는 월간지
독서평설

독서평설은 30년 역사를 자랑하는
국내 최장수 독서·학습 월간지입니다.

교과서를 발행하는 지학사와 분야별 최강 필진이 만나 이룬
독서 교육의 정수가 담겨 있습니다.

학생과 교사, 학부모로부터 극찬을 받은 콘텐츠는
교과 연계 필수 지식을 제공하고 **비문학 독해력**을 키워 줍니다.

초등독서평설

- 융합 독서 특집
- 독서·토론
- 진로·창의
- 통합 사회
- 통합 과학
- 워크시트

중학독서평설

- 통합 교과 특집
- 지식 교양
- 입시 진로
- 문학 고전
- 교과 내신
- 토론 논술
- 워크시트

고교독서평설

- 문화의 창
- 시대의 창
- 입시의 창
- 비문학의 창
- 문학의 창
- 비문학 워크시트

구독 문의 02-3142-2002 (평일 오전 9시 ~ 오후 5시) / www.dokpyeong.co.kr

지학사

영역별 핀셋 전략으로 선택형 수능을 대비하는

나만의 원픽 시리즈

원픽 시리즈만의 강점

- **핵심만 Pick!**
  영역별 필수 개념과 공략 비법의 핵심만 콕콕 집어 공부할 수 있다.
- **빠르게 Pick!**
  최근 출제 경향과 신유형을 쏙쏙 뽑아 가장 빠르게 파악할 수 있다.
- **완벽하게 Pick!**
  다양한 제재와 문제 유형으로 시험에 완벽하게 대비할 수 있다.

원픽 시리즈의 최강 라인업

원픽 시리즈는
총 8종입니다.

▲기본 완성

▲문학

▲독서

▲고전 문학

▲고전시가

▲현대시

▲주제 통합 독서

▲언어와 매체